民事诉讼法
——原理、实务与运作环境

Civil Procedure:

Doctrine, Practice, and Context

《美国法律文库》编委会

编委会主任　江　平

编委会成员　（按姓氏笔画排列）

　　　　　　　方流芳　邓正来　江　平　朱苏力
　　　　　　　吴志攀　何家弘　张志铭　杨志渊
　　　　　　　李传敢　贺卫方　梁治平

执 行 编 委

　　　　　　　张　越　赵瑞红　余　娟

美国法律文库

THE AMERICAN LAW LIBRARY

民事诉讼法
——原理、实务与运作环境

Civil Procedure:
Doctrine, Practice, and Context

斯蒂文·N·苏本　　马莎·L·米卢
马克·N·布诺丁　　托马斯·O·梅茵　著
Stephen N. Subrin　Martha L. Minow
Mark S. Brodin　　Thomas O. Main

傅郁林　等译

中国政法大学出版社

民事诉讼法——原理、实务与动作环境

Civil Procedure: Doctrine, Practice, and Context
by Stephen N. Subrin, Martha L. Minow,
Mark S. Brodin and Thomas O. Main
Copyright ©2000 by Aspen Law & Business
All rights reserved

本书的翻译出版由美国驻华大使馆新闻文化处资助
中文版版权属中国政法大学出版社，2004 年
版权登记号：图字：01 - 2003 - 5876

出 版 说 明

"美国法律文库"系根据中华人民共和国主席江泽民在1997年10月访美期间与美国总统克林顿达成的"中美元首法治计划"(Presidential Rule of Law Initiative),由美国新闻署策划主办、中国政法大学出版社翻译出版的一大型法律图书翻译项目。"文库"所选书目均以能够体现美国法律教育的基本模式以及法学理论研究的最高水平为标准,计划书目约上百种,既包括经典法学教科书,也包括经典法学专著。他山之石,可以攻玉,相信"文库"的出版不仅有助于促进中美文化交流,亦将为建立和完善中国的法治体系提供重要的理论借鉴。

美国法律文库编委会

2001年3月

/译　　序/

　　近十年来，由于学术理论的推介，司法改革的推动，法律移植的推进，美国民事诉讼制度为国内法律界所知悉的广度似乎可用"家喻户晓"来描述。在各种论文中，以美国司法制度作为我国相应制度改革的权威性根据成为一种时尚，令人常常联想起特殊时代的同胞人人会唱几句样板戏。然而，系统介绍美国民事诉讼法的译著却屈指可数。除建国初期"批判性"介绍美国民事诉讼法的一两个简易译本之外，目前专门和系统介绍美国民事诉讼具体制度的译本仅有三两个，而且都是篇幅在30万字以下的简要介绍。20世纪90年代以来散见于法理学和宪法学译著的对美国司法制度的涉及，少量证据学研究对于美国证据制度的局部介绍，以及民事诉讼法学界学术专著中的引证和极其有限的译文，也为学生提供了关于美国民事程序制度的些许片断或侧面。然而这些局部信息即使都是准确无误的（事实并非如此），为读者提供的仍然是盲人摸象的描述，而无法知悉全貌。这种信息的支离破碎、制度的断章取义、理论的逻辑断裂，使我们难以把握美国民事诉讼制度建构和运作的内在机理，无论对于比较法研究，还是对于法律移植，都是致命的问题。对一国法律制度原始资料的冷淡与引证、"学习"和引进该国制度的热闹形成如此强烈的反差，已充分表明了本书翻译出版的意义，同时也为本书翻译的难度和译者进行的某些创新尝试提供了一点合理借口。

　　本书是浩如烟海的美国教科书中的一本。近百万字的篇幅本身已显示了原著的巨大载重量。从诉答程序、审前程序、庭审程序，到当事人制度、管辖权制度、诉讼费用制度，再到替代性纠纷解决机制、临时救济和集团诉讼……其内容涵盖民事程序规则的主要方面和细节。然而，本书的价值远不止于提供了程序规则的技术细节，而是该书的副标题——"原理、实务与运作环境"——所标明的作品个性和写作意向。作者斯蒂文·苏本教授对于美国民事诉讼法历史的研究专长和对于程序制度运作背景的特别关注，使得本书成为十分贴近我国读者的需求。我国目前对于国外制度的表面了解尽管零碎，却已大致触及相当广泛的领域，但对于这些制度的原理、来由、发展脉络、运作环境、配套制度等等则缺少应有的资讯，这使得我们对于许多具体制度的研究和借鉴失却了赖以支撑的背景和基础。本书在很大程度上弥补了这一缺口。如同大多数美国教科书一样，这本著作实际上是由美国大法官们撰写的，（做一名美国教授是不是太舒服了?!）美国民事诉讼法的原理、实务与运作环境都展现在一个一个完整或节选的司法判例之中。但作者在章节开头的引言和在判例之后的"评论与问题"却是颇见功力的。透过这些看似简短的"导读"，我们仿佛看见我们的老朋友苏本教授正循循引导着他的学生，缓缓穿过美国司法制度的大殿，款款步入一个个程序规则的房间，偶尔推开窗户，让学生的视野投向制度形成的遥远历史，然后再进入实验室，目光犀利地观看学生们对案件的解剖。特别一提的是，本书第一章不可不读。作者用纵横驰骋的想象、恰当贴切的比喻、生动诙谐的语言，向初学者深入浅出地讲述了什么是法律，以及民事诉讼制度在法律中居于怎样核心的地位。这一精湛的概述，使得译序对本书再作任何介绍都无异于佛头着粪或画蛇添足。于是译者请苏本教授专门为中文版写了序言，而略去了原序后面对其美国朋友的致谢。此外，为了让中国读者特别是法学院的学生了解美国民事诉讼的整个过程和形式，本书对于贯穿全书实务练习之中的两个案例未加翻译，完全按照原有格式附于最后。

本书的译序侧重于向读者说明一系列术语的翻译根据。因为尽管时下民事诉讼法学界可资借鉴的翻译作品数目有限，但同一术语的译法却版本众多。法律术语是法律制度的载体。术语翻译的错误，对于外国法和比较法研究的深远遗害，在一些起步较早的法学领域中已有教训。在外国民事诉讼法翻译这样一个起步较晚的新的领域，由于信息的极度欠缺和鉴赏主体的相对有限，更增加了辨别真伪的困难，因而以讹传讹的风险更大。本书译者曾有志于与比较民事诉讼法研究的同仁一道，逐步为这一领域构建一套相对可信和可用的术语体系，因而在接受本书翻译任务时，曾贪婪地希望通过集中从事民事诉讼法翻译的精锐力量共同承担翻译和校对，从而通过这次翻译将一些常用术语的译法相对统一起来。但由于无法解释的原因，不仅这一希望十分遗憾地化为泡影，而且为了追赶被前期译者耽误的合同工期，部分章节只好重新分给不同的译者。本书按最后采用的译稿，第一、二、三、七、八、十章由傅郁林翻译；第四章由徐卉翻译；第五、十一章由周菁翻译；第六章由江溯翻译；第九章由廖德宇翻译。全书由傅郁林进行统一校对。尽管这些"临危受命"的年轻译者有较好的英语水平和必要的专业背景，尽管统校者殚精竭力，反复校订，但由于不同译者在表述方式和术语选择上的差异，加之统校者自身的学养浅薄，谬误自然不可避免。学术的发展是一个不断积累的过程，本书中那些不成熟、不准确、不正确的翻译，只能留待未来的同行，依赖于更为严谨的治学态度、更为扎实的学术功力和更为准确的中文表达，给予指正。统校者在译序最后留下联系方式，并虔诚地期待读者对错误赐予批评指正，以便未来有所改进。由于校者对于各章翻译内容的修改程度不尽一致，在此按照文责自负的原则加以说明：第四章除了将未译成中文的 discovery 及相关术语译出之外，主要是将格式按要求进行了调整，内容基本保持原状；第十一章进行了逐字逐句的校对和修订，进度几乎不亚于重新翻译；第五章内容由于与我国制度关联不大，只作大致校对。

　　本书中的核心和常用术语，都是再三斟酌，反复校对，不仅照顾到本书内部的一致性，也观照到现有的翻译作品。在整个翻译和校对过程中，除将近十种法律辞典的中文本或中文译本以及已有译著的相关内容放在一起比较、核对、选择、改良之外，主要依赖于 Black's Law Dictionary、The Oxford Companion to Law（by David M. Walker）、A Dictionary of Modern Legal Usage（by Bryan A. Garner）等英文原版辞典，特别是利用本书为这些术语提供了全面和准确的制度背景支持这一优势，我们对一些目前尚未出现过的术语进行了创造，对目前许多误译却被大量以讹传讹的术语进行了大胆而确有根据的修正。藉此告诫迷信"权威"的年轻读者，当您首次读到本书中某些术语不同于您在某些流行或著名的法律辞典上见到的译法时，即使是目前被视为"权威"或"通用"的译法，也请你有一点耐心往下读，本书后面的内容可能会告诉您正确的译法。我们相信，辞典的译者尽管权威，但未必在翻译每一个学科的术语时都是绝对权威，更重要的是，单纯的术语翻译面对的是一个没有具体制度语境的概念，其权威性肯定无法与美国民事诉讼制度的研究者对于术语的定义和阐释相比，因此，我们在大量参考了原版辞书和民事诉讼制度参考书，并多方比较之后才选择了不同于您所熟悉的"通译"。这种说服在此选取几例加以说明，希望读者在面对术语的不同译法时，能够考虑译者的学术背景、翻译经验、治学态度和中文表意能力，进行独立辨别。对本书翻译的可信性保持充分信心，不是为了本书的销路，而是为了一种严谨不苟的学术追求——对"权威"译法的有根据的质疑和更正，也许正是本书避免以讹传讹的努力。以下列举翻译版本较多、在本书中又居于核心地位的术语，简要说明翻译理由：

Doctrine 作为本书的副标题，成为最为核心的内容之一，但在中文里寻到内涵和外延都完全相同的词对译却似乎是徒劳的努力。除特别语境之外，它在本书中通常是指由法院（特别是美国最高法院）形成的由通过对司法先例、制定法规则和法律理论的运用、解释和发展，从而形成的包含在判决理由之中的、具有法律拘束力的判例法原理。由于其内容综合、边界模糊、意义抽象，用"原则"或"准则"都不足以表达其丰满厚重的内涵，而"教义"、"学说"这样的词汇又无法承载其法律意义，因而译为"原理"，从制度建构的意义上说，勉强可以接近普通法传统下以判例中的学说循序渐进地发展法律的特质。用"原理"来翻译 doctrine 在本书副标题中的含义，还体现了译者对于作者探究法律制度之深层原理（"知其然，并知其所以然"）的理解和认同。

Pleading 目前国内的普遍译法是"诉答状"或"诉答书"，只有贺卫方教授等翻译的《美国法律辞典》（伦斯特洛姆编，中国政法大学出版社）中将 pleading 译为"文状"。这一术语在本书中用法非常灵活和丰富，只有用复数时才通称诉（原告）——答（被告）——状；用单数时，多数情况下仅指原告提出的文状，本书译为诉告文状（是否译为"告诉文状"更妥，请读者示下）；少数情况下也指被告方提出的文状，不过此时通常会加一个定语（responsive pleading），译为应答文状。Pleading 有时还指诉告行为，这时它与其动词形式 plead 表达同样的涵义；plead 一般还是指文状制作。

Discovery 及其动词形态 discover 在英语中用法较为灵活，译为中文时需要考虑特定语境，而且国内译法也不相同，直译为"发现"或意译为"证据开示"。个别译者则主张在整篇翻译中保留英语原貌。校者认为，这样一个核心词汇如果不译为中文，否则将会大大影响译作的可读性，甚至使翻译作品在某些读者群体中失去意义，没有相应英文背景或美国制度背景的读者不知所云，即使是英文背景很好的读者，在没有原著的具体语境的状况下，理解孤立的 discovery/discover 的内涵也要比译者更为困难。本书在两种通译方法"证据开示"和"发现"中选取了前者，因为这种译法更能反映制度的内涵和中文的表达习惯。而许多译者译为"发现"或主张不译的原因，主要是 discovery 的动词形式 discover 后面常常连接着 discover 的具体对象和内容，若译为"证据开示"则会面临中文语法上的困境。本书在统校者进行了变通，将动词 discover 译为"开示"，在特定主境中，discovery 也简译为开示。与 discovery 对应的概念 **disclosure**，现在一般通译为"（证据）披露"，本书沿用了这一恰当的表达。与之相关的术语是证明责任（**burden of proof**）、举证责任（**burden of production**）和说服责任（**burden of persuasion**）。"举证"在我国司法解释中是一个经常被偷换使用的词汇，有时用法与证明责任同义，包括行为责任与结果责任两个方面（如谁主张谁举证），有时则仅指行为责任（如举证时效），在本书中，举证责任仅指提供证据的责任，亦即行为责任。

Jurisdiction 在中文中常常译为司法权、管辖权、审判权。这些中文词汇所承载的中国制度之间存在着差异，比如司法权在我国是指包括法院、检察院、甚至公安部门和司法行政管理机关所行使的权力；管辖权是指法院与法院之间管辖第一审案件的分工；审判权是指审判具体案件的特定法庭所行使的审理和裁判权力。但 jurisdiction 在美国民事司法制度中的含义却是相同的，无论翻译为司法权、管辖权或审判权，都是指特定法院基于宪法和法律的授权所享有的对争议事项进行审判的权力，这一制度既要调整法院与其他国家机构和纠纷解决组织之间的职能范围（在我国这一制度是由行政色彩浓厚的"主管"制度来调整的），也要调整联邦法院与州法院、以及州法院与州法院之间受理初审案件的权限范围（由于美国上诉法院与初审法院之间的职能泾渭分明，因而不存在所谓"级别管辖"问题），所以在本书中当 jurisdiction 用于确定法院解决争议的权限范围时统译为管辖权，在少数情况下当它作为与当事人诉权相对应的概念时则译为审判权或司法权，而当 jurisdiction 在复合概念中则尊重已为大家熟悉的译法，如 jurisdiction district 译为"司法区"等。在此特别需要澄清已有译本中对美国管辖权制度中几个重要概念的翻译：将 **personal jurisdiction**/ *in personam* **jurisdiction** 译为"属人管辖权"是一种严重的错误，原著明确指出，personal jurisdiction 又称属地管辖权 territorial jurisdiction（原著页 643），体现了美国"实际控制"的管辖权原理。本书译为"对人管辖权"，作为与"对物管辖权"（**in rem jurisdic-**

tion）和对事管辖权（**subject matter jurisdiction**）相对应的概念。不过现有译本一般都将 subject matter jurisdiction 译为"事项管辖权"，考虑到这一译法已基本约定俗成，而且也大致反映了这一制度的基本内涵，本书放弃了将 subject matter jurisdiction 译为"对事管辖权"或译为"诉讼标的管辖权"的初衷。此外，还有译本中将 personal jurisdiction 译为"人事管辖权"，但"人事"（personnel）这一概念在我国已有约定俗成的特定内涵，与其管辖权制度中的含义不符，personnel 与该术语中的 personal 字面含义也不相同，故本书也未采纳。

判决、**裁定**等司法行为表意词汇最为丰富和复杂，在翻译中不可能在英语词汇和中文词汇之间进行完全的一一对应，因为其中有些词具有特定含义，有些却一词多义并经常灵活地交互使用：（1）**judgment** 在本书中是指判决（当然偶尔也用于指法官以外的其他人作出的"判断"），根据美国联邦民事程序规则 54 的定义，judgment 是指可以提起上诉的决定和一切裁定（order），在内容上类似于我国的判决主文。与 judgment 相关的几个词汇包括：summary judgment 译为"即决判决"而不是简易判决，以区别于大陆法系的简易诉讼程序（simplified proceedings）。（2）**decree** 在传统上指衡平判决，普通法判决与衡平法判决合二为一之后，这个词主要用于指法庭行使那些在传统上属于衡平法官行使的权力时发出的判决、裁定或命令，判例中在涉及起源于衡平法的一些制度时（如集团诉讼），有些地方使用了"judgment and decree"的表达，译者根据上下文分析认为，作者在这些场合并无意强调两种判决的差异，只是基于英文表达上的需要而将二者并在一起（比如法官可能认为仅仅使用 judgment 来通称判决，容易导致传统制度意识较强的法律人对其表述不周延的批评），所以翻译时，除非原著专门用 decree 来讨论和强调衡平判决，否则均译为"判决"，如 consent decree 译为合意判决（这一判决的原意是指法院对当事人之间协议的"同意"，本应译为"同意判决"或"赞成判决"或"认可判决"，但这些字面翻译都不足以标明这类判决的实质特征，相反已为广泛接受的译法"合意判决"恰恰从整体上表达"法院根据当事人之间的合意作出判决"的涵义，所以本书沿用了这一已有译法）。（3）**decision** 通指法院作出的各种判决，包括判决、裁定和决定，但更多情况下用于指终局性的决定，此时其意义与 judgment 相同，所不同的是，美国民事诉讼法对于 judgment 有一种形式上的要求，即必须登录（**enter**）才发生判决（judgment）的效力（不过本书在校对时修正了个别译者机械地把 enter 全部译为登录的做法，在许多地方体现了 enter 的本义即"确定"）。(4) **opinion** 视具体语境译为"意见"或"意见书"，其内容除包括作为个案结论的判决（judgment）之外，还包括判决理由（holding），判决理由对本案判决的根据（包括各种法律渊源及理论）进行详尽阐释，并对日后判决产生拘束力。在谢弗诉海特纳一案中，史蒂文斯大法官表示将自己的意见仅仅并存于最高法院（由多数派执笔）的判决书（judgment），而不并入最高法院的多数派意见书（opinion），就是为了强调该案结论的个别性，但不主张成为普适的和有拘束力的先例（原著页737）。与之相关的两个词汇译为"并存意见"（concurring opinion）和"反对意见"（dissent opinion），均兼顾了其字面意义、内在涵义和已有辞书的译法。(5) **verdict** 专指陪审团的判决。为了突出其仅就事实问题作出判决的特点并与法官的判决相区别，本书中译为"裁判"。与之相关的两个词是指示裁判（directed verdict）和不顾陪审团裁判的判决（judgments notwithstanding the verdict）。(6) **order** 是美国法院用于解决诉讼中某些次要或附带问题而发出的强制命令或决定，它不处理实质性问题，而是对临时问题作出司法处理或者在诉讼过程中采取某些步骤。在中国程序制度中，与这一特点相符的司法行为或文书包括裁定和命令，因此，本书在能够确定 order 在具体语境中的特定含义时，有时译为"裁定"，有时译为"命令"，而在通指一类司法行为、并没有特定限定时译为"裁令"。(7) **rule** 用于表达司法的程序性行为时，常用于指法庭对法律问题的决定，有时也一般性地指称法庭的决定，故一般根据具体语境中文表达的通畅和准确，译为"裁定"或"裁决"。

涉及**当事人制度**的术语也十分复杂。首先，当事人在不同审级的称谓也不一样，最为特别的是在最高法院这一层次上，上诉人被称为申诉人（petitioner），对方当事人被称为答辩人（respondent），因为第二次上诉不是权利性上诉，而是必须经过许可。向联邦上诉法院（巡回法院）的上诉，当事人称为上诉人（appellant）和被上诉人（appellee）。其次，一审程序的基本结构是原告（plaintiff）与被告（defendant）之间的两造对立，但基于美国严格的司法终局性理念和诉讼经济考虑，当事人主体合并和客体合并问题不仅在诉答过程中十分重要，而且在既判力、请求排除与争点排除、禁反言、间接禁反言等制度中，都可能涉及到这一系列复杂的当事人概念。比如必要的当事人（necessary parties）、不可缺少的当事人（indispensible parties）、以及必要且不可缺少的当事人（necessary and indispensible parties），具体解释请见第十一章第一节。在诉讼合并（joinder）制度中，由当事人一方引入诉讼（implead）的第三人被称为"引入诉讼人或第三人"（impleader or third-part），并产生了第三人被告（third party defendant）的概念；因为判决将对其利益产生影响而介入诉讼（intervention）的介入诉讼人（interventioner）；基于共同利益而在诉讼中处于同一方的当事人之间，为了各自的利益而进行相互诉讼或交叉诉讼（interplead）所形成的交叉诉讼人（interpleader）。此外，还有几个与合并诉讼相关的概念是我国读者不熟悉的，比如，(in) privity 是指双方之间"（有）相互关系"，它特指那些基于血缘或合同而形成的特殊身份关系，从而使他们之间在对外交往时可能成为相互拥有诉权的人，比如公司法上的利益相关者（stakeholder）之间、土地出租人与承租人之间的关系。这些人被称为"相互关系人"。本书未译为"（有）利害关系"或利害关系人，因为在美国制度中一般用 interested/have interest in 或 in stake/have stake in 来表达"利害关系（人）"。

在美国民事诉讼中具有举足轻重地位的是临时救济制度，在传统上，律师常常在起诉之前和起诉同时先控制对方财产，甚至因此而取得司法管辖权。尽管这种传统正在受到正当程序的挑战，但法律界仍普遍认为，这种实际控制是美国民事审判程序得以在实体权利已无后顾之忧的前提下以充裕的时间计较程序正义的重要条件之一（另一重要条件是案件分流的各种机制）。常见的强制性临时救济措施是：权利待决的扣押（**sequestration**），系是指经司法授权将动产或个人财产从其占有人那里移走，通常保管到法院确定谁对该财产享有权利为止；财产保全扣押（**attachment**），系指判决之前将财产或处所置于法院控制之下，作为原告可能获得补偿的保证。它有时也指对人的扣留；对第三人持有的执行债务人财产的扣押（**garnishment**），在这种司法程中，判决的债权人向（可能）作为判决债务人的债务人或其受寄托人的第三人送达通知，要求将受送达人所掌握的判决债务人的任何财产交付给判决债权人，它与前面两个术语的根本差异在于两点：它涉及一次司法程序——而不是有关查封或转移——；财产直到宣判之前一直在第三人手中）；seize 通常也译为"扣押"，但它主要是一种通俗的术语，系指强行地、突然地、激烈地抓住一件东西或一个人的行为,或者依据法定权利对一件东西实施占有的行为,本书中在个别情形下视具体语境译为"转移占有"。这些不同强制措施主要是以救济的适用范围和救济程序来划分的,与我国用强制行为的方式划分所形成的术语完全不同,换言之,美国这些救济方式与我们所熟悉的扣押、查封、划拨等执行性质的具体措施之间是无法直接对应的(美国实行真正的"审执分离"体制)。但在本书的每一种"扣押"之前加以限定又会造成表述上的繁复,于是在连续出现同一含义的扣押时,我们仅在第一次出现时加以注明,如欲突出"扣押"的区别,则在后面附上英文。

以上说明,仅为举例。对于书中每一术语所承载的具体含义,相信读者在通读本书之后才会有更充分的理解和鉴别。

在译序的最后,我希望特别提醒学生读者,在整个美国民事诉讼法的制度设计中,发现事实问题始终是整个诉讼程序/过程的重心;在整个美国的诉讼法课程设计中,发现事实的技巧也是法律训练的重心。当我们阅读这本主要由美国上诉法官特别是最高法院的大法官撰写的教材时,我们不要忘记,美国民事司法制度中初审法院与上诉法院之间的职能分工是泾渭分明的("美国民事诉讼规则"仅指初审程序规则,上诉程序规则在立法和研究上都是相对独立的体系),事实认定由初审法官负责;而且能够提交最高法院解决的问题都是法律问题,所以我们基本看不到在庭审中发现事实的过程,而看到的是大法官们对法律问题的论证。尽管如此,我们仍然可以从上诉法官的分析中看到,上诉法院审查初审法官的判决时有一个重要内容是事实问题,即初审法官的法律结论能否在诉讼记录中找到事实和证据支持,亦即初审法官的判决是不是由事实依托或由事实推导出来的。在任何案件中,形成案件最后结果的都是事实,正是事实把问题放在法律规则的一端或另一端,或者说服作出判决者改变规则。一位睿智的律师曾经说过:"我能够比较容易地找到法律,却不那么容易找到事实。如果我失足了,或者说犯了错误,那往往是因为漏掉了事实。"(原著第9页)然而,我国从事法律实务的法学毕业生反馈回来的大量信息不断表明,他们做律师和做法官时的最大失败是,他们发现多数案件的法律问题并不复杂,但他们却不懂得如何去发现、判断和认定事实,也不懂得如何将这些事实纳入法律规则的框架之内。是的,他们在法学院学习的只是法律规则,从来没有接受到与解决事实问题相关的训练。虽然我不能断定这种教育模式是不是大陆法系法律制度的必然归宿,虽然我也无法证明这种缺陷是不是我国长期奉行应试教育下(包括闭卷考试)的恶果,但我希望,这本译著能够在法律教育的走向上也有所启示。

在终于结束这段只有当事人自己才知其中甘味的日子时,我要感谢每一位译者与我分享了其间的紧张、艰辛和兴奋!特别感谢两位责任心可钦可佩的编辑张越、赵瑞红女士加给我的强大时间压力以及在我几乎丧失信心时给予我们的理解、宽谅和支持。对于那些不断被我的问题请教打扰过的益友良师,还有在此期间以不同方式给予我帮助的朋友,虽然无法一一指名,但感激之情却永存心底。

傅郁林*
2004 年 3 月 1 日
终稿于北京大学燕北园

---

* 北京大学法学院,fuyulin@pku.edu.cn

中文版序

这本判例教材现在能够译成中文与中国读者见面,我倍感欣悦。我曾在中国讲授过美国民事诉讼法,我了解中国的法学教授、法官、律师和法学院的学生们在他们研习民事诉讼法时是如何的勤勉用功,思想活跃,无论是对待中国的诉讼法还是对待外国的诉讼法都是如此。

在这本教材中,我和我的合作撰稿人试图从三个维度向学生展示美国民事诉讼程序:一是程序的原理,二是这些原理得以发展和运作的语境,三是隐含在律师们运用这些程序的实践中的内涵。我希望你们在阅读这本书的时候,能够思考美国民事诉讼法与它作为其中一部分的美国社会、政治、经济环境之间的关系,而你们将会利用那些练习去考虑美国律师在他们的案件诉讼中实际上是如何运用程序规则的。

有两个主题曾经有助于了解我对于民事诉讼法的理解,其一,我对于民事诉讼法与文学之间的关系充满了好奇:当事人的故事中哪些部分法院应当考虑而哪些应当忽略。这与小说家和历史学家的问题有什么差异?其二,在我看来,权力和公平的问题受制于任何民事诉讼制度的创制和运作。当你们从事美国民事诉讼法或任何国家的程序研究时,在民事程序和民事诉讼中考虑文学、权力和公平是一件令人着魔的事情,值得用心琢磨。

祝大家在研习中万福!

斯蒂文·苏本
美国东北大学法学院
2004. 3. 8.

原文序

　　这本书的原动力源自我们作为法律学生和法学教授的经历。我们发现，当同学们完整地学习法律的原理、背景和原理在实践中实际上是如何运作时候，学习效果最好。实证研究和理论研究支持这样一个概念——我们在紧张的时候能够达到最佳的学习和记忆效果，那就是我们必须调动我们大量的储备去完成一项具体任务的时候。我们有最深切体验的东西许多都来自于教授一门新课程、帮助客户解决问题、或者写书写文章，这些经历需要知识、见解、价值观、分析、辩驳、判断和忍耐等能力。这些都是教义。

　　我们欠缺一种创造更多整合学习经验的民事诉讼法课程。表面看来，民事诉讼法原理似乎远不同于侵权法、犯罪法、合同法、土地法那么具有现实性，然而也许其他法律学科都不把这些美国的主要法律问题和实践法律的问题称之为问题，譬如分权、联邦制、对抗关系、效率、公平、权力与无权力、正义、费用等等。但在民事诉讼法课程中，人们会发现象埃里案那样对证据开示的伦理维度以及苛刻而强硬规则的现实必要性的概念性挑战。而且，这是一个不断变动的领域，研究作为程序之基础的价值和历史背景有助于理解这种内在的不确定性和变化的意义。

　　学生常常会说他们知道这些原理，但令人懊丧的是他们不能有意义地适用。我们想形成一种能够让同学们适用所学原理的教程。7年以前，史蒂文·苏本和他在美国东北大学法学院的学生们直面挑战，创设了一种更加整合的民事诉讼法课程。他们在民事诉讼法学习的中心位置上放进了两个包含背景、哲学基础和多学科知识的真实案例和实务练习题，他们没有摘录多少判决意见，却保留了更多的程序和事实背景，但没有实质性地剪辑这些材料。他们还摘录了专家们切题的文章表明一些引起广泛争议的问题。课程要求学生对问题或答案提出质疑，但没有给学生提出需要阅读其他资料才能回答的问题。结果，学生们提交了有倾向性的论文来阐释某些原理，阐述影响这些原理或受这些原理影响的背景和实践环境。

本书保留了斯蒂文·N·苏本和他的学生们创造的民事诉讼法教程的风格，这一教程不仅教授原理，而且适用这些原理，并阐述民事诉讼法在任何实体法领域中不可分割的角色。这里简要介绍一下本书的主要特色：

* 两个真实案例的诉答文状和其他卷宗文件贯穿全书。
* 为了既控制本书的篇幅又能涵盖所有重要内容，作者对判例进行了精心细致的剪辑。
* 有一些不可分割的背景资料和实务练习。
* 托马斯·O·梅茵以一个法律学生的身份帮助设计了基础性资料，并在他进入实务界、增进了他对这门课程的法律——实务视角时，成为了这部教材的合作者。
* 马莎·L·米卢和马克·N·布诺丁提供了原始资料和不同视角，这对于重新设计这们民事诉讼法教程的努力富有贡献。

致谢略译。

斯蒂文·N·苏本
马莎·L·米卢
马克·N·布诺丁
托马斯·O·梅茵
2000年2月

目录

1	译序
1	中文版序
1	原文序
1	第一章　民事诉讼法概述
1	第一节　学生一开始应当了解什么
1	一、程序为什么重要
3	二、什么是"民事程序"
3	三、与游戏参与者和有关制度见见面
4	1．当事人
4	2．管辖权
5	3．救济
5	四、规则和原理的渊源
6	五、学习方法
8	六、关于本书
9	七、又一道序幕
9	八、作为剧院的法律
9	米尔纳·S·鲍尔：美国法律的承诺：法律程序的神学、人文主义视角
15	第二节　一则开幕的判例：法院的权力与限制
15	一、美国诉霍尔案的背景
17	二、意见书
17	美国诉霍尔
22	第三节　接受听审的权利：正当程序的要素和历史
23	一、戈德堡诉凯利案的背景
24	里查德·皮尔斯：20世纪90年代正当程序的逆向革

	命？
26	二、起诉状
30	三、判例的阅读
31	四、最高法院的回应
31	戈德堡诉凯利
37	注释与问题
39	弗兰克·米歇尔曼：最高法院与诉讼费用：保护自己权利的权利
40	汤姆·泰勒和阿伦·林德：群体中权力的关系模式
42	五、诉讼的成本
42	卫生、教育和福利事务部长马修斯诉埃尔德里奇
48	注释与问题
49	杰里·L·马修：最高法院的正当程序考量——探索价值理论中的三因素
56	理查德·A·波斯纳：法律程序和司法行政的经济方法
63	实务练习一：设计一个站得住脚的纠纷解决程序
64	第四节 获得律师和法律制度救助的权利
64	一、获得法院救济的权利
64	博迪诉康涅狄格
68	注释与问题
69	二、获得律师帮助的权利
69	拉塞特尔诉北卡罗利那达勒姆郡社会服务部
80	注释与问题
81	三、慈善工作
82	编者按：不要强迫律师去做慈善工作
83	编者按：反对：律师对社会负有特殊义务
84	**第二章 救济与危机**
84	第一节 概述
85	第二节 临时救济
86	一、判决的保全：查封、扣押和冻结
87	芬提斯诉谢文
92	注释与问题

页码	内容
95	实务练习二：起草一则合宪的扣押制定法
96	二、现状的保全
96	美国医院供应公司诉医院产品公司
101	注释与问题
102	第三节　终局性救济
102	一、衡平救济和宣告性救济
102	沃尔格林公司诉塞拉·克里克房产公司
105	注释与问题
107	实务练习三：在卡彭特案和克利夫兰案中的衡平救济
108	二、衡平救济的执行
109	三、损害赔偿
109	凯里诉皮弗斯
114	注释与问题
115	四、惩罚性赔偿
117	注释与问题
117	实务练习四：在卡彭特案和克利夫兰案中的损害赔偿
118	五、损害赔偿的执行
119	第四节　律师费与救济经济学
119	一、律师费：美国规则
120	二、有关律师费转移的制定法
121	三、律师费与和解
121	马雷克诉切斯尼
129	注释与问题
131	四、和解要约
131	注释与问题
132	五、对法律服务的评估
132	里弗赛德市诉里韦拉
137	注释与问题
138	威廉姆·G·罗斯：律师小时计费的伦理问题
140	六、胜诉酬金制
141	实务练习五：卡彭特和克利夫兰市两案中的费用安排
141	第五节　藐视法庭

141	戴维·鲁本：法律现代主义
143	沃克诉伯明翰市
149	注释与问题
150	马丁·路德·金：来自伯明翰城市监狱的信
163	注释与问题
164	**第三章　像初审律师那样思考，诉答与简单的诉讼合并**
164	第一节　概　述
164	第二节　民事诉讼的阶段和基本概念
173	第三节　诉告文状及其补正
174	一、请求、要件、证明责任
174	威尔金斯诉伊藤公司
180	注释与问题
182	实务练习六：卡彭特案中的初步策略会议
182	二、起诉状的宗旨与原理
182	康利诉吉本
185	鲍尔诉威斯曼
190	莱瑟曼诉塔伦特郡麻醉剂情报与协调组织（第五巡回法院）
193	莱瑟曼诉塔伦特郡麻醉剂情报与协调组织案（联邦最高法院）
194	注释与问题
196	亨利诉代托普村公司
198	注释与问题
199	实务练习七：分析卡彭特案中的第12（b）（6）和12（e）动议
199	三、策略考虑
200	赫伯特·A·伊斯曼：陈述真实要有力：民权诉讼中的语言
208	注释与问题
209	实务练习八：思考克里夫兰市案中的起诉状
209	四、有利害关系的真正当事人
209	DM II 有限公司诉美国的医院法人

211	注释与问题
211	五、匿名原告
211	无名氏诉联合服务人寿保险公司
214	注释与问题
215	六、答辩、动议和确认性防御
215	1. 最初动议
215	2. 驳回起诉的动议
218	3. 答辩状
219	4. 承认与否认
220	格林鲍姆诉美国
222	受控环境系统诉太阳公司
223	5. 确认性防御
224	戈梅斯诉托勒多
227	注释与问题
227	实务练习九：分析卡彭特案中的答辩状
228	七、补正
231	沃辛顿诉威尔森
235	克里斯多夫诉达菲
237	注释与问题
238	实务练习十：论证卡彭特案中原告要求补正的动议
240	第四节　民事诉讼的历史背景
240	一、我们正在走向何处？
243	二、普通法与衡平法
246	注释与问题
247	三、戴维·达德利·菲尔德与菲尔德法典：程序改革者们的多重议程
249	戴维·达德利·菲尔德：如何对待法院的实践？
250	注释与问题
252	四、联邦民事诉讼规则的历史背景
256	注释与问题
256	查尔斯·E·克拉克：注释
258	注释与问题

259	第五节	制　裁
260		托马斯诉资产保障服务公司
264		民事规则顾问委员会主席萨姆·C·波因特尔阁下给罗伯特·E·基顿阁下的信函附件B
268		联邦储蓄发展银行诉国家西部借贷协会
271		注释与问题
275		实务与练习十一：根据规则11审查克里夫兰案中的起诉状
276	第六节	简单合并
276		联邦储蓄发展银行诉国家西部借贷协会
281		注释与问题
282	第七节	反请求与交叉请求
283		班魁诉特里芬莱利
285		注释与问题
286		实务与练习十二：思考卡彭特案中的反请求、交叉请求和规则13（h）附加当事人
287	第八节	第三人实践
287		格罗斯诉汉诺沃保险公司
289		注释与问题
291		实务练习十三：思考卡彭特案中的介入诉讼与和解
292	第九节	复　习
292		弗兰内尔诉J.C.彭尼
295	**第四章**	**证据开示**
295	第一节	概　述
296	第二节	证据开示程序的角色
298		希克曼诉泰勒
304		注释与问题
304	第三节	证据开示技术
304		一、非正式的证据开示
305		二、强制披露
305		三、开示附加事项的方法
305		1. 录取证言

307		2. 书面质问
308		3. 提供文件和物品
308		4. 身体和精神检查
309		5. 要求承认
309		注释与问题
311		实务练习十四：在卡彭特案件中的证据开示计划
312	第四节	关于证据规则的简介
316	第五节	热忱的律师代理和职业道德考虑
317		菲利普·G·萨格：荒凉山庄之1968：一份关于消费者实验案件的报告
333		注释与问题
333		《美国律师协会职业责任示范法典》
334		《美国律师协会职业行为示范规则》
335		注释与问题
337		实务练习十五：证据开示中的职业道德问题
339		斯蒂芬·兰兹曼：为对抗制程序辩护
341		注释与问题
341		威恩·布若：民事证据开示的对抗特性：一个要求变革的批判和建议
347		注释与问题
348	第六节	批判：晚近的和提议的改革
348		洛伦·可夫：证据开示改革
352		沃尔特·奥森：牙医、侍应生和不受欢迎的律师
352		注释与问题
353		理查德·L·马库斯：带证据开示回家
356		伊丽莎白·G·桑博格：再给多一些：考察1998年证据开示建议案
360		注释与问题
361		实务练习十六：程序规则制定
366	**第五章**	**受陪审团审判的权利与结果的司法控制**
366	第一节	价值理念与历史背景
366		一、概述

367	二、关于美国民事陪审团的争论
369	杰瑞米·T·弗兰克：初审法庭
370	哈芮·凯文：民事陪审团的尊严
372	维拉芮·P·汉斯和尼尔·维达：评判陪审团
373	托克维尔：美国的民主
374	注释与问题
377	三、现代美国民事陪审团的历史背景
379	第二节 联邦法院中民事案件获得陪审团审判的权利
379	切夫、泰姆斯和赫尔珀斯、第391分会诉台瑞
387	注释与问题
389	实务练习十七：关于陪审团审判权的立法练习
390	实务练习十八：律师事务所关于克里夫兰市案陪审团审判的战略会议
390	第三节 挑选陪审团：技巧和目的，无因回避
390	一、律师的行为
392	注释与问题
392	瓦莱丽和尼尔：评判陪审团
393	关于联邦陪审团选择的制定法
394	注释与问题
394	二、无因回避与歧视
395	埃德蒙森诉利斯维力水泥公司
401	注释与问题
405	J.E.B.诉阿拉巴马
408	注释与问题
409	第四节 即决判决
411	一、法律标准：从阿迪克司案到赛罗太克斯案
411	阿迪克司诉克来斯公司
417	二、阿迪克司诉克来斯公司案的背景
421	三、相关的三个案件
421	赛罗太克斯诉卡磋特
428	注释与问题
429	威廉姆·W·施瓦泽：联邦规则下的即决判决：界定

		真正的要件事实争点
432		注释与问题
432		四、战略考虑
433		实务练习十九：卡彭特案件中即决判决动议
434	第五节	撤销诉讼·指示裁判·不顾裁判的判决·重新审判的动议·撤销判决的动议
435		一、自愿撤销诉讼
436		二、非自愿撤销诉讼
437		三、指示裁判（作为法律事项的裁判）
438		四、不顾陪审团裁判的判决（作为法律事项的判决）
439		五、重新审判的动议
442		六、指示裁判·不顾裁判的判决·重新审判的动议的细节
442		盖洛维诉美国
454		注释与问题
457		实务练习二十：对于要求指示裁判的动议做出判决
458		七、撤销判决的动议
459		信息系统和网络公司诉美国
462	第六节	指示·两分法/三分法·裁判的类型·增加和减少
463		罗格·唐鲁德：集团侵权案件中的集团诉讼：反对意见
465		实务练习二十一：在克里夫兰市案中要求两分法审判的动议
471		实务练习二十二：挑战陪审团裁判的动议
471	第七节	终结辩论
471		劳埃德·保罗·斯特赖克：辩论的艺术
474		实务练习二十三：分析克里夫兰市案件中的终结辩论
474		实务练习二十四：在克利夫兰市案件中准备和制作终结辩论
476	第八节	上　诉
479	第九节	复　习
482	**第六章**	**质疑并驯服现行制度**

页码	内容
482	第一节　关于对抗制的思考
483	一、评价对抗制
483	戴维·鲁本：律师与正义：一个伦理的分析
496	二、法院的强度与限度
496	朗·富勒：司法的形式和局限性
499	艾布拉姆·蔡斯："公法诉讼中的法官角色"
504	注释与问题
505	第二节　存在诉讼危机吗？
509	第三节　替代性纠纷解决（ADR）
510	杰思罗·利伯曼和詹姆斯·亨利：从替代性纠纷解决运动得出的诸多启示
513	欧文·费思：反对和解
518	哈里·爱德华兹：替代性纠纷解决：灵丹妙药抑或被咒逐的事物
521	莉萨·伯恩斯坦：理解与法院相关联的ADR的诸多局限性：对附属于法院的联邦仲裁项目的批判
524	乔治·库姆：国际商事纠纷的解决：一个来自北美的视角
526	里查德·戴尔加多：公正与程序：将替代性纠纷解决中偏见的风险最小化
527	弗兰克·桑德：纠纷处理的多样性
528	卡丽·门克尔-梅多：在一个对抗性文化中追求和解：新增的革新措施或者"ADR法"
532	注释与问题
532	实务练习二十五：根据地方性规则进行的替代性纠纷解决
536	第四节　创造性的司法替代措施：管理性司法与法院发起的纠纷解决方案
537	威廉姆·斯瓦泽尔：管理民事诉讼：初审法官的角色
543	朱迪斯·雷斯尼克：管理型法官与诉讼迟延：未被证实的假诉

548		以食品名流公司为案由的合并案件
551		马莎·米诺：顺应时势的法官
554		实务练习二十六：对和解及司法案件管理的评论
557	**第七章　选择适当的法院：对人管辖权、通知和审判地**	
557	第一节	概　述
558	第二节	对于被告或其财产的管辖权
559	第三节	传统的对人管辖权概念
560		彭诺耶诉内夫
565		注释与问题
568		赫斯诉波罗斯基
569		注释与问题
570		哈里斯诉鲍克
572		注释与问题
572	第四节	对人管辖权的现代概念
572		国际鞋业公司诉华盛顿州，失业补贴与安置办公室
576		注释与问题
578	第五节	长臂制定法
580	第六节	特殊管辖权与一般管辖权
581	第七节	联邦法院中的对人管辖权
582	第八节	最低限度接触分析法
584		大众汽车公司诉伍德森
594		注释与问题
597		考尔德诉琼斯
599		注释与问题
601		阿萨海金属工厂诉加利福尼亚州上等法院
608		注释与问题
609		实务练习二十七：在卡彭特案中适用长臂制定法
611		伯格·金公司诉鲁泽威兹
622		注释与问题
623		实务练习二十八：对规则12（b）驳回诉讼动议的裁定
624	第九节	基于被告财产出现而行使的管辖权

624	谢弗诉海特纳
635	注释与问题
637	**第十节** 仅根据在法院地州向本人送达而行使的管辖权
637	伯纳姆诉加利福尼亚州上等法院
649	注释与问题
651	**第十一节** 一般管辖权
651	哥伦比亚直升飞机公司诉霍尔
657	注释与问题
659	**第十二节** 同意
659	狂欢旅游公司诉舒特夫妇
662	注释与问题
663	实务练习二十九：在数字时代考虑对人管辖权
664	**第十三节** 通知
665	马伦诉中央汉诺威银行与信托公司
671	注释与问题
672	**第十四节** 审判地与不方便法院
673	派珀飞行器公司诉雷诺
680	注释与问题
682	**第八章 选择适当的法院：事项管辖权与移送**
682	第一节 关于事项管辖权的概述
684	第二节 联邦问题管辖权
684	路易斯威利和纳斯威利铁路公司诉莫特利
686	注释与问题
688	第三节 异籍管辖权
689	一、州籍
689	二、争议金额
690	第四节 补充管辖权
690	美国矿工工会诉吉布斯
694	注释与问题
696	欧文设备与建筑公司诉科罗格
703	注释与问题
704	芬利诉美国

709	第101-734号国会报告
710	注释与问题
711	实务练习法三十：在克里夫兰市案件中对事项管辖权提出质疑
711	实务练习三十一：卡彭特案件中的事项管辖权的质疑
712	第五节 移 送
712	伯内特诉伯明翰教育委员会
715	注释与问题
715	第六节 复 习

第九章 联邦法律和州法律之间的选择
——伊利诉汤普金斯案问题

719	
720	埃里铁路公司诉汤普金斯
725	注释与问题
727	佳仑缔信托公司诉约克
730	注释与问题
732	伯德诉蓝山乡村电器股份合作有限公司
736	注释与问题
736	汉纳诉普卢默
744	注释与问题
746	沃克诉阿姆科钢铁公司
751	注释与问题
752	实务练习三十二：分析卡彭特案中的纵向法律选择问题
752	加斯珀尼诉人文科学中心

第十章 终局性与排除规则

759	第一节 终局性概述
760	美国法律协会：（第二次）判决重述
762	第二节 请求排除（既判力）——"要么现在就说，要么永远闭嘴"
762	一、构成"同一请求"的要件是什么？
762	美国法律协会，（第二次）判决重述
764	汽车运输公司诉福特汽车公司

770	注释与问题
772	二、构成对实质问题终局和生效判决的要件是什么？
772	美国法律协会，(第二次) 判决重述
773	三、当事人相同或有"利害关系"
773	冈萨雷斯诉浅滩中心公司
782	注释与问题
783	第三节 争点排除（间接禁反言）
783	大卫·P·霍尔特诉珍妮弗.霍尔特
786	注释与问题
787	帕克雷恩·霍谢瑞有限责任公司诉肖尔
796	注释与问题
796	第四节 终局性的反局权衡
796	连锁店诉莫伊汰
803	注释与问题
804	艾伦诉麦考利
810	实务练习三十三：适用排除原则
811	第五节 复 习
813	**第十一章 复杂性：蜂拥而至**
813	第一节 必要的和不可或缺的当事人：设定诉讼边界的尝试
814	加利福尼亚银行诉旧金山上等法院
818	注释与问题
819	远大银行和保险公司诉帕特森
824	注释与问题
828	第二节 交叉诉讼
828	注释与问题
828	第三节 集团诉讼
830	一、哈斯波芮诉李
830	艾伦·R·坎普：《在哈斯波芮诉李案背后的历史》
835	哈斯波芮诉李
838	注释与问题
838	二、联邦规则
839	1. 先决条件

839	2．类型
841	3．确认和牵连
849	通用电话公司诉福尔肯
848	注释与问题
849	实务练习第三十四：在克里夫兰市案件中提出集团的动议
849	4．和解
850	美国化学产品有限公司诉韦德森
865	注释与问题
868	第四节　神秘的马丁诉维克斯
868	马丁诉维克斯
879	1991年民权法案
880	实务练习三十五：最高法院宣布了依据民权法案排除的合宪性
882	判例一览表
900	索引
934	案例（原文）

第一章

民事诉讼法概述

考虑到不同的学生以不同方式研究同一主题,本章的介绍包括对民事程序重要性和内容的讨论,顺带简要解释一些关键的规则和原理,对学习提出一些建议,并对该判例的独具特色加一些评论。这些介绍还表明,可以把法律作为一种具有某些规则和实践的剧院来理解,这种剧院是为了把社会侵害翻译为被法律世界所承认的戏剧而设置的。

最后,这个开场白通过讨论著名判例美国诉霍尔[United States v. Hall, 472 F. 2d 261 (5th Cir. 1972)]来介绍本教程的中心主题,那就是法律为法院的权力设置了限制。这一原理性的问题是,法院是否有权对非当事人适用藐视法庭规则。在学校种族歧视诉讼这一更大背景下,霍尔案提出了司法分析,他同时也分析了关于司法权力在惩罚非当事人违反法庭秩序时的普通法先例和规则。

本章第二节提出了正当程序的宪法基础问题,或者说是接受听审的权利问题,这是一个对美国程序结构富有导向意义的问题。最高法院一些里程碑性的意见确定了在审查行政机构的决定时的正当程序范围,这些意见提供了渗透于整个程序规则和法院实践的要义、框架和价值。的确,正当程序背后的价值对于调整司法救济权、管辖权和排除等原理而言,都是至关重要的,这些原理将在本书中逐步展开讨论。

本章的最后一节是获得律师和法律制度救助的权利。当然,在正当程序的影响和立法、司法及律师界的推动下,法律救助权在程序领域内优先于任何其他话题。

第一节 学生一开始应当了解什么

一、程序为什么重要

多数初学法律的学生对于刑法、财产法、合同法和侵权法提出的主题有一些意识，媒体和个体当事人使得这些领域为非法律职业者所熟悉。许多学生租赁过公寓并签订过口头或书面合同，有些人经历过汽车事故或被缺陷产品伤害的事件，另一些则跟踪曝光率很高的谋杀案审理、或当过陪审员、或目睹过朋友和家庭成员的经历，从而与刑法有过近距离接触。然而，很少有——如果有的话——学生想过为什么有些案件在联邦法院而另一些却在州法院，或者受害者是否可以就在一次事故中所遭受的每一个单独的伤害提起连续的诉讼，或者诉讼从哪一步骤开始又在哪里结束。

不过，律师从会见一位满怀期望的客户并开始了解寻求帮助的问题的细节那一刻开始，就必须思考这些程序维度的问题。如何能把客户的故事翻译成起诉状（complaint）——起诉状就是启动诉讼的书面文件？哪些要素会构成明显的"救济请求"（claim for relief），使之在被告可能提出的程序性质疑中得以幸存——这些质疑包括缺乏管辖权、审判地不当、必要的当事人未参加诉讼、或者起诉状没有提出足够具体的诉讼理由？"证据开示"（审前事实调查）如何运作才能发掘足以支持在起诉状中所提出的"主张"（allegations）的证据？以胜诉的请求而获得的金钱补偿数额是否充分，以使值得花费如此成本？或者律师是否应当鼓励客户撤诉、和解、或寻求调解（mediation）或其他替代诉讼的解决方式？

即使从未准备去法院的律师（职业的多数派），也必须关注程序事项。商务律师在起草合同时必须考虑如果任何一方不能履行合同而发生诉讼时可能是怎样的情形。我的客户是否必须追踪违约的当事人到他遥远的所在州去起诉要求执行该合同，或者我们是否必须到那么遥远的战场去应诉？我们是否应当就"法院地选择"条款和"法律选择"条款进行协商，以具体确定有关合同的任何诉讼一旦发生即受什么准据法调整？

用于处理民事诉讼领域这些问题的技巧在其他法律领域中也非常有用。起草起诉状和答辩状有助于律师沥炼出一套在其他场合选择同意哪些条件或不同意哪些的技巧。研究联邦民事诉讼规则和有关程序的制定法使人谙熟制定法结构和解释的精致微妙之处。掌握最高法院关于对人管辖权的意见的思路，需要对相关判例法的缜密解读，并需要学会观察法律概念和事实上的差异在法官造法过程中起着怎样重要的作用。即使对于那些从来不想去法院做诉讼业务的律师而言，为准备诉讼而收集事实和处理信息也是至关重要的技能。

尽管有时程序看起来涉及到琐碎的细节（周末是否计算在 10 天期间之内？），但程序也涉及到法律可能涉及的最大问题：一个社会的价值取向应当怎样？一个社会应当如何解决纠纷？公民在社会管理中应担当怎样的角色？法院这个非多数人的机构应当如何拥有和使用权力？当发生错误时怎样补救？什么是谎言？经济上的差异如何影响获得司法救济的权利？这些重大问题是本章主题的基础并构成了本章的内容。现在让我们来思考这个主题究竟是什么。

二、什么是"民事程序"

"民事程序"中的"民事"意思是非刑事。刑事案件的结果是监禁或罚金，而动议的一方当事人总是政府。但在民事案件中，救济则包括金钱赔偿或裁定指令被告做某事或停止做某事。通常原被告双方都是私人当事人，在某些情况下政府也可以作为原告或被告。

"程序"的含义是作为"实体"的对应概念来定义的。调整人们和团体日常行为的权利和义务构成实体法。例如，侵权法课程讲授各种不同形式的行为，包括原告依据过失、人身侵害及诽谤等原理能够对谁起诉以及获得怎样的救济；这些原理本身构成必须向法庭证明其能够获得赔偿的要件。

程序课程则不同，它集中于讨论实体法能够实施的方法（methods），最典型的——尽管不是惟一的——是通过法院实施的方法。因此，程序决定争议如何纳入法律框架；民事程序提供一种途径将这些争议引入法院的轨道，并提供在法院解决这些争议的方法。这一主题范围广泛，小自平凡琐事，例如必须提交什么书证和必须在每份书证中提供什么信息，大到那些定义美国政府权力的基础性问题，例如哪些解决争议的权力由州保留而哪些权力由联邦政府行使（事项管辖权）、某个提交法院的争议适用哪些法律渊源——是州法律还是联邦法律〔由埃里铁路诉汤姆金斯案〕〔*Erie Railroad v. Tomkins*, 304 *U. S.* 64（1938）〕形成的联邦主义问题）、以及个人自由在什么时候可以受政府权力的影响（正当程序，对人管辖权）。每一个问题，即使是最技术性的问题，都涉及到重要的社会政策和价值取向。例如，即决判决提出了一个关于争议应当由职业法官还是由作为外行的公民所组成的陪审团来解决的问题。总之，民事程序课程涉及对抗制司法制度的基础和运作，涉及正当程序的范围，涉及律师在受另一个人信任而代理其利益时的伦理问题，以及效率与公平的平衡。

程序与实体的基本界限是定义民事程序的核心，但这一界限并非总是清晰或显而易见的。从这个角度看，关于程序与实体之间界限的争论反映了关于法律所划定的其他界限的争论，特别是程序与实体紧密地交织在一起，并且相互定义。

三、与游戏参与者和有关制度见见面

如果实体法宣示了规则而后来被违反，那么程序法则将它转化为关于这一规则的争议并作为一宗可以由审判来补救的案件。程序将冲突翻译为可审判的案件，即使争议从未进入审判，而是以和解方式或动议通过替代性程序（如调解或仲裁）解决。人们作为当事人在法庭出现，当事人或潜在当事人的状况则影响着包括法庭以外的争议者。本节将简要介绍在联邦法院使用的术语，这些术语是你们在运用本章的资料时所必须了解的。第三章将涉及更多术语，并且描述诉讼的要素和阶段，以及程序规则所提出的许多问题。你们将很快就能看到为什么民事程序常常被描述为"律师的法律"（lawyer's law），*因为这些基本词汇对于非法律人而言是陌生的，而且这些词汇实际上反映了制度和构成法律人世界的职业实践。

1. **当事人**（Parties）

起诉的当事人成为原告（plaintiff），原告可能是个人、公司或个人的集合；而那些被指称有过错或对原告的请求负有责任者则成为被告（defendant）。于是，原告和被告以这样的身份在诉讼中站在对立的两端相互对抗。在美国历史上，民事诉讼的进展取决于当事人的能动性，而不取决于法官或检察官的决定。即使随着法院的变化而拓展了法官和行政管理者作为案件管理者的角色，当事人进行控制的传统在实践中仍然把重任压在双方当事人的律师肩上，律师们反过来又受自己对客户实质性问题估计的影响、受他们关于诉讼前景预测的影响、还受他们将用以计算律师费的方法的影响。一般规则是各方当事人支付己方律师的费用，所以对当事人支付能力的估计会对律师产生影响。许多侵权法领域的律师为客户提供胜诉酬金制（contingency）服务，意即客房承诺按照侵权赔偿的一定比例（通常是1/3）付给律师酬金，如果没有赔偿则不支付律师费。有些制定法要求败诉的被告支付胜诉的原告方所发生的律师费。这些花样繁多的付费方法影响着律师对于提起诉讼的成本与风险的计算，他们进行广泛的调查、聘请专家证人、在庭审前或判决前进行和解。

有时争议涉及的不只是双方，这时简单的对立就不能把握争议中不同的权益和责任。因此联邦民事诉讼规则允许原告和被告通过设计诸如共同诉讼（joinder）、介入诉讼（intervention）、集团诉讼（class action）及相互诉讼（interpleader）形成改变两造诉讼的结构，本教程将在后面一一介绍这些结构。

2. **管辖权**（Jurisdiction）

这一笼统概念是指法庭对某个案件的权力。它实际上有两个维度：对事管辖权（jurisdiction over the subject matter）和对人管辖权（jurisdiction over the person）。法院享有事项管辖权的条件是，必须由联邦宪法和制定法授权该法院决定案件处理这类事项。联邦地区（初审）法院只有权审理由国会具体确定的两类情况下的案件：根据联邦制定法或联邦宪法提出联邦问题的案件，或者涉及符合异籍条件的当事人（原告与被告是不同州的公民或一方是外籍公民）并且争议

---

*译者注：Lawyer 在美国法律语言中除通常指"律师"之外，也统指作为法律共同体的所有法律职业者，即"法律家"。但通常认为，德国职权主义模式下的程序法是"法官的法律"，而对抗制下的程序法则是"律师的法律"。因而这里将 lawyer 译为"律师"，而不是"法律家"，以反映作者在全书中所强调的美国程序法特质。

标的额超过制定法规定的数额（国会确定的现行标准为 75000 美元）的案件。专门法院（如审理专利或税务事项的法院）对事项管辖权的条件限制更加严格。州初审法院包括一些享有一般管辖权（general jurisdiction）的法院——能够决定大多数案件——和那些享有专门管辖权（specialized jurisdiction）的法院，* 例如房地产法院（处理土地或租赁事项）或少年法院（处理未成年人提起的诉讼）。

初审法院审理一审争议并审查所提交的证据，上诉法院审查在初审程序中形成的记录，审查的根据是当事人所声明的在法律解释或适用方面的错误。联邦体系有 13 个联邦上诉法院及联邦最高法院，联邦最高法院对于来自联邦上诉法院和州最高法院的案件享有裁量性上诉管辖权，当且仅当这些案件是根据联邦法问题提出时，联邦最高法院才享有这项管辖权。州系统的初审法院、上诉法院及最高法院的名称不尽一致。

法院在启动一个案件之前，对人管辖权也必须符合条件。这意味着由原告所选择的法院必须有权命令被告出庭并以判决拘束被告。因此，被告必须在法院所在的州进行诉讼，而这反过来又意味着，被告在此居住或从事了产生与该州充分联系的活动，从而使之公平地被该州施以对人管辖权。

3. 救济（Remedies）

当法院被说服认为原告的请求值得支持之后，法院作出裁令时可以在多种不同的救济方法中加以选择。救济方法可能包括对原告的金钱损害赔偿、对被告的侵权损害惩罚、对双方当事人权利义务的宣告、以及命令——谓之禁令（injunction）——指令被告停止侵害行为或按照法定义务开始做某种行为。

四、规则和原理（doctrine）** 的渊源

调整民事程序的规则来自几个渊源。大部分民事程序教材着重于联邦法院，因此大量介绍联邦民事程序。国会授权最高法院制定规则来调整联邦地区法院和上诉法院的行为（及证据规则），只要这些规则不"减损、扩大或修改任何实体权利"（28 U. S. C. §2072（b）.[1] 国会具体规定了一种机制来发展这些规则，即，由每个地区法院和上诉法院的院长和联邦最高法院成员组成司法委员会（the Judicial Conference），司法委员会授权任命一个常设委员会负责挑选提议的规则（28 U. S. C. §2072）。司法委员会还授权任命几个顾问委员会（adviso-

---

* 译者注：此处以事项划分的管辖权相当于我国的专门管辖，在我国，"特殊"管辖权仅指特殊地域管辖；而专属管辖则是排他性管辖，与此处所指的 specialized jurisdiction 的内涵和外延都不相符。

** 译者注：doctrine 有多种含义，比如主义、学说等等，但在本书中确指美国最高法院及其他各法院创制的判例法。由于这些判例法中融合了对规则的解释、学术理论、立法和司法政策，以及法官自己的"主义"和"学说"，因而很难用一个中文术语来表达，再三与专家研讨，决定译为"原理"。

[1] 国会立法按照标题编辑为许多编（titles）。第 28 编收入的是调整联邦司法制度和司法程序的法律。

7　ry committees）集中于几个特别专题，例如民事规则或证据规则。顾问委员会由法官、执业者及学者组成，考虑所提议的修订方案和新规则，收集来自法官和律师的评论，并向常设的"实务与程序委员会"（Committee on Practice and Procedure）发送修订的方案。"实务与程序委员会"则向司法委员会汇报，由司法委员会向最高法院建议规则的修改，然后由最高法院决定是否将这样的建议规则移交国会，而国会则有机会通过搁置的方式驳回建议或作出其他决定，或者把建议变为规则的一部分（28 U. S. C. §2074）。此外，国会还自行决定采纳制定法，以改变某个或某些规则或者推动改革规则的其他程序。[参见《1990年民事司法改革法案》（Civil Justice Reform Act of 1990, Pub. L. No. 101 - 650, 104 Stat. 5089 (28 U. S. C. §§471 - 482)。]联邦地区法院也有大量地方性规则，将近一半的州采用了联邦民事诉讼规则作为其本州的程序规则。

然而，同样重要的是法院创制的原理，其中有些早于程序法典规则，有些则通过解释宪法或制定法规范而提供程序规则。因此，比如调整听审权利以及听审必须包括什么样的原理，必定包括了对联邦宪法第十四修正案关于正当程序条款的解释。这些原理调整法院自普通法实施和制定法解释中衍生的救济权力。关于对人管辖权的原理产生于对联邦宪法第五修正案和第十四修正案及州制定法的解释。（在这里或其他领域，专家关于判例法发展趋势及关于绝妙判决的判断，收入了由美国法学会主持的《法律重述》。）事项管辖权涉及司法对规制法院的制定法的解释。初审法官与陪审团之间的权力分配，取决于关于证明责任的普通法和宪法原理以及对调整陪审团及审判行为的规则的司法解释。原理提出了前案判决对于继后诉讼的效力*——排除规则（the preclusion），或既判力规则（res judicata）——产生于普通法判决以及对联邦宪法"完全诚实与信用条款"（Art. Ⅳ Sec. 1）和"正当程序条款"的解释，以及对制定法的司法解释，同时对判决中的法律重述反映了专家的观点。最后，调整复杂诉讼的特殊规则不仅产生于联邦民事诉讼规则，而且产生于国会法案、先例及法官组成的多元化合议庭在提出这一主题时所做的工作。

五、学习方法

8　　学习程序法与学习多数法律一样，需要你积极地处理资料，形成追根溯源的习惯并善于想像与你所阅读的资料相关的场景。如果你将时间集中于下列某种或全部方式，而不是仅仅记忆，你将从课程中获得更多：

---

* 译者注：(a prior judgment on a subsequent lawsuit) 这里指的不是先例对于后来案件的拘束力，而是基于既判力原理和排除规则，当一个争议或争点已经提交或本来应当提交诉讼并已做出终局性判决（前次诉讼或前次判决）时，则前诉讼具有排除再次提交诉讼（后案或继后诉讼）的效力，或者说前案判决对于后案具有法律效力。详见第十章。

首先，上课前仔细阅读布置的作业，并带着挑剔的态度去读。你应当跟资料辩论，问一问：为什么这个案件会这样判？法院所宣称的原理站得住脚吗？有没有其他方式，其他方式会不会更好？提出许多假设，"如果……怎么样"，如果事实有微小差异会怎样？那会在作出判决的法庭的眼里产生不同结果吗？应当产生不同结果吗？如果该动议是另一种不同的动议会怎么样？如果该案是在州法院而不是在联邦法院会怎么样？如果单独由法官审判而不是有陪审团参与审判会怎么样？学习法律要求将事实与原理灵活地把玩于股掌之中，而不是简单记忆和复述规则。

其次，始终问一问手中的案件在程序生活圈的哪个地方，它已经过审理吗？该案是否正在上诉？如果正在上诉，在哪个法院？或者，该案是否尚在早期阶段，比如以动议驳回诉讼的方式而对起诉提出质疑？初审法院同意还是驳回了这样的动议因而正在上诉中吗？这些问题会在你们所有的课程中产生。时刻意识到你所学习的每一个案件的情形，并且问一问在程序上下一步会发生什么？

第三，查阅你还不知道的问题。如果一条规则或制定法规范被提到过或者似乎相关，就把它查出来。它常常在你的规则和制定法的补充资料中。

第四，当你分析一项规则或制定法规范时，始终从相关规则或制定法规范中的确切措辞开始，就像法院所做的那样。

第五，认认真真地考虑事实。司法意见书中所描述的"事实"是什么？这些事实来自何处——是在对抗性的庭审中，还是源自原告起诉状中的陈述、实证调查、或某个证人的宣誓陈述？对于这些事实有什么反驳或可以提出什么反驳？对于这些反驳有什么解决方案？哪些事实在法院或在你看来对于形成判决是至关重要的？从事实中抽象出来的法律原理如果不是毫无价值的话，也是可以一带而过的。在任何案件中，形成案件最后结果的都是事实，是事实把问题放在法律规则的一端或另一端，或者说服作出判决者改变规则。一位睿智的律师曾经说过："我能够比较容易地找到法律，却不那么容易找到事实。如果我失足了，或者说犯了错误，那往往是因为漏掉了事实"。

第六，尽量了解使你所读材料的历史和政治背景，从而使这些东西真正有意义。为此目的本书提供了一些资讯。制定法和判例都是由那些反映他们所生活的时代并回应他们所了解的世界的人们形成的。许多程序问题只有放在一种与先前的争论和改革的关系中才能解释。记住这些背景，将有助于你记忆和理解法律，还有助于你解释法律并说服其他人认同你的观点。

第七，随着课程的进度寻找你自己的学习资料。你从自己的阅读和课堂讨论的笔记中形成的梗概将使你的资料伸手可及，并有助于组织和管理你在课程结束时所必备的大批信息，不仅包括判例及其结果，而且包括其所蕴藏的价值以及对规则和例外的陈述。

第八，形成一个学习小组，跟你的同学一起对资料进行讨论和辩论。进行一些假设并把它解答出来。在课程的中期，看一看过去的考卷并把它们解决掉。这将帮助你们做法律（do law），而不只是学法律，你需要养成一种习惯：适用原理、形成观点、预测法庭的行为、评价不如人意的判决。当你与其他同学一起学习并向他们学习时，这一切都会变得轻松和有趣。

第九，记住法律是关于真实的人和群体的规范，问一问法律对他们产生什么效果，以及这些案件结束后会发生什么情况。

第十，如果本课程或其他课程的某些方面不能马上掌握或不能融会贯通，不必焦虑。对于法律的许多理解都取决于对一部分与其他部分之间关系的理解，每一门课程的许多方面将会随着你学习其他方面迎刃而解。耐心一点，坚定一点。

六、关于本书

判例教材收集了经典的、例证阐释性的司法意见书和相关的制定法及规则，并把这些内容按照有助于了解原理和规则的顺序进行编排。本书还包括了一些练习，这些练习把你置于律师和法官的角色，以帮助你逐步掌握至关重要的技能，包括分析、研究、事实调查、策略组合、书面和口头辩驳，等等，并使你形成在必然有限的信息条件下作出信息明晰的判决的能力。本书还包括历史的、实证的的和法理的资料，以帮助你看到在广阔背景中的诉讼制度，以揭示蕴含在既存制度和改革建议中的价值取向。

为了集中和连贯，本书连续使用了两则真实的案例。第一则案例是由一位生还的配偶提起的诉讼，即一次汽车事故过错致死诉讼。第二则案例是劳动雇用歧视引起的集团诉讼。资料显示这两则案例诉讼的全过程，提供了按照年历排序的细节，围绕这些细节，你可以组织和回忆你所学过的知识。这两则案例还认可了一种对程序原理和程序判决的形成所做的现实而世故的解释，它们使你得以看到判决的早期形成与诉讼后期阶段之间的关系。它们还生动地展示了事实的重要性，以及如何为了不同的受众或目的而把这些事实安排到不同故事中去。由于执业律师跟踪个案的始终，而不是一天跳到一个新的问题上，因此这些资料与实践的真实面目十分相似，在这些资料中，程序性事项在特定案件的生活历程中保持着相互关联。最后，两则案例还提供了大量实体法，以制造一种对实体与程序之间相互作用的现实感觉。

本书旨在提供一个观察实际法律运作的窗口，为程序规则及其选择提供历史的和实证的语境，并为学生的问题进行解决、法律分析、咨询、事实调查、承认和解决伦理问题积极塑造角色。使用本书的有抱负的律师应当变成一位问题解决者，自首次见到潜在客户开始，通过早期思考过程（是否存在能够救济的请求？

能够获得什么样的救济，或者这些救济是否值得提起诉讼？谁将支付律师费?)到选择适当法院、通知当事人、以及形成法律理由和策略，律师，和你，要走完由程序规则框定的各个诉讼阶段。决定提出什么样的起诉状、进行事实资讯的挖掘、作出和解的姿态、筹谋和防御各种动议、以及形成一个有关陪审团的策略——每个过程都会迫使你做出选择——这些选择受程序规则和实体规则的影响，并受伦理和哲学考量的影响。

七、又一道序幕

伟大的美国民主观察家，阿历克斯·托克维尔（Alexis de Tocqueville）1830年承认，"在美国发生的政治问题，几乎没有什么不是或早或晚地变成司法问题加以解决的"。[I Tocqueville, Democracy in America, 280 (1953)]．法律家们是美国社会中关键的游戏参与者，他们充当着立法者、行政人员、法官、公共官员和社团官员、以及辩护律师和顾问。本课程将从你准备在法律实践中以及在你将对其产生影响的社会中扮演这些角色开始。

八、作为剧院的法律

最最根本的是，法律程序使得把世界上的损害翻译为律师和法官们认可的术语成为可能。在这个翻译过程中至关重要的是事实和实体法（合同法、侵权法规范等等）。不过，表达方面的要素也十分重要，包括文体、语气、修辞、叙事技巧。初审程序的核心是双方当事人（往往通过他们的律师）努力说服判决者——无论是法官还是陪审团——相信他们关于事实和法律的那个版本。于是，对于律师而言，讲故事就至关重要，这个故事导致关于围绕争议所提交的那些资料的感觉的形成。

米尔纳·鲍尔（Milner Ball）教授提出过一种理解这些要素的方法，那就是把法院的功能隐喻为剧院，这是一个重要的隐喻。

米尔纳·S·鲍尔：美国法律的承诺
法律程序的神学的、人文主义的视角

Milner S. Ball, The Promise of American Law: A Theological, Humanistic View of Legal Process 48 – 62, 136 – 138 (1981)

隐喻（metaphor）的要素

律师提交法院判决的案件是一个事实与法律的混合体。事实之所以被称为事实，是因为它们并非虚构——我们希望如此。事实与法律之间的互动是由一种逻辑引导的，这种逻辑按照约翰·杜威（John Dewey）的说法，是"可操作的、弹性的逻辑"或"与后果相关而不是与前因相关的"逻辑。

对于事实和法律的选择受到它们相互之间以及它们与第三种因素之间互动关

系的引导，这第三种因素是在法庭上可能表演的潜在因素。表演的要素——证据规则、对方的状况、诉讼的动态（包括突然袭击和临场反应）、证据和证言的类型、以及法律的强制——都会被律师像对待事实和法律一样认真仔细地考虑。表演中最具支配性的要素也是律师们最关注的要素，是必须说服决定者，使他们首先形成诉讼请求受司法认可的判断，然后形成有利于其所代理的当事人的判决。

随后的逻辑在一定程度上支配着对事实和法律的选择，这种逻辑与律师说服判断者的表演需要相随相伴，这一特点将法律案件与科学考察区分开来。例如杜威在描述可操作的逻辑之后，紧接着表示，"我绝不会把这种程序确立为一种科学考察的模型。确立一种个性化的和有倾向性的结论是早有预谋的，因而不能作为这样的模型。"案件有别于科学考察的这些特征有助于把它当作一种戏剧的形式……当那些可能被隐喻描述为编剧、演员和导演的角色粉墨登场时，这种方法就比较容易理解了。

隐喻指什么？弗朗西斯·弗格森（Francis Fergusson）在提到歌剧《胡桃夹子》的时候解释说，"创作的更大要素——场景或剧情，即故事的开端和发展——是以制作舞台诗歌的方式进行的，但我们所读的文本是咬文嚼字的，不是诗歌。"这个被隐喻为诗歌的东西不一定需要在文本中找到文字，它可能在历史要素中找到，而这些历史要素"只能在表演中或通过对表演的想像才能找到"……［Francis Fergusson in The Idea of a Theater（1949）at 166］。

从事实到隐喻的阶段正是律师们所追求的，在这个阶段，从事实材料和法律（文本），通过法庭陈述（即表演）的方式，在给定的情形（即隐喻）中完成有说服力的陈述。

律师陈述一宗案件就是在创造法庭上的隐喻，对方的事实和想像力所产生的巧合成为这种隐喻的标志。在这里，想像并不是虚假的，而是经过选择和重组而形成的富有技巧的、有时凑巧的、连贯的事实。这些东西集合在一起就是一台似是而非的舞台剧……一个最好的案件陈述就是一个现实与想像的天衣无缝的巧合，不是伪证意义上的，而是戏剧隐喻意义上的——这就是为了再现和判断而重新设定相关的、资料性的要素。这种似是而非的现实与想像的交织尽管扑朔迷离，但它与我们所经历的生活中深层的真实相符，无论在表演厅还是法庭上，这都是一种有力的、而不是虚弱或虚假的再现。

为类比辩护：法庭行为真的是隐喻吗？

对于把法庭视为剧院的做法可能提出几种法律上的反驳。一种反驳就是对隐喻中的错误内容提出大量疑问。在此为这种用法进行简要的辩护可能是有益的。

朗·富勒（Lon Fuller）辩护说，"隐喻是说服（persuasion）的传统设计。如果将隐喻从法律中剔除，你就已经把它的力量降低到了使人相信（convince）

和转化（convert）。"当然，法律的确要运用隐喻。富勒用一种考虑"构成性通知"（constructive notice）*的隐喻解释了他的观点。另一要点是，律师不仅运用语言上的隐喻，而且生产历史性的隐喻。构成性通知就是一个隐喻，识别构成性通知的案件陈述也是一种隐喻。律师对案件的陈述就像表演戏剧一样，是为了说服，而且是公开地这么做，这就是隐喻，而不是谎言……

……法庭的案件是一种默契的创作，在这个创作中，经过选择的事实和法律替代了事件本身和原有的法律。

还有几个其他理由可以替代上述理由。最平常的理由是，过去不能被精确地复制，因此事物在性质上决定了某些替代是不可避免的。另一个理由是宪法政策要求在刑事案件中有意排除某种证据。第三个理由产生于判决的任务，这一任务要求解释信息而不是对信息不加组合地走走过场。最后也是最基本的理由正是我们司法制度的理论，正如霍姆斯大法官（Justice Holmes）所言，"（我们的司法制度理论）是：对一个案件作出的结论只是由在公开法庭上的证据和辩论所促成的，而不受任何外部影响。"这一过程甚至要保持抵御"真实的"（truthful）外部影响……

审判中的说服：真的是戏剧吗？

除了关于"隐喻"的说法负荷太重的主张之外，在此值得一提的另一种可能的反对：如果就像所说的那样，案件的"预谋"特性形成的倾向性结论使之区别于科学考察，那么，同样是这种预谋性，也使之区别于戏剧。换言之，司法程序不是戏剧，因为戏剧有其自身的目的（为艺术而艺术）或者有某种目的（比如为了娱乐或为了宣泄同情或恐惧的激情），而不是以说服判断者为目的。

不过，一般意义上的艺术和特定的戏剧在某种结论上仍然是在说服。如果目的是狭隘的或政治性的，那么艺术家的作品就可能是腐败的或宣传性质的。如果目标是博大的（例如对人类生活的观察或经历），那么作品就发人深省。无论是哪种方式，都有说服性目的……

当然，戏剧并不像案件引导陪审团那样去引导观众，他们既不需要当即做出决定，也不需要作出当即对他人生命、自由或财产发生后果的决定。判决则要对表演作出反应，他们反应的不是表演的质量，而是把手伸得很长，他们必须做得比观察生活和自我定位要多得多。问题在于，这种差异是否摧毁案件是一场戏剧这种命题，抑或是否仅仅将法庭的戏剧与表演厅的戏剧区别开来而已，我们在此

---

* 译者注：构成性通知是指以法律拟制的方式完成通知，比如以留置送达或公告送达通知当事人，都不能表示当事人事实上已被通知，但基于法律的规定，以符合法律规定的方式送达通知，即已构成"通知"要件。见本书管辖权章节。

选择了后者……

司法戏剧的功能

……正是法院的剧院性质使它们有了自由的空间，这就是人性的空间，在这个空间内开始上演的故事就像它活生生的那样受到争议。

非语言信息的交流

在真正的表演中，决定者必须考虑的某些信息是不用语言来交流的，举止证据（demeanor evidence）就是其中的一种。毋庸置疑，书面文件缺少承载非语言信息的能力，对于录像能否像真实的展现一样承载这种功能也有争论。既然非语言信息交流不易审核或分析，那么关于这个问题的意见分歧看来还会持续下去。然而，似乎表演的真实程度就跟案件一样："假如有一点点表演才能的话，那么小小的表演技巧就能够赋予事件以另一个维度，使表演的事件更加贴近现实"。

变相的攻击

进而言之，诉讼的戏剧性质还允许它们变相地攻击。攻击是打仗的需要并且会遭到报复，攻击要付诸行动，因而要按照程式表达和并受程式控制。正是在这个意义上，我们说"在法庭上诉求与防御的权利是另一种武力"。

将诉讼转变为一种变相进攻的能力取决于几个因素，其中一个就是它们的分量，也就是他们的说服力和容纳力……

除了分量之外，另一个更具决定性因素是它们的公平性，这一因素使法律诉讼得以成为一种替代其他攻击方式的途径。法院的程序和制度将司法过程设置成为与普通的、日常的事务隔离开来的世界……接受司法程序必须是自愿的，然后就依赖于法院可视的公平。

如果对游戏规则的接受最终依赖于它的公平，那么接受他们划定的游戏世界就取决于那个世界按照自己公开的或默示的承诺所做出的良好行为。看戏的人们带着一种"满怀半信半疑的悬念"进入剧院，这种愿望不是要看到麦克和 Birnam Wood 上时只有一个演员和一个光秃秃的舞台……

司法过程的参与者们也是带着这种对怀疑表示怀疑的意愿，但这种意愿体现在他们遵守诉讼规则和形式的意愿中、体现在他们服从诉讼结果的意愿中、体现在他们尽管法律制度也许形式古怪、仪式神秘、结局不定、却不否认其正当性的意愿中。就像发放给剧院的许可证一样，这些意愿将保证在做它所许诺的事情——在这种情况下，就是司法/正义（justice）——时，可以持续到任何时间，只要是在制度合理限度内就行。

对公正的激励

法院可能不总是甚至不经常生产正义，然而，通过鼓励裁判者对于案件的无偏私（disinterestedness）来提高戏剧质量，确实有助于调动生产正义的潜能。法官和陪审团作为演员，必须在法律的政府而不是在人民的政府中担任角色，法官完成自己的角色才能使超越偏见从而更可能公正的判决得以产生。戏剧中的诉讼过程中的惯例所希望的结果就是引发这样的表演。

法官和陪审团既是听众又是演员，这种地位也可能激励他们作出不带偏见的判决……

当法庭剧院富有效果时——也就是说，当它是剧院、当它具有戏剧性时——决定者就被置于一种睁大双眼比被蒙住双眼的时候要多的判断位置上。

刺激判决中的创造力

生动的陈述可以交流非语言信息、进行变相进攻、和激励公正，对于这些说法还有补充，即，生动的陈述还可能刺激判决中的创造力。在进入法院的案件中，估计有30%–40%只能用惟一的方法解决，因为这些案件明明白白地落在一个清晰的、经过权威陈述的规则的轨道里。即使在这些"明白"的案件中，如果在创作中富有生动的陈述力度而少一些刻板，设法把对方当事人放进一个不利于他的规则的适用范围中，那么，这样的陈述也可以促进富有想像力的变通……

不要从上述讨论得出一个结论，认为生动的陈述诱使法庭作出不合规矩（discipline）的判决。法官可能产生偏见（bias）和成见（prejudice），却不是由于生动陈述而导致的结果。合法的判决可能富有创造性却未必违反纪律。在这个意义上它就像精巧的艺术，尽管是原创作品，但是正如坎特（Kant）所观察的那样："迄今尚未见到一种精美的艺术是刻板机械、能够马上被人理解和循规蹈矩的，因此学究气并不构成艺术的要素。"形式上的要求是，法官必须陈述他们行为的理由，这种形式上的要求提供了一种强化的保障，即，规矩是要遵守的这一点上不像艺术家。

作为整体的表演

如果辩护律师对其客户案件的陈述采用一种戏剧的形式，这种戏剧是表演给法官或陪审团看的，并且这种表演促成了判决的形成，那么，还有一台法庭自己的戏剧——包括所有在法庭中进行的内容——是表演给广大公众看的。这台戏剧的功能是提供一个正统社会的映像，在这个意义上，这台戏剧本身就是目的。就像通常的戏剧那样，司法的戏剧也是如此：表演是"上乘"的推销。与其说法院认定事实、确定责任、判决犯罪、保护无辜等等像是商家在制造产品，勿宁说他们更像做一场表演……

在约翰·马歇尔（John Marshall）看来，说明"法律是什么"是一种责任，司法机构在履行这份责任时，不是仅仅要把决定表达出来，这种决定只是空洞无物的文字而已，这只是法律的一个剧本。法律在它的仪式、服饰、表演、以及对待参与者的态度中，都体现了它在给定的范围内正当地行使权力。司法戏剧本身就是在叙说"法律是什么"，它是在事物自身和表演所指定的空间内叙说着法律。

作为隐喻的法律

正如我在前言中所提到的那样，法律家使用一种浓缩的语言，他们这样做是必要的，因为案件的处理要求如此。例如，只有在人的身体被分解成为几个部分使之符合案件的要点时，侵权法才可以适用。荒谬的是，这种把生活浓缩为法庭判决的直接需要的魔术，旨在最终放大生活和使生活人性化。正如阿奇博尔德·麦克雷什（Archibald MacLeish）所言，"法律的买卖就是使那些混淆了我们称之为人类生活的东西变得有意义，也就是把生活压缩到秩序之中，但同时又要赋予它可能性、范围、甚至尊严"。法律的标志就是一种在相反方向上的张力、一种压缩和放大的相辅相成。这是一种非常郁闷的隐喻。

如果法律是一种隐喻，那么它隐喻什么？当我们谈到法律这个术语时还会有其他什么意思？詹姆斯·怀特教授（Professor James Boyd White）指出了人们为什么"感觉法律论点是无所不包的"。当我们讲法律语言时，我们可能意指一切：法律可能是一个关于生命与死亡的隐喻。

当法律的实践是枯燥、严苛、令人绝望、日复一日的苦役时，法律是一个死亡的隐喻，在这种情况下，法律是律师死亡的隐喻。当法律摧残遭受麻烦者和制造麻烦者或者压迫无权无势者时，法律也是一个死亡的隐喻，在这种情况下，法律是社会死亡的隐喻……

法律可能意味着死亡，但并不必定如此。它也可以是一个生存的隐喻。当它是一个想像的事业，一个精巧、灵活、控制于股掌之间的载体时，它是法律家生存的隐喻。这就是说，法律家掌握着被称为隐喻的术语，能够定义其他术语的含义而不必把这种含义当作由法律本身规定的含义或被任何制度或约定俗成所规定的含义。在怀特看来，法律家创造了一个本体。"你定义着一种意念或特性，非常像人们认为历史学家或诗人或小说家所做的那样。到30岁的时候，你就能看着一柜一柜的书，回忆着谈判和辩论……然后说，'这就是我所找到的一切能说的东西'。"

……法律家必须能够出色地、创造性地使用法律语言，这是翻译的媒介。但另一个能力也同等重要，甚至更为重要、更为关键，法律家不能仅仅沉溺于法律辩论，他还必须能够倾听穷人和黑人以及其他人诉说出来并需要翻译的冤情。这些储备可以说是取决于良知或良心，它比对于想像的要求更高。怀特已经教会了我们发挥想像力，至于如何激发良知则是另一个问题。

这一问题的答案来自于法律教育，而法律教育冒着一种朝圣（pilgrimage）

所冒的风险。尽管伴着周而复始的课程，追求一种获得原动力的成功，但这种朝圣仍然是十分罕见的。这种教授就像生活一样，会充满诧异，总是从一种新的开端出发，又走向新的开端。

第二节　一则开幕的判例：法院的权力和限制

在美国诉霍尔一案中［United States v. Hall, 472 F. 2d 261（5th Cir. 1972）］，联邦第五上诉法院设问，地区法院的法官是否可以惩罚——或以其他方式处理——某个不是相关案件当事人的人？在该意见书中所宣称的司法权力有什么限制？这些限制是否因为本案判决而改变，或者，这一判决是否只确认了已有的限制？法院在何时查阅（look to）一项规则以回答摆在自己面前的问题，这些规则来自何处？当存在不止一个相关规则时，法院应当怎么做？法院在将既定规则适用于新的事实时，是否会改变这些规则？如果会改变，如何改变？

一、美国诉霍尔案的背景[1]

伊利克·霍尔（Eric Hall）因违反一项紧急单方禁令（*ex parte* injunction）而于1972年3月9日被拘留。该禁令是根据涉及佛罗里达州迪瓦勒郡公共学校的一系列决定中的一项决定发出的，该校当时在该郡最大的学校中排名第十三。尽管联邦最高法院在布朗诉教育部案［Brown v. Board of Education, 347 U. S. 482（1954）］中已明确禁止故意按照种族分类的做法，但迪瓦勒郡仍然维持了这种双重待遇的学校体制。1960年，一群黑人家长代表他们适龄的孩子向法院提起了对该学校委员会的诉讼。法院认定学校委员会维持了种族隔离的学校体制，将这种制度作为"一种政策、制度和惯例"，"没有采取任何在公共制度中消除种族歧视的方案。"［Braxton v. Board of Bpublic Instruction for Duval County, 326 F. 2d 616, 620（5th Cir. 1964）.］

直至1971年，迪瓦勒郡学校委员会仍坚持不符合法院指令的做法——要么是不能，要么是不愿。在这种学校体制下的3万名黑人学生中只有60名进入了废除隔离的学校，大部分黑人学生都进入了全部是黑人的学校，即使那些需要每天远距离上学的学生也不例外。［Mims v. Duval County School Board, 329 F. Supp. 123, 125（D. Fla. 1971）.］于是地区法院命令采取救济行动，包括一项合并里保特高中和雷尼斯高中的方案，这一方案将产生两所混合性学校。这一决定与联邦最高法院在斯旺案［Swann v. Charlotte - Mecklenburg Voard of Educa-

---

〔1〕　感谢美国东北大学法学院学生威克·坎沃（Vik Kanwar）和多维·Y·金（Dovie Yoana King）所做的调查研究。

tion, 402 U. S. 1 (1971)]中的意见一致，最高法院的意见详细规定了学校规章所承担的义务，也规定了地区法院在保障终止公共学校种族歧视方面切实有效的权力。

在法院关于废除隔离的命令生效后不久，里保特高中——也就是过去以白人学生为主的学校——就发生了种族暴力事件。行政当局至少在两次暴力事件中关闭了学校作为对暴力事件的反应。这些事件和随后的事件在奥蒂斯·帕金斯（Otis Perkins）在1972年3月6日《佛罗里达联合时报》上发表的"受命令的学校的分裂行径到此为止吧"（End to Disruptions at Schools Ordered Here）一文中。[1] 1972年2月18日，里保特的黑人学生组织了一次游行，后来白人学生与黑人学生之间在打架中损坏了学校的财产。尽管参与者是两个群体的学生，但学校官方却责难黑人学生，其中12名黑人学生受到指控和怀疑。行政当局随后招募了30名额外的老师巡视校园，还在附近更换了治安官，重新安排了中餐时间，并取消了一次课间休息，以避免两个种族群体相遇。嗣后，一位白人教工撕掉了饭厅告示栏里几则有关黑人历史的海报，其中包括一张上面有哲学家和犯人的律师安哥拉·戴维斯（Angela Davis）的照片和"这是一场战争"的标题。黑人学生更换了海报，白人学生随后又撕掉了。这一事件导致上课时间迟延了20分钟，50名白人学生和125名黑人学生当时都聚集在学校大院里，卷入了一场"自由就是一切"的战斗之中。黑人学生当时还试图组织另一次联合抵制。

学校当局认为，黑人学生要对那天的骚乱负主要责任，还认为学校外面的成年黑人鼓动学生违抗政策和学校当局。学校行政人员向地区法院申请禁令救济以阻止这类外面的人接近校舍。作为回应，法院于1972年3月5日星期天发出了单方禁令。禁令所要适用的范围是那些"佛罗里达黑色阵线"的成员，这是一个自命为黑豹的组织。禁令直接针对这个组织中的几个成员，但没有针对伊利克·霍尔，他跟这个组织属于同一团体。伊利克·霍尔的律师威廉姆·谢波德（William Sheppard）回忆说，伊利克·霍尔在围绕海报的事件发生后准备去学校支持黑人学生。伊利克·霍尔是支持还是反对白人与黑人混合学校，还不完全清楚，但他的确想激发积极的策略来伸张权利。[2]

霍尔从黑色阵线的其他成员那里知道了禁令的事情，他问他的律师，如果他去高校会发生什么情况，谢波德记得他当时回答说："我坦诚地告诉他，我认为他得三思而行。"谢波德还记得霍尔随后打电话给著名的左派律师威廉姆·孔斯

---

[1] 1970年8月7日之后，Angela Davis成为一名逃亡者，那时她被指控涉嫌乔纳森·杰克逊（Jonathan Jackson）为索利代德（Soledad）兄弟进行的人质交换案，这次交易的努力在一次致命的枪战中结束了。她后来成为一名哲学家和大学教授。

[2] 威克·坎沃于1998年1月10日和1998年3月17日对与威廉姆·谢波德律师的访谈。

特勒（William Kunstler），[1]想获得另一种答案。孔斯特勒如实地告诉霍尔，作为诉讼的非当事人，他不能做他想要做的事情。霍尔进入了学校，并立即被逮捕，尔后被指控藐视法庭。这则包含了他名字的判例曾被联邦最高法院以赞同的立场引证过。参见 Washington v. Washington State Commercial Passenger Fishing Vessel Assn., 443 U. S. 658, 692 n. 32 (1979); Golden State Bottling Co. v. NLRB, 414 U. S. 168, 180 (1973)。

迪瓦勒郡从来没有完全地统一过它的学校体制，纷争至今仍然困扰着那里的学校。尽管迪瓦勒郡在1996年与"全国有色人发展全国协会"（NAACP）达成过一项获得法院支持的协议，但迪瓦勒郡倾向于通过专门的有吸引力的项目自愿进行组合。学校委员会提交了一份动议，申请结束联邦法院对这一制度的干预。

关于本案所涉及的两大主要问题的最后一句话是：判决本案的上诉法院合议庭中的资深法官约翰·M·威兹德姆（John Minor Wisdom）是一位民权运动的卫士，他不顾对自己的人身攻击和人身暴力威胁，执行了最高法院作出的废除学校种族隔离的判决。

伊利克·霍尔在藐视法庭罪刑满之后不到一星期，就被佛罗里达州杰克逊维尔（Jacksonville）夜总会的一名保安枪杀。当他的照片在一家报纸关于这一事件的报道中出现时，南佛罗里达的一位前假释官认出他就是被称为亨尼斯·霍尔（Henneth Hall）的那个人。霍尔从他的医院病床走向了南佛罗里达的审判庭并被判决有罪。据报道，20世纪80年代早期，他成为一位犯人权利的活跃分子。

二、意见书

美国诉霍尔[2]
United States v. Hall
472 F. 2d 261 (5th Cir. 1972)

巡回法官威兹德姆（Wisdom）：

本案提出一个问题，即一个人既不是案件当事人，与当事人之间也不存在任何法律关系，却违反了法院的命令——这一命令旨在保护废除学校种族隔离的案件判决的执行，地区法院是否有权力以刑事藐视法庭（criminal contempt）来惩罚这个人。地区法院认为，在本案的情形下，地位法院享有这项权力。我们支持这一结论，并维持对被告作出的藐视法庭的判决。

---

[1] 孔斯特勒是"宪法权利中心"的创始人之一，代理过芝加哥的七位被告和许多"黑豹"。

[2] 编者注：在本案中以及在整本书中，我们省略了文本的引证；省略文本引证的地方以省略号标明。我们保留了原始脚注的标明数字。

1971年6月23日，地区法院在米姆斯案（Mims v. Duval County School Board）中作出一份"意见书备忘录和终局判决"。法院要求佛罗里达迪瓦勒郡学校委员会履行它废除迪瓦勒郡学校中隔离政策的义务，这一决定与联邦最高法院在斯旺案（Swann v. Charlotte – Mecklenburg Voard of Education [402 U. S. 1 (1971)]中的意见一致，即，合并和重组大量那些曾经以单一种族为主的学校。这项命令以在11年前开始的诉讼为高潮（见布拉克斯通诉公共教育委员会案，Braxton v. Board of Public Instruction），本院维持了地区法院在米姆斯案中的裁定 [Mims v. Duval County School Board, 447 F. 2d 1330 (5th Cir. 1971)]。地区法院保留作出这种命令的司法权对于将来实施它的判决也许是必要的。

在依据地区法院的方案废除隔离的学校中，里保特高中是被画上了标记的，这是一所以白人为主的学校。这一方案指令将里保特高中跟以黑人为主的雷尼斯高中合并，这样以来，黑人在雷尼斯高中的名册上占59%，在里保特高中占57%。废除隔离的命令付诸实施之后，种族骚乱和暴力事件在里保特高中愈演愈烈，以至于在一次剧烈的情况下必须关闭学校。1972年3月5日，学校的主管部门和杰克逊维尔地区的治安官向地区法院提交了一份申请，请求对本案给予禁令救济。这一申请声称，一些"外面的"成年黑人在里保特校园内出出进进，大肆活动，引起或教唆了骚乱和暴力。申请中指认了上诉人伊利克·霍尔，称他为"黑色前线"的军事组织一名成员，他是几个这类"外人"之一，跟黑人学生及父母混在一起，图谋通过学生的联合抵制和其他活动来阻挠学校正常运行。申诉人要求发出一项命令作为救济，即命令"制止所有里保特高中的学生和任何人以独自活动或与他人一致行动的方式妨碍学校和迪瓦勒郡制度的有序运行，并申请给予法院认为公正和适当的其他这类救济"。

在1972年3月5日的单方会议（*ex parte* session）* 上，地区法院作出了包含下列内容的命令：

1. 里保特高中的所有学生，无论处于良好状态还是在嫌疑之列，和其他单独或一致行动的人，以及接到本命令通知的人，不得从事以下行为：

（1）妨碍或阻挠学生和教职人员出席课堂；

（2）骚扰、恐吓或胁迫里保特高中和迪瓦勒郡学校委员会的任何员工或雇员；

（3）骚扰、恐吓或胁迫任何往返学校的学生；

（4）毁坏或图谋毁坏、丑化或图谋丑化里保特高中和迪瓦勒学校委员会的任何结构、建筑、物品或设施；

---

* 译者注：exparte 在普遍意义上是指未经通知对方当事人和在对方缺席的情况下提出申请、召开会议或作出的决定等。本书多处涉及这一术语。有时也指虽非诉讼当事人，但与诉讼有利害关系的人向法院提出的申请。相对于美国诉讼程序的"对抗"性特征而言，这些情形都被视为"单方"。

(5) 从事其他破坏里保特高中和迪瓦勒郡学校体制下的任何其他学校的有序运行的行为。

2. 在本院作出进一步命令之前，除以下情形外，任何人不得进入里保特高中的建筑物或校内：

(1) 里保特高中的学生因上课或官方的学校功能而出席；

(2) 里保特高中的教职员工和主管部门以及迪瓦勒郡学校委员会的其他雇员因在该校执行职务；

(3) 有公务要求他们在该校物业区出现；

(4) 经校方许可进入里保特高中物业区的该校学生的父母或其他受其委派的人；

(5) 杰克逊维尔地区、佛罗里达州或联邦政府的法律执行官。

这一命令还进一步规定，"受此通知的任何人违反其中任何条款，将根据美国联邦法律所规定的刑事藐视法庭而被逮捕、控诉和接受监禁或罚金或双重处罚……"法庭命令治安官向列名的7人送达了命令的副本，其中包括伊利克·霍尔。伊利克·霍尔既不是米姆斯案的原告，也不是该案的被告，并且法院在发出这一命令时没有将霍尔和其他被列名的几个人作为这一命令的当事人。

1972年3月9日，在法院发出命令后的第四天，霍尔违反了禁止进入里保特高中的命令，出现在里保特高中的校园里。一位执勤的联邦法警问他在此出现的理由时，霍尔回答说，他在里保特高中的地盘上出现就是为了违反3月5日的命令。于是这位法警拘留了他，并把他带进了看守所。地区法院对他进行了没有陪审团参加的审判，认定霍尔犯了被指控的刑事藐视法庭，判处60天监禁。

在本案的上诉中，霍尔提出了两个相关的抗辩，两个抗辩都依赖于两个事实：霍尔不是米姆斯案中的当事人；在违反法院命令时，他显然没有与米姆斯案的当事人一起行动。首先，他援引了普通法规则——只是追求其自己的利益而违反禁令的非当事人不能被认为藐视法庭。他既没有在法庭作为当事人出现过，又没有被作为当事人被讯问过，因此他主张，按照这一普通法规则，他不受法院命令的拘束。其次，他辩称，既然联邦民事诉讼规则65（d）把有拘束力的禁令限制在"诉讼当事人、当事人的官员、代理人、从业人员、雇员、律师及……，那么这一规则就成为法院命令对他产生拘束力的障碍。我们驳回了这两个抗辩。

对于第一个抗辩，即衡平法院无权因藐视法庭而惩罚一个仅仅为了追求自身利益的非当事人，上诉法院的根据是两个著名判例，即阿利迈特案［Alemite Manufacturing Corp. v. Staff, 42 F. 2d 832 (2d Cir. 1930)］和狩猎银行诉诺沃克案［Chase National Bank v. City of Norwalk, 291 U. S. 431 (1934)］。在阿利迈特案中，地区法院发出了一个禁令，制止被告和他的代理人、雇员、合伙人及联营者侵犯原告的专利权。随后，某第三人——他不是原诉讼的当事人而且完全按照自己的动机——开始侵犯原告的专利,地区法院认为他藐视法庭。第二巡回法院在勒尼德·汉德(Learned Hand)法官的意见书中撤销了这一意见,申明"那不是所描述的可能为命令所禁止的行为,但只有当被告从事此行为时,才成为命令所指的行为"。(42 F. 2d at 833.) 在狩猎银行案中,原告起诉诺沃克市政府并获得一项禁令,禁止拆除属于原告的柱子、电线和其他电能设备。地区法院发出一项命令,命令市政府、政府官员、代表机构、雇员"以及所有受此命令通知的任何可能到此地的人"不得拆除设备或以其他方式干扰原告发电站运行。最高法院认为地区法院违反了"已经确立的衡平法司法权和程序",因为它的命令所适用的人不是当事人、合伙人或当事人的联营者,而仅仅是接受该命令通知的人。[Regal Knitwear C. v. NLRB, 324 U. S. 9, 13 (1945); Scott v. Donald, 165 U. S. 107 (1896).]

本案的情况与此不同。在阿利迈特案和狩猎银行案中,第三人的行为无论对原告的利益可能造成怎样的侵害,都不会以任何方式干扰确定原告和被告之间权利和义务的判决,阿利迈特案中原告的专利权被第三人侵害不会干扰被告履行自己不侵权的义务,也不会使被告履行这一义务变得更加困难。同样,在狩猎银行案中,无论第三人从事怎样的行为,被告所承担的不拆除原告设备的义务就像原告的设备不为被告拆除的权利一样,都不会受到妨碍。然而,霍尔的行为对于在米姆斯案中判定的原告的权利和被告的义务都产生了威胁。在米姆斯案中,原告被认定享有进入混合学校的宪法权利……简言之,法院对于适当地提交其解决的案件享有作出有拘束力的判决的基本权力,而这些曾在里保特高中的种族骚乱中推波助澜的人的行为危及到了法院的这项基础性权力。

衡平法院拥有一项内在的权力,以维护他们在这样的案件中作出判决的能力。这就是美国诉美国矿工联合会案[United States v. United Mine Workers of America, 330 U. S. 258 (1947)]中的要点。在那个案件中,地区法院发出了一项临时制止令(a temporary restraining order),禁止一家工会罢工。不过关于《Norris-LaGuardia法案》是否剥夺了地区法院在发出这样命令的司法权尚存在重大疑问。最高法院维持了对被告作出的因违反该命令而作出的藐视法庭判决,只是变换了一种表述方式,最高法院认为,即使在地区法院被最终认定为没有司法权时,藐视法庭也能成立。这一意见维护了法院的衡平权力,这项权力使法院得以为保护对其可能享有司法权的案件作出判决的职能而发出命令,以维护法院的职权……

在本案中,法院对它享有司法权的案件作出有拘束力的判决的完整权力已处在危急关头……

法院为了维护自己作出判决的职能而享有惩罚藐视法庭行为的司法权,在使用对物禁令（in rem injunctions）时也能找到这一原则。联邦法院曾经发出过拘束所有的人的禁令，无论其是否受通知，只要这个人与作为司法命令标的物的财产发生关联……作出对特定财产有拘束力的命令的法院必须是正在面临一种危险，亦即判决可能在将来被不特定的群体——这些人群可能与该财产发生关联——所侵扰，对物禁令可以保护法院的判决。现在地区法院面临一种类似的境况。在学校案件中，就像在其他民权诉讼中一样，判决对一个很大的群体发生效力，无论原来的诉讼是否以群体诉讼的形式解决……同时，法院在学校案件中的命令影响到大范围的群体，它的实施必须依赖于整个社会的合作。

本院清醒地意识到，废除学校隔离的命令往往会强烈地激发社会情绪。有关学校的命令就像单方命令一样，特别容易受一个不特定群体的挑动，这些人既不是当事人，他们的行为也不是受当事人鼓动。在这类案件中，就像在选举权案件中一样，法院必须有权力发出像本案这样的命令，果断地处理这种紧急事件，并直接保护法院的判决……

上诉人还声称，联邦民事诉讼规则65（d）使法院命令不能拘束他，[1] 他指出，他不是原诉讼的当事人，也不是任何一方当事人的官员、代理人、下属、雇用人员或律师，他也没有与原诉讼的任何当事人一起"积极地聚结或参与"行为。

在审查这一抗辩时，我们从规则第65条的措辞入手。这条规则的意图在于体现"普通法原理，即禁令的司法命令不仅约束当事人，而且约束那些被确定为与他们之间有共同利益的人，即与他们之间有"相互关系"的人（in 'privity' with them）、* 受他们所代表的人、或受他们控制的人。"……从文字上解读，规则65（d）禁止发出单方禁令。注意："禁令对非当事人的拘束力"，49 Minn. L. Rev. 719, 736（1965）。然而，既然法院拥有这项普通法权力，既然规则65（d）旨在使他们的权力具体化而不是为了限制他们的普通法权力，因而各法院并没有理会规则65（d），而继续不断地发出单方禁令。

同样，我们断定，规则65（d）是一个法典化的条文，而不是对法院的普通法权力的限制，不能把它解释为是对法院保护其作出有拘束力判决的职能这一内在权力的限制。我们认为，霍尔案与米姆斯案之间的关系已经进入了规则65

---

　　[1] 联邦民事诉讼规则65（d）规则规定：禁令或制止命令的形式和范围。每一则同意发出禁令的命令和每一则制止命令都应当表明发出该命令的理由；应当以具体语言为之；应当以合理的详细，而不是以提到起诉状或其他书面文件的方式，描述拟受制止的行为；该命令只拘束诉讼的当事人、当事人的官员、代理人、从业人员、雇员和律师，并拘束那些在他们以向本人送达的方式或其他方式实际收到命令通知后积极地聚结或参与他们的人。

　　* 译者注：关于"相互关系"（Privity）的法定含义，见本书第十一章有关内容。

(d) 调整的范畴。地区法院通过对米姆斯案作出判决和保留司法权,实际上已行使了对围绕学校体制的种族冲突相关的整个社区的权利进行裁判的权力。同时,在本案的情形下,像霍尔这样的第三人处于干扰法院判决的地位,这不是程序规则的起草人能够预料的情况。为了应对这种情形,地区法院没有超越它的权力界线。我们并不认为法院可以针对学校案件的整个世界随心所欲地发出永久禁令(permanent injunctions)。霍尔收到了法院的命令,他不是通过有序的法律程序对它提出质疑,而是寻求有意识的、故意的抗拒。[See Walker v. Birmingham, 388 U. S. 307 (1967).]

诚然,这一命令是在没有听审的情况下发出的,而且通常禁令救济不能未经听审而获得支持。[7 J. Moore, Moore's Federal Practice II 65. 04 (3) & n. 8a (1972).] 然而我们不必认为,这一命令具有基本的或永久禁令的效力,相反,在此受到质疑的法院命令的内容具有临时制止令的特点,这种情况属于依据规则65(b)的规定可以发出的单方命令。

因此我们认为,地区法院享有这项内在的权力,通过发出针对不特定群体的临时单方命令,来保护它作出针对米姆斯案原诉讼当事人的有约束力的判决得以实现。我们进而认为,接受该通知的人有意违反这一命令构成了刑事藐视法庭。维持地区法院的判决。

第三节 接受听审的权利:正当程序的要素和历史

"未经正当法律程序,任何州均不得剥夺任何人的生命、自由或财产。"美国联邦宪法第十四修正案第 1 节[1]

"正当法律程序"(due process of law)* 这一基本术语是宪法关于程序的最重要概念。这一术语最简单的用法是受听审的权利(the right to be heard),然而,就像理论家和法院所解释的那样,这个"权利"的含义随着时间的推移已经发生了演化和变迁。以那个磬竹难书的政治时期为背景,曾经围绕这些问题发生过热烈的争论,当时联邦最高法院在反法西斯难民联合委员会诉麦格拉斯一案[Joint Anti–Fascist Refugee Committee v. McGrath, 341 U. S. 123 (1951)]中产生了6个反对意见。在该案中,3个组织对美国联邦司法部的决定提出两项异议,司法部把它们列入"极权主义的、法西斯的、或颠覆主义的"的名单,并

---

〔1〕 编者注:第十四修正案对州政府能够做什么设置了特别限制。对于联邦政府的限制,见第五修正案:"未经法律的正当程序,(任何人)不得被剥夺生命、自由或财产。"

* 译者注:due process of law 有许多译法,如法律的正当程序,正当法律程序,法律的正当过程等。本书选取了最简洁的一种译法。

且记入联邦行政事务委员会的忠诚审查委员会（the Loyalty Review Board of the United States Civil Service Commission）的信息库。这3个组织主张，这种政府行为是在既未经通知他们、也未给他们提供陈述和申辩的机会的情况下做出的，这种行为在一种具有决定意义的反共产主义的民族气候中对他们造成了侵害。根据最高法院大法官解释"正当程序"的多数派意见，这些组织在被司法部贴上贬损性标签之前应当获得听审机会，并允许他们提交自己的证据。

大法官费里克斯·弗兰克福特（Felix Frankfurter）在他的并存意见中提出了关于通知和听审的两个理由："在一个人的名声因一个针对他的案件而受到严重败坏时，没有什么更好的设计比给他一个案件通知并使他有机会亲历这个案件更能够达到真实了，也无法找到更好的方式来产生一种被公正对待的感觉，这种感觉对于大众的政府而言太重要了。"（341 U. S. 149, 171-172.）他接着说，"问题的核心在于，民主蕴含着对人的基本权利的尊重，无论他们受到怎样的怀疑或多么微不足道。因而一个民主的政府必须实践公平，而公平极少能够通过秘密的、单方决定对于权利具有决定性意义的事实的方式获得"。

与此同时，弗兰克福特大法官承认，"'正当程序'不像某些法律规则那样，它不是一个不受时间、地点和环境影响而具有固定内容的技术性概念。'正当程序'不能禁锢在一个任何公式化的暗藏危险的限制之中。它用于表达一种对于尊重的终极分析，这种尊重由法律保障执行以获得公正对待的感觉，而这种感觉在英美法建构的历史和文化中历经了几个世纪，已发生演变……这是一个微妙的调适过程，不可避免地要涉及到由那些宪法所信任的人们以开放的过程行使的判断权"。（341 U. S. at 162-163.）

在近20年之后，一群代表穷人的律师给大法官们提供了另一次机会来解释正当程序。戈德堡诉凯利案（Goldberg v. Kelly）提出了一个这样的问题：正当程序是否要求政府在终止公共援助性（或福利性）利益之前给予通知和听审？当你在阅读本案的背景和联邦最高法院的意见时，考虑一下正当程序理念背后的价值和这一理念在本案条件下画出的具体轮廓。

一、戈德堡诉凯利案的背景

约翰·肯尼迪（John F. Kennedy）总统和林登·约翰逊（Lyndon B. Johnson）总统推出了解决贫困的项目，这些项目成为约翰逊总统1964年宣告的"对贫困的战争"。联邦项目包括公共援助、健康保健、住房救助、工作培训、公共教育和向穷人提供的法律服务。代表贫穷群体的活动家和法律家们在一个民权运动树立了一个模型。"活动家们也许天真和过于乐观，他们把联邦法院看作是个人权利的最后保护者，在适当的情况下还是社会变革的裁断人"。［Martha F. Davis, Brutal Need: Lawyers and the Welfare Rights Movrement, 1960-1973

(1993), at 1.]尽管活动家和法律家们希望运用法律使公共援助更加确定和有保障,各州长期把福利视为一种恩惠而不是一种权利。在20世纪60年代,甚至进步的法律家们也一度不再主张宪法要求把福利作为一项权利,而主张一旦个人根据某一制定法确立了一种获得公共援助的资格,州政府就必须遵照宪法原则,比如在利益实现方面的平等保护的权利。在戈德堡诉凯利案之前,联邦和各州的福利制定法都允许社会工作者只要确定接受福利者不再合格即可终止福利。有时,(Caseworker)威胁要终止援助而使受资助者动摇,这令一些受资助者颇有怨言。

然而,公共援助必须在某种程度上符合"生命、自由或财产"的条件,才能适用正当程序条款。在此,查尔斯·赖克(Charles Reich)的一篇具有里程碑意义的论文很有帮助。这位耶鲁大学法学院教授认为,如果州政府不迫使那些依赖于这些政府资源的人符合特别的条件,那么这些包括许可证、工作和福利在内的政府利益就可以像财产一样,因而有权获得像财产一样的法律保障。[1]

最近修订的制定法改变了20世纪70年代建立的联邦福利项目,如以下文摘中所述。

里查德·皮尔斯:20世纪90年代正当程序的逆向革命?
Richard J. Pierce, Jr., The Due Process Counterrevolution of the 1990s?
96 Colum. L. Rev. 1973, 1989 – 1992 (1996)

……第二巡回法院1994年在科尔森诉希尔曼 [Colson v. Sillman, 35 F. 3d 106 (2d Cir. 1994)] 一案中的意见阐释了一些方法,以这些方法改变了关于获得福利之条件的制定法的措辞,能够把受保护的"财产"权利转化为一种不受保护的"特许"。纽约的一条制定法授权州政府向残疾孩子提供医疗服务。当州政府撤销它先前提供给原告的这些服务时,原告的父母根据1871年《民权法案》(the Civil Rights Act)提起了诉讼。他们主张,州政府用于终止原告福利的程序不符合正当程序要求的最低标准。法院认为,正当程序保护不适用于这一终止决定,因为制定法没有赋予福利以任何受正当程序保护的"财产"权地位。

第二巡回法院制作了一个理由充分的意见书,其中认定,决定撤销一项先前根据制定法所提供的福利时,正当程序不适用于撤销决定。第二巡回法院将该案

---

〔1〕 关于影响赖克思想的因素的深入讨论,参见马莎·戴维斯:"严峻的需求:律师与福利权利运动"[Martha Davis, Brutal Need: Lawyers and the Welfare Rights Movement 1960 – 1973, at 82 – 86 (1993)]。为穷人提供的律师,也就是那些受联邦基金资助的"纽约青年法律组织动员会"中工作的人,以及其他在"纽约社会福利政策中心"工作的人,他们接受了这些理念,在一宗试验性的案件中挑战公共福利的终止。

与像戈德堡案和埃尔德里奇案进行了区分，后者可适用的制定法授权任何个人以接受系争福利的权利。纽约州的制定法要求获得健康福利的条件适用于符合另外两个资格的人：其一，制定法授权提供"像在专署案判决中所需要的那样的医疗服务……"其二，制定法规定获得福利的条件时提到了潜在的财政紧张："部门应当……在适当的限制范围内提供这样的医疗服务……"对于以另外资格获得的福利，该制定法没有赋予其以受保护的"财产"权利，因为制定法规定，赋予机构自由裁量权，并提到潜在的财政紧张，以限制福利的获取，这种规定否定了"制定法上的福利是一种'权利'"（entitlement）的推论。

1996年，国会颁布了对制定法的主要修正，这一制定法现在规定了所有形式的福利的获得条件（1996年《人身责任和工作机会法案》，Pub. L. No. 104–193 110 Stat. 2105）。这些修正有两个突出特色：他们赋予州政府机构以更多裁量权，他们授权这些机构根据潜在财政紧张而对可得福利加以限制。当不可避免的合宪性挑战抵达某州最高法院时，该最高法院正在寻找一种机会减少正当程序所保护利益的范围，结果可想而知。联邦最高法院采纳了第二巡回法院在科尔森案中陈述的理由，即，福利收益和医疗保健收益都不是受正当程序保护的财产权利。这一系列意见将标志着正当程序的逆向革命最大战役的结束……

该制定法废除了AFDC项目，为最高法院在戈德堡诉凯利案中的革命性判决提供了工具。该制定法用一项"成为各州向穷困家证提供临时援助的障碍"的制度取代了AFDC项目。这一制定法开宗明义地规定："本部分的宗旨是增加各州的灵活性……"这一规定包括以下声明："不是个人权利（NO INDIVIDUAL ENTITLEMENT）。本部分不得被解释为赋予个人……在任何州根据本部分设立的项目享受援助的权利"。简言之，该制定法为最高法院提供了充分的证据来支持其意见，即福利不再是一种在正当程序条款意义内的"财产"形式。的确，很难想像，在福利改革法案中的诸多条款都对赋予福利收益以任何财产权的内涵采取消极态度时，最高法院如何能够支持它在戈德堡案中重申的意见！

社会保障收益似乎这几年的逆向革命中幸存了下来，但这些福利被排除在受正当程序保护的财产利益范围之外还是在劫难逃，一时间所有的政要在财政预算的争论中都把社会保障放在了一边。然而，任何一个能够识文断字的人都知道，社会福利以其现在的形式实际上是不可行的。国会将在几年内修订社会保障法，在很大范围内参照福利制定法的修订。一旦那些修订变成法律，那么届时关于福利的先例都将支持这样的结论，即社会保障福利也不符合得受正当程序保护的"财产"的条件。

在逆向革命中，在这一点上，只有一个主要的"新财产"类型将仍然处于正当程序的庇护之下——那些只有存在理由（cause）才能被解聘的政府雇员的工作。把政府工作划入受宪法保护的任职的"财产"权利一类，一直以来都被看作是稀奇怪异的时代错误，即使那些支持大部分正当程序革命成果的学者也不例外。如果由立法机构而不是法院来确定以适当的程序决定将犯人投入单独监禁、或决定剥夺福利受益人"赖以生存的惟一方式"、或决定撤销残疾儿童的医疗福利，在这种法律环境中，看来还有更多时代错误。联邦最高法院将找到一种途径认定，在这种环境中，政府雇员不再对他们的工作享有宪法保护的权利。惟一有趣的问题是，最高法院将如何支持这一观点。

二、起诉状

民事诉讼从原告的一纸起诉状开始。当你阅读这些起诉状的时候，思考一下为什么现在被称为戈德堡诉凯利（Goldberg v. Kelly）的案件最初冠以戈德堡诉怀曼（Goldberg v. Wyman）。【答案：原告集团由凯利领导，原告们在地区法院胜诉，上诉案件的标题首先列入上诉人（被告）的姓名/名称。然而那时州政府机构的首脑更换了，所以案件名称也更换了。】思考一下原告的律师是如何策划这次诉讼的。为什么在他们的框架中要包括不止一个原告？调整起诉状的联邦规则只要求，文件必须给予被告关于他被起诉的通知，一个"简短的证明起诉者有诉权的陈述"和对救济的要求。（程序规则 P. 8）为什么原告的律师提交的内容多于规则的要求？

约翰·凯利，等上诉人，	民事诉讼案号：394-1968号
原告，诉乔治·	请求宣告性判决
K·怀曼等被上诉人，被告	禁令救济的起诉状

I

这是一个请求禁令和宣告性救济的诉讼，救济依据是《美国法典》第42编第1983节赋予的权利、特权和豁免保障，这些保障是由联邦宪法第十四修正案和《美国法典》第42编第301节及其以下《社会保障法案》确定的。根据《美国法典》第28编第1343（3）、（4）节，贵院享有管辖权，该编规定贵院对《美国法典》第42编第1983节授权的诉讼行使初审管辖权；《美国法典》第28编第2201节、2201节有关宣告性判决的规定也授权贵院行使管辖权。

II

这是一宗适于由三人法庭*决定的案件，法庭的组成依据是《美国法典》第

---

* 译者注：threemjudge court 是美国联邦司法系统中一个特别的审判组织形式，有别于通常的3人会议庭。该法庭通常由两名联邦地区法官和一名巡回法官（联邦上诉法院的法官）组成。由这一法庭作出的判决可直接向联邦最高法院提起上诉。

28 编第 2281. 2284 节，因为它诉求宣告性救济，以阻止被告适用、执行、实施和实现《纽约社会服务法》第 213（2）、214、304、325、350（2）（6）、353（2）条、纽约州官方法典及规章汇编第 18 卷第 351. 22 条和 356. 4 条（下称 N. Y. C. R. R. 第 18 卷）、N. Y. C. R. R. 第 18 卷第 84. 2 – 84. 23 条——这是由纽约州社会福利委员会颁布的，其目的是在 1968 年 3 月 1 日取代第 351. 22 和 356. 4 条的规定——及有关制定法、规范和规章，这些制定法和规章根据联邦宪法和法律要求给予充分通知和对这些制定法和规章失效的根据进行听审的机会之前，就终止或中止了以公共救济的形式提供的经济援助［《对有未独立孩子的家庭的援助》（AFDC），《对老人、盲人和残疾人的援助》（AABD），和《住房救济》（HR）］。*

Ⅲ

本案诉求一项禁令和宣告性判决，以阻止上述州制定法和在该州范围的规范和规章的执行，并宣告其违宪，亦即宣告被告在形式上和由被告对制定法、规则和规章的适用和解释、以及被告根据这些规定所采取的剥夺原告由宪法第十四修正案所保障的正当程序权利的行为，都是违宪的。AFDC 和 AABD 项目剥夺了原告由社会保障法案所保障的"公平听审"权，因为上述那些制定法、规范和规章拒绝给予原告在被终止或中止公共帮助项目下的经济援助之前获得一次听审的机会。

Ⅳ

原告约翰·凯利（John Kelly）、伦道夫·杨（Randolph Young）和胡安·德杰西士（Juan DeJesus）是美国联邦的成年公民和纽约州和纽约市的居民，他们在其公共援助未经通知和听审而被终止之前一直接受这项援助。

原告皮尔·麦克肯尼（Pearl McKinney）和皮尔·弗赖伊（Pearl Frye）是美国联邦的成年公民和纽约州和纽约市的居民，他们在其公共援助未经听审而被终止之前一直接受这项援助。

原告阿尔塔哥雷西亚·古兹曼（Altagracia Guzman）是美国联邦的成年公民，如果她不同意纽约市社会服务部门的一项要求，她很快就要被终止公共援助，而社会服务部门的这一要求没有法律根据。

Ⅴ

原告根据联邦程序规则 23 提起本案诉讼，他们代表自己和所有其他有着相

---

* 译者注：原文关于法律、法规的叙述 16 行中间没有句号或分号，用层层叠叠的从句表明所列法律、法规及规章之间的相属关系。对这些实体法之间的准确相属关系有兴趣者，请参见原版书第 30 页并参阅相关实体法资料。

同境遇的公共援助受益人。所有公共援助受益人都同样受到在本案中所挑战的制定法、规范和规章的影响，因为所有这些人都被武断地单方终止了援助。这一群体中的人数如此之大，已使合并诉讼不再可行，他们有共同的法律和事实问题，因而原告的请求为典型的集团诉讼请求，而且作为代表的原告们将公平而充分地保护集团的利益。反对这一集团诉讼的当事人已经根据一般适用集团诉讼的规定提起了诉讼或拒绝诉讼。

VI

被告乔治·怀曼（George K. Wyman）是纽约州社会服务部的专员，他负责州内公共援助项目的管理，并负责建立规章以执行所述项目的制定法条款。

被告莫里斯·亨特（Maurice C. Hunt）是纽约州社会服务部的执行委员，他负责纽约市的公共项目管理。

被告休·琼斯（Hugh R. Jones）是州社会福利委员会的主席；其他一些成员包括奥马尔亚当斯、多萝西·海特、里查德·基门诺、莫莉卡·麦克康尼、约翰·霍尔、亚历山大·霍斯汀、弗里德利克·克林根斯坦、乔治·伯林格、西奥多·杰克森、大卫·伯恩斯坦、乔斯·洛佩斯，他们都是州社会福利委员会的成员，负责颁布调整纽约州社会服务部政策和行为的规范。

VII

由纽约社会服务法创建的上述公共援助项目向某些特别贫困的人提供经济援助，符合该制定法标准的人接受经济援助是一种制定法赋予的权利。

VIII

为了接受基于"对有未独立孩子的家庭的援助"项目和"对老人、盲人和残疾人的援助"项目而设立的联邦基金，《美国法典》第42编第301节及其以下《社会保障法案》在与纽约州及被告有关的每一规定中都要求制作一个符合该法案条款和联邦宪法的、为实施上述项目的"州的方案"。《社会保障法案》按照联邦卫生、教育和福利部门的规范所解释的那样，要求"州的方案"规定在州政府机构向任何对地方社会服务部门的行为表示不满的个人提供一次公平听审的机会。

IX

1. 原告约翰·凯利29岁，自1967年8月始至1968年1月1日止接受每半月80.05美元的住房救济。

2. 原告凯利是1966年6月一次袭击事件中的牺牲品，他受到严重伤害，反复住院，不能工作。

3. 1967年12月16日，原告凯利的社会工作者指示他搬出他当时居住并希望继续居住的百老汇中心旅馆，搬进了巴巴拉旅馆，该旅馆与百老汇中心旅馆收费相同，但凯利先生知道那里居住着许多吸毒和酗酒者。

4. 原告凯利根据其社会工作者的命令搬进了巴巴拉旅馆，但是由于他认为那家旅馆对于他的健康和安全形成严重威胁，因而在很短时间内又搬了出来。凯利先生搬进了一位朋友的公寓。

5. 1968年1月8日，原告凯利收到巴巴拉旅馆服务台的通知，他在服务台收签了他的信件，凯利先生的社会工作者已经决定了他的案件，指示服务台柜员返还寄给凯利先生买一件冬天大衣的支票，这一资助是社会服务部先前应凯利先生请求作出的决定。

6. 原告凯利未收到本应于1968年1月16日收到的援助支票。

7. 1968年1月8日和16日，原告凯利试图在纽约州纽约市第28大街东110号"感恩福利中心"造访他的社会工作者，但两次都被拒绝了。

8. 原告凯利两次都被通知，他的案件已经作出决定，因为他违反了他的社会工作者要求他搬进巴巴拉旅馆并持续居住在那里的指示，因而导致对他的案件的立即终止。

9. 1968年1月23日，一位青年动员公司的社会工作者打电话给"感恩福利中心"，被通知说凯利先生的案件已经终止。她重新启动凯利先生案件的努力也无功而止。

10. 原告凯利没有财产，没有生活来源，也仍然不能工作，中止了他对1966年汽车事故造成的伤病的进一步诊治。自援助终止以来，凯利先生一直依靠朋友的施舍生存。

【起诉状提供了其他原告的详细背景和境况，包括经济状况和公共援助终止的方式。】……

XV

《纽约社会服务法》第213（2）、304.325节和N.Y.C.R.R.第18卷第84.2－84.23条于1968年3月1日生效，规定了公共援助项目地听审程序，第214.304（6）、325.350（b）条和N.Y.C.R.R.第18卷第351.22条规定了终止或中止公共援助项目中的资助的方式，这些规定在表面上以及在解释和适用于本案原告及其他集团诉讼成员时，都剥夺了原告由联邦宪法第十四修正案赋予的正当程序法律保障权，并在适用的范围内剥夺了由社会保障法案所保障的"公平听审"权利，因为根据执行过程中所采纳的那些制定法和规章授权和要求在给予符合正当程序标准的合理通知和听审机会之前即采取终止和中止经济援助的有效行动。根据现行规定，终止和撤销经济援助可以延伸至举行听审和作出决定之前的几个月，即使原告一直在接受这样的援助并且处于急切需要这笔救助以获得食物、栖所和医疗，即使原告准备证明他们符合资格并已经有资格。这种剥夺与《社会保障法案》的宗旨是背道而驰的。

XVI

原告在法律上没有充分的救济，除非贵院加以制止否则被告还会继续给原告带来无可比拟的伤害或存在这种危险。原告凯利、杨和德杰西斯白他们接受住房救助项目以来，从未获得过任何行政听审。原告弗赖伊正在等待她所请求的听审。原告麦克肯尼仅仅收到过一个在1月26日星期五终止援助的通知。

XVII

原告们没有足够的生活来源来维持生计，他们的家庭也失去了他们的公共援助。

综上理由，原告们分别代表他们自己和其他处于相同境况的人祈请法院：

1. 行使对本案的管辖权，并组成《美国法典》第28编第2281节规定的三人法庭；

2. 作出临时制止令和初步禁令，命令被告不得从事以下行为：

（1）拒绝支付所列原告的正常公共援助；

（2）未经事先给予书面通知陈述理由和未经在撤销援助之前提供听审机会，终止给予任何公共援助受益人的援助。

3. 根据美国法典第28编第2201、2202节和联邦民事诉讼规则57之规定，作出宣告性判决，宣告《纽约社会服务法》213（2）、214、304、325、350（2）（b）和353（2）和相关条款，以及据此发出的规章和规范，因为授权和要求在给予符合正当程序标准的合理通知和听审机会之前采取终止和中止经济援助的有效行动，在表面上和适用中都违反了联邦宪法第十四修正案和社会保障法案。

4. 作出初步和永久禁令，制止被告、被告的继任、代理人和职员在提供符合正当程序标准的合理通知和听审机会之前终止任何公共援助受益人的公共援助。

5. 同意免除原告在本案中的诉讼费用，给予他们和所有其他处于相同境况的人以贵院认为公正和适当的额外或替代救济，包括支付所有被错误撤销的金钱。

呈状者：

[律师的姓名]

（1968年1月26日宣誓）

三、判例的阅读

当你们阅读本案意见和其他案件的意见书时，请考虑你能够在程序案件中分析意见书的不同方法，并准备好在课堂上根据戈德堡诉凯利案的模型讨论这些方法。这些方法将适于你在整个课程和本教程以外的阅读中运用。

潜在的故事。首先，试试解答是什么导致了诉讼之前的争议，这一点通常十分重要。谁是当事人，他们在导致争议的那个诉讼之前都做了些什么？他们在本案诉讼中想获得什么？

程序状态。其次，为了跟上和理解程序而阅读一个判例。这种方法有三个方面：（1）你们必须考虑提交每一个法院的具体程序问题；（2）你们还应当分析事先采取过什么程序步骤。这将有助于你们在获得程序根据之前在大量细节上预见它们，并有助于你们审查它们；（3）最后，你们应当考虑在每一级法院的结果，也就是说，巡回法院如何处理地区法院的决定，最高法院又是如何处理巡回法院的决定的？再问一问，当最高法院对本案发表意见后，还会发生什么？

律师和法官的策略。第三，可以考虑每一个参与者的策略。为什么律师要像他们所做的那样行事？这包括分析为什么他们作出程序选择？为什么原告诉求这些类型的救济？大法官在写意见书时采取了什么策略？法官们正在努力获得其他法官的赞成票，正在努力影响未来的行为和后来的判决。

理由和程序原理。第四（一些学生和老师喜欢由此开始），你们希望考虑的本案的法官意见是什么？律师们和立法者们将从本案中吸取什么？有什么理由使本案对未来案件富有价值吗？大法官们努力将他们的决定与具体案件的事实连结在一起，他们之间连结得有多紧？

你所选择的其他视角。第五，你可以从一个使你感兴趣的其他原则的视角来考虑司法意见，比如从历史的角度：本案告诉你关于那个时代的哪些程序的、智识的和事实上的历史？如果你喜欢小说，想一想所涉及的情节和角色。如果你喜欢电影，想像一下法院场景和在它们之前和之后的其他东西。

四、最高法院的回应

戈德堡诉凯利
Goldberg v. Kelly
397 U. S. 254（1970）

大法官布伦南制作了本院意见书：

需要决定的的问题是，州政府在终止向具体的公共援助受益人支付公共援助之前，未向他提供证明性听审，是否违反了第十四修正案正当程序条款从而拒绝了受资助者程序性正当程序权利（procedural due process）。

本案是由纽约市居民向纽约南部辖区的地区法院提起的诉讼，这些居民根据联邦资助的"对有未独立孩子的家庭的援助"项目（AFDC）或纽约州的一般住房救济项目接受经济援助。[1] 他们在起诉状中声称，管理这些项目的纽约州和纽约市的官员终止或准备终止这一援助，而没有事先通知和听审，因而拒绝了他们的正当法律程序权利。在本案起诉时，还没有任何关于在终止经济援助之前提供任何事先通知或听审的要求。然而，该州和市政府在本案起诉后采取了通知和听审的程序，于是本案原告，也就是这里的被上诉人，质疑那些程序的宪法充分性。

州社会服务专署（the State Commissioner of Social Services）补充了州社会服务部官员规章，要求地方社会服务官员提出中断或中止某受资助者的经济援助的提议……至少在有效时间7天前通知受资助者其提议的理由，同时通知，应受资助者可以请求由一位地方福利官员对此建议进行一次复议（review）——这位官员应当是同意中断或中止资助建议者的监督者的上级——受资助者还可以基于复议之目的提交一份书面陈述，证明自己的资助为什么不应当被中断或中止。复议官员必须迅速作出决定，无论是否中断或中止援助，决定须以书面方式通知受资助者……

[根据市政府一项增加的程序]，怀疑受援助者继续符合援助资格的社会服务者必须先与受援助者讨论这些问题。如果社会工作者得出结论认为受援助者不再符合条件，他就向一位组织监督者建议终止援助，如果后者同意，他就向受援助者发出一封函件，陈述建议终止援助的理由，并通知他在7天内可以请求更高层官员复议这一记录，还可以附以书面陈述来支持自己的主张，书面陈述可以由其个人准备，也可以在律师或其他人的帮助下准备。如果复议官员确认了关于受资助者不符合条件的决定，援助就立即停止，并将这一行为的理由以书面形式通知受援助者。被上诉人对这一程序的质疑强调，没有任何条款要求受援助者在复议官员面前亲自出面，口头陈述证据，对不利证人进行质证和交叉询问。然而，函件的确告知了受益人可要求一次决定后的"公平听审"。这是一种在独立的州政府听审官员面前举行的程序，在这一程序中，受资助者可以亲自出席，提交口头证据，对不利于他的证人进行交叉询问，并对听审作出记录。如果受资助者在"公平听审"程序中获胜，那么所有错误撤销的资金都将支付给他……"公平听审"决定未保留援助的受资助者可以提交司法审查……

因此，要决定的宪法问题就非常狭窄了，即，正当程序条款是否要求在终止福利之前向受资助者提供一次证据听审。地区法院认为，只有终止之前的证据听

---

〔1〕 编者注：AFDC 由 1935 年《社会保障法案》49 Stat. 627 和作为补充的《美国法典》第 42 编第 601–610 章（1964 版补编 IV）设立。这是一种由联邦"用于援助的资助"（grants–in–aid）提供支持、而由州根据"健康、教育和福利秘书处"的规定管理的援助……"住房救济是一种仅仅由纽约州和地方政府拨款和管理的一般性援助项目……"

审才符合宪法要求,因而驳回了州和市的官员的陈述,这些官员主张,应当将终止之后的"公平听审"与终止之前的复议通知结合起来处理所有正当程序主张……尽管州政府官员在诉讼中也是被告方当事人,但只有纽约市社会保障专员提起了上诉。我们已注意到管辖权主张……对此我们予以支持。

上诉人没有辩称程序性正当程序条款不适用于福利收益的终止。这种收益是一项赋予有资格受益人权利的立法事务,其终止涉及到州政府调整重要权利的行为。不能用"公共援助是一种'特许'而不是一种'权利'这样的论点"来回应合宪性挑战 [Shapiro v. Thompson, 394 U. S. 618, 627 n. 6 (1969)]。适用于撤销公共援助收益的有关宪法性限制与适用于取消失业补贴的一样多 [Sherbert v. Verner, 374 U. S. 398 (1963)];或者与驳回税务免除 [Speiser v. Randall, 356 U. S. 513 (1958)]、或与免收公共服务费 [Slochower v. Board of Higher Education, 350 U. S. 551 (1956)] 一样。必须能够为受益人提供的程序性正当程序的程度受其可能"被宣告遭受的惨重损失"的影响(Joint Anti-Fascist Refugee Committee v. McGrath, 341 U. S. 123, 168 (1951) [Frankfurter, J., concurring]),取决于受益人在避免这一损失方面的利益是否大于政府在简易行使管辖权方面的利益。因此,正如我们在餐厅和餐馆工人工会案 [Cafeteria & Restaurant Workers Union v. McElroy, 367 U. S. 886, 895 (1961)] 中所说的那样,"在给定的具体情境下考虑正当程序要求什么样的程序,必须确定所涉及的政府功能的具体性质以及所涉及的受政府行为影响的私人权益的性质"。(另见 Hannah v. Larche, 363 U. S. 420, 440, 442 (1960).)

诚然,某些政府性收益可以不向受益人提供终止之前的证据听审即作出行政性终止。然而,我们同意地区法院的意见,即,当福利被结束时,只有终止之前的证据听审才算提供了程序性正当程序保障(参见施奈达奇案, Sniadach v. Family Finance Corp., 395 U. S. 337 (1969).)。对于符合条件的受益人而言,福利提供了一种获得基本食品、衣物、住房和医疗保健的途径。因此在此背景下,一个至关重要的因素是,使有关资格问题的争议的解决处于悬而未决状态的终止援助行为,可能已经剥夺了一个有资格受益人正在等待的他所赖以生存的途径,这是在那些被列入黑名单的在政府合同者、或受解聘的政府职员、或拒绝免税的税务员、或任何其他实际上终止了政府提供的权利的人的案件中所未呈现的因素。由于缺少独立的生活来源,因此他的处境立即变得走投无路,这种境况又反过来影响他寻求从福利部门获得救济的能力。

与此同时,通过向受援助者提供终止前的证据听审也可以促进重要的政府利益。全国性基层托管机制自设立以来,一直在其领域内支撑着所有的人的尊严和健康。我们已经认识到,势力(forces)不在穷人的掌握之中是导致他们贫穷的原因。这一理解与我们的传统背景形成反差,对于当代公共援助制度的发展产生了重要影响。福利满足了生存的基本要求,能够在可以达到的范围内帮助穷人获得同样机会,使他们得以有意义地参与社会生活。同时,福利保障抵御了社会的疾病,这些疾病可能来源于一种广泛传播的、不知是否有理由的挫败感和不安全感。因此,公共援助不只是慈善,而是一种"增进普遍福利和保障我们自己和我们子孙后代的自由的福音"的一种途径。政府利益为福利提供了正当理由,也为其不间断地向那些有资格的受益人提供福利提供了正当理由,终止之前的证据听审对于实现这一目的不可或缺。

上诉人没有对这些考虑的说服力提出质疑,却主张他们在节约政府财政和行政资源方面的利益使他们的利益更重,为他们将证据听审延迟到中断资助许可之后提供了正当理由。简易审判通过根据所发现的足以相信受益人不再合格的理由决定立即停止支付而保护了公共财政。既然绝大多数终止都被无质疑地接受了,因此简易审判通过减少证据听审的数量,不仅节约了财政,而且节约了行政时间和精力。

然而,我们同意地区法院的意见,即,这些政府利益在福利的语境中不是至高无上的。要求事先听审无疑要牵涉到某种更大的开支,而支付给合格受益人的利益还有待于听审后的决定,这些利益可能无法获得补偿,因为这些受益人的情况可能是一目了然的。然而,州政府并非没有武器来把这些增加的成本砍到最低限度。通过发展快速的终止前听审和利用人事、设施方面的娴熟技能,财政和行政资源中有大量的渠道可以压减开支。的确,在纽约住房救济项目中提供一种终止之后的证据听审,其本身已有力地证明,州政府已承认正确确定资格和提供程序保障对于公共利益的重要性,因此,有资格的受益人在不被中断地接受公共援助方面的利益,与州在不错误地终止支付援助方面获得的利益合在一起,明显超过了州政府在避免增加其财政和行政负担方面的利益……

Ⅱ

然而,我们也同意地区法院的另一判决理由,即终止之前的听审不必采取司法或准司法审判的形式。我们记得制定法上的"公平听审"会给接受援助者提供一次完整的行政复议[1]。可见,终止之前的听审只有一个功能:制作一个关于福利部门终止支付之理由有效性的初步决定,以保护受资助者不受错误终止其收益的侵害行为……因此,在终止之前的阶段并不需要一个完整的记录和一份综合性的意见,这些意见基本上是用来为司法审查和指导未来决定提供准备的。我

---

[1] 当然,正当程序不要求两次听审。比如,如果某州只希望在一次"公平"的听审之前维持福利,则不必要进行初步听审。

们也认同，福利当局和受益人在相对快速地解决资格问题中都享有利益，他们习惯于非正式地一个一个处理，有些福利部门案件负担很重。这些考虑为一定程度的限制提供了正当理由，包括把终止前听审限制在最低程序保障的范围、限于适用符合特征的福利受益人、限定提交解决的争端的性质。我们还可以增加一点，就是在这种法律发展的领域内，不要把超出根本性正当程序的要求之外的程序要求强加于州或联邦政府，我们对于这一问题重要性的认识并不比持反对意见者少……

在当前的语境中，这些原则要求受益人享有受及时和充分的通知的权利，详细陈述建议终止的理由，并获得一次有效的机会，通过与不利证人质证和口头陈明他自己的论点及证据而进行防御。这些权利在眼前这样的案件中十分重要，因为受资助人质疑终止是基于错误或被误导的事实或基于将规范或政策错误地适用于具体事实。

我们不准备说，纽约市现行规定的 7 天通知本身违反了宪法所要求的充分性，尽管可能对于某些案件而言公平性要求给予更长的时间。我们也没有看到通知在内容或形式上有任何地方存在宪法性的欠缺。纽约市规定发出一封函件并与社会工作者一起召开亲历现场的会议，以通知受资助者关于他继续受益资格的具体问题。显然受资助者已被告知该部门怀疑的法律和事实根据。这种结合可能是与受资助者沟通的最有效办法。

该市的程序现在没有让受资助者在律师陪同或没有律师陪同下亲自出现在最终决定继续受益资格的官员面前，因此受益人未被允许向这位官员口头陈述证据，也未被允许与不利证人对质或进行交叉询问。这些省略对于程序的宪法充分性是致命的。

听审的机会必须适于那些将受听审的人们的能力和状况。福利受益人通过书面形式或通过其社会工作者转达的方式来向决定者陈述他的立场是不够的。对于多数接受资助者而言，书面陈述是不现实的选择，他们没有达到必要的教育程度而进行有效表达，他们也不能获得职业性的帮助。此外，书面表达不具有口头陈述那样的灵活性，不能允许受资助者把他的观点纳入看起来会使决定者认为重要的框架。特别是当可信性和准确性发生争议时——这些争议在许多终止权益的程序中都会发生——书面表达对于作出决定而言，简直就是一种无法令人满意的根据。由社会工作者向决定者转述本身就有缺陷，既然社会工作者通常收集事实，指责（受益人）不符合条件也就是根据这些事实，那么将争议另一方即受益人这边的陈述留给他，不能保证是安全的。因此，受益人必须被允许口头陈述他的立场，非正式的程序就足够了，在这种情况下，正当程序不要求特别的证明命令或提交证据的动议。

在几乎每一个条件下，当重要决定转向事实问题时，正当程序就要求一次质证和交叉询问不利证人的机会……因此必须给福利受益人一次机会对行政部门所依赖的证人进行交叉询问。

"如果接受听审的权利不与接受律师听审的权利综合起来，那么受听审的权利在许多案件中是无所裨益的"。（Powell v. Alabama, 287 U. S. 45, 68-69 1932.）我们不是说一定要在终止前的听审中提供律师，而是说如果受益人特别想要一位律师的话，应当允许他请一位律师……

最后，决定者对于接受资助者资格的结论必须仅仅以法律规则和在听审中引证过的证据为根据。为了证明符合这一基本要求，决定者应当陈述他的决定理由并引证他所依赖的证据，尽管他的陈述不需作成一份完整的意见书甚至不需要正式的事实认定和法律结论。当然，中立的决定者是至关重要的。我们同意地区法院的这一观点，即事先介入案件的某些方面不一定妨碍福利官员扮演决定者的角色，但他不应当参与根据复审作出的决定。维持原判决。

布莱克大法官的反对意见：

在近半个世纪，美国与许多——也许是多数——国家一样，在迈向福利国家的道路上走得太远，也就是说，国家基于这样或那样的理由，向富有者收取大部分税收，去向那些不大幸运的公民提供生活来源、食品、衣物和居所。其结果是，当今美国有900多万男女老幼接受着某种由州或联邦财政支持的津贴或慈善形式的公共援助，通常每周、每月或每季发放一次。既然这些慈善是根据需要发放的，因而受益人的名单是不统计的，时常有一些人从名单上撤走了，而另一些人又加了进来。这些不停变动的名单给政府造成没完没了的行政负担，政府无法合理地预测，这种负担还要包括今天本案加诸于它们的额外程序的开支。

……当联邦法官以立法为目的的动用他们的司法权力时，我认为他们已信步越过了自己的权力领地，跨入了宪法授予国会和人民的区域。具体地说，这就是我认为本院在本案中正在做的事情。所以我不同意。

在纽约的救济名册上的这些100多万名字，还有在50个州的名册上的900多万名字，就随机地放在那里。放在那里是因为官员们认为这些人符合援助的条件。也许在官员们的匆忙之间制作的这些名单中，许多名字被错误地放进去了，目的是缓解当时的遭遇，无疑也有一些人根据法律规定本来无权领取救济却也滥竽充数。那些明知他们没有资格却不时领取支票者无疑也大有人在，或者因为他们并不真正需要，或者因为其他什么原因。于是在领取不配获得慈善资助的人中，有许多人没有足够的财产使政府收回他们错误领取的任何金钱。然而，今天本案却认定，停止支付那些人每周或每月的津贴违反了第十四修正案的正当程序条款，除非政府首先向他们提供一次完整的"证据听审"，即使福利官员已被说服，依据法律这些受益人不能正确地获得一个便士。换言之，尽管有些受益人可能还在支付的名单上完全是因为他们自己故意欺诈，本院仍然认定政府束手无策，而且必须在一次证据听审之前，继续向他们支付没有欠、从来不欠、永远也不会欠的钱。我不认为我们的宪法里有任何条款，像这样使政府在努力保护自己不向没有权利的人们支付金钱时无能为力。

我特别认为，对第十四修正案不应当作出如此不必要的宽泛构建。修正案的出台最初是为了保护黑人不受歧视，其中有些语词能够保护也的确保护了其他人，但众所周知，在这一修正案背后的主要目的是为了保护曾经的奴隶……

如果本案多数人的意见像"教育和劳动委员会"的报告那样写，那么我不太反对，如果有点反对的话，然而，作为依赖于宪法文本的意见书，我发现它的缺陷令人沮丧……

今天作为一个宪法事项来要求的程序在我们的法律制度中找不到任何先例，就其最简单本质而言，本案的问题与司空见惯的情况没有什么分别。当双方当事人之间存在的尚未失效的法律关系要求一方向对方为阶段性支付，而当"欠"钱的一方停止支付并辩解说收款人不再具有获得支付的合法权利时，通常就会发生这种情况。当然，收受人可以不同意并请求法院强制支付。但是我不知道在我们的法律制度中居然有这样的情形：法律要求被声称欠钱的一方当事人继续向一位要求判断证据的请求人支付款项，但假如他的法律主张获得支持，却没有任何受保障的收益或资金来确保这些支付出去的钱能够回转……

本院似乎觉得这一决定会给穷人和需求者带来好处，按照我的判断，最终结果将适得其反……今天的决定最终结局将是，政府一旦决定提供福利收益，直到受益人将这一收益提交全面的行政和司法审查之前，当然也包括获得提交本院解决的机会就不能再改变这一决定，既然这一过程通常会拖延几年，那么这种宪法强加的负担不可避免的结果是，政府在对请求援助者进行彻底调查并确定其有资格之后才会把他列入救济者名单……

基于上述理由，我反对本院的认定。福利国家的运作对于我国而言是一种新的尝试，正因如此，我觉得执行福利项目的这种新尝试和其他尝试一样，不应当禁锢在我们的宪法结构之中，它们应当像其他立法性决定一样，留待国会和立法机构去解决，人民选举了他们来制定我们的法律。

【伯格大法官和斯图尔特大法官也持反对意见。】

注释与问题

1. 本案在哪个法院开始，又在哪个法院终结？
2. 本案涉及正当程序的哪个条款——第五修正案还是第十四修正案——为什么？

3. 描述背后的故事：原告和被告都是谁，他们之间的争议是什么？导致争议的原因是什么，当事人双方想通过诉讼达到什么目的？

4. 最高法院是否确定，福利是一种引起正当程序保护的财产？该院的多数派是如何处理这个问题的？该院是否回应了布莱克大法官的反对意见？布莱克大法官的反对意见中最有力的要点是什么？

5. 作为能够达到的"正当的"（due）程序的最大化要素，"完全送达"（full service）是什么？用正式的法院判决作为一个模型，把戈德堡案中广义的程序要素与狭义要素进行比较。下列事项如何重要：事先通知，获得律师帮助，作证的机会，交叉询问证人的机会，证言书面记录的要求，决定中陈述理由的要求？戈德堡案认定哪些程序要素对于终止福利收益是必要的，哪些是不必要的？哪些原则影响了这一区分？

6. 谁将支付该院要求的额外程序？这些可以获得收益的钱需要在进行终止前听审时通过收费来降低吗？该院的意见将会如何影响由州的机构作出的终止收益决定？该院的意见将会如何影响由这些机构针对谁有资格获得福利收益而作出的初步决定？

7. 多数派所讨论的特别程序要素服务于什么价值？记住法兰克福特（Frankfurter）大法官对于达到真实和对于产生正义已被实施的感觉的强调（Joint Anti–Fascist Committee v. McGrath, supra.）。许多学者都写过公平的感觉如何影响诉讼的目的。

下面专家弗兰克·米歇尔曼（Frank Michelman）在他对于像立案费这样的程序启动费的讨论中指认其背后的价值，亦即这些收费对于那些穷困潦倒的个人而言，是使提起诉讼即使不成为不可能也会变得更困难。他所指认的哪一种价值能够成立，即使对于没有机会或极少有机会在实质问题上胜诉的潜在当事人也成立？

下面米歇尔曼教授、汤姆·泰勒（Tom Tyler）教授和阿兰·林德（Allan Lind）教授根据社会心理和政治稳定因素考量程序的价值。再考虑一下，他们的论点中有哪些方面独立于当事人的请求——这些请求应当是在实质问题上获胜？即使在制度上结果偏向于某一群体，法律制度的正当性能够或应当通过程序权利而获得保障吗？

弗兰克·米歇尔曼:

最高法院与诉讼费用:保护自己权利的权利
Frank Michelman, The Supreme Court and Litigation
Access Fees: The Right to Protect One's Right 1973
Duke L. J. 1153, 1172-1177 (1973)

……使诉讼成为可能,有一些普遍接受的理由。我认为,如果我们努力将这些理由架构在价值方面(终极目标、利益,目的)——这些价值通过允许人们诉讼而得到进一步体现,那么我们就几乎不会冒严重歪曲本意的风险。

我一直能够认可的是这四种自成一体——尽管相互关联——的价值,可以称之为尊严价值(dignity values)、参与价值(participation values)、抑制价值(deterrence values)、以及(选择一个笨拙而中性的术语)效用价值(effectuation values)。尊严价值反映对人性或自尊丧失的关切,如果一个人被拒绝诉讼机会,就可能失去人性或自尊。参与价值反映对于诉讼作为一种方式的赞赏,这种方式令人们能够施加影响或使他们的意愿"被计入"他们所关心的社会性决定之中。抑止价值承认诉讼作为一种影响或抑制个人行为的机制的工具性,这种工具性体现在诉讼以社会愿望为思想。[1] 效用价值把诉讼看成是一种途径,通过这一途径能够使人们获得或使他们相信拥有任何我们喜欢认为正当地属于他们的东西……

尊严价值。当一个人面对正式的、由州政府作回应的、指责别人错误、疏漏或缺陷的公共程序时,而且当这个人在缺乏作出自尊的回应所必需的帮助和资源却既不被排除回应也不被强迫回应时,最明显受到冒犯的就是尊严价值。

不能为自己进行适当辩护对于自尊的伤害在刑事追诉案件中可能是最严重的,在那些案件中,市民社会的代表们力图在公共论坛上给违反重要社会规范的人贴上标签……

当然,人们马上看到,在一些名义上的"民事"语境中,本来会成为诉讼者的人正在努力挣脱政府的指控性的诉讼,这些诉讼使他们战战兢兢(比如,以不当行为为由剥夺父母对子女监护权的诉讼),在尊严价值方面把这些诉讼与标准的刑事语境区分开来是极为困难的。总而言之,这些案件本身并不表明尊严

---

[1] 一种可能更加精确(但不那么突出)的标签应当是"社会福利价值"。这一分类旨在支持把诉讼当成社会价值最大化的方式所作的所有解释,以区别于保障胜诉方当事人获得他应得的权利。在一件给定的案件中,价值最大化可能通过一个对福利再分配的行为而获得实现(这是判决或命令本身的直接影响),而不是通过一种严格宣称的(否定的或肯定的)抑止行为来实现(这是了解判决及其理由对于未来行为的影响)。

的概念不易把握,在许多案件中在准刑事和非刑事语境之间划出一道清晰的界限,虽然可能却富有挑战性,但这种决定也并非不可克服的困难。

然而,很难说尊严的考虑完全不适用于民事语境。发现自己被卷入一场围绕法律权利和错误的争议,却没有能力在案件中支持自己,通常也许是有点令人委屈、人性激愤、怒不可遏。这种境遇到底有多严重似乎取决于不同的因素,包括可能性、对方的身份(是不是政府?)、争论的起源(这场争论是不是由这个人自己而起?)、可能的结果(这个人或其他人是否感觉到他一直是个坚决的坏蛋?)、以及这一努力在多大范围内为公众所知(闹到法院了吗?)……

参与价值。把诉讼当成一种政治方式的观点可能有时很流行,这种解释可能既不出自法院,也不出自法学理论家。但是我还没有办法能够犀利地剥开这种为了选择性收费救济的规则而把诉讼语境如此归类的背后蕴意。(肯定地说,最高法院已出现的规则不能被解释为反映了这种归类)。

然而,如果参与价值不能帮助我们在不同诉讼语境中进行区分,那么它们能够为广泛的获得司法救济这一宪法权利做出重要贡献。参与价值植根于这样一个主张,即这项权利是从第一修正案引伸出来的权利,这是我不愿求助的一种主张。参与价值也有助于启发对一般诉讼权与一般选举权的划分……

抑止价值。一种关于诉讼的经常而发人深省的看法是,它是一个程序,或者一个程序中的一部分,其目的在于制约社会中所有机构履行由社会福利观强加于它们的义务和责任。当然,抑止价值与诉讼费用之间的联系被那些价值的明显落空所取代,其结果是,如果处于优越地位或者基于一些天性的动机的个人去谋求司法实现这样的制约,那么收费就可以阻止这种行为。

汤姆·泰勒和阿伦·林德:群体中权力的关系模式
Tom R. Tyler and E. Allan Lind,
A Relational Model of Authority in Groups 25
Advances in Experimental Social Psychology 115,133-140 (1992)

研究……表明,在形形色色的因素之中,影响正当性的关键因素是一个人关于受争议的当权者所使用程序的公平性的评价。这些包括行为测试在内的研究表明,在服从的方法以及其他与权力相关的行为方面显示了非常相似的结果模式。偶尔发现,对于当权者决定的喜欢和对其在分配正义意义上的公平性的评价会对正当性发挥作用,这种作用独立于程序公平所发挥的作用。尽管如此,在作用的力度和作用的普遍性方面,当决定一项权力是否被视为正当时,几乎任何的结果因素都不像程序正义那样重要，这一点是明显的。[1]

为什么程序正义对于正当性如此核心？从某些关于程序正义问题的开创性论证中可以找到一个解释。蒂博特（Thibaut）和沃克（Walker）（1975）在他们关于群体内的争议解决问题的讨论中，指出了争议解决的过程能够对群体中和社会中的社会关系产生潜在损害。他们指出，在任何群体中，由于成员之间关于群体应当为什么而斗争，以及应当如何处理内部事务，有着不同喜好和不同信仰，因而任何群体都会存在利益冲突，即使面对利益冲突，使用被所有各方当事人认为是公平的程序，会促进群体成员之间积极关系的维系——这种维系使"社会的纤维"得以珍存。[蒂博特诉沃克案，（Thibaut & Walker, 1975, p. 67.）]

程序正义之所以崇高的第二个理由，在蒂博特和沃克（1978）对关于权力正当性判断的另一项分析中可以找到。在许多社会情境中，什么决定或行为在客观意义上是正确的，一点也不清楚。的确可以说，许多组织的决定——至少在决定的当时——都关注于一些无法知道什么行为才是最佳出路的问题。蒂博特和沃克论证说，在这些情境中，对于作出好的决定的至关重要的关键就是表现出公平，当程序被接受为公正时，使用这样的程序来产生决定是最能明显达到公平的。换言之，在缺少客观标尺来确定决定的正确性时，决定的质量的最好保证是使用好的——即公平的——程序……

对程序正义的关切在判决正当性中的重要性的第三个也是最后一个理由，与程序的感觉及对群体的其他认知有着某种关联。在更早期的分析中（Lind &Taylor, 1988）我们论证过，程序被广泛地看作是群体的基本要素，对程序的感觉是认知群体的关键特征。比如，对于任何一个准备对持续性基础发挥作用的群体而言，起草章程一般都是第一批大事之一，这绝非出于偶然。一个组织通过设计程序而给自己设立一个框架，并把它的价值和目标具体化。由于程序被广泛地认为是群体价值的显示，因此我们认为，在认知群体时，程序在很大程度上承担了符号的意义。根据这条思路，就对于评价群体的影响而言，对程序的感觉大于对结果的感觉，因为结果一般被看成是对特定情形的一次性回应，而程序则具有一种持续的性质，这种性质使一个不公平的程序比一次不公平的结果更具有威胁性。同样，一位当权者用以作出一项决定而使用的程序可能被视为当权者价值观的表白，而对当权者使用不公平程序的判断则可能比对个案决定不公平的判断更受关注。

---

[1] 如上所述，将个人满意与像正当性这样的态度区分开来非常重要。我们不是说，如果人们接受了对自己的不利的结果，只要该结果是通过公平程序作出的，他们就会高兴，而是说，其一，他们更可能接受这个结果；其二，他们更少可能归咎于处理这一问题的政府当局或/和制度。因此，他们更可能在将来遵守政府的指示。

无论怎样解释，上述观察的结果都表明，对于有效地行使正当权力而言，使用公平程序是一个重要的要素，也许是关键的要素……

在任何一个有组织的群体内部，有效地行使权力都是核心问题。因此，我们一直在检讨的那些问题始终是重要的。然而，在资源紧缺的情况下，当社会冲突更容易发生、当资源配置成为异常的难题时，它们变得尤其重要。正如我们上面所指出的那样，授权于当权者似乎是群体对社会冲突和资源配置或减少资源这类问题的回应，不过在这种情形下，当权者的行为最可能受到非议……

加剧社会冲突的可能性被认为是美国政府当局在20世纪70年代面临的特殊难题，因为美国当时处于一个似乎特别容易引起社会不安定的历史时期。对法律、政治和企业界当权者的敌意和对他们的不信任非常严重。由于权力的正当性经常被视为"支撑的软垫"，能够帮助社会熬过历史的困难时期而得以幸存，因而这种潜伏于美国法律、政治和经济制度中的支撑力的脆弱，似乎都引致一种对破坏性的社会不安的易感，这种易感具有潜在的危险性……

我们相信，20世纪90年代可能产生并成为关注中心的社会问题，可能仍是对正当性和权力过程的强调……

五、诉讼的成本

程序是有成本的。在给定的情形下，当确定多少程序为正当的时候，成本应当扮演什么角色？最高法院在紧接着戈德堡诉凯利案之后的马修斯诉埃尔德里奇案中解答了这个问题。当你们阅读马修斯案时，思考一下最高法院是否简单地适用了戈德堡案中的标准来解释多少程序为正当，或者改变了这一标准。不管是哪种情况，为什么这一决定会有所不同？

卫生、教育和福利事务部长马修斯诉埃尔德里奇
Mathews, Secretary of Health, Education and Welfare v. Eldridge
424 U. S. 45, 319（1976）

大法官鲍威尔（Powell）制作最高法院意见书：

本案的问题是第十五修正案的正当程序条款是否要求在终止社会保障的残疾收益支付之前向受益人提供一次证据听审的机会。

现金福利是根据残疾人保险福利项目在工人完全残废时期向其提供的福利，这一福利项目是由《社会保障法案》第2编1956年补充条款设立的（70 Stat. 815, 42 U. S. C. §423）。答辩人埃尔德里奇于1968年6月第一次接受福利。1972年3月他收到一份来自州政府机构的问卷，要求监督他的医疗状况。埃尔德里奇完成了这份问卷，表明他的条件没有改善，并确认了医疗资料，其中包括他近来就诊的内科医生。州政府机构于是从他的内科医生和精神顾问那里获得了

报告。该机构经对这些报告和卷宗内其他信息的考虑,以函件方式通知埃尔德里奇说,他们已暂时确定他的残疾已于1972年5月停止。这封信包括一个关于终止福利的理由陈述,同时提醒埃尔德里奇可以要求一个合理时间,在这个时间内可以收集和提交符合其状况的另外信息。

埃尔德里奇在书面答复中对他医疗状况的特点提出了异议,并且表示,该机构已经有足够证据确定他的残疾。州机构随后作出终局性决定:他的残疾已于1972年5月终止。社会保障部(SSA)接受了这一决定,并于7月通知埃尔德里奇,他的福利将在当月之后终止。通知还提醒他,他有权在6个月之内诉求州机构对这一初步决定进行复审。

埃尔德里奇没有要求复审,而是开始了本案诉讼,挑战由卫生、教育和福利署所设立的评价是否继续存在残疾的行政程序的合宪性,他诉求在对他的残疾问题进行一次听审之后立即恢复他的福利待遇。[361 F. Supp. 520(W. D. Va. 1973)] 福利署动议驳回这一诉求,理由是埃尔德里奇的福利被终止符合有效的行政规章和程序,而且他还没有穷尽可以获得的救济手段。埃尔德里奇为了支持自己关于正当程序要求一次终止前听审的抗辩,援引了本院在戈德堡诉凯利案 [Goldberg v. Kelly, 397 U. S. 254(1970)] 中的意见,该案意见书确立了一项权利,要求在终止福利收益之前进行一次"证据听审"。福利署抗辩认为,残疾收益的资格要求与福利收益的资格要求不同,它不是以经济上的需要为基础,同时可信性和精确性问题在残疾权利决定中并不起重要作用,而主要是依赖于医疗证据,因而戈德堡案对本案没有约束力……

程序性正当程序对于在第五或第十四修正案正当程序条款意义范围内剥夺个人"自由"或"财产"利益的政府决定进行了限制。福利署没有辩称程序性正当程序不适用于社会保障残疾收益的终止……而是提出抗辩说已有的行政程序——将在下面详述——在受益人能够被剥夺那项利益之前已提供了所有符合宪法要求正当的程序。

本院一致认为,在一个人被终局性地剥夺一项财产利益之前应当有某种形式的听审。[Wolff v. McDonnell, 418 U. S. 539, 557 - 558(1974). See, e. g., Phillips v. Commissioner, 283 U. S. 589, 596 - 597(1931).]"在被强制遭受任何重要损失之前,即使可能涉及对一位刑事犯的污辱和虐待,受听审的权利都是一项对于我们社会十分基本的原则。"[Joint Anti - Fascist Comm. v. McGrath, 341 U. S. 123, 168(1951)(法兰克福特大法官的并存意见)]正当程序的基本要求是"在有意义的时间内和以有意义的方式"接受听审的机会。埃尔德里奇同意,如果残疾收益在行政程序的证据听审阶段完成之前不被终止,那么请求人在关于资格的最初决定成为终局性决定之前所获得的复议程序就已足够。争议的核心在于，关于收益的初步决定尚在等待复议，在此之前什么样的程序是正当的。

近年来，本院有一些逐渐增多的机会来考虑正当程序在多大程度上要求在剥夺某种财产利益之前进行证据听审，无论这一听审在此之后是否进行。本院仅仅在一个案件中（Goldberg v. Kelly, 397 U. S. at 266 - 271）认定，一次很接近于司法审判的听审是不可缺少的。在其他要求某种终止前听审作为一项宪法权利的案件中，本院也旗帜鲜明地重申了所要求的程序。在涉及到划拨工资的施奈达奇案中[Sniadach v. Family Finance Corp. , 395 U. S. 337 (1969)]，本院对此事项保持了沉默。在芬提斯诉谢文案中[Fuentes v. Shevin, 407 U. S. 67, 96 - 97 (1972)]，本院只是说，在两方私人当事人之间的返还财产的诉讼中，初步决定要求提供某种比在法院书记官面前进行缺席诉讼更多的程序。我们在贝尔案[Bell v. Burson, 402 U. S. 535, 540 (1971)]中同样认定，在撤销一项由州政府机构颁发的驾驶执照时，正当程序只要求撤销之前就执照过错是否可能有理由的决定进行听审，指出听审"不必采取对责任问题进行全面审判的形式"。另见North Georgia Finishing, Inc. v. Di - Chem, Inc. , 419U. S. 601, 607 (1975) 更近的是在阿内特诉肯尼迪案中（Arnett v. Kennedy, supra.），我们维持了有因解雇（dismiss for cause）联邦雇员的程序的有效性，这些程序包括通知被诉的行为、解聘的副本、提交书面答辩的合理时间、和一次口头出席的机会。在解雇后还提供了一次证据听审的机会。

这些判决强调了"正当程序"的真理主义（truism），"'正当程序'不像某些法律规则，它不是一种具有与时间、地点和场景无关的确定内容的技术性概念"。（Cafeteria Workers v. McElroy, 367 U. S. 886, 895 (1961).）"正当程序是弹性的，它要求根据具体情境的需要提供程序保护"。[Morrissey v. Brewer, 408 U. S. 471, 481 (1972)]因此，解决提交本院审查的行政程序是否具有合宪的充分性的问题，要求对受影响的政府利益和私人权益进行分析。更确切地说，我们先前的决定表明，对正当程序具体规定的识别一般要求考虑三个不同因素：首先，受官方行为影响的私人权益；其次，通过所使用的程序而错误地剥夺这一利益的风险及其价值；最后，政府的利益，包括所涉及的功能和额外或替代程序要求将会带来的财政及行政负担。（例如参见戈德堡诉凯利案）

终止收益的主要理由是，这位工人不再是残疾，或者他已经恢复工作能力，由于埃尔德里奇被确定为不再是残疾，因而终止了他的收益。我们在此只考虑涉及这类案件的程序的充分性。

一个州政府机构通过一个由一名内科医生和一名受过残疾评估培训的非医疗人员组成的"小组"，对是否继续符合资格进行过调查。该机构定期与这位残疾工人交换信息，通常是通过函件或电话方式，函件中会附一张详细的问卷，要求提供关于他的现状的信息，包括现在的医疗限制和治疗资料，以及他认为与他继续享受收益授权有关的任何其他信息。

关于收益者现状的信息也可以从他的医疗资料中获取。如果受益人提供的信息与从医疗资料（比如他的医生）中获取的信息之间有冲突，或者两份治疗资料之间有冲突，则可以安排一次对内科医生的单独询问来进行核查。无论任何时候机构对受益人状况的暂时评估与他本人的评估有差异，都会通知受益人，他的收益可能被终止，该机构向他提供一份终止决定所根据的简易证据，并向他提供一次对医疗报告和他的案卷中的其他证据进行复议的机会。他还可以通过书面方式答辩和提供另外的证据。

然后该州机构作出了终局性决定，这一决定由残疾人保障局的社会保障部的一位审查者进行了复审。如果 SSA 接受该机构的决定，则会以书面方式通知受益人，告知他决定的理由和他可以诉求由该州机构进行全面复审（de novo reconsideration）。如果 SSA 同意，则在发现医疗康复后的两个月内终止收益的决定发生效力。

如果收益者诉求该州机构复审并撤销了决定，那么 SSA 审查复审决定并通知受益人终局性决定。然后他有权在 SSA 行政法法官面前进行证据听审，听审是非对抗性的，SSA 没有律师代理，但请求人就像在行政程序的前面和后面的所有阶段一样，可以由律师或其他发言人代理……

尽管由福利署规定的行政程序具有如此精心细致的特点，下级法院仍然认为这些程序不具有合宪的充分性，并得出结论认为，正当程序要求在终止之前进行证据听审。按照对私人和政府利益以及既存程序的性质，我们认为这是错误的。

既然一位被终止收益的受益人如果完全胜诉则可获得全面救济，因此他的惟一利益就是，在对他的请求的终局性决定待定期间，收入来源不被中断。他的潜在损害与戈德堡案中的福利受益人、阿内特案中非试用期的联邦雇员、及施奈达奇案中的打工者在性质上相似。

本院仅仅是在戈德堡这一案件中认定了正当程序要求在临时剥夺之前举行证据听审。在该案中我们强调，福利援助是向濒于生存绝境的人提供的资助……相比而言，残疾福利的资格不是根据经济需求确定的，它与工人的其他来源的收入和扶持完全无关，比如其他家族成员的收入、工人的补偿津贴、侵权请求赔偿、储蓄、私人保险、公共或私人养老金、退伍收益、食物补贴、公共援助、或者"包含为残疾支付提供的影响其工作能力实质性部分补偿的许多其他重要的公共或私人项目……"都可能成为残疾人的其他收入来源。[Richardson v. Belcher, 404 U. S. 84, 85－87（道格拉斯大法官的反对意见）.]

正如戈德堡案所阐释的那样，可能由一项特别决定所造成的潜在剥夺，是一个在评价行政决策程序有效性时要考虑的因素。本案的潜在剥夺一般说来可能比戈德堡案中要少，尽管其差异的程度可能被过分强调了……与阿内特（Arnett）案中被解聘的联邦雇员形成对照的是，被终止的受益人有能力找到哪怕是临时的工作机会来填补这一过渡性损失，这种可能性对于戈德堡案的受益人而是言微乎其微的。

正如我们在富萨里诉斯坦伯格案 [Fusari v. Steinberg, 419 U. S. 379, 389 (1975)] 中认同的那样，"错误剥夺收益的幅度……在评价官方行为对私人权益影响时也是一个重要的因素"。福利署承认，在请求一次行政法法官面前的听审与对请求作出决定之间的迟延，现在只有10至11个月，由于被终止的受益人必须首先获得复审决定作为启动其证据听审的前提条件，因而在实际停发收益与在听审之后的终局性决定之间的延迟超过了1年。

从行政复议程序迟缓而言，在有一个身体残疾工人的普通的不富有的家庭里，错误地终止残疾收益带来的损害可能是严重的。尽管如此，残疾工人的需要可能仍然不像福利收益人那样紧张。除了可能获得私人资源外，在终止残疾收益的地方，在生存水准以下的工人或者他的家庭还可以获得政府其他形式的援助。从这些临时收入的潜在来源的角度看，在本案中偏离我们通过判例确立的通常原则的理由不如戈德堡案中的理由那么充分，通常原则是，在不利行政行为之前经过了少于证据听审的某种程序即已为足。

本案考虑的另一因素是既存的终止前程序的公平性和可靠性，还有额外程序保障——如果有的话——的可能的价值。相关调查的性质是评价任何行政程序的中心问题。[参见米切尔案，Mitchell v. W. T. Grant Co., 416 U. S. 600, 617 (1974)；并参阅《某种听审》（Some Kind of Hearing），123 U. Pa. L. Rev. 1267, 1281 (1975)] 残疾工人为了维护其获得收益的资格，必须通过"医学上可接受的临床的和实验的诊断技术"方法证明 [42 U. S. C. §423 (d)(3)]，他不能"从事任何实质性能挣钱的活动，其原因是医学上可确定的身体或心理伤残……"简言之，必须对该工人的身体或心理状况进行医学评估。这项决定比典型的福利授权决定焦点更集中、资料更容易采集，在后一类案件中，广泛多样的信息都可能被认为是相关的，证人的可信性和准确性问题经常成为决定过程中的关键。戈德堡案显示，在这种情形下，"书面资料是一种完全不能令人满意的决定依据"。

相比之下，决定是否终止残疾收益，在多数案件中都可以启用"由内科专家制作的正规、标准、无偏见的医疗报告"，[Richardson v. Perales, 402 U. S. 389, 404 (1971)] 这是关于一位他们曾经亲自检查过的对象的报告……可以肯定，可信性和准确性在某些案件的最终残疾评估中都可以是一个因素。然而程序性正当程序规则是由错误的风险来确定的，这种风险是在发现真实的过程适用于一般性案件时所存在的内在风险，而不是罕见的例外。在本案的情境中，证据听审——或者甚至只是在决定者当面的口头陈述——的潜在价值远远小于在戈德堡案中的价值。

戈德堡案的判决还以本院如下结论为基础，即，书面材料是口头陈述的一种不充分的替代物，因为它们不能给想要就其案件与决定者进行沟通的受益人提供有效的途径。书面资料被视为一种不实际的选择，因为大多数受益人都缺乏"有效书写所必备的教育程度"，又不能获得职业性帮助。此外，这样的资料不能提供"口头陈述那样的灵活性"或"使受益人能够塑造（mold）他对问题的论证，以纳入决定者看上去感觉重要的框架"。（397 U. S. at 269.）在这种评估残疾收益授权的情境中，提交现在审查的行政程序完全满足了这些目标……

防止错误的进一步保障是允许残疾受益人的代理人完全获得州机构所依赖的全部信息。此外，在中止收益之前，机构将它的暂时评估及其理由通知受益人，并提供它认为最相关的简易证据。然后向受益人提供机会，以提交另外的证据或申辩，使之能够对其案卷中信息的准确性和机构临时结论的正确性提出挑战。再一次与戈德堡案提交本院审查的程序形成对照的是，这些程序使受益人能够"塑造"他的论点，以回应决定者认为关键的具体争点……

在把握适当的正当程序衡平时，要评估的最后一个因素是公共利益。这包括在所有案件中都把应受益人要求而进行终止残疾收益前的证据听审作为宪法权利事项所引起的行政负担和其他社会成本。最明显的负担是由于听审数量的增加所产生的成本剧增，和在决定悬而未决期间向无资格受益人提供的费用支出。没有人能够预测增加的幅度，然而在直至这种听审之后才停止支付全额收益的事实，肯定会使大多数案件穷尽这一富有吸引力的选择。福利署也没有理论上的权利来收回不应当发放的福利。当事人双方都提交了广泛而不同的关于可能产生的额外财政成本的估计。我们只需要说，政府程序宪法化的经验表明，在金钱和行政负担方面的最大额外成本不会是无关宏旨的。

单纯的财政成本在决定正当程序是否要求某种行政决定前的特别程序保障时没有举足轻重的分量，但是政府的利益，因而也是公共利益，在节约稀缺的国库和行政资源方面却是一个必须权衡的因素。在某一点上，一项额外保障的个人收益，在增加"行为是公正的"确信方面，受到行政行为的影响，并对社会产生影响，这种收益可以用成本来衡量。重要的是，保护那些被初步行政程序识别为可能不值得保护的人而支付的成本，可能最终要由那些值得保护的人掏腰包，因为用于设立社会福利任何具体项目的资源都不是可以无限获得的。

55　　　然而，在这类案件中，还有比在财政和行政负担与特殊类型的受益人的利益之间进行特别权衡更复杂的问题。最后的平衡涉及到确定这样一个问题，即，根据我们的宪法制度，司法型程序在什么时候必须加诸于行政行为以确保公平。我们重申大法官法兰克福特先生睿智的训诫，行政机构在起源和功能方面的差异"从整体上排除程序、审判和审查规则的移植，这些规则是在从法院的历史和经验中演进而来的" [FCC v. Pottsville Broadcasting Co., 309 U. S. 134, 143 (1940)]。证据听审的司法模式既不是所有情境下的决策必不可少的方法，甚至也不是最有效的方法。正当程序的要义在于，它要求"一个人在遭受损失危险时（应当获得）不利于他的案件的通知和与之相符的机会" [Joint Anti－Fascist Comm. v. McGrath, 341 U. S. at 171－172（法兰克福特大法官，并存意见）最必不可少的是，根据将要作出的决定调整程序，以适应"那些将被听审的人的能力和境遇"，(Goldberg v. Kelly, 397 U. S., at 268－269)（脚注省略)]。以确保他们获得有意义的机会来陈明他们的案件。在评价本案中什么程序才为正当时，必须对个人的诚实善意进行判断，这种判断是国会通过社会福利项目管理要求个人作出的、对他们所提供的程序是否确保了对个人权利主张的公平考虑而作出的判断。Arnett v. Kennedy, 416 U. S. 171, 202. （怀特大法官，部分赞成，部分反对）在本案中尤其如此，规定的程序不仅向请求人提供了在任何行政行动之前陈述其主张的有效的程序，而且保证了在对其请求的拒绝成为终局之前进行证据听审的权利以及随后的司法审查权利［参见 Boddie v. Connecticut, 401 U. S. 371, 378. (1971)]。

　　我们的结论是，不要求在终止残疾收益之前进行证据听审，现行的行政程序完全符合正当程序。撤销上诉法院的判决。

　　史蒂文斯大法官未参与考虑和决定本案。

大法官布伦南提出反对意见，大法官马歇尔的意见与之并存：

　　……本院考虑到终止残疾收益仅仅使受益人遭受有限的剥夺，这一考虑不能自圆其说，它是投机主义的。同时，假定受益者的需求是本院职能不能染指的需求，那么恰恰是在决定提供残疾收益的制定法中，实际上没有任何关于受益者的需求的先决性决定。事实正是如此，在本案中，由于残疾收益被终止，因而埃尔德里奇家庭被取消抵押品赎回权（forclosure），这个家庭的家具被收回了，埃尔德里奇跟他的妻子和孩子们睡在一个床上。最后，同样不能自圆其说的是，一个曾经被拒绝残疾福利而被置于朝不保夕境地的工人还可以寻求其他形式的公共援助。

注释与问题

1. 注意，在戈德堡案和埃尔德里奇案的判决中，最高法院的成员发生了变化。1970 年参与审判的是雨果·布莱克（Hugo Black）、哈里·布莱克曼（Harry A. Blackmun）、威廉姆·布伦南（William J. Brennan）、沃伦·伯格（Warren E. Burger）、威廉姆·道格拉斯（William O. Douglas）、约翰·哈兰（John Harlan）、瑟古德·马歇尔（Thurgood Marshall）、波特·斯图尔特（Potter Stewart）、拜伦·怀特（Byron R. White）。到 1976 年，尼克松总统任命了勒威斯·鲍威尔（Lweis F. Powell）和威廉姆·伦奎斯特（William H. Rehnquist），取代了雨果·布莱克和约翰·哈兰。福特（Ford）总统任命的约翰·保罗·史蒂文斯（John Paul Stevens）取代了威廉姆·道格拉斯（不过史蒂文斯大法官未参加马修斯案的审判）。这种变化对于解释结果有什么关系？

2. 在马修斯案中，最高法院明确地阐述了三要素标准，要求比较（1）受官方行为影响的私人权益；（2）通过所使用的程序而错误地剥夺这一利益的风险及其价值；（3）政府的利益，包括所涉及的功能和额外或替代程序要求会带来的财政及行政负担。这种平衡标准对于司法解释正当程序是否比过去一直存在的要求弹性的、发展的判决好？这种平衡标准会导致像戈德堡案和马修斯案这类案件的实际结果不同吗？

平衡标准是如何建构于正当程序的基本价值之上或如何偏离这一基本价值的？两篇著名的评论者的资料有助于解释这一问题。

杰里·L·马修：最高法院的正当程序考量
——探索价值理论中的三因素

Jerry L. Mashaw, The Supreme Court's Due Process Calculus
——Three Factors in Search of A Theory of Value 44
U. Chi. L. Rev. 28, 28–30, 46–59 (1976)

20 世纪 70 年代，最高法院对行政听审程序与宪法所要求的正当法律程序的一致性进行了一次集中审查。1970 年的戈德堡诉凯利案是一个里程碑，它确认，最高法院不希望把自己的审查权限制在关于财产利益的传统概念之内，也表明，在对宪法所要求的司法程序要素进行规范方面最高法院准备将采取高度干预主义的姿态。随之而来的是一场"正当程序革命"——寻求在某种程度上适用或者直接适用戈德堡案规则的案件一时间势如潮涌。

在这场方兴未艾运动中，提交各地法院的正当程序案件的基本任务是赋予正当程序要求以具体内容，同时也为司法在行政程序设计中保留一个适当的角色。尽管戈德堡案可能显示了最高法院把一个司法程序要素的细化模式强加于行政职能的愿望，但最高法院并不认为有一个轻易地和不断地适用于所有行政职能的单一模式。因此必须有审查的一般准则（criteria），这个准则将使最高法院能够在以自己的方式审查不同行政职能时保持判决的一致性和原则性。与此同时，那些一般准则应当足够具体地建构行政行为，而不必求助于司法对每一个缺少戈德堡案示范程序中某些要素的程序进行检测。

最高法院建构这一正当程序考量公式的最新尝试是马修斯诉埃尔德里奇案，在该案中大法官鲍威尔的多数派意见以一种兼收并蓄的特色基本整合了最高法院最近的努力，非常清晰地阐明了一套准则。用没有反对意见的那部分多数派的文字来说，最高法院必须考虑：

> 首先，受官方行为影响的私人权益；其次，通过所使用的程序而错误地剥夺这一利益的风险及其价值；最后，政府的利益，包括所涉及的功能和额外或替代程序要求会带来的财政及行政负担。

尽管这一功能性的公式隐含着一种干预性的、特定化的审查和对程序的规范，但仍然保持了司法克制。"在评价本案中什么程序才为正当时，必须对个人的诚实善意加以判断，这种判断是国会通过社会福利项目管理要求个人作出的、对他们所提供的程序是否确保了对个人权利主张的公平考虑所作出的判断"。

本文的主题是，埃尔德里奇案方法无论用以解决该案件，还是作为行政程序的正当程序审查的一般公式，都是不能令人满意的。这一方法的失败在于它聚焦于技术性问题而不是价值问题。它所论证的因素产生了一个不全面的探究，因为它对于体现在正当程序条款中的全方位关切未作出回应……

最高法院在埃尔德里奇案中的分析没有体现制度对于任何作为正当程序审查之基础的价值理由的关注。这一方法蕴含着功利主义却又不完全，而且最高法院忽略了替代理由，这些理由可能产生富有成果的探究。我的意图在于，首先，指出最高法院功利主义方法的局限性，这种局限性既表现在其对埃尔德里奇案个案的适用，也表现在其作为评价行政程序的一般纲要；其次，表明三个替代理由的力量和弱点，这三个理由是：个人尊严、平等、传统，它们在抽象的层面上极少要求关键的正当理由：他们被广泛地认同，回应着在涉及法律、政治和道德的哲学氛围中的强大潮流,它们受到最高法院的正当程序法理或者默示或者明示的支持。[1]

A. 功利主义（Utilitarianism）

功利主义理论认为,决策程序的目的——正如其他一般社会行为的目的一样——是使社会福利最大化。确然如此,埃尔德里奇案中所阐明的三因素分析法似乎是一种功利的、社会福利功能的方法。这一功能首先考虑的是在具有正当性的私人请求中岌岌可危的社会价值,它忽视了这种可能通过获得行政程序而受到保护的价值,然后又从那个被忽视的价值中抽象出引入额外程序的社会成本。功利理论在与司法自我克制的惯性姿态相结合时,据说就可以产生以下振振有词的决策规则:"只有当替代程序能够实质性产生被非理性地拒绝的社会福利时,缺少正当程序的程序才归于无效。"

然而,功利主义考量并非没有困难。最高法院在埃尔德里奇一案中蕴含的价值太狭隘:它把程序保护的单一价值当成了一种增量上的精确性,从而把考量限制在从正确或错误的决定中产生的收益或成本。他们没有关注口头听证程序的内在"程序价值",也没有关注在该案之后像埃尔德里奇这样的请求人从"给予——撤回——给予——撤回"这样随心所欲施舍中所承受的道德败坏成本。也许更重要的是,当最高法院试图使阐释以精确性为程序惟一目标的考量标准时,

---

[1] 在早期的正当程序案件中,最高法院集中于传统。最高法院在 Davidson v. New Orleans, 96 U. S. 97, 104 (1877) 案中的声明被经常引证,即,最高法院对于正当程序问题的方法应当是"司法包含或排除的渐进过程",这是节制的、以先例为取向的、历史主义的方法。然而,随着行政职能不断增加,最高法院面临着没有驱使性历史类比的正当程序问题。如果最高法院不成为"进步"的绊脚石,就需要一种更加灵活的方法。的确,正当程序在最高法院的历史的特色可能是不断寻求一种正当程序审查的理论,这种理论把革命理论的正当性与一种能够适应时代背景的灵活性结合在一起。尊严或自然权利、功利主义和平等主义理论都融汇在与这一终极目标之中。

尊严的理念尽管在 1900 年以前和某些同时代的案件中偶尔用来起辅助作用,但最经常的用法是在 1933 年开始直至 1950 年代作为基本分析模型。新的政府职能的膨胀与新政策时期（the New Dear）立法和后来的紧急战时措施一起出现,刺激了司法的反应,这些在最高法院反映为对个人权利和尊严价值的强调。根据大法官们在每一案件中对"公平"解决的理解,可以预言,逆流而动的自然权利风尚将具有一石激起千层浪的特质。最高法院的正当程序法理显而易见的不一致引起 Sanford Kadish 在一篇会议论文中把最高法院的决定描述为"混沌一族"（chaotic array）Kadish, Methodology and Criteria in Due Process Adjudication——A Survey and Criticism, 66 Yale L. J. 319 (1957).

20 世纪 50 年代晚叶和 60 年代早叶,各种功利主义的公式开始提供分析结构。例如,在餐厅和餐馆工人 1473 号地方工会案 [Cafeteria Restaurant Workers Local 473 v. McElroy, 367 U. S. 886, 895 (1961)] 中,前大法官斯图尔特先生申明,在正当程序案件中必须考虑两个因素:"所涉及的政府功能的具体性质……和受到政府行为影响的私人权益的具体性质"。这一声明中的功利主义方法在埃尔德里奇案的三要素考量中达到的登峰造极。

平等作为正当程序的一项价值在刑事（或准刑事）案件中受到了相当的关注,但在这一领域以外却很少引起注意。也许在有关行政职能这方面明确使用平等关切的最好例子可以在 Ashbacker Radio Corp. v. FCC, 326 U. S. 327, 330 (1945) 一案中找到。在该案中,前大法官道格拉斯代表最高法院声明,除非所有受程序影响的当事人有一个平等的受听审机会,否则听审的权利"成为一纸空文"。

它错误认为残疾人的听审以几乎完全只考虑医疗损害为特征，并由此得出结论认为，这种听审仅仅涉及医疗证据，而医疗证据的可依赖性不会因口头程序而增加。正像在埃尔德里奇案中所适用的那样，功利的考量作为成本——收益分析法普遍采用的那样，趋向于"压减软变量"（dwarf soft variables）和抹煞复杂性和模糊性。

功利考量的问题不仅仅是最高法院可能把有关的成本和收益定义得太狭窄，而且无论怎样宽泛想像，这种考量都是在问一些都没有答案的问题。例如，在给初步确定为没有资格的人们提供一次口头听审之后再终止残疾支付，其社会价值、社会成本是什么？回答这样的问题要求有一种技术来测量政府收入流转的社会价值和社会成本，但是并没有这样的技术存在。即使这种艰巨的社会计算任务能够完成，口头听审在预防错误决定所导致的损失方面的有效性也仍然是不确定的。面对这些危机四起的不确定性，法院在埃尔德里奇案中被迫退回到对合宪性的假定。

最后，功利衡平分析法要问的与合宪性相关的问题也不清晰。正当程序条款是《权利法案》的保障之一，这些保障旨在当面临与个人权利格格不入的集体行为时对个人权利给予保障。因此，关于程序的集体立法或行政决定具有说服力地集中反映所抗辩的社会价值，并代表来自同时代社会视角的乐观立场，却无法回答是否符合正当程序这一宪法问题。衡平分析法也是不充分的，它使最高法院只不过把社会功利问题又绕回了起点。没有理由相信最高法院作为一个功利衡平者而具有监督的资格或合法性，除非它履行其特定的制度性职能，确保在判决的考量中功利的价值均已被考虑在内……

B. 个人尊严

现代美国正在增长的恒久的、科学的、集体主义特征，增强了我们的以一种正式的、表面中立的社会功利的语言来定义公平。作为对照，对自然的或"内在的"权利的主张则有点捉襟见肘。它们的血统和由此而来的道德力量的不确定性正在增加。同时，正当程序条款在历史上的作用使我们对于它们的终极目的有所领悟。并不需要特别的敏锐就可以看到，程序性正当程序案件的张力与现在被自由裁量的实体性正当程序的张力的法理一样，都是在州政府的效能与个人从强制或社会强加的不利中获得自由的权利之间的紧张关系。

不过，对个人尊严的大众性道德预设以及作为其政治对手的自我决定都依然存在。国家强制必须正当化，不仅通过可接受的实体政策而且通过政治性的程序而获得正当性，这些政治程序回应民主道德对参与影响个人和群体利益的决策的要求。在有关个人的行政决定这一层面上，这一要求表现为外行语言和律师语言中所说的"听审"或"被听审"，其通常含义是口头的和亲自的。在一个人的财产或身份处于关键时刻时给他一个他所要求的正当理由,不仅仅是因为他可能有益于决定的准确性,而且因为缺少个人的参与会引起敌意和尊严与自尊的损失,尊严和自尊被社会恰当地认为具有独立的价值。

……尽管非常困难,但正当程序的尊严理论可能已经对埃尔德里奇案分析法产生了重大影响。这一理论提出的程序的"可接受性"问题可能乍看起来空洞无物或过于直觉化,但这些问题显示出比功利要素分析法更加广泛的触角。如果说功利的方法似乎要求对请求的价值进行定量的评估,那么尊严的方法则表明最高法院发展了一种对行政决定模式的定性的评估。埃尔德里奇一案中关于残疾资格的决定可以被狭义地当作一种关于金钱收益的决定,也可以从不同的定性的视角来考虑,这些视角以美国维持收入制度的一般结构来看似乎是中肯的。

那一制度表明,一个关于残疾资格的决定是一种相当具有社会意义的判断,也是一个请求人应当正确地当成有实质性道德内容的裁断。主要的现金收入支持项目在决定资格时不仅仅以收入不充分为根据,而且可能干脆根据一套部分或完全丧失劳动力的借口:年老、年幼、家庭负担、伤害、残疾。根据任何这些项目下的许可都是官方的,如果有时吝啬一点,就只同意为像部分残疾的工人或非工人这种地位的请求人提供救济。在效果上,它宣告,获得这种许可的人遇到了一种政治上具有正当性的障碍,使他们不能在市场经济中自给自足。因此,受益人有权获得社会的扶持。相反,拒绝一项维系生计的收入的请求,暗示这项请求不符合社会正当性,而请求人无论怎样穷困潦倒,也不能免于劳动力的地位。

关于残疾的决定中的这些道德上或身份上的维度表明,在残疾人请求的构架中有一种更关键的东西偏离了表面上的结论,即残疾决定不是一项评估医疗证据的日常事务,带有"道德上是否值得"(moral worth)的具有实质内涵的决定一般被高度个人化,并关注主观证据。根据大部分由第三人和由那些从未与请求人见面的判决者提供的书面资料来判决这类问题,看来是不充分的。相反,法院从尊严的角度对残疾请求进行过程分析可能强调了残疾决定中的另一些方面,比如集中于具体请求人的职业特点、他对医疗状况的个别反应、以及对于请求人是否应当可以工作的最终预测性判断。

C. 平　等

关于平等的观念……为评价任何行政程序提供了重要信息。我们可能问的一个问题是,一种调查程序是否以一种在制度上排除或减损倾向于支持特定集团当事人的证据的价值的方式设计的。倘如此,则那些当事人可能有一种似乎合理的主张,认为这一程序对他们不公平。同样,在涉及到许多裁判者的大范围的调查程序中,应当提出的问题是,同样的案件是否受到同等关注和获得同样的证据而形成,从而把像诸如场所这种带偏见的因素所产生的影响降至最低。为了将这类平等问题考虑在内,我们只需要把我们的正当程序范围拓宽到包括超出传统的和对抗制诉讼之外的程序公平要素在内。这两种调查在埃尔德里奇案中可能都富有成效地探索过。首先,州机构以书面证据为根据制作决定的制度是否对某些群体的请求人特别不利?有一些实实在在的证据表明"是"。像埃尔德里奇案这样涉及肌体或体格病兆、神经问题及多种伤害——包括心理障碍——的案件,人们广泛地认为,由于证据的主观性,因而特别难以认定,并且这些书证特别容易在口头辩论后被推翻。

其次,在州机构这一级的调查过程是否同等案件同等对待?如果联邦审计总署[1]的研究明确无误,那么确定无疑的答案是"不是"。根据这一研究,许多——也许一半——决定是根据记录作出的,在这些记录中,其他裁判者考虑得如此不周,以至于根本无法作出决定。这类州机构之间的差异性与埃尔德里奇案的请求之间的关联性可以从两个相反的侧面来阐述:其一,它表明州机构的决定是不可靠的,在听审阶段的进一步调查可能大大增加决定的可靠性;其二,它表明,以监督一致性的控制方式形成的等级化或官僚化的决定形成模式没有准确地描述社会保障残疾制度。如果一致性在此制度下是不切实际的,也许评估这项制度的更有力的标准是个性化判断的尊严的价值,……其中包含着请求人的参与。

D. 传统或演进

司法论理(reasoning),包括程序性正当程序的论理,经常而自主地依赖于惯例或先例。依赖传统或"权威",一部分是法院在政治民主中制度性地抵御不正当性,但传统也服务于其他价值,而不止于可预见性和经济性方面的努力。更重要的是,内在地保守地依惯例和先例类推的技巧看来对于法律制度的进化和维护至关重要。传统的程序之所以具有正当性,不仅仅是因为它们代表了一系列连续性的预期,而且因为这套策略使它在运用中得以生存。

当然,运用传统作为基本公平的向导易遭到反对。既然社会和经济力量是动态的,因而在一个时期被证明有效的程序和结构不一定在另一时期奏效。的确,以调适和生存为目的而终结某一模式可能经常成为进化的终结。仅仅基于这一理由,传统只能仅仅作为判决的部分向导。

也许有人会说,以类推传统程序的方式进行推论,实际上并未为正当程序所服务的价值提供一个视角。其实不然,正是决策技巧要求对程序规则之目的具体化,其惟一目的就是为了使决定者可以从权威或惯例中选择最类似于被评价的程序的具体权威或惯例。

---

[1] 编者注:联邦审计总署(the Federal General Accounting Office)调查过州的残疾决定以评估一致性。研究发现,州机构之间以及州机构与联邦裁判者之间都存在着确定无疑的不一致。

对于传统的反对作为裁判的一项理由是有分量的,却不是效果最好的。一个组织良好或富于进化性的理论所主张的是"法律规则的目的无法完全明了"。更进一步说,程序规则正如其他法律规则一样,应当对有效的社会秩序有所贡献,我们不能指望具体地了解它们是如何贡献的,也不知道变化或修改的长远效果是什么。因此我们的建构方式应当是持续的和渐进的,根据传统的运作模式通过推论小心翼翼地建构。如此看来,"我们总是如此决定"的裁定并未从有理由也有目的的决定中退却多少,后者就像承认工具性理性的有限性一样,其意义是深远的。

从传统主义者的视角来看,最高法院在埃尔德里奇案中的意见可以说是依赖了传统的命题,即假如后来为抗辩提供一次机会,则财产权益可以在未经听审时临时被剥夺。戈德堡诉凯利案被认为是一个例外的判例,埃尔德里奇案与之不同。

E. 结 论

正在进行中的讨论强调了一种方式,即对潜藏于正当程序法律之下的一定范围的价值的公开关注,可能导致最高法院在埃尔德里奇案中沿着一条不同于在鲍威尔大法官意见书中表现的分析路径走下去。然而,这一议论大大忽视了那些能够为结果辩护的观点,从这里所推进的替代的价值理论方面来看,最高法院已达到了这一结果。

首先,把焦点集中于残疾决定的尊严方面,难于推导出这样的结论,即当全面听审可以在后来获得时,宪法要求必须在决定收益之前提供口头听审。知道自己将在某一点上能够获得口头听审肯定会减少不满和敌意。的确,埃尔德里奇看来肯定知道他能够获得一次公正的程序。他想要避免采取纠正性复审的愿望不应当使我们受到蒙蔽从而支持全面复审所提供的尊严价值。

其次,以平等为前提的论点不一定能获得对事先听审的支持。社会保障部努力使全国范围内维持收入项目成千上万的决定常规化和具有连续一致性,这种努力一定会能够因为失误而受到批评,同时,残疾决定一定会对个人的道德价值感受的形成冲击,这种努力还会因为其忽略冲击方式的倾向而受到批评。然而总地看来,国会设立的项目所包含的准则表明了维护一致性和个性化的愿望。没有任何裁决程序能够幸免于在一种目标追求与另一种目标追求之间进行折衷,因此,程序的结构是一种结合,(1)由个别州机构根据书面记录作出的并属于等级性定性审查的决定;(2)随后诉求在独立的行政法法官面前进行全面重新口头听审,这种结合对于在一致性与个性化之间进行的必要的折衷而言,不能认为是非理性的方法。

尽管如此,在埃尔德里奇案中和在一般意义上,大量信息仍然对于正当程序要求所服务的价值表现出明确的、制度性的关切。参照传统程序这一方法的运用可能有助于对请求人的"绝境"形成一种理性的和制度性的关切，埃尔德里奇案和戈德堡案中的请求人似乎同样穷困潦倒；在埃尔德里奇案中关于残疾裁定程序没有传统主义的、尊严的或平等主义的考虑，使最高法院可以忽略事实和价值问题——这两个问题在最高法院作出回应时都十分重要。

　　进而言之，最高法院尝试把一套获悉正当程序决定机制的价值加以功利化，可能为自己审查行政程序提供了一种可接受的司法姿态。戈德堡案判决在规定正当程序时的方法——也就是通过把裁定听审的特征具体化而强化于类推司法审判的方法——使最高法院像一群受过时的职业教育培养的行政工程师一样。那是令人困扰而毫无效果的。在埃尔德里奇案中，最高法院从这种立场中撤退了几步，而依赖于行政者的诚实善意，在倚重于司法审查来保护反多数主义价值的政治体制中，这同样是一种挺麻烦的立场……

理查德·A·波斯纳：[1] 法律程序和司法行政的经济方法
Richard A. Posner, An Economic Approach to Legal Procedure and Judicial Administration2 J. Legal Stud. 399. 400-408, 417-420, 441-448（1973）

I. 分析的框架

　　实体法律规则（比如侵权法和刑法）的重要宗旨是增加经济效率。（正如在第二部分和第三部分所展示的那样）错误地施加法律责任或错误地疏漏法律责任都会降低效率。因此，司法错误是一种社会成本的根源，而减少错误是程序制度的目标。读者可能对最后的命题提出质疑，比如引证以非法方式获得的刑事审判证据的排除规则，某种证据具有高度的证明力，它的排除会降低刑事审判中事实认定程序的准确性。然而这种排除规则是一种例外，而且已被作为例外认同了——经常也有激烈的批评。

　　即使当法律程序在运作上无可挑剔，它仍然会涉及到成本——律师、当事人、证人、陪审团、法官及其他人的时间，加上笔墨纸张、法律办公室及法院的维护、电话服务等等。这些成本就像错误所导致的成本一样是实实在在的：我们一般不想为了减少50-90美分的错误成本而增加1美元的法律程序的直接成本，因此，经济目标就是为了把错误和直接成本的数额降至最低。

---

　　[1] 编者注：理查德·A·波斯纳法官现在第七巡回法院任职。过去在芝加哥大学法学院做教授时，他就帮助发起了法律研究的经济分析。从此他撰写了大量的法理学著作，并在法律研究和判决制作中探索文义的、实证的、女权主义的和其他方法。

尽管这一公式只是一般性的，但它提供了一个分析法律程序的问题和目标的有用框架。甚至在实体法要转移财富或产生某种非经济性目标而不是增加效率时，这一公式仍然适用。最必不可少的是，在原则上，把价格标签放在不能适用实体法的结果上是可能的，它适用于它想要适用的所有案件，结果我们的两个变量，即错误成本和直接成本，仍然是可计量的。

为了解释经济方法的适用，请考虑一下行政行为（比如驱逐、撤销许可证、或撤销保险清偿）被告是否应当有权举行审判模式的听审。对于这一问题法律讨论的倾向是，要么涉及纯粹内在的公平意识，要么纯粹是对金钱处罚与非金钱处罚的形式上的区分。经济方法使问题得以纳入理性的和功能主义的框架。我们首先要问错误成本是否会因拒绝审判型的听审而增加。错误成本（在下一部分详细讨论）在此可能被认为是两个因素的产物，即错误的可能性和如果发生错误而产生的成本代价。如果行政程序的结果所依赖的事实是在审判型程序中才能准确确定的，那么如果拒绝这种听审，产生错误的可能性就很大。此外，如果由于行政机构所适用的制裁——无论是不是正式的符合法律术语的处罚——给被告施加了沉重的成本，因而一旦发生错误，则错误的成本就相当可观，那么总错误成本可能因拒绝审判型听审而剧增。错误成本的增加必须与听审的直接成本相比较；但是这些通常仍是较低的。经济方法所要求的成本考查并非简单的，很少会产生比大致接近更好的结果，但是它们最少可以用以把法律政策问题纳入一个理性考查的框架。

II. 民事诉讼中的错误成本

对事故案件中错误成本的分析

假定某公司对一些由于交易成本太高而不能与之发生合同关系的人们造成了伤害。受害人只能以禁止性的成本来避免伤害（我们初步假设），但该公司可以购买不同的相对不那么贵的安全设施这些设施会大大降低事故率。在没有法律制裁时，该公司没有购买这种设施的刺激，由于交易成本的因素，它不能把增加安全设施而产生的收益卖给任何人。如果侵权法使它对这些事故的成本代价负责任，并且疏而不漏地强制执行，该公司就会购买优质的安全设施。如果法律不被无懈可击地执行，就会买劣质的安全设备。

事故责任制的目标是把事故和避免事故的总成本降至最低。如果我们假设避免事故惟一可行的办法是购买特定类型的安全设备，那么该总成本就会由于购买一定数量的设备而降至最低，这一数量的安全设备在降低事故成本方面的边际产出等于设备的边际成本。而边际产出是随着安全设备的数量增加而公司所造成的事故下降的数量，乘以每一事故的成本。如果像我们假设的那样，设备的价格不会随着公司购买设备的数量而发生变化，安全设备的边际成本就是这些设备的单位价格。

然而，公司对于事故和避免事故的社会成本最小化不感兴趣，它只对事故和避免事故的私人成本最小化感兴趣。前者是公司事故的社会成本乘以该公司实际承担那些成本的责任——被迫赔偿——的可能性。既然法律错误被假定可能引起错误地施加责任或错误地否定责任，因而我们必须在公司的成本函数中加进第三个条件：公司在无根据的请求中被强制支付的钱的数额。这个数额是法律错误率的一个函数，当错误率为零时这个函数消失。让我们暂且将它忽略不计。

公司使安全设备在降低事故责任方面的边际产出与该设备边际私人成本（我们设定它与边际社会成本相同）相等，通过这种方式把它的私人事务和避免事故的成本最小化。这一边际私人产出就是边际社会产出，以该公司承担责任的或然性来估量。如果或然性为1，则边际的社会产出与私人产出为同一个数值。当或然性小于1时——也就是说，当法律错误率是正值时——它们就出现差数，导致社会损失……错误率越高，则社会损失越大。

这一分析并不全面，因为我们忽略了一个正值错误率可能对公司购买安全设备所产生的效果，这要通过公司的成本效应（无根据的请求所产生的责任）中的第三个条件来起作用。设定针对公司的错误会增加安全设备的边际私人成本，于是，当有利于公司的错误低于公司的边际私人产出曲线时……针对公司的错误就向上回升。然而，实际上，尽管有利于公司的所有错误的运行都低于它的边际产出曲线，但是只有某些错误在运作中能却使之升高。在一个无论如何都不会发生事故的情况下，或者在事故是由其他人造成的而且不会因为被告的行为而避免的情况下，购买额外的安全设备不会避免错误的强加责任。这种错误不增加安全设备对于公司的价值，因此设备的边际私人产出也不会增加。然而，即使在这里，有一个条件仍然是必不可少的。公司可能能够争辩说，鉴于它已采取所有安全预防措施，那么它不可能导致事故的发生。尽管如此，正值的错误率将导致公司在安全方面的边际私人产出和由此产生的社会净损失（a net social loss）的净减（a net reduction），看起来仍然是一个合理的结论。

（根据这一模型），事故越严重，社会损失越大……*

可以肯定，这些危机还有另一个效果……一个案件中利害程度的增加通常导致当事人在诉讼上花更多的钱。这反过来将降低错误结果的概率，按照我们前面的分析，错误导致的社会损失也会因此降低。一组大的案件的错误成本总和可能实际上小于一组小案件的错误成本的总和……

---

* 译者注：这里的原文是：(according to this model,) social loss will be greater, the more serious the accident.

到目前为止，我们都是在假设法律错误对于事故的受害人没有影响。实际上，通过增加预期赔偿的事故净成本，错误也鼓励预期的受害人进行自我保护。如果每一个事故案件中都获得充分的赔偿，则对于受害人的净事故成本就为零，他们采取预防措施的激励也为零。但是，如果把预期赔偿的错误的理由设置为只有预期事故成本的80%，那么事故对于受害人的净成本就变成正值，而受害人就会有一种采取预防措施的激励，这种预防的成本低于他们所避免的不可补偿的事故成本。

于是错误的效果把安全激励从致害人转移给了受害人。如果受害人能够以低于致害人的成本避免相同的事故，这种转移就会产生一种净社会收益而不是社会损失，但这种情况下，可能致害人不应当首先承担责任。如果，让我们假设，实体法把责任放在它鼓励最有效避免损失的方法上，那么在法律程序中由于错误而带来的安全激励的转移就会产生一个净社会损失。但这个损害可能是轻微的⋯⋯

如果实体法的宗旨不是促进资源配置，而是补偿某些事故的受害人，则法律错误成本分析将会特别困难。由于法律错误而产生的不足补偿（undercompensation）的数额将等于错误率的产值、每次事故的成本、和因致害人应当对之承担责任的事故的数量，因为我们从前面的讨论中知道，不足补偿一定会与错误率同步增长。除错误率之外，决定不足补偿的主要因素是法律在阻止事故方面的效果（虽然不完全起作用）和法律的范围。在事故率相同的条件下，如果法律标准是严格责任，那么致害人应承担责任的事故数量会比过失责任标准下的数量更大。因此，如果没有获得应当获得的补偿被当作一种成本计算，而不仅仅作为一种财富的转移，那么在严格责任下错误的成本可能比在过失标准下错误的成本要高。最后，要使不足补偿与社会损失之间能够以相同单位度量⋯⋯我们需要知道不足补偿中的1美元与稀缺资源消耗中的1美元的换算比率，这个比率不需要一比一。简言之，法律错误的成本可能依实体法所体现的宗旨被视为配置性（allocative）还是分配性（distributive）而有巨大差异。

偏见性和非偏见性错误（biased and unbiased error）

区分"偏见性"（biased）和"非偏见性"（unbiased）错误是有意义的。我们所使用的非偏见性错误任何这样的错误，即可用于针对争议一方当事人的错误，也用于针对另一方当事人，这种错误在大约一半错判的案件中作出让原告受委屈的判决，而在另一半中作出使被告受委屈的判决，接受伪证是一个例子。偏见性错误则是一种挫败原告的可能性比挫败被告要多或者恰恰相反的错误。前面的分析所假定的是非偏见性错误。

现在可以把两种偏见性错误进一步区分开来。第一种偏见性错误产生于偏向一种错误的故意决定（就像证明刑事被告有罪必须达到排除一切合理怀疑的标准）。想一想由两个条件构成的社会损失的函数：由于没有在致害人应当承担责任的所有案件中把责任加诸于该致害人而产生的社会损失，和当司法制度给予本来能够通过以低于致害人的成本的适当安全预防而扭转事故的受害人以补偿而导致的社会损失。

假设，如果双方当事人具有同样的证明责任，在两种情形下准确确定责任的或然性为90%，则意味着在那些10%的应当由致害人承担责任的案件中，致害人没有承担责任，而在那些10%的由于受害人没有承担有正当理由由其采取安全措施的成本而应当由受害人承担责任（被拒绝赔偿）的案件中，被害人获得了补偿。现在让我们把证明标准改变为要求被告证明其没有责任并达到确定的程度，受害人将在每一件案件中胜诉。致害人在他们应当承担责任时承担责任的或然性将升至1，这将引起社会损失从有利于致害人的法律错误到降至0。但是受害人在他们没有采取安全措施时承担责任的或然性将降至0，这将引起社会损失从这种失败到上升。我们不知道有关参数的价值，因而不能确定我们的总损失函数是会更高还是更低，不过它们可能会更高。实际上，我们已经做过的是，设置一个或者严格致害人责任的标准（没有共同过失）或者严格受害人责任的标准，根据这个标准，或然性达到0。两种标准都比其他标准效率更低。然而，适度偏见的效果不能当成是一种偏向（a priori）来评价。

第二种偏见性错误发生在一种错误不公平地影响双方当事人的机会时，设想一个这样的规则——一些州仍在遵循——事故的受害人必须证明他不存在共同过失。在一次没有证人的致命的事故中，该规则的效果，如果照文本执行，即使受害人实际上不存在共同过失，经常也会免予赔偿，这种规则的运行永远都不会有利于受害人。不过法院在这类案件中不适用这一规则，他们在没有相反证据时推定受害人当时已尽到了适当注意。这种效果会增加致害人采取预防措施的激励，而会减少对受害人的激励。如果我们认为致害人比受害人更可能疏忽，那么这是一种改进；如果更可能是相反的情形，那么被修改的规则更好……

庭外和解

前面……考虑了错误司法判定的成本。现在我们转入法律争议解决的直接成本，这包括审判成本……和没有诉讼或诉讼完成之前解决案件的成本。

既然和解成本通常比诉讼成本要低得多，因此达成和解的那部分案件是法律争议解决的直接总成本的一个重要决定因素。和解不可缺少的条件是原告的最小要约（offer）——他将在他的和解请求中获取的最小数额——小于被告的最大要约。这不是一个充分条件：当事人双方可能发现不可能达成一个相互满意的和解价格。但我们得假设，和解谈判极少因为这一理由而不成功，因而诉讼只有当原告的最小要约大于被告的最大要约时才会发生。原告的最小要约是诉讼对于他的预计成本加上他的和解成本，诉讼的预期价值是，如果他胜诉，而由判决提供的价值，乘以他胜诉的或然性（如他所估计的），减去他的诉讼开支的价值。被告的最大要约是诉讼对于他的预期成本，这一要约的构成是：他的诉讼开支，加上不利判决的成本乘以他所估计的原告胜诉的概率（等于、减去他自己胜诉的概率），减去他的和解成本。降低原告的最小要约或增加被告的最大要约的任何因素，例如与他们的和解成本有关的当事人诉讼开支的增加，都会减少诉讼的可能性。因此，如果使通常比和解昂贵得多的审判比这些措施引入之前更有吸引力，那么减少诉讼成本的措施可能实际上增加法律争议解决的总成本。

增加原告的最小和解要约或减少被告的最大要约的任何因素都会增加诉讼的可能性。原告胜诉的主观或然性或者利害程度的增加也会产生这种效果，不过被告胜诉的主观或然性的增加也一样产生这种效果，因为这会诱使他减少其最大和解要约。被告在案件中的利害程度的增加会减少诉讼的可能性，因为这会导致他增加其和解的最大要约。在特别重要的案件中，利害程度对于双方当事人而言是相同的，这种利害程度的增加将增加诉讼的可能性，这一点是可以证明的。在那种案件中，发生诉讼的可能性很小，除非原告胜诉的主观或然性大于其减去被告的主观或然性，否则原告的最小和解要约将等于或小于被告的最大要约。假设这一诉讼的最小条件已经满足，那么利害程度方面的任何增加都一定会增加诉讼的可能性，因为这会使原告的最小和解要约比被告的最大和解要约增长的速度快。

这里所建议的方法是假设主观或然性、利害程度、诉讼和和解的成本是相互依赖的，然而事实并非如此。改变利害程度会影响当事人花在诉讼上的金钱数额，而这又反过来会改变一个具体结果的或然性。和解的成本可能既是诉讼成本的函数，也是利害程度的函数。一方当事人投入于诉讼的开支的改变是由该方的利害程度或胜诉的主观或然性的改变引起的，它可能导致另一方改变其在案件中的开支，而这种改变又可能引致前一个当事人资金投入的进一步改变……当事人开支的相互影响使人们不可能预测那些开支的水准，除非对当事人双方的互动模式采取特别的、有点武断的假设。这种不确定使和解条件变得不确定，因为不仅原被告的诉讼成本，而且双方对于一旦提起诉讼各方胜诉的主观或然性，都是他们资金投入决策的函数……

错误成本与直接成本之间的互动关系

错误成本与直接成本之间的关系可以归纳在具有三个条件的函数中。第一个条件是错误成本。这是一个错误或然性的函数，反过来又是诉讼案件份额（fraction）、诉讼中的私人开支和公共开支数额的一个函数。第二个条件是在诉讼案件中私人开支和公共开支的总额，它等于所有案件中的那些开支乘以诉讼案件份额。第三个条件是和解的全部案件的总开支（均为私人开支），它等于所有案件中的私人总开支乘以和解案件份额再乘以和解而未诉讼的那部分案件的成本。诉讼案件份额的增加，或者在诉讼中的公共开支或私人开支的增加，会降低错误司法决定的或然性因而降低其成本。在诉讼中的公共开支的增加将减少和解而不诉讼的相对成本优势（政府对诉讼补贴已经增加了），而和解的相对成本优势的增加将减少审判案件的份额。

这些关系解释了为什么难以预测一种倾向对在相关变量中变化的整体效应所产生的影响。比如，诉讼案件份额的增加，只有当诉讼案件的总成本和这些案件和解的总成本大于因增加诉讼案件份额而导致的错误成本的减少时，诉讼案件份额的增加才会导致法律争议解决社会成本的增加，在其他情形下则会降低法律争议解决总成本的增加。公共开支的增加会降低错误成本——直接降低和通过产生更多提交审判的案件的份额而降低——，却会增加法律争议解决的总直接成本——直接增加和通过使诉讼比和解更大的吸引力而增加。因此不能假定增加法院体系的公共开支会增加社会收益。向法院体系再投入100万美元，可能使社会花费几百万美元的成本——或者使社会受益几百万。最后，通过降低和解相对于诉讼的成本而增加和解成本对诉讼成本的份额，会降低法律争议解决的直接成本，却间接增加错误成本。因此，正如前面所论证的，增加和解相对于诉讼的吸引力不是那么不含糊的令人满意。

【波斯纳教授随后审视了几个"错误与直接成本之间的复杂交错"的例子，包括证据开示、实体法改革、陪审团、一事不再理。还审视了法院中的拖延。】

对于多数司法行政管理专家而言，在提起诉讼与法律请求的最终处理之间的迟延是一种无法缓解的不幸，因而是司法改革的适当重点。这是一种单向思维的看问题方法。迟延是社会和经济生活中的无处不在的特征，只有过分的迟延才是要不得的，而什么是过分，不能仅仅通过比较不同量的迟延的成本和收益来确定。就像我们看到的那样，证据产出率的增加会导致当事人追求更多的证据生产，因此，当一再表明，（例如）如果州际商事委员会愿意接受未经过普通法诉讼的繁琐程序——比如最佳证据规则和交叉询问的权利——而获得的证据，就能够减少ICC的案件审理的迟延，这样的简化却会导致当事人增加他们诉讼投入的数量——专家证人和诸如此类——而这可能导致更加迟延的案件处理过程，尽管这些投入的质量更高。

通过增加法官来减少迟延的建议——通常被当作灵丹妙药的措施——忽略了几个现实可能性，这些现实可能性会损害这种措施的效果。在人身伤害案件中，也许在其他情况下也一样，由增加法官带来的迟延减少可能被降低的和解率所抵消，如果迟延减少，和解率降低是可以预见的，而这些额外的诉讼又会导致新的迟延。此外，本来争议者在既有的迟延条件下由于看重快速解决争议的价值而选择了其他替代解决方式（如仲裁），有了一种加速争议解决的办法的诉讼，但现在这些争议者会被吸引回到法院来，从而又成为制造迟延的新的渊源。可以用高速公路作为类比：高速公路通过改进道路交通，诱使一些先前使用其他交通方式的人们转向开车，而这又导致新的交通堵塞。

至关重要的一点是，迟延的最小化不是司法改革目标的适当公式，本文所论证的目标是减少错误成本的总额和法律争议解决的直接成本的总额。迟延问题必须放在更大的信息框架中去考虑。除非做到这一点，否则甚至无法在一个有意义的模式（fashion）中定义迟延。

现在有相当多的文章对程序和行政的正义进行经济分析，例如参见加里·比彻和威廉·兰德斯：《犯罪与惩罚的经济学论文集》[Gary S. Becher and William M. Landes, *Essays in the Economics of Crime and Punishment* (1974)] 理查德·A·波斯纳的综合性作品《法律的经济分析》（第二版）[*Economic Analysis of Law* (2d ed. 1974)] 提供了一个总的分析框架的概览，上面摘录的文章就嵌在这个框架中，见阿瑟·莱夫：《关于唯名论的某种现实主义》[Arthur A. Leff, *Some Realism about Nominalism*, 60 Va. L. Rev. 45 (1974)]。

实务练习一
设计一个管用的纠纷解决程序

解决纠纷的公平程序的最低限度要素是什么？哪些额外的要素值得支付额外的成本？当前，想像你在下列每一种情境下可以自由设计纠纷解决程序：

1. 你在进入法学院之前租了一间公寓，在取得该公寓之前，你给了房主一个月租金的存款作为保证金，现在希望在租期届满时索回保证金，但房主却扣留了这笔保证金，并声称你在墙壁和地板上留下了印记，因而他有理由扣留这笔钱。你想要怎样解决你与房主之间的纠纷？请为程序设定场景、参加人、目的和方向。

2. 你拥有2000套可出租公寓，面临着与佃户之间就维修、噪声、未付房租和保证金等事项引起的日常纠纷。你想要设立怎样的程序调整这些纠纷——记住这些纠纷是大量的和经常的？

3. 在上述（1）和（2）中，哪些程序要素是共同的？哪些是有个体差异的？如果你现在为佃户和房主制定一项解决他们之间纠纷的程序制度的制定法，你会具体规定哪些要素？

第四节 获得律师和法律制度救助的权利[*]

受听审的正当程序权利在何时保障受律师代理的权利？这项权利在何时包括进入法院正式框架的权利？由联邦最高法院在戈德堡案之前和在马修斯案之后作出的关于正当程序的判例提出了这些问题。使获得律师帮助这一问题复杂化的一个问题是，来自不同的社会、经济和文化世界的客户与律师之间的沟通问题。这一问题可能在宪法框架以外、通过制定法、律师事务所的自愿援助、或者在正式司法框架内外创造便宜、快捷的途径来解决。这些途径何时可以获得？

一、获得法院救济的权利

博迪诉康涅狄格
Boddie v. Connecticut
401 U. S. 371 (1971)

大法官哈兰（Harlan）制作最高法院的意见如下：

上诉人为居住在康涅狄格州的接受福利救济者，代表他们自己和其他处于相同境遇的人，向康涅狄格辖区的联邦地区法院提起诉讼，因为启动诉讼问题而挑战适用于他们的州的某些程序，其中包括支付法院费用和享受程序服务成本的要求，这些要求使他们在试图提起离婚诉讼时受到限制。

从法律理由书和言辞辩论来看，提起一宗离婚诉讼的平均成本为 60 美元。康涅狄格州一般制定法规定："提起民事诉讼须向高等法院或上等法院（the supreme court or the superior court）[**]的书记官处交纳 45 美元……"另外，15 美元通常用来支付法警送达的费用，不过在需要通过公告送达通知的时候，这项费用要增加到 40 至 50 美元。

---

[*] 译者注：这一标题的原文是 Access to Lawyers and to the Legal System. access to justice 在我国译法有许多，比如有人直译为"接近司法"或"进入司法（程序）权"，或"接近正义"。本书按其内涵和具体意境，译为"获得司法救济（权）"在有些情况下译为"获得正义"。access to justice 是司法日益专业化、规范化、程式化、高成本化之后，由现代化国家特别是福利国家提出的一个重大课题。在性质上，它既可能是一般或抽象意义上的一种权利或机会，又可能在具体意义上的一种行为。在内容上，它既包括以低廉、方便、快捷的措施为一般当事人进入和利用司法程序、获得司法救济提供可能，也包括以减免诉讼费用和提供法律援助等措施为贫穷的当事人获得法律制度的救济提供可能。本文分别讨论了上述两大内容：access to court，即"进入法院（的权利）"或"寻求/获得法院救济（的权利）"；以及与之对应并作为其辅助手段的 access to lawyer，即"寻求/获得律师帮助（的权利）"。

[**] 译者注：supreme court or the superior court 是一些州（如康涅狄格州、马萨诸塞州等）的初审法院的名称，因为它们承担了对小额诉讼的上诉或监督职能，因而获得"高等法院"或"上等法院"或"监督法院"的称谓，注意把它们与最高法院或高级法院区分开来。

本案中列名的（named）这些上诉人都有支付能力，无论支付制定法要求的费用，还是支付文书送达所发生的费用，双方对此没有争议。诉讼卷宗里的宣示证词确认，上诉人的每期福利收入几乎不能支付日常生活的最基本需求，不包括为了获得离婚而进入法院的这笔费用，而且对于上诉人谋求离婚是基于"诚实信用"这一点没有争议。

假定——我们必须根据这一动议来驳回诉讼——上诉人的这些没有争议的主张具有真实性，看来他们在试图向康涅狄格州的法院提起离婚诉讼时没有成功，而没有成功的原因是他们的贫困。康涅狄格州法院的书记官退回他们起诉状"的理由是，在交纳案件登记费之前，他不能接受这些起诉状"。随后申请获得免交这些费用及法庭文书送达费用也未获准许。

嗣后上诉人向联邦地区法院提起了本案诉讼，请求判决宣告康涅狄格州的制定法和法院收取文书送达费用的规定是违反宪法的，这些规定"要求支付法院费用和成本作为获得法院救济的前提条件，适用于这些贫穷的（上诉人）和他们所代表的集团诉讼的所有其他成员"。上诉人还要求发出禁令，命令有关官员允许他们"进行他们的离婚诉讼而不必交纳费用和成本"，以此作为进一步救济。我们的结论是，假定在社会价值层面确定了婚姻关系的基本状态，并且一夫一妻制须通过解除这种关系的合法途径而获得，则正当程序的确禁止州政府仅仅因为支付能力而拒绝那些寻求合法解除婚姻的人进入法院。

正当程序权利的内核反映了我们美国宪政体制的基本价值。我们对于这种价值的理解是我们解决本案的根据。

一个有组织的、有凝聚力的社会的特征，是建立和实施一个界定其成员之间权利和义务的规范体系，使他们能够以一种有序的、可预见的方式调整他们的事务，稳定地解决他们的争议，没有什么比这些特征更重要了。没有这样的"法律制度"，社会的组织性和凝聚力事实上就不可能；拥有寻求规范化解决冲突的能力，人们就能够相互依赖地行动，这种关系使他们为成功而奋斗，不必担心自己会在一个没有组织的社会倍受困扰。更简洁地说，正是由于注入了规则之治（法治），才使社会从抵御政治理论家们所称的"自然状态"中受益。

当然，美国社会不是把个人权利义务的制度性定义和纠纷解决机制建立在习惯或者富于策略地安置个人意愿的基础上，而是建立在普通法模式的基础上。正是对于法院或其他准司法性的官方实体而言，我们才需要最初最终寻找一个制度化的、过程有序的纠纷解决机制。在这个框架内，那些制定我们最初宪法的人们在第五修正案中，和那些后来的宪法起草人在第十四修正案中，承认了正当程序在这个制度中的中心地位。未经正当法律程序，任何人不得被剥夺权利，也不得被剥夺自由或财产，州政府如果没有这些正当程序保障，那么他们那些凌驾于解决纠纷的技术规范之上的专制就不会为我们的体制所接受。只有规定社会的执行机制必须在这些约束的范围内严格地发挥作用，我们才能希望维持一种有序而公正的社会。正是按照这些前提，本院才经过多年的司法实践，不断丰富正当程序原则……

认同这一理论框架使本案所提出的具体问题获得阐释。正如本院在更多的场合下认同的那样，婚姻涉及到我们社会中具有根本重要性的利益。See, e. g., Loving v. Virginia, 388 U. S. 1 (1967); Skinner v. Oklahoma, 316 U. S. 535 (1942); Meyer v. Nebraska, 262 U. S. 390 (1923). 难怪各州都有审查这一制度许多方面的适当机制……

尽管他们在此承认，这些本可以成为原告的人们享有正当程序权利，但我们认为，由于上诉人诉求州法院是他们解除婚姻的惟一途径，因而他们和被告面临同样的困境，那就是他们被排除在惟一能够有权力和有效力地解决他们之间争议的法庭之外。基于这一点，我们认为，本案的适当解决方式是根据我们在正当程序的判决中所阐明的原则，我们在这些判决中划定了被迫在司法区内通过诉讼解决其争议的被告的权利。

这些正当程序判决代表着本院一百多年来的努力，对正当程序这一概念作出了确切和具体化的定义，我们认为，这为上诉人的争议提供了完全的正当理由。特别是先例已经确定无疑地在我们的正当程序法理中植入了两个重要原则，我们适用这两项原则对本案作出了判决。

过去的判例首先确立了正当程序的最低要求，即，（如果）不存在足以抗衡的具有至高无上重要性的州政府利益，则被迫通过司法程序解决他们权利义务请求的人们必须获得一次有意义的机会接受听审……

正当程序当然不要求每一个民事案件的被告都实际上有一次就实质性问题进行听审的机会……宪法所要求的是"在一个有意义的时间内并以有意义的方式给予一次机会……"，Armstrong v. Manzo, 380 U. S. 545, 552 (1965) "以获得一次适于该案特性的听审"（Mullane v. Central Hanover Tr. Co. supra, at 313）……

我们的判例还进一步确立，当一个制定法或一则规范用于剥夺个人受保护的权利时，可以被认为在宪法上是无效的，尽管它在这一问题之外作为该州合法地行使权力的措施具有一般效力。因此，在涉及到宗教自由、言论或聚会（assembly）自由的案件中，本院经常认为，一项有效的制定法由于干预了个人行使这些权利因而在适用于这些特定场合时是违宪的。

不仅这些权利，而且获得一次在可行范围内的有意义的听审机会，也必须受到保护，以抵制某些特殊法律为了一些特殊的个体而否定这项权利……

各州根据第十四修正案所承担的义务不是简单的总体义务，而是对于每一个体承担的一种义务，必须为他们提供根据自由社会的价值而个性适宜的程序。

　　根据刚才详细讨论过的这些由判例确立的原则，我们得出结论认为，该州拒绝接受本案上诉人进入法院——进入法院是在康涅狄格州解除婚姻的惟一方法——等于拒绝为他们提供一次就他们所主张的解除婚姻的权利进行听审的机会，而且在缺少对抗性理由为该州行为进行正当性抗辩的情况下，等于拒绝了正当程序权利。

　　在为这种费用和成本要求所作的论证中，有一个理由是实质性的，即该州政府在避免滥诉方面享有利益，用法院费用和程序成本来配置紧缺资源是理性的，而且这对于平衡被告受通知的权利与原告进入司法的权利也是合理的。

　　在我们的意见中，对于这些问题的考虑不足于超越那些原告而上诉人享有的利益，因为这是他们能够获得的公开地解除他们所主张的不能维系的婚姻的惟一方式……

　　因此，该州主张自己将费用和成本要求作为资源配置或成本补偿的一种机制方面享有利益，我们必须对此利益进行权衡。这一理由曾经在格里芬案〔Griffin v. Illinois, 351 U. S. 12 (1956)〕中提出并被驳回过。在格里芬案中，妨碍进入司法程序的是要求提供一审法庭记录誊本超出了贫困人可以借助的方式。在格里芬案中，誊本作为进入法院的一种方便的但非必须的表述方式是可予免除的，而在本案中，该州把不可变通的交费义务作为配置司法资源的一种措施，肯定地说，格里芬案中的基本原理适用于本案。

　　最后的结论是，按照第十四修正案关于正当程序的条款的要求，这些上诉人应当获得进入法院以获准离婚的机会，我们重申，我们并没有超出解决本案的必要限度，在本案中，关于上诉人的贫困和离婚愿望两个方面的诚实信用都没有争议。我们不能作出这样的决定，即所有的个人寻求法院救济都是一种权利，他们在任何情况下都享受第十四修正案正当程序条款的保障，以至于这项权利的行使可以不考虑个人状况。正如我们已经陈明的那样，在本案中，这样的权利是调整基本人类关系的别无选择的前提条件……撤销原判。

布莱克大法官的反对意见：

　　这是奇怪的案件和奇怪的判决理由。缺少某种具体的联邦宪法上或制定法上的规定，婚姻在我国是完全在州的控制之下的，离婚也一样。当第一批殖民者抵达这片国土时，英国人允许离婚的权力就不再属于国家的法院而属于国会。比较近是1888年本院在梅纳德案（Maynard v. Hill, 125 U. S. 190）中支持了由俄勒冈领地立法机构（Legislature of the Territory of Oregon）准许的离婚。由于在那个时期州的立法机构准许离婚或把这项权力赋予它们的法院从未受过质疑，因此婚姻和离婚问题始终在州的控制之下也不是偶尔形成的，这一婚姻制度对于各州的人民具有特别重要的意义……

然而，本院在此却认为，康涅狄格州对于它自己公民的婚姻和离婚几乎没有控制权，它没有权力在实践中，当他们未准备好钱来启动法院程序时，向他们收取成本费。本院认为，州的法律要求支付成本为联邦宪法第十四修正案正当程序条款所禁止，多数派中的两个成员认为还可以适用"平等保护条款"。我认为康涅狄格州关于收费的法律不受其中任何条款所禁止。

诚然，正如多数派所指出的那样，本院的确在格里芬案［Griffin v. Illinois, 351 U. S. 12（1956）］中认为，穷困的刑事被告必须与那些拥有雄厚的资金支付自己成本的被告一样获得相同的针对有罪判决的上诉权利……强有力的理由对两种类型的案件加以区别。刑事被告是为了对抗州政府或联邦政府所指控的犯罪和为他们自己辩护而进入法院的，这些被告在进入法院时就知道他们可能有罪，可能因为自己的犯罪而受罚，丧失生命、自由或财产。因为这些政府权力巨大，因而联邦宪法为那些受犯罪指控的人们提供了特殊保护……

然而，民事诉讼不同于政府的犯罪指控。由政府设置的民事法庭给那些跟自己的邻居吵架的人们提供一种利用中立的政府机构协调他们争议的机会。在这种案件中，政府通常并未作为一方当事人涉足其中，也没有像刑事惩罚那样剥夺生命、自由或财产。我们的联邦宪法没有把这种私人争议置于与刑事审判和刑罚同等高的地位。因此，既没有必要也没有理由表明，政府在民事审判中应当受到宪法旨在保护受犯罪指控的人的严格而刚硬的正当程序规范的制约或阻碍……这些规则以宪法条款来规定，其本身就提供了一个评价什么是政府的公平而什么不是的标准。宪法将修正宪法的权力赋予，人民和由他们选举的代表们，而不是法官。……

注释与问题

1. 下列价值中哪些对于多数意见特别重要？为什么？它们在该院的分析中居于什么角色？

  a. 婚姻和离婚所涉及的个人利益如此基础，以至于州政府在调整它们的时候必须非常审慎；

  b. 州政府凌驾于约束本地区离婚纠纷解决方面的技术之上的专属权力不能以剥夺个人自由或财产的方式行使；

  c. 州政府凌驾于约束纠纷解决方面的技术之上的专属权力不能以剥夺个人自由或财产的方式行使；

  d. 作为个人的原告有一个不能维持的婚姻；

  e. 该州政府没有根据当事人的贫困状态为免除离婚诉讼受案费用提供机制。

2. 在布莱克大法官提出的反对意见中，你认为最有说服力的理由是什么？

a. 刑事诉讼中的贫困资助不能类比于民事诉讼中对待贫困人，因为在民事诉讼中州政府本身没有剥夺一个人生命、自由或财产的威胁；

b. 宪法中没有任何语词授权法官根据个人的公平观宣告州法律无效；

c. 对制度不满意应当由人民和他们选举的代表——而不是由法官——采取行动。

3. 多数派对于在反对意见中的论点的反驳是什么？哪一种是你能够找到的最有说服力的反驳？

4. 当一位贫困的母亲不服法院因为她虐待或过失而终止她的亲权的判决而提起上诉时，本案的判决如何能够使她免除在民事上诉案中所必须的誊本的费用？本案的判决如何能够被区别开来而避免支持母亲的请求？〔关于最高法院对此问题的判决，参见 M. L. B. v. S. L. J., 519 U. S. 102（1996）。〕

二、获得律师帮助的权利

拉塞特尔诉北卡罗利那达勒姆郡社会服务部
Lassiter v. Department of Social Services of Durham County, North Carolina
452 U. S. 18 (1981)

大法官斯图尔特制作最高法院意见书：

1975 年晚春，达勒姆郡（Durham County）地区法院听审了申诉人阿比·盖尔·拉希特尔（Abby Gail Lassiter）提交的证据，证据表明申诉人未给她的婴孩儿子威廉提供适当的医疗护理，嗣后判定他是一个被疏忽的孩子，并将他移交达勒姆郡社会服务部即本案答辩人监护。一年后，拉希特尔夫人被指控为一级谋杀，被判二级谋杀罪，并开始了刑期为 25－40 年的监禁生活。[1]

1978 年，服务部申请法院终止拉希特尔夫人的亲权，因为服务部声称，她"自 1975 年以来已经与孩子没有过任何联系"，而且"她已经有意地把孩子留在幼儿室超过连续两年，没有迹象表明她在改正导致她被剥夺孩子监护权的状况方

---

〔1〕北卡罗利那上诉法院在审查申诉人的犯罪判决时指出，谋杀是在她母亲与死者口角时发生的："被告的母亲对死者说'来吧'（come on），他们开始扭打，死者倒在地上，被告的母亲正在用扫帚打死者。正当死者还在地上并被用扫帚抽打时，被告进来了。她走进厨房拿起一把屠宰刀，她拿着刀开始向仍在地上挣扎的死者身上刺。死者的身体有 7 处刺伤……" State v. Lassiter, No. 7614 SC1054（June 1, 1977）。拉希特尔夫人在经上诉确认有罪之后，诉求对判决提起间接挑战。在她的争辩中，她的初审律师的帮助是无效的，因为他没有"谋求引出或向陪审团介绍由她的母亲的陈述'我做了，我希望她死'"。拉希特尔夫人的母亲像拉希特尔夫人一样被指控一级谋杀。北卡罗利那司法总院高等法庭（the North Carolina General Court of Justice, Suprior Court Division）驳回了拉希特尔夫人要求间接救济的动议。File No. 76－CR－3102（Mar. 20, 1979）。

面有任何实质性的改进,也没有显示她对于社会服务部在增强她与孩子的关系方面的勤勉努力作出过任何反应,也未对孩子的未来设计或遵循建构性的计划"。

拉希特尔夫人被送达了起诉状和将举行听审的通知。尽管她的母亲为她聘请了取得候审律师以处理寻求推翻谋杀罪判决的事宜,但拉希特尔夫人从未向这位律师提起过即将进行听审的事(也未为此事项向任何其他人提起过,她只说对监狱里的"某个人"提起过)。应社会服务部律师的要求,她被从监狱带到法院来参加了1978年8月31日举行的听审。显而易见,听审是在法官的指令下举行的,法官与拉希特尔夫人讨论过是否需要更多的时间去寻求法律帮助。法院认为,她"在听审这一事项之前有大量机会寻求和获得律师,而她没有这么做,也没有正当的理由",因而法庭没有推迟诉讼的进行。拉希特尔夫人没有主张她贫穷,法院也未为她指定律师。

答辩人服务部的一位社会工作者是第一位证人。她作证说,"1975年服务部收到来自迪克小儿科的投诉,称威廉在小儿科没有人照料,遇到一些医疗上的问题却找不到拉希特尔夫人……"她说,"1975年5月,一位社会工作者把威廉带到医院,那里的医生要求他住院,因为他呼吸困难,营养不良,而且伴有大量惊噘,表明他患有严重的感染而未得到治疗"。这位证人进一步作证说,除了一次"未事先安排"的造访和一次在街上的邂逅之外,拉希特尔夫人在威廉进入州托儿所之后从未来看过他,拉希特尔夫人或她的母亲都没有"与社会服务部进行过关于孩子的任何联系"。在被问到是否应当把威廉置于外祖母的监护之下时,这位社会工作者说不应当,因为外祖母"在许多场合向我表示过她没有能力对这个孩子负责",同时"我跟社区的人们核实过,而拉希特尔夫人的教堂也认为这种额外的责任是她无法承担的"。这位社会工作者接着说,"自从威廉在76年7月见过他的外祖母之后再也没有见过她,而那也是惟一的一次见面"。

在对这位社会工作者进行直接询问之后,法官说:

> 我注意到我们在1975年6月作过一次泛泛的认定:你已收到了材料,社会服务部已被传唤并被告知你会到庭,严重缺少医疗治疗。同时,正如我在1975年6月16日的认定中所说的那样,本庭认定,祖母露西尔·拉希特尔亦即阿比·盖尔·拉希特尔的母亲于1975年5月8日提起诉讼,声称她的女儿经常把孩子坎蒂娜、费利西娅和威廉一连好几天留给她,不提供钱或食物。

拉希特尔夫人对这位社会工作者进行了交叉询问,后者坚定地重申了她先前的证词。法官用不同的清晰度解释了几遍,说拉希特尔夫人在这个阶段只能问问题,她的许多问题是不允许的,因为这些问题不是真正的问题,而是争辩。

然后拉希特尔夫人根据法官的提问自己作证说她适当地照料了威廉。在交叉询问中,她说在威廉从她的监护之下被夺走之后,她去看过他五六次,而且如果威廉不能跟她在一起,她希望他跟她的母亲在一起,因为"他认识我们。孩子们认识他们家……他们认识他们人,他们认识他们家,他们在任何地方都会认识我们……我还有另外4个孩子。3个女孩和一个男孩,他们在看到他们的小弟弟时认识他。"* 拉希特尔夫人的母亲随后被传讯作证,她在法官的询问下否认她提起了针对拉希特尔夫人的起诉状,在交叉询问中她否认威廉在州政府监护期间从未去探望的事实,也否认自己说过她不能照顾他的话。

法院认定,拉希特尔夫人"自1975年12月以来,从未与社会服务部就孩子问题进行过任何联系,没有表达过对他的照料和幸福的任何关心,没有对他的未来计划做过任何努力"。因为拉希特尔夫人"有意不关心下一代,也不对他们的幸福负责",同时由于这是下一代权益的最后办法,因而法庭终止了拉希特尔夫人作为威廉父母的身份。

拉希特尔夫人在上诉中主张,由于她贫困,而第十四修正案正当程序条款授权她获得律师的帮助,因而初审法院未要求州政府为她提供律师是错误的。北卡罗利那上诉法院判决,"州政府的行为的确侵犯了被保护的个人隐私的领地,但这种侵犯的严重性和不合理性的程度尚未达到使我们认为为贫困的父母指定律师是宪法的强制要求"(*In re Lassiter*,43 N. C. App. 525.)。北卡罗利那最高法院简易地驳回了拉希特尔夫人请求适用裁量性审查的申请,我们许可调卷审查,考虑申诉人根据第十四修正案正当程序条款提出的请求。

就其全部连续性而言,"正当程序"从来没有而且也许永远也不会被具体地定义。本院说过,正当程序"不像某些法律规则那样,它不是一个技术性概念而有与时间、地点和情境无关的确定的内容"(Cafeteria Workers v. McElroy,367 U. S. 886,895)。相反,这一术语表达了对"基本公平"(fundamental fairness)的要求,这一要求的含义的高深莫测就像它的重要性高不可攀一样。适用正当程序条款是一项不确定的事业(uncertain enterprice),必须首先考虑任何先例,然后评估关键的几个利益,以在特定语境中发现"基本公平"是由什么构成的。

本院的先例对贫困者被指定律师的权利作出的经典概括是,这项权利已经被公认仅仅存在于一种情境,即当事人如果败诉即可能丧失自由。贝兹诉布雷迪案(Betts v. Brady,316 U. S. 455.)中的原则是,刑事审判中只是当给定的案件的情形要求指定律师时才予指定,本院在一个人被判监禁5年时为他指定了律师

---

* 译者注:大概由于拉希特尔夫人没有文化,原文中没有使用标准的英语,比如"They know they people"。"they"在此可作两种解释,或者是发音不准而为"the"之误,或者是语法不对而为"their"之误。这里根据具体语境似应为"their",为了保持原味,在此有意把"他们的人"译为"他们人"。

(Gideon v. Wainwright, 372 U. S. 335)。于是，阿吉特辛格诉哈姆林案（Argersinger v. Hamlin, 407 U. S. 25）确立了必须在任何贫困者可能被判入狱之前为他提供律师，即使犯罪轻微、监禁期限很短的案件也不例外。

是被告在人身自由方面的权益，而不仅仅是第六和第十四修正案赋予的特殊权利，使他们在刑事案件中获得律师。据此本院在高尔特案（In re Gault, 387, U. S. 1）中解释了指定律师的权利，本院宣称，"第十四修正案正当程序条款要求，在确定不良行为——这一行为可能触犯一项制度而导致剥夺青少年自由——的诉讼中"，青少年有权被指定律师，即使这些诉讼可能是以"民事"为特征而非"刑事"的。Id. at 41. 同样，对维特克诉琼斯一案（Vitek v. Jones, 445 U. S. 480）作出实质性判决的5位大法官中的4位的结论认为，贫困的受监禁者在被迫送交州的精神病院治疗之前有权被指定律师。第5位大法官与其他4位的分歧仅仅在于不同意排除"在某些案件中可以由胜任的外行实施所要求的帮助的可能性"。Id. at 500.（鲍威尔大法官的单独意见书于。）

重要的是，当当事人在人身自由方面的权益减少时，他被指定律师的权利也减少了。在卡格侬诉斯卡佩利案中（Cagnon v. Scarpelli, 411 U. S. 778），本院评估了一位先前在撤回缓刑的听审中被判缓刑的人的正当程序权利。在涉及撤销假释的类似听审的莫里西诉布鲁尔（Morrissey v. Brewer, 408 U. S. 471, 480）一案中，本院说："撤销（假释）所剥夺一个人的，不是每个公民都享有的绝对自由，而只是适当地根据违反特定的假释限制的有条件的自由"。根据这一讨论，本院在斯卡佩利案中否定了一项认定，即贫困的缓刑者本身有权在撤销缓刑的听审中被指定律师，而是把决定是否应当指定律师留待根据个案背景决定。

最后，本院拒绝将指定律师的权利范围扩大到包括尽管是刑事的但不导致被告丧失人身自由的追诉。例如，本院在斯高特诉伊利诺斯州案（Scott v. Illinois, 440 U. S. 367）中把"阿吉特辛格案的中心前提"解释为"实际的监禁是在种类上不同于罚金也不同于仅仅受监禁威胁的处罚"，并且本院赋予这一前提以一个特征，即"显然站得住脚并且（根据）采取实际监禁作为界定指定律师的宪法权利的界线"。[Id., at 373 - 374.] 于是本院认定，"美国联邦宪法第六和第十四修正案只要求任何贫困的刑事被告不得被判处一定刑期，除非州已经在他的防御中为他提供了指定律师的帮助"。[Id., at 373 - 374.]

[ ] 总之，本院的先例以同一个声音对什么是"基本公平"作出了解释，这意味着当本院考虑指定律师的权利时，我们要援引这些先例的观点，贫困的当事人只有当他如果败诉即会被剥夺人身自由时才有权利被指定律师。正当程序的所有其他要素都必须计入在内的观点与上述观点是相悖的。

在马修斯诉埃德里奇案（Mathews v . Edridge, 424 U. S. 319, 335）中，

在决定正当程序所要求的内容时提出了必须评估三要素，即，处于危急之中的私人利益、政府的利益、该程序的适用将导致的错误决定的风险。我们必须在这些要素之间相互平衡，然后在一定刻度上确定它们的净重，这个刻度与只有当贫困如果败诉即可能丧失人身自由时才有权被指定律师的观点形成抗衡。

迄今为止，本院的决定已为家喻户晓，超越了引证的需要，比如，"父母陪伴、照料、监护和管理他或她的孩子的愿望和权利"是一项"受到不可否认的尊重和在没有强大到可与之抗衡的利益时受到保护的"重要权益。[Stanley v. Illinois, 405 U. S. 645, 651.] 在此，州政府不仅谋求侵犯这项权益，而且要终止这项权益。如果州胜诉了，那么它就成功地实现了一种独一无二的剥夺。因此，父母的权益的正确性和剥夺其父母身份之决定的正义性事关生杀予夺。

既然州政府在孩子的福祉方面享有急迫的权益，因此它分享着父母在正确和公正决定中所获得的权益。为此，州可以分享贫困的父母在获得指定律师方面的利益。如果像我们的对抗制所假定的那样，正确而正义的结果最可能通过对立利益的双方之间的对抗而获得，那么州政府在孩子的福祉方面享有的利益可能最容易通过听审而获得满足，在听审中为了孩子而行动的父母和州政府都可以由律师代理，没有律师则权益的对抗可能变得在整体上不平等。北卡罗利那自己也承认了这一点，它规定，当一位父母对一份终止申诉（a termination petition）提交书面答辩时，州政府必须提供律师以代理孩子。[N. C. Gen. Stat. §7A - 289. 29 (Supp. 1979).]

然而，当州政府希望终止决定的过程越经济越好、从而希望避免指定律师的成本和因律师的出现而延长决定过程的成本时，州的权益明显从父母的权益中剥离出来了。尽管州政府的金钱利益是正当的，但这一利益很难重要到可以压倒私人利益的程度，重要到答辩人在法律理由书中承认的那样，"在终止程序时指定律师的潜在成本……与在所有刑事诉讼中的成本相比是微不足道的"。

最后，必须考虑一个父母由于没有律师代理而被错误剥夺对孩子的权利的风险。北卡罗利那的法律现在通过确立下列程序而确保正确决定：终止亲权的陈情书（petition）只能由父母一方中谋求终止另一方权利的人提出，或者由郡社会服务部或其他有从事孩子监护业务许可证的机构提出，或者由连续与孩子共同居住达2年的人提出 [§7A - 289. 24.]。投起诉状必须描述足以保证认定终止理由存在的事实 [§7A - 289. 25 (6).]，投起诉状必须通知父母，并给予30天时间以提交书面答辩 [§7A - 289. 27。]，如果答辩否认材料上的主张，则法院必须指定一名律师作为孩子的诉讼指导，并且为了解决由投起诉状和答辩书所提出的的问题而进行专门听审 [§7A - 289. 29.]。如果父母一方未提交答辩，"法院得发出终止命令，终止其所有的亲权和监护权" [§7A - 289. 28.]，由没有陪审团的法庭认定事实，必须"根据清晰的、确凿的和具有说服力的证据"〔§7A-289.30.〕。任何一方当事人均可上诉，上诉须在听审后10日内送交上诉通知〔§7A-289.34.〕。

答辩人争辩说，对终止问题的听审的事项——该母亲与她孩子之间的关系——远非深奥、技术、或不熟悉，这一主题只涉及该母亲必须受到有效的通知，涉及该母亲必须有过一定时间的思考。答辩人还辩称，既然在此并未提出在刑事审判中面临的特殊的证据问题，而且确定终止的标准又不复杂，因而对终止问题的听审可能不会出现证据法或实体法上的难点。答辩人报告说，实际上北卡罗利那社会服务部自己也常常是由社会工作者取代律师来代理对终止问题的听审。

不过，对终止的听审所要处理的最终问题并非总是简单的，无论这些问题可能怎样常识。专家医疗证词和内科证词会不时出现，没有几个父母能够听懂，更没有什么人能够驳倒。这些父母们可能都是教育程度很低的人，他们连处理日常生活问题都会遇到非常的困难，在听审中他们更是陷入痛苦和迷惘的境况。这些因素联合在一起足以压垮一位没有律师帮助的父母，这在一些法院已经作出的证据认定中已有例可查……除了摆在我们面前的北卡罗利那判决之外，答辩人在现有的权威判例中找不出一件认为贫困的父母没有正当程序权利在关于终止的诉讼中被指定律师。

我们现在必须提出的决定性的问题是，埃德里奇案中的三因素在与这样的断言——在缺乏至少可能剥夺人身自由这一条件时无权要求指定律师——放在一起权衡时，是否足以反驳那一假定，从而得出一个结论，即正当程序条款要求在一州寻求终止一位贫困的父母的身份时为之指定律师……

如果在一个给定的案件中，父母的利益对于父母而言是最强的，而州政府的利益对于政府而言是最弱的，那么错误的风险就达到了顶点，不能说埃德里奇案中的因素不能战胜反对指定律师之权利的断言，也不能说正当程序因此不要求指定律师。然而，既然埃德里奇案中的要素并非总是如此分配，既然"正当程序并非如此严苛以至于要求必须总是牺牲非正式的、弹性的和经济的重要利益"（Cagnon v. Scarpelli, 411 U.S. 788），我们也不能说宪法要求在每一个终止亲权的诉讼中都指定律师。因此我们采取在卡格隆案（Cagnon v. Scarpelli, 411 U.S. 788）中确立的适当标准，把决定正当程序是否要求为终止亲权的诉讼中的贫困父母指定律师的问题交给初审法院在一审程序中决定，当然这一决定要受上诉程序的审查……

社会服务部在听审中由律师代理，但没有专家证人作证，该案也未提出特别的法律难点，无论程序法或实体上的难点。尽管传闻证据被不加质疑地接受了，尽管拉希特尔夫人的防御无疑不全面，即服务部在恢复她对自己儿子的利益方面没有充分地帮助,她一点点只有这样的利益,但证据的分量是如此充分,以至于即使拉希特尔夫人有律师代理,也不能扭转乾坤。的确,一位律师可能进一步争辩说,威廉应当与拉希特尔夫人的母亲住在一起,但这一争辩显然已经由两位拉希特尔陈述过了。证据是,老拉希特尔夫人曾经说过她不能管另一个孩子;社会工作者的调查得出了这一结论;祖母已经展示过一旦她的女儿被剥夺了对孩子的监护权她本人在孩子问题上的利益,不过这一争辩尚有争论的余地。这些证据足以充分,在这些要点上没有律师的指导并不能导致诉讼的基本不公平。

最后,一个法院在决定正当程序是否要求指定律师时,不应忽略一位父母直白地表明了她对于出席听审没兴趣。在此,初审法院显然认定了拉希特尔夫人明确地拒绝过1975年的孩子监护听审,拉希特尔夫人在收到关于终止问题的听审通知时甚至懒得对她的取得候审律师说起这事,法院特别认定,拉希特尔夫人在没有理由的情况下没有对终止问题的诉讼进行任何抗辩的准备。有鉴于所有上述情境,我们认定,初审法院没有为拉希特尔夫人指定律师是没有错误的……

基于在本意见书中陈明的理由,维持原判决。

首席大法官伯格的并存意见:

我加入本院的意见书,并加进几句话以强调一个因素,我相信这是被持反对意见者误解的一个因素。在此系争的终止问题的诉讼不是"惩罚性的"。相反,其目的是保障孩子的最佳利益。本案记录涉及到一位因谋杀而被判处长期徒刑的母亲的亲权,她极少展示她在自己孩子身上的利益,根据这一记录,令状可能应当是一种在作出浪费性的许可后用来驳回(申诉)的"备用品"。然而,我同意加入本院的狭义认定之中,把对终止的诉讼中指定律师的问题留给州法院根据具体案件作出决定。

布莱克曼大法官的反对意见,布伦南大法官和马歇尔大法官加盟:

本院今天驳回了一位贫困的母亲在由北卡罗利那州启动的终止她对于年幼的孩子的父母权的司法程序中接受律师代理的请求。本院最恰当地承认,母亲的权益具有"生杀予夺"的特征,并认定没有任何州的利益可与之抗衡,甚至没有可以与它的重要性作间接比较(remotely comparable)的利益 [See ante, at 27 - 28, 31.]。尽管如此,本院回避了在我看来是显而易见的结论,即正当程序要求为一位受到司法终止其亲权的威胁的父母指定律师,相反,本院的结论的使近20年以前的吉迪恩案 [Gideon v. Wainwright, 372 U. S. 335 (1963)] 所使用的完全使用自由裁量权的职权主义方法得以存活。我相信,父母在照料和监护其孩子方面的无可比拟的重要性,使宪法不允许通过正式的司法诉讼来终止它而不考虑律师为之提供的裨益,所以我反对。

本院并非不熟知根据何种情境决定律师代理的问题是宪法强制性的规定。在贝茨案中〔Betts v. Brady, 316 U. S. 455 (1942)〕，本院详细地梳理了第六修正案规定在刑事审判中获得律师的权利背后的传统和各州在此领域的历史实践。贝茨案判决认为，第六修正案确定的被代理的权利不适用于这些州，第十四修正案所规定的正当程序保障允许对于在州刑事审判中被告是否需要律师代理作出灵活的、具体案件具体分析的决定。这一判决后来在吉迪恩中被否决……

然而，在刑事性质以外的情境中，每当本院决定律师代理并非宪法所要求的权利时，总是依赖于正当程序保障的灵活特性。撤销缓刑决定的特殊目的、行政程序的非正式性质、包括州没有代理律师，都会导致本院得出一个结论：正当程序不要求为缓刑者提供律师〔Cagnon v. Scarpelli, 411 U. S. 778, 785-789 (1973).〕。在学校惩戒诉讼中，这一诉讼简短、非正式、部分以教育为目的，本院也认定没有义务提供法律顾问。Goss v. Lopez, 419 U. S. 565, 583 (1975).最近的一次是一位面临自愿由他的单亲担任其民事委托的未成年人，因为他的单亲在那项决定中的实质性作用，同时因为决定的至关重要的医疗性质和信息性质，本院拒绝干预律师代理问题〔Parham v. J. R. 442 U. S. 584, 604-609 (1979).〕。

在这些情形中，本院都承认，"什么程序才为正当"随着危机中的利益和政府程序的性质而变化。在个人的自由权益受到减损或低于基本高度时，或者在规定的程序涉及未经对抗式审判型的程序规制的非正式决定制作时，律师代理都不是正当程序的要求。隐含在这种分析中的是一个事实，即相反的结论有时可能受到保障，当一个人的自由权益被认为具有充分分量的宪法重要性，而州政府通过正式和对抗式的程序寻求剥夺这一权益时，律师代理的权利对于保障基本公平就可能是必不可少的。这么说就是承认，正当程序允许对不同的情形或语境采取不同的规则。

州政府涉足于终止申诉人和她的孩子之间的关系必须以符合正当程序条款要求的程序来实现，这一点没有争议。在此也没有人怀疑北卡罗利那所规定的程序的种类。北卡罗利那法律要求州政府在根据自己的主动权可能切断父母资格的纽带之前，必须通知并举行审判型的听审。本案的决定者是法官，证据规则是有效的，州政府由律师代理。然后的问题是，涉及一个如此要害的事项的这种模式的诉讼能否在作为被告的父母没有律师代理时与基本公平相称。正如今天本院适当承认的那样，我们在这种情境下对正当程序的考虑就像在其他情境中一样，必须依靠对私人利益与公共利益的平衡，也就是马修斯诉埃德里奇案中简洁描述的方法……

这里的关键问题是"一位父母在陪伴、照料、监护和管理自己的孩子方面的利益"〔Stanley v. Illinois, 405 U. S. 645, 651 (1972)〕。既然以家庭生活为中心成为人生意义和责任的焦点，那么这一利益在我们的法律文化中占据着无与伦比的位置。父母的权利"……远比财产权利更加珍贵" [May v. Anderson, 345 U. S. 528, 533 (1953)]。它被认为是属于那些"自由的人们对幸福的有序追求中至关重要的"范畴 [Meyer v. Nebraska, 262 U. S. 390, 399 (1923)]，比"仅仅剥夺变换经济安排的自由"更加重大和无价。[Stanley v. Illinois, 405 U. S. at 651, 引用 Kovacs v. Cooper, 336 U. S. 77, 95 (1949), （法兰克福特大法官的并存意见）。] 因此，尽管宪法在文字上对于家庭的具体事项默然无声，但家庭生活事项中的人身选择自由长期以来被看作是值得根据宪法第十四修正案加以保护的基本自由权益。在家庭完整的总体轨道之内，本院在控制孩子抚养的细节和保留对孩子的监护和陪伴两个方面给予生身父母以高度的宪法上的尊重。

在本案中，州政府的目的不是仅仅地影响父母与孩子的关系，而是消灭这种关系。亲权的终止是总体性和不可撤销的。它不像其他监护诉讼一样，而是不留给父母任何探望孩子或与孩子交流的权利，父母不得参与或甚至了解影响孩子宗教、教育、情感或身体发育的任何重要决定……

这种头等重要的剥夺在正当程序考量中是至关重要的，因为一个人被赋予这种程序，一部分是由"他可能'被判定的遭受的严重损失'的程度"来决定。[Goldberg v. Kelly, 397 U. S. 254, 263 (1970), 引用 Joint Anti－Fascist Refugee Committee v. McGrath, 341 U. S. 123, 168 (1951). （法兰克福特大法官的并存意见）.] 肯定没有多少损失会比取消亲权更严重，不过本院今天却确认，这一剥夺从某种意义上说没有受威胁的损失那么严重（受威胁的损失被认为应当指定律师），因为在这种情境下父母自己的"人身自由"没有处于危急之中。

我相信我们的判例不会支持这种"断言"，即人身关切仅仅是丧失人身自由才严重到足以引起根据正当程序条款指定律师的权利。的确，禁闭（incarceration）被认定为既不必要也不充分的条件来要求获得代表贫困被告的律师。探究被撤销的假释或缓刑及其剥夺人身自由的结果，并不导致本院要求为面对撤销诉讼的犯人提供律师。另一方面，没有把犯人从监狱转移到精神病医院这样的新的禁闭的威胁，这一事实并未妨碍本院认识到，在限制条件上的不利变化和可能被贴上精神病人标签的污名。 [Vitek v. Jones, 445 U. S. 480, 492, 494 (1980).] 对于本院的4位成员而言，这些"对自由的其他剥夺"与减损犯人的心理能力的可能性相结合，促成了为任何一位面对变更（境况）听审的贫困的犯人提供律师。

与此同时，本院回顾了一个"经典概括"，错误地陈述了我们对正当程序采用的灵活方法……

我不选择感觉迟钝的假设，即监禁是惟一足以严重到有正当理由指定律师的自由丧失，我倒愿意遵从本院从两方面审查利益各方关系和在具体诉讼类型中确定律师的适当性的一贯做法。处于危难中的自由权益的根本重要性是不容否认的，我也愿意认定正当程序衡平中的这一首要部分，把重重的法码压在支持精确的程序保护一端。埃德里奇案中的第二个因素，即由于州所规定的程序的错误风险，必须小心地加以审查。

北卡罗利那选择来取消亲权的方法在许多方面有似于刑事追诉。这种终止程序不像撤销缓刑的程序那样，它明显是正式的和对抗式的，本院在卡格隆一案中审查过撤销缓刑的程序并作为重要的根据。州政府通过向地区法院提交陈情书而启动了这一诉讼。[1]

此外，这一程序明显集中在控诉和惩罚性。在动议终止亲权时，州政府已有一个结论，即它不再尝试保持这个家庭单位，而是要调集一批公共资源来安置那些必须持久的父母子女分离……

该州真正地规定了一个正式审判程序的所有特征，每一个特征——除了给作为被告的父母提供律师之外——都与在终止决定中处于危急中的损失的严重程度相适应。规定为父母提供律师并不会改变程序已有的对抗、正式、典型的法律的特征，却会减少错误终止的可能性，如果当局以及州政府与没有律师代理的贫困父母之间的资源配置在总体上不对等，那么这种可能性是内在而巨大的。

错误的可能性随着用以判决被告（父母）的法律标准而增加。就像本案所证明的那样，那一标准普遍加进了决定程序复杂性的另一维度。州政府的指控不是集中于单个的行为或疏忽的事实，而是一般性地提出的存续于父母子女及其他亲属甚至不相干的当事人之间的复杂关系的特征和定性……

由州政府的投诉引起的法律问题既不简单，也不容易定义，其标准是不具体的，有待于法官进行主观的价值判断。谋求打败州政府的父母必须准备就他或她的个人能力和没有过错举出证据，还要证明其作为父母的进步和远见，这是州政府会认为对于推翻过去对孩子的忽略而形成的不利判断所需要的充分和有所改良的证据。没有能力鉴别材料上的问题、展开防御、收集和展示足够的支持非传统闻证据，并对不利证人进行交叉询问，这位父母就没有可能胜诉。

当然，本院也承认，这些任务"可能联合起来战胜一位没有律师代理的父母"。这真是一种令人叹服的高深莫测的轻描淡写……

错误的风险……有几个方面。实际上达到州所要求的改进或质量的父母可能不能成立这一事实。那些没有达到这些条件的父母可能没有能力证明理由、非故意、或行政机构没有勤勉等等为自己辩护。州案件中的事实或法律错误可能不受

---

〔1〕 编者注：第2281节在1976年被废除。第2284节设立了现行法律所涉及的三法官法院。

挑战和不被纠正地延续下去。如果这样权衡系争中的权益,那么错误的风险会成比例增长。一位父母可能由于受胁迫、意思表达不清、或糊涂混淆而永远失去与联络或过问自己后代的所有机会。

　　最后一个要考虑的因素是州政府的利益,这在本案的情境下相对于提供指定律师而言简直是微不足道。州政府几乎不能被放在这样一个位置上,即声称它追求康复性或教育性程序的非正式化,父母的顾问会向这种程序中注入一种不受欢迎的对抗性。正如北卡罗利那援助律师总会在本院所宣称的那样,一旦州政府动议终止,它就"已经做出了一项决定:孩子不能回家也不应当回家。它已不再有义务努力或恢复那个家庭"。

　　该州可以适当地主张其在促进它的未成年孩子身体和情感健康方面的正当利益,它也确实这么主张了,然而这一利益不是通过终止有责任的父母的任何有关权利而取得的……

　　该州可能随着指定律师的权利而在避免成本和行政不便方面还有一项利益。然而,正如本院所认同的那样,该州的财政利益"很难重要到足以胜过私人利益"……

　　本院的分析明显与本人的分析相似,它也分析了在马修斯诉埃德里奇案中所列举的三因素,它还认定私人利益的分量更重、政府利益不能形成实质性的抗衡。然而,本院没有遵循这一衡平过程通往它的逻辑结论,而是急转直下地抽回身来宣称作为被告的父母必须等待具体案件具体分析地决定他或她对律师的需要……

　　本院自己的先例对此解释得很清楚。本院在戈德堡诉凯利案中认定,经济状况处于绝境的福利受益人作为一个集体区别于其他的政府福利受益人。本院在马修斯诉埃德里奇案中断言,社会保障项目残疾受益人的需要相比较而言并不紧要,而且已有的主要根据书面医疗评估的决定前的程序可能比典型的福利授权决定更加客观和公平……

　　再者,由本院自己发展起来的具体案件具体分析的方法,使处于危急中的利益和一般行政的正义蒙受严重的危险……

　　在眼前的案件中不充分陈述的问题令人痛苦地出现了……

　　也许地区法院的法官在进行这次听审时历经困难和烦恼,这是可以理解的。然而困难和烦恼如果不在整体上也在很大程度上是由于没有律师造成的。有经验的律师本来可以把申诉人的反应和情绪翻译成几个实质性的法律要点,州政府指控申诉人没有为她的孩子的未来安排"建构性的计划",也没有证明她对服务部的调停作出过"积极的回应",防御本来应该是申诉人已经安排孩子由他的祖母适当地照料,证据则应当是导致证明祖母对其他孩子照料的适当性。服务部自己在促进家庭完整方面的"勤勉"从未成为听审中的争点,但对于申诉人的监禁和没有接近她的孩子的机会而言,这肯定是非常重要的。最后,申诉人被主张没有关心的愿望,这本来可以显而易见地攻破,因为在进行诉讼的 24 个月中有 21 个月她在人身方面不能再获得监护或甚至接受有意义的探视的机会。

申诉人简直不能引导出模范公民或标准父母的生活,如果她获得能干的法律代理人,那么在这个案件中的最后结果可能还是相同的,然而,摆在本院面前的问题不是申诉人的个性,而是州政府在动议绝对终止她的亲权的时候她是否获得了一次有意义的受听审机会。按照没有谋求的防御方法和申诉人在听审中的亲身经历,我发现本院今天的结论在实质上是不可信的,这个结论就是她的终止诉讼在根本上是公平的……

最后,我一点也不认为这是一种讽刺,本院就在今天,以正当程序为根据,同意了一位贫困的被公认为是父亲的请求,请求由州政府支付血液组织检测,为了给他一次有意义的机会证明他不是父亲(Little v. Streater),然而却在本案中,同样以正当程序为根据,驳回了一位贫穷的母亲的请求,请求当州政府在终止诉讼中谋求夺走她自己的孩子时,由州政府支付法律帮助的费用。在 Little v. Streater 一案中,本院强调和依赖于需要"程序公平"、"在决定的精确性方面的优势利益"、"相当可观的"错误的风险、贫困者"面对作为对手的州政府"、以及"基本公平"。

……如果本院在博迪诉康涅狄格州[Boddie v. Connecticut, 401 U. S. 371 (1971)]一案中不能洞悉应私人当事人的要求获得解除婚姻所要求的司法资源在宪法上的必要性,那么它肯定应当明了当州政府自己寻求解除父母子女之间亲密的私人家庭纽带时获得法律资源的同样的必要性。本院害怕会打开一道闸门,我觉得不会。恰恰相反,我们不能以宪法上提供一种封锁政策,使这桩令人伤心的案件的结果将对我们所有的人产生影响。我恕难同意。

【略去史蒂文斯大法官的反对意见】

注释与问题

1. 最高法院在拉希特尔案中在关于公共资金律师权利问题上的具体案件具体分析的决定,其收益和问题是什么?

2. 注意在拉希特尔案中,在终止争议中的亲权时,州充当了动议当事人或原告的角色,而父母则是被告。孩子不是案件的当事人。即使父母没有律师,州的机构有律师,而且在许多情形下,孩子也有一名律师作为诉讼指导者(系属中的诉讼),由法院指定保护其权益。

3. 许多州现在都为面临被终止亲权的父母提供律师。

4. 公共资金法律服务项目既可雇用付工资的律师,也可与私人律师签订合同以在某些案件中代理低收入的个人。假如为此目的能够获得的资源有限，律师的服务应当如何配置？正当程序考虑对危急中的私人利益的考虑是否有助于决定离婚请求、终止亲权、提供住房、收入扶持、及健康卫生救济的相对重要性？还有什么其他的考虑应当影响对州及其机构所作的为穷人提供服务的决定进行定位？

5. 穷人客户与他们的律师之间的关系受到什么因素的动态影响？穷人客户是否或是否应当为他们在法庭诉讼中的代理行为划定界限？思考露西·怀特的文章："服从，矫情的生存技巧与星期天的鞋子：G 夫人听审笔记"［Lucie White, Subordination, Rhetorical Survival Skills and Sunday Shoes: Notes on the Hearing of Mrs. G, 38 Buffalo L. Rev. 1 (1990)］。这篇文章根据作者 1982 年至 1986 年期间在北卡罗利那做援助律师的工作经历撰写的。怀特教授生动地描述了她自己在理解客户的视角时遇到的困难，具有讽刺意味的是，就在 G. 夫人用她自己的声音讲述她自己的故事时，她变得有权和富于说服力了。

三、慈善工作

不能支付律师费的人们可以通过律师个人或律师行的慈善性法律服务获得法律代理。这种律师间进行的慈善性公益（*pro bono publico*）[1]服务的长期传统采取多种形式。某些大的法律公司和大公司的法律部把慈善工作作为他们自己实务的重要部分，并期待个人律师的参与。另一些法律公司为个人律师花时间在法律援助诊所或公共抗辩服务提供机会。许多法学院都设有法律诊所，向低收入的客户提供服务并支持学生在法律诊所和政府机构中工作。某些律师协会促进和组织慈善努力。美国律师协会在它的《职业责任模范规则》（Model Rules of Professional Responsibility）中劝告其成员承担慈善性服务。

几十年来，律师们一直在争论是否应当要求所有的律师提供慈善服务。讫今为止，尚没有任何一个州的律师事务所把慈善服务作为一种强制性义务。1997 年，至少有 14 所受美国法学会认可的法律院校采取了强制性慈善项目，要求在毕业前的工作量达到 20 至 60 小时。［See Neta Ziv, Law Schools Fostering a Commitment to Public Service——What More Can Be Done? 15（May 1997），cited in Nitza Milagros Escalera, A Christian Lawyer's Mandate to Provide Pro Bono Publico Service, 66 Fordham L. Rev. 1392, 1396 (1998).］

尽管美国律师协会一致抵制把慈善性法律服务作为强制性义务的提案，但纽约市法律援助委员会仍于 1995 年 1 月敦促该州的所有法律院校把强制性的慈善

---

〔1〕 慈善性公益（*bono publico*）意思是为了公共利益和普遍福利。慈善性（*pro bono*）法律工作通常被理解为向贫困者提供免费服务。《布莱克法律辞典》1203 页（1990 年第 6 版）。

项目作为一项制度。下面提供的这篇文章的哪些论点有助于评价这一提案？

编者按：不要强迫律师去做慈善工作
Editorial, Don't Force Attorneys to Do Pro Bono Work 17 Conn. Law Trib. (No. 8), Feb. 25, 1991, at 18

强制性的慈善是一个坏主意。尽管这一提议在康涅狄格州和其他的州风平浪静，但我们相信这一建议应当受到抵制。

通常的慈善提议是每个律师受法律要求无偿地每年花费至少一定数量的小时为穷人提供代理。另一种花样的提议是，法律所可以由一位或几位律师通过承担额外的慈善义务来完成这项被认为是所有律师的慈善义务的任务。还有一种提议是，律师可以通过支付将要用来聘请法律援助的费用来购买这项义务的豁免或由其他律师承担这一义务——就像内战时期逃避兵役者通过支付其他人代服兵役的那种受人诟病的方法一样。

我们完全认同在向穷人提供法律服务方面存在严重的短缺，这种短缺在一个夸口其民主理想——包括所有公民获得司法救济的平等性——的社会中是一种羞耻的事情。我们非常支持平等获得救济的理想，却不接受把强制性的慈善作为实现这一理想的途径。目标值得赞美，而路径令人反感，这种反感有几个明显的理由。

首先，强制性的慈善是不平等的。提议是律师有义务捐献大量时间和努力去向社会中的贫穷群体提供所需求的法律服务，而其他职业群体却没有义务向穷人捐献他们的服务——内科医生、护士、社会工作者、学校老师、警察或任何其他职业都没有义务，惟有律师受强迫。这是显著的不平等。

另外，强加于律师的一揽子义务所强迫的代理过于频繁，将导致热心和热情的代理比所有有权接受强制代理的客户要少。再者，对穷人的有效的法律代理需要谙熟一般会涉及穷人的一个或更多法律领域，例如离婚、子女监护和抚养、福利和其他政府授权、佃户驱逐、消费过错和移民。许多律师对这些法律领域都茫然无知，也不懂刑事抗辩——这是穷人所需要的代理中一个宽广的领域。为穷人客户提供的法律工作比例太高涉及到法院陈述，许多律师都缺少这一阶段的技巧和经验。

律师能够学会在这些不同的法律领域代理客户吗？对于多数律师而言答案是肯定的。然而，如果是强迫的代理，他们能通过培训项目或其他途径学会这么做吗？一般说来答案是否定的。对于许多律师而言，学会向处于有问题的领域中的穷人提供有效的代理是一种巨大的负担。如果代理是强迫的，这种学习经常会得过且过或适得其反，这可能使客户处于更加不利的境地。最后，公平和坦诚地说，使一项强制性慈善计划运作起来，对于管理和执行都将是非常困难的。

我们非常支持由康涅狄格州律师协会和其他律协在促进和扩大自愿慈善服务方面所做的努力。这些是行之有效的努力，能够实质性地帮助缓解在为穷人提供适当的法律代理方面的短缺。然而，我们认识到，向穷人提供法律服务和资助那些帮助的主要责任是在更大的社会中，包括所有各级政府。应当资助的最优先者是使已有的法律援助处和公共辩护处启用足够的律师以满足需求。这些法律处已经证明他们能够为穷人提供有效的代理，但是法律援助机构却严重缺员，以至于他们只能接纳那些有资格并需要他们服务的人中的少数。

在更大的社会愿意充分支持那些不能支付自己进入法律制度的费用的人们获得救济机会之前，美国司法制度的严重不平等性将会继续存在。试图强制律师承担这个更大的社会的责任，既是一条不可接受也行不通的解决途径。

编者按：反对：律师对社会负有特殊义务
Editorial, Dissent: Lawyers Have Special Duty to Society

作为编辑委员会成员之一，我反对它认为律师不应当承担慈善性工作的意见。

我们法律制度的存在是为了保障正义而有序的社会。由于律师的存在所以我们的法律制度能够起作用。然而，只有当那些需要律师的人们能够获得律师的时候我们的制度才能运行。如果律师对那些需要他们的人置之不理，那么我们的法律制度就不再保障正义而有序的社会。如果这样的情况发生，那么律师存在的正当程序就不复存在。

简言之，律师们有义务看到那些真正需要律师的人们获得律师。自愿的慈善项目自然完美，但那是不够的。只要看看"律师利益信赖统计"项目（the Interest on Lawyers Trust Accounts Program）就能证明这一点。当 IOLTA 是自愿项目时，各家律师行增加参与的努力成效甚微，但是当 IOLTA 成为一种强制性项目时，参与的数量呈 4 倍增长。

编委会的多数派对于强制性慈善项目提出两个主要的反对理由。其一，其他职业没有这样的义务；其二，如果代理是强制性的工作则律师的工作表现更差。关于第一个理由，我宁可认为，律师可能想给其他职业树立了一个榜样而感到自豪。关于第二点，多数派要么实际上错了，如果出现这种情况那么它的论点也就不复存在了；多数派要么实际上对了，在这种情形下我们会为自己的职业感到羞耻。在强制性慈善服务尝试并失败之前，我不愿意假定我们会为自己的职业感到羞耻。

第二章

救济与危机

第一节 概　述

伏尔泰写道："我从未崩溃过，但有两次例外：一次是我败诉时，另一次是我胜诉时"。[编辑手记：诗歌、散文和文学珍品续集 1032]（Herbert Meyer ed. 1968）.］诉讼的成本——经济的和精神的——从来不应当低估；那么收益是什么？法院裁令救济的能力以最大的有形收益为限，而这些救济可以包括金钱赔偿、裁定指令被告停止侵害行为或为新的行为、宣告权利和义务。尽管大多数救济必须等待原告成功地证明请求救济的权利之后，但法院也有权根据特殊情况在诉讼完成之前裁令临时的（provisional）、暂时的（temporary）救济。

本章将探讨救济选择的范围和限制获得救济的实践。律师费也包括在其中，理由有二：其一，在有限的情况下，一方当事人可以被裁令支付另一方当事人的律师费；其二，相比金钱赔偿或其他救济，这对当事人有益并激励止讼与和解。

本章紧接着司法权这一章，上一章的司法权通过使用制裁蔑视法庭的权力而执行法院所裁令的救济，与和平抗议（peaceful protest）也挨得很近，和平抗议是法院之外的另一种途径，经常以社会运动的形式进行。广而言之，实施救济的司法权力可以被理解为"诉讼中发生危机的是什么"这一更大话题的一部分。

第二节　临时救济[*]

原告在证明请求的要件之前应当能够运用法律获得救济吗？由"判决的保全"（securing the judgment）制度和"现状的保全"（maintaining the status quo）制度设计的救济是一种例外，却也经常使用。联邦民事诉讼规则在1938年联邦法院体系中将普通法和衡平法合二为一。起初，这两个司法制度在美洲大陆是截然分开的，是英国司法制度的反映，在19世纪70年代《司法法》时期之前，法院一直区分为普通法院和衡平法院。英国的普通法院和衡平法院作为相互补充的制度发展，由皇家衡平法院给予救济，而普通法法院作为惟一有陪审团的法院却不提供救济。[1] 因此，衡平救济是传统上的一种最后救济手段，当普通法制度的形式化和有限性排除了公正的结果时可以获得衡平救济。尽管如此，衡平救济现在在合并后的制度中也普遍使用，实际上有些制定法也作了规定。

在融合之前，普通法和衡平法涉及不同程序范围。例如衡平法院不存在陪审

---

[*] 译者注：本章有些术语词义非常接近，比如 sequestration，attachment，garnishment 三个术语均指"扣押"，但实施扣押的阶段、对象、程序不同：Sequestration 是指经司法授权将动产或个人财产从其占有人那里移走，通常保管到法院确定谁对该财产享有权利为止；attachment 是指判决之前将财产或处所置于法院控制之下，作为原告可能获得补偿的保证（attachment 也指对人的扣留）；garnishment 是一种司法诉讼程序，在这种程序中判决的债权人向（可能）作为判决债务人的债务人或其受寄托人的第三人送达通知，要求将受送达人所掌握的判决债务人的任何财产交付给判决债权人（它与前面两个术语的根本差异在于两点：它涉及一次司法程序——而不是有关查封或转移——；财产直到宣判之前一直在第三人手中）。Seize 通常也译为"扣押"，但它主要是一种通俗的术语，系指强行地、突然地、激烈地抓住一件东西或一个人，或者依法定权利对一件东西实施占有。由于我国强行执行和保全制度没有进行如此细的划分，因而无法找到准确的对应概念。但我国对于各种强制措施进行了另一种区分，比如对人的扣押称为"扣留"，对财产转移占有的扣押称为"扣押"，对财产不转移占有的强制控制称为"查封"，对资金的强行控制称为"冻结"（账户或收入），等等。但考虑到美国法上的"扣押"包括转移占有的扣押和不转移占有的扣押两种情况已在国内广为认同，于是对这些概念一般均保留了通译"扣押"，只是在特定语境中通译为"扣押"明显不符合中文表达习惯时，才译为我国制度中的相应概念，请读者根据具体语境和相应的知识背景加以分辨和定位。

另有术语背后的制度与我国相应制度貌似而神异，为了避免术语对译引起对制度内涵的误解，译者在原注不特别确定其行为形态时未加区分，由读者根据具体的知识背景分别定位，如 lien 在英美财产制度中兼有优先权、抵押权和留置权的含义，其本质内涵是债权人对于该项财产（无论是动产或不动产或资金或债券）享有不同形式的优先受偿权，因而译者取其通义，译为"优先受偿权"。

还有些术语虽然在我国有类似制度，比如 securing the judgment 类似于我国的财产保全制度，maintaining the status quo 类似于行为保全，但内涵和外延并不完全相同。译者认为，译为"判决的保全"和"现状的保全"，既提供一些联想线索，又保留一定探究空间，以避免望文生义、抹杀相似制度之间的微妙差异。

还有一些术语在此未一一列举，请读者在阅读美国程序法中的强制措施时，细心鉴别术语标签下的制度。

[1] 联邦宪法第七修正案规定，在普通法上的诉讼中，"必须保留陪审团审判的权利"。根据美国法院的解释，这一修正案规定，如果当事人要求陪审团审判，那么法院在决定哪些案件应当有陪审团时，使用历史上划定衡平司法权与普通法司法权之间的界线的标准。

团，陪审团只在普通法院中使用。根据普通法提起诉讼面临严格的类型划分；合并诉讼十分罕见。事实发现机制也就是现在人们知道的证据开示发端于衡平法。但是到了19世纪，美国的普通法法院也允许某些证据开示。这一例子表明，在两种制度之间的相互依赖一直在增加，而这种依赖关系使得融合越来越受欢迎。最后，衡平法上的救济基本上就只是禁令，而在普通法上，救济通常限于金钱赔偿。现行程序规则涵盖了融合了普通法与衡平法的整个制度，并体现了衡平法的灵活性倾向而不是普通法的僵硬。然而，在正义与效率之间的紧张关系之中，在许多标准和规则之中，旧的分野痕迹仍依稀可辨。

一、判决的保全：查封、扣押和冻结

原告提起民事诉讼经常是为了获得或补偿不动产或个人财产或者金钱。他们的律师非常愿意在诉讼结果悬而未决时"冻结"（tie up）被告的财产，有时这被称为"判决的保全"（securing the judgment）。例如，原告的律师愿意在属于被告的不动产上设置查封（attachment）或优先受偿权（lien），这项不动产可能是诉讼标的物或属于被告所有，但也可能是代表了被告的财产却与案件无关。原告的律师也可以采取另一种办法，诉求一项临时禁令，命令被告不得转移这项不动产。在许多司法区，律师们通常在获得一项优先受偿权、一项制止命令（restaining order）、或一项临时禁令（preliminary injunction）之后，才向行为登记处提交案件系属（lis pendens）通知，告知可能想要在系属诉讼的不动产中获得利益的任何人：对于查封的财产，任何人无权解除查封。

更常见的是，原告的律师喜欢启动一个程序，指示一位公共官员——如法警——将被告的个人财产拿到一个中立的地方或命令被告的银行或雇员冻结（cut off）被告获得某些资金或工资。这种程序常常称为冻结或提存（sequestration），亦即在诉讼结果悬而未决时查封财产或资金；这一程序常常将财产从占有人那里转移走，等待影响该财产的进一步诉讼程序的进展。这在两个主要方面有助于原告，其一，原告获得一旦胜诉就能领取被告的资源的保障。如果被保全的财产正是该诉讼中争议的财产（比如当作为原告的分期付款卖主诉求追回（replevy）出售给被告的商品），则胜诉的原告在将法庭上获得的纸上的胜利转化为对争议财产的实际补偿就会少一些麻烦。其二，查封被告的财产——比如银行账户或工资——对被告施加强大压力使其达成和解，而不管案件的实质问题如何。原告通常喜欢在通知被告之前实施这种查封，否则被告就可能在诉讼结束之前损害或转移这笔财产或者消耗这笔钱。

在20世纪60年代晚叶之前，在庭审之前进行保全判决的方法面临最少限制或没有限制。许多司法区直到20世纪60年代中叶，律师们常常会在既不通知被告关于扣押的信息也不通知其关于诉讼的信息情况下，通过扣押被告财产而开始

诉讼。原告的律师在当时会冻结（trustee）其能够找到的被告的任何银行账户，按照这种程序，银行会接受指令不向被告支付资金，即使被告还没有接到通知。律师们在长达几个世纪中都是以这种方式开始诉讼的（或者至少这是一种共同的信念），他们将这种实践的正当性视为当然。

然而，在20世纪60年代，一些律师回应了法院中的正当程序革命，将这种剥夺财产的行为作为违反第十四修正案的正当程序保障及类似的州宪法条款的行为提出挑战。在一些由代表贫穷客户的律师提起的里程碑式的判例中，这些从事法律援助的律师面对债权人诉求扣押他们有限的财产或以分期付款方式购买的商品时，成功地确立了：（1）正当程序保障适用于判决前的情境；（2）不充分的程序保护被取而代之。

于是，1969年6月，联邦最高法院在施奈达奇案［Sniadach v. Family Finace Corp., 395 U. S. 337（1969）］中撤销了威斯康星州过去的工资扣押制定法。最高法院裁决，根据宪法，雇员有权在工资扣押之前获得通知和听审。最高法院在戈德堡诉凯利案［Goldberg v. Kelly, 397 U. S. 254（1970）］中认定，正当程序要求在终止公共福利收益之前给予通知和听审，其他判例则把对通知的要求和听审的权利扩展到临时剥夺财产或自由之前。见贝尔诉伯森案［Bell v. Burson, 402 U. S. 535（1971）（吊销驾驶证）］、斯坦利诉伊利诺斯州案［Stanley v. Illinois, 405 U. S. 645（1971）（取消未婚父亲在孩子母亲去世后对孩子的监护）］。下面判例的解读［Fuentes v. Shevin, 407 U. S. 67（1972）］遵从了这些判例，该案在最高法院缺少两名成员时于1971年11月8日举行了口头辩论。在发出这一意见书时，鲍威尔大法官和伦奎斯特大法官在最高法院仍占有席位，但他们在这一判决中未起任何作用。

芬提斯诉谢文
Fuentes v. Shevin
407 U. S. 67（1972）

大法官斯图尔特制作最高法院意见书：

我们在此审查两个"三法官联邦地区法院"支持佛罗里达州宪法和宾夕法尼亚州法律的判决，受支持的宪法和法律授权根据一则追回令状简易地扣押在一个人占有中的物品和动产。两则立法都规定，可以仅仅根据任何其他主张对某人占有的财产主张某项权利的单方申请并提交一笔保证金，就发出令状命令州政府机构扣押个人的占有物。两则制定法均未给占有人在任何类型的事先听审中对扣押提出质疑的任何机会。问题是，这些制定法规定的程序是否违反了第十四修正案的保障，即任何州均不得未经正当法律程序而剥夺任何人的财产。

I

5039 号案件中的上诉人玛格瑞特·芬提斯（Margarita Fuentes）是佛罗里达州的居民。她按照一个要求在一段时间内每月付款的有条件买卖合同，从耐火石公司购买了一个气炉。几个月以后，她根据同一类合同从同一家公司购买了一个立体音响。炉子和音响总共约为 500 美元，另加 100 多美元的财务收费。根据这两个合同，耐火石公司保留对商品的权利，但芬提斯夫人有权占有商品，除非和直至她拖欠分期付款。芬提斯夫人在一年多的时间内都支付了她的分期付款，后来在还有 200 美元尚未支付的时候，她与耐火石公司之间由于炉子的维修问题发生了争议。耐火石公司在一家小额法庭提起诉讼，要求恢复对炉子和音响的占有，声称芬提斯夫人拒绝支付剩余的款项。在提起这一诉讼的同时，芬提斯夫人甚至还没有收到就此起诉状进行答辩的传票，就先收到一张命令法警立即扣押争议物品的追回令状。

遵照佛罗里达州规定的程序，耐火石只须填写一张适当形式的表格式文件并呈交给小额法庭的书记官。该书记官在这一文件上签名盖章后发出追回令状。在同一天，一位地方机构的法警和一位佛罗里达的代表到芬提斯夫人的家中，扣押了炉子和音响。

芬提斯夫人随后在联邦地区法院提起了本案诉讼，根据第十四修正案的正当程序条款对佛罗里达州的判决前追回程序的合宪性提出质疑。她诉求宣告性和禁令救济，以制止授权判决前追回行为的州制定法的继续执行。

II

根据在本案中受到挑战的佛罗里达州的制定法，"任何人在其物品或动产受到任何其他人的非法滞留时……均可以获得收回占有物的追回令状……"［Fla. Stat. Ann. §78.01（Supp. 1972 – 1973）.］佛罗里达的法律没有要求申诉人在扣押之前进行说服性的证明（convincing showing），证明物品实际上"被非法滞留"，而是自动地依赖于诉求令状的当事人声称自己有权获得令状的空口无凭的声明，并允许法院书记官简易地签发令状。该法律只要求申诉人提交一份起诉状，启动一个恢复占有的法院诉讼，并以结论性的方式说，他提交的保证金至少两倍于将被有条件地追回的财产的价值，使得原告可以获得实际的诉讼效果而不会造成迟延，并且如果被告在诉讼中胜诉判决，则可以重新获得这项财产——如果这项财产判给他的话——，并且原告将赔偿被告在诉讼中针对原告提起的每一笔钱。［Fla. Stat. Ann. §78.07（Supp. 1972 – 1973）.］仅仅根据起诉状和保证金，就可以发出令状"命令它可以指示的官员追回由被告占有的物品和动产……并向被告发出传票令其对起诉状提出答辩"。［Fla. Stat. Ann. §78.08（Supp. 1972 – 1973）.］如果物品"在任何居住的房屋中或者在其他建筑物或有围墙的场所",则官员有义务要求转移占有/移交,但如果未被移交,则"官员得强行破门而入这些房屋、建筑物或有围墙的场所并得根据令状实施追回……"[Fla. Stat. Ann. §78.10 (Supp. 1972–1973).]

于是,被告在收到诉求通过法院诉讼恢复财产占有的起诉状的同时,财产也被扣押了。他没有获得事先通知,也没有任何机会对令状的签发提出质疑。在财产被扣押之后,他将最终获得一次听审的机会,就是作为诉求恢复占有的法院诉讼中的被告,这是原告必须提起的诉讼。他在同时也没有获得整个追偿权(recourse),因为依据佛罗里达制定法,扣押财产的官员必须将这项财产保留3天,在此期间被告可以通过提交/登记两倍于这项财产的保证金而主张占有该财产。但是假如他不提交这笔保证金,则财产转移给诉请令状的当事人,这种状态在恢复占有的诉讼获得终局判决之前一直持续。

宾夕法尼亚州的法律与佛罗里达州不同,不过在性质上并无分别。正如在佛罗里达一样,私人当事人可以通过一个单方申请的书记官简易程序而获得追回财产的判决前令状,诉求令状的当事人可以仅仅随其申请一道提交/登记一笔两倍于将被扣押财产价值的保证金。[Pa. Rule Civ. Proc. 1073(a).] 不利当事人没有事先听审的机会也没有事先的通知。以此为根据,要求法警通过扣押特定财产的方式而执行令状。不过,与佛罗里达制定法不同的是,宾州的法律不要求提供就被发还财产的占有请求的实质性问题进行听审的机会。的确如此,他甚至不需要正式地主张他对此财产享有合法权利。最多的要求就是他必须提交一份"将要被发还的财产的价值的宣誓证词。"[Pa. Rule Civ. Proc. 1073(a).] 如果因追回财产的扣押而遭受财产损失的当事人想要获得扣押后的听审,则必须自己启动一个诉讼,他还可以在扣押后的3天内提交自己的反担保金以重新获得占有。[Pa. Rule Civ. Proc. 1076……]

IV

一个多世纪以来,程序性正当程序的中心内涵都是十分清晰的:"权利将受影响的当事人有权获得听审;为了使他们得以享受这一权利,他们必须首先受到通知"……受通知的权利和"必须在有意义的时间和以有意义的方式给予一次接受听审的机会"也同样具有基础性意义。[Armstrong v. Manzo, 380 U.S. 545, 552.]

本案的基本问题是,这些州法律没有提供"在有意义的时间内"的听审是否存在合宪性缺陷。佛罗里达州的追回程序保障了一次在扣押物品之后的听审机会,而宾州的程序允许受侵害的当事人在扣押之后如果承担启动听审程序的证明负担则可有一次听审机会。然而,无论是佛罗里达还是宾州的制定法都没有提供在扣押前给予通知或接受听审的机会。问题在于,在这些案件的具体语境下,程序性正当程序条款是否要求在州政府授权其机构应一个人的申请而扣押另一个人占有的财产之前提供一次听审的机会。

接受听审的宪法权利是政府方面在按照公平的决定程序实施剥夺一个人的财产时所承担的一项基本义务。这一要求的宗旨不仅在于确保个人的抽象公平，而特别在于保护个人对财产的使用和占有不受专断的侵犯——以使剥夺财产的实质性不公平或错误降低到最小限度，当州政府仅仅根据一方私人当事人的申请并为其利益而扣押物品时，这种剥夺的危险就特别巨大。如此看来，禁止未经正当法律程序而剥夺财产，反映了我们植于个人所享有的属于自己的、不受政府干预的权利之中的崇高价值，这种价值深嵌在我们的宪法史和政治历史中。

……一个长期的共识是，"公平极少能够通过秘密的、单方面确定对于权利具有决定性意义的事实而获得……作为获得真实的手段，没有什么比给予一个面临严重损失的人一个对其诉讼的案件通知和直面这一案件的机会更好了"。(Joint Anti–Fascist Refugee Committee v. McGrath, 341 U. S. 123, 170–172.)

如果通知和听审的权利完全服务于它的宗旨，那么十分清楚的是，必须给予一个还可以避免剥夺的时间……

佛罗里达和宾州关于判决前追回财产的制定法与这一原则背道而驰。可以确定，诉求令状的一方当事人必须首先提交保证金、提出结论性的主张声称自己对具体物品享有权利、并且如果他申请错误自己就可能承担损害赔偿责任，这些要求旨在制止完全没有根据地申请令状。然而，这些要求难以取代事实听审，因为它的审核标准只不过是申诉人自己对于自己权利的确信程度……

在实践意义上，保证金的要求的最小制止效果无法取代受到通知由一位中立的官员作出的评价。尤其是作为一个宪法原则事项，事先听审的权利作为防止专断地剥夺财产的惟一切实有效的保障是无可取代的……

V

事先听审的权利当然仅仅附着于对在第十四修正案保护范围内的利益的剥夺。在本案中，佛罗里达和宾州的制定法适用于追回在上诉人占有之下的动产，它不是终局性判决，上诉人所缺少的至多——如果不是全部——是对动产的完整权利，连他们继续占有的请求都成为争议的事项。甚至这些处于危机的动产只不过是一些家庭用品而已。尽管如此，上诉人对这些在第十四修正案保护范围内的动产的占有权益被剥夺了，这是显而易见的。

A

根据判决前追回令状而剥夺一个人的占有，至少在理论上可能只是暂时的，佛罗里达和宾州的制定法没有要求一个人等到扣押之后和作出恢复占有已被追回的财产的终局判决作出之后。法律允许他在扣押之后的三天之内，如果他反过来提交其他财产——必须支付从他那里扣押的财产价值的双倍支付的保证金——则可以恢复占有这些物品。然而现在已经解决的一个问题是，暂时的、非终局性的财产剥夺仍然是第十四修正案的意义上的"剥夺"。（Sniadach v. Family Finance Corp., 395 U. S. 337；Bell v. Burson, 402 U. S. 535.）施奈达奇案和贝尔案涉及到一个争议尚未作出终局判决时取走（taking）财产。在两个案件中，受质疑的制定法都包含了补偿的规定，允许被告提交保证以快速回复从他那里取走的财产。然而，最高法院坚定地认定，这是必须事先给予公平的听审才能进行的财产剥夺。

B

签署有条件的买卖合同的上诉人对于被追回的物品没有完全的法律权利。然而第十四修正案对于"财产"的保护从来没有被解释为只保护没有争议的所有权，而是被广泛地解读为保护"任何重要的财产利益"，包括制定法赋予的权利。

……显然上诉人对物品的占有权益是合同赋予并受到合同保护的，这一权益足以援引正当程序条款的保护……

一项重要的财产权益处于危机之中就足以援引第十四修正案的程序保护，无论就合同所规定的继续占有和使用物品的权利举行的听审最终结果如何。

C

尽管如此，地区法院还是拒绝了上诉人的宪法请求，其理由是，从他们那里扣押财产——一个炉子、一个音响、一张桌子、一张床等等——不是对正当程序保护的剥夺，因为他们不是生活的绝对必需品。法院这一理由的基础是对施奈达奇案和戈德堡诉凯利案非常狭隘地解读，最高法院在这两个判例中认定，宪法要求在判决前冻结工资之前以及在终止某项福利收益之前给予一次听审。他们由此论证，施奈达奇案和戈德堡案作为一个宪法原则事项，确立的只是在关于剥夺像工资和福利收益这样的基本"必要品"之前必须给予听审。

对于施奈达奇案和戈德堡案的这一解读反映了这样一个前提，即那些案件标志着已经确立的程序性正当程序原则另有重要分支。事实并非如此。两个判例都在过去判例的主流之中，与绝对的生活"必需品"毫无关联，而是确立正当程序要求在剥夺财产发生效果之前给予一次听审机会……

这些上诉人基于合同并已支付大量款项的家庭用品值得给予同样的保护。比如一张驾驶证"可能（直接）成为谋生的重要手段"，一个炉子或一张床在为人类的日常生活提供最低限度的体面环境可能同样不可或缺。总之，正是这种消费品成为人们工作和营生孜孜以求的一个目的。

毋庸置疑，在不同消费品的"重要性"或"必要性"方面可能有许多等次，炉子可以与电视机形成对比，或者床可以与桌子相提并论。然而，如果程序性正当程序的根本原则要适用于客体，就不能以这样的差异为根据。第十四修正案一般化地说到"财产"……

VI

一些具有正当理由给予事后通知和听审机会的"特殊情形"是存在的。(Boddie v. Connecticut, 401 U. S. at 379.) 然而，这些必定是确实异常的情形。本院只有在少数有限的情形下才允许未经提供事先听审的机会而实施扣押。首先，在每一个案件中，扣押对于保障重要的政府利益或一般公共利益具有直接必要性。其次，已经产生了一种采取非常及时行动的特殊需要。第三，州政府已经对其垄断的合法势力采取了严格控制；启动扣押的个人曾经是负责决定的政府官员，他根据制定法所确定收敛的标准，确定在特别情形下的确具有必要性和正当性。因此，本院曾准许过扣押财产，以收取联邦政府的国内税赋，满足美国国内战争的需要，保护其不因一家银行的失败而陷入经济灾难，保护公众不受假冒药品和变质食品之害。

佛罗里达州和宾夕法尼亚州关于判决前追回的制定法不是用于这样的重大政府利益或普遍公共利益……

此外，制定法也没有对州的权力进行有效的政府控制，私人当事人可以为了自己的私人利益而单方启用州权力，从另一个人那里追回物品。在诉求令状时没有州官员参与决定，也没有州官员评价是否需要立即扣押，甚至没有要求原告向法院提供任何关于这些事项的信息。州的行为完全是盲目的……

VIII

我们的判决理由是，佛罗里达州和宾夕法尼亚州关于判决前追回物品的规定所起的作用是未经正当法律程序而剥夺财产，其结果是拒绝了在从动产的占有人那里取走财产之前给予一次听审机会的权利。

基于上述理由，地区法院的判决被撤销，案件发回以作出符合本意见的进一步审理。此令。

【大法官怀特的反对意见略】

注释与问题

1. 即使在联邦法院诉讼中，州的规则也会调整大部分原告以保全诉讼为目的而扣押财产的尝试。见联邦民事诉讼规则64。

2. 注意芬提斯诉谢义案的前提性问题，不是被告是否有权获得就原告请求的实质性问题进行的听审，而是就实质性问题的终局司法裁判在待决期间对被告的财产实施任何冻结时，正当程序是否赋予被告在采取这一行动之前获得一次听审的机会。

3. 正像法律中发生的情况一样,芬提斯诉谢文案所标志的创新引起了强烈的反响。一些学者写文章庆贺这一判决,另一学者则批评它可能导致以各种不同方式消费的人们生活状况更加恶化。增加的程序会增加销售者的成本,或者增加消费者借用(物品)的成本。如果卖主不再能够获得对他们分期付款销售的保障,穷人居住区的商店可能关门大吉。债权人—卖主们(creditor - sellers)过去能够强制分期付款销售的买主签订合同条款,允许债权人或其代理人简单地取走任何存在争议的物品,债权人可能仅仅是在进行恢复占有的自力救济,这是《统一商法典》所允许的,与各州无涉。

最高法院在弗拉格兄弟案[Flagg Brothers, Inc. v. Brooks, 436 U. S. 149 (1978)]中解释,正当程序不是自救的一部分,最高法院澄清这一点是因为,在债权人以出售恢复占有的物品来偿付债权相威胁时并没有公然的官方介入。因此请记住,第十四修正案只包含某个州采取了行动剥夺个人的生命、自由或财产。在芬提斯案件中,州的什么具体行为足以引发第十四修正案的保护?

4. 最高法院自己在后来的两个判例中对芬提斯诉谢文案作出了反应。在米切尔案中[Mitchell v. W. T. Grant Co., 416 U. S. 600 (1974)],最高法院支持了一个扣押(sequestration)程序,尽管这一程序没有保障在原告扣押被告的财产之前提供通知。最高法院认定系争的路易斯安娜州程序是适当的,因为(1)卖主—债权人和买主对该财产都拥有实际权益;(2)路易斯安娜州要求审核提供关于"请求性质和数额以及发出令状的根据"的"具体事实"的申请或宣誓证词,而在芬提斯案中发生争议的佛罗里达州和宾夕法尼亚州的程序则允许原告以"对所有权或优先受偿权空口无凭的主张"采取行动;(3)路易斯安娜州的程序要求司法干预和控制。在芬提斯案件判决时缺席的大法官鲍威尔和伦奎斯特加入了米切尔案中的多数派,而大法官斯图尔特不同意米切尔案件的决定,指责多数派推翻了芬提斯案的决定。于是,在北佐治亚粉饰公司案中[North Georgia Finishing, Inc. v. Di - Chem, Inc., 419 U. S. 601 (1975)],最高法院否认了佐治亚州关于扣押(garnishment)的程序有合宪性缺陷。一个银行账户在就主张的债务尚未作出判决之前在未提交保证金的情况下就被查封了,最高法院认定正当程序受到了几个方面的违背:(1)既没有通知,也没有为被告提供早期听审的机会;(2)没有司法官员的参与;(3)没有要求由某人提交说明其个人对事实情况了解的宣誓证词;(4)没有要求债权人至少表明扣押的大致原因;(5)被告如果对扣押提出质疑,则要承担提交保证金的负担。大法官斯图尔特的并存意见摹仿马克·吐温的一句名言表达了他的赞赏,"我关于芬提斯案已溘然长逝的报告……看来是夸大其辞了"。大法官鲍威尔的并存意见强调了佐治亚州的程序未提供及时和充分的扣押后的听审;大法官布莱克曼和伦奎斯特提出了反对意见，强调芬提斯案件几乎不应当有效力，因为这一判例是在两名法官空缺时仅仅由4名法官投票赞成而形成的。

5. 在康涅狄格州诉多尔案中［Connecticut v. Doehr, 501 U. S. 1 (1991)］，大法官怀特代表意见一致的法庭写道，一个州的制定法授权未经事先通知或听审而对不动产实施判决前扣押是违反第十四修正案正当程序条款的。在该案中，一宗强暴和斗殴案的原告经法院同意获得了一次查封，其依据是一个五段一句话的宣誓证词，声称他会胜诉的可能原因。大法官怀特在他的意见书中写道："法官不可能根据这些单方的、自证的（self - serving）、结论性的陈述而作出关于胜诉的可能性的实际评估，这是不言自明的"。怀特进而写道："尽管本院多数人没有触及这一问题"，但大法官马歇尔、斯蒂文斯、欧康纳（O'Connor）和他本人坚持认为，正当程序除要求原告表明其情况的紧迫性之外，还要求原告提交保证金或其他保障。

6. 1993年，最高法院裁定，没有紧急情况时，第五修正案的正当程序条款要求政府在根据一项联邦罚没制定法而扣押与毒品犯罪有关的正在使用或意欲使用的财产之前，必须提供通知和一次有意义的听审机会。［United States v. James Daniel Good Real Property, 510 U. S. 493 (1993).］作为一种裁决后的措施和一项制止犯罪的特别手段，联邦政府和许多州都授权检察官扣押在犯罪中使用或在犯罪过程中购买的物品。然而，最高法院解释说，法律的执行宗旨或关于犯罪搜查和扣押符合第十四修正案的规则，都免除对政府的正当程序要求。

最高法院区别了自己过去的决定，作出的允许未经事先通知或听审而扣押可移动财产（比如一驾快艇）的决定（Calero - Toldeo v. Pearson Yacht Leasing Co., 416 U. S. 663 (1974).），就是因为不动产不能移动或隐藏，而物主较少能够在可没收的（forfeitable）不动产上损害政府利益。最高法院在认定没收不动产之前给予通知和听审的必要性时，一部分使用了在马修斯案［Mathews v. Eldridge, 424 U. S. 319 (1976)］中确定的三因素标准，该标准承认了在财产上强硬的私人利益、单方扣押中的不可接受的错误风险、以及对中立的程序的特别需要。最高法院还有一个理由，即不采取这么极端的措施即可充分保全这笔财产和法院的司法权，因此在本案中"没有紧迫的需要"来作出判决前的扣押，这与收取拖欠的所得税的其他情形不同。在首席大法官伦奎斯特在他的单独意见书中不同意将马修斯案适用于民事上的没收（civil forfeiture），对于在没收任何不动产之前给予通知和听审的要求均表示异议。斯卡利亚大法官加入了这一单独意见，大法官欧康纳部分加入。［510 U. S. at 72 - 73.］大法官欧康纳在他的单独意见书中赞同在民事没收中适用马修斯案，但不同意多数派适用的标准。

你会为判决后没收的场合下适用马修斯案提供多少正当理由？反对理由会有

多少？在米切尔案和戴契姆（Di – Chem）案中判决前救济的情形下，对正当程序的个人因素进行评估，比如提交保证金、司法干预、以及提供事实而不是结论性的宣誓证词，案件的结果是否会有所不同？根据多尔（Doehr）案和詹姆斯·丹尼尔案（James Daniel Good Real Property），案件的结果会是怎样的？

7. 如何解释最高法院在多尔案和詹姆斯·丹尼尔案中对正当程序关切的复活？

8. 当某一位居住在公共房屋或由公家资助的房屋里的佃户被怀疑从事非法毒品活动时，正当程序的什么要求——如果有要求的话——应当适用于一项规定将该佃户自动逐出的规则？如果佃户的某位亲属（比如未成年的孩子）受到这种怀疑又如何？

9. 何种政府利益的价值应当高于在受到没收威胁的财产上的私人利益？政府进行的"对毒品的战争"是否提供了芬提斯案中所要求的"紧急情况"或詹姆斯案加以具体化的"紧迫需要"？

实务练习二
起草一份合宪的扣押制定法

阿肯色州最高法院根据芬提斯案、戴契姆案和米切尔案认定州的判决前扣押法典不适当而予以撤销。在该案中，被告未支付一套房子的月租，出租代理人通知她应当支付房租，否则就腾空房屋。然后他放了一张终止通知，要求她在10天内腾空房屋。在这一期限届满后的很短时间内，出租代理人就从居所搬走了所有个人财产（家具、器具、家庭日用品），并把它们处置在一家当地的贮藏库内。房地产经纪人随后提交了一份请求支付未偿房租的起诉状和请求实施扣押的宣誓证词，该起诉状以保证金的支持为条件。保证金是为了补偿由于被禁止的当事人在判决或终局性救济未决期间可能发生的事件或因此产生的代价，而向法院提交的由法官确定数额的金钱或其他担保。一位书记官签发了扣押令。

设想一下一位阿肯色州的代表请求你起草一份调整扣押问题的新制定法。它应当对McCrory案中集中体现的缺陷作出反应，也应当反应联邦最高法院的一系列判例。要确定你提出了这些问题：（1）在能够扣押财产之前应当表明哪类信息？向谁表明？（2）应当何时保障财产所有人的通知和一次听审的机会，以及在此的时间限制是否会受到原告对于实现判决的财产的充分性的担心的影响？（3）是否应当预测允许推迟通知和听审机会的某些例外，比如为了满足国内战争努力的需要，或者为了保护（公众）不受一家银行的经济衰败的损害？（4）你会如何处理在这一领域增加程序保护将促使出租人更多自救行为的危险，以及将增加借房或租房的成本或其他可能使消费者和穷人生活状况更加恶化的危险？（5）在立法议案中应当有什么定义和规定？

二、现状的保全

有时原告最想要的是确保被告停止从事一项侵害行为或限制从事这项行为。但在诉讼进行期间,被告仍然能够以有害的方式采取行动,但最终的救济不充分或者不能保护原告。在那种情形下,原告可以再次依赖法院的衡平权力,寻求临时救济,即临时制止命令和初步禁令。关键的问题是在哪些情形下应当在对实质问题进行诉讼之前同意发出这些特殊命令?(联邦法院的实践请参见联邦民事诉讼规则65)下面的判例提供了一些指南。

美国医院供应公司诉医院产品公司
American Hospital Supply Corp. v. Hospital Products Ltd.
780 F. 2d 589 (7th Cir. 1986)

巡回法官波斯纳:

一位供货人(supplier)终止了一位发货人(distributor)的(货源),发货人因违反合同而起诉,并获得初步禁令……供货人医院产品公司(我们称之为;连锁公司,即被告)是一家小公司,现在正在进行破产重组,它是世界上生产"内部外科程序可重复使用的外科纤维长度分级系统"(reusable surgical stapling systems for internal surgical procedures)(下称"外科纤维分级系统")的两个主要厂家之一。被终止的发货人美国医院供应公司是世界上最大的医疗和外科供应品发货商,1982年成为美国医院产品公司外科纤维分级系统的垄断供应商。发货合同最初签了3年,但规定以每年为期自动连续续签(以10年为限),除非美国医院供应公司在3年到期(或续签的1年期合同届满)之前90天内通知医院新产品公司,说它想终止合同;这意味着,合同到1985年6月3日为止。

在那一天,医院产品公司向美国医院供应公司直接送达了一封信函,要求知道它是否有意续签合同,并提醒它如果它在当天不作答复就意味着合同续签了。美国医院供应公司当天在一封信函中作出答复,指出,既然它没有终止,那么合同的确是续签了。但第二天医院产品公司宣称,它将把这一合同视为已经终止,并且于6月7日给美国医院供应公司的经销商发电报,通知他们,自6月3日开始,美国医院供应公司"不再授权发货人医院产品公司的外科纤维分级系统"。

美国医院供应公司随即提出针对医院产品公司的本案异籍违约诉讼,并动议发出初步禁令,这一动议在进行一次证据听审之后于7月8日获得支持。禁令禁止医院产品公司在禁令有效期间(亦即初审结果待决期间)采取任何有损美国医院供应公司的合同权利的行动,还要求医院产品公司通知美国医院供应公司的经销商,美国医院供应公司仍然是医院产品公司的授权发货人,这一点已如令行事了。医院产品公司提出反请求,主张违约、欺诈和不公平竞争……

一位被请求决定支持或拒绝初步禁令的地区法官必须选择将错误的代价最小化的路径。因为他必须根据不完全的记录采取行动，因而错误的危险是巨大的，而错误可能是代价昂贵的。如果法官同意发出初步禁令，而后来的结果却是原告没有权利获得司法救济，即原告的法定权利没有受到侵害，那么法官所犯错误的严重程度以禁令在有效期间给被告造成的不可弥补的损害——如果造成这种损害——来测量。如果法官拒绝初步禁令，而后来的结果是原告有权利获得司法救济，则法官所犯错误的严重程度以拒绝初步禁令给原告造成的不可弥补的损害——如果有这种损害的话——来测量。

这些错误是可以比较的，可以借助一个简单的公式选择可能代价较小的错误：当且仅当 $P \times Hp > (1-P) \times Hd$ 时，即同意发出初步禁令。换言之，只有当拒绝发出禁令对于原告的损害，乘以拒绝的错误的可能性（也就是原告在审判中会胜诉），超过同意发出禁令对被告造成的损害，乘以同意禁令发生错误的可能性，此时才可以发出初步禁令。这个可能性只是 1 减去原告在审判中胜诉的可能性，因为如果原告有比如说 40% 胜诉的机会，则被告一定 60% 胜诉的机会（1.00 - .40 = .60）。公式左边只是错误拒绝的几率乘以拒绝给原告带来的代价，右边只是错误同意的几率乘以同意给被告造成的损害。

这一公式，是勒尼德·汉德法官（Learned Hand's）著名的过失公式的程序版本，见 United States v. Carroll Towing Co., 159 F. 2d 169, 173 (2d Cir. 1947)，并没有提供一项新的法律标准，其目的不是要把分析强行塞进数字的紧巴巴的框架中，而是通过简易地提出法庭在作出决定时必须考虑的因素并通过阐释各因素之间的关系而有助于分析，实际上它只是将熟悉的 4 个（有时是 5 个）因素提炼出来，成为法院在决定是否同意初步禁令，时运用的标准。法院问如果拒绝初步禁令，原告是否会受到不可弥补的损害（有时还会问原告是否在普通法上有充分救济），如果拒绝初步禁令对于原告的损害是否超过如果同意对于被告的损害，原告是否有合理的可能在审判中胜诉，以及同意或拒绝禁令是否会使公共利益受到影响（比如第三人会受到损害——而这些损害可以根据案件的具体情况加入 Hp 和 Hd）中。法院进行这些讯问用以帮助自己弄清，同意禁令是否会成为错误最小化路径的行为，它取决于原告在权利中的可能性，取决于原告、被告或其他人在同意或拒绝禁令中所承担的成本或代价……这一公式是新的，它的节略的分析是标准的……

我们现在就不得不适用这些规程，而且我们从平衡损害开始。医院产品公司指出——在我们看来这不相干——美国医院供应公司证明的最多不过是 6 月 7 日那份宣布终止美国医院供应公司发货关系的电报所导致的一点点销售损失，理由在于，美国医院供应公司即时请求并即时收到的是一份阻止因收回发货关系造成损失的初步禁令。问题不在于是否有实际损失，而在于是否存在一个初步禁令避免的待决损失，这个损失有多严重，以及是否能够通过审判后的损害赔偿而予弥补。

尽管美国医院供应公司在6月7日电报与一个月之后作出初步禁令之间隔时间内能够重新把医院产品公司放回外科纤维分级系统的线（line）上,* 然而，除非以禁令的形式作出撤回（通知）（retraction）的命令，否则电报可能已经损害了美国医院供应公司的诚实信用，这是在其他被终止的销售商寻求初步禁令的案件中受到强调的一个因素。突然的终止和紧急的宣布可能已经使销售商认为美国医院供应公司一定从事了不道德的或不合理的行为。然而，我们不在这一点上做太多考虑。这是一种推测，而且任何损害都可能已经被撤回弥补了，在撤回的事件中，损害不能支持对禁令的依赖。

然而除此之外，6月7日美国医院供应公司正在掌握着一大笔医院产品公司的外科纤维分级系统未销售存货清单（unsold inventory）。为了帮助医院产品公司克服严重的财政问题，美国医院供应公司已经预付了几百万美元，预付的方式一部分是借贷（loan），一部分是购买多于自己所需要的产品而把多余的产品计入存货清单。电报危害到该公司的投资，因为销售商们可能不愿意从美国医院供应公司那里购买医院产品公司的产品，他们不想绞进它与它的供应商之间法律纷争，或者也许他们甚至害怕美国医院供应公司所出售的那些产品中有某种缺陷。诚然，它的投资可能不会完全被一扫而空……

使损失（无论以金钱计算是多少）不可弥补的，不仅仅是或不主要是美国医院供应公司可能面临的定量损失上的困难，尽管这一困难在其他发货商诉求初步禁令以保护信用的案件中已经得到了强调，不可弥补的损失是医院产品公司的破产，这在地区法官同意发出初步禁令时显而易见的，尽管这家公司还没有宣告破产……

我们的结论是，一个对原告不可弥补的损害是存在的，尽管这一损害的金钱数额尚不确切因而我们慎于称之为巨大（great），然而损害看来是重大的（substantial）。下一步我们必须考虑被告在禁令中遭受的不可弥补的损害。地区法官认定没有损害，因为美国医院供应公司有几千万美元的销售额而且获得了大量的利润，它能够担当（be good for）医院产品公司反请求可能获胜的任何金钱判决。这一理由不能完全服人。医院产品公司在诉讼开始以前由于美国医院供应公司违约或其他诉称的错误行为所受到的损害，与我们可能认为美国医院供应公司

---

* 译者注：这里和后面所提到的 line，原文均没有附加任何定语加以限定，这里似乎是指是销售线，后面则可能指的是从生产到销售的整条线。

能够担当的损害,以及与医院产品公司因为初步禁令——也就是由于命令在下一年度将医院产品公司与美国医院供应公司固定在一起——而受到的损害,这3种损害是有区别的。这些都不是医院产品公司在其反请求中寻求补偿的损害,禁令损害和反请求损害之间可能有相当部分的交叉,但我们不能说交叉是全面的重合。

然而我们可能忽略获得初步禁令的原告被要求提交的保证金(见联邦民事诉讼规则65(c)),本案原告的确也提交了数额为500万美元的保证金,医院产品公司未对其充分性提出质疑……

即使医院产品公司的债权人根据禁令保证金所获得损害赔偿是完全的(而且还可能不完全),那么这一事实中是否可能不会及时来拯救公司本身?许多在破产中重组的公司都以资产清算而告终,股票可能一落千丈,而所有的股份都落入债权人手中。但是医院产品公司的股东在破产中的全部经济损失也不是计算同意发出禁令之损害的正确方法。破产毕竟不是——无论如何不是故意的——一种减少福利的设计,但是一种分散商业败绩对于破产财产的各种请求人的影响的设计。破产的成本/代价有别于作为破产基础的失败的成本/代价,因此只是管理破产程序的成本。尽管如此,这些成本仍是不可忽视的……将会或可能将一家公司推向破产的一个初步禁令,就应当在决定是否同意发出这一禁令时必须考虑这一类成本/代价。

一项相关的并且经常是更加重要的成本/代价是商业失败本身的成本/代价,但这项成本所蕴含的法律政策是模糊不清的。如果该公司在拍卖股票中的资产价值小于其作为正在发展的担心的一部分(if the firm's assets would be worth less on the auction block than as part of a going concern),这可能就是反对发出增加失败风险的初步禁令的一个强有力的理由……

我们不需要再往迷宫里面走了,初步禁令对于急速陷入破产的效果是一个反对发出禁令的理由(我们尚不能决定这一理由的力度)。可以想见,对于被忽略的这一点的思考可能说服地区法官同意一项抵制发出初步禁令的动议,如果提出这种动议,那么这种动议可以在任何时间提出。See, eg., Winterland Concessions Co. v. Trela, 735 F. 2d 257, 259-60 (7th Cir. 1984). 然而我们并没有被说服,我们不认为发出初步动议是错误的……

说服地区法官的是,违反合同的是医院产品公司而不是美国医院供应公司,这意味着P值很高。如果合同在6月3日续签了,并且在第二天医院产品公司宣布合同终止的时候已经生效,那么毫无疑问他是正确的。但我们必须像他一样考虑,美国医院供应公司是否在作出这一宣布之前断绝了这一合同,这会使本案成为预期违约的案件——美国医院供应公司明确表示它将不会按照续签的合同履行义务，医院产品公司因此将合同作为终止对待。医院产品公司指向一封由美国医院供应公司发出的信，信中威胁要结束对医院产品公司的财政帮助并讨回贷款，除非医院产品公司同意以美国医院供应公司喜欢的方式修改合同。美国医院供应公司在答辩中重点说明了理由，即，它已经向医院产品公司预付了几百万美元的货款，这已超出了合同义务，因此它有任何权利对提供新贷款或根据合同的承认延长已有贷款提出条件。医院产品公司称，贷款没有到期，信中提到的财政帮助是一种已出售和已交付货物的货款已到期的委婉说法——这是另一轮回复——即声称如果贷款没有到期，那么医院产品公司没有什么可担心的，美国医院供应公司已经从医院产品公司那里实际上拿来了大大多于自己需要的或根据合同义务购买的外科纤维分级系统，因此看起来像是根据合同支付的款项，实际上是财政帮助。

这场法律羽毛球赛并未终结，但已接近了我们可以确定的程度，能干而有经验的地区法官解决了美国医院供应公司偏好的不确定性问题，他在解决这一问题时是有坚实基础的……

最后，医院产品公司主张，禁令违背了公共利益。这样一个论辩说得简单一点，意思就是禁令影响到了非当事人，在本案中也就是消费者群体，即外科纤维分级系统的最终购买者各家医院。当然，在决定是否发出禁令时，这样的效果应当考虑在内；当本案将这一因素作为反对同意禁令的理由时，它就成为我们公式中 Hd 的一部分，亦即，它们是如果发出禁令则会产生的（对于被告——但也是对于受影响的其他人）损害的一部分。如果拒绝禁令，则医院产品公司就会直接向在美国的经销商出售自己的产品，而美国医院供应公司可能也会向经销商销售新开发的线，从而将竞争的生产者数量由两个增加到三个。从这一点可以争辩说，合同的续签是反竞争性的，因为它推迟了美国医院供应公司作为医院产品公司的一个竞争者进入市场。如果"内部外科程序可重复使用的外科纤维长度分级系统"建构了一个有经济意义的市场——意即如果生产者们明示或默示地合谋/串通，他们就可以大大地提高产品的价格而不会经受这样毁灭性的销售损失（像消费者转向替代品，或者其他产品的生产者转向生产这一产品），从而使价格增长成为无利可图——那么医院产品公司可能有一个可以获得支持的论点；两个公司合谋而不被发现要比三个公司容易一些。但医院产品公司还没有试图表明它的产品构成了一个真正的市场，从而存在一种串通的真实危险；也许它没有做这种尝试，是因为这样做会指它自己就是两个合谋者之一……

资深巡回法官斯威格特（Swygert）的反对意见：

……当事人诉求初步禁令必须符合四个条件。他们必须表明：（1）他们在普通法上没有充分救济，如果不给予这一救济他们将会遭受不可弥补的损害；

（2）他们将会遭受的不可弥补的损害重于被告因禁令而遭受的损害；（3）他们在实质问题上有某些胜诉的可能性；（4）禁令不会损害公共利益。【斯威格特法官随后将这个四要件标准适用于那些事实。】

我本想避免对多数派的尝试作出评论，他们试图把已经发展成熟的和复杂的关于初步禁令的法律减少为一个"简单的"数学公式。但是由于今天决定的意义深远的恶劣结果，我必须遗憾地表达自己的担忧……

我所争论的对象……不是 Carroll Towing 案，而是今天多数派试图创造出它的对等模拟体。在确定侵权案件中的过失时，定量的方法可能是一种适当而有用的具有启发性的设计，然而在确定是否应当发出一项初步禁令时，这种方法的价值就有限了。衡平诉讼程序和在侵权法领域站得住脚的案件都要求地区法官作出完全不同的反应。地区法官在侵权案件中的判决必须是确定的（definite），地区法官在禁令诉讼中的判决从本性上就不可能是确定的。地区法官在禁令诉讼中的判决必须是弹性的和裁量性的——这种幅度在目前已经确定的四要件标准的拘束范围内……

具有讽刺意味的是，多数派从来没有尝试将一个用数字表示的价值置于其自己的公式的变量中，也没有告诉我们如果测量 H_p 和 H_d。多数派似乎承认，以数字表示的价值永远也不会置于这些变量之中。比如，谁能够说，同意禁令是一个错误的确切可能性是什么？那么多数派的公式又如何以一种有意义的方式使地区法院的责任变得轻松？被请求发出初步禁令的法官们必须在很大程度上依赖于他们自己的判断，而不是数学量子……

多数派否认有任何将地区法院强行塞进"数字的紧巴巴的框架"的努力，然而我怀疑，今天的决定可能恰恰导致了这种结果。地区法官在巨大压力下的操作将成为决定性的和具体的（precise）。他们哪怕是最小的决定都会受到许多控制。就像一个荷马时代的女妖一样，多数派的公式召来律师行的成员们，擦拭他们计算器上的灰尘，在定量的外衣下提出他们自己的论点。这种景象也许富有娱乐性，但我并不羡慕本巡回区的各地区法院，也不为我们给他们的任务感到自豪。

注释与问题

1. 临时制止命令与初步禁令有何区别？你们可能想重温一下美国诉霍尔案中对这一问题的处理。

2. 芬提斯案和遵循这一判例的其他判例坚持要求在剥夺前获得通知和听审的权利，但临时制止命令却可以单方获得，这有道理吗？为什么有或没有？情形有何不同？

3. 根据美国医院供应公司案的多数派意见和反对意见，初步禁令的前提条件是什么？在联邦法院中获得临时制止命令的前提条件与之相同吗？
4. 你如何使波斯纳法官的公式能够让一位有数学恐惧症的法官所理解？
5. 反对意见发现波斯纳法官使用公式中存在什么毛病？你同意吗？

第三节 终局性救济

一、衡平救济和宣告性救济

衡平法律和程序在英国的历史发展，是作为国王提供更加灵活性和裁量性司法的努力——也为国王提供这种司法提供更多的权力。（国王还可以使用在伦敦的普通法法院巩固王权）。普通法法院一般使用被认为是比衡平法院更有可预见性的程序和技术。在普通法院通常可获得的救济是金钱赔偿，而衡平法院则提供禁令（阻止攻击性行为或为符合某法律义务的命令）；会计（审查财务账簿，把错误地放在一个账目中的任何金钱重新归入正确的账目）；废除或重组合同；以及其他剪裁性（tailore-made）救济。在当代美国联邦制度中，也就是在已经将普通法和衡平法合并的制度中，法院可以考虑对两种救济的请求。然而，衡平救济被认为只有当金钱救济不充分的时候才能适用。考虑以下案件对这一事项的讨论。

沃尔格林公司诉塞拉·克里克房产公司
Walgeen Co. v. Sera Creek Property Co.
966 F. 2d 273 (7th Cir. 1992)

巡回法官波斯纳：

这一上诉针对一项永久性的禁令许可，提出了关于财产的禁令救济的基本问题。要件事实很简单。沃尔格林（Walgreen）自1951年开业以来，一直在密尔沃基的南门商场经营一家药房。它现在的租约是1971年签订的，期限为30年6个月，其中包括一个只有在过去的租约中才有的条款，即业主塞拉·克里克承诺不把同一商场中的摊位租给任何想经营药房的人或者包含药品的商店。这种在购物中心的租约普遍使用的垄断性条款，如果用于商场之间的竞争，则不时会受到根据反托拉斯法挑出的挑战——真令人难以置信；不过那是另话题，因为在本上诉案中塞拉·克里克并未把目标放反托拉斯法条款上。

1990年，塞拉·克里克由于担心他的最大佃户——以房地产业的行话称之为"掌门客户"（anchor tenant）*——破产而要关门，就通知沃尔格林说他准备把这位掌门客户的摊位卖出去，并安置一个由珐摩（Phar-Mor）公司经营的折价商店，这家商店是"高折扣"店，而不像沃尔格林那样仅仅是"折扣"店。珐摩公司将占据10万平方英尺，其中12000平方英尺将由与沃尔格林药店大小相同的药店占用。两个店的入口只相隔几百英尺。

沃尔格林以塞拉·克里克和珐摩违反合同而提起这宗异籍诉讼，并请求一项禁令，禁止塞拉·克里克允许珐摩占据"掌门"的物业。在证据性听审之后，法官认定沃尔格林的出租协议被违反了并作出禁令，禁止塞拉·克里克在沃尔格林的合同到期之前向珐摩出租"掌门"的物业。这一判决是在被告的反对下进行的，被告反对说沃尔格林未能证明他所享有的普通法上的救济——损害赔偿——不充分。塞拉·克里克提供的专家证人作证说沃尔格林的损害赔偿很容易估计，沃尔格林则用他的职员提供的证词表示反驳，表明其损害难以计算，其中一个原因是这些损害还包括了像善意这样的无形损失。

塞拉·克里克提醒我们，在违约案件与其他案件中，损害赔偿都是一种准则。它指出，从允许资源流向更有价值的利用这个意义上看，许多违约都是"有效率的"。也许本案就是一例——珐摩占用"掌门"物业的价值可能超过沃尔格林面临增加的竞争的价值。倘如此，那么，如果沃尔格林获得与成本相当的赔偿，那么允许珐摩搬进该区，而不是用禁令将它排斥在外，会对社会更有益处。这就是为什么禁令不是作为一种理所当然的事项，而只有当原先的损失救济不充分时才予许可的原因。塞拉·克里克争辩说，沃尔格林不属于这种情况，其由于竞争增加而导致的商业损失的前景在估价中是一种常规的演算。损害赔偿既代表丧失未来利润的现存价值，也代表租赁物价值的减少［应当是对价物，Carusos v. Briarcliff, Inc., 76 Ga. App. 346, 351-52, 45 S. E. 2d 802, 806-07 (1947)］，在违反商业中心租赁的排他性条款的大量有据可查的判例中，损害赔偿都曾经是或被认为是适当的救济……塞拉·克里克问道，为什么损害赔偿在这里不充分？

塞拉·克里克作出了一个包含某些真实的诡辩，但我们认为这种诡辩并不能得逞。因为如果在违反购物中心租赁合同中某些排他性条款的案件中同意过给予损害赔偿，那么在其他案件中也发出过禁令……在救济之间进行选择，要求对可选择的方式进行成本收益分析。Hecht Co. v. Bowles, 321 U. S. 321, 329

---

* 译者注：译者请教物业管理方面的专家，得知行内有一种"磁石客户"的说法，故将anchor tenant中anchor（锚）译为"磁石"亦无不可，不过为了便于作为法律内行、物业外行的读者理解，不至于因一个专业术语的别扭而转移对法律讨论的注意力，在此译为意思更明晰易解的"掌门客户"。

(1944); Yakus v. United States, 321 U. S. 414, 440 (1944). 维持平衡的任务就交给初审法官了, 上诉审查基于对这一事项的具体性、对现场判断的依赖性、和受事实限定等特性的承认, 对之进行尊重性的审查……正如我们在一宗就许可临时禁令提起的上诉案中所说——不过其观点也可适用于对永久性禁令的审查——"对于我们(上诉法官)而言, 问题是(地区)法官是否超越了在不同情形下作出选择的允许限度, 而不是考虑如果我们在他的位置上我们会怎样做……"*

诉求禁令的原告负有说服责任——赔偿是原则, 所以原告必须证明为什么他的案件必须是例外。然而, 当案件的争议是判予永久性禁令还是临时禁令时, 说明责任就只须证明损害赔偿不充分, 而不是证明驳回禁令将造成不可弥补的损害, 本案就是这样。"不可弥补"(irreparable)在禁令的语境中意味着不能通过作出终局性判决而获得补救……在通常的案件中, 它与判予永久性禁令是否为终局性判决不相干。在普通法上使用"不可弥补的损害(harm)"或"不可弥补的侵害(injury)"作为同义词来表达不充分救济, 是一种易引起混淆的用法, 应当加以避免。

以损害赔偿替代禁令的收益有两个方面。首先, 它把决定被告行为成本的负担从法院转移给了双方当事人。如果沃尔格林的损害真的小于塞拉·克里克因允许第二家药店进入商场而获得的利益, 那么取消禁令使双方当事人获得更好结局就必须有一个价格, 因此支持禁令的效果就会以成本高昂的法庭辩论的事实认定过程替代成本较低的私人谈判过程。其二, 我们的自由市场体制的前提, 国内外的经验教训都是, 由市场确定的价格和成本比政府确定的更加准确……

赔偿性救济的成本和收益是禁令救济的成本和收益的一面镜子。赔偿性救济避免了继续监督的成本和对第三人效力的成本, 也避免了双边的排他性成本。然而它本身的成本却很高, 一方面它减少了在确定价值时的精确性, 另一方面它消耗了当事人在准备和提出赔偿证据方面的开支和法院在评价证据方面的时间。

对于所有这些成本和收益的权衡是一个分析过程, 被要求作出永久性禁令的法官进行过或者至少应当进行这个过程, 如果按照他的理解天平是平的, 则应当支持禁令。法官没有义务说明分析的每一个细节, 他在本案中也没有这么做, 不过他的方法符合我们确认的适当分析方法, 在此我们感到满意。决定沃尔格林的损害一定会在法庭辩论资源和不可避免的不准确性方面成本昂贵……租赁还有

---

* 译者注: 在美国的司法制度中, 初审法院与上诉法院基于明确的职能划分, 上诉法院对于初审法院决定的不同性质的问题采取不同的审查标准, 理解本文关于审查标准的术语或解释, 请参见有关美国上诉程序制度的资料。

10年，所以沃尔格林将必须测算它在10多年之内的销售额和成本，然后测算这些对于珐摩的竞争产生影响的数字，再扣除对现有价值的影响。除了最后一步之外，所有这些测算都会充满不确定性……

损害赔偿的计算成本并非总是很高或者难以准确计算……但本案不属于这种情况。赔偿会是一种成本很高而精确度很差的救济方式，另一方面，某些成本在禁令中是没有的，而现有成本看起来很低。本案中的禁令就像强制履行契约一样（这是典型由禁令执行的事项），是一种消极的禁令——塞拉·克里克在沃尔格林的租期内不把南门商场的位置租给珐摩——司法监督和执行的成本应当是可以忽略不计的。没有抗辩称禁令将会损害未陈述的第三人的利益。禁令将损害珐摩，但这一损害将在塞拉·克里克给沃尔格林的取消禁令的要约中得到反映。（无论如何珐摩都是一方当事人）……

本案中禁令的惟一实质性成本是它可能启动当事人之间的一轮谈判。在一些案件中，就像在宝马案［Boomer v. Atlantic Cement Co., 26 N. Y. 2d 219 (1970)］中示例的那样，仅仅考虑这一点就足以维持驳回禁令救济。被告的工厂散发的水泥尘埃引起原告的损害以金钱计至少为20万美元，而减少损害的惟一方式是关闭工厂，建工厂的成本为4500万美元。阻止这一污染的禁令能产生一个巨大的交易范围［能（could），不是会（would），因为不清楚工厂的现有价值是多少］，在这一点上谈判的成本就可能是巨大的。如果工厂的市场价值实际上是4500万美元，那么原告就会设法坚持把解除禁令的价格定在几千万，而工厂则会设法拒绝任何多于几十万美元的赔偿。如果在这样的一个谈判范围内，谈判不大会完全中止，却非常可能是冗长和昂贵的。本案没有这样的戏剧性。塞拉·克里克并没有争辩说，如果禁止它把商场租给珐摩就得关门商场。珐摩并不是惟一的掌门客户。塞拉·克里克所依据的判例 Liza Danielle, Inc. v. Jamko, Inc., 408 So. 2d 735, 740 (Fla. App. 1982) 提供了相反的案例，在该案中判予禁令就会强制一位已有的客户的商店关门。谈判的范围也是在吉特利兹案［Gitlitz v. Plankinton Building Properties, Inc., 228 Wis. 334, 339－40 (1938)］中拒绝禁令救济的一个因素。

总而言之，法官在认定损害赔偿的成本（包括放弃的收益）会超过禁令的成本（包括放弃的收益）时，没有超越合理判断的拘束……

注释与问题

1. 非金钱成本和收益如何能够包括在衡平的救济与损害赔偿的比较之中？设想一个案件，原告证明了公共官员在解释公共学校的学生登记时的违宪的种族歧视。可能或能够想像以金钱赔偿替代命令该官员改变学校安排学生的方法的禁令吗？

2. 有的时候，某当事人最想要的救济是澄清适用于具体事实的法律。比如，一位投资者不愿意在没有明确宣布建议的企业不会违反其他人拥有的专利时资助该企业；或者新的政府特种部队的长官可能希望在争议面临被提起诉讼的风险之前秘密举行会晤并作出宣告性判决。国会授权法院根据《宣告性判决法案》（美国法典第28编第2201节和第2202节）发出确认性或宣告性判决，多数州都有类似的制定法授权就允许当事人获得权利宣告而进行诉讼。宣告性判决请求可能与其他救济请求，包括赔偿或禁令，并存不悖。宣告性救济存在一个内在困境来自一项宪法要求，即法院应当避免在没有具体的、现实的争议存在时采取行动。宪法第三条将联邦法院限定于仅仅考虑实际的案件或争议，而不是假想的问题。你能够在康涅狄格州诉多尔案中形成一个具体的宣告性判决吗？要求保证存在一个实际的案件或争议。

3. 法院可以发出一项消极性禁令，指令被告停止攻击性行为。这种救济即使没有证明不可弥补的损害也可以得到。（记住，不可弥补的损害是获得临时禁令而不是永久禁令救济的标准）See Continental Airlines Inc. v. Intra Brokers, Inc., 24 F. 3d 1099（9th Cir. 1994）（维持禁止销售飞机折价优惠券的禁令）。

4. 衡平救济曾用长期禁令的形式判予过：指令实行种族隔离的学校废除隔离，指令被认为违反第八修正案关于禁止残酷和非正常惩罚之规定的监狱改善条件，指令被认定为违反公共居住管理的制定法和宪法保障者改变政策。See, e. g., Finney v. Hutto, 410 F. Supp. 251（E. D. Ark. 1976）（监狱条件）；（Halderman v. Pennhurst State School and Hospital, 673 F. 2d 647（3d Cir. 1982）（满席审判）；Perez v. Boston Housing Authority, 379 U. S. 703（1980）；Swann v. Charlotte - Mecklenburg Voard of Education, 402 U. S. 1（1971）（学校隔离）。这些禁令性命令经常很具体、很明确，如，被告应当如何运送学生和老师往返学校，父母应当受到怎样的评价和对待，住房的卫生和安全标准应当如何设计和管理；以及个人罪犯应当获得什么样的资源。法院还命令和指示过治理污染的水，See Charles Haar, Boston Harbor: A Case Study, 19 B. C. Envtl. Aff. L. Rev. 641（1992）；法院也重新分配过公共基金以促进郊区而不只是都市中的种族和群体的融合，See David Kirp, John Dwyer, and Larry Rosenthal, Our Town: Vace, Housing, and the Soul of Suburbia（1996）。为了帮助法院监视这类命令的执行情况，法官们行使过权力指定司法官员，如主事官（masters）或监察员（monitors）。见《联邦民事诉讼规则》第53条。

5. 寻求禁令救济的诉讼和解会产生"合意判决"（consent decrees），这是由当事人双方谈判达成的和解而由对争议保留管辖权的法院确认和执行的。Larry Kramer, Consent decrees and the Rights of Third Parties, 87 Mich. L. Rev. 321

(1988)。这种纠纷解决形式将私人合同与法院判决合二为一,经常用来终结那些旨在保障制定法或政府规章执行的公共法律和制度改革诉讼,例如关于反托拉斯和雇员歧视的规章。尽管合意判决的条件须由法院确认,但当事人在这一过程中负责文字、思想和自愿履行。违反任何类型的合意判决都会引起通过藐视法庭的听审和制裁而启动司法执行。法院可以在认定责任或被告所违反的义务之后同意作出合意判决,或者当事人双方可以提出方案而法官可以在认定责任或义务之前同意作出合意判决。这种灵活性能促进和解,但也可能促使发生以公共司法资源去执行私人拟定的和解协议的问题。See Jeremy A. Ralkin and Neal E. Devins, Averting Government by Consent Decree: Constitutional Limits on the Enforcement of Settlements with the Federal Government, 40 Stan. L. Rev. 203 (1987).

对于当事人和公众而言,法院执行一项提起诉讼之后的合意判决的权利与执行一项在庭审引入大量证据之后获得的判决的权利有何差别? See United States v. American Telephone and Telegraph Co., 522 F Supp. 131 (D. D. C. 1982). 最高法院曾提出关于合意判决的进一步问题,比如对第三人的拘束力和允许修改的情形问题。See Martin v. Wilks, 490 U. S. 755 (1989)(对第三人发生效力); Rufo v. Inmates of the Suffolk County Jail, 502 U. S. 367 (1992)(在事实发生重大变化或法律允许作适当调整时允许修改)。

6. 法官在精心构成衡平救济的要素时起什么作用——这项任务会导致法官超越对抗制所规定的制度性角色吗? 围绕复杂禁令(complex injunctions)案件中的司法行为,学术界和公共媒体上都出现过。See, e. g., Derrick Bell, The Dialectics of School Desegregation, 32 Ala. L. Rev. 281 (1981); Colin Diver, The Judge as Political Powerbroker: Superintending Structural Change in Public Institutions, 65 Va. L. Rev. 43 (1979); Owen Fiss, The Forms of Justice, 93 Harv. L. Rev. 1 (1979).

实务练习三
在卡彭特案和克利夫兰案中的衡平救济

衡平救济,包括禁令和宣告性救济,与金钱损害赔偿结合在一起,构成一个诉讼中可能获得的可得救济的范围。原告如何知道寻求什么救济? 一个律师了解可能获得什么救济以及在什么范围内获得是很有用的。反过来说,律师会调查有关的案例法,估计胜诉的可能性,估算诉讼成本。但是即使在这种调查之前,律师了解衡平救济与赔偿救济之间的对比,也能够帮助客户弄清自己的目标和选择。你应当努力在这一练习中学会的正是这种建议,练习中的两种情境都可能成为现实。当你阅读下列解释时,记住你可能在每个案件中诉求的终局性救济类型之间的差异。设想每个案件的原告已经问过你,如果他们胜诉,他们能够获得什么样的救济。你会如何告诉他们？

1. 卡彭特（Carpenter）案：南希·卡彭特（Nancy Carpenter）想在马萨诸塞州提起诉讼，她的丈夫查尔斯·卡彭特（Charles Carpenter）是一辆吉普 CJ-7 的乘客。兰德尔·迪（Randall Dee）在这次致命的事故发生时驾驶着这辆吉普车。迪声称吉普车失控，翻过来把查尔斯·卡彭特压在下面要了他的命。迪至少在下列行为和疏忽中采取了不计后果的行动：加速、在十字路口未停车、自己改动了吉普车的几个部位。在发生事故的时候，吉普车属于兰德尔·迪的前女朋友 Twyla Burell 所有。Burell 给吉普车上了一个价值总额为 1 万美元的最低责任保险。你还没有把吉普车送交检查。

显然，兰德尔·迪不是富人，他未婚，跟他的兄弟住在一间他们从去世的父亲的产业中买来的房子里。兰德尔·迪在家里的利益可能是他惟一有实质意义的财产。

2. 克利夫兰市政府（Cleveland City）案：一群妇女认为他们在俄亥俄州克利夫兰市消防部门关于招聘、培训、考核、雇佣及劳动安排等影响消防员的政策中受到性别歧视。他们可以根据联邦民权制定法第七编（以性别为根据剥夺劳动机会）和联邦宪法（平行保护）享有请求权。被告可能是克利夫兰市政府、克利夫兰市民用服务委员会和消防部门首长。

如果他们提出请求，你会告诉每个客户什么可能的衡平救济？假设适用联邦民事诉讼规则或州的准据法规则，你可能需要再重新读一下联邦规则 65。哪些禁令是可能获得的，这些禁令会如何救济原告的损害？有什么办法可以表明金钱损害不充分因而要求裁令衡平救济？

二、衡平救济的执行

法院有时被描述为"最少危险的机构"，它们没有警察或其他直接的资源来保障执行其裁定。因此，即使当原告胜诉、法院作出终局性判决，争议可能并未结束。首先，请求人需要一个文件，该文件赋予他一个判决，Fed. R. Civ. P. 58，Fed. R. Civ. P. 54（a）［联邦法院的"判决"（judgment）适用于判决（decree），包括衡平判决（equitable decree）]。当被告不自愿履行时，实施（executing）或执行（enforcing）这一判决会导致进一步程序。根据《联邦民事诉讼规则》第 70 条，法庭可以执行某些衡平判决，指令某人从事所要求的行为（比如转移财产的名份），而由不履行方当事人承担成本。

如果抗拒的被告不履行衡平裁令，法院——依职权或应原告要求——可以进行藐视诉讼。民事性藐视诉讼由谋求执行法院裁令的不满的一方当事人提起，根据民事程序规则进行诉讼，但程序的模式较为简易。这些诉讼的功能既可以是裁定（被告）赔偿原告由于不履行原裁令而导致的损失，也可以是因未履行而进行处罚（penalty），包括罚款和监禁。（当然，施以罚款作为不履行衡平裁令的制裁有点奇怪，因为衡平救济本身只有在金钱赔偿不充分时才能获得。）

在刑事性藐视诉讼中，根据政府按照合理怀疑标准而对原被告人的指控，法院可以通过罚款或监禁惩罚违抗者，其核心主要不是执行原裁令或矫正原告的错误，而是保障对法院的尊重。坦率地说，刑事性藐视与民事性藐视的差异始终是不清晰的，最高法院称这一法律领域为"hodge-podge"[United States v. United Mine Workers, 330 U. S. 258, 364 (1971).] 是有其道理的。本章关于藐视的法律还会有进一步的讨论。

三、损害赔偿

金钱赔偿救济根源于普通法而不是衡平法，在评估金钱赔偿救济时常常发生困难。一项具体的违法应当给予多少金钱赔偿？请考虑以下判例。

凯里诉皮弗斯
Carey v. Piphus
435 U. S. 247（1978）

鲍威尔大法官制作最高法院意见书：

在根据《美国法典》第42编第1983节提起的本案诉讼中，我们考虑了未经程序性正当程序而被停课的公共小学和初中的学生们所受损害赔偿的要件和前提条件。第七巡回法院认定，这些学生有权获得实体的非惩罚性的损害赔偿，即使他们被中止有正当理由，即使他们没有证明被拒绝程序性正当程序所带来的实际损害。我们不同意。我们认定，在没有证明实际损害时，这些学生只有权获得名义上的损害赔偿。

I

答辩人贾里斯·皮弗士（Jarius Piphus）是芝加哥职业高中1973-1974学年的新生。1974年1月23日，在学校上课时间，校长看见皮弗士和另一名学生站在校门外传递被校长描述为非正常烟草的东西。校长悄悄走近这两名学生，闻到一种他认为是浓烈的大麻燃烧的味道。他还看见皮弗士试图把一捆纸包的烟递给另一名学生。当这两名学生觉察到校长出现时，他们把烟扔进了附近的树篱。

校长把这两名学生带到学校的训诫办公室，指示校长助理处以违反学校关于反对使用烟草的规定而停课20天的"通常"处罚。这两位学生枉然地辩称他们没有吸过大麻。在校长助理努力与皮弗士的母亲联系却未能成功时，皮弗士被允许留在学校，不过不在班上……

停课通知送达到皮弗士的母亲，在几天之后召开了两次会议，参加者有皮弗士的母亲、姐姐、学校官员及来自法律援助诊所的代表。会议的目的不是确定皮弗士当时是否在吸大麻，而是解释停课的理由。在交换意见却没有成效之后，皮弗士和他的母亲——母亲作为他的法定监护人——根据《美国法典》第42编第1983节的规定及其相应的管辖权规定《美国法典》第28编第1343节，向联邦地区法院提起了针对申诉人的诉讼，声称皮弗士未经正当法律程序即被停课，违反了第十四修正案，诉求宣告性和禁令性救济，同时诉求实际的和惩罚性赔偿共计3000美元。皮弗士在被停课8天之后，根据一项临时制止命令（Preliminary restraining order），被允许上学。

答辩人赛拉斯·布里斯科（Silas Brisco）是芝加哥克拉拉巴顿小学1973-1974学年的六年级学生。1973年9月11日，布里斯科戴着一幅耳环到学校。该校校长在上一学年发过一个规则反对男生戴耳环，因为他认为这种装束表明他属于某些街道匪帮并增加匪徒恐吓其他学生的可能性。布里斯科接到过这一警告，但他拒绝取掉耳环，声称这是黑人骄傲的标志而不是匪帮成员的标志。

校长助理跟布里斯科的母亲谈过话，劝告她，如果她的儿子不取掉耳环，将被停课20天。布里斯科的母亲支持她儿子的立场，于是布里斯科就被处以停课20天的处罚。布里斯科和他的母亲——法定监护人——根据《美国法典》第42编第1983节的规定及其相应的管辖权规定《美国法典》第28编第1343节，向联邦地区法院提起针对申诉人的诉讼，声称皮弗士未经正当法律程序即被停课，违反了第十四修正案，诉求宣告性和禁令性救济，同时诉求实际的和惩罚性赔偿共计5000美元。布里斯科在被停课17天之后，根据停课诉讼进行期间的一项临时禁令，被允许上学。

皮弗士和布里斯科的案件被合并审理。地区法院认定，两名学生未经程序性正当程序被停课，根据伍德案［Wood v. Strickland, 420 U.S. 308（1975）］第二段，申诉人没有权利免予受罚，因为他们"应当知道未经任何类型裁判性听审而长期停课"会违反程序性正当程序……尽管有这些理由，地区法院还是拒绝判予赔偿，因为"原告在记录中未提出关于他们符合给予赔偿的证据，而记录完全缺乏任何证据，连哪怕能够作为臆断性地推断其损害程度之根据的证据都没有。因此原告关于损害赔偿的请求由于完全没有证据而败诉。"

地区法院还陈述了学生们有权获得宣告性救济和有权将他们被停课的记录从学校的记录中消除，不过基于不清楚的理由，法院没有作出产生这一效果的判决，而是简单地驳回了诉求。关于如果答辩人接受过程序性正当程序是否仍会被停课，法院未予认定。

应答辩人的上诉，上诉法院撤销了原判，发回重审。它首先认定，地区法院未同意宣告性和禁令性救济是错误的。它还认定，地区法院应当考虑答辩人在判决后提交的证据，那些证据旨在证明他们因被停课而耽误的课程按每天计算的金钱价值。然而该院说，如果申诉人在重审中证明"停课有正当理由因此（答辩人）即使进行过听审之后也会被停课"，那么答辩人就没有权利获得耽误上学时间代表价值的损害赔偿。

最后，上诉法院认定，即使地区法院在重审中认定答辩人的停课是正当的，答辩人仅仅因为答辩人被拒绝给予程序性正当程序，也有权获得"非惩罚性"实体损害赔偿。Id., at 31. 该院根据其在霍斯托普案 [Hostrop v. Board of Junior College Dist. No. 515, 523 F. 2d 569 (7th Cir. 1975), cert. denied, 425 U. S. 963 (1976)] 中的判决，声明当"在受禁止的案件中，即使没有证明对原告的个性化的伤害——如精神折磨……"，也能给予这种损害赔偿。545 F. 2d, at 31. 我们同意调卷，考虑在因剥夺程序性正当程序而根据1983节提起的诉讼中，原告是否在获得"非惩罚性"的实体损害赔偿之前必须证明他实际上因剥夺而受到伤害。430 U. S. 964 (1977)。

II

引自《1871年民权法案》第1节的《美国法规大全》第17编13章的《美国法典》第42编第1983节及其《修订法律汇编》第1979节规定：

> 受任何州或地区的任何种类的制定法、条例、规章、惯例、习惯调整的任何人，如果使任何美国公民或在其辖区内的其他人遭受对其受宪法和法律保障的任何权利、特权或豁免权的剥夺，或成为这种剥夺的原因，都应当在普通法诉讼中、衡平法诉讼中、或其他适当的救济程序中，对受损害的当事人承担责任。

第1983节的立法史表明其意在"创立一种侵权责任"，以支持那些被剥夺宪法赋予他们的"权利、特权或受保障的豁免权"的人们。这一立法史在其他地方有详细叙述，例如 Monroe v. Pape, 365 U. S. 167, 172-183 (1961); id., at 225-234（Frankfurter 大法官，部分反对）。

申诉人抗辩，根据"这种侵权责任"获得损害赔偿的要件和前提应当与那些根据普通法的侵权法获得损害的要件和前提竞合（parallel）。他们特别主张，根据1983节支持损害赔偿的宗旨应当是补偿当事人因被剥夺宪法性权利而受到的损害，因而原告应当有义务证明的，不仅包括他们的权利被侵犯的事实，而且包括由于这种侵犯导致损害的事实，才能获得实体损害赔偿。除非答辩人证明他们由于被剥夺程序性正当程序权利而受到过实际损害，否则他们最多有权获得名义上的损害赔偿。

答辩人在支持下列主张时进行了两个不同的争辩。其一，他们辩称，根据第1983节规定实体损害赔偿应当在宪法性权利被剥夺时即获得支持，无论剥夺是否产生任何损害。他们说，这样做是适当的，因为宪法性权利本身是有价值的，同时也是制止违反宪法权利行为的需要。答辩人相信，这一观点准确地反映了制定第1983节中国会的观点。其二，答辩人争辩说，即使给予第1983节损害赔偿的宗旨主要是赔偿由于剥夺宪法性权利而受损害的人，那么每一次剥夺程序性正当程序都可以被认为是引起了某种损害。他们说这一假设应当解除他们证明实际引起的损害的必要性。

A

关于申诉人的抗辩，即根据第1983节支持损害赔偿的宗旨应当是补偿当事人因被剥夺宪法性权利而受到的损害，他们还有更好的论点。权利，无论是宪法权利还是其他，不是凭空存在的，其宗旨在于保护人们免受对其具体利益的损害，权利的标尺是以它们保护的利益为线的……

制定第1983节条款的国会成员们没有直接提出损害赔偿的问题，但损害赔偿设计用来补偿因被剥夺权利而受损害的人，这一原则很难说与1871年国会中的许多律师无关，1871年《民权法案》的另两节似乎与这一原则相一致，没有理由表明该法案本身对第1983节另作解释。国会在一定程度上表明了根据1983节作出的判付应当制止剥夺宪法性权利的意图，没有证据表明它想确立一项比在判付补偿性赔偿中蕴含的威慑力度更强大的威慑。[1]

B

得出根据第1983节判予的损害赔偿应当受补偿原则调整的结论，不像把该原则适用于具体案件那么困难。不过关于侵权的普通法经过几个世纪的发展，已形成一套实施这些原则的规范，即个人受到法定权利侵犯而导致的损害应当受到公平补偿，这些规范定义了损害赔偿的要件和补偿的前提条件，为探究第1983节提供了适当的出发点。

然而，普通法的损害赔偿侵权规则并未为每一个依1983节提起的个案中损害赔偿争议提供全面的解决。在某些案件中，普通法的侵权法规则的具体制度所保护的利益可能与由具体的宪法权利所保护的利益竞合，在这种情况下，损害赔偿的侵权法规则直接适用于第1983节诉讼。而在另一些案件中，受一项具体的宪法性权利保护的利益可能并不是由普通法侵权规则中类似制度所保护的利益，在这些案件中，把普通法损害赔偿规则进行调整使之适用于为宪法性权利受到剥

---

〔1〕 这并不是说，在根据第1983节提起的诉讼中不能基于制止或惩罚违反宪法性权利的具体目的而判予警戒性或惩罚性的损害赔偿。【最高法院引证过几个下级法院在第1983节案件中判予惩罚性赔偿的判决】尽管我们没有默示地支持或反对任何这类案件，不过我们指出，这些判予没有根据。地区法院特别地认定，申诉人没有剥夺答辩人权利或对他们造成损害的主观恶意，而上诉法院只支持了"非惩罚性"损害赔偿的判决。

我们还提到了第1983节被告对于律师费的潜在责任规定（参见《1976年判予民权律师费法案》(Civil Rights Attorney's Fees Awards Act of 1976)，《美国法典》第1988节），州的政府机构的额外的——而且没有任何不合理的——保证没有故意忽略正当程序权利。

夺而导致的损害提供公平补偿就是一项较为艰巨的任务。

尽管这一调整的任务有点棘手——就像本案这样——但必须承担起这项任务。如果剥夺宪法性权利导致的损害仅仅因为普通法没有承认类似的诉因就不予补偿,那么第1983节的宗旨将遭到挫败……

C

第十四修正案正当程序条款规定:"任何州都不得未经正当法律程序剥夺任何人的生命、自由或财产……"。这一条款"没有规定绝对禁止夺取一个人的财产"或自由或生命。Fuentes v. Shevin, 407 U. S. 67, 81 (1972). 程序性正当程序规则意不在于保护人们的生命、自由或财产不被剥夺,而在于保护他们不被错误或不公正地剥夺。因此,在具体情境下决定什么样的程序合乎宪法要求的正当标准时,本院一再强调"程序性正当程序规则是由蕴含于事实认定程序的错误风险形成的……"

在本案中,上诉法院认为,如果申诉人能够在重审中证明"如果举行过一次适当的听审,(答辩人)就不会被停课",545 F. 2d, at 32. 则答辩人就不会有权获得对停课造成的损害的赔偿。该院认为,在这样的案件中,不符合程序性正当程序不能被看成是停课的原因。该院表明,在这种情形下,判予对停课造成的损害给予赔偿,会给答辩人带来一笔横财而不是补偿。545 F. 2d, at 32. 我们不理解当事人不同意这一结论。我们不同意。

当事人也不同意上诉法院的进一步观点,即答辩人有权获得因"错误的内在性质而造成的损害"的实体——尽管是不具体的——损害赔偿,545 F. 2d, at 31. 即使他们被停课是有正当理由的,即使他们不能证明拒绝程序性正当程序实际上带给他们某种真实的(real)——如果不是无形的(intangible)——损害。答辩人在这一主题上精心地争辩说,这一认定是正确的,因为损害完全是"被认为"(presumed)自然产生于任何拒绝程序性正当程序的情形。他们的观点是,正当程序条款除了保护不受非正当剥夺之外,还保障对政府"公正对待的感觉"。[Anti-Fascist Committee v. McGrath, 341 U. S. 123, 162 (1951) (Frankfurter 大法官,并存意见).] 他们辩称,未经程序性正当程序而剥夺受保护的利益,即使在作为剥夺的前提没有错误的时候,也不可避免地在那些被拒绝这种"公正对待感觉"的个人那里引起精神上和情感上受折磨的强烈感受。他们把这个案件与人身诽谤进行类比,在诽谤中"原告免于提交证明他受到损害的任何证据"来获得实体的补偿性赔偿。C. McCormick, Law of Damages § 116 at 423 (1935).

……申诉人辩称……不能认为发生了这种"损害",原告至少应当对这一争点提出他们的证据,就像在大多数侵权诉讼中的原告所做的那样。

我们在这一方面同意申诉人的观点。就像我们在另一情形下评述的那样，在关于人身诽谤的普通法中被认为是损害赔偿的原理，这是"侵权法中的怪异现象，因为它允许不对实际损失加以证明而获得符合目的的补偿性赔偿"。为这一原理辩护的根据是某些形式的诽谤本身是可诉的，它们实际上产生了对名誉的严重损害，而这种损害极难证明。此外，关于诽谤的声明基于其本身的性质可能已经导致精神和情感伤害和对名声的损害，因而认为要求证明这种伤害没有多少理由是有其道理的。然而，这些考虑都不能支持答辩人的抗辩，即损害赔偿应当被认为自然产生于任何剥夺程序性正当程序的情形……

首先，认为每一种背离程序性正当程序的情形，无论其如何微不足道，都会像公开诽谤导致名誉损害和精神折磨一样自然而然地可能产生精神折磨，是不合情理的……

同时，当剥夺是正当的而程序不充分时，无论一个人感觉上有怎样的折磨，都只可能是由于正当剥夺而不是由于程序不充分而产生的。然而正如上诉法院认定的那样，这种由正当化剥夺所导致的伤害，包括折磨，是不适宜依据第1983节给予补偿的。这种在诽谤案件中不存在的原因上的模糊性，为要求原告就一个事实进行证明提供了必要性，即他必须说服裁判者，证明其实际遭受的折磨是由于被拒绝程序性正当程序本身造成的。

最后，我们预见，在提出由于被拒绝程序性正当程序本身而造成精神和情感折磨的证据方面并没有特殊困难……因此总而言之，尽管被拒绝程序性正当程序本身而造成的精神和情感折磨根据1983节为可补偿的，我们也认为，无论这种伤害的可能性还是在证明上的难度，都不足以大到足有正当理由支持其不经提出实际导致这一损害的证据而判予损害赔偿……

由于程序性正当程序在不依赖于请求人的实体主张的实质性而存在这个意义上是"绝对的"，同时由于遵守程序性正当程序对于有组织的社会的重要性，Boddie v. Connecticut, 401 U. S. 371, 375 (1971); Anti－Fascist Committee v. McGrath, 341 U. S. at (Frankfurter大法官，并存意见)。我们相信，拒绝程序性正当程序应当不经证明实际损害而仅基于名义损害即具有可诉性，因此我们认定，如果在重审中地区法院确定答辩人被停课是正当的，则答辩人有权从申诉人那里获得不超过1美元的名义损害赔偿。

撤销上诉法院的判决，将本案发回按本意见进一步审理。

注释与问题

1. 你如何解读意见书中只支持名义赔偿的判决？这是否表明正当程序在金钱意义上不值什么，或者是否表明制止对正当程序的违反应当通过金钱赔偿的威胁之外的方式？注释10是否包含了这一问题？在什么情形下原告能够因被违反正当程序而获得多于名义赔偿的补偿?

2. 如果你在这一判决后担任学校委员会的律师,你会为学校设计停课的程序提出什么样的指导性建议?

3. 价值评估问题即使在因损害建筑或土地而诉求损害赔偿时也会产生,因此,在波斯顿特里尼提教堂案[TrinityChurch in the City of Boston v. John Hancock Mutual Life Ins. Co., 399 Mass. 43 (Mass. 1987)]中,教堂主张人寿保险公司和其他被告在建筑 John Hancock 塔的建筑物时对教堂的建筑造成了结构性的损害。作为救济,原告诉求补偿其修缮教堂内外的成本和对其结构的损害给予赔偿。如果以公平的市场价值作为通常的损害测算,教堂不能胜诉。于是法院考虑使用重新建筑的成本——这一成本少于(补偿教堂)遭受贬值的价值——裁定支持了更换或重建的成本。Id. at 51. See also Peevyhouse v. Garland Coal Mining Co., 384 P. 2d 109 (Okla. 1962), cert. denied, 375 U. S. 906 (1963). (通过丈量测算对土地的损害赔偿一般会以重建为成本,除非导致经济上的浪费;在此是通过市场价值的减损而量度补偿额度的)。

四、惩罚性赔偿

根据传统的普通法方法,补偿性赔偿追求使原告回复到他或她在损害之前所享有的地位。有时,进一步的金钱救济似乎更适于制止未来的错误行为和表达公众对于损害行为的反对。因此普通法发展出惩罚性损害赔偿(punitive damages),一般留待陪审团根据"错误的严重程度和制止同类错误行为的必要性"作出估价。Pacific Mutual Life Insurance Co. v. Haslip, 499 U. S. (1991). 陪审团的这一判决反过来又受初审法院和上诉法院根据合理的标准进行审查。近年来,改革者主张,判予惩罚性赔偿在频率、数量和不可预测性方面都有所增长。见 Cass R. Sunstein, Daniel Kahneman, and David Schkade,"估价惩罚性赔偿",107 Yale L. J. 2071 (1998). 另一些人回应认为,这一问题被夸大了,一些题外的案件反映了缺陷的普遍性。[例如参见 Geoffrey T. Miller,"在战线的背后:对联邦产品责任进行综合性改革必要性的比较分析",45 Buffalo L. Rev. 241 (1997);1995 年产品责任公平法案:在专门委员会前就 S. 565 举行的听审。《关于消费者事务、外籍商务和旅游的讨论》,104th Cong. 505 (1995)(由高级研究员、美国律师基金会斯蒂芬·丹尼尔斯(Stephen Daniels)博士陈述)]。围绕仲裁中使用惩罚性赔偿的问题也进行过同类似的争论,见斯图尔特·戈德堡(Stuart C. Goldberg):"1991 年公共投资者仲裁律师协会关于授权仲裁员在保障仲裁中判予惩罚性赔偿的报告",1991 Pub. Investors Arb. B. Assn. 1. 这些关于惩罚性赔偿的争论除产生了立法建议之外,还促进了一项由当事人进行的关于联邦根据宪法授权限制惩罚性赔偿范围的调查。最高法院曾经驳回了一种主张,即第八修正案的过度罚款条款设定了一项对惩罚性赔偿的限制，Browning－Ferris Industries of Vermont v. Kelco Disposal, Inc., 492 U. S. 257 (1989)，却作出过结论，认为在某些案件中，第十四修正案正当程序条款限制陪审团和法官在这一领域的裁量权。Pacific Mutual Life Insurance Co. v. Haslip, supra.

在宏达汽车公司案［Honda Motor Co. v. Oberg, 512 U. S. 415 (1994)］中，最高法院认定俄勒冈的一项规则有程序性缺陷，该规则禁止法官对陪审团判予的惩罚性赔偿进行审查，除非法庭能够肯定地说没有证据提交给陪审团裁判。最高法院在回顾18世纪和19世纪英国和美国的判例对过度赔偿的解释之后，论证了司法审查一直是判予惩罚性赔偿的重要部分。俄勒冈的宪法条款与传统反道而行，因而被认为违反了正当程序。大法官金斯伯格（Ginsburg）的反对意见——首席大法官伦奎斯特加入反对意见——不是因为关于正当程序应当限制惩罚性赔偿的程序，而是因为将正当程序适用于俄勒冈这项规则的适当性。（同前）

然而，在BMW诉科尔案［BMW v. Gore, 517 U. S. 559 (1996)］中，最高法院驳回了在阿拉巴马判予的惩罚性赔偿，尽管该州法院坚持法官审查的程序性保障。最高法院认定，判予惩罚性赔偿"太过分了"，因此违反了第十四修正案的正当程序。艾拉·科尔（Ira Gore）博士起诉北美BMW的汽车批发商欺诈，因为他发现自己从一位有授权的零售商那里购买的价值4万美元的新汽车曾经被重新刷过漆。阿拉巴马的一个陪审团认定BMW对科尔汽车价值减损的4万美元负有责任，然后施以400万美元的惩罚性赔偿，计算方式是将科尔的4万美元损害赔偿乘以未发现的全国重新刷漆的最大数字。阿拉巴马最高法院的结论是，陪审团在计算时将BMW在其管辖权范围之外的行为包括在内是错误的，据此将判予数额降为200万美元。

大法官斯蒂文斯代表多数派制作的意见书——他也是宏达案中多数派意见书的制作者——认定，按照州政府在惩罚和制止州内非法行为的合法利益，200万美元的惩罚性赔偿太过分了。最高法院确认了三个界标，以明确违宪性过度判予惩罚性赔偿由什么构成。最重要的是（1）被告行为的可归责性（reprehensible）如何？次重要但也相关的是（2）判予所造成的实际损害与潜在损害之间的比率，和（3）将判予的民事处罚与能够因可比较的过错行为而施以的刑事处罚相比较。最高法院认定BMW的行为是不可归责的，因为它只涉及金钱损失，它反映了与未解释的州制定法相称的合理的努力，它止于对非法的认定。最高法院指出"没有数学性的鲜明界限"能够界定合宪性，然后认定，根据先例和理由并与制定法规定的制裁相比较，按照500：1的比率判予赔偿太过分了。布雷耶（Breyer）大法官在并存意见中引证了阿拉巴马州关于惩罚性判予的法官审查之规定的程序缺陷。斯卡利亚大法官和金斯伯格大法官的反对意见对于这种联邦干预州法律的实践表达了关切。

嗣后不久，在加斯帕里尼案［Gasperini v. Center for Humanities, Inc., 518 U. S. 415（1996）］中，最高法院以5∶4的投票结果支持了某联邦法院适用的一则纽约州的程序，该程序授权上诉法院根据合理标准审查陪审团的裁判。因为联邦地区法院审理异籍案件，因而它能够适用州的法律标准，只要该标准具有不损害联邦保障的陪审团审判权利的性质。

注释与问题

1. 支持对惩罚性赔偿进行正当程序审查的大法官和反对这一审查的法官都援引州的权利作为论据，怎么会这样？

2. 你如何评价斯卡利亚大法官在BMW案中的反对意见，即第十四修正案提供了"一种在州法院的赔偿判决中抗辩其合理性的机会；但不是一项赔偿许可实际上合理的联邦保障"？BMW案，同前，第68页。

3. 评价最高法院关于判予惩罚性赔偿的合宪性审查的三个界标。你认为下级法院会如何解释它？界线鲜明的规则会不会更好？你能够明确构建出这样一条规则吗？

4. 惩罚性赔偿需要什么样的证明和什么法律标准？在典型的普通法案件中，动议方当事人必须证明被告的行为异乎寻常（egregiously），而这通常涉及带有恶意的、轻率的或残酷无情的行为。这一标准与请求权本身要求证明被告的动机或心理状态之间的相互影响关系非常复杂。最高法院最近在科尔斯塔得案［Kolstad v. American Dental Assn., 119 S. Ct. 2118（1999）］中裁定，尽管原告可以在依据第7编提起的劳动歧视案件中诉求惩罚性赔偿，但成功地证明故意的歧视本身并不保证其成为支持惩罚性赔偿的证据。最高法院驳回了异乎寻常的标准，支持了以恶意或恶意的、轻率的或残酷无情的标准作为证明惩罚性赔偿的基础。该院还认定，普通法的代表原则会限制把责任加在那些只是个人行为本身应当受惩罚性赔偿的行为监督者或完全的实体的身上。

实务练习四

在卡彭特案和克利夫兰案中的损害赔偿

想像一下在卡彭特案和克利夫兰案中，原告已经请你预测，如果他们胜诉他们能够获得的赔偿的范围

1. 吉普车案件的原告南希·卡彭特会获得什么赔偿？如果她在丈夫查尔斯去世时是孕妇，他的赔偿会受到影响吗？如果查尔斯没有马上死亡，而是在事故发生后的几分钟或几小时内神志清醒，这会影响获得赔偿的水准吗？为什么会或不会？实体侵权法原理会调整这些问题，即使在没有完全了解侵权法的情况下，也试试推导一下南希·卡彭特能够获得哪些种类的请求？他在估价她的请求权

的价值时还需要获得哪些进一步的信息？在审判中你需要什么证人——包括专家证人——来确立这些价值？

2. 在克利夫兰案中，那些主张自己被拒绝招聘、培训、考核、雇用和过去机会的妇女原告们能够获得什么赔偿？

五、损害赔偿的执行

如果被告拒绝支付金钱赔偿，原告必须首先诉求获得一项判决，这种判决在联邦法院由《联邦规则》58 有规定。这项判决必须记入案卷，见《联邦民事诉讼规则》79（a）。原来的判决只确认了被告向原告承担的义务，而没有裁令支付（与禁令相比较，禁令直接裁令为一定行为）。联邦规则 69 规定了执行金钱赔付判决的过程，这涉及到一个执行令状，没有由法院或有关联邦制定法作出的更具体的其他规定。联邦法律不规定执行程序的许多细节，因而由接受执行请求的州的法律来调整。州的法律允许使用诉讼作为执行判决的补充或帮助，这些诉讼包括一些扣留工资、藐视和指定收益人。Charles Alan Wright, Arthur R. Miller, and Richard Marcus, 12 Federal Practice and Procedure §3012（West 1997）．

原告（现在称为判决债权人（judgment creditor），因为被告也就是判决债务人欠她一笔钱）为了从未履行支付义务的被告那里收取款项，必须启动另一次法律程序。一些州的制定法允许判决的债权人通过向行为登记处或向根据《统一商法典》提起的诉讼的立案处登记判决，而获得对财产的优先受偿权。判决债权人还可以就被告的某部分财产获得一个执行令状，该令状授权法警扣押财产，出售该财产——通常在公共拍卖行——然后转交原告。原告通过证据开示程序，甚至可以强迫被告披露资产的位置以实现判决。原告的另一选择是针对被告的收入实施判决，如果被告不按照命令支付分期付款，则导致扣留工资。然而，即使财产或收入存在，原告也难以控制它们。许多州的制定法规定对某些财产免予适用优先受偿权，以使被告能够维持自己和家人的衣食和居住；一些州还限制对工资的扣留。（值得问一问，正当程序的"通知和受听审的权利"原则在多大程度上适用于执行终局判决的程序？）

原告的其他手段包括破产的庇护效力，被告的总债务可能超过总资产，而债权人的优先性——这一方式确保受保障的债权人——将首先从被告的财产中获得（债权）清偿。

也许因为判决债务人没有财产、或者财产享受豁免、或者财产上存在优先受偿权，而使依据判决收取赔偿金十分困难或不可能。结果，原告和他们的律师通常努力找到那些拥有保险或足够的财产的被告来支付判决，而不至于使原告花费另外的金钱和时间去收债。

第四节 律师费与救济经济学

一般情况下,律师费不是一种救济,而只是因提供服务而产生的职业收费。关于律师费的"美国规则"规定,当事人各方支付自己律师的费用。但这一规则有一些变化——通过制定法、规章、或司法裁定——已经对律师决定是否接受一宗案件以及将该案起诉还是和解产生了重要影响。因此,法院能够根据有关权力判予(award)律师费,而且也的确在这么做,这一实践与原告能否获得救济以及获得救济的范围紧紧地绞结在一起。律师费用与救济之间的联系在实践中还表现为像"胜诉酬金制"这样的安排,在这种制度下,律师同意在侵权诉讼中代理原告,不收费,而是在法院或和解成功后按具体份额(经常是1/3)分享收益。于是,调整分配和支持律师费用的司法规范、伦理规范和制定法对于理解当事人能够提起什么样的诉讼以及美国法律制度如何运行是至关重要的。

一、律师费:美国规则

根据美国规则,败诉当事人不支付胜诉当事人的律师费用。正如名称可能隐含的意思一样,这不是到处都实行的规则。例如在英国和欧洲许多国家,败诉者一般有义务支付对方的律师费和本方的律师费;成本(costs)根据胜诉确定。这种规则在实践中产生什么差异?

美国规则的拥护者们认为,它使穷人和富人都能够打官司,否则穷人因为担心如果败诉则必须支付对方的法律费用而无法诉讼。同时,美国规则鼓励新颖的请求,而英国规则使原告和他们的律师不愿意冒险。

英国规则的支持者强调说,它阻止轻率的或琐碎的诉讼,它更完全地赔偿胜诉当事人遭受的诉讼麻烦。值得一提的是,在实践中,英国规则在败诉当事人律师由法律援助付费时则免除支付对方律师费,反之,低收入的人也可获得律师费免除。另外,在英国实践中,税务官决定(出庭律师和顾问律师)费用。而且申请收取成本可以在诉讼结束之前的某个时间进行,比如临时救济费用的支持,因而律师费可能判给一位最后没有胜诉的当事人。在德国,败诉当事人支付律师费是按照胜诉当事人成功的程度,或者是被称为"比例胜诉制(less - than - full)"的费用赔偿制度。据此,"如果诉求的救济是支付30万马克,而原告只赢了其中10万马克,则原告必须承担成本的2/3。"Peter F. Schlosser, Lectures on Civil - Law Litigation System and American Cooperation Whith Those Systems, 45 Kan. L. Rev. 9, 18 (1996). 这一规则禁止诉求巨额赔偿。

费用规则还反映了英国和美国法律制度和文化之间的其他差异。英国实际上50年以前就在民事案件中废除了陪审团(除诽谤和侮辱控诉之外),案件由法官审判，法官对损害赔偿和责任的判决受先例的严格约束。英国也没有适用各自普通法规则的明显自治的州。所有这些原因都导致英国比美国的司法结果更具有可预测性。

相比之下，陪审团在美国民事司法制度中仍然保留了要害的地位，一件在起诉时可能看起来位于边缘的案子却可以说服陪审团。此外，实体规则和程序规则发展很快而且在 50 个州之间发展方向不同，产生了一个比英国更多不确定性而更少先例约束的法律世界，可能一度被认为是高度投机的命题如今已经变成了广为接受的法律。

关于两种律师费模式的比较，以及对它们可能对具体案件中的律师事务所为和结果产生的影响进行评估，把经济学运用于冒着一种偏向律师及其客户的风险的模式，请参见史蒂文斯·夏弗尔："起诉、和解和审判：对法律成本分配的另一方法的理论分析"。（Steven Shavell, *Suit, Settlement and Trial: A Theoretical Analysis Under Alternative Methods for the Allocation of Legal Costs*），11 J. Legal Stud. 55（1982）。

二、有关律师费转移的制定法

即使在普通法中，调整律师费用的美国规则也有例外。最高法院曾决定：当某一当事人从事"恶意"行为时，法院享有内在的权力评定律师费以报销对方当事人的开支。一些法院判决过，当律师或当事人以一种为造福他人而创建"共同基金"（common fund）时，因而发生的资金可因律师工作的公平价值而"收税"，以免受益人坐收天上掉下的馅饼。1960 年代和 1970 年代，一些联邦下级法院接受了一种理论，可以裁定败诉被告向那些充当"总私人律师"角色的原告支付律师费。最高法院在阿利耶斯卡管道服务公司案［Alyeska Pipeline Service Co. v. Wilderness Society, 421 U. S. 240（1975）］中反驳了这一理论，决定，应当由国会而不是法院来确定哪些类型的案件有理由转移费用。最高法院认识到，费用转移为这类案件的原告起诉提供了根本性激励，而给被告提供了风险性抑制。

国会采纳了《1976 年民权律师费法案》（The Civil Rights Attorney's Fees Act of 1976, 42 U. S. C. § 1988）作为对阿利耶斯卡案的回应。到 1995 年为止，国会在超过 180 条制定法中包括了费用转移条款，提到了包括环境保护、知识产权及银行业在内的主题。比如参见《1977 年空气清洁法案补充规范》［Clean Air Act Amendments of 1977, 42 U. S. C. § 7622（e）（2）］，《平等获得司法救济法案》［Equal Access to Justice Act, 28 U. S. C. § 2412（b）］，《1988 年残疾儿童保护法案》［Handicapped Children's Protection Act of 1988, 20U. S. C. § 1415（e）（4）（B）］，《1994 年反暴力侵害妇女法案》（Violence Against Women

Act of 1994, 108 Stat. 1796. §40303),《专利侵权法案》(Patent Infringement Act, 35 U. S. C. §285),《电力投资转让法案》[Electronic Fund Transfer Act, 15 U. S. C. §§1693m(a) and (f)]。国会通过向诉求这些请求及其他请求的律师形成金钱激励的办法,旨在促进选定的这些联邦制定法权利的实现。

与美国规则不同的是,英国规则规定败诉律师支付对方的律师费,而这些美国制定法中的许多制定法,按照法院的解释,只是规定了把胜诉原告的费用转移给被告,败诉原告却没有义务支付被告的律师费。这种支持原告的单向的转移结构鼓励他们进行努力,而不惩罚不成功的原告。即使根据采用这种结构的制定法,法院也可以裁定完全是轻率或毫无根据地起诉的原告支付被告的律师费。例如参见 Christianburg Garment Co. v. EEOC, 434 U. S. 412 (1978) (interpreting Title VII)。根据联邦民事诉讼规则 11 也可发生同样后果:法院可以裁定"支付一些或全部合理律师费及其花费"作为处罚,适用于没有充分调查的、现存法律或事实中找不到合理理由的、或根据一种对新法律的轻率论证的起诉或动议。

三、律师费与和解

律师费作为一种金钱激励和抑制,已成为影响诉讼和解可能性的整体机制中的一部分。如果国会授权把律师费判给胜诉原告,那么被告就必须在考量诉讼程序的成本收益时把对原告律师费承担计入在内,并与和解的成本和收益进行比较。同样,原告在决定是否起诉、是否将诉讼进行下去、或是否和解时,必须考虑的不仅包括实质事项方面的败诉风险,而且包括将要发生的律师费。一项促进某种诉讼的制定法政策应当如何与促进和解的政策达成妥协?律师费本身的价值应当何时摆到案件和解的台面上来?下面的判例解释了这些复杂的问题。

马雷克诉切斯尼
Marek v. Chesny
473 U. S. 1 (1985)

首席大法官伯格制作最高法院意见书如下:

我们许可调卷令,以决定被告根据联邦民事诉讼规则 68 规定提出和解要约(offer),当原告基于判决而低于赔偿低于这一要约数额时,原告在和解要约之后发生的律师费是否必须根据美国法典第 42 编第 1988 节的规定由被告支付。

I

申诉人,即 3 位警官,在应请求对一次家庭内部骚乱作出反应时,向答辩人的成年儿子开枪并将他击毙。答辩人代表自己同时作为儿子的财产管理人,根据美国法典第 42 编第 1988 节和州的侵权法,向联邦地区法院起诉了这些警官。

在庭审之前,申诉人提出了一个及时的和解要约,"总额 10 万美元,包括现在发生的成本和律师费。"答辩人未接受这一要约。案件随后进入了庭审，答辩人根据州法律"过失杀人"请求权获得5000美元赔偿，根据违反1983节规定获得52000万美元赔偿，根据处罚性赔偿获得3000美元。

答辩人还提起一项请求，请求支付成本171692.47美元，包括律师费。这一数额包括了在和解要约后发生的成本。申诉人对要约后的成本请求提出反对，其依据是联邦民事诉讼规则68，该条将判决要约（offer of judgment）后发生的全部"成本"转移给原告，只要最后在审判中获得的最高赔偿没有超过该要约。地区法院支持了申诉人，拒绝判给答辩人"发生在判决要约后的成本，包括律师费"。547 F. Supp. 542, 547（N. D. Ill. 1982）。双方当事人后来同意，32000万美元公平地代表了应计入申诉人和解要约前的可支持的成本，包括律师费。答辩人因被拒绝的要约后成本而提起本案上诉。

上诉法院撤销了原判。该院反对它称之为"把诉讼规则68与法典第1988节的规定穿凿附会地联系在一起"的决定。它声称，地区法院在解释规则68和法典第1988节的规定时，"以一种感觉是合乎逻辑"的方式，把原告及其代理人的民权放在一个"肢解法典第1988节"的"困境"之中。该院论证说，原告的律师被迫在拒绝哪怕是不充分的要约之前进行"非常艰难的思忖"，他会因为一旦拒绝优惠于最后补偿数额的和解要约而丧失律师费权利，从而在提起诚实善意的诉讼时受到抑制。该院决定，"制定法第1988节的立法者不会希望这一规定的效力因为了解一点法院的裁定而减弱"。我们同意发出调卷令。我们撤销上诉判决。

II

规则68规定，如果及时的审前和解要约不被接受，而"受要约人最后获得的判决并不比要约优惠，则受要约人必须支付在作出要约之后发生的费用"。规则68的目的很清楚，就是鼓励和解和避免诉讼。这一规则促进双方当事人追求一种对诉讼的风险和成本进行估价，并与获得实质性判决胜诉的可能性进行比较。这一案件要求我们决定本案中的要约是否符合规则68的适当要约，以及规则68中所使用的"成本"这一术语是否包括根据美国法典第42编第1988节可支持的律师费。

……规则68中所使用的"成本"这一术语是否包括根据美国法典第42编第1988节可支持的律师费？在1938年，当联邦民事诉讼规则刚刚被采纳时，联邦制定法就授权并定义了胜诉方当事人可以获得成本补偿，这一规则已逾85年。See Act of Feb. 26, 1853, 10 Stat. 161；See generally Alyeska Pipeline Service Co. v. Wilderness Society, 421 U. S. 240（1975）。这种"成本"不像在英国那样，它一般不包括律师费。根据"美国规则"，各方有义务承担本方律师费。不过这一"美国规则"在适用于联邦法院时,就受制于20世纪30年代末期以后颁布的某些例外规则。这些例外是作为"法院在特殊情况下支持律师费的内在权力"的产物而发展起来的。Alyesha, supra, at 259……

联邦民事诉讼规则68的制定者完全意识到了那些美国规则的例外。《对抗制委员会对〈规则〉54(d)的注释》(the Advisory Committee's Note to Rule 54(d), 28 U.S.C. App., p. 621)列举了范围广泛的联邦制定法条,有些法条允许在特殊案件中支持成本;有些法条则是在《注释》的最后一段规定的"关于成本的制定法"共35条,这些规定不少于规则11所支持作为成本一部分的律师费。在这种对"成本"的定义不断变化的背景下,规则68的起草人没有对这一术语作出定义,也没有对它在《规则》的历史上基于何种意图作出解释。

在这种背景下,基于"成本"对于《规则》的重要性,这种省略不像是简单的忽略,相反,最合理的推论是,《规则》68中"成本"的概念意指所有根据相关实体法或其他授权而可以适当支持的成本。换言之,在一次诉讼中所有可适当支持的成本都在规则68中"成本"的考虑范围之内。因此,当我们根据制定法把"成本"定义为包括律师费时,没有国会相反的表达,我们就足以认为这些费用包括在规则68所意欲包含的成本之中……

在此,答辩人根据美国法典第42编第1983节提出请求,根据《1976年判予律师费的民权法案》补充规定第90条第2641节和美国法典第42编第1988节之规定,法典第1983节所规定的诉讼中胜诉方可以获得律师费支持"作为成本的一部分"。既然国会明示地将法典第1983节诉讼中律师费包括在可判予原告的"成本"之内,那么这些费用就属于规则68规定的"成本转移"。对规则68和法典第1988节之间交叉关系的这种"字面含义"(plain meaning)的解释是使规则68和法典第1988节中每一个语词都有意义的惟一解释。

与上诉法院不同的是,我们不认为,对制定法和《规则》的"直白含义"解释会有损于国会在法典第1988节中体现的保障原告获得"有效地进入司法程序"的民权这一目标。Hensley v. Echerhart, 461 U.S. 424, 429 (1983), quoting H.R. Rep. No. 94-1558, p. 1 (1976). 仅仅把原告的民权置于规则68和解条款规制之下,并没有损害原告获得司法救济的权利,也没有严重地妨碍他们提起诉讼。规则68用以抑制原告的律师在被告作出和解的要约之后继续诉讼,然而,没有证据表明国会在考虑法典第1988节时有任何这样的想法,即民权请求在涉及和解问题上将获得不同于其他民事请求的地位。的确,国会表达过它的一种关切,即民权原告不会因庭外和解"有助于减少积案"而受到惩罚……

此外,规则68鼓励和解的政策是中立性的,既不偏向原告也不偏向被告,它表达一项偏向所有诉讼和解的明确政策。民权原告——和其他原告一样——拒绝一项比后来在审判中获得的赔偿更优惠的要约，则不能获得因提供在拒绝要约之后的法律服务的律师费补偿。然而，既然该规则是中立的，因而许多民权原告就不能受惠于受规则68鼓励的和解要约……

可以肯定，适用规则68将要求原告"艰难地思考"继续诉讼是否值得，这恰恰是规则68的用心所在。然而，规则68并没有与国会在法典第1983节和法典第1988节中体现的政策有任何地方相左。法典第1988节授权法院仅仅把"合理"的律师费判予胜诉原告。在汉斯莱诉埃克哈特案中，我们认定，在决定合理费用时的"最关键因素""是胜诉的程度"。（同上，页436。）我们特别指出，在审判中胜诉"对于律师在有关的胜诉中的时间耗费是否合理没有多少影响"。在一宗拒绝超过最后赔偿的和解要约的案件中，原告——尽管从技术上是胜诉方——没有从他的律师要约后所提供的服务中获得任何金钱收益。本案提供了一个很好的例子：要约后的法律服务费为139692美元，结果却获得了比申诉人和解要约少8000美元的赔偿。既然国会注重所获得的胜诉，那么如果说在这类情况下将要约后的成本转移给答辩人，会在任何意义上妨碍了它在法典第1988节中的立法意旨，我们是不会服气的。

上诉法院认为，将规则68放在法典第1983节所规定的诉讼中适用是"肢解法典第1988节"，我们不这么看，我们相信这样适用才符合法典第1988节的宗旨。法典第1988节鼓励原告提起富于成效的民权诉讼，而规则68只是鼓励和解。这两个宗旨之间没有什么可比性。

Ⅲ

当然，国会在制定法典第1988节时非常清醒地意识到规则68的存在，而且把律师费作为可赔偿的成本的一部分。规则68和法典第1988节的直白语言将这类费用置于规则68成本转移条款的规制之下。在我们细查法典第1988节隐含的政策时，没有什么表明"国会的宗旨肯定清楚的表述"要求"将（这条）制定法从规则68的适用中排除……"Califano v. Yamasaki, 442 U. S. 682, 700 (1979). 我们认定，申诉人对于答辩人在申诉人和解要约之后发生的成本139692美元不负责任。撤销上诉法院的判决。

大法官鲍威尔和伦奎斯特的并存意见省略。

大法官布伦南的反对意见，马歇尔大法官和布莱克曼大法官加入：

本案提出的问题是，当一项规定费用支持的制定法碰巧提到"作为可支持成本一部分"的费用时，《联邦民事诉讼规则》第68条及该《规则》中其他条款中所使用的"成本"这个术语是仅指由《美国法典》第28编第1920节中定义的可收成本和传统中理解的"成本"——法院费用、复印费及诸如此类的支出，还是包括律师费在内。本院根据其今天一再强调的这类制定法即美国法典第

42 编第 1988 节的"直白语言"认定,根据该制定法有权收费的胜诉的民权原告,如果拒绝和解要约,而他最终获得的补偿少于和解中建议的数额,那么规则 68 条禁止对嗣后进行工作而发生的费用给予补偿。

我不同意。本院的理由与程序规则的历史和结构完全不一致,把它适用于不止 100 条由国会制定的律师费制定法,将导致对规则 68 运行的荒谬的变异,其根据不过是制定法用辞方面无关痛痒的差异。无论是国会还是《规则》的起草人,都不可能有这种激励和解的隐含变异的意图。更有甚者,本院的解释将"严重地损害"民权法律"律师费条款背后的宗旨",Delta Air Lines, Inc. v. August, 450 U. S. 346, 378(1981)(伦奎斯特大法官,反对意见)——这是国会根据第十四修正案第 5 节加诸于制定法条款的。因此今天的判决违反了对我们造法权限的最基本限制,这些限制在美国法典第 28 编第 2072 节《授权行为规则》(the Ruels Enabling Act)中进行了规定、并在阿利斯加管道公司案[Alyeska Pipeline Co. v. Wilderness Society, 421 U. S. 240(1975)]中进行了归纳。最后,国会和全美司法会议多年来都致力于考虑对规则 68 的修订,修订将在该规则运行的范围内提出律师费问题。这一过程强有力地表明,规则 68 在此之前还没有调整律师费支持问题,并且表明,聪明的办法是推迟到以其他方式来弥补规则 68,而不是由我们自己来进行"没有标准的法官造法"。Delta Air Lines, Inc. v. August, 450 U. S. 378(1981)(伦奎斯特)。

I

本院的"字面含义"分析是如此展开的:法典第 1988 节规定"胜诉当事人"可以获得"作为部分成本的合理的律师费"。规则 68 反过来规定,当受要约人从判决中获得的赔偿少于先前在和解要约中提出的数额时,"受要约人必须支付在作出这一要约之后发生的成本"。由于"律师费"是"成本",因此本院断定,规则 68 的"字面含义"本身就禁止胜诉的民权原告获得在他拒绝提议的庭外和解建议之后发生的律师费。

就像波斯纳法官在下级法院的意见书中指出的那样,本院的"字面含义"方法"在感觉是符合逻辑的"(in a sense logical)。720 F. 2d 474, 478(C A7 1983)。然而,解释制定法和规则总是以直白文字本身为出发点,"具体考虑不是文字的抽象力量或它们可能包含的内容,而是它们旨在被理解为何种意思或它们在运用于具体行为时传达了什么理解"。我们过去曾遇到过的"表面上富有吸引力的论点"与本院今天采纳的观点惊人的相似,而我们曾认定它们"经不起仔细推敲"。Roadway Express, Inc. v. Piper, 447 U. S. 752, 758(1980)。这里的情况同样如此……

在一大推理由中,"成本"这一术语用在程序规则中时应当作出与第 1920

节关于成本的定义一致的解释。

首先，程序规则中成本条款的有限历史表明，起草者意欲用"成本"表达可收取成本这惟一的含义，可收取成本是指根据普通法的传统和根据1920节以前的制定法允许收取的费用。没有迹象表明其中可收取"成本"的含义可能根据所涉及的实体法的语词因案而异——这种实践将会肢解起草人创制可适用于联邦法院的"所有案件的"统一程序的宗旨。规则1。

其次，规则54（d）规定，"成本"可以由法院书记官根据一天的通知自动地收取，这一规定强有力地表明，"成本"的意思仅仅是指那些可以适当地留给书记官办理的日常的、已经确定要收取的费用，和那些仅仅用一天通知来解决即为适当的费用。律师费只能由法庭判予，并且经常由冗长的争议和听审来承担，显然不会归入这一类。

第三，当规则的具体条款旨在涵盖律师费时，它们以明示的方式表达了这种愿望。有11条不同的规则授权法院在特殊情况下将律师费作为"开支"给予支持，显示了起草人懂得"成本"（costs）与"开支"（expenses）以及"律师费"（fees）相互之间的区别，并意欲加以区别……

第四，作为最近一个上诉法院的意见书和两个地区法院的意见书的例外，本院可以指出，没有授权显示法院或律师曾经认为规则68的成本转移条款包括律师费……

第五，我们以前认为，程序规则中的词句和术语必须作出一致的适用，并在同类事件中以一种推理方式解读，即假如以其他方式解读就会"强加于起草人以一种精神分裂症状的意图"。Id.，at 353. 然而，将本院的"字面含义"方法完全一致地适用于整个规则，会引致荒谬的结果，那就是把法典第1988节这样的制定法倒置，直白地违反《授权行为规则》为法官造法施加的限制。例如，规则54（d）规定，"成本得当然地判于胜诉原告，除非法院做其他指令"。同样，规则68的直白语言规定，该规则所涵盖的原告"必须支付在作出要约后发生的成本"——这一表述要求原告承担本方要约之后的成本和被告方要约之后的成本。如果这些条款使用的"成本"被法典第1988节的文字内涵解释为包括律师费，那么败诉的民权原告就有义务按照规则54（d）的"字面含义"承担支付被告律师费的义务，而且符合规则68的胜诉原告则有义务承担被告方要约后的律师费。

假如本院解释它的"字面含义"方法的令人头痛的结果，也许它会认识到这样的解读会直接与法典第1988节的规定发生冲突，法典第1988节只允许在"缠讼、轻率诉讼、或以折磨被告或使被告窘迫的诉讼"中才能将律师费判予胜诉被告，因此法典第1988节规定的实体法标准否定了规则54（d）和规则68的

"字面含义"。然而，这就是问题所在，本院不能把它同时放在两条道上……

第六，就像对待整个程序规则一样，起草者希望规则68在联邦法院的所有诉讼中获得统一的、一致的适用。根据这一意愿，规则68应当被解释为"为了鼓励诉讼和解"而提供了统一的、一致的激励。Delta Air Lines, Inc. v. August, supra, 450 U. S. at 352. 但今天的判决将导致根据费用支持立法在语言上的一点无关痛痒的差异而产生和解激励的巨大差异，这点语言差异没有任何理性的、本院可以自圆其说的解释。

国会完善地制定了100多条律师费用立法，其中许多立法都将受到今天判决的影响……根据今日判决的"字面含义"方法，规则68将在操作中把一些本来根据这些立法可获得补偿的律师费的潜在损失包括在内，作为一种诉讼和解的激励……

这一结果是为了制裁毫无意义地凑合费用转移，把程序规则根本宗旨流于表面——根本宗旨就是为联邦法院提供统一和一致的程序。这样的建构将"给（规则68）导入与其目标无关的差异……并将导致适用规则的实质上的散漫主义"……

总之，无论规则的历史和结构，还是适用律师费立法的任何历史，都不能为这样仅仅根据判予律师费的制定法之间在语言上的细微差别而导致的如此不可理喻的差异提供正当理由——特别是，像Roadway Express一案中表现的那样，当成本条款能够被解读为体现由1920节引出的统一的定义时（更是如此）。作为国会的伙伴，我们有责任不把"字面含义"的建构带到导致"站不住脚的分歧和不合理的结果"的地方。American Tobacco Co. v. Patterson, 456 U. S. 63, 71（1982）……

II

A

尽管本院的意见书中未讨论上面梳理的任何问题，但它的确用了不少笔墨在论证它对于规则68的解释"与国会在法典第1983节和法典第1988节中体现的政策没有任何意见上的不一致"。本院还进一步声称它的解释符合汉斯莱诉埃克哈特案［Hensley v. Eckerhart, 461 U. S. 424（1983）］中对法典第1988节的解释。

本院错了。国会曾指示，根据法典第1988节享有的律师费权利受合理性标准的调整。在今天之前，本院始终承认这一标准排除任何依据机械的"黑白分明的界线"规则自动地否定一部分律师费，并承认这种"数学方法""在确定什么是根据所有相关因素而产生的合理费用方面很少有帮助"。461 U. S. at 435 - 436, n. 11. 尽管起点总是"合理地消耗在诉讼中的小时数"，但这"并没有结束质问"：法典第 1988 节的立法历史中提出的对大量问题的考虑 "可以引致地区法院上下浮动地调整律师费"。Id. at 433－434. 我们还曾经强调，地区法院 "必须在作出这种衡平判决时拥有自由裁量权"，因为它 "对诉讼具有优胜的理解"。id. at 437. 总之，法典第 1988 节的合理性标准是 "对案件的实质和反歧视的政策保持敏锐的灵敏"。Roadway Express, Inc. v. Piper, 447 U. S. at 762.

另一方面，规则 68 对于诉讼的实质和反歧视政策一点也不 "灵敏"。它本身就机械地规定了自动地转移发生在拒绝要约之后的 "成本"，它还用 "'必须'（must）这类英文中众所周知的最强烈的动词剥夺了地区法院在所有相关事项上的自由裁量权。Delta Air Lines, Inc. v. August, supra, 450 U. S. at 369. 法典第 1988 节与规则 68 之间的冲突再明显不过了。

当然，法典第 1988 节本身禁止不合理地拒绝一项和解要约和嗣后获得少于和解中受偿数额的民权原告，就没有成效的、从拒绝中恍然懊悔的工作中获得律师费补偿，这是因为原告的胜诉程度是一个决定支持律师费的适当数额时所要考虑的关键因素，461 U. S. at 440. "过分的、多余的、或其他不必要的" 小时必须从计算中排除。id. at 434. 在这个范围内，其结果可能有时与根据法典第 1988 节的合理调查或本院生硬地套用规则 68 的结果相同。比如，如果本院允许第七巡回法院将本案发回重审，那么作出了适当调查的地区法院可能已经作出了很好的决定，答辩人在要约之后的律师费中的很大部分甚至全部都是不合理发生的，因而是不适当地获得了支持。

然而依据法典第 1988 节和规则 68 产生的结果并非总是殊途同归，因为第 1988 节的强制规定（mandates）仔细考虑了大范围的其他因素，并给地区法院的已知的裁量权留有适当余地。本院断定，"本案提供了一个很好的例证" 表明法典第 1988 节与规则 68 之间存在着没有冲突的交叉（ante, at 9）。事实恰恰相反，本案提供的例子是模棱两可的，因为从来没有对符合答辩人律师费要求的合理性或不合理性进行证据性考虑。然而，根据本院对规则 68 的解释，最终获得的赔偿仅仅略少于和解要约提出的数额的原告，本身就被禁止获得审判费赔偿，即使该原告在使公共利益极大受益的诉讼中 "已经获得完美结果" 也不例外……

仅仅讨论一个例子，规则 68 允许在提交起诉状之后的任何时间作出要约，并仅仅给原告 10 天时间接受或拒绝要约。本院的决定不可避免地鼓励那些明知自己违反法律的被告，在起诉之后，在原告享受通过证据开示获得信息的权利以评估其请求权的范围和要约的合理性之前，立即提出 "打插边球" 的要约。这种结果将强加原告以沉重的压力，使他们根据不充分的信息对案件作出处理，以避免承担即使合理的证据开示可能发现被告负有大得多的责任也必须承担所有费用的风险。的确,由于规则 68 规定的要约可以不受限制地随时提出,被告就会获得启示,在整个证据开示的过程中,在原告作出所有合理的必要的证据开示之前,提出略高一点的要约。

这种所谓的"激励"从根本上不符合国会的目标。国会的意图是为了"私人公民……能够主张他们的民权",为了"那些违反国家基本法律的人"不能"逃避惩罚"……

其他的难题还会随着本院的判决接踵而至。比如,如果原告获得的赔偿比审判前受要约的金钱数额要少,却获得了具有潜在和深远意义的禁令性救济或宣告性救济,那么本院希望法官们在确定原告成本的"价值"的条件时如何行事呢?本院的意图是完全模糊的……

B

的确,上诉法院的判决展示了它的确认,即对规则 68 作出包括律师费的解释超出了司法创制规则的权限范围。国会曾授权本院"按照一般规则……对联邦地区法院和上诉法院在民事诉讼中的实践和程序作出具体指示"。美国法典第 28 编第 2072 节。然而,这一授权是有限的,限制条件是"这些规则不得删减、扩大或变更任何实体权利"。律师费的权利,根据任何关于这一术语的定义,都是一种"实体"权利。

注释与问题

1. 首先,让我们回顾一遍马雷克 案这一解释联邦民事诉讼规则的里程碑式的判例。这一裁定通过惩罚拒绝判决的要约而后来在审判中获得更少优惠的判决的当事人,而鼓励当事人作出现实的提议。然而在马雷克案之前,惩罚是微不足道的:它规定只是把"成本"转移作为一种惩罚,而成本(例如案件受理费)一般数额非常小。马雷克案通过把"成本"解释为包括律师费在内而增加了惩罚的力度。这意味着,当一项转移费用的立法允许胜诉当事人把律师费作为成本的一部分获得补偿时,如果胜诉方拒绝一项比最后判决更优惠的和解要约,那么规则 68 即可减去任何不正当的费用,而不把律师费作为成本的一部分的费用转移立法显然规避了规则 68 的这种作用。

2. 重要的是,马雷克案是在当法典第 1988 节(《民权律师费法案》)成为最常用的联邦费用转移立法和美国规则最普遍的例外的时期作出的判决。在马雷克案之前 [See Christiansburg Garment Co. v. EEOC, 434 U. S. 412 (1978)],最高法院把法典第 1988 节解释为授权法院裁令被告支付胜诉原告的律师费,但一般不授权法院裁令原告支付胜诉被告的律师费(例外情况是当原告的诉讼是"缠讼的、不合理的或没有根据的"时候——很像违反规则 11)。因此马雷克案是一种"单向"费用转移规则,允许律师费仅仅从原告转向被告;基于最高法院的观点对于鼓励民权法律执行的重要性,那么这是一项"支持原告"的规则。

3. 想一想根据法典第1983节胜诉的原告,通常那种原告也会被授权根据法典第1988节规定而赢得律师费。然而马雷克案裁定,联邦民事诉讼规则把律师费包括在"成本"的范围之内,这种成本能够转移到拒绝比最后补偿更高的和解要约的原告。根据规则68,原告拒绝超过最后判决的和解要约,现在不能再向被告转移发生在拒绝和解要约之后的律师费,而必须自己支付这些费用,除非原告与律师有事先安排不把这些义务加诸原告。那么,在何种情境下律师可能签订这样的协议?

4. 马雷克案中多数派的基本观点——除对程序规则68作出"字面含义"解释之外——是,律师费的价值直到和解要约之前都是值得认可的,但是如果最后的补偿比要约更少,那么在拒绝和解要约之后的律师工作就是没有价值的。

5. 拒绝和解要约的原告现在要负责支付被告的律师费吗?一旦"成本"被解释为包括"律师费用",那么程序规则68是这样表述的:"如果受要约人最后获得的判决不比要约更优惠,那么受要约人必须支付在作出该要约之后发生的成本"。不过,最高法院在马雷克案中没有指令原告支付在其拒绝和解之后被告发生的律师费。该意见只对其注释1中出现的问题作出了注释,最高法院指出,地区法院拒绝将申诉人—被告的律师费转移给答辩人—原告,而申诉人—被告未在最高法院提出抗辩。

这一点在解释法典第1988节时富有意义。因为法典第1988节被解释为一种单向转移(除非有极端情形),因此即使触及了程序规则68,法院也不会指令法典第1983节案件中的原告支付被告的律师费。此外,被告虽然成功地作出规则68规定的要约,但如果原告没有获得某种补偿,则该被告仍然不能算"胜诉方"。因此有几家法院曾断定,被告在成功地作出规则68规定的要约之后仍然不能获得律师费补偿。See, e. g., EEOC v. Bailey Ford, Inc., 26 F. 3d 570, 571 (5th Cir. 1994); O'Brien v. City of Greer's Ferry, 873 F. 2d 1115, 1120 (8th Cir. 1989)。

6. 是否有一种可接受的和解要约,其充分程度达到以启动(triggering)法典第1988节规定的律师费为目的(或者以启动其他允许把费用转移给胜诉方的费用转移立法为目的)"充分胜诉"(substantially prevailing)?答案是:也许会。和解能够被当作充分胜诉的证据,See Nadeau v. Helgmoe, 581 F. 2d 275 (1st Cir. 1978),但是和解要约可以包括放弃律师费和原告不是"充分胜诉方当事人"的特别约定。法院也可以审查和解的措辞,以确定究竟应当计为"实质性胜诉",还是作为部分胜诉。如果原告拒绝一项以多于最终判决的数额了结案件的和解要约,就特别可能产生这种情况。

7. 尽管联邦许可的支持胜诉方当事人的规定中所涵盖的"成本"通常非常有限，但它们可以包括附随于支持原告的判决之中的原告方专家的成本。见 Peter L. Murray, A Comparative Law Experiment, 8 Inc. Intl, & Comp. L. Rev. 2115, 2138 (1988). 此外，联邦民事诉讼规则 26（a）（4）（C）授权法官要求谋求证据开示的一方当事人支付因回应这一开示的专家的合理费用，或者当对方当事人在从专家那里获得事实和意见时按公平的比例支付费用和开支。

8. 如果你在一次对抗性会议上考虑对程序规则 68 的修改方案，你会提出怎样的建议？注意马雷克案中反对意见的考虑，即《授权行为规则》的边界可能被一项具有实体效果的程序规则突破。试试为一项新规则设计具体语言，并解释你想说服什么以及该规则将如何把握千差万别的案件。试试把你的规则适用于马雷克案和卡彭特案。假定终极公司，也就是那个卖工具允许被告修改吉普车悬挂的零售商，是惟一的被告。原告的律师认为该案值 50 万美元，终极公司认为值 30 万美元。根据这项规则各方会提出怎样的要约？为什么？如果陪审团作出 0 美元，或 20 万美元，或 40 万美元，或 60 万美元的判决，结果会怎样？

四、和解要约

如果被告提出和解要约，其条件包括放弃律师费，无论制定法规定如何要求被告支付胜诉原告费用，这种情况怎么办？在埃文斯案［Evans v. Jeff D., 475 U. S. 717 (1986)］中，代理一群残疾儿童组织的集团诉讼原告的律师具体碰到了这个问题，被告提出和解的要约，并提供"实质上是全部禁令性救济"按照原告诉求，改进儿童的卫生保健——如果原告愿意放弃制定法规定的律师费。原告律师主张，这一要约违反了制定法，并将损害立法在促进这类成功诉讼方面的宗旨。这位律师主张，他面临着一种他当前客户的利益与未来潜在提出同类主张的客户的利益之间的伦理冲突，由于面临着即使在胜诉案件中律师费也前途未卜的风险，他不能再承担未来的客户的同类案件。最高法院驳回了这一论点：

> 尽管答辩人辩称，约翰森作为集团诉讼的代理律师，在申诉人向他提出高于他能够合理地期待为其客户在审判中获得的补偿的要约时（当且仅当他愿意放弃制定法规定的律师费时），他面临一种"伦理两难困境"……我们不认为这一"两难困境"是"伦理"性的，伦理困境意味着约翰逊不得不在根据通行的职业行为准则确定的相互冲突的义务之间作出选择。坦白地说，约翰逊没有伦理上的义务去追求制定法上的费用支持。他的道德义务是忠诚而尽职地为他的客户服务。既然解决实质问题的和解方案比审判可能的结果优惠，约翰逊建议接受这一方案的决定与我们职业的最高标准是一致的。475 U. S. at 727 – 28.

注释与问题

1. 埃文斯案中特殊问题的产生，是因为客户是（1）集团诉讼和（2）由残疾儿童组成的，因此选择在律师与客户之间展开讨论关于接受放弃律师费的和解是没有用的。一位个体的、健全的成年客户能够对是否放弃律师费作为和解要约一部分的条件作出明智选择吗？

2. 也许对埃文斯案中提出的问题的最普遍的回应是使用律师与客户之间的合同条款，其中禁止客户放弃法院判予的律师费。这种协议有什么问题吗？职业伦理规范应当禁止这么做吗？

3. 把埃文斯案与马雷克案放在一起来看，联邦倾向于和解和偏向于受支持原告的费用转移规则所鼓励的诉讼，其基础是什么？什么因素与这种判决最为相关？注意（1）当诉讼应当提起时；（2）当已经提起的诉讼应当和解时；（3）当诉讼应当进行到判决和产生先例性效力时，平衡是如何发生影响的？

五、对法律服务的评估

当一个法院支持律师费时，这些费用应当如何计算？实践中律师的计费方法五花八门。传统上，本国的律师按照每小时的服务收费，但律师收取的小时费率因他们的阅历长短、技能表现、以拥有其他技能的同行共事的能力、或者其他方面的信誉特征而各不相同。比例胜诉酬金制是长期存在的另一种收费方式，特别是在人身伤害案件中，律师和客户以合同协议，律师将从任何判予或和解的结果中分享一定比例。律师们正在不断开发其他的收费方式，包括特定服务的固定费用、年薪（适用于室内律师、预付法律服务费方案、或法律援助律师）、或混合方法。根据一项费用转移立法而获得的律师费应当就其合理性受司法质询吗——如果应当，如何评估？法院应当质询律师费与获得的赔偿数额之间的关系吗？下面的判例解释了这些问题。

里弗赛德市诉里韦拉
City of Riverside v. Rivera
477 U. S. 561（1986）

大法官布伦南宣布本院判决并制作意见书，大法官马歇尔、大法官布莱克曼和大法官斯蒂文斯加入：

本院提出的问题是，根据《美国法典》第 42 编第 1988 节支持的律师费，如果超过了民权诉讼的原告所获得的损害赔偿数额，其本身是否在制定法意义上为"不合理"。

I

答辩人是 8 名芝加哥的个人，于 1975 年 8 月 1 日傍晚在答辩人桑托斯和珍妮·里韦拉位于加利福尼亚州里弗赛德市的家里参加一个晚会。一大群没有身份标志的警察在没有授权委任状的情况下，用催泪瓦斯和后来由地区法院认定的"不必要的人身暴力"驱散了聚会。包括 4 位答辩人在内的许多客人都被拘留。

地区法院后来认定，"该聚会在警察破门而入的时候没有造成对社区的干扰"……对4位被拘留者的刑事指控最后由于缺少盖然性理由而被驳回。

1976年6月4日，答辩人根据《美国法典》第42编第1981节、1983节和1985（3）节和1986节，就其所声称的违反第一、第四和第十四修正案权利对里弗赛德市政府和警察长提起诉讼。起诉状还提出了大量州法律主张，诉求损害赔偿和宣告性及禁令性救济。1977年8月5日，23名个人警察动议作出即决判决，地区法院同意即决判决并支持了其中17名警察。针对其他被告的案件继续进行，于1980年9月的初审。陪审团判决支持了答辩人，而不利于市政府和5名个人官员，总共37名个人被判有罪，认定11人违反了法典第1983节，4人错误拘留和监禁，22人过失。答辩人获得补偿金和惩罚性侵权赔偿共计33350美元，其中13300美元为支持其联邦请求，20050美元为支持其州法律请求。

答辩人还诉求支付法典第1988节所规定的律师费和诉讼费。他们要求补偿两位律师花费的1946.75小时，费率为每小时125美元，法律职员花费的84.5小时，费率为每小时25美元，两项总计为245456.25美元。地区法院发现，小时数和费率均属合理，判给答辩人245456.25美元律师费。该院驳回了答辩人请求的某些额外支出，同时驳回了答辩人反映其胜诉酬金性质的和高质量法律服务的收益增殖率（multiplier）请求。

申诉人仅就律师费判决提起上诉，第九巡回法院维持了原判。Rivera v. City of Riverside, 679 F. 2d 795 (1982). 申诉人诉求本院发出调卷令状，我们许可了令状，撤销了上诉法院的判决，将案件发回重新审查，考虑汉斯莱诉埃克哈特案 [Hensley v. Eckerhart, 461 U. S. 424 (1983).] 调卷中的意见。在重审中，地区法院举行了两次听审，审查了另外的法律理由陈述，并从整体上复查了本案记录。该院作出了广泛的事实认定和法律结论，重新断定答辩人有权获得245456.25美元的律师费支持，理由是为本案花费的同样的小时数和同样的费率。该院再次驳回了答辩人请求的某些开支和一项收益增值率。

申诉人再次上诉请求支持律师费。上诉法院再一次维持了原判，认定"地区法院正确地重新考虑了汉斯莱案中的意见……" [Hensley v. Eckerhart, 461 U. S. 424 (1983).] 上诉法院驳回了申诉人提出的三个论点。其一，该院驳回了申诉人的抗辩，即答辩人的律师不应当根据花费在诉讼中的时间，而应当根据答辩人最后胜诉的程度而获得赔偿。上诉法院强调地区法院已经确定答辩人律师"没有在与胜诉的请求无关的请求上花费时间"，认定，"记录支持了地区法院的认定，即所有原告的请求都涉及一个'事实的共同核心'，请求都涉及相关的法律理由"。（同上）该院还评述，地区法院已经考虑了"（答辩人的律师事务所取得的）胜诉的程度，并认定了胜诉程度与费用支持数额之间的合理关系"。这与汉斯莱案的意见一致。763 F. 2d, at 1582. 其二，上诉法院驳回了由于费用支持超过了陪审团所支持的损害赔偿数额因而太多的论点。该院在回顾法典第1988节的立法史之后认定，没有证据能够支持，律师费支持不能超过胜诉方获得赔偿的数额的主张。最后该院认定，地区法院"广泛的事实认定和法律结论"证明，申诉人声称地区法院没有审查记录以确定是否有正当理由支持费用的主张是不成立……

II

A

……国会制定《1976年民权律师费法案》（美国法典第42编第1988节），授权地区法院在具体的民权诉讼中支持胜诉原告合理的律师费。立法本身没有解释合理费用的构成……

汉斯莱诉埃克哈特案〔Hensley v. Eckerhart, 461 U. S. 424 (1983).〕为根据法典第1988节评估律师费宣告了某种指南。汉斯莱案声称，"确定合理费用的有用的出发点是合理花费在诉讼之中的小时数乘以合理的小时费率"。（同上，页433。）这一被普遍称为"北极星"（lodestar）的数字被认为是法典第1988节所预期的合理费用。这一意见提醒"地区法院……应当排除不是在诉讼中的'合理花费'的小时的最初费用计算"。（同上，页434。）（引用参议院报告第6页）……

B

申诉人争辩说，地区法院在计算答辩人费用支持时没有适当地遵循汉斯莱案。我们不同意。地区法院根据汉斯莱案确立的要求仔细考虑了答辩人获得的结果，并认定答辩人有权获得花费在诉讼中的全部小时的律师费补偿。首先，该院认定了"律师在从事该案工作时花费的时间数目是合理的，并根据这一情形作出了站得住脚的法律判决"。该院还确定，律师在本院中无可挑剔的表现使他们有权在现行的市场比率中获得补偿。See Johnson, 488 F. 2d, at 718-719. （"如果一位年轻的律师表现出如此技能，那么他不应当仅仅因为刚刚被律师界接纳而受到惩罚"。）

地区法院然后断定，因为答辩人只在某些请求上胜诉、只针对了被告中的某些人，而将答辩人的律师费下调是不适当的。该院首先确定"在我们走完整个审判之前，实际上并不清楚哪位警官做了哪些事，因此"在本案的情境下，原告开始将31名个人被告都列入名单……以及把里弗赛德市政府作为本案被告都是合理的"……

地区法院还考虑了获得赔偿的数额，并确认，赔偿的支持并不隐含答辩人的胜诉是有限的：

> 陪审团支持的数额是这些因素的结果：（1）陪审员们一般都不愿意针对警察作出大数额的支持；（2）原告在向陪审团描述他们的伤害时表现出有尊严的克制。例如，尽管警察的某些行为一定明显地欺侮和羞辱了即使最不敏感的人，而且在本院看来是故意这样做的，但原告却没有试图展示本案中的这一方面。

（同上，页188-189。）该院对案件的两个事实给予了特别的注意，一是本案"提出了复杂的和与事实和法律问题无关的问题"；（同上，页187。）二是"在此民权诉讼中支持律师费将……促进公共利益"……

根据我们对记录的审查，我们同意上诉法院的看法，即地区法院的认定没有明显的错误。我们认定，地区法院在评估答辩人的律师费用支持时正确地适用了汉斯莱案所宣告的因素，而且该院在支持合理花费在本案中的全部时间的律师费时，没有滥用它的自由裁量权。

Ⅲ

申诉人，由美国联邦政府以法庭之友（amicus curiae）的身份加入，主张汉斯莱案中的北极星方法在原告只获得金钱赔偿的民权案件中是不适当的，在这类案件中运用北极星方法，可能产生超过所获赔偿数额的结果，因而导致不合理的结果。申诉人和联邦政府以人身侵权诉讼类似的案件提出，在这类案件中的律师费应当与原告获得补偿的损害赔偿的数额成比例。他们特别建议，在损害赔偿案件中的费用支持应当放在胜诉酬金制调整的框架内，这种调整方式在人身伤害诉讼中被普遍使用。在本案中，假定胜诉酬金的比率为33%，那么这一比率使答辩人获得大约1.1万美元的律师费补偿。

按照法典第1988节的规定，原告获得的损害赔偿的数额肯定与获得支持的律师费的数额有关联。See Johnson, 488 F. 2d, at 718. 然而，这只是法院在评估律师费支持时应当考虑的诸多因素中的一个。我们驳回这样的命题，即，根据法典第1988节支持的律师费用应当与民权原告实际获得的损害赔偿一定成比例。

A

我们首先否定这样一种观念，即，因损害赔偿提起的民权诉讼只是由仅仅使权利受到侵犯的原告受益的私人侵权诉讼所构成。与多数私人侵权当事人不同的是，民权原告诉求维护重要的民事权利和宪法权利，这些权利不能仅仅以金钱条件来计算其价值……

B

在民权案件中把律师费限制在所支持的损害赔偿比例的范围之内，会严重损害国会在制定法典第1988节时的宗旨。国会制定法典第1988节的特别原因是，它认为法律服务的私人市场没有为侵犯民权的受害人提供有效地进入司法程序的机制。这些受害人通常无法支付按照私人市场确定的费率购买法律服务的费用……同时，胜诉酬金制虽然使许多人身伤害的受害人得以获得法律服务，却不能鼓励律师接受民权案件，因为这些案件经常涉及大量的时间和精力投入，却只产生少额的金钱补偿……

大法官鲍威尔，在判决中的并存意见：

我仅仅加入本院的判决。* 多数派意见解读了我们在汉斯莱诉埃克哈特案（Hensley v. Eckerhart, 461 U. S. 424 (1983).）中的决定，不过比我愿意的范围要宽泛，也比决定本案所必须的范围要宽泛。对于我而言，维持判决是由地区法院详细的并受上诉法院支持的事实认定所要求的义务，就这么简单。表面看来，律师费用支持似乎是不合理的，但我找不出本院驳回由下面两级法院认定和支持的事实有什么根据……

联邦民事诉讼规则 52 (a) 规则，"（由地区法院）认定的事实除非存在明显错误，不得撤销……"上诉法院并未不同意由地区法院作出的任何现存认定，我看不出本院有什么根据认定这些认定是明显错误的。可以肯定，有些认定简直能够看成是结论或属于意见书的事项，然而对于下级法院的判决至关重要的认定是客观事实……

申诉人主张，在民权案件中获得支持的律师费用与获得的损害赔偿应当成比例是一项规则，无论本院的决定，还是法典第 1988 节的立法史，都不支持这样的"规则"。诉讼的事实和情境是变幻无穷的……

我加入伦奎斯特大法官的反对意见。我只写进去一点，即，很难找到比一位法官认定以 245456.25 美元的律师费获得 33350 美元的赔偿金更没有法律意义（legal nonsense）的例子。

这两位收到这笔 25 万美元律师费的律师于 1973 年和 1974 年从法学院毕业，他们于 1975 年提起这一诉讼，于 1980 年获得陪审团判决支持 33350 美元的结果。当这一案件开始时，他们的整个职业生涯是，杰拉尔德·洛佩斯作了一年法官助理，罗伊·卡扎里斯在圣地亚哥县的辩护人项目中作了两年初审律师的学徒。地区法院认定他们的服务以每小时 125 美元的费率是合理的。

有谁怀疑没有哪一位私人当事人会梦见在 1975 年支付这两位初出茅庐的律师每小时 125 美元吗？考虑到通货膨胀的因素，也许相当于现在的每小时 250 美元多一点……

---

* 译者注：在美国法院特别是上诉法院，判决（judgment）与意见书（opinion）有不同内容和功能。判决仅仅是对当事人双方权利义务作出的结论，因而仅对当事人产生拘束力，而意见书对于判决理由的阐述却构成具有普遍拘束力的判例法。因此，鲍威尔大法官在本案中虽然同意多数派的判决，却不同意其"意见"。

这样的费用支持明明白白地构成严重的滥用自由裁量权，这是应当由本院驳回的——特别是当我们先前已经撤销了这一一致的费用支持判决并发回重审——而不应当简单地维持地区法院的认定，把这种认定作为既没有"明显错误"也没有"滥用自由裁量权"。本院的结果只不过会十分不幸地给公众对于诉讼成本的愤慨火上浇油。

伦奎斯特大法官，反对意见，首席大法官、怀特大法官和欧康纳大法官加入：

无法回避的结论是，地区法院认定答辩人的律师"合理地"花费 1946.75 小时却获得 33350 美元赔偿金的判决，这一认定是明显错误的，因此地区法院将 245456.25 美元律师费判予答辩人应当被撤销。本院维持律师费支付的判决阉割了在汉斯莱案中确立的原则，并将法典第 1988 节转变为一则对律师的救济法案。

大略看一眼本案的历史，就能发现答辩人的律师在本案上花费的时间如此之多是怎样的"不合理"。答辩人于 1976 年提交他们的最初起诉状，诉求从里弗赛德市政府、警察长和 30 名警官那里获得禁令性和宣告性救济和补偿性及惩罚性赔偿，根据是其所声称的由于警察驱散了一个聚会而产生的 256 项各自独立的请求。在庭审之前，有 17 名警官根据即决判决动议从本案中撤出，同时答辩人撤回了他们的禁令性和宣告性救济请求。更重要的是，答辩人还撤回了他们最初的主张，即警察的行为有歧视意图。这一诉讼进行到了庭审，陪审团认定 9 名另外的警官完全无过错，答辩人最后只赢得了根据法典第 1983 节对市政府和 5 名警官的诉讼，即错误拘留和监禁以及共同过失请求。从未发出过针对申诉人的裁令或禁令，也未强制市政府改变过任何一个实践或政策。陪审团判予答辩人总额 33350 美元作为补偿性和惩罚性赔偿，这一总额中只有 1/3 或者说 13300 美元是根据侵犯他们的宪法权利而判给答辩人的……

分析答辩人的律师用于本案的异乎寻常的小时数是否"合理"，必须在职业内传统的收费实践和根本原则两个方面来考虑，这一根本原则是，根据法典第 1988 节所支持的"合理"的律师费意思是：如果这种费用由富裕的原告自己的律师来收取，会被认为是合理的……

注释与问题

1. 反对者主张，为了获得 33350 美元的补偿而支付 245456.25 美元律师费是一种浪费，多数派对此是如何应答的？你会给予怎样的回答？

2. 当救济是禁令性的时候律师费的评估与当救济是金钱赔偿时的评估有何不同？

3. 在里弗赛德市政府案中产生于小时计费的中心难题是什么？评价律师工作的其他什么方法能够提供对于律师承担适当案件的补偿和激励？当你思考这些问题时，考虑一下以下专家对律师小时计费的伦理问题的看法。

威廉姆·G·罗斯：律师小时计费的伦理问题
William G. Ross, The Ethics of Hourly Billing
by Attorneys44 Rutgers L. Rev. 1（1991）

在过去20年中，在私人民事实务中的多数律师几乎都把他们的费用基础建立在他们为其客户服务所花费的小时。小时计费出现之初，其客观性和效率性令人欢呼过一阵，现在却因为它鼓励低效、健讼和虚假而越来越为人诟病……

在过去的10年内，法律职业的经济变化刺激了计费小时的大量增加，每位律师每年计费时间超过2000小时已成为许多律师事务所的常识。难怪律师们计算时间的方法正在受到业内业外更加仔细的盘查。客户们可能在过去已经默许了心存疑问的计费实践，然而，随着律师小时总数记录的不断增长，这些实践可能正面临更多的抵制。尽管大量律师事务所正在探索替代小时计费的方法，而对小时计费的某些批评也已经预言了它的寿限，但时间仍然是计费的主要根据，而且看来在可以预见的将来，时间可能仍将成为计费的主要方式。此外，即使存在计费的替代方法，也至少部分以消费的时间为根据，因此，审查一下完全或部分地依据时间计费的律师们面临的道德考虑是不无益处的……

不道德的计费有多普遍？

由于没有可行的方法确认多数时间记录的准确性，因而每一位时间计费的律师都知道时间计费给虚假创造了大量机会。如果一位律师虚报时间，那么他只是对于易以受到来自良知和资深律师或客户的质疑。对于诚实的律师而言，良知通常会制约任何本能，而对于狡诈的律师而言，担心受到来自良知和资深律师或客户的质疑则可能不会产生太多克制。

随着主要律师事务所中可计费时间的稳定攀升，许多律师可能觉得虚假可以解释某些通货膨胀。由于许多律师——特别是大律师事务所的合伙人——在律师事务所的压力下被迫计入大量的小时数，可能夸大他们花在客户业务上的时间或者可能做不必要的工作。然而，直到最近之前，在政治圈里，虚假报账的话题在那些不这样做的受尊敬的律师事务所里仍然是大禁忌。仅仅是最近，这一话题才开始吸引法院和学术界的注意力。首席大法官伦奎斯特最近评论说，"如果期望一个人计费时间每年超过2000个小时，那注定是要诱发夸大实际投入的小时数"……

简言之，（我的调查）倾向于支持（这一命题），即虚假报账虽然发生，却仍是例外而不是规则。在回答关于拼凑时间的调查问卷的律师中，只有12.3%的私人执业者和15.2%的合作律师声称，他们认为律师"经常"（frequently）在拼凑时间时故意把他们从未用于工作的时间用于向客户收费。但是大约38% 私人执业者和40.7%的律师助理称，他们认为律师们"偶尔"（occasionally）拼凑他们的时间。只有42.4%的私人执业者和35.6%的单位执业律师声称声称，他们感觉这样的拼凑"极少"（rarely）发生，前者只有7.3%、后者有8.5%争辩说，"从未"（never）发生过这种情况。35.5%的私人执业者和39.7%的合作律师声称，他们对于这种拼凑没有具体了解，而有58.9%的私人执业者和54%的合作律师断言，他们本人了解一些拼凑时间的至少"某些情况"。大约5.6%的私人执业者和6.3%的合作律师的声称他们知道"许多"这种情况……

另一方面，在调查中有许多律师强烈反对小时计费。例如一位在俄勒冈州一家波兰律师事务所工作的合伙人声称，"'拼凑小时'是一个逐年增长的问题。我曾听说过律师每月计费时间为400至600小时的故事。这些故事一般都不是以愤慨的口气讲述的，而是以一种羡慕的口气。"无独有偶，一位过去在华尔街一家律师事务所和一家区域性律师事务所执业过的合作律师声称，"拼凑……是受鼓励的。在许多律师事务所的哲学就是'做一切你能逃脱处罚的事情'"……

正如上面所指出的那样，合作的经历使计入大量收费时间的压力变得格外剧烈，因为许多律师事务所对合作者乃至一些合伙人的工作进行评价时看重甚至主要根据收费的小时数……更有甚者，许多合作者可能在任务中花费过多的时间，因为他们感觉到一种压力，要确保他们的工作彻底而准确性万无一失……尽管合伙人通常会关照助手记下花在具体项目中的所有时间和那些如果看起来与完成的结果不吻合而可能减扣的时间，但显然合伙人肯定会感觉到一种诱惑，只要不引起客户的怀疑，记录的时间越多越好。计入大量收费时间的压力对于那些大律师事务所的合作律师而言尤其强大，因为在那些律师事务所中的助手没有机会给他们的资深律师有关他们工作质量的印象……

涉及诉讼的具体问题

"制造工作"的危险在审前证据开示中特别严重。有一种共识认为，小时计费鼓励过分的证据开示。里雷（Realey）法官最近说，"律师可能追求内行战术（sharp tactics）以增加可计费时间，这导致拖延和额外活动——再三的请求、动议、冗长的录取证言和庭审——这些都意味着律师时间的更多小时。"布拉齐尔Brazil教授的观点也与此相似，"老奸巨滑的程序干扰者在证据开示时的演习……对律师是非常有用的。既然证据开示在大多数诉讼活动中构成如此重要的比例，律师们很明白他们必须在证据开示中大捞一笔。"因此以小时计费的律师可能面临"巨大的经济诱惑来延长证据开示和使之复杂化"。

【本文随后讨论《联邦民事诉讼规则》自由的证据开示条款是如何鼓励这种被拖延的诉讼，而那些诉讼又是如何鼓励律师采取榨取当事人钞票的战术的。】

六、胜诉酬金制

胜诉酬金制是美国人的一种新发明，它是律师小时计费制的一种主要替代方法。典型的做法是，客户签署一个由律师草拟的协议，承诺按一个具体比例（通常是1/3）向该律师支付通过诉讼获得的任何赔偿，同时明确约定，如果没有赔偿，则客户不欠律师任何费用。州的司法规则和伦理规则明确指出，这种安排不违背反对帮讼（champerty）的传统准则——帮讼是由一位非诉讼当事人同意在诉讼中投资以获得利益分红——同时还规定了司法审查以保障胜诉酬金协议条件的合理性。

这种收费实践会对律师产生什么效果？胜诉酬金制在一种真实的意义上使律师成为客户的投资者或共同冒险者。律师进行这种诉讼必须投入时间和可能进一步发生的因专家证人、法院成本、和调查工作而投入的资源。因此，律师必须判断哪些案件值得做一把"投机买卖"，如果律师准备等待商机，那么该付钱的时候就得付钱。

胜诉酬金制还会影响律师在一个案件中投入多少时间、用这些时间来做些什么事、以及律师如何看待和解（和客户）。一项经济分析建议律师"应当继续（向胜诉酬金制案件中）投入时间，只要额外的时间能够使其律师费增加到至少等于机会成本"。机会成本的意思是完成手中的工作相对于另一件事的代价。Kevin M. Clermont and John D. Currivan, Improving on the Contingent Fee, 63 Cornell L. Rev. 529（1978）。也许按照胜诉酬金制获得费用支付的律师在一个案件上花费的时间比对客户期待的最理想的时间要少（如果案件看起来将要败诉），而按照小时计费制付费的律师花费的时间则比最佳小时数要多。一项研究根据12个州和联邦法院的法院记录和对371名小时计费律师和267名胜诉酬金制律师的会谈得出如下结论：

> 胜诉酬金制律师似乎对于从案件中获得潜在回报很敏感，这与危机有密切关系。小时计费制律师从案件中获得的回报与危机无关，对其他问题的考虑（例如客户的目标、法庭的性质等）有更多影响。

Herbert M. Kritzer, William L. F. Felstiner, Austin Sarat, and David M. Trubek, The Impact of Fee Arrangement on Lawyer Effort, 19 L. & Socy. Rev. 251（1985）。在维内加斯诉米切尔案［Venegas v. Mitchell, 495 U. S. 82（1990）］中，最高法院考虑了当胜诉酬金制合同要求胜诉原告向律师支付的费用多于制定法许可向被告收取的费用时，联邦费用转移立法是否使这种约定无效。在维内加斯针对市警察局警官提起的诉讼中（主张错误拘留和违证审判），米切尔在零散的准备完成之后、庭审前3个月时接受聘请。米切尔获得了10美元不可撤回的定金（nonrefundable retainer）和一项分享任何赔偿总额40%的权利。初审后，被告动议撤销判决未获成功,然后提起上诉。米切尔诉求根据美国法典第 42 编第 1988 节规定的制定法上的律师费,由法院以小时数乘以市场小时费率计算这笔律师费。法院同意执行胜诉酬金制。最高法院在复审时认定,私人费用安排可以与制定法上的律师费用转移并行不悖,因此允许执行系争的胜诉酬金制。也许本案的问题还会提出评估律师时间价值的方法问题。

实务练习五
卡彭特和克利夫兰市两案中的费用安排

回到卡彭特案和克利夫兰市案。假设你分别应这两个案件中原告的聘请做他们的代理人。估计一下可以获得的救济和制定法上的律师费(如果有的话)。你应当受理这两个案件吗?如果受理,根据什么样的合同条款收取律师费?

第五节 藐视法庭

当事人或律师不服从法院的命令或裁定,将冒被认定为藐视法庭的风险。有些时候,一些人故意不遵守法院命令,就像他们可能不遵守制定法一样,其目的是抗议或挑战他们认为不公正的规则或准则。近年来,抗议者们违反了调整进入堕胎诊所和军事区域的规则。See, e. g., Jayne Bray v. Alexandria Women's Health Clinic, 506 U. S. 263 (1993); United States and Connecticut v. Carmen E. F. Vasquez, 145 F. 3d 74 (2nd Cir. 1998); United States v. Albertini, 472 U. S. 676 (1985)(反核抗议); United States v. Springer, 51 F. 3d 861 (9th Cir. 1995)(同上)。

当某人违反制定法和面临刑事或民事后果时,通常有一次提出抗辩的机会和一个在司法听审过程中挑战系争法律的质疑。

在法院认定一当事人因违反其命令而藐视法庭之后,该当事人应当能够对不服提出防御吗?不给予这种机会会损害正当程序或实质正义吗?或者给予这种机会会引致违反法院命令和不尊重司法权力吗?在这一主题中的著名判例产生于由马丁·路德·金领导挑战在阿拉巴马州伯明翰市的种族隔离的民权斗争。戴维·鲁本在下面的摘录中描述了该案的历史背景。

戴维·鲁本:法律现代主义
David Luban, Legal Modernism 218 - 220 (1994)

1963 年 1 月,南部基督教领袖会议(the Southern Christian Leadership Conference)(SCLC)在芝加哥举行了一次静修(retreat),以讨论攻击阿拉巴马州伯明翰的种族隔离的一致策略。方案 C 是"面对面"(confrontation),主要是游行和在通常繁忙的复活节购物季节联合抵制伯明翰市内的商业活动。

伯明翰本身最近对隔离主义者的方式上的变化开始表现出某种情绪。一群白人在商会（the Chamber of Commerce）主席领导下开展了一场改组伯明翰市政府的战役，罢免了3名隔离主义者的职务，包括当时操纵着整个城市的公共安全委员、臭名昭著的种族主义者费奥菲勒斯"公牛"康纳（Pheophilus Eugene "Bull"）。选举人协议继续向市政体制进发，在一次特别的选举中，康纳被一位名叫阿尔伯特·鲍特威尔（Albert Boutwell）的温和隔离主义者击败，康纳向法院要求允许他任满他作为公共安全委员的任期。当这一事件尚在悬而未决之中时，伯明翰由实际上是两个市政府来统治，各个政府通过了自己的法律并按照自己的模式从事市内的商业活动，市政的文件由康纳和鲍特威尔两人签署。一些伯明翰的白人希望取消复活节的游行，给新政府一次机会显示一下它能做什么，但SCLC的领导本来先前已经取消了游行、使康纳和鲍特威尔之间的决赛选举得以在没有游行压力的状态下进行，现在却决定继续实行方案C。

伯明翰市的一则条例要求示威者从市委员会获得游行许可。4月3日，罗拉·亨德里克斯（Lola Hendricks）夫人代表示威者当面向康纳要求许可，康纳答复说，"不，在阿拉巴马的伯明翰你是不会获得许可去纠集（picket）的，我倒会把你揪（picket）到市监狱里去"。4月5日，也就是在慈善星期五（Good Friday）之前的一个星期，康纳答复拒绝了第二个用电报请求游行许可的人。示威者举行了抗议游行。

方案C包括一项把马丁·路德·金（Martin Luther King, Jr.）自己置于在4月12日慈善星期五被捕的形势的计划。

4月10星期三晚上，康纳从阿拉巴马州巡回法院法官詹金斯（W. A. Jenkins, Jr.）那里获得一项单方禁令，禁止包括方案C的所有领导在内的民权领导参与或鼓励游行。该禁令在星期四凌晨1:00钟送达，南部基督教领袖会议的领导对于如何回应发生争论。金担心遵守该禁令会使抗议付诸东流，就像前一年夏季在佐治亚州奥尔巴尼发生的情况一样。他在第二天参加了计划好的游行而被捕，第二次游行在4月14日星期天复活节举行。随后詹金斯法官认定几位示威者犯有刑事藐视罪孽，判处每个人（包括金）5天监禁和50美元罚金。沃克案法院支持的正是这项判决。

这结束了在沃克案中和金的信件承认的事件。然而伯明翰运动中的最大历史事件并没有因金的被捕而结束。示威者随后发动了由学生举行游行的策略，导致数以千计的人被捕。当示威仍在继续时，公牛康纳使官方的反应进一步升级，他命令向示威者出动消防水管和警犬。电视新闻播出了孩子们被那些可以巨大的压力熄灭森林大火的消防水管冲击得人仰马翻的镜头，令观众不寒而栗。白人温和派和 SCLC 领导担任谈判并达成于 5 月 10 日宣告的和解。5 月 11 日，三 K 党（the Ku Klux Klan）上演了一场集会，在会议之后，金住过的旅馆和他兄弟的家都发生了爆炸。愤怒的大群黑人发生了暴乱，肯尼迪总统最后派出了军队。一个月以后，阿拉巴马州的总督乔治·华莱士亲自堵住一个阿拉巴马州的大学门口以阻止两名黑人学生进入，这两名学生已被联邦法院命令准许进入学校。显然，这一行为已为一触即发的局势的最后一根导火线（the last straw）。同一天，肯尼迪总统在全国电视节目上讲话，宣布他正在谋求一个综合性的民权立法，这就是最后成为《民权法案》的立法。这一宣言和游行事件成为方案 C 的顶峰。

然而，让我们回到金于 4 月份最初被捕的事件上来。当金仍在监狱时，8 名白人教士获得了在《伯明翰新闻》上刊载整版广告谴责示威，特别重要的是，这些教士都是自由人士，他们曾公开抗议阿拉巴马州的总督乔治·华莱斯"种族隔离万岁"的演讲。金从他的号子里作出了回应，在他能够获得报纸时，他在报纸的边上写下了自己的话，当他被允许会见来访者时，他的朋友打印了这些手迹并送回监狱给他校对。他从伯明翰监狱发出的信最初很少引起注意，最后被"美国朋友服务委员会"（the American Friends Service Committee）以大批量期刊的形式复制，其声望和影响不断增加，现在也许是产生于民权运动的最著名的文件了……

正反两方面的观点：金的信件变成了在国民违抗的文献中伟大的经典，无论是它的哲学还是其语言的精神激励意义。没有人称波特·斯图尔特法官在沃克案中的意见为经典（在那些可能被称为国民服从方面），然而它作为一则最高法院先例的地位却使它的功能等同于一个经典。沃克案和金的信件都提出了一个古老的问题，这是一个对这个法律哲学主题进行定义的问题，当然，这个问题就是我们是否躺在义务之下，俯首贴耳地服从不公正的法律指令，包括那些命令我们惩罚不服从其他不公正指令者的指令。自阿波罗奇（Apology）和克赖托（Crito）以降的所有政治哲学都被这一问题所牵引，我们所有的政治希望和抱负都包括在我们用于回答它的描述性和争辩性的资料之中。

沃克诉伯明翰市
Walker v. City of Birmingham

388 U. S. 307（1967）

大法官斯图尔特制作本院意见书：

1963 年 4 月 10 日，阿拉巴马州伯明翰的政府官员在一家州的巡回法院提起一纸起诉状，请求针对 139 名个人和 2 个组织作出禁令性救济。与起诉状同时提交的还有一些宣誓证词，陈述了在 7 天中正在发生的事端：

> 答辩人回应和/或参与和/或策划进行和/或鼓励和/或参与了某种运动、计划和方案，通常称之为"静坐"（sit-in）示威、"祈祷（kneel-in）示威、群众游行、在被私人财产主人警告离开其物业区后攻击其财产、成群结队地在公共大街上或其他公共场所聚集、非法阻挠阿拉巴马伯明翰市的商业活动；违反阿拉巴马州和伯明翰市的大量条令和立法……

据称这一行为"构成了涉嫌破坏和平"，威胁了该市的安全、和平和安宁，给警察局的人手造成了不正当的负担和紧张。

该起诉状声称，这些对法律的违反预计还会继续，会"导致对伯明翰市人民的生命、安全、和平、安宁和普遍福利的进一步紧迫的威胁"，"普通法的救济是不充分的"。巡回法官许可了起诉状所请求的临时禁令，其中包括禁止申诉人未经符合伯明翰条例所要求的许可参与或鼓励聚众在街上列队游行（parades）或聚众游行（procession）。

8名申诉人中有5人在次日早晨收到了令状。几个小时之后，他们中的4人举行了新闻会议，散发了一由声明，宣告他们准备不遵守禁令，因为禁令是"在维护法律和循序的幌子下的暴政"。在这次新闻会议上，一位申诉人声称："他们怀着对联邦法院或联邦禁令的尊敬，但是在过去，州法院偏爱地方法律的执行，如果警察管不了，群众就会管。"

当晚举行了一次会议，申诉人在此会议上宣布"管它禁令不禁令我们明天都要游行"。第二天下午，慈善星期五，一大群人聚在伯明翰第16大街和北第6大道附近，大约50至60人沿着人行道游行，1000至1500旁观者聚在两边，"鼓掌、呼口号和大喊大叫"。有些人群跟着游行者涌入街道。至少有3名申诉人参与了这次游行。

那天夜间和次日夜间举行的由一些申诉人召集的会议号召志愿者"游行"（walk）和进监狱。在4月14日星期天复活节午后，一群约有1500人至2000人聚集在伯明翰第7大街和北第11大道附近。有人看见申诉人中的一人是人群中的组织者。一群大约50人由其他3名申诉人带领着，排成两行沿着人行道行走。从旁观者中走出大约300至400人来跟随一个占满了整个街道宽度的人群。暴力发生了，人群中有人扔石头，打伤了一名报社记者，损坏了一辆警车。

第二天，曾请求禁令的那些该市官员向州巡回法院申请一项裁定，以表明为什么申诉人不应当被认定为违反命令而犯藐视罪的理由。* 在随后的听审中，申诉人谋求攻击禁令的合宪性，其根据是该禁令过于含糊和宽泛。他们还谋求以同样的理由攻击伯明翰的游行条例，并提出进一步根据，即该条例过去一直以一种

---

* 译者注：这里的原文是：The next day the city officials who had requested the injunction applied to the state circuit court for an order to show cause why the petitioners should not be held in contempt for violating it.

专制的和歧视的方式被操纵。

巡回法官拒绝考虑任何这些抗辩，指出，既没有撤销禁令的动议，也没有在进行慈善星期五和复活星期天的游行之前向市政府申请许可，因而没有符合这一禁令的努力。后来，法院认定，摆在它面前的惟一问题是，它是否拥有发出临时禁令的司法权，以及嗣后申诉人是否已经明知违反了这项禁令。关于这些问题，该院作出不利于申诉人的认定，根据阿拉巴马的制定法判决申诉人每人5天监禁并处罚金50美元。

阿拉巴马州最高法院维持了这一判决。该院也拒绝考虑申诉人对禁令和伯明翰的合宪性的攻击……

州法院发出禁令是没有问题的，作为一个衡平法院，其对于申诉人和对于争议事项都享有司法权。也不存在禁令显然无效或只有生效的吹毛求疵的借口的情况。我们一致承认，州和地方政府在管理他们的街道和其他公共场所使用方面有重大利益……当抗辩采取聚众示威、游行或阻挠公共街道和人行道时，疏通交通和避免公共秩序骚乱及暴力就成为合法的州政府关注的目标。正如本院在考克斯诉路易斯安娜州案（Cox v. State of Louisiana）中声明的那样，"我们强烈反对一种观念……认为第一和第十四修正案为那些以在街道上或高速公路上串联、游行和纠集等行为交流思想的人们提供了相同的自由，因为这些修正案是为那些通过纯粹的语言交流思想的人们提供自由的"。379 U. S. 536，555……

禁令所依据的伯明翰游行条例中所包含的语言的概括性毫无疑问地提出了涉及某些条款的大量合宪性问题。Schneider v. State of New Jersey，308 U. S. 147；Saia v. People of State of New York，334 U. S. 558；Kunz v. People of State of New York，340 U. S. 290. 然而，申诉人甚至没有尝试向阿拉巴马法院申请对条例的权威解释。如果他们如此做过，那些法院可能已经对条例作出狭义和具体的解释而给予了他们许可性授权……在此不能认为这一条例在表面上即已无效。

禁令本身的幅度和清晰度毫无疑问也在合宪性审查之列，然而提出这一问题的方式是申请阿拉巴马法院修改或撤销该禁令。禁令在任何情况下都明确禁止不经许可即聚众游行，而证据表明申诉人在违反时完全理解这项禁止。

申诉人还主张，他们有不遵守禁令的自由，因为禁令所据以作出的游行条例在过去都是以专制和歧视的模式被操作的。为了支持这一主张，他们谋求引入证据，即，在发出禁令之前，他们向政府委员会的成员多次申请过游行许可，有一次请求被粗暴地回绝了，同一官员后来解释说，他没有权利单独给予许可，因为签发这样的许可是整个委员会的责任。假如这些提交的证据都是真实的，也不能因此断言游行条例在表面上是无效的。再者，申诉人在禁令发出后既没有向委员会本身也没有向任何委员申请许可。如果他们这样做了，如果他们被拒绝了，那么很显然，他们主张条例的专制和歧视性操作会被州巡回法院应其动议而考虑并撤销该禁令。

如果申诉人在违反禁令之前在阿拉巴马的法院中挑战过它，并且遇到了对他们宪法性请求的拖延或挫败，那么这一案件就会提到一个相当不同的宪法上的位置……

阿拉巴马在本案中遵循的法治/规则之治（the rule of law）反映了一种信念，即，在公平的司法运作中，没有人能够裁判自己的案件，无论他的地位如何尊贵，动机如何高尚，也无论其种族、肤色、政治或宗教派别如何。本院不能认定申诉人享有宪法上的自由可以无视所有法律程序而把他们的战斗打到街上去……

维持原判。

法院意见书的附件　[金博士演讲的完整版本]

当我们在为自由而斗争时，我们曾把自己的信任和希望寄托于宪法的正确性和这个世界的道德的法律。

联邦司法机构一次又一次地解释道，第一和第十四修正案所保障的特权如此神圣而不受州政府的机制和警察的权力的践踏。在过去，我们曾经满怀着对联邦司法机构在确立完整的原则作为这片国土的法律时赋予直接而一致的领导权的崇敬，遵守过联邦禁令。

然而，我们现在却在南部深处遭遇顽固的势力，这股势力利用法院将种族隔离的非正义和非法制度推行到底。

阿拉巴马州已经解释了它公然违抗这片国土的法律的决定，它的大部分官员、它的立法体制、以及它的许多法律的执行机构都公开地违抗最高法院废除隔离的判决。如果阿拉巴马的法院对它的所有公民适用平等的司法，那么我们一定感到负有道德上和法律上的义务遵守禁令，这就是使之合法的同等对待。然而这一禁令的发布却是一个以差别对等来制造合法性昭然若揭的例子。

南部的法律执行机构现在已经证明，并将再次利用法律的力量滥用司法程序。

这是在维护法律和秩序幌子下的暴政。我们以所有的良知，都无法遵守这样的禁令，这一禁令是非正义的、不民主的、不合宪法的滥用司法程序。

我们这样做绝不是对法律的不尊重，而是对法律的最高尊重。这不是试图规避法律，不是违抗法律，也不是进行混乱无序的无政府主义，只是因为我们以所有的良知都无法遵守非正义的法律，我们也不能遵守对法院的不正义的利用。

我们信仰以正义和道德为基础的法律制度。基于我们对联邦宪法的伟大的热爱和我们对纯化阿拉巴马州的司法制度的愿望，我们甘冒风险，虽意识到可能的结局却仍发动了这次批判运动。

沃伦大法官的反对意见，大法官布伦南先生和大法官福塔斯（Fortas）先生加入：

  本案的申诉人对他们被判有罪提出抗辩，抗辩认为有罪判决所依据的条例在表面上即为违宪，因为该条例将第一和第十四修正案保障的自由表达与和平聚会的权利交给无所羁束的地方官员自由裁量。他们进一步抗辩道，该条例被违宪地适用于他们，因为地方官员的自由裁量权禁止与这些官员持相反政见的群体进行和平示威。本院对于这些抗辩没有争议，却认定申诉人可以被判有罪和被投入监狱，因为那个明显违宪的条例被一个禁令复制——该禁令未经事先通知或应公共安全委员的要求举行听审就单方发出了——禁止所有接到禁令通知的人违反条例，没有任何时间限制。我不同意，因为我不认为宪法的根本保护想要被如此轻易地侵犯，也不认为"法律的文明之手"会在本案中执行第一修正案而受到哪怕最轻微的牵制。

  可以简要地陈述一下显而易见的事实。申诉人是黑人的使节，他们试图通过在1963年慈善星期五和复活星期天举行和平抗辩示威来表达他们对阿拉巴马州伯明翰的种族隔离的关切。基于明显的理由，正是因为示威的意义非常重要，他们才在那些特殊的日子举行示威。申诉人组织中的一个代表去市政厅请求见负责签发游行、聚会和示威许可的人。她被指引到公共安全委员康纳面前，康纳拒绝了她的要求，以不留任何余地的口气确定无疑地告诉申诉人，在任何情况下都不可能为他们发出许可。他说："在阿拉巴马伯明翰不是你不会获得许可去纠集，而是我会把你揪进市监狱"，他重复了两遍。第二个请求即电报请求被简单地拒绝了，在一份由"公牛"康纳签发的电报上有加上去的通知，只能由全体市委会发出许可，市委会是由康纳专员和两名其他成员共三人组成的机构。根据申诉人提供的证据，亦即被认为是符合本案的目的的真实，应警察部门的交通局根据专员康纳的指示提出的要求，其他群体的游行许可已经由市政府的职员统一发出，要求提交全体市委会讨论决定的条件只适用于这一个群体。

  在可以理解地确信伯明翰市没有准备在任何情况授权他们示威之后，申诉人没有理睬康纳专员的命令进行他们的计划。4月10日星期三晚上9点钟，市政府向州巡回法院提交了一份起诉状，诉求一个单方禁令。起诉状陈述，申诉人正在从事一系列示威活动"作为……强制分裂市内所有商业建制、教堂和其他制度的大规模活动的一部分"，造成警察局在资源配备上的紧张，安全、和平及安宁都受到威胁。起诉状还声称一些特别令人恐怖的事，说申诉人正在计划在那些不欢迎他们的教堂进行"祈祷"示威，还说市政府的警犬的生命正在受到威胁。面对这些台词，巡回法院以要求的形式发出了禁令，在效力上，被命令的申诉人和接到这一命令的任何其他人都被无限期地禁止在未获得许可的情况下坚持示威。当然，许可是明显得不到的，如果市政府有任何发出许可的意向，就不会诉求这一禁令了。

173　申诉人在星期四和星期五的不同时间各被送达了一份禁令。他们不能相信如此无耻和大胆先发制人地限制他们第一修正案权利的禁令会是有效的，他们宣布了抗拒它的意向，并参加了已计划好的复活节和平示威。在随后的星期一，当他们及时提交一份动议请求撤销禁令时，法院认定他们藐视法庭，理由是他们违反法院命令的行为排除了他们依据第一修正案享有的所有权利。

　　法院指控申诉人认为他们是自己的案件中的法官，或者他们对司法程序满不在乎，但上述这些事实不能为之提供支持法院的指控。在违反禁令之后，他们立即向法院请求审核禁令及其所模仿游行条例的合宪性。他们最终的地位就像那些以违反制定法的方式而挑战这一法律、然后以宪法为根据对刑事追诉进行防御的人们一样，从来没有人想过，违反一项制定法表明了对合法性的如此不尊重，以至于即使某制定法是违宪的，违反者也总是必须受惩罚。相反，某些情况要求人们寻求挑战一项制定法的合宪性时首先违反它，以确定他们的诉讼资格。以一项制定法不合宪为由而违反它，然后以一种如果该法律有效则接受惩罚的意愿把案件提交法院，并没有违反法律。

　　本院承认，"禁令所依据的伯明翰游行条例中所包含的语言的概括性毫无疑问地提出了涉及某些条款的大量合宪性问题"。这种承认构思精巧却过于轻描淡写。我认为它在表面上明显违宪……当地方官员被赋予总体的无所羁束的自由裁量权来决定提议的示威是否符合"公共福利、和平、安全、健康、礼仪、良好秩序、道德和便利"时——本案中都符合——就会使他们扮演对可能向公众表达的观点进行审查的角色。当然，一旦存在具有说服力的证据表明官员实际上使用他们的权力来拒绝给予那些持他们讨厌的观点的组织许可时，该条例就构成了违宪……

　　我不相信本院在如此粗暴地滥用司法程序的行为上盖上同意的印章就能带来对法律的更多尊重，它可能导致更多捍卫第一修正案的自由的（行动）。单方临时禁令在本国有过长久而恶劣的历史，它被滥用的嫌疑从本案的事实就一目了然
174　……对法院和司法程序的尊重不会因吃力的禁令而增加。

　　道格拉斯大法官的反对意见，首席大法官、布伦南大法官和福塔斯大法官并存：

　　记录表明申诉人没有故意试图绕过许可的要求，相反，他们努力地尝试过获得许可而被粗暴地回绝了，尔后合理地得出结论认为任何进一步的努力都将是徒劳的。

　　藐视一项违宪的制定法的权利在我们的体制中是基本的。即使当一则条例要求经许可才能发表宣讲、散发传单、结社、游行或聚会，但当它在表面上就是无

效的，它就不必再受尊敬……

挑战明显无效的预先限制是宪法保障的权利，这些权利却通过某种不可预测的魔法而丧失了，只要州政府稍加小心让某位法官在一份单方命令同前用这个无效立法上的几句话再附签上自己的名字就可以了。这个州纯粹是在把自己的合法性隔离在挑战之外，只需要通过把压制性的、过于宽泛的、模糊不清的、对行使第一修正案保障的自由的限制，与更加模糊的、无孔不入的、看不见其获得过程的、在一个黑暗的时期惟恐向那些受其影响的人们公开以免受到审视的禁令，天衣无缝地结合在一起……

本院今天为侵犯自由发放了一个具有彻底毁灭性的武器，这些自由受到令人妒忌地保障，与其说是为了基于任何给定的理由的任何给定的群体的利益，勿宁说是为了我们所有人的利益。我们不能允许产生于像"黑色权力"这种标语的对"暴民"和"民众不服"的担心转移我们对本案关键问题的注意力——不是暴力或州政府控制其街道和人行道的权利，而是当单方命令及其所依据的立法明显不被允许对行使第一修正案权利实行预先禁止时杜绝对它的攻击，从而为州法院配备了一种权力，使他们得以惩罚他们在任何其他情况下都绝对不能惩罚的"藐视"。防止削弱第一修正案自由的宪法性限制对司法权和立法权及行政权作出了相同的限定。侵犯第一修正案自由的法院命令是无效的，因藐视这一命令而被判有罪者必须获得与因违反为同样行为的制定法而被判有罪者同等的对待。

我怀着尊敬地表示反对。

注释与问题

1. 注意，联邦最高法院在沃克案判决中认定，伯明翰市的允许游行条例违反了第一修正案，因为它赋予市政府官员限制言论的不受限制的自由裁量权。Shuttlesworth v. City of Birmingham, 394 U. S. 147（1967）. 最高法院在该案中还裁定，沙特尔沃思教士（Revenrend Shuttlesworth）可以推翻因其未经允许而游行而对他作出的有罪判决。你们认为最高法院为什么认定沙特尔沃思教士违反法律的行为不同于金教士违反根据同一部法律作出的法院裁令的行为？你认为其中存在一种值得维护的差异吗？对此问题有兴趣者请见亚历山大·比克尔："非暴力抵抗与服从义务"。（Alexander Bickel, Civil Disobedience and the Duty to Obey, 8 Gonz. L. Rev. 199（1973）.）

2. 在沃克案中，法院宣告了阿拉巴马州的间接禁止规则（Alabama's collateral bar rule）的一些例外，那些例外是什么？你如何将这些例外适用于沙特尔沃思案？

3. 间接禁止规则是什么类型的规则？它能够如何变化？注意在沃克案中，州的间接禁止规则被认定为甚至在面对联邦宪法性请求时也可以适用。一些州的法院曾经否定了间接禁止规则。见 In re Berry, 68 Cal. 2d 137（1968）。保留或否定它的观点都有哪些论证？

4. 进一步的历史背景可以在两个资料中找到，见 Alan Westin & Barry Mahoney, The Trial of Martin Luther King（1974）; Taylor Branch, Parting the Waters（1988）, and the award – winning Public Broadcasting Service series, Eye on the Prize.

5. 早在最高法院在沃克案判决之前，也就是在因违反阿拉巴马州法院裁令而被捕的时候，当时 8 名阿拉巴马的教士发表了一个声明，敦促他和那些黑人社群停止他们"直接行动"（direct actions）的项目，包括反对种族隔离的静坐、联合抵制、和游行，马丁·路德·金对这个声明写过一个答复。金的直接行动方法追求"非暴力抵抗"原则，作为对南部坚持最高法院自布朗诉教育委员会案［Brown v. Board of Education, 374 U. S. 483（1954）］以来一直命令禁止的隔离政策的回应。金于 1968 年 4 月在孟菲斯被谋杀。在他被害之后，美国的主要城市地区爆发了暴力事件。你们在阅读金牧师的信时，思考一下你认为哪些是有说服力的，为什么，以及是否他的论证掺杂了沃克案中多数派的问题。你们还可以在"非暴力抵抗：理论与实践"（Civil Disobedience：Theory and Practice72 – 89（ed. Hugo Bedav1969）.）中找到金牧师信件的完整版本。

马丁·路德·金：来自伯明翰城市监狱的信*
Martin Luther King, Jr., Lettler from Birmingham City Jail
A Testament of Hope：The Essential Writings and Speeches of Martin
Luther King, Jr., 289（James M. Washington, ed. 1986）

以下是 8 名教士/牧师向马丁·路德·金发出的公开声明：

我们八位签名的牧师也参与过一月发出的"求助于法律和命令与常识"，其目的在于处理阿拉巴马的种族问题。在种族问题方面的诚实犯罪（honest convictions）能够适当地求助于法院，对此我们表达了理解，但我们也力劝（相关各方），那些法院的判决也应当同时受到和平的服从。

自那以后，有一些证据表明克制和面对事实的愿望已有所增加。负责任的市民们已着手继续解决导致种族磨擦和骚乱的种种问题。在伯明翰，最近的公共事件已经表明，我们都有机会寻求解决种族问题的建设性的和现实的途径。

---

* 译者注：这一部分内容主要由廖德宇翻译，8 名教士的公开声明和金博士的信中各部分小标题由傅郁林翻译。本书原著限于篇幅对金博士的信进行了删节，译者在翻译时考虑到本国读者的需要，将这封信全文译出，但为了尊重原著，于是将原著删节的内容用不同字体标明在括号内。

然而，我们现在去遇到由我们的某些黑人市民们举行的一系列游行，这些游行一部分是由外面的人指示和领导了。我们承认，感到自己走向希望的速度过于缓慢的人们自然有些缺乏耐心；然而我们深信，这些游行是不明智和不适时的。

我们宁可同意某种地方黑人领袖所倡导的就我们地区的种族问题进行诚实而公开的谈判。而我们相信这种面对问题的方法能够由我们自己市区的公民们——无论白人还是黑人——按照他们自己对于本地区情况的了解和经验而获得最佳的实施。我们所有的人都需要面对这一责任，并找到履行这一责任的适当途径。

正如我们过去指出的那样，"仇恨和暴力在我们的宗教和政治传统中没有制裁"，我们还指出，煽动仇恨和暴力这类行为无论其在技术上看可能是多么的和平，对于解决我们当地的问题都是无所裨益的。我们不相信，极端措施在伯明翰获得正当化的日子就是新的希望到来的日子。

我们建议整个社区、地方新闻媒体、以及特别是法律执行官们，在游行已在控制之下的地区保持平静的姿态。我们也力劝公众如果继续游行的话也要继续表现出克制，而法律执行官员要继续保持平静并继续保护我们的城市免于暴力。

我们还要强烈敦促我们自己的黑人社群不再支持这些游行，为了一个更加美好的伯明翰而团结当地民众和平工作。当权利被坚决地拒绝时，理由应当向法院和在地方领导的谈判中陈述，而不是在大街上。我们呼吁我们的白人和黑人市民遵守法律的原则、法院裁令、及常识。

Bishop C. C. J. Carpenter, Bishop Joseph A. Durick, Rabbi Milton L., Grafman, Bishop Paul Hardin, Bishop Nolan B. Harmon, Rev. George M. Murray, Rev. Edward V. Ramage, Rev. Earl Stallins

1963 年 4 月 12 日

亲爱的教士兄弟们：

当我受禁于这里的伯明翰监狱时，我注意到你们最近的公开声明——认为我们目前的行为"缺乏理智和不合时宜"。我很少——如果有过的话——特意去回击对我的工作和信念的抨击。如果我试图回复所有放在我办公桌上的抨击的话，我的秘书们将整天几乎无法做别的事，我也没有时间从事建设性的工作。但是因为我觉得你们是谦谦君子，你们的抨击也是立意良善，所以我愿意尽量用耐心而理智的字眼来答复你们的声明。

【我想我应该解释为什么我来到伯明翰，因为你们已经被"局外人介入"的论调所影响。我很荣幸成为一个活动于南部各州、总部位于乔治亚州首府亚特兰大的组织——南方基督教领袖会议（the Southern Christian Leadership Confence）的主席。我们有大约 85 个分支机构，遍布南部——其中一个是阿拉巴马基督教人权促进会（the Alabama Christian Movement for Human Rights）。在任何必要和可能的时候,我们与分支机构共享人员、教育、财政资源。】几个月前,我们在伯明翰的分支机构请我们在认为必要时,响应号召,参与一个非暴力的具体行动计划。我们欣然同意,并且在该活动开始时实践了我们的诺言。所以我来到了这里,同来的还有几位成员,因为我们是被邀请来的。我来这里是因为我在这里有基本的组织关系。此外,我来伯明翰是因为这里缺少公平。正如8世纪的先知们离开他们的小村庄、把他们的"上帝如是说"传播到他们家乡之外的大范围;正如使徒保罗离开他的小山村塔尔色斯、把耶稣的福音实际上传播到了希腊化罗马世界的每一个村庄和市镇——我也负有把自由的信念传播到我的家乡之外的使命。像保罗一样,我必须不断对马其顿寻求帮助的呼吁作出回应。

而且,我明察各个社团及州之间的关联性。我不能消极地待在亚特兰大,对发生在伯明翰的事情不闻不问。任何地方的不正义都是对正义的威胁。我们陷身于一张相互关联的网络,唇齿相依。任何直接影响一方的事物都间接影响所有各方。我们再不能容许狭隘的、地方主义的"外来煽动者"这种观念的存在了!生活在美国领土上的任何一个人都决不能被认为是其中某个地区的局外人。

你们对目前发生在伯明翰的示威痛心疾首,但是我遗憾地告诉你们,你们的声明并没有关注示威之所以产生的原因。我相信你们每个人都想比那只看结果、泛泛而谈的社会分析家更深入地了解深层原因。我会毫不犹豫地说,现今发生在伯明翰的所谓示威是令人痛心的;但我更要断然指出的是,伯明翰市由白人主导的权力结构,致使黑人群体别无选择,这是更加不幸的。

任何一个非暴力运动都有四个基本步骤:(1)收集事实以确认是否存在不公正;(2)交涉;(3)自我解脱;以及(4)直接行动。我们在伯明翰已经走过了上述步骤。无可否认的事实是,种族不公吞噬着黑人群体。伯明翰市或许是美国种族隔离最严重的城市,警察暴力的丑闻传遍全国的每一个角落,它的法庭不公正地对待黑人已经是臭名昭著的现实,伯明翰炸毁黑人房舍和教堂的未决案件在全国各城市中无出其右。这些都是残酷的、令人难以置信的铁一般的事实。在这样的情况下,黑人领袖试图与市领导交涉,但政治领导人始终拒绝认真商谈。

【去年9月,有机会与经济组织的一些领导人交谈。在这些谈判会议上,商人们作出了某些承诺——例如答应从商店撤除侮辱性的种族歧视标识。根据这些承诺,沙特尔沃思(Shuttlesworth)牧师和阿拉巴马基督教人权促进会的领袖同意将各种示威延期。随着一个个星期、一个个月过去了,我们意识到我们成了违反承诺的牺牲品。那些标识岿然不动。在过去,我们遭遇了许多次希望的破灭,极度绝望的阴影让我们刻骨铭心。所以我们别无选择,只能采取直接行动,借以展现我们的整体存在;把它作为一个手段,将我们的情况摆到各地和全国人民的良知面前。我们并非没有意识到其中的困难。因此我们决定采取自我解脱方式。

我们讨论了非暴力问题，并反复问自己："你能挨打而不还手吗？"、"你能忍受牢狱之苦吗？"

我们决定在复活节前后实施直接行动计划，因为除了圣诞节，这是一年中最活跃的购买期间。鉴于直接行动的一个副产品是经济的严重衰退，我们想这是向商人施加压力、获得所需改善的最佳时期。然后我们发现前面是3月大选，因此我们迅速决定把行动推迟到大选后。]

当我们看到康纳尔（Connor）进入"决赛"时，我们决定再次推迟行动，以免示威成为各种问题的焦点。这时，我们同意在竞选之后开始我们的非暴力行动。

这表明，我们并没有不负责任地启动直接行动。我们也希望看到康纳尔被击败。所以我们一推再推，为共同利益着想。在这之后，我们感到直接行动再也不能拖延了。

制造紧张

你们可能有很好的理由质问，"为什么要直接行动？为什么要静坐、游行等？谈判不是更好的选择吗？"你们呼吁谈判是完全正确的。实际上，这就是直接行动的目的。非暴力直接行动试图制造这样的危机，形成这样的人为紧张感，从而使一个始终拒绝谈判的团体不得不面对谈判问题。它试图渲染这个问题从而使它不再被忽视。我正是把制造紧张当作非暴力反抗者的工作的一部分。这可能听起来相当耸人听闻。不过我必须承认，我并不害怕"紧张"这个字眼。我一直诚心诚意地工作，谆谆告诫要反对暴力性的紧张关系，但是有一种建设性的非暴力紧张关系，它是发展的必需品。正如苏格拉底所认为的，有必要制造一种心理紧张，以便人们能挣脱迷信与半真半假的枷锁，来到无拘无束的王国，进行创造性的分析和客观的评判。我们必须认识到制造非暴力的刺激、形成一种社会紧张的必要性，它将帮助人们摆脱偏见和种族主义的渊薮，来到认同与兄弟情谊的崇高境界。这就是说，直接行动的目的是制造一种充满危机的气氛，从而水到渠成地打开谈判之门。因此，我们赞同你们对谈判的呼吁。我们曾经悲剧性地试图生活在一言堂而不是平等对话中，结果我们深爱的南方长久以来陷入困境。

你们的声明的基本观点是：我们的行动是不合时宜的。有人问过我们，"为什么你们不找另外的时间实施？"我对这样的询问的惟一回答是，新的实施必须被激发到跟正在进行的一样的程度才能进行。如果我们认为鲍特韦尔（Boutwell）的当选会给伯明翰带来太平盛世，我们将犯严重错误。虽然鲍特韦尔先生比康纳尔先生更为能言善辩和文质彬彬，但他们都是种族隔离主义者，致力于维持现状。我在鲍特韦尔先生身上看到的希望是，他很理智地意识到，群体抵制废除种族歧视是徒劳无益的。但是如果没有献身于民权者的压力，他也不会意识到这一点。我的朋友，我必须告诉你们，没有断然决然的、依法的、非暴力的压力，我们在民权上就会一无所获。历史老早就告诉我们一个悲剧性的事实：特权阶层很少会自愿放弃其特权。个人可能在道德觉悟下放弃其不公正的地位，但正如莱因霍尔德·尼布尔（Reinhold Niebuhr）提醒我们的：群体比个人更不道德。

　　痛苦的经历让我们懂得，自由从来不是由压迫者赐予的，而必须由被压迫者去争取。坦率地说，按照那些不曾遭受种族隔离折磨的人的时间表来看，我还从未参与过一个"恰逢其时"的直接运动。多年来我一直听人说"等一等"，它喋喋不休地在每一个黑人的耳边聒噪。这个"等一等"几乎总是意味着"决不要"。它已经成为安慰的镇定剂，瓦解了情绪紧张的动力，只能衍生为失败的畸形儿。我们必须明白历史上那个著名的法学家说的"迟来的正义就是非正义"。我们已经等了不止340年，等待我们那宪法赋予也是上帝赐予的权利。亚洲和非洲的国家正在以喷气式飞机的速度走向政治独立的目标，而我们却还在以老牛拉破车般的步伐争取在便餐馆求得一杯羹。

　　我想，那些从未感受过种族隔离刺痛的人们，很容易说"等等"。但是当你看到残忍的暴徒随心所欲地凌辱你的母亲和父亲、残害你的姐妹和兄弟；当你看到满含仇恨的警察咒骂、踢打、残酷对待甚至杀害你的黑人兄弟姐妹却逍遥法外时；当你看到两千万黑人兄弟中的绝大多数虽然身处富庶的社会、却偏偏在赤贫的笼罩下奄奄一息时；当你那六岁的女儿问你为什么不能去电视上做广告的公园玩耍、你告诉她游乐城（Funtown）不向有色儿童开放、她那大大的眼睛泪如泉涌、你想解释什么却忽然发现哑口无言、然后看见自卑的阴云开始浮上她幼小的心灵、并且她越来越下意识地仇视白人、幼小的人格也开始扭曲时；当一个五岁儿子痛彻心肺地问："爸爸，为什么白人这样对待有色人种"？你不得不违心回答时；当你乘车跑遍全国、却发现不得不夜夜在汽车的角落里很不舒服地睡觉、因为没有哪个汽车旅馆接纳你时；当你面对充斥各处的"白人"与"有色人种"标志、屈辱地度日时；当你的名字被称为"黑鬼"、中间名被称为"小鬼"、姓"某某"、并且你的妻子和母亲从来不被尊称为"夫人"时；当你没日没夜地为自己是个黑人而烦恼、长期生活在偷偷摸摸的心态中、不知未来将去向何方、饱受内心恐惧和外界仇视的折磨时；当你始终要跟"不是人"的那种绝望感相抗争时；——那时你就会理解我们为什么难以再等！我们需要忍耐的遭遇应当从此终结，人们再也不愿意陷入不正义的深渊了——他们为之经历了令人绝望的暗淡时光。我希望，先生，你们能理解我们合法而不可避免的迫切行为。

　　违反法律

　　你们对我们意图破坏法律的行为表现出极大的焦虑。这种关心当然是合理的。既然我们一直敦促人们遵守联邦最高法院1954年的判决——它认为公立学校的种族隔离是非法的——那么认为我们是有意违法的观点就是奇怪而自相矛盾的。有人可能振振有词地质问：“你怎么能主张违反某些法律而遵守其他法律？”答案是：有两种类型的法律，即正义的法律和非正义的法律。我将第一个主张遵守正义的法律。人们不仅在法律上，而且在道德上有义务遵守正义的法律。相反，人们有道德义务不遵守非正义的法律。我很同意圣·奥古斯都的观点：“非正义的法律根本不是法律"。

现在的问题是，这两种法律的区别是什么？人们怎么能够判别一个法律是正义的还是非正义的？正义的法律就是人定的、与道德法或上帝的法则相一致的制定法。非正义的法就是与道德法不相一致的制定法。按照圣托马斯·阿奎那的解释，非正义的法律是人定法，其来源不是永恒法及自然法。任何尊重人类人格的法律都是正义的，任何打击人类尊严的法律都是非正义的。所有种族隔离的法律都是非正义的，因为种族隔离扭曲心灵、损害尊严。它赋予种族隔离者一种尊贵的错觉、给被隔离者一种卑微的错觉。用布贝尔（Martin Buber）、一个伟大的犹太哲学家的话来说，种族隔离是用"我和它"的关系来替代"我和你"的关系，最终把人降格到物的地位。所以种族隔离不仅仅在政治上、经济上和社会上是荒谬的，而且在道德上也是错误的和邪恶的。保罗·蒂利希（Paul Tillich）曾说，罪恶就是孤立。种族隔离不正是人类之间悲剧性的孤立的现实体现吗！不正是他所谓的可怕的疏远的体现吗！不正是他所谓的罪孽深重的体现吗！所以我敦促人们遵守联邦最高法院1954年的判决，因为它在道德上是对的；并且我敦促他们不遵守种族隔离的法令，因为它们在道德上是错误的。

让我们转向一个关于正义法律和非正义的法律的更为具体的例子。非正义的法律就是多数派强加给少数派的、却对多数派自己不具约束力的法律。这是区别对待的法律；另一方面，正义的法律是多数派强加给少数派、但多数派自己也愿意遵守的法律。这是没有区别的法律。

请让我再作解释。非正义的法律就是强加给少数派、但少数派却未能参与实施和制定的法律——因为他们无法不受干扰地参加投票。我们能说制定种族隔离法的阿拉巴马立法机关是民主选举的吗？在整个阿拉巴马州，无所不用其极地阻止黑人成为登记选民，甚至有的乡镇没有一个黑人登记选民——尽管事实上黑人占人口的大部分。这样的法律能被认为是民主产生的吗？

这些只是非正义的法律和正义法律范例的九牛一毛。还有的情形是：法律在表面上是正义的，但实施起来就不正义了。譬如，我在星期五被捕，指控我未获批准就游行。一个法令要求游行必须经过批准，这一点儿没错；但是当它被用于保护种族隔离，用于反对公民根据第一修正案进行和平集会、和平示威，那么它就变成不正义的了。

【我希望你们能看到其中的差别——那正是我试图指出的。我决不像激进的种族隔离主义者那样，主张规避或者公然反抗法律。那将导致政治混乱。违反非正义的法律就必须公开地、充满爱心地（而不是充满仇恨地、像电视上看到的新奥尔良白人妇女那样，声嘶力竭地喊"黑鬼、黑鬼、黑鬼"）进行，并且自愿接受处罚。我认为，一个人违反他认为非正义的法律、并自愿待在监狱接受制裁以唤醒整个社会对非正义的法律的良知感，这实际上正表现了他对法律的无上尊崇。

当然，这种温和抵抗并无新意。当沙得拉（Shadrach）、米煞（Meshach）和亚伯尼歌（Abednego）拒不服从尼布甲尼撒（Nebuchadnezzar）的非正义的法律时，他们被认为是高尚的，因为里面涉及到一个更高的道德法。这也曾经被早期基督徒所慷慨激昂地践履——在碰到一些极为不公正的罗马帝国法律时，他们自愿面对饥饿的狮子和接受酷刑的折磨。从某种程度讲，我们今天实现了学术自由，因为苏格拉底曾不得不进行温和对抗。】

白人温和派

我们永远不能忘记，希特勒在德国做的一切都是"合法的"，而匈牙利自由斗士在匈牙利做的一切都是"非法的"。在希特勒德国，帮助和安慰犹太人是"非法的"。但是我可以肯定，如果当时我生活在德国，我会援助和慰问我的犹太兄弟，尽管那是非法的。如果我生活在今天的共产党国家——在那里，某些倾向于基督教信念的概念被禁止——我将公开提倡不遵守那些反对宗教的法律。

我必须坦率地向你们承认两件事，我的基督教和犹太教兄弟。首先我必须承认，在最近几年，我已经完全对白人的温和派失去了信心。我几乎要遗憾地作出结论说，黑人奔向自由的最大障碍，不是白人公民派的议员或者三K党，而是白人的温和派，他们更在乎的是"秩序"而不是正义；他们更关注的是没有压力的消极和平，而不是充满正义的积极和平；他们总是说"我赞同你们所追求的目标，但是不同意你们直接行动的方式"；他们家长式地认为能为他人的自由设定时间表；他们生活在虚构的时间表中，总是要求黑人等一等，等到"更合适的时刻"。从善意的人们那里得到的粗浅理解，比从恶意者那里得到的完全误解更具破坏性；温和的接受比痛快的拒绝更有迷惑性。

我曾经期望白人温和派会赞同法律和秩序是为了树立正义而存在的，而一旦他们不是这样，他们就成了阻碍社会前进洪流的最危险的、坚固的障碍；【我曾经期望白人温和派能够明白，目前在南部的紧张状态只是一个必要阶段——从令人厌烦的消极和平、即黑人被动地处于不正义的困境，转向富足的积极和平、即所有人都尊重人格的尊严和价值。实际上，我们这些从事非暴力直接行动的人并不是紧张的始作俑者，我们只不过把早已存在的紧张揭露出来而已。我们把它暴露在光天化日之下，以便它能被看清楚，能被处理。就像一个疖子，只要它被遮掩着，就不能治好，只有切开它，让脓流出来，在空气和光线这副天然药方下才能治疗。不正义也要进行同样的暴露，用暴露它时形成的紧张感为手段，使它接受人类良知的光线和理性的空气，才能治好。】

在你们的声明中，你们宣称，我们的行动，即使是和平的，也是应受谴责的，因为其中蕴涵着暴力。但是这个论点在逻辑上站得住脚吗？这不是有点像谴责被抢劫者、因为他拥有的财富蕴涵着抢劫的恶行吗？这不是有点像谴责苏格拉底、因为他始终不渝地坚持真理和哲学钻研蕴涵着被误导的民众迫使他喝下毒药？这不是有点像谴责被抢劫者、因为他拥有的财富蕴涵着抢劫的恶行吗？这不是有点像谴责耶稣、因为他独一无二的上帝意识和永不停息的志向追求蕴涵着痛苦的磨难？我们必须明白，正如联邦法院始终坚持的——要求个人停止追求他的基本宪法权利、因为该追求蕴涵着暴力——是不道德的。社会必须保护被劫掠者和惩罚劫掠者。

我也曾希望白人温和派能拒绝捉摸不定的时间表。我今天上午接到一封来自得克萨斯一个白人兄弟的信，上面写道："所有基督徒都知道有色人种最终将获得平等权利，但是从宗教的角度看，你是不是有点太过急躁了？基督教花了几乎2000年才达到今天的状况。基督的教义需要一定的时间才能来到人间"。所有这些都根源于对时间的悲剧性理解。这里有个非常奇怪的非理性观点：认为存在某种东西，在经过一定的时间后，将水到渠成地治愈所有疾病。实际上时间是中立的。它既可以用于破坏性的，也可以用于建设性的。我开始意识到，怀有恶意的人们比善意的人们更有效地利用了时间。我们这一辈人将会悔恨，不是因为坏人的恶毒言行，而是因为好人那令人惊异的麻木不仁。我们必须意识到，人类进步从来不是随着历史的车轮滚滚前行，它来自于那些希望和上帝共同工作的人的不懈努力和百折不挠。没有这些艰苦的工作，时间本身并不会构成推动停滞的社会前进的动力集合。

我们必须创造性地运用时间，永远相信时间随时为正义事业准备着。现在就是实现民主承诺的时刻，是把我们悬而未决的理性悲歌转变为创造性的兄弟情谊欢歌的时刻。现在就是把我们的理性政策从变动不居的种族偏见提升为坚如磐石的人类尊严的时刻。

你们把我们在伯明翰的行为说成是极端。首先我非常失望的是，我们的教友居然把我们的非暴力努力视同极端主义者的行为。我开始意识到一个事实，那就是我处于黑人群体的两种相反的力量中间。一种是安于现状的力量——包括那些在长期的压迫下，已经完全丧失自尊和荣誉感，以至于习惯了种族隔离的黑人；也包括那些为数不多的中产阶级黑人——因为有一定的学识水准和经济保障，准确说是因为他们从种族隔离中能够获益——他们已经不知不觉中对种群问题变得麻木不仁了。另一种力量是来自苦难和仇恨,并且有严重的暴力倾向。它在全国各地此起彼伏的黑人种族主义团体中得到体现。最到大和最知名的就是以利亚穆罕默德穆斯林运动(Elijah Muhammad's Muslim movement)。这个运动是当代与持续不断的种族歧视做斗争受挫后的产物。它由那些对美国失去信心的人、由那些完全否定基督教的人和那些认为白人是不可救药的"恶魔"的人组成。我试图在这两种力量中间——我认为我们既不要听从安于现状的"无所作为派",也不要听从充满仇恨与绝望的黑人种族主义者。有一条更好的道路:仁爱与非暴力抵抗。感谢上帝!通过黑人教会,非暴力的因素进入了我们的斗争。如果没有产生这种思想,我敢肯定,现在南部的大街小巷将血流成河。而且我敢肯定,如果我们的白人兄弟把我们当作"蛊惑人心的家伙"和"外来煽动者"——我们的同伴正在通过非暴力直接行动的方式开展工作——打发掉,并且拒绝支持我们的非暴力努力的话,成千上万的黑人,出于苦闷与绝望,将在黑人种族主义的信念中寻求慰藉与安全,那将无可避免地导致骇人听闻的种族梦魇。

追求爱的极端主义者

【被压迫者不能永远安于被压迫。对自由的渴求将最终来临。这就是美国黑人之所以这样的原因。内在的某种东西唤醒他去追求与生俱来的自由权;外在的某种东西告诉他,他能得到它。有意识无意识地,他被德国人所谓的时代精神(Zeitgeist)卷了进去,和他的美国黑人兄弟,和他的亚洲、南美洲、加勒比的棕色皮肤和黄皮肤兄弟一道,以一种世界主义的紧迫感,向种族平等的乐土推进。一个人只要认识到这种生死攸关的紧迫性已经席卷黑人群体,他就会很容易理解公众示威。黑人胸腔中充满着被压抑的愤恨和潜藏的苦闷。他们需要发泄。所以让他们找个时间游行吧!让他们向市政厅哭诉欲求吧!理解他们为什么静坐和理解他们的自由乘车运动吧!如果他们那被压抑的情感没有通过这种非暴力的方式表达出来,他们会用更危险的暴力方式表达。这不是威胁;这是历史事实。所以我并没有对我的人民说,"消除不满";而是试图告诉他们,这种合理而健康的不满可以通过创造性的非暴力直接行动来疏导。如今,这种方法被指责为极端主义者。我承认,我一开始对这种划分很失望。】

然而,当我进一步想这个问题时,我逐渐认识到被看做极端主义者也不错。耶稣不就是一个充满爱心的极端主义者吗?"爱你的敌人,为那些诅咒你的人祈福,为那些恶意地利用你的人祷告。"阿摩司(Amos)不就是一个追求正义的极端主义者吗——"让公平像瀑布一样倾泻而下,让正义像激流一样奔涌而来"。保罗不就是一个宣扬耶稣基督的福音书的极端主义者吗——"我的体内承载着上帝的印记"。马丁路德不就是一个极端主义者吗——"我来到尘世间;我的惟一使命是效忠上帝"。班扬（John Bunyan）不就是一个极端主义者吗——"我愿意终老于监狱，除非失去良知"。亚伯拉罕·林肯不就是一个极端主义者吗——"这个国家不能一半是奴隶一半是自由人"。托马斯·杰弗逊不就是一个极端主义者吗——"我们认为这些真理是不言而喻的：人人生而平等"。所以问题不在于我们是否属于极端主义者，而在于我们会成为哪种极端主义者。我们是宣扬爱的极端主义者还是宣扬恨的极端主义者？我们是护卫非正义的极端主义者——还是追求正义的极端主义者？在那个让人触目惊心的骷髅地，有3个人被钉死在十字架上。我们永远不要忘记，那3个人都是因为同一个罪名被钉死的——极端主义者的罪名。两个是道德沦丧的极端主义者，因而 没在历史中。另一个，即耶稣，是一个爱、真和善的极端主义者，因此超越于他的时代。所以，记住，或许美国南部、整个美国、整个世界都急需创造性的极端主义者。

【我曾经期望白人温和派能明白这一点。或许我太乐观了。或许我的期望过高。我想我应该认识到，在压迫另一个种族的种族中，只有很少的人能理解或懂得那些被压迫者的深切苦难和深情憧憬；而且只有更为屈指可数的人士能够洞察，不正义必须通过强有力的、前仆后继的、坚定不移的行动才能根除。但是我很感激我们的一些白人兄弟，他们把握了这个社会革命的准确含义，并且献身于此。他们在数量上还太少，但是质量很高。有的人，像麦克吉尔（Ralph McGill）、史密斯（Lillian Smith）、戈尔登（Harry Golden）和达伯斯（James Dabbs），用雄辩的、预言式的、富于同情心的语言报道我们的斗争。其他人同我们一道在南部的无名街道上游行。他们在污秽的、蟑螂滋生的牢狱中日渐憔悴，饱受那些把他们看作"肮脏的黑鬼的同情者"的愤怒警察的辱骂和折磨。他们——不像他们的许多温和派的兄弟姐妹——已经认识到时间的紧迫性，发现需要强有力的"行动"，作为与种族隔离这个疾病作斗争的良药。

请允许我赶紧提一提我的另一个不满：我对白人教会和它的领导深感失望。当然，也有些值得注意的例外。我并非没有注意到如下事实：你们中的每一个都对此问题采取了有影响的立场。我对你的基督教立场表示赞许，斯塔灵牧师，为你在上个星期天在没有隔离的基础上欢迎黑人去你那儿礼拜。我对本州的天主教领袖们表示赞许，为他们在几年前整合斯匹灵山大学（Springhill College）。

但是尽管有这些值得注意的例外，我必须坦率地重申：我已经对教会失望了。我这么说并不是像那些消极批判者那样总是对教会鸡蛋里挑骨头。我是作为一个宣扬福音书的牧师那么说的——我热爱教会；我是它养育成长的；我因为它的福祉才得以存在并将在我的有生之年对它忠诚。

几年前在蒙哥马利，当我突然被推进公交抗议的领导者行列时，我感觉奇怪极了——我们本当得到白人教会的支持的。我曾认为南部的白人牧师、教士和拉比都应当成为我们的奇异联盟。恰恰相反，一些人完全成为反对者，拒绝支持自由运动，并中伤其领导者；更多的人变得谨慎而不是勇敢，他们在令人麻木的彩色玻璃窗掩护下保持沉默。

尽管过去这些幻想让我心碎，我仍然抱着希望来到伯明翰，希望本地区的白人宗教领袖能看到我们的事业的正义性，给予深深的道德关怀，提供渠道，使我们的那些冤屈能够到达统治阶层。我曾期望你们中的每个人都会理解。但是又一次，我失望了。

我已经听到许多南方的宗教领袖号召他们的信徒遵守反种族歧视判决，因为它是法律，但是我渴望听到白人牧师说："遵守这些法令，因为融合在道德上是对的，黑人是你们的兄弟"。在压迫黑人的不正义甚嚣尘上之际，我看到白人教会袖手一旁，只是唠叨一些不着边际的虔诚话语和道貌岸然的片言碎语。在去除我们国家在社会和经济上的不公平的斗争白热化之际，我听到许多牧师说，"那些是社会问题，与福音书无关宏旨"。而我看到的是，许多教会在从事一个完全属于另一个世界的宗教事务——它奇怪地区分肉体和精神、神圣与世俗。

所以在这里，随着20世纪的终结，我们主要是使宗教群体适应现实，使它成为其他社会力量的尾灯而不是引导人们走向更高的正义的前灯。

我踏遍了阿拉巴马、密西西比和所有其他的南部各州。在炎热的酷暑天和清爽的秋天清晨，我望着她那美丽的教堂——教堂的顶尖直指天空。我凝视她那令人难以忘怀的、巨大的宗教教育建筑的形象。我一遍又一遍地问："谁在这里顶礼膜拜？他们的上帝是谁？当巴涅特州长（Governor Barnett）下令干预和废除时，他们的声音在哪里？当华莱士州长（Governor Wallace）大声鼓动挑衅和仇视时，他们在哪里？当筋疲力尽、伤痕累累的黑人男女决心从安于现状的深渊向积极抗争的光明顶奋起时，他们的支持声音在哪里"？

确实，这些问题仍在我心中。在深深的失望下，我为教堂的漠不关心而流泪。但是请相信，我的泪水是爱的泪水。没有深深的爱就没有深深的失望。是的，我爱教堂；我爱它的圣洁的墙壁。我能做什么别的吗？我处于一个独特的状况：我是教士的儿子、孙子、曾孙。是的，我把教堂看做基督的躯体。但是，唉，怎么能因为社会疏忽和害怕成为非英国国教徒就玷污和损害该躯体呢！

教会曾经有一度非常强大。就是在那个时期，当早期的基督教徒被认为值得为他们的信仰去受罪时，他们感到很高兴。在那个时候，教会不仅仅是记录大众思想和概念的体温计；它是转化过高部分温度的调温器。基督徒进入的任何一个市镇，当地的权力体系都被扰动并立刻试图宣告他们有罪，是"和平的破坏者"和"外来煽动者"。但是他们继续坚持，相信自己是"上帝的子民"，必须遵从上帝而不是服从人类。他们在人数上是弱小的，但在信念上是强大的。他们醉心于上帝,不算"大多数被胁迫者"。他们终结了古代陋习诸如溺婴和角斗。

现在的情况不同了。教会的声音是那么的微弱、不起作用,并且不可靠。它经常是现实的主要支持者。一般社会的权力体系由于从不受既存的教会干扰,因而对教会的沉默很是欣慰,并且经常如其所愿地滥施制裁。

然而上帝加诸于教堂的裁判却是空前的。如果今天的教会不夺回已丧失殆尽的早期教会的精神,它就会失去可靠的群体,丧失千百万的忠实者,并被作为对20世纪没有价值的、落后的社会俱乐部而被抛弃。我每天都要接触年轻人,他们对教会的失望已经完全变成了厌恶。

可能我又是太乐观了。是有组织的宗教与现实太过于密不可分,以至于无法拯救国家和世界吗?或许我必须转而相信内心的精神教会、教会中的教会,作为真实的教堂和世界的希望。但是我又一次要感谢上帝:一些高尚的人士从有组织的宗教体系中挣脱出来,摆脱了"顺从"这个让人瘫痪的锁链,作为积极的伙伴加入到我们的行列中来,为自由而斗争。他们离开了自己的安全宗会,同我们一到走在奥尔巴尼、乔治亚的大街上。在追求自由的痛苦历程中,他们走过了南方的大道。是的,他们和我们一起蹲监狱。有人被踢出了他所在的教会,失去了他们的主教和教友的支持。但是他们带着信念继续往前走:受挫的正义比胜利的邪恶更强大。这些人是种族群体的发酵剂,他们的见证成为精神激励,在这些艰难的时刻保持着福音书的精髓。他们在失望的高山下挖开了一条希望的通道。

我希望教会作为整体,能在这个关键时刻迎接挑战。但是即使教会不来支持正义,我也不会对未来失去信心。我对伯明翰的斗争的结果无所畏惧,即使我们的动机现在遭到误解。我们将在伯明翰和全国实现自由的梦想,因为美国的目标就是自由。虽然我们可能受到辱骂和嘲弄,但是我们的命运与美国的命运是绑在一起的。在朝圣者们登陆普利茅斯之前,我们就已经在这里了。在杰弗逊之笔刻画独立宣言历史篇章的庄严词句之前,我们就已经在这里了。两个多世纪,我们的先辈在这个过度没有报酬地劳作;他们造就了棉花"大王";而且他们在最为不公和令人蒙羞的时期为他们的主人建造家园——并且时至今日,永无止境的生命力使他们继续繁荣与发展。如果说罄竹难书的残酷奴隶制度都没有阻止我们,那么我们今天面临的敌对更将必定失败。我们将赢得我们的自由,因为我们国家的神圣遗产和永恒追求就体现在我们反复提出的要求中。}

公牛康纳的警察

现在我必须结束了。但是在结束之前,我不得不提一下你们的声明中的一个观点,它深深地困扰着我。你们热情赞扬伯明翰警察维护"秩序"和"防止暴力"。如果你们看到他们的残暴警犬直接撕咬6个赤手空拳的非暴力黑人,我不相信你们还会如此卖力地赞扬警察力量。如果你们看到警察在这个市监狱残暴而没有人性地对待黑人；如果你们看到他们推搡和咒骂年老的黑人妇女和年轻的黑人姑娘；如果你看到他们对年老的男性黑人和黑人男孩拳打脚踢；如果你们能看到他们在两个场合做的那样，拒绝给我们饭吃因为我们要求在一起做祷告——我不相信你们会如此匆忙地赞扬他们。我很抱歉不能跟你们一起对警方唱赞歌。

确实，他们在公开场合对待示威者时很有纪律。从这个意义上说，他们在公开场合相当"非暴力"。但这是为什么？为了保护邪恶的隔离制度。在最近几年，我始终宣扬说，非暴力要求我们使用的方法必须完全符合我们追求的目标。因此我一直试图阐明用不道德的手段去实现道德目标是不对的。但是现在我要说，用道德手段保护非道德目标是同样错误甚至更为邪恶的。或许康纳先生（Connor）和他的警察在公开场合是非暴力的，就像普里切特（Prichett）局长在奥尔巴尼、乔治亚那样，但是他们用非暴力的道德手段去维护不道德的、公然的种族不公平目的。义律（T. S Eliot）早已说过，再没有比用错误的理由做正确的事情更为叛逆的了。

我希望你们赞扬的是黑人在伯明翰静坐和示威时的崇高勇气、自愿受罪的决心和他们在极不人道的挑衅下表现出了令人惊异的纪律。总有一天，南部会认识到它的真正英雄。他们将是詹姆斯·墨瑞迪斯（James Merediths），勇敢，带着崇高的目标，面对暴徒的嘲弄和敌意，极度痛苦的孤独——那也是先驱者的生活的特征。他们将是年老的、被压迫的、被毒打的黑人妇女——以亚拉巴马州首府蒙哥马利一个72岁出老年妇女为代表，她带着尊严感站起来，与她的人们一道，决定不乘坐种族隔离的公交车，并且用一种不合文法的深刻性回复一个询问她累不累的人："我的脚是累的，但是我的心是轻松的"。他们将是年轻的高中和大学学生，年轻的福音书牧师和一个年老的老板，勇敢地、非暴力地在便餐馆静坐，并愿意基于良知却坐牢。总有一天，南方会明白，当这些被剥夺应有权利的上帝子女坐在快餐馆时，他们实际上是在捍卫美国之梦中最好的东西和犹太教与基督教所共有的遗产中最神圣的价值，并且把我们整个国家带回到伟大的民主之源——它已经被立国之父们在宪法条款和独立宣言中挖掘得很深了。

我从来没有写过这么长的信（或者我该说是一本书？）。我真担心它太长了，会浪费你们的宝贵时间。我可以向你们保证，如果我是在一张舒适的桌子上写，它应当会短得多，但是当你孤独地在监狱那狭窄的、阴暗单调的斗室里呆上多天，除了写长信、胡思乱想和念叨长长的祈祷文，还能做什么呢？

如果我在信中说过什么对事实夸大其词的话和表现出缺乏理智的焦躁，我请你们原谅。如果我在信中说过什么对事实含糊其词的话和表现出很有耐心、该耐心使我忍耐了什么不属于兄弟情谊的东西，那么我请上帝原谅我。

我希望此信使你们的信念更坚定。我也希望尽快有条件和你们相见，不是作为一个融合主义者或民权领袖，而是作为一个教友和基督兄弟。让我们都盼望种族偏见的阴霾尽快烟消云散、误解的重重迷雾从我们充满恐惧的群体中被清除；希望在某个不久的明天，仁爱与兄弟情谊的璀璨星光能照耀我们伟大的国家，美丽不可方物。

你们的，为了和平与兄弟事业的，
马丁·路德·金
1963年4月16日

注释与问题

对于金写自伯明翰城市监狱的信件一种可能的反驳遵循了"非暴力抵抗"的逻辑：如果一个人或一个群体想要通过非暴力抵抗来巨大地转变法律的不公正，那么他们应当愿意承受非暴力抵抗的后果。这会增加他们的影响——无论通过前赴后继的殉道还是通过巨大地转变已经感知的不公正。它还会表达对于带来这种变化的法治（the rule of law）及规则之治（the law's rules）的最后尊重。根据这一观点，当抗议者将他们的请求拿到大街上而不是提交法院时，我们就会看见为了潜在的不公正而采取的司法救济的外部限制。金牧师的辩护者应当如何回应这一反驳？这一讨论会如何影响你对于间接禁止规则的看法？这些问题在福塔斯的文章中有讨论［Abe Fortas, Concerning Dissent and Civil Disobedience (1968)］。大法官福塔斯加入了沃克案的反对意见。

第三章

像初审律师那样思考，诉答与简单的诉讼合并

第一节 概 述

在第三、四、五章，我们转入民事诉讼的主要步骤。第三章包括对起诉状（complaint）的要求，也涉及多方原告和被告如何能够和应当合并诉讼（joinder），被告能够和应当作出什么答辩（response）。第四章解释证据开示过程，这是民事诉讼的核心。第五章讨论陪审团审判的权利和已经形成的指示和限制陪审团的许多方法。

重要的是，你从提交最初诉答案文状（pleadings），经过证据开示和动议（discovery and motions），经过庭审（trial）、陪审团裁判（verdict）和司法判决（judgment），然后到终局性（finality）概念，使你自己对民事诉讼流程的意识内在化。为此目的，我们提供了使你能够获得关于整个过程的视角的不同方法。在这一概述之后，我们对一个案件按照通常发生的流程顺序进行简单描述，你会发现，无论任何时候你当研究一个新的课题时，回顾这一节都将是很有帮助的，它使你能够一直看见你正在研究的问题是在这幅画面的哪个位置。同时，贯穿于本书其他部分的多数实践练习，都将围绕贯穿本课程始终的一两个真实案件。

第二节 民事诉讼的阶段和基本概念

当客户来到办公室表达他们对其他人行为的不满时，大多数民事案件都会介绍给原告的律师。当客户描述发生了什么事情时，律师则在考虑法律是否给这种情形予某种救济。比如，假设潜在的客户乔（Joe）说，"昨天我在电梯里，一位名叫萨莉（Sally）的乘客没有向我打招呼"。如果这就是整个故事，律师就可

能会想，法律没有把怠慢识别为过错。换言之，萨莉的行为在法律上是不"可识别的"。因此，法律是否给予救济通常被称为可识别性（cognizablility）*问题。

律师在达到这一结果时使用的重要概念（或者如果你喜欢科学类比，称之为"计量单位"）称为诉因（cause of action），或表明起诉者有权获得救济的请求（claim）。诉因是一种指南，指明必须已经发生（或者，在某些情况下，将要发生）哪能些事件或情形才能使法院给予救济。每个诉因或请求由多个单元构成，这些单元称为要件（elements）。假设乔换一种说法："我正走在街上，觉得萨莉把我绊倒了，或者也许她只是在伸腿的时候不小心"。律师现在就可能想到过失或殴打。律师可能会对自己说："萨莉作为另一行人，对乔承担一种限制不合理行为的'义务'，也许她在绊倒乔时的行为不合理而违反了这一义务，因而导致他受到'伤害'（harm）（事实原因），而这一损害是可预测的或者是在萨莉所承担的风险范围内（'近因'）（proximate cause），既然他的腿断了是她的行为后果，他就遭受了'伤害'或'损害'（harm or damages）。因此，如果事实是真实的，那么就可以有一个过失诉讼的诉因，因为过失诉因的所有5个要件都齐备了：义务、不合理行为（违反义务）、事实原因、近因、损害"。

也许萨莉的行为是故意的，果如此，那么殴打的诉因有如下要件：（1）故意的和（2）不必要的接触。（接触本身被认为是引起可识别案件的充分伤害，但在本案情形下还有折断腿的损害。）

同样的诉因可能允许多个理由（theories）。比如，在机动车人身伤害案件中，诉因可能是过失。在这一诉因之后可能是许多理由（一些初审律师称之为"案件的事实理由"），包括被告没有戴她的防护镜、车速、在明知刹车有缺陷的情况下驾驶、在挡风玻璃脏得妨碍视线的情况下驾驶、和/或在受酒精影响的情况下驾驶。

在本课程中，我们将始终处理来自许多不同领域的许多诉因。这要求我们考虑那些诉因的要素是什么。请记住，不同的辖区、不同的律师、不同的法律教授，选择来处理或表达要件的方法有所不同。因此，如果在你的侵权法课上对"过失"或"殴打"的解释跟这里的解释有点差异，请不要大惊小怪。

在对潜在客户谈话或者可能进行进一步调查之后，如果律师认为至少有一个

---

* 译者注：cognizablility 在法律英语中有两个含义，一是可认知的；二是可受法院审查的，常与 claims（请求）连用。这里显然是第二个含义。这一概念与我国民事诉讼"主管"制度界定的内容类似，但我国审查受理案件的程序与美国差异很大，为了避免概念对译引起的望文生义，此处采用了直译法。同时为了区别于在确定司法权方面与之有交叉关系的另一重要概念 justicability（"可司法性"），考虑到普通法历史上以识别诉因并归入实体法确定的请求权类型作为受理条件，因而译为"可识别性"。

诉因，那么她会讨论费用问题并可能接受这个案子。然后律师就必须决定可以在那个州对这位被告起诉，有一个对人管辖权（*personal jurisdiction*）问题。就说你是一位俄勒冈州的律师吧，萨莉呢，住在加利福尼亚州，声称引起乔伤害的步行则发生在俄勒冈的大街上。乔来俄勒冈跟你讨论这宗案子。既然俄勒冈有典型的对人管辖权立法，规定在俄勒冈或加州起诉萨莉都可以，你可能很快得出结论。如果你决定加州是更好的法院地（forum）州——法院地州就是诉讼已经或将要向之提起的法院所在的州——你就会帮助乔在加州找一位律师，因为可能法律不允许你在那里执业。

在俄勒冈诉讼可能是有意义的，你的客户生活在那里，并且事故也是在那里发生的，同时这也意味着你能够操纵这个案子，并挣得一笔律师费。随后你就该决定在俄勒冈的哪一家法院开始诉讼了。俄勒冈像其他各州一样，有一个州法院系统和至少一家联系地区法院（记住，联邦地区法院是初审法院）。"什么法院有权审理这一类案件"的问题被称为事项管辖权（*subject matter jurisdiction*）问题。宪法条款和制定法的结合授予不同法院对不同类型案件的听审权利（译者：此处原文为right）。例如，在任何一个州，无论是州宪法还是制定法都会授权至少一家初审法院审理大多数类型的案件，这种给予初审法院的广泛授权被称为授予一般事项管辖权（*general subject matter jurisdiction*）。

联邦宪法第3条描述了允许国会将什么样的案件授权给联邦地区法院审理。这一授权要比各州宪法和制定法规定的授权范围狭窄得多。因此，联邦法院的事项管辖权一般被称为有限事项管辖权（*limited subject matter jurisdiction*）。联邦地区法院的有限事项管辖权在美国法典第28编"1330"节中基本上都能够找到。（在国会通过一项提案之后，它就变成了法案。凡是法案都规定在某一编之中，所谓"编"（Title）就是按照事项主题编辑的。无论在你的规范补充读物还是在图书馆的联邦法典卷中，仔细阅读这些节的内容。）被授予联邦地区法院的有限事项管辖权主要是两种，即被称为联邦问题（*federal question*）和异籍（*diversity of citizenship*）。看看能否在你的补充读物里找到这些授权在哪里。有的时候，对联邦地区法院的有限事项管辖权的授权在各种实体法赋予的具体权利中（散见于整部法典汇编），因此第28编并非惟一能够找到这种授权的篇章。

即使在律师决定在哪个法院系统和哪个州启动诉讼之后（请记住诉讼不是解决争议的惟一理性选择），她还必须决定诉讼向该州内或该联邦系统内的哪一家法院提起。这一问题是地理性的，但它有别于人事管辖或事项管辖。这一额外的问题被称为"法院地"。例如，如果乔对萨莉的诉讼向一家俄勒冈州的巡回法院（即某一俄勒冈州的初审法院）起诉，还必须决定向该州的哪一片地域区划起诉。一般州的法院地立法会指向引起诉因发生的郡（在本案中就是萨莉被声称绊倒乔的地方）或者被告的住所地。（例如参见 Or. Rev. Stat. §14. 080.）国会将法院地限制在原告能够开始案件的联邦法院。请在你的补充读物中查找有关章节。

原告必须不仅具备对被告的对人管辖权、适当法院的事项管辖权和适当法院地，而且被告还必须被适当地通知诉讼的开始。"正当程序"对通知和接受听审的权利的要求在本书第一章展开讨论过，并在第二章涉及临时救济的几个判例中再次讨论。对人管辖权、事项管辖权、法院地、和通知这些问题提出了联邦主义、分权、基本公平等令人着魔而错综复杂的问题，这些问题统辖着本书中后半部分资料的大量篇幅。

在乔诉萨莉一案中，如果可能的损害赔偿超过 75000 美元，那么你可以有机会在俄勒冈州或者加州选择一家州法院，或者在上述两个州选择一家联邦法院。假设乔是俄勒冈的公民而萨莉是加州的公民，而争议金额又符合标准，那么就有了第 28 编第 1332 节意义上的异籍。注意，这就成为一个州法院与联邦法院之间有共同事项管辖权（concurrent subject matter jursdiction）的案件。除非国会授权专属事项管辖权（exclusive subject matter jurisdiction），否则一件有联邦事项管辖权的案件也具有州事项管辖权。另一方面，如果，比方说，国会说只有联邦法院能够审理某类案件，例如声称某类反竞争行为特别是涉及谢尔曼反托拉斯法案（美国法典第 15 编第 4 节）中所描述行为的诉讼，那么原告的律师就不能就这一具体行为向州的初审法院提起诉讼。许多一年级的法律学生认为，如果有了像违反联邦民权法案这样的联邦问题，案件就只能向联邦法院提起。这是不正确的。再次重申，除非国会排他性地授权联邦法院系统，否则就存在共同事项管辖权，原告就可以选择向州或者联邦法院起诉。

回到乔诉萨莉一案中，让我们假设你像乔的律师那样，已决定向位于 Yamhill 郡的俄勒冈巡回法院（the Circuit Court of Oregon）（这是一家享有一般事项管辖权的州法院）提起诉讼。你会核查俄勒冈的所谓"长臂制定法"（long-arm statute），从而肯定萨莉作为加州的公民能够在俄勒冈接受诉讼，因为她被声称的侵权行为发生在那里（俄勒冈州民事程序规则的确允许行使这种对人管辖权）。你也会核查可适用的俄勒冈法院地立法，并在选择你在俄勒冈起诉的法院时适用这一立法。你随后会依据俄勒冈的程序规则起草一份起诉状。如果该案在联邦法院，这样的起诉状规范就不会出现在联邦民事诉讼规则中。起诉状规范和解释这些规范的判例（以及地方文化和在某种情况下的地方规范）将告诉你必须如何准确地在起诉状中陈述事实和具体有关诉因及其要素。你必须核查可适用的"时效制定法"（statute of limitations）以确定起诉状已在制定法规定的期限内提交，或者根据该州法律，每一位被告（本案中就是萨莉）都被"送达"

了起诉状（文书送达）（serviece of process），或者（还是根据制定法和它们的宪法）以其他方式通知本案件诉讼。你还必须决定你是否能够并且希望提起陪审团请求（a jury claim），这通常是一个同时涉及宪法权利和庭审策略的问题。

原告的律师在启动诉讼时还必须考虑合并诉讼（joinder）问题。如果你选择针对萨莉提起过失和殴打两个诉因，也就是"诉因的合并"或者用联邦规则的用辞为"请求的合并"（joinder of claims）。如果乔告诉你说，他在被萨莉绊倒而断腿之后给他治疗的医生给他上夹板的工作做得很糟糕，那么你就要考虑乔是否要针对医生提起过失诉讼［通常称为"职务事故"（malpractice）诉因］。萨莉的医生是否能够和应当作为被告加入同一诉讼的问题被称为"当事人合并"（joinder of parties）问题。

原告律师开始他们对潜在案件进行分析时要考虑诉因的一个理由是，被告在针对原告提出答辩时，能够因为原告未陈述诉因——或者以联邦程序规则12（b）（6）的表述"未提出能够给予救济的请求"——而立即动议驳回（dismiss）案件。这又是可识别性的概念。即使诉答书所述系为真实，然而这是法院能够受理的那种情况吗？

正如你们看到的那样，被告有许多选择和许多回应，无论以动议方式或者在答辩中提出。被告可以对对人管辖权、事项管辖权、法院地、以及通知（送达程序）提出质疑。被告如果提交答辩状（answer），就必须承认或否认这些主张。被告必须陈述或者（以不陈述的方式）自动放弃陈述其确认性防御（affirmative defenses）。确认性防御就是被告必须针对原告的诉因提出的防御，即使该案是在适当的法院而原告另有好的诉因。在萨莉的案件中，比如萨莉可能主张，乔因自己的过失导致其摔倒，或者主张说他同意接触，或者主张已过时效。被告还可以针对原告提出反请求（counterclaim），亦即被告向原告索取损害赔偿或救济。在某些情形下，这种反请求是强制性的。比如在联邦法院，联邦民事诉讼规则13（a）规定，如果被告有一项"产生于与对方当事人请求的事项同一交易或事件"的请求，那么这一请求为强制性反请求（compulsory counterclaims）（不过该规则比扼要地表述它要复杂得多）。也许乔在事件之后马上诽谤了萨莉。律师可能随后就这一反请求究竟为强制性还是许容性反请求（permissive counterclaim）发生争辩。

萨莉可能有很好的理由相信，如果她对乔负有责任，那么另有其人对于她欠乔的债务负有责任。就比如说，发生事故的当时萨莉是一家速递公司的速递员，该公司同意补偿她在从事速递业务中发生的任何损害。萨莉可以就该项补偿提起一项针对该公司的诉讼，称之为"诉讼参加人或第三人实践"（impleader or third‑party practice）。在联邦法院，参加人由《规则》14规定。如果有共同被告（co-defendants），他们彼此之间可能会提出相互请求，这在《规则》13（g）和一些州被称为交叉请求（cross-claims）。

在某些情况下，原告必须合并某些当事人，否则案件不能进行下去。这些被称为"必要的和不可缺少的当事人"（necessary and indispensable parties），规定在《规则》19。还有更复杂的诉讼合并问题，比如介入诉讼（intervention）（规则24）、相反诉讼人（interpleader）（规则22）、集团诉讼（规则23），都伴随着必要的和不可缺少的当事人问题，这些规定在本书的最后一章讨论。

假设本案过了初步动议这一关，那么当事人随后而来的就是证据开示（discovery）。大多数州和联邦法院都有一系列程序，一方当事人可以据此从另一方那里获得信息，在某些情形下甚至可以从作为非当事人的证人那里获得信息。规则26至37规定了证据开示条款，这些规定允许相当自由的证据开示。在许多联邦法院和一些州法院，被选择的信息在诉讼的最早阶段受制于强制披露（mandatory disclosure）。以其他方式获得的额外证据开示，包括被称为"质询"（interrogatories）的向对方当事人提出的书面问题，书面和口头的笔录证言（depositions），查看书面材料的请求，和查看不动产或个人财产的动议。在口头笔录证言中，一方当事人通常强使另一方当事人和/或其他证人亲自出席在速记员面前（或其他方式的记录），在宣誓之后回答一系列口头提问，规则32规定这些问题在庭审时可以接受。法院裁定可以限制证据开示的数量和范围，妨碍合法的证据开示和滥用证据开示规则均会受到制裁；许多地区法院还有限制证据开示的地方规则。所有的94个联邦地区法院和许多州初审法院都有地方规则（lacal rules）和法官的常规裁令（standing order）作为本郡或本州的补充规则。结果，在联邦法院的律师，比如，就必须不仅了解联邦民事诉讼规则，而且了解可适用的地方规则和法官个人的常规裁令。

要理解下面的规则，你必须首先理解提出证据的责任（burden of production）与说服责任（burden of persuasion）。在一个案件的审理中，负有证明责任（burden of proof）的一方当事人，通常是原告，必须有充分的证据证明至少一个诉因的每一个要件都存在，使一个通情达理的事实认定者得以认定每一个要件都是真实的，这被称为"举证责任"。就说乔实际上诉萨莉过失吧，本案进行了陪审团审判阶段，乔的律师在法庭上询问证人，提供任何她能够获得的对乔有利的证据。假设她已做完了她那一部分工作，这被称为"结束举证"（resting）。如果被告的律师认为没有充分的证据能够使通情达理的陪审团认定所有要件都是真实的，这位律师就会动议作出指示裁判（directed verdict）（现在规则50条称之为"作为法律事项的判决"（judgment as a matter of law））。例如，在乔诉萨莉一案中，如果乔的律师未提出证据使通情达理的人们能够据以推断萨莉的行为是故意的或不合理的，那么初审法官就会根据被告的动议同意作出指示裁判，意即陪审团必须作出支持被告的认定。这是因为乔没有满足其"举出"证据的责任。

然而，即使乔通过了指示裁判的动议这一关，而他可能最后并不能胜诉，这也是符合逻辑的。假设乔在开庭进程中描述萨莉如何不小心地绊倒了他，并且提出其他可信的证据证明其过失案件的每一个要件都存在。这只意味着他满足了举证责任因而能够通过指示裁判的动议这一关，这就是说，提出充分的证据使得通情达理的陪审员们得以认定每一个要件都是真实的。但陪审团可能并不实际上相信乔的所有证词，或者会认定乔所说的有关萨莉的行为在他们的大脑里不至于构成过失或不合理行为，因此陪审团可能作出支持被告的认定，因为乔没有说服他们每一个要件都是真实的。在那些情形下，乔没有满足说服责任。在民事案件中，原告必须以证据优势（preponderance of the evidence）说服事实认定者，意即每一个要件比不是真实的可能性更大（或者就像有时所说的那样，正义的暗示（tips）在原告的诉因的每个要件上至少有那么点儿支持原告）。现在你可以看到，在通常的案件中，原告在有关其实质性问题方面有三个责任：他/她必须正确地书写诉告文书，然后要满足举证责任，再然后，为了最终胜诉，要满足说服责任。

如果在证据开示之后看起来原告没有可能胜诉，因为原告在庭审中不会有充分证据满足举证责任是可以预见的，则被告可以动议即决判决（summary judgment），这是在证据开示之后（或在此期间）、庭审之前对案件的处理。这一动议规定在规则56。

原告偶尔也会在即决判决或受指示裁判中获胜。假设诉因是承诺的欠条没有支付，经过证据开示，很明显是原告把钱借贷给了被告而换得了一个有效的本票（promissory note），被告没有进行任何确认性防御，显然没有偿还这笔钱。如果原告的诉因的要件不证自明，为什么还要进行庭审呢？原告应当根据即决判决动议获得胜诉。如果原告没有提起即决判决动议，她在被告结束举证之后，在指示判决阶段仍会胜诉。

还有其他重要的动议，比如"不顾陪审团裁判的判决"[judgment motwithstanding the verdict (judgment n. o. v.)]动议、重新审判动议、撤销判决动议，但其中大部分我们将留待本课程的后期讨论。在后面威尔金斯诉伊腾公司案中[Wilkins v. Eaton Corporation, 790 F. 2d 515 (6th Cir. 1986)]，你将看到不顾陪审团裁判的判决动议提出的问题与指示裁判动议相同，而且要求法官适用的标准也完全相同，但是不顾陪审团裁判的判决是在陪审团作出裁判之后提出的。（联邦规则把这两种动议都当作是请求就法律事项作出判决的动议。）你们将在后面讨论为什么法官可以拒绝请求作出指示裁判的动议，而随后在陪审团认定支持一方当事人（通常是原告）的时候，又同意为了对方当事人（通常是被告）的利益而作出不顾陪审团裁判的判决。

庭审通常以各方当事人发表开场白陈述（opening statements）而开始。然后原告律师首先以对每位证人进行直接询问（direct examination）的方式介绍案情，随后被告律师通常会对那些证人进行交叉询问（cross-examine）。在庭审中，当当事人引入证据时，律师们会对询问的某些问题或出示的某些物品提出反对（objections），法官在评估律师反对的有效性时适用证据规则。如果问题适当，则法官会驳回（overrule）反对，而证人必须回答这一问题。如果法官认定这一问题是由律师不当设计（framed）的或者律师试图引入不容许的（inadimissible）证言，则会支持（sustain）反对，这意味着律师必须重新组织问题或者转入另一事项。

假设这是一个陪审团案件。一旦双方就绪，假设任何一方未成功地动议指示裁判，那么各方将给出终结性论证（closing arguments）。这些论证将在法官指示（instructing）陪审团之前或之后提出。陪审团会作出自己的裁判（verdict）。该裁判后来变成判决（judgment）。如果原告胜诉，那么他/她就会使用正式方法执行判决（execute on the judgment），即强制被告偿付。不过记住，在某些案件中原告会诉求禁令救济。她可能诉求临时制止命令（temporary restraining order），在案件自开始到结束期间阻止被告从事不可弥补的损害行为，然后诉求将判决变成初步禁令（preliminary injunction），阻止被告在审判之前做某些事情。如果原告胜诉，则禁令可以变成永久禁令（permanent injunction）。

在某些情况下，在州和联邦法院，败诉的当事人只能就终局性判决提起上诉。在联邦法院系统，在地区法院败诉的当事人有权向联邦上诉法院提起上诉。如果在这一级败诉，则败诉的当事人可以向联邦最高法院申请复审，这被称为请求调卷令（writ of certiorari）复审的申诉（petition）。（联邦最高法院的复审由美国法典第28编第1253－1258节调整。）

如果当事人在享有一般管辖权的州初审法院败诉，则该当事人通常有权向一个中级上诉法院提起上诉。如果在这一级败诉，则败诉方当事人可以向州最高法院上诉，但该最高法院通常对自己审理哪些案件享有自由裁量权。州最高法院这一级作出的某些上诉判决可以由联邦最高法院复审，但这种情况只发生在该判决涉及联邦法律的时候。美国法典第28编第1257节。

一般情况下，上诉法院坚持要求寻求复审的当事人在被提起上诉的判决或裁定最初作出时即已表示反对，另外，上诉法院通常还要求初审法院的判决以同一要点（point）为根据。其结果是，一位好的初审律师总是睁大眼睛密切关注诉讼进程，寻找机会反对可质疑的判决，以便她随后在对自己不利的终局判决作出之后有一个可行的可上诉的要点。

你能够想像为什么上诉法院不愿意让仅仅在初步事项上败诉的当事人就该事项当即向上诉法院提起上诉吗？如果在本案中萨莉动议因法院地不适当而驳回诉讼并且败诉怎么办？为什么不应允许她当时就对此事项提起上诉？这种上诉称为中间上诉（interlocutory appeal）。中间上诉裁定有时是允许的，美国法典第28编第1292（b）节规定，如果（1）该问题是涉及法律问题；（2）该问题具有拘束力；（3）有大量根据支持一种反对意见；（4）即时上诉会实质性地促进诉讼的结束。例如有时允许就地区法院关于禁令的中间裁定提起上诉，因为它对于当事人的权利会产生终局性和不可补救的影响，还因为这种衡量与本案的实质性问题之间是完全分开的，而且是在上诉中不可复审的。（美国法典第28编第1292（a）节）

一旦案件获得终局判决，那么既判力（res judicata）［文字含义是"既判事项"（a matter adjudged）］的概念就要适用了。假设在乔诉萨莉一案中，陪审团作出一项支持被告的裁判（a defendant's verdict），而且这一裁判变成了判决，一年以后乔决定向另一位律师求助再试一次。从直觉上讲，这对于萨莉而言是不公平的，对于法院制度而言是昂贵的。对第二次诉讼的抗辩是既判力，因为不允许原告就同一案件起诉两次。即使乔上一次决定提起的诉讼仅仅主张殴打，而现在试图就同一次事件提起过失诉讼，既判力也适用。用现代的说法是，不允许乔分割他的请求，这一概念也称为"请求排除"（claim preclusion）。

有的时候，一个争议在一个案件中决定过，而它与相同的当事人之间的后来案件中的一个新的请求有关。假设A根据本票诉B，并且因为分期付款直到裁决作出之前仍未偿付而胜诉。（进一步假设这一票据上没有"提前条款"（acceleration clause）而使所有分期付款基于任何一次未予偿付而提前全部到期。）结果B仍然不付款，A则起诉要求偿还后来所欠的分期付款。A可能不需要再证明本票的有效性，因为这一争议在相同当事人之间已经诉讼过，第二次诉讼的法院会说，A可以适用间接禁反言（collaterally estopel）阻止B否认本票的有效性。换言之，第二个事实认定者，无论是法官还是陪审团，都必须简易地认定这一本票有效。这一概念通常称为"争点排除"（issue preclusion）。

不幸的是，有些法院使用既判力这一术语时涵盖了请求排除和争点排除。无论如何，既判力与间接禁反言的问题覆盖了本书接近结尾的部分——这是适当的，因为它们都具有终局性质。

现在该进一步深入探究诉因、要素、举证责任、说服责任等概念了，由此拉开关于诉答书和诉答书历史的教程的序幕。

第三节 诉告文状及其补正

在初审律师的心目中，关于民事诉讼的思考和策略就是请求、要件、举证责任和说服责任这些基本概念。诉讼通常是在存在争议和争议的当事人时开始的，律师则相信他们有权获得救济，因为法律将他们所受到的伤害加以识别，并允许法院干预和提供救济，金钱救济或宣告性救济。诉因是原告必须证明以获得胜诉的入门概念，而联邦民事诉讼规则使用的相应术语则是"表明起诉者有权获得救济的请求"（claim showing that the pleader is entitled to relief）。关于联邦规则使用"表明起诉者有权获得救济的请求"而不使用过去的术语"诉因"的原因，你们应当结合本章的整个内容来理解。每一个诉因或请求都由法院据以给予救济的一组情形（circumstances）构成，反过来说，这些情形被分成被称为要件的若干部分。在本节中，我们将举一些关于诉因及其要件的例子。在民事诉讼中，法官经常会问原告律师她的"有表面证据的案件（*prima facie case*）"是什么，其意思有两层：法官要么是在要求列举原告请求（或诉因）的要素，要么是在要求简短地描述这些要件的有关证据。

现在先把管辖权和送达问题放在一边，我们已经看到，原告为了胜诉必须承担三项责任。首先，如果在联邦法院，必须陈述他们有权获得救济的请求，而在一些州，程度规则也要求陈述诉因所依据的事实；其次，在满足其最初的起诉方面责任之后，原告必须满足举证责任，这是基于原告必须提出充分的证据以使通情达理的人得以认定其请求（或诉因）的每一个要件均为真实的理念的入门义务；最后，为了胜诉，原告还必须满足说服义务，即说服事实认定者每一个要件均为真实。

联邦规则7、8、9设置了对联邦起诉状的条件，12（b）（6）具体规定了被告可以提出的质疑原告的起诉状是否正确地表述为可给予救济的请求的动议。下面的一则案例将提出一下仍在争议之中的程序问题，是关于原告对请求（或诉因）要素的主张必须具体到什么程度。Conley v. Gibson, 355 U.S. 41 (1957)一案显示了更加自由的诉告文状标准（通常称为通知性诉告文状（*notice pleading*），否定了具体化的必要性。制定联邦民事诉讼规则的背后蕴藏的主题之一就是"简化"，包括使起诉更容易。但一些联邦法院开始要求较严格的诉答书，特别是在针对公共官员提起的民权案件中，就像你将在上诉法院在Leatherman一案中的意见书中看到的那样，这一意见书后来被联邦最高法院推翻了。面临我们社会并不希望的好讼蔓延的状况，提高对诉告文状的要求[有时被称为事实性诉告文状（fact pleading）]被认为有助于防止提起轻率请求。你将看到事实性和通知性诉告文状各有利弊。在任何一种情况下，原告律师都必须不能仅仅考虑要求其在诉告文状中列明内容的规则，甚至在要求提交通知性诉告文状的情况下，律师也可能基于诉讼策略的原因而希望把更多的具体内容放在诉告文状里，比如，在诉告文状中更加完整的故事可能有助于引导法官在看到更加有利于自己的方面，或者可能导致较早和较为有利的和解。

在本节中，你还将学习答辩，这是被告必须而且可以对起诉状作出的回应。例如，被告适当地选择了或者通过动议或者在答辩中挑战起诉状是否充分地陈述了能够给予救济的请求。本节还将向你展示补正诉告文状的规则，当然，联邦规则起草者的简化主题的基本原则是减少补正。

在本节最后，你应当了解起草起诉状与答辩状，以及调整补正的规范。你还应当从双方从当事人、律师、法官和法院制度、以及社会等不同视角来思考诉告文状问题。

一、请求、要件、证明责任

威尔金斯诉伊藤公司

Wilkins v. Eaton Corporation

790 F. 2d 515（6th Cir. 1986）

巡回法官康蒂（Contie）：

被告——上诉人伊藤公司（伊藤）就地区法院驳回其"不顾陪审团裁判的判决"的动议而提起上诉，上诉还包括法院对证据事项的裁定（ruling）。陪审团作出了支持原告——被上诉人内德·威尔金斯（Ned Wilkins）的裁判，认定伊藤对威尔金斯的年龄歧视违反了劳动法案（ADEA）（美国法典第29编第621条以下）关于年龄歧视的规定，而且是故意违反劳动法案。

1981年2月27日，内德·威尔金斯被伊藤公司解雇。威尔金斯自1968年7月16日开始在伊藤航空公司做飞行员，终止这一工作时，他51岁。

威尔金斯自16岁开始飞行。1968年受雇于伊藤时，他搬到密执安州的卡拉玛祖，他在那里驾驶一架Cessna 411飞机。当伊藤开始使用Lear Jet飞机时，他又来到俄亥俄州的克里夫兰。威尔金斯接受了培训并获得驾驶这种新飞机的资格。自1972年至1980年，他担任助理机长，并培训伊藤其他飞行员操作Lear Jet飞机。在他的整个飞行生涯中，他拥有模范的安全记录并受到上司非常高规格的表彰。除了他的飞行能力之外，威尔金斯还为Lear Jet飞机开发了一种温度控制系统，为安排飞机航行机组人员任务编写了计算机程序，还为自动飞行员（the automatic pilots）提供服务和维护。

在20世纪70年代，伊藤公司飞行业务公司扩大规模，1979年发生了一些管理上的变化。1979年9月，伊藤保留了一个咨询公司，即航空咨询有限公司，对有关飞行业务进行评估和作出推荐。航空咨询公司于1980年1月发出一个报告建议进行几项变动，其中最重要的变动就是发展一个标准化的飞行检测单。飞行核查项目单是一个在航空器内进行的操作的项目单，是为安全之目的而设计的。

飞行业务公司根据航空公司的建议进行了重组，产生了一个新的管理职位，即飞行经理，由道格·科利尔（Doug Collier）先生充任。古塔（Greg Kuta）先生在前任机长退休后成为新机长，这是直接受飞行经理领导的职位。没有考虑原告作为飞行经理的职位，他被告知"他是个非常消极的人"，尽管他对机长的职位很有兴趣，这个职位也没有他的份。威尔金斯还由助理机长的职位被降级为机长飞行员（Captain Pilot），当时伊藤公司决定将所有的飞行员送往安全学校。由于所有的飞行员均送往安全学校，就不再需要助理机长来承担各种职责。

就在古塔任命后不久，伊藤实施了一项政策，根据此项政策，每一次飞行要指定一名"航次机长"，由他来指定一名司令飞行员（pilot-in-command）负责该次航行。在威尔金斯的例行航次中，一位年轻的、经验较少的飞行员被指定为航次机长，结果威尔金斯拒绝飞行，他被古塔临时中止了飞行员的职务。经与管理部门的商议，威尔金斯被允许以书面形式陈述他的不满，随后伊藤宣布这位资深飞行员会成为所有未来航次的司令飞行员。

1980年8月，古塔通过征求来自几个途径的建议而开始发展一种飞行检测单。1980年10月，古塔要求威尔金斯在一种模拟器中使用这种新的检测单并向古塔报告，威尔金斯通知古塔说这种检测单太长。古塔回复说使用这种检测单对于所有飞行员都是强制性的。这一事实后来在一次飞行员会议上向所有飞行员宣布了，威尔金斯参加了那次会议。

1981年2月9日，威尔金斯飞往特拉华州的米德尔顿，威尔金斯说他的合作飞行员受制于检测单而不协助他了望其他飞机。在威尔金斯回到克里夫兰时，他告诉古塔说，检测单危及到飞行安全，他不准备使用它。古塔声明，为伊藤飞行的所有飞行员都有义务使用这个检测单，而威尔金斯回答说，他可能不得不去别处工作。

1981年2月26日，威尔金斯进行一次飞往纽约市的双程航行，当他回来时，他遇到古塔向他提到检测单的事。威尔金斯声明说他没有使用检测单，并且永远也不准备使用，因为他相信这检测单会影响安全。古塔告诉他，他会丢掉工作，并进而把威尔金斯从第二天的飞行安排日程中取消。威尔金斯在初审法庭上作证说，他"不能接受古塔附加于继续飞行的条件"，当古塔在2月27日叫他去讨论他的意向时，威尔金斯声明如果必须使用这个检测单他就不飞行了。威尔金斯还声称，他会起草一个备忘录，他在涉及对航次机长政策不满时曾被允许这么做过。然而，随后的星期一，也就是1981年3月2日，他再次被通知，他拒绝使用检测单将导致停职。威尔金斯再次拒绝在那些条件下飞行，并进而完成了他的备忘录，要求管理部门考虑。他的停职自1981年2月27日开始生效。在他停职以后，特里·罗斯先生被提升为机长飞行员。特里·罗斯时年27岁。

威尔金斯于1982年2月26日提交诉告文状，声称伊藤因为他的年龄而解雇他违反了劳动法案关于年龄歧视的规定（29 U. S. C§§621以下）。他要求损害赔偿并恢复原状。该案由陪审团作出审判。

为了支持他关于年龄歧视的主张，威尔金斯作证说，他相信飞行检测单是歧视性的，因为它偏向于对年轻人、经验少的飞行员有利，它详尽而且要求刻板的操作；它偏向于对年纪大的、经验较多的飞行员不利，因为它要求他们把注意力转移到简单的家务琐事上，把他们的注意力从观察其他的运输工具、空中的其他飞行、不正常的条件等等更重要的事项上移开，这些事项才是安全所系。

在交叉询问中，威尔金斯同意伊藤可能相信检测单会增加安全。威尔金斯还作证说，他没有意识到任何其他人告诉过古塔他们不使用这个检测单。他还制作了一个有两幅图表的电脑节目，后来被纳为证据。一幅图表显示了飞行员的数量，另一幅则描画了几年期间活跃的飞行员的平均年龄。用于制作图表的数据由每个飞行员的出生年月、受雇日期，以及被停职、调任、退休或其他方式而成为不活跃飞行员的日期。

特里·塞勒先生也作证支持威尔金斯。塞勒是威尔金斯受雇于伊藤时伊藤的一名飞行员，当年他33岁。塞勒作证说他也知道检测单是强制性的却未使用，因为他认为这个检测单不安全也没有效率。他声称他相信这个检测单倾向于对年长者和经验多者不利，不过他没有陈述这一结论的理由。他还作证说：我（1981年2月26日）在外旅行，我回来时跟当时身为机长的古塔谈话，谈到了我们正在使用的检测单的事，那时有一种讨论涉及到我不使用该检测单，我不同意这个检测单，我们关于这个问题谈了很长时间。当塞勒先生被问到古塔是否知道塞勒没有使用检测单时，塞勒陈述说，"有人对他说起过这事……"当塞勒被再次问到古塔在1981年2月26日是否知道他没有使用检测单时，塞勒回答道："假如其他人告诉他的话"。塞勒没有被古塔给予纪律制裁，但他也被告知"在这一点上容忍他，检测单还会有一些修改"。威尔金斯主张，塞勒的证词表明，他由于年龄歧视而受到了不同于塞勒的待遇。伊藤试图引入一个证据，是塞勒写给管理部门的信，信里面是匿名的，这封信声称，塞勒不同意检测单，但遵守公司的政策。地区法院不允许引入这一证据，理由是它与前面的陈述不一致，而且伊藤没有提出适当的根据。

伊藤提出了下列证据。萨德勒先生曾全面负责飞行业务部,他作证说,威尔金斯被解雇是因为他"选择了不遵守我们的一项涉及我们飞行部业务的规章",年龄问题从来没有考虑过。卡农贝尔先生是伊藤劳资关系部经理,他作证说,伊藤通常不会马上给一位雇员停职,而给他们3个月时间改变他们的行为。但他声称这一程序没有适用于威尔金斯,理由是:他拒绝遵守检测单,这是一个适用中的程序,他还说他不愿意、也没有与当时的管理者协作、而且当时也的确正在这么做,而且他说他不会遵守检测单,而且只要检测单还适用,他就不飞行,是他离开工作岗位的,而再次问过他是否愿意回来,他拒绝了。他作证说年龄不是解雇威尔金斯的一个因素。

古塔作证说,威尔金斯拒绝使用检测单,并且被告知过会因此而被停职。他还作证说,塞勒从未公开拒绝过使用检测单。

该案应伊藤指示裁判的动议而提交给了陪审团。陪审团作出了支持威尔金斯的裁判,其中包括228116美元赔偿金,代表114083美元欠款和相同数额因故意违反劳动法案的赔偿。地区法院还裁令恢复原状和建立养老基金。判决后来作出了修正,削减了判决前的利益,因而总计为194330美元。

伊藤动议作出不顾陪审团裁判的判决,或者举行重新审判。地区法院驳回了这些动议。法院驳回伊藤动议作出不顾陪审团陪审团的判决的动议理由是,威尔金斯使一个具有表面/初步证据(a prima facie)的关于年龄歧视的案件得以成立(establish),他提供了充分的证据以反驳伊藤富于雄辩的解雇他的理由。特别是法庭认为,陪审团能够根据容许的推论,即检测单并非是统一执行的,合乎情理地得出结论认为,伊藤申辩的解雇威尔金斯的理由仅仅是一个年龄歧视的借口。进而言之,既然伊藤未能在塞勒作证时引入塞勒的信函作为证据,那么不接受这封信作为证据就是适当的,因为如果接受这份证据,则对方当事人不会再有机会就塞勒前面不一致的陈述而对他进行询问。因此伊藤动议重新审判被驳回。

伊藤在上诉中主张,地区法院驳回他关于作出不顾陪审团裁判的判决的动议是错误的,并再次对某些证据认定提出质疑。基于下列几个理由,我们撤销了地区法院的判决,将本案发回重审,以作出支持上诉人的不顾陪审团裁判的判决。

在依据劳动法案提起的年龄歧视案件中,原告承担最终的说服责任,通过优势证据而使以下主张得以成立(establish),作为受制定法保护的个人,他的被解雇、降职、或者不再续聘是因为年龄歧视。尽管受雇用者被解聘可能不止一个理由,但如果他能够使他的一项主张成立,他就可以胜诉,即"只要不是"(but for)他的雇主因为他的年龄而对他产生歧视的动机,他就不会被解聘。

为了解决关于年龄歧视的具有初步证据的案件,从而避免在原告证据结束后作出指示裁判，原告必须证明：（1）他是受保护的群体中的一员；（2）他被解聘；（3）他有资格获得那个职位；（4）他被一位较年轻的人顶替。我们同意地区法院的一个观点，即威尔金斯完成了使具有初步证据的案件成立的责任，显然，年已51岁的威尔金斯在解聘时是受保护群体中的一员。因此他满足了前两个标准。

伊藤争辩道，由于威尔金斯不服从，因而他没有"资格"再获得飞行员的职位。我们认定这一主张是没有说服力的。符合一个职位的资格，意思是这个人做他的工作做得足够好，以至于排除他因为不适当的工作表现而被解雇的可能性——绝对或相对的。在初审记录中没有迹象表明威尔金斯是一位顶尖的飞行员。尽管威尔金斯拒绝飞行却可以作为解雇他的正当理由，但我们不认为这对他的飞行能力有什么可说的。

伊藤还争辩道，威尔金斯不是被一位更年龄的人所顶替。就在威尔金斯被解职不久，一位27岁的合作飞行员特里·罗斯就被提升为机长飞行员。威尔金斯认定罗斯正是接替了他先前职务的人。尽管在某种程度上说，年纪大的雇员被那些正在步步高升的年轻雇员顶替是自然的事情，但我们并不认为这一事实排除了使本案情形下初步证据得以成立的可能性。罗斯随后被提升到机长飞行员的行列，而威尔金斯还提供了一些证据表明，活跃的飞行员的平均年龄正在下降。我们认为综合这些因素（factors），足以满足最后的要件（element）……因而，伊藤在原告的案件结束时即动议作出指示裁判，地区法院驳回这一动议没有错误。

伊藤提出了一个解雇威尔金斯的正当的非歧视理由，明显满足了它提出证据的责任。威尔金斯在被通知使用检测单的当时没有使用，而且更为重要的是，他通知他的上司古塔说，如果他必须使用这个检测单他就不再飞行，这一证据是无可辩驳的。威尔金斯对于导致他被解雇的这一事件的说法与伊藤的证人的说法是一致的。再者，伊藤的所有证人都作证说，威尔金斯断然拒绝使用检测单是他被解雇的根据，他的年龄从来没有被考虑在内。

一旦雇主方对于自己的行为建构（articulate）了一个正当的理由，那么原告就有责任通过优势证据证明，其所陈述的理由只是为了掩盖其实际上的歧视动机的一个借口或者"幌子"。事实认定者不能把注意力放在雇主的职业判断是否站得住脚，因为劳动法案的宗旨只是为了保护年纪大的工人不会被根据年龄而武断地归类。劳动法案没有改变一个事实，即雇主可以基于任何不是歧视的理由而对解雇雇员作出主观判断。换言之，当雇主满足了他的建构责任时，则由于表面证据成立而形成的歧视假定（想法）就被击破了。于是围绕案件最后问题的事实调查就进行到了一个新的具体化的水平上。

具有决定意义的动机问题要求考虑解聘的两个对立的理由，以确定是否只要被告没有因年龄而歧视威尔金斯的动机他就不会被解聘。对于"借口"这一主张，提出证据责任产生于其说服责任，而这一说服责任总是落在原告的肩上。如果原告未能承担这一最终的提出证据责任，那么法庭就必须根据适当的请求作出指示裁判的动议作出支持被告的判决或作出不顾陪审团裁判的判决。摆在本院面前的问题是，本案原告提供的证据是否足以将案件提交给陪审团并且足以支持陪审团的裁判。

要将一个案件适当地提交给陪审团，必须有多于零星（scintilla）的证据来支持其主张。当证据具有如此特征，即如果没有更有分量的可信的证人，则裁判只可能有一个合理的结论，此时法庭应当以驳回诉讼请求、指示陪审团作出裁判、或者作出不顾陪审团裁判的判决等方式决定该案。以这样的审理方向，错过对合法形成的请求的深思熟虑机会，也就奠定了结果。在确定证据是否充分到可以提交陪审团或者是否充分到可以支持陪审团裁判的程度时，证据和从证据作出的合理推论是根据最有利于非动议方当事人的原则加以考虑的，法庭不必考虑证人的可信性，也不必对证据作出评价（weigh），否则法庭的意见就取代了陪审团。

在本案中，我们认为证据显然不能支持伊藤公司解雇威尔金斯是根据他的年龄这样的结论。威尔金斯主要依赖于一个事实，即年轻于威尔金斯的塞勒没有使用检测单却没有被解雇。然而，我们没有完全被说服的是，塞勒和威尔金斯的行为是相同的。塞勒从未通知过管理部门说他拒绝使用检测单并且如果必须使用检测单就不会再飞行。威尔金斯甚至作证说，据他所知，他是惟一通知管理部门如果必须坚持公司的政策则不再飞行的飞行员。这与塞勒的行为有重大差别。实际上，除非管理部门废除某一政策并同意他的观点否则就拒绝工作，这在威尔金斯已是第二次。没有任何证据表明，伊藤采纳检测单作为歧视威尔金斯的借口；即使威尔金斯也作证说，伊藤管理层可能以为检测单会增进飞行安全。

我们也没有被说服接受另一个主张，即检测单本身是具有歧视性的。证言表明，威尔金斯和塞勒都认为检测单歧视年纪大的和经验多的飞行员，因为检测单要求他们把时间在花费在那些鸡零狗碎的家务琐事上，而这些事情不应当占用他们的时间。既然所有的飞行员都必须使用检测单，那就没有根据年龄或经验进行分类。飞行员基本上都必须"浪费时间"这一事实不是年龄歧视的证据，而只是表明伊藤是否采取了明智的政策。威尔金斯认定检测单无效率和不安全的理由与他感觉受歧视的理由相同。这些主张仅仅反映了威尔金斯拒绝遵守检测单的价值取向，也许伊藤因为这个细节而解雇威尔金斯在判断上是憋脚的，但肯定不能作为歧视动机的证据。

同样，威尔金斯准备的图表也无助于他搜集到他承担的最终提出证据和说服责任，图表显示在某些时期飞行员平均年龄的下降情况，但图表完全不具有准确性，例如，年龄的下降可能是因为几位飞行员退休或者自愿转业到不飞行的职位上，需要年轻的飞行员受聘。尽管在成立一个有表面证据的案件时图表很有说服力地支持了关于歧视的推论，但不足以成为支持陪审团对本案作出裁判的情境证据。即使与原告提供的其他几个证据联系在一起，其结果也仅仅是一个转瞬即逝的证据，没有那个合乎情理的陪审团会根据这个证据认定违反劳动法案。

原告负有成立责任（burden of establishing），对于解聘他的决定性因素提供优势证据而使该案成立。威尔金斯没有完成他的这一责任。我们认为，陪审团作出这一裁判仅仅是基于主观臆断（speculation），也许讨厌伊藤的商业性判断。然而，一位天才的飞行员因为一个其价值大可质疑的检测单而被炒鱿鱼，这一事实本身却形成了认定年龄歧视的根据。必须有证据证明歧视的动机，必须有证据使通情达理的陪审团能够据以得出结论认为年龄更可能是威尔金斯解聘的原因，而不是仅仅基于一种主观臆断的可能性。我们相信，证据不足以支持作出这种推论的合乎情理的可能性，即只要不是因为请求人的年龄，他就不会被解雇。因此伊藤动议作出不顾陪审团裁判的判决应当获得同意。基于我们对本案的处理，我们不涉及由上诉人提出的其他问题。

综上，撤销地区法院的判决，本案发回重新审判，指示重审法庭作出支持上诉人主张的不顾陪审团裁判的判决。

注释与问题

1. 第一章给了你们许多阅读诉讼案件的不同方法，这些方法和技巧在你考虑我们所提供的问题的评论时仍然适用。

2. 威尔金斯起诉所根据的诉因是什么？其要件又是什么？你如何确定制定法上的诉因有哪些要件？

3. 法院称威尔金斯的案件为"初步事实案件"是什么意思？

4. 威尔金斯是否因为未满足其提供证据的责任或说服责任而败诉？

5. 威尔金斯为每一个要件提供了什么证据？你认为威尔金斯满足了他的初步提出证据的责任吗？

6. 法院认为，原告要想胜诉，就必须有证据表明（满足提出证据的责任），他被撤职、降职或不被聘用是因为年龄（即，他被歧视），而法院最初要求原告的"初步事实案件"却不包括这一要件。为什么？

7. 在本案意见书中，法院提到了被告的（证明）责任，这个责任是什么？是提出证据的责任还是说服责任？被告满足了这一责任吗？然后呢？此时原告又产生了什么责任？原告满足了这一新的责任吗？

8. 要符合劳动法案中关于年龄歧视的宗旨，你认为联邦第六巡回法院对

"初步事实案件"、抗辩、最终事实案件、以及证明责任等方面所做的解释很出色吗？如果你有机会解释这一制定法，你会作出不同解释吗？当你作出决定时你会考虑哪些因素？在你作出这些决定时，实体法与程序法之间的关系如何？

我们需要你们开始把对于诉因和要件的感悟力整合到你们的思维中去。你们在法学院的大量课程都会从非常宽广的不同领域处理千差万别的诉因。

一个律师能够在制定法和司法意见书中找到不同诉因及其要件。律师们花费大量的精力试图说服法庭扩大过去的诉因和创设新的诉因。律师、活动家（lobbyists）及立法者们则试图通过国会立法而创设新的诉因。

图书馆提供了成百上千的空间，人们可以通过搜索而找到满足提出证据责任和说服责任的可援引的诉因、要素、及其证据类型。比如，每个州都可能有至少一卷或多卷"实务"系列来解释该州的诉因。接下来的工作是（从上百个中）摘出几个诉因，它们都有列在 Shepard/McGraw – Hill 所著的题为《诉因》（Causes of Action）的多卷本著述的目录中，这套书在图书馆的"实务科目"（practicum）部分可以查到。如果你开始准备一个实际的案件，你会从建构要件的过程中获得计谋。同样重要的是，你得记住你的上司会教你以不同的方式建构一个请求的要件或诉因，那比你在这里看到的还要多。

违反默示居住保证。通过开发商－销售商出售住房；潜在缺陷；违反可适用的住房标准；因果关系；缺陷告知；对购买者的损害。

诽谤。被告作出过诽谤性陈述；被告公开这一陈述；陈述是虚假的；被告在作出该虚假陈述时存在过错；对原告名声的损害。

机动车缺陷性装置。缺陷状况造成机动车辆操作处于不合理危险之中；缺陷系由被告所致；近因；机动车辆在事故发生时正在以一种可预测的方式使用；被告从事的是机动车辆商业性制造或销售。

疏于警告副作用。制造者身份；警告义务；在警告副作用方面未恪守注意的标准；近因。

疏于警告道路修建之危险。乘客造成危险的道路建筑或修缮系由被告所为；警告的义务；未提供充分的警告标记、信号、或设施；近因。

故意施加精神折磨。凌辱的行为；行为系故意的或放任后果的（reckless）；严重的精神折磨；近因。

妨害商机（Interference with Prospective Business Advantage）。与第三人的商业关系；对经济收益的合理期待；对这一关系产生不利影响的行为；导致破坏或损害这一关系的故意；近因；损害或损失。

玩忽职守。恪守符合公认职业标准之注意的义务；未恪守这一标准；伤害或损失；近因。

虚假陈述（Misrepresentation）。在涉及物品、服务、或商业行为的商业广告中为虚假陈述；对受众的欺骗或故意欺骗；对购买决定的可能的影响；对原告的侵害或侵害的可能性；在商业中的虚假陈述。

过失。对受损害者负有义务；违反义务；侵害；近因。

机动车辆的过失修理。在修理中应尽合理注意的义务；违反义务；近因。

人身伤害。合理注意的义务；违反义务；近因；损害。

物业责任（商业）。产生争议的财产为物业主充分拥有或在其控制之下；对不合理的损害风险有实际的或构成意义上（constructive）的了解；物业主期待消费者不会发现、意识到或者避免危险。

性骚扰。由于原告的性别而受到骚扰；影响与原告的雇佣关系或者与雇佣状况有关；对原告的雇佣产生实质性影响。

由于食用或饮用污染食物而致损害的严格责任：被告从事食物销售业；有缺陷或存在不合理危险的产品；缺陷在脱离被告控制和实质上已无可改变其状态而抵达原告时发生；人身伤害。

实务练习六
卡彭特案中的初步策略会议

假设你是一名律师事务所的合伙人，你收到一份准备策略会议的备忘录。你应当阅读的关于潜在客户的备忘录是卡彭特诉迪的第一份文件，（关于该案的这份备忘录附在本书后面的卷宗里。）如果律师事务所选择代理南希·卡彭特，请准备跟你的资深同事们讨论可以提出的诉因。考虑潜在请求的每一个要件，并运用该案的事实注意你们还需要哪些信息。当然，在诉讼的早期，备忘录不是对案件的完全陈述，缺少某些重要的事实。尽管你对于具体请求或诉讼还知之甚少，但你可以查询《诉因》，这本书你们刚刚读过，还可以查阅卷宗里初始备忘录之后的三个马萨诸塞州制定法简本。

二、起诉状的宗旨与原理

在这一节，我们介绍民事起诉状和当今诉告文状的标准。你们在阅读的时候，从当事人、律师、法官和社会等不同的角度考虑起诉状的宗旨。请参阅《联邦民事诉讼规则》1、2、3、7（a）、8（a）、8（b）、8（e）、8（f）、9、12（b）、12（e）、84及《联邦民事诉讼规则》格式9。

康利诉吉本
Conley v. Gibson
355 U. S. 41（1957）

大法官布莱克制作最高法院意见书：

在此，黑人雇员再一次根据铁路劳动法案请求他们的集体谈判代表人承担公平地代表他们的义务。在以斯蒂尔案（Steele v. Louisville & Nashville R. Co., 323 U. S. 192）为开端的一系列案件中，本院已经再三强调地裁定，根据铁路劳动法案产生的排他性（exclusive）代表人有义务公平地代表谈判群体中的全体雇员，不因种族差异而歧视，本院并且认定，法院有权保护雇员不受这种不公平的歧视。

本案的集团诉讼是由铁路与轮船职员同盟会（the Brotherhood of Railway and Steamship Clerks）中的某些黑人成员代表其他持相同立场的黑人成员，向在德克萨斯的联邦地区法院提起的，他们反对同盟会、同盟会第 28 号地方工会、以及两个组织中的一些官员。简言之，申诉人在起诉状提出了与我们决定有关的如下主张：申诉人是德州与新奥尔良铁路在休斯顿货栈的雇员。同盟会第 28 号地方工会是根据铁路劳动法案而受命的代表申诉人所属的谈判群体的谈判代表。工会与铁路之间达成协议，给予该谈判群体某种保护以避免被解雇和遭受资历损失。1954 年 5 月，铁路声称取消申诉人或其他黑人所从事的 45 个工作岗位，而他们任何人都没有被解雇或降职。实际上这 45 个工作并未被取消而是在这些黑人被赶走之后由白人顶替了，只有几个岗位在这些黑人解聘后再次受聘而仍旧他们重操旧业，但他们的资历却丧失了。尽管申诉人一再求请，但工会却无动于衷，他们按照计划，不保护他们免受这些歧视性的解雇，拒绝给予他们与给予白人雇员同样的保护。起诉状还主张，工会在原则上没有平等和诚实善意地代表黑人雇员，指控这种歧视构成了对申诉人依铁路法案而享有的由他们的谈判代表们公平代表的权利的违反。

答辩人出庭并以如下理由动议驳回起诉状：（1）国家铁路协调委员会（the National Railroad）对于该争议享有专属管辖权；（2）德州和新奥尔良铁路作为不可缺少的当事人的被告未作为共同诉讼人参加本案诉讼；（3）起诉状未提出一项救济所赖于支持的请求。地区法院支持了驳回诉讼的动议，认为国会赋予协调委员会对于这类争议的专属管辖权。第五巡回法院显然是依据同一理由，维持了初审决定。229 F. 2d 436. 既然本案提出了一个涉及基于铁路劳动法案的劳动者权利保护的重大问题，因而我们同意调卷审查。

（布莱克大法官然后对他推翻地区法院和巡回法官关于管辖权问题的决定进行了理论分析。尽管"地区法院没有表明驳回起诉状的其他理由"，但他认为，最高法院考虑另外两个关于驳回起诉状的论点是"适时而适当"的。"不可缺少的当事人"这一抗辩被简短地否定了，布莱克大法官对于依据《规则》12（b）（6）的动议进行了阐释。）

我们认定，……起诉状充分提出了能够据此给予救济的请求。当然，在赞同起诉状的充分性时，我们遵循了被广泛接受的规则，即起诉状不应当因为未陈明请求而予驳回，除非它毫无疑问地显示原告不可能提出任何事实来支持那个使他有权获得救济的请求。在本案中，起诉状部分地主张，申诉人被铁路错误地解雇而工会则按照计划拒绝像保护白人那样保护他们，也不帮助他们表达不满，所有这一切都是因为他们是黑人。如果所有这些主张都获得支持，就存在一个明显违反工会制定法上的义务，即公平而无歧视地代表其谈判群体中所有劳动者的义务。本院在斯蒂尔案和后来的判例中一致认为，由于种族差异而产生的代表歧视为铁路劳动法案所禁止。谈判代表有义务不在它所代表的人群中间划出一条"互不相干的和个性化的"界线，这项义务并不是像答辩人抗辩的那样，到签订劳资协议就戛然而止了，集体谈判是一个连续的过程，它包括合同及其他工作规范的日常协调、解决既存协议中尚未解决的新问题、以及协议已经保障的劳动者权利的保护。协议可能在表面上是公平的、无差别的，却可能在操作方式上并非如此，而这种方式却得到工会明示或默示同意，甚而对谈判群体中的某些成员进行公然歧视。

答辩人指出一个事实，即根据铁路劳动法案，不满的雇员可以自己向协调委员会提出他们的不满，也可以起诉雇主违反合同。故且同意这一事实，但这并不能免除工会拒绝代表申诉人而构成被指控的歧视。铁路法案旨在帮助由劳动者进行的集体行动，因而承认了由劳动者中的多数人选举出来的谈判代表的很大权力并给予他们很多保护。劳动者作为个人或小群体在与雇主谈判或者代表劳动者表达不满时，不能一开始就拥有他们的代表所享有的谈判权力，少数人也不能另选一个代表人代表他们去谈判。我们不必更多地讨论工会关于它没有义务理会任何不满的主张，因为我们十分清楚，一旦它承担了谈判或代表它所代表的某些雇员表达不满的任务，它就不能仅仅因为另一些雇员是黑人而拒绝以诚实和善意代表他们为相同行为。

答辩人还争辩说，起诉状没有提出支持其笼统的歧视主张的具体事实，因而其被驳回是适当的。对于这一问题的决定性答案是，联邦民事诉讼规则没有要求请求人提出其主张所依据的事实细节，相反，所有的规则都要求"对请求作出简明扼要的陈述"，以便为被告一个公平的通知，了解原告的请求是什么以及它所依赖的根据。规则后面所附近的式样明显地证明了这一点。这种简易化的"通知性诉告文状"提出了一种可能，使得双方当事人通过规则所规定的自由的证据开示机会和其他审前程序而披露请求与抗辩所根据的更多具体准确的信息，并将争议的事实和争点界定在更为狭窄的范围内。根据规则8（f）的简单指引，"所有诉告文状得被解释为进行实质性司法"，我们不怀疑申诉人的起诉状充分地提出了一个请求，足以给答辩人关于其起诉状根据的公平的通知。联邦规则反对把诉告文状作为一种玩弄技巧的游戏,在这种游戏中,律师们的一次失足可能对于结果具有决定性意义,规则接受的是另一种原则,即,诉告文状的目的是为作出关于实质性问题的适当决定提供条件。

撤销原判,发回地区法院重新审判,进行与本意见不相抵触的继续诉讼……

鲍尔诉威斯曼
Bower v. Weisman 639 F. Supp. 532 (S. D. N. Y. 1986)

地区法官斯威特(Sweet):

……1985年7月,鲍尔与威斯曼终止了一项15年期的封闭的人身与商务关系。根据鲍尔所述,鲍尔在他们的关系存续期间向威斯曼提供有价值的商务和社会帮助,作为交换,威斯曼承诺在他的事务中向鲍尔提供经济利益,并且向她的女儿提供财政担保。鲍尔则辩称,威斯曼同意在他们的关系结束后仍然提供这些利益,只要鲍尔这位日本公民不再婚或者离开美国,而威斯曼违反了构成威斯曼财政担保承诺的一系列书面和口头协议。

鲍尔声称,在这个于1985年7月6日签署的协议的最后版本中,威斯曼同意:(1)为鲍尔在加州购买价值650万美元的房子;(2)为鲍尔提供390万美元不可撤销的信用担保(trust),为她女儿提供10美元的信用担保;(3)支付鲍尔每年12万美元、以10年为期的款项,由弗雷德里克·威斯曼公司[Frederick Weisman Company(FWC)]持有的于1983年11月1日签署的期票;(4)支付鲍尔再婚之前或离开美国之前的生活费;(5)在鲍尔再婚之前或离开美国之前,为她提供免收租金的威斯曼位于纽约的寓所。第(3)条涉及一张期票和由FWC与"首选资金国际有限公司"(这是一家由鲍尔完全拥有的公司)于1983年11月1日执行的顾问协议。

1985年7月中旬,鲍尔——威斯曼关系终止,根据鲍尔称,威斯曼违反了这一协议,试图迫使她离开寓所,她声称那是她自己花钱购买的,1980年威斯曼基于纳税方面的需要,她把这所房子卖给了他,并相信了他免收租金的承诺。1985年9月和11月,威斯曼指示他的代理人进住这所房间,搬走了按照意向属于威斯曼的艺术品和家具,在鲍尔的门上换了锁,当时她正在工作,而她的女儿还在家生病,他们在寓所的大厅安置了3个配备武装的门卫,指示"未经授权"的个人均不得入内。此外,鲍尔还声称,威斯曼的不动产代理人和律师未经授权而造访这所寓所,打翻了她的个人物品。

起诉状提出了产生于1985年7月6日协议的7项主张,每项主张都受到被告动议的挑战。请求1主张因违反明示协议而导致金钱损害而构成的侵权和合同请求权；请求 2 主张与协议有关的欺诈（fraud）、虚假陈述和诈骗（deceit）；请求 3 是因为"违反合同和变卦"（conuersion），并涉及威斯曼试图将鲍尔赶出寓所以及他在艺术品和家俱问题上的变卦。请求 4 和 5 指控被告与寓所有关的侵入和非法拘禁，请求 6 和 7 涉及故意施加精神折磨和妨害私人财产权，还涉及威斯曼收复寓所……

关于更确定的陈述的动议

威斯曼随后辩称，根据联邦民事诉讼规则 12（e）之规定，他有权要求就起诉状中的两个方面进行更为确定的陈述。其一，威斯曼声称，起诉状没有披露原告请求救济所依赖的协议的具体条款，同时起诉状也没有揭示协议的哪一部分被修改了，哪一部分在修改后仍然有效。其二，威斯曼辩称，起诉状没有确认三个被告中的各方被指控的是哪一个行为，而只是笼而统之地把所有"被告"放在一起讨论……基于下述原因，请求更确定的陈述的动议获得支持。

如果"诉告文状……如此含糊和模棱两可，以至于一方当事人无法被合理地要求构建一个应答文状（responsive pleading）……"，则应当同意关于更确切陈述的动议。规则 12（e）。根据规则 12（e）提出的动议不应当同意，"除非起诉状如此极度含糊和模棱两可以至于不可理解，并以至于使被告在试图对之作出答辩时构成对被告的不公平"。Boothe v. TRW Credit Data, 523 F. Supp. 631, 635（S. D. N. Y. 1981）。关于威斯曼的第 1 个主张，鲍尔的起诉状并没有费解到使威斯曼无法起草应答文状。起诉状的要义是通知被告该案的性质和诉因所据以产生的事件。同前。鲍尔的起诉状满足了这一要求，因为它清楚地指认了侵害行为。起诉状详细地提供了鲍尔与威斯曼之间交易的轨迹，这些交易导致了 1983 年 7 月第 1 次书面协议以及 1983 年 9-11 月、1984 年 9 月和 1984 年 10 月的修改，直到 1985 年 7 月 6 日的最终协议达到顶峰，这些都体现在第 25 段中。此外，第 26 段描述了其声称威斯曼违反的协议条款。威斯曼已经受到了关于对他提出的请求的公平的通知，也没有什么阻止他形成应答文状。

威斯曼谋求消除第 36、40、43-47、50、52-55 段中的模棱两可，这些段落使用了"被告"的用语却没有具体指明具体被告。显然，在威斯曼明白鲍尔针对他提出的请求之前，他无法有效地对鲍尔的起诉状进行答辩。尽管瑞尔财产完全为 FWC 的子公司所有，威斯曼是其独一无二的财产所有人，但鲍尔没有提出任何证据表明，在涉及这些公司的问题上没有违反适当的公司形式。据此，支持关于更具体的陈述的动议……

关于因未具体陈述欺诈而驳回诉讼的动议

联邦民事诉讼规则 9（b）规定："所有对欺诈或错误的主张，都必须陈述构成欺诈或错误的具体事实"。在规则 9（b）所要求的具体性与规则第（a）（2）

所允许的自由的诉告文状之间有一个紧张关系，规则8（a）（2）仅仅要求"简明扼要地陈述表明诉告人（pleader）有权获得救济的请求"。但规则9（b）并未指出，规则8对于欺诈案件没有意义。这两条规则在解读时必须相互观照。法院还没有通过设计一种简易的适用标准在这两个规则之间达成一个平衡。因此，具体化的程度取决于个案的事实。

鲍尔的主张无非是一般性地陈述所有的三被告都以承诺和陈述而故意对原告虚假陈述和欺诈原告。在第32段，鲍尔声称，"被告们在他们对原告进行陈述的时候，那些陈述是虚假的和欺骗性的……"这种扫机关枪式的陈述没有陈明所称的协议中哪些构成了鲍尔的欺诈请求。"一份好的诉答书对于欺诈请求的陈述通常包括时间、地点、错误陈述的内容、被虚假陈述的那些事实、以及产生不利信赖的性质……" Elster v. Alexander, 75 F. R. D. 458, 461（N. D. Ga. 1977）鲍尔的请求在所有这些具体事项上都没有达到要求。此外，鲍尔没有把威斯曼和涉及本案的两个作为公司的被告区分开来，使威斯曼不可能形成有效的答辩。

规则9（b）一部分是为了追求一个目标，即确保被告"……被告知所请求的欺诈的准确性质，充分到得以采取回应措施"。Todd v. Oppenheimmer Co., Inc., 78 F. R. D. 415, 419（S. D. N. Y. 1978）在本案中，鲍尔的诉告文状是模糊的，它没有提供规则9（b）所要求的具体性。因此鲍尔的第二个请求，即基于错误陈述、欺诈和欺骗的请求被驳回，并许可其重新诉告。

在决定是否同意规则12（b）（6）动议时，本庭必须主要考虑起诉状中的主张。然而，在诉讼的这个早期阶段，法庭对起诉状的充分性的审查是十分有限的。主张被当作事实来接受，而起诉状则按照最有利于诉告人的原则进行解释……

关于因未陈述据以救济的请求而驳回诉讼的动议

一般不大赞成因为没有陈述请求而动议驳回诉讼，这种动议也很少获得支持。这一政策的理由是两方面的：首先，"如果上诉法院觉得驳回诉讼应当受到严格限制，那么从纠缠这些程序问题而捡回来的那点时间可能转而成为浪费时间"。Rennie & Laughlin, Inc. v. chysler Corporation, 242 F. 2d 208, 213（9th Cir. 1957）. 其次，法院都慎于驳回诉讼，是考虑到联邦规则追求对实质性问题作出确定的这一政策。同前。根据这些目标产生的审查标准是，"……起诉状不应当被驳回，除非它毫无疑问地显示原告不可能提出任何事实来支持那个使他有权获得救济的请求"。Conley v. Gibson, 355 U. S. 41, 45 - 46（1957）. 因此，本庭必须按照最有利于原告的原则确定下列请求是否陈述了任何救济的根据。

A. 侵入（trespass）

原告已经主张了在侵入案件的诉因成立的必备要件。自 1983 年 7 月至 1985 年 7 月，鲍尔与威斯曼之间的协议中包含了一个条款，即在当事人之间关系破裂时，允许鲍尔免交租金居住在位于 73 号大街的寓所中，只要她支付所有的维修费（maintenance）*并且不再婚也不离开美国。到 1985 年 8 月关系终止时，原告声称，她正实际上占有着这所房子，她只跟她的女儿特露分享着这里的居住权。"侵入是一种侵犯占有权的行为，甚至可以主张这项权利来对抗赋予这份占有权的财产所有人"。Meadow Point Properties v. Nick Mazzoferro ωSons，219 N. Y. S. 2d 908, 909（Sup. Ct. Suffolk Co. 1961）. 由于鲍尔声称自己实际上已经（而且排他性地）占有了这所房子，因而她可以因侵入而主张诉讼权利……

根据最有利于原告的原则来考虑这些主张，鲍尔在起诉状中主张对寓所的占有利益已超出了许可的范围……

鲍尔还成功地在诉告文状中提出了侵入的必备要素……鲍尔主张，威斯曼通过他的代理人，未经她的同意而故意进入这所房产。她主张，被告和/或他的代理人从房屋中搬走了艺术品。鲍尔还陈述，被告更换了她房间的锁，并在房子的门厅安置了 3 个武装门卫……

本庭驳回被告关于驳回侵入请求的动议。

B. 非法拘禁（false imprisonment）

因侵权法关于非法拘禁的规则而提起的诉讼旨在保护个人自由不受行动限制。纽约上诉法院**曾经提出构成非法拘禁诉因的如下要件：（1）被告故意限制原告；（2）原告意识到了这种限制；（3）原告不同意这种限制；（4）限制没有获得其他特权许可。

原告关于非法拘禁的第五个请求没有提出任何事实以支持原告在 73 号寓所受到限制的主张。鲍尔称，由于在房子的门厅布置了 3 名武装门卫，她"已经不能以一种自己已习惯的无拘无束的方式自由地进入自己的家，……已经因为被告的行为而变成了囚犯"。然而，在鲍尔第二次补正的起诉状中的其他段落中，完全与上述说法不吻合。第 42 段称，1985 年 11 月 5 日，原告离开她的房子去工作。第 44 段称，三名武装门卫被指示"不允许除原告、她的女儿、或因紧急事

---

* 译者注：前面提到由威斯曼支付鲍尔的生活费（living expenses），这里又提到由鲍尔支付 maintenance，由于他们之间的关系看来不只是一般商事交易关系，而是以私人关系为基础的交易，而且同时又涉及房屋居住的问题，因而按照英语 live（生活、居住）和 maintenance（生活费、维修费）的双重意思，来解释 living expenses（生活费、居住费用）和 maintenance（生活费、房屋维修费）都解释得通。在此选择了更倾向于交易关系的解释，译为维修费，似乎更符合具体语境。

** 译者注：纽约上诉法院（the Court of Appeals of New York）即纽约州的最高法院。

件或/和医疗目的之外的任何其他人进入"。这表明原告被允许出入。另外，第47段称，在鲍尔不在家的时候，未经授权的人进入了这所房子。原告自己的说法支持了一个结论，即她的行动没有受到限制……驳回原告关于非法拘禁的第5项请求，并许可其在20天之内重新起诉。

C. 故意施加精神折磨（in tentional infliction of emotional distress）

构成故意施加精神折磨的请求由以下要件构成：（1）被告极端的和凌辱的行为；（2）故意引起严重的精神折磨；（3）引起严重的精神折磨；（4）由被告行为所致。原告的起诉状提出了适用规则12（b）（6）所要求的每一个必备要件。

第63段提出，被告的"凌辱"行为直接指向原告，首先，3名武装门卫布置在寓所的大厅，阻止除原告、她的女儿、或因紧急事件或/和医疗目的之外的任何其他人进出该寓所。其次，鲍尔房间的锁未经她的同意就被更换，造成她变得"恐惧和狂乱"。第三，威斯曼通过其代理人未经她允许进入她的房间并且未经她同意搬走艺术品。鲍尔主张，被告的意图是以这类行为导致她严重的精神折磨，而她实际上"遭受了严重的精神苦恼、焦虑和难以名状的痛苦"。

这些主张表明被告从事了一系列行为，旨在胁迫、威吓和凌辱原告而且造成了精神不适的效果。这些提交庭审认定的事实，即被告的行为是否超出了得体的合理限度、是否会引起对被告的愤恨，以至于引起对事实的审理以宣告这一行为是否为"凌辱"。《侵权法（第二次）重述》第46节注释（d）（1965）。

D. 妨害私人财产权（private nuisance）

在纽约州，构成私人财产权妨害的要件为：（1）在性质上构成重大（substantial）妨害；在动机上存在故意；（3）在特征上为不合理；（4）拥有使用和享受地界的个人财产权利；（5）由于另一个人的作为或不作为而引起。原告关于妨害私人财产权的第7项请求必须驳回，因为鲍尔没有主张在性质上为重大的、在特征上为不合理的妨害的存在。

"重大的"和"不合理的"妨害，这两个条件将私人财产权妨害诉讼与施加精神折磨诉讼区分开来……重大妨害条件是为了满足证明地界的价值由于被告的行为而减损。"法律本身不关心鸡毛蒜皮的小事，在原告可以因公权或私权妨害而提起诉讼之前，必须存在一个对原告利益的真实的和有价值的侵犯"。《侵权法（第二次）重述》第821节注释c。

鲍尔在第68段中声称，被告侵入了寓所、从房屋中搬走了物品、更换了门锁并在大厅布置了门卫。然而，原告没有称这些行为导致该财产价值的减损……原告没有起诉状对其地界的重大和不合理的侵扰，这对于她的妨害私人财产权的请求是致命的。

总之，支持威斯曼依据联邦民事诉讼规则 12（e）提出的关于更确定陈述的动议，和根据规则 9（b）提出的关于未陈述虚假陈述的具体事实，驳回起诉状中第 2 项请求的动议。同时，依据规则 12（b）（6）之规定，驳回鲍尔的非法拘禁的第 5 项请求，和妨害私人财产权的第 7 项请求，因为这两项请求没有陈述救济据以支持的请求。其他动议均予驳回……

联邦程序规则关于诉告文状的要求是否过于宽松，不能达到删除那些没有实质问题的请求的目的，对此一直存在着激烈争论。一些联邦法院的反应是，对某些类型的案件的诉告文状提出较为严格的要求。我们首先摘录了第五巡回法院的意见书——不过这一意见被联邦最高法院撤销——因为该意见书提出了更多的事实并且考虑了某些法院如何要求更为严格的诉告文状。第五巡回法院意见书中的微妙之处在于，戈德堡法官在制作这一意见书时写得非常具体。最高法院的意见书一部分是支持了第二巡回法院的做法。

莱瑟曼诉塔伦特郡麻醉剂情报与协调组织
Leatherman v. Tarrant County Narcotics Intelligence and Coordination Unit
954 F. 2d 1054（5th Cir. 1992）

戈德堡（Goldberg）法官：

原告在警察执行一项搜查令的任务时射杀他们的两只狗之后，以市政府雇用涉案警察为由，针对政府提起了（美国法典）第 1983 节诉讼。（美国法典第 42 编第 1983 节文本是如此规定的："每个人，根据任何州或区域或哥伦比亚特区的任何制定法、条例、规章、习惯或惯例，剥夺或导致剥夺任何美国公民或该辖区内的其他人的由宪法和法律保障的任何权利、特权或豁免权，都应当在普通法诉讼、衡平法诉讼、或其他适当的救济程序中，向受损害的当事人承担责任……"）原告诉称，市政府没有适当地培训他们的职员，而且这种状况构成了一种政府政策。地区法院因为这一起诉状没有满足本巡回区的"已提高的诉告文状要求"而驳回了这一起诉状。755 F. Supp. 726（N. D. Tex. 1991），Elliott v. Perez, 751 F. 2d 1472, 1482（5th Cir. 1985）根据已提高的诉告文状要求标准，起诉状必须提出有全部事实材料的主张，这些材料使原告获得赔偿的权利得以成立，包括"支持其关于'免除诉讼之请求无法获得支持'这一申辩的具体事实"，Elliott v. Perez, 751 F. 2d 1472, 1482（5th Cir. 1985）在本案这样的案件中，还要提供支持必要主张的事实，必要主张系指市政府实行了一项它能够承担责任的政策或制度。由于原告的起诉状没有满足这一提高后的文状要求，因而我们维持地区法院的决定。

狗事件的当天下午

这一民权案件产生于涉及执法官在执行塔伦特郡麻醉剂情报与协调组织的搜查令任务时发生的两个相互独立的事件。一个事件涉及到查伦·莱瑟曼、她的儿子特拉维斯、他们的两只狗——莎士比亚和宁佳。莱瑟曼女士和特拉维斯正驾驶着福特车被警车突然阻止。警察包围了他们俩，大声叫喊着命令他们并且警告说他们会向他们开枪。警察通知莱瑟曼女士，另一组执法警察正在搜查她的住所。警察还告诉她，搜查小组射杀了他们的两只狗。莱瑟曼女士和特拉维斯转身回家，发现莎士比亚躺在离前门25英尺的地方，已经死了，他被开了3枪，1枪在腹部、1枪在腿上、1枪在头上。宁佳正在主人卧室躺在血泊中，他被射中了头部，明显是用鸟枪射击的，头髓溅在床上、对面的墙上和地板上。这些警察并没有带着任务离开，而是继续在莱瑟曼家的草坪上闲逛了一个多小时，喝酒、抽烟、聊天、大笑，显然在庆祝他们似乎无所羁束的权力。

在原告的补正诉答书中提出的另一事件涉及到一名警察根据一项搜查令而突然袭击了杰拉尔德·安德特的家。发出这张许可证的根据是，警官闻到从杰拉尔德·安德特的家里散发出一股与安非他明（麻醉品）有关的味道。突然袭击的时候，安德特这位64岁高龄的老祖父正在家里跟创新的家人一起悼念自己去世的妻子，她在与癌症搏斗了3年之久后溘然长逝。这些警察没有敲门，也没有表明自己的身份，突然闯进家中，在没有受到任何刺激的情况下，就开始对安德特大打出手。一开始，一位没有表明身份的警官打他仰面打倒在地，安德特转过身来时，他感受到两道急速的电流，头部受到一阵棒刺，像是电警棍。他的头部受伤，缝了11针。与此同时，其他警官对那些还没有明白入侵者身份的家里的其他人破口大骂。警官们用枪指着命令家庭成员面向地板趴下。这些警官并未因此罢休，他们继续侮辱这些居民，并威胁要伤害他们。在搜查这家住所长达一个半小时之后，没有发现任何与麻醉行为有关的东西，然后这些警官扬长而去。

原告们起诉的是与两次事件有关的塔伦特郡麻醉品情报与协调组织（下称情报组织）、提姆·卡瑞（在作为该组织领导的官方职能范围内）、唐·卡彭特（郡治安官）、德克萨斯州莱克威尔市、德克萨斯州格雷普韦恩市。原告补正的起诉状声称，市政没有形成和实施适当的政策，培训其官员以适当的行为方式执行搜查令并在遭遇家犬时作出适当的反应。这些主张是一种"样板"——除了上面描述的事件之外，没有事实在支持其主张，即市政府采取的政策、制度、实践等等纵容这些官员的行为。起诉状也没有列举任何官员的名字及他们的各自的职能。

情报组织、提姆·卡瑞和唐·卡彭特动议地区法院根据联邦规则12（b）（6）驳回诉讼……他们的论点是……起诉状没有根据该巡回法院提高的文状标准充分地陈明事实，确立（establish）市政采取了政策或制度支持警察的行为或者疏于培训构成了故意漠视原告的权利……

地区法院支持了这一动议，驳回了原告针对所有被告——动议者和未动议者——提出的请求。地区法院认定，该起诉状未满足提高后的文状标准……在上诉中，原告要求本院废除这个提高的文状要求，原告显然承认了他们的起诉状没有满足该标准……最后，他们申辩，地区法院……驳回他们对那些未动议者的请求，即针对莱克威尔市和格雷普韦恩市政府的请求，时机尚未成熟（premature），因为地区法院没有通知他们法院准备驳回他们对那些未动议被告的请求。

漫无目标的扫射（All Bark, No Bite）

在埃利奥特案中［Elliott v. Perez, 751 F. 2d 1472（5ᵗʰ Cir. 1985）］，本巡回区采取了一项政策，在针对州政府行为者在各自职能范围内提起的诉讼案件中提高诉告文状要求。由此推论豁免的原理应当给予被告-官员的不仅是责任豁免，而且要免除其对诉讼的防御。（同前，页 1477-78。）埃利奥特案法院认定：在针对政府官员的案件中，当涉及符合豁免条件的可能的防御时，我们要初审法官要求原告在起诉状中陈述事实细节和请求的具体根据，必须包括为什么被告-官员不能成功地主张防御豁免。（同前，页 1473。）

自埃利奥特案以来，本巡回区在那些被告-官员能够提出豁免防御的案件中一直适用这一提高的诉告文状要求，从没有过例外。我们写道，"充斥着结论性陈述的诉告文状……不能挫败官员有资格的豁免防御。"其他巡回区也类似地适用了提高的文状要求。判例收集请见马丁·施瓦茨和约翰·柯科林的著作《1983 节诉讼：请求、防御、和费用》，第 1 卷第 1. 6 节注 106。［Martin A. Schwartz & John E. Kirklin, Section 1983 Litigation: Claims, Defenses and Fees, Vol. I, §1. 6 n. 106 (1991).］

在帕尔默案中［Palmer v. City of San Antonio, 810 F. 2d 514, 516-17 (5ᵗʰ Cir. 1987)］，本院的一个合议庭将提高的诉答书要求扩大到市政府责任的情形，法庭想当然地认为，提高的诉答书条件不仅符合逻辑地适用于针对被告-官员的案件，而且适用于依据第 1983 节提起的所有案件，包括针对市政府的案件。帕尔默案的法庭没有解释为什么提高的诉答书要求应当扩大适用于被告-市政府，因为应当考虑市政府并不能请求防御豁免。在本院后来的合议庭中表明：目睹当今诉讼中耗费的巨大费用……仅仅是回应那些甚至是毫无根据的法律诉讼就要承担沉重的代价，而规则 11 的新的措辞要求律师在提起诉讼之前合理调查案件的事实，将这一明示的规则适用于 1983 节诉讼受到许多赞同。Rodrguez v. Avita, 871 F. 2d 552, 554 (5ᵗʰ Cir. 1989) 调卷审查，驳回上诉，493 U. S. 854 (1989). 因此，根据埃利奥特案和帕尔默案，提高的文状要求适用于向本巡回区提起的所有1983节案件的起诉状：如果起诉状漫无目标地只吠而不咬，那么地区法院有义务在开始证据开示之前就予以驳回。

我们以提高的诉告文状要求为指导，转过头来讨论本案。非常明白的是，原告的起诉状缺少确立不适当培训的必备事实。当依据不适当培训其警官而确立一个针对市政府提起的诉讼时，本巡回区已经警告过，"在这一案件中进行一种说明，必须表明'至少存在其他公民也受到过伤害的类似事件的模式……以确立符合依据第1983节产生的市政府责任的官方政策"。Rodriguez，871 F. 2d at 554–55……

尽管我们受到一个困扰，地区法院在依职权驳回对未动议者的请求之前没有通知，但我们还是维持了地区法院驳回那些请求的判决。原告在本院中没有辩称，他们准备在补正的起诉状中主张具体事实以提出符合我们提高的诉告文状要求，因此我们得出结论认为，地区法院没有把自己准备驳回未动议者的请求的意图通知原告，在本案的情境下是无害的。

维持地区法院的判决。

【我们省略了戈德堡法官同时阐述的"特别"意见，同样精妙的是"这些狗希望生存"和"让我们熟睡的狗安息吧"。戈德堡法官指出了不适用提高标准的诉告文状要求的强有力的理由，然而他觉得"必须接受约束，服从第五巡回法院先例的命令"。】

莱瑟曼诉塔伦特郡麻醉剂情报与协调组织
Leatherman v. Tarrant County Narcotics Intelligence and Coordination Unit
507 U. S. 163（1992）

首席大法官伦奎斯特制作最高法院意见书：

我们同意调卷审查，以决定在依据美国法典第42编第1983节提起的主张政府责任的民权诉讼中，联邦法院是否可以适用"提高的诉告文状标准"，这一标准比联邦民事诉讼规则8（a）规定的通常诉告文状的要求要苛刻。我们认定，联邦法院不能这样做。

……我们认为，第五巡回法院在本案中适用的"提高的诉告文状标准"不可能与联邦规则8（a）（2）确立的"通知性诉告文状"的自由制度相符。联邦规则8（a）（2）要求起诉状仅仅包括"简明扼要地陈述请求，表明起诉者有权获得救济"。在康利案［Conley v. Gibson, 355 U. S. 41,（1957）］中，我们说——这一观点仍然生效——，规则的意思就是如它本身所述："联邦民事诉讼规则不要求请求人一开始就详细地陈述他的请求赖以产生的事实。相反，规则所要求的都是'简明扼要地陈述请求',这种请求给被告一个平等的通知,知道原告的请求是什么,以及请求所依赖的根据是什么"。(同前,页47。)

规则9(b)对两类特殊情形规定了特殊要求。它规定,"在所有声称欺诈和错误(mistake)的案件中,构成欺诈或错误(mistake)的情形必须给予具体陈述"。因此,联邦民事诉讼规则在9(b)中的确提出了在起诉某些案件时需要更加具体的问题,然而在其所列举的诉讼中没有提到任何关于根据第1983节规定主张地方政府责任的起诉状。"提及其一而排斥其他"(*Expressio unius est exclusio alterius*)。

针对地方政府的下属机构提起诉讼的根据是他们的雇员被主张违反了宪法权利,这种诉讼始于本院在莫内尔(Monell)案中的判决,在该案中我们第一次将第1983节解释为允许提起这种市政责任诉讼。也许,如果规则8和9今天修改了,那么根据第1983节提起的市政责任案件可能会增加到规则9(b)关于具体化的规定中,然而这是必须经过修订联邦规则的程序才能获得的结果。在没有进行这种修订之前,联邦法院和当事人必须依赖于即判决程序和对证据开示的控制,来早一点——而不是晚一点——删除那些非实质性的请求。

撤销上诉法院的判决,将本案发回重审,进行符合本意见的继续审理。

注释与问题

1. 在莱瑟曼案件中,首席大法官伦奎斯特说,本院没有"考虑符合豁免资格的法理是否要求在涉及政政府官员个人时要求提高文状标准",作为与针对没有资格享受豁免权的市政府提起的案件不同对待。对于这一问题的争论已经变得相当复杂,它展现了富有创造力的律师和法官如何使用程序规则和制定法。最高法院裁定,政府官员享受豁免的范围是,他们在履行裁量性职能时"他们的行为不明显违反一个通情达理的人都会明白的制定法或宪法权利"。Harlow v. Fitzgerald, 457 U. S. 800, 818 (1982). 这取代了主观上善意的确定有资格的豁免的标准,有人认为主观标准导致冗长的证据开示,并且不经过全面审理就无法决定没有确定有资格的豁免防御。一些法院认为,提高的文状标准仍然适用于涉及政府机构个人责任的(美国法典)第1983节案件,而既然最高法院在莱瑟曼案件中并未认定原告是否必须提供具体事实以否定政府雇员有资格的责任豁免之防御,因而他们可以要求在文状中如此具体化。例如哈里斯案 [Harris v. Hayter, 970 F. Supp. 500 (W. D. Va. 1997)]。

2. 第五巡回法院曾认定,当政府官员个人在答辩中提出有资格的豁免防御时,初审法院可以根据规则7要求原告答复(reply);而规则8(a)规定的宽松的文状要求不适用于第7条;"答复必须针对主张有资格的豁免来剪辑,并且与自己的主张相契合" Shultea v. Wood, 47 F. 3d 1427 (5th Cir. 1995)。在克劳福德案〔Crawford – El v. Britton, 118 S. Ct. 1584, 1596 (1988)〕中, 史蒂文斯 Stevens 大法官代表多数派制作的意见书表明, 初审法官可以根据规则 7 裁令原告作出答复, 或者, 无论是否提出了有资格享受豁免的确认性防御, 初审法官都可以根据规则 12（e）裁令原告作出更确定的陈述, 以强制原告在提出一项公共官员的行为具有错误动机时得以具体化。

在 Shultea 案件中的并存意见显示, 最高法院根据国会授权颁布联邦规则不一定要解释成允许原告模式的文状来否定有资格的豁免: "这一实体法上的豁免使公共官员免受诉讼之负担, 不能以民事程序规则取消之。根据授权法案的规定, 联邦民事诉讼规则'不得取消、扩大或修改任何实体权利。'28 U. S. C. Sec. 2072（b）"。47 F. 3d 1427, 1433（Edith H. Jones 法官, 其他 3 位法官加入）。在后面讨论程序法的历史时, 我们将再次回到提高文状标准的问题上来。

3. 联邦规则 8（a）（2）在用词上, 要求"简明扼要地陈述表明起诉者有权获得救济的请求", 小心地避免使用其他用词, 如"事实"或"诉因", 有些州的起诉规则使用的是这种用语。尽管如此, 如果一个起诉状只是说被告有责任, 却不提供任何识别的线索, 总归是不大像乎是真的; 起诉状关于发生了什么事情只叙述这么一点点, 以至于让被告不足以明白怎样开始信息开示, 也是不大可能的。这里有一种解释联邦起诉规则的模糊性的尝试。

> 联邦规则的宗旨是模棱两可的, 一条似乎更符合起草者意图的解释线索是, 起诉者的确必须以扼要的语言主张存在一些情形, 使他们有理由相信是真实的, 并且如果是真实的, 则他们有权获得某种救济; 另一条线索则是最高法院在康利案中表达的意思, 根据联邦规则提起的起诉状, 除非"它毫无疑问地显示原告不能证明支持其请求的任何事实", 否则起诉状就是充分的。
>
> 在这两种方法之间存在着根本的矛盾。根据第一种方法, 起诉者只要在诉告文状中确立可能的原因, 就能够将诉讼推进到证据开示。根据第二种方法, 起诉者除非在诉告文状的表面上表明起诉者没有原因, 否则就可以将诉讼推进到诉告文状阶段之外。这会使起诉条件变得没有意义。因而, 法院和注释者们自康利案件之后都表示, 最高法院的文字表达不知所云。毫无疑问, 一个起诉状仅仅声称"被告对原告干了坏事"（defendant wronged plaintiff）是不够的, 这已成为共识, 在这个意义上, 康利案的语言是有些夸张, 然而, 这种用语已经足够宽松了, 它使得联邦起诉规则不能压缩到以下这种程度:
>
> （1）起诉者可以尝试以充分明确的表达陈述其请求, 并且其详细程度达到在诉告文状阶段的陈述是否存在合法有效的请求所依赖的在他认为是真实的事实。如果起诉者做到了这一点, 而被告动议驳回这一请求, 那么法院就要给予起诉者一个根据法律问题作出的裁定……
>
> （2）根据康利案, 起诉者可以用非常一般化的用词而不将事实具体化的方式提出请求。如果起诉者如此做, 那么诉讼将继续进入证据开示阶段, 在证据开示获

得实质性完成之前不能决定请求在法律上的充分性。

Fleming James, Jr., Geoffrey C. Hazard, and John Leubsdorf, Civil Procedure (4th ed. 1992), §3.6, at 147-148.

4. 注意，在康利案中，答辩人以两个不同的根据说起诉状没有陈述救济据以支持的请求。我们分析，最高法院在这一段开宗明义，"答辩人指向以铁路劳动法案为依据的事实"，这是照应该院在另一段中讨论过的一个不同论点——那段的首句为，"答辩人还主张，起诉状没有提出具体事实"。由此引出对两种不同根据的解释。鲍尔案又提出了第三条路径，即，请求的一部分可以是有缺陷的。这与前面说的两种根据有什么不同？

下面简要说明未陈述救济据以支持的请求的3种不同类型：（1）不存在这种诉因；（2）这种诉因存在，但原告没有陈述基本信息，比如未提供联邦民事诉讼规则样式9中要求的信息，以表明原告可以让人相信存在这一诉因；（3）存在一个已知诉因，原告也陈述了足够具体的事实以证明所称事实，但即使事实是真实的，也不符合原告自己大脑里设想的理由或诉因。

5. 法官们在对规则12（a）（6）动议作出裁定时，目击范围通常不超出诉告文状的"4个角"。然而，规则10（c）指出，"任何用于展示起诉的书面手段都构成其所追求的所有目的的一部分"。据马库斯（Marcus）教授观察，"法院常常乐此不疲地抓住这个机会，允许被告提出很大范围的资料，即使那些不作为附件的资料，对起诉状进行攻击，以支持驳回起诉的动议"。（他的注57举出了大量法院把那些不作为附件的信息册、不作为附件的合伙协议、没有作为起诉状附件的EEOC指控等等都考虑在内的例子。Richard L. Marcus, The Puzzling Persistence of Pleading Practice, 76 Tex. L. Rev. 1749, 1757 (1998).

6. 规则8（e）（2）规定，当事人可以陈述"如其所愿地许多独立的请求或防御而不必管它们之间的一致性"。法官卡布兰尼斯在下面案件中的意见详细说明了这一规则的原理。

亨利诉代托普村公司
Henry v. Daytop Viliage, Inc.
42 F. 3d 89 (1994)

巡回法官卡布兰尼斯（Cabranes）：

请求我们决定的是，第7编原告（a Title VII plaintiff）因为雇主以正当的非歧视性理由解雇她而提起质疑雇主的诉讼，她的振振有词但互不一致的请求是否被排除在这一诉讼之外。由于她的请求是不一致的，而且联邦民事诉讼规则明确授权起诉可以替换，因而我们认定，她的第二项请求不能被解释为允许对抗她的第一个请求。为此，我们部分撤销而部分维持了原判……

代托普村的雇员健康保障计划为雇员的配偶提供了健康福利，但其范围仅仅限于配偶自己的健康计划不能完全支付医疗费用，所有的代托普村雇员请求报销配偶的医疗费用时均须提供配偶健康计划的书面资料。

原告西莉亚·亨利（Celia Henry）多年来一直请求代托普村为她的丈夫欧内斯托（Ernesto）报销医疗费用并获得批准。亨利与代托普村之间在关于亨利实际上提供了关于欧内斯托健康保险的何种医疗信息这一问题上发生了争议。1989年代托普村关于欧内斯托的健康保障调查揭示，代托普村为亨利丈夫的医疗费用多支付了 760.53 美元，这是重复报销的结果。亨利的上司与她就公司的发现进行对质，继而进行了论辩，亨利因为雇员的不良行为而被解雇。

1992 年，亨利向地区法院提起诉讼，声称根据第七编的规定，她因为性别和种族而被非法解雇。她提供了两个理由以支持其歧视请求：（1）她没有虚假陈述她丈夫的医疗保险，因此代托普村指控她行为不端纯粹是为了解雇她而寻找的借口；（2）白人男性雇员因为同样的不良行为而受到过更为宽大的制裁。代托普村动议作出即决判决，它辩称，该起诉状没有提出有实质性真正的事实争议，因为亨利声称"那些不是黑人女性的处于相同情形的雇员曾经因为同样违反代托普村的纪律而受到过不这么严重的处罚"，以此主张作为亨利所提出的第 7 编请求这一整体的一部分，（1）亨利的主张实际上是对自己行为的承认；（2）因而与她关于自己没有犯不良行为这一进一步主张不相符。地区法院支持了代托普村关于即决判决的动议。本上诉庭对此表示同意。

地区法院的理由是，当亨利主张同等情形的白人或男性雇员因同样违反代托普村的纪律却受到较轻处罚时，她已经将不良行为作为一个法律事项承认了。因此，该院得出结论，无论是亨利本人的确认，还是纽约 ALJ 发现亨利一直通知代托普村关于她丈夫的医疗保险与此一致，都没有提出足以否定即决判决动议的实质性事实争议。

地区法院的错误在于两个方面，其一，亨利在声称被区别对待时并未将不良行为作为法律事项予以"承认"……她的主张是，不管她是否犯有被指控的违反代托普村纪律的错误，对于她的惩罚——直接开除——比对于处于相同情形的白人或男性雇员要重。这远不是对事实的承认，亨利是否在事实上虚报了她丈夫的保险额的问题，对于代托普村是否给予她与那些被指控犯有相同不良行为的白人或男性雇员同等的对待没有实质意义。

其二，即使亨利的确作为法律事项承认了她的不良行为，但她并没有承认不良行为与她的其他请求有关……亨利的起诉状提出了两项不同的请求。第一项请求是代托普村错误地指控她违反纪律以此作为解雇她的借口；第二项请求如上所述，是不管亨利是否在事实上向代托普村虚报了她丈夫的医疗保险金额，对她实施的特别制裁——直接开除——要比实施于同样情形的白人或男性雇员重。

普通法和法典的实践都反对在文状中前后不一致，因为一般认为，一个文状包括着自相矛盾的主张表明它在表面上就具有虚假性，是那种诡计多端的当事人企图在司法程序中浑水摸鱼的信号。然而，把有效的请求牺牲在技术一致性的祭坛上未免太常见了，为了避免对诉讼早期的限制，联邦规则的起草者试图把起诉人从束缚手脚的技术一致性的条件中解放出来，规则 8（e）（2）预留的弹性空间在民权诉讼中特别合适，在这些案件中，对于当事人意图的综合考察也许有时为提出多个相互不一致的请求提供了正当理由。

因而，根据规则 8（e）（2），我们不能将亨利的第一项请求解释为承认对另一项不同的或不一致的请求相抵触……据此，即使亨利的请求有点不一致——而在我们看来并非如此——我们能够而且也会包容二者。现在我们来将这两项请求一个一个地审查……

注释与问题

1. 为什么斯威特法官在鲍尔案中涉及非常拘禁理由时同意被告的规则 12（b）（6）动议？

2. 你们已经有了相当多的信息来帮助你们考虑诉告文状要求应当实现的目标。重要的是理解这些不同的目标，因为它们有助于你论证支持或反对动议驳回诉讼的理由。一种考虑目标的方法是思考我们在第一章介绍的每一个程序制度下的价值。接近文状制度目标的另一方法是考虑起诉状与其他诉讼阶段之间的关系。起诉条件与证据开示之间的关系是什么？它与既判力、请求排除的意义之间又是什么关系？最后，考虑你的不同受众。当你起诉时，文状规则本身对于起诉次数有要求吗？参见后面关于策略考虑的讨论。

3. 鲍尔案中法院所适用的规则 9（b）要求在诉告文状中将"构成欺诈或错误的情形"具体化，为什么？注意规则 9（g）要求，"当请求特殊损害赔偿时，他们必须具体地陈述"。规则的宗旨在于，当这一类请求据以产生的损失为非通常损失时，应当向被告通报一声，以使不会被不公平地突然袭击。例如，如果没有具体化的起诉状，被告可能不知道原告为了最大限度地减少损失（将损失最小化）而发生了费用。我们在此仅仅提供一个例子，因为究竟什么是符合诉告文状宗旨的"具体损害"，这一问题正是我们已经描述过的、能够给你们提供机会去发挥论述水平（或者要去你们的图书馆寻找能够提供答案的其他资料）的那一类问题。如果你们对于什么样的损害是"具体的"不那么确定，你会起诉吗？

4. 在民事程序法领域中，我们受赐于三个特别好的单卷本著作：Jack H.

Friedenthal, Mary Kay Kane, & Arthur R. Miller, Civil Procedure (3rd ed. 1999); Fleming James, Jr., Geoffrey C. Hazard, and John Leubsdorf, Civil Procedure (4th ed. 1992); and Charles A. Wright, Law of Federal Courts (5th ed. 1994). 怀特（Wright）的单卷本正如其书名所限，几乎全部集中于讨论联邦法院制度。怀特还有一个多卷本著作，书名为 Federal Practice and Procedure。这套书中的许多卷是与 Arthur Miller 合著的，因而常常被称为 Wright &Miller。在关于联邦程序的领域中其他被最经常引证的多卷本著作被称为 Moore's Federal Practice，这是以这套书的首位作者 William Moore 的名字命名的。在你们的图书馆里找到这些书的位置，当你们在学习本课程中被某个程序问题拦住了去路时，或者想了解比给你们的题目更多的知识时，就去看一眼这些书。你们经常能够很快找到答案，这是挺棒的实践！

实务练习七
分析卡彭特案中的第 12（b）（6）和 12（e）动议

卡洛尔·科布伦茨（Carol Coblentz）律师在最初的客户会晤和策略会议之后决定代理南希·卡彭特。已经做了一些法律调查和事实调查，起诉状也已提交了。被告提交了请求驳回诉讼的第 12（b）(6) 条动议，并提出 12（e）条动议要求更确定的陈述。初审法官很快就要对这两项动议作出裁定，假设适用于马萨诸塞州法院的诉告文状规则与联邦民事诉讼规则相同，你是这位初审法官的助理，考虑一下双方当事人的论点各是什么？你会建议作出什么裁定？为什么？起诉状、有关制定法、以及动议（以及最初备忘录）在卡彭特案卷宗里都可以找到。

三、策略考虑

许多诉讼判决要求律师考虑三个不同问题：我必须做什么？我可以做什么？我应当做什么？正如你们所见，联邦民事诉讼规则要求律师关于起诉状的最低要求，但是，假如由律师们来选择，他们可能写出一份复杂得多的起诉状。除了起草起诉状以通过规则 12（b）（6）动议这一道关之外，原告律师还有许多受众是她可能想说服或影响的，最明显的就是法官和对方当事人及其律师。不过，也要考虑其他受众。

下面我们引述伊斯曼教授在 1995 年的一篇论文的一部分，他认为，我们制作起诉状要比法律理由书自由得多，联邦规则允许简单地提出主张。他建议我们引入其他的制作规范，比如文学作品、报刊杂志、历史等，以改进法律文件制作中的贫乏状况。我们选取了这篇文章关于起草起诉状可资利用的潜在资源的讨论，这些资源有助于将起诉状起草成为一份辩论文件，同时又是在法律上具有正确性的诉答文状。我们还摘录了他对一份补正起诉状文字修改，这份起诉状是在

228 一宗选举权案件中为挑战伊诺斯州的开罗选区而提交的。实际的案件和解了,法院作出了合意判决(consent decree)并且已经执行。在这篇文章之后,我们将提出伊斯曼教授长期考虑的几个问题。

赫伯特·A·伊斯曼:陈述真实要有力:民权诉讼中的语言
Herbert A. Eastman, Speaking Truth to Power:
The Language of Civil Rights Litigations
104 Yale L. J. 763 (1995)

我曾有一位名叫哈蒂·肯德里克(Hattie Kendrick)的客户。她是一位女士,非洲裔美国籍,学校教师,民权斗士,被蔑视、坐过牢、被那些"不向有色人种供餐"的餐馆和服装店扔出门外过。她游行,高呼种族融合和反抗压迫。她的学校开除了她,但在此之前她曾在伊诺斯州的开罗教导过一代又一代黑人后代,告诉他们参与美国的民主是他们的权利和义务。1940年代,她为黑人教师同工同酬而起诉并获得胜诉,她的律师是瑟古德·马歇尔。1970年代,她在集团诉讼中作为列名的原告,主张在开罗实行黑人公民投票权,反对该市的选举制度使他们的选举权变得毫无价值。她所想要的一切,就是能在有生之年在一次民主的选举中投一次有意义的选票——她已经九十高龄,双目失明,颤颤巍巍。就是这样一位女士。这样一个故事。这样一个声音。听一听她是如何洞察她所在的小镇的问题:"两个种族之间对立的时间太长,裂痕写在各自的脸上,他们心里带着忿恨与仇视的怒火,背后握着出鞘的剑"。而这还只是向联邦法院提交的确认原告身份的起诉状中的描述,哈蒂的名字也在其中:"所有的原告都是黑人,他们是美利坚合众国和伊诺斯州的公民,是在伊诺斯州的市长选举名单中登记在册并在开罗行使选举权的开罗的居民"。

在与客户咨询之后,这篇文章从一种浮现在眼前的失望与沮丧中喷涌出来,我感觉到一种生生的愤怒,用一句我母亲爱用的话说,那是一种向苍天发出的愤怒。我代理了这个案件,并且将会一直代理这些客户的民权案件……

我的沮丧和失望是在我重读自己为他们起草的起诉状时开始的。我几乎不忍目睹那些客户告诉我的真实生活被切得七零八落,然后把它们作为事实主张在起诉状中写给法院,那只是一些在这种翻译的过程中遗落了许多的对于日期和事件的毫无生气的引证。那么,当我们对一位像哈蒂这样的女士的身份进行描述时,仅仅把她作为一个登记在册的选举人,究竟遗落了什么?细节,当然。情感,也不必说。但是并不仅止于这些。我们遗落了一位受到伤害的人的身份,遗落了她的生活阅历。然而,还有更多的东西被遗落了。这是一宗针对救济一种伤害了千千万万人、一代又一代的制度性问题的集团诉讼。起诉状省略了在那些法律所看不见的事件之下社会微妙的变化过程，那些事件造成或者合成了伤害。在本案起诉状中，我们遗落了所致伤害的完整性、权利被剥夺的程度、原告集团成员蒙受的耻辱、对于更大社会的损害、以及所有这一切的意义。

这份起诉状省略了民主过程的受挫和强有力的"隐喻"，它要求在限制法院干预的一般规则实行例外。这份起诉状却在客户与法庭之间、客户与律师之间留下了一堵严实密封的墙。它甚至以一种不可思议的方式，由于否定她对于证人策略反应的能动的、创造性的角色，而使律师黯然失色。

我不知道，我们，作为律师，如何能够诉答书这样骇人听闻的大规模的恶行。在重新拜读其他著名的民权集团诉讼的诉答书之后，我发现一个相似的失败。本文试图探究为什么我们会失败，想知道我们是否能够做得好一点……

民权的原告可能作为与她的对手平等的人站在法庭上，然而，在那种条件下她没有进入法庭，而且可能带着这种不平等的加深而离开人世。一个不利的裁判能够意味着继续的压迫，甚至死亡。

然而，如此富于重要价值的特质却超越了民权的语境。每一位当事人都有一个值得诉说的事故——从社团当事人努力在一切从实际出发个严峻的竞争环境中求生，到一对夫妻在卷入令人痛苦的离婚，民权领域都是一个启程的好地方……

它的重要性是什么？一个如规则所期望的那样仅仅提出对请求的简短主张究竟问题出在哪里？为什么诉答书如此重要？……

当然，律师代他们的客户叙说故事的说服力至关重要。泰戈尔写道："人们，包括法官和陪审员，理解并复述事故"。尽管如此，许多律师将起诉状视为一种机械，他们通过这种机械将案件传送到法庭并交给陪审团——不管一旦防御性动议攻击诉答书成功与否。从他们的角度看，起诉状仅仅需要符合法律上的充分性，而不需要讲故事。这些律师可能以为，庭审，特别是终结辩论（the closing augument），才是一个让他们讲述其寻求救济的那个故事的更适当的媒介。

即便如此，民权诉答书特别应当讲故事，理由在于：首先，在民权案件中寻求的是禁令，没有陪审团。法官就是那个必须被说服的人。她是事实的审判者，然后由她决定是否发出禁令。起诉状肯定不是惟一的说服机会，却在时间上是第一次，而且是形成该案继续讨论的框架的一次机会。其次，不仅是没有陪审团，而且可能连庭审都没有。岁月将花费在组织复杂的证据开示程序中，并按照时间安排进行各种动议的混战。当事人经常通过谈判而获得合意判决，而且经常是在法院的指导下进行和解。一方面，当事人可以就救济进行谈判，另一方面，法院必须必须谈判的条件并保持一种"不断介入调整和履行"的状态。艾布拉姆·蔡斯（Abram Chayes）曾经指出，"所有这些因素都将初审法官强行推向一种在形成、组织和推进诉讼中的积极角色"。当判决者形成案件的进程和同意不经庭审而给予救济时，起诉状的重要性在不断增长，它是第一个而且也许是惟一一个交流当事人故事的途径。

第三，即使能到庭审阶段，也要经过几年才能抵达那里。["在哈蒂的案件中，和解谈判在庭审的前夜以巨大的热忱达成了协议，与第一次起诉状之间时隔6年。案件最终在6个月以后以合意判决的形式落下帷幕……即使在初步禁令的听审中当事人被允许对他们的经历作证，一旦法院开始将焦点更狭窄地集中在起诉状提出的那些更加枯槁的法律问题上，那么对于他们经历的叙说也会遗落许多"。] 欧文·戈夫曼（Erving Goffman）曾经评论，在大多数个人之间面对面时，参与沟通者一个一个都能够形成沟通，从一开始就这样。在诉讼中，一个参与者——法官——在决定谁说话、说多长时间、在什么时候说时，要比其他人行使更多的权力。起诉状——人们会希望在她第一次面对面与原告的律师交流之前由法官阅读——可能为律师提供一次单方的途径在"诉讼伊始"就形成沟通。起诉状可以给法官在整个庭审过程及庭审以外的视觉都带上色彩，从动议、证据开示的争议、和解会议、一直到判决后的执行程序都是如此。

第四，法院对"真"问题的建构就已表明问题将被如何考虑和提出。例如，如果监禁案件被界定为一个途径（resources）问题而不是对具体权利的争议，法庭就可能认定自己没有权力处理这类问题；而假如该案界定为对具体权利的争议，那么没有资源就不能提供防御……既然我们批评法官通过利用那些错误陈述了我们的当事人的现实情况的标签而作出不利决定，我们就应当不再指望我们的起诉状能够教育法官什么是现实。

第五，基于经济和社会原因，联邦法官处于与底层社会隔绝的状态，他们不了解在开罗的贫穷黑人的问题，也不了解处于最大限度保障中的重罪犯人的问题，因此如果要他们能够充分地理解这些问题，并在指导诉讼和最后作出救济时对这些问题加以关注，就需要向他们描绘一幅生动而完整的画面。除了法官自身的个人生活经历之外，其他的障碍也会限制法官的看法，比如角色的限制、有限的资源、甚至获得一个案件的事实的有限性……

一位联邦法官曾经坦率地写道：

> 不管是谁任命了法官，法官们对于那些"gotcha"案件的反应都很消极。我这么说的意思是，诉讼建立在技术上遵从法律或规章的基础上，其结果是空洞无物的（undocumented），至多是事实模糊的。我们法官想了解事实，了解真实生活状况，了解在合法的挑战背后的实际实践……法官探寻我们所作所为的意义。你必须说服我们，法律或者规章在穷人生活中的重要性。

其他法官——及他们的法律助手——都强调过，在有关犯人的案件中，正是那些"强烈震撼"的故事打动他们采取行动。

第六，起诉状对于律师而言甚至更为重要，他们以为自己代表了置身于直接的当事人之外的一个理由（a cause）。民权"诉讼本身是一种完美的选民建构的设计"。律师可以通过起草一份起诉状而进一步扩展她的理由，这份起诉状摆出一副"重大的和决定性的架势，以一种极端而可视的形式陈述请求——作为一项合法权利"。富有影响力的诉讼可以为贫穷的当事人一次机会聚集变化。罗伯特·J·格伦农（Robert Jerome Glennon）甚至论断，诉讼的贡献要比1950年代中叶蒙哥马利、阿拉巴马的民权运动、比汽车行业的联合抵制运动的贡献还要大。起诉状向法院提交，并向当事人或"选民"以及媒体传播，它传递着案件所关注的所有问题。

第七，起诉状通过媒介向更大的社群讲话，那个社群包括被告、被告的上级、还可能有他们的朋友和同僚。那个社群可能开始在新的光亮中看见隐而不露的问题，开始考虑改变，和在压力下达成和解。

第八，起诉状向诉讼者提供惟一的机会，以一种文学的形式去讲述当事人的故事——戏剧化的、震撼人心的故事。这是一个十分少有的创造机会，民权的律师不应当抵制这种机会的诱惑，民权起诉状由于其酝酿时间较短而且如此深受事实的影响，在普通法中的根基较浅，普通法关于起诉规则和技巧以及起诉状式样等都很少涉及它……

这份起诉状可能不会像亚伯拉罕·林肯的力量和技巧那样"突破"敌意受众的偏见，但它肯定会突破"通知性诉告文状"。〔伊斯曼教授修改后的起诉状（从未提交过）制作得非常生动，而且包括几张图片。〕

美国联邦伊利诺斯南部地区法院

哈蒂·肯德里克、小普雷斯顿·尤因，其个人并代表其他所有境遇相同的人原告，	民事案件 73-19C号
诉	
艾伦·莫斯，其个人并作为伊利诺斯州开罗市长；开罗市议会；开罗市，市政府自治机关，被告	请求 衡平救济

起诉状

1. 这是由哈蒂·肯德里克和小普雷斯顿·尤因是向本院提起的集团诉讼，他们代表所有非洲裔美籍公民同时也是伊诺斯州开罗的居民这一集团的利益，这个集团的成员有权或将要获得权利参加在开罗举行的选举。本案依据美国法典第

42编第1983节之规定，挑战上前在开罗市议会实行的作为开罗选举基础的普选形式（at-large form）违反了美国联邦宪法和美国法典第42编第1973节《选举权利法案》。

2. 哈蒂·肯德里克是一位非洲裔美国人，生于密西西比，1920年代早期搬入开罗，在长达几十年的岁月中执教了开罗种族隔离的公立学校，她教导一代又一代黑人后代，告诉他们参与美国的民主是他们的权利和义务。她曾通过邻里组织、和平示威、政治活动和诉讼，毕生致力于改善她的群体。她为她的追求付出过代价：她曾被赶出过种族隔离的商业区、在和平游行时被警察逮捕，并且被学校开除。当许多非洲裔美籍领导人已经鼓吹种族隔离主义时，肯德里克女士仍然热忱地相信能够与居住在开罗的欧洲裔美国人和平共处。

3. 小普雷斯顿·尤因是哈蒂·肯德里克过去的学生，他也是一位非洲裔美籍公民，他的祖辈几代人都在开罗生活。尤因先生的父亲个人作出巨大牺牲而为全家人提供了经济上的保证。当他还是一名邮递员时，他的上司禁止他使用邮政员的洗手间，老尤因先生因此忍受着羞辱去那些他递邮途中的人们允许他使用他们的洗手间，多年来不让自己的妻儿知道这一窘迫的经历。小尤因先生以他的父亲为榜样，将他的事业贡献给了他的群体，组织地方NHKCP宪章，倡导所有的孩子——无论非洲裔还是欧洲裔的美国人——都接受教育……起诉状中的许多图片都是小尤因先生拍的。

4. 哈蒂·肯德里克、普雷斯顿·尤因、以及他们所代表的集团挑战开罗市议会实行的普选形式，是因为它否定了他们选举的权利，这种选举形式有一个这样的规则：一个普选议会的体制；极端种族隔离的选举，其极端程度达到欧洲裔美国人绝对不投非洲裔美籍候选人的票；选民中的60%多数是欧洲裔美国人；排除非洲裔美籍公民参与的政治体制。这些因素加在一起，将非洲裔美籍人的选举权弱化到一无所有。

5. 当肯德里克女士从密西西比搬入开罗时，她发现开罗政府以一种种植园民主方式运作，名义上将选举权扩大到所有适龄公民，但执行的却是一种反民主的封建制度，使得占当地人口40%的非洲裔美籍人，都处在一种贫穷、无助、绝望的状态，这种状态已持续了几代人。

6. 在开罗中等收入的非洲裔美籍家庭不到欧裔美籍家庭的一半，而他们的失业率却要高得多。正像尤因所说的那样，"在开罗工作机会对于那些想要工作的人都是存在的，但是当你漫步穿过多数雇主的领地时，你就会发现，他们的招牌上都填写着来自密苏里州和肯特基州。开罗的商业界喜欢雇用那些穿过俄亥俄州和密西西比河的白人，而不愿意雇用当地的黑人"。工会将非洲裔美籍人排斥在会员之外，可以预见，这会迫使非洲裔美籍人进入社会福利的名册。福利办公室曾经与棉花经营者合谋，以使在非洲裔美籍人进入社会福利名册时，就迫使他们作出选择，要么摘棉花而获得标准收入，要么取消福利救济金。

（图示省略）

7. 开罗的非洲裔美籍人领袖相信教育是实现平等的最直接的路径。肯德里克回忆说，"早在1883年，开罗的黑人就试图打破隔离学校制度，却发现学校的大门对他们是紧锁着的。为什么会一直是这样？在伊利诺斯，这片林肯的土地上，究竟发生了什么？尽管肯德里克女士和其他人一南要求平等和融合的学校，但学校迟至1960年代才开始融合。当联邦政府强制学校改变种族隔离制度时，欧裔美籍人把他们的孩子从公立学校撤回家，组建私立的种族单纯的贵族学校（Camelot Academy）。

8. 在开罗生活的每一个方面，非洲裔美籍人都被告知他们处处低人一等。公共的住房是隔离的，直到最近，只有欧裔美籍人被允许使用公共图书馆、某些公共公园、国家警备军械库（the National Guard Armory）、以及其他公共设施。

9. 1960年代，环岛俱乐部关闭了该镇的惟一游泳场而不实行种族融合，现在两个种族的所有孩子都冒着密西西比河逆流中游泳的危险……

10. 根据伊利诺斯法律，议会和市长联合行使权力，包括立法、行政、执行、控制市镇财政、街道和公共财产、以及公共卫生安全等。

11. 镇上的尽管名义上没有党派，但市里的选举是由民主派和共和派所控制。这些派别在历史上都是排斥非洲裔美籍人的，共和党到1960年代才向非洲裔美籍人打开大门，而民主党于1940年代允许非洲裔美籍人参加。在两个党派中，黑人都从来没有占据过任何主要位置。两大党派允许非洲裔美籍人担任过的惟一角色是选区委员，而我们将在后面看到，这个职位仅仅是为了掩饰种族垄断政治权力的一种摆设。

12. 在几乎所有城市委员会中都有一名非洲裔美籍人作为连任的市行政官员。其他公共机构只任命几个愿意受制于那些委员会中欧裔美籍人多数派的非洲裔美籍人，一个可敬的例外是John Cobb祖父，他是非洲裔美籍人群体的领袖，他被任命到警察委员会，但从来没有被通知过在何时何地召开会议。

13. 在最近的全市选举中，非洲裔美籍人候选人遭遇新闻广告敦促欧裔美籍人多数派"把票投给白人候选人"和"挽救开罗"，非洲裔美籍人落选就毫不奇怪了。莫斯市长和他的市议会在"美国公民和群体行动组织"（UCCA）——这是一个白人至上主义者的组织——公开组织的竞选活动中当选。

（图示省略）

14. 正如肯德里克女士所言，"黑人一次又一次努力从他们受奴役的地位上爬起来，却一次又一次地被他们的白人兄弟推回到受奴役的地位"。开罗的非洲裔美籍人公民相信他们有权利参与他们自己社区的选举，推动民主进程，他们于是在警察的枪口下举行了反对隔离的和平示威。

（图示省略）

15. 警察和警卫队员殴打了示威者，下面的照片是开罗现任市长正在对准一位纠察队员和一位手持来福枪的市议会成员转动着摄影机，并正在观看游行。

（图示省略）

16. 警卫队员——当地人称之为"白帽子"，因为他们戴着白色头盔——发动了对非洲裔美籍人居民区的狙击。他们使用棍棒和铁链殴打那些想滑过开罗滚轴溜冰场的非洲裔美籍人年轻人，被殴打的人中有16岁的查尔斯·凯恩，他是肯德里克女士的另一名学生，他希望将来成为基督教信徒部并领导联合阵线，这是开罗致力于民权的组织。他愿意成为抵制欧裔美籍人直到改变的蜡烛，而他们却把他视为刑事犯和无政府主义者。

（图示省略）

17. 开罗的警察没有采取任何措施来阻止他们，他们不仅没有保护这些非洲裔美籍人公民，他们自己还围攻了非洲裔美籍人参拜的天主教堂。非洲裔美籍人社区的领导组织了民权活动……市议会通过了一项条例，使两人或两人以上的聚众成为非法。开罗警察部门组织白帽子，并授权他们控制市区。

18. 自肯德里克女士1920年代到开罗以来，这里没有什么变化，普选政府的组成是本世纪早叶为了回应公众对普遍存在的市政府腐败而采取的形式——同时代媒体把这种腐败与社会中的"罪恶的黑人因素"联系在一起。在实行普选制度之前，非洲裔美籍人被选举进入市议会，而自普选之后，就再也没有非洲裔美籍人获得这种机会了。这种普选制度自采用以来一直持续至今并在开罗用以歧视非洲裔美籍人之目的，拒绝非洲裔美籍人投票。

19. 一些非洲裔美籍人对于改变现状已经绝望。而肯德里克女士的学生安东尼·帕特森——他也是这个原告集团中的成员之一——在环岛俱乐部关闭游泳场的时候已经80岁。他是在河水游泳中生还的人，现在他说，"这个镇至今仍然落后保守，真是丢脸。你根本不想再呆在这里，寻找工作……"

20. 许多非洲裔美籍人选民没有机会为了他们自己的选择而把票投给可选举的候选人，他们就在选举的当天把选票卖给那些可能有机会获胜的候选人，不管他是谁，而所有的欧裔美籍人出价最高……每张票平均3至5个美元，由选区委员会主席收集。在开罗的金钱民主中，基本的美国人权利，选举权，被削弱到几乎一无所剩，降低到仅值几个美元。

21. 这个州的事务与掌权的欧裔美籍人十分相配，当被问到开罗的非洲裔美籍人有什么正当的起诉状时，白帽子的头儿汤姆·马佐回答说，"其他州的黑人搬到伊利诺斯来是因为福利救济项目……他们到这儿来是为了恩典"。可以想像，他所谓的这种恩典包括用摘棉花的奴隶工资来保护他们的福利救济的特权。这个头儿坚持道，"他们没有被雇用，也不可能被雇用。他们乐意生活在小窝棚里"。下面的照片就是位于里弗罗（Riverlore）的威廉姆·沃尔特斯（William Wolters）的家，他是作为开罗主要雇主之一的商人，旁边就是那些窝棚的照片，沃尔特斯先生向一位芝加哥论坛的记者描述为"那些黑鬼窝"。

（图示省略）

22. Madra 和白帽子相信，"在这个社区有黑人领导没有好处"。公共官员声称同意和支持欢迎非洲裔美籍人参与的愿望，但市政府律师约翰·哈兰德却始终为这个没有非洲裔美籍人参与的政府辩护，说是因为"没有人选举出来……"

25. 这种自杀性的领导只能把所有开罗的公民引至最后的灾难。非洲裔美籍人群体已奋斗了多年，努力把开罗从历史上所有的封建社会无可逃避的命运——灭亡——中拯救出来。他们的斗争包括示威以唤起对不公正的注意，联合抵制那些歧视的商业，发展替代性经济，申请联邦支持，提起废除公共住房隔离的诉讼，赢得市政委员会的任命，以及阻止被地方警察和检察官虐待。这些开始于 1940 提供，当时肯德里克女士和其他非洲裔美籍人教师与他们的律师瑟古德·马歇尔一起诉求同工同酬……

29. 原告集团遭受过并将继续遭受不可弥补的伤害。它的成员在普通法上没有适当的救济。正如原告肯德里克女士所言，"两个种族之间对立的时间太长，裂痕写在各自的脸上，他们心里带着忿恨与仇视的怒火，背后握着出鞘的剑"。

30. 一方面，开罗种植园民主党人支付 3 个美元获得一张选票，另一方面，他们挥舞着出鞘的剑刺向那些不能被收买的人。他们的封闭主义伤害了黑人也伤害了同类的白人，他们拒绝了一个种族——欧裔美籍人——控制另一个种族的未来，就如同它把两个种族的后代都拖入了一个为了游泳而跳进密西西比泥泞的边缘。种植园虚假的民主恰恰是反民主的，真相就是它是种植园。原告哈蒂·肯德里克和普雷斯顿·尤因请求保护他们选举的权利，以一种真正的民主取代开罗的种植园民主。

31. 他们特别请求法院宣告开罗的普选市议会制度违反了宪法和选举权利法案，作出裁令将开罗划分为市议员选举区，以使非洲裔美籍人居住区有机会选举他们自己选择的候选人。

32. ……至关重要的是，原告哈蒂·肯德里克已 90 高龄，身体状况堪忧，恳请法院在诉讼早期的可能的时间内裁令救济，提供一次她能够参加的民主选举，可以向她自己选择的候选人投一次平等的、未被削弱的票。

有鉴于此，原告请求法院：

(1) 宣告开罗的政府普选形式违反了美国联邦宪法第十四和第十五修正案及选举权利法案；

(2) 作出临时和永久禁令，禁止普选制度的运作方式并按照不会削弱原告集团的选举权的方式将该市划分为不同选区；

(3) 裁令进行一次新的市议会选举；

(4) 支持原告合理的律师费用和诉讼开支；

(5) 同意法院认为衡平的、公正的和适当的其他衡平和附加救济。

注释与问题

1. 你可能希望将伊斯曼重新起草的起诉状与第一章戈德堡诉凯利案等更典型的诉讼作一比较。伊斯曼在他新起草的起诉状中运用了什么技巧？他在文章中的某些讨论是隐喻、讽刺、诗篇、说教和修辞。

伊斯曼还建议民权律师可以从康奈尔·韦斯特（Cornel West）的"爵士乐"概念中获得灵感："我使用'爵士乐'这个术语作为一种音乐艺术形式，作为当今世界的一种时尚，一种即席的、变化无穷的、流动的、灵活的创作，追求怀疑'要么/要么'观点、教条化发音、或者理想至上主义的本真（reality）的风格。作一名爵士乐自由的战士，就是努力用一些组织形式激励和充沛那些厌世的人们，以负有责任感的领导促进至关重要的交流和广泛的回应"。（伊斯曼，同前，页831，对康奈尔·韦斯特的引语，见 Cornel West, Race Matters 105（1993））。伊斯曼提示，爵士乐的影响可以"在民权问题上为自己打开了新的乐园和新的表达——如果不是解决——技巧，这引导法律，而不是亦步亦趋"。同前。伊斯曼富有文学色彩的起诉状策略能够向法律领域——而不是民权——发展吗？

3. 实际上，极少有律师把文学性诉告文状发挥到伊斯曼重新起草的起诉状那种程度。是什么造成了这种抑制？正当吗？你看到了什么样的潜在缺陷有利于那些决定在更加自由的诉告文状中提出动议的律师？对于当事人、律师、对方当事人及其律师、裁判者、以及社会而言，潜在的收益又是什么？伊斯曼提出了以下许多收益："民权原告在呼吁变革中并非孤立的，律师们也在这样做。一份薄薄的、干巴巴的起诉状反映了薄薄的、干巴巴的职业人，他把自己作为完整的人的角色一片一片地削薄了。换一种写法，起诉状就能作为一种整合律师两个部分的途径——个人的和职业的"。（同前，页851。）

4. 看一看伊斯曼的起诉状，你认为哪些部分会动摇规则12（f）提出的动议？本案中的防御会不会说，起诉状中的大部分内容都是"多余的（redundant）、非实质的（immaterial）、不相干的（impertinent）、或者诽谤性的（scandalous）"？参见 R. A. Givens, Manual of Federal Practice, §4.21（4th ed. 1991）："多余通常是指冗长而重复；非实质性是指在诉讼范畴之外；不相干是包含了多余的和非实质性的或者二者兼具；诽谤性的是指在一个人的道德品格上抹上一层凭空捏造的贬损性的色彩，使他在法庭面前丧失体面或者变得不被尊重。

实务练习八
思考克里夫兰市案中的起诉状

作为律师事务所的合伙人，你已收到了一份介绍了一件涉及一位克里夫兰市女消防队员案件的最初备忘录。这一备忘录附在书后的卷宗《克里夫兰市消防队员》中。该律师所的资深合伙人要你阅读备忘录以便熟悉该案的事实和法律。这位合伙人要你准备好与她及其他合伙人的谈话，共同商议该案的起诉状类型。在策略会议上，这位合伙人要你准备解释诉因及其要件，并讨论该起诉状为哪些受众而写、你参与起草的主要问题、你会建议采用何种语气制作起诉状、起诉状具体到何种程度、以及你认为还需要哪些事实信息和法律信息。这位合伙人最近已经读过伊斯曼的文章，也就是你们刚才读过的那些部分。她要你提出建议：她在起草本案的起诉状时，应当在多大程度上受这篇文章的影响——如果受其影响的话。

四、有利害关系的真正当事人*

DM II 有限公司诉美国的医院法人**

DM II, Ltd. v. Hospital Corporation of America
130 F. R. D. 469 (N. D. Ga. 1989)

地区法院福里斯特（Forrester）法官：

这是一宗由一批乔治亚州的法人对田纳西州的两家法人违反信用义务（fiduciary duties）而诉求衡平救济的诉讼。原告诉称，这些义务依赖于当事人之间的关系而存在，这种关系与他们之间对位于乔治亚州的哥伦布的一笔不动产的共同所有权有关。然而，不大清楚的是，当事人之间与所有权有关的关系的性质以及坐落在这片不动产上的医生医院（Doctors Hospital）的经营状况。原告们称，他们和被告是合伙人，共同拥有和经营医院，而且他们之间的合伙关系为每一个合伙人设置了某种信用义务。原告进一步称，被告违反了他们对自己的合伙人承担的

---

* 译者注：real part in interest 作为美国民事诉讼规则用于审查当事人适格的一项规则，与我国的规定差异在于，美国审核原告是否与本案有利害关系，是在立案登记之后，由诉答程序完成的，我国则是在立案程序中完成的，且由法院单方决定。本部分涉及到公司法中实体规则内容之处，如有个别不准确，请参考公司法。

** 译者注：在美国，Corporation 的具体含义要根据其在实体法上的主体地位来确定，这里译为"法人"，是因为它比美国公司法上的"公司"的外延要广，也比我国法人的概念宽泛，其核心条件是个人的权利与 Corporation 的权利分开。

信用义务，在哥伦布建立了一个竞争性的医院。原告通过本案诉讼，要求说明被告以医生医院的开支所赚得的利润，或者加诸于该基金之上的结构性信用（constructive trust）。被告以原告未以享有利益的真正当事人（real party in intersest）的名义起诉为由，请求驳回诉讼……

A. 是否存在合伙关系？

这是被告动议所提出的最基本问题，涉及当事人之间在医生医院的所有权和经营中的关系的性质，正如上述，原告声称存在合伙关系，法院同意这一点。乔治亚州法律将合伙定义为：(1) 两个人或更多人的联合；(2) 作为共同所有者（co-owners）经营；(3) 一项营利的事务。O. C. G. A. §14-8-6 (a). 在本案中所有的3个要素都具备了。当事人之间明显地构成了一个非法人联合，任何一方在医生医院及医院所坐落的地产中都有一份所有权利益。最后，毫无疑问，医生医院由各方当事人作为营利事务来经营。正是后一个要素将合伙与消极的财产共同共有关系（比如共同租赁等）区别开来。参见《统一合伙法》。因此，本院的结论是，合伙关系已经形成，并且现在仍以经营医生医院为目的而存在，双方当事人和几位未参与本案诉讼的人都是这个合伙中的成员。

B. 合伙人是否为有利害关系的真正当事人？

规则17 (a) 规定，每个案件都必须以有利害关系的真正当事人的名义起诉，比如以准据实体法所规定的享有诉求执行的权利（has the right sought to be enforced）的当事人的名义。因此，当一位有利害关系的真正当事人属于联邦程序事项时，就必须提交州的实体法，以确认系争法律利益的真正所有人……被告辩称，医生医院的合伙人是本案中有利害关系的真正当事人，为了支持这一主张，被告向法院表明，原告只代表了声称受被告行为损害的合伙人中的一部分。被告的立场是，根据作为准据法的州实体法，原告提出的请求权属于作为整体的合伙，因而必须由合伙起诉或者由每个合伙人提起简单诉讼（single action）。而原告则主张，请求权属于每一个合伙人，因而既可以个别主张也可以共同主张。因此这一争议的解决取决于，根据准据法乔治亚州法律，提起本案诉讼的权利属于医生医院合伙，还是属于每个合伙人个人。

这一问题的答案在乔治亚州的《合伙法》中可以找到……该法案§14-8-21 (a) 条规定，每个合伙人都有必须"向合伙汇报其任何收益，并作为合伙的受托人掌握其未经其他合伙人同意而从任何与合伙的组建、行为或清算有关的交易中获得的、或者从他使用任何财产中获得的利润"。此外，任何合伙人都可以提起对其他人的诉讼以执行这一法律条款。O. C. G. A. §14-8-22 (3).

在本案中，原告诉求被告申报，并强制执行在被告通过与合伙事务的非法竞争而获得的利润上的信托。由于非法竞争提出了一个因违反信用义务而产生的诉讼类似于非法转换合伙财产（根据该法案，合伙人对合伙利润的份额被认为是个人财产。O. C. G. A. §14-8-22），本院发现§14-8-21（a）的适用范围足以覆盖这类诉讼。此外，由于§14-8-22向"任何合伙人"提供了一个执行§14-8-21（a）的诉因，因而本院认定，准据法已授予每一个合伙人以独立于合伙的诉权。本院因而判定，每一个合伙人都是具有利害关系的真正当事人，规则17没有要求在这种情形下驳回诉讼……

注释与问题

1. 哪一方当事人主张另一方不是有利害关系的真正当事人，各方的论证理由是什么？请具体一些。

2. 当事人能力（capacity）[规则17（b）]与有利害关系的真正当事人[规则17（a）]的区别是什么？

3. 为什么规则17（a）"有利害关系的真正当事人"包括被告？

五、匿名原告

无名氏诉联合服务人寿保险公司
Deo v. United Services Life Insurance Company
No. 88-5630469（S. N. D. Y. 1988）

地区法院斯威特法官：

原告约翰·无名氏（John Doe）（下称"无名氏"）[1]曾动议裁令许可他使用假名提起本案诉讼，在法院中所有记录上，从被告联合服务人寿保险公司（下称"联合服务"）及其任何证人提供的信息中，隐去他的实际姓名、地址或雇主，除非他们同意作出保密裁定。联合服务请求驳回这一起诉状，因为它没有根据联邦民事诉讼规则10（a）的要求确认原告的身份。基于下列理由，无名氏的动议在下述范围内获得支持，而联合服务的动议被驳回。

无名氏现在作为法律助手为一位联邦法官工作，在他法学院上学期间的最后一年，无名氏和他的父亲同意为无名氏设立一笔人寿保险以担保他父亲作为无名氏学生贷款的保证人的义务。1987年月11月，无名氏和他父亲向联合服务为无名氏买了10万元的人寿保险，受益人的名字是无名氏的父亲。

按照申请程序的一部分，联合服务的代表与无名氏见过面，公司要求无名氏进行体格检查。无名氏声称，联合服务在处理同性恋者的人寿保险申请时采取了特别防范政策，因为无名氏在申请时是单身，而且跟另一位男性一起住在格林威

---

[1] 在隐名诉讼中，法院常常为隐名当事人取一个名字指代，最常见的是Doe，类似的用语还有Roe, Coe, Poe等等。与中文"某某"相似，如John Doe为"某约翰"。此处译为"无名氏"。

治村，符合同性恋的外部特征，因此公司要求与他见面并验血。

无名氏还称，由于他在会面时承认他过去因为在公共场合醉酒被拘留过，而且血液检测显示他的肝脏中酶的指标较高与他经常酗酒有关，因此联合服务在无名氏的保费上增加了额外收费 105 美元——从 155 美元增加到 260 美元。

无名氏根据自己不正常的血液检测结果，要求再次进行血液检测，但联合服务拒绝了。无名氏进行了一次独立的血液检测，没有显示不正常的结果，随后无名氏提起了本案诉讼。无名氏声称自己是异性恋。

无名氏本来向纽约州最高法院提起诉讼，主张（该行为）违反了纽约保险法，因为性别、婚姻状况、性爱倾向而歧视，联合服务移送（remove）了这一案件，并在答辩之前提出了紧急动议（instant motion）。

根据州法院依职权作出的关于授权送达约翰·无名氏名义下的起诉状的命令，无名氏向联合服务送达了起诉状，同时送达了一份表明可在 1988 年 8 月 12 日回复之原因的裁定，他请求许可其以假名提起诉讼并在其他方面保护他的身份。这一动议在联合服务将该案移送联邦法院的期间悬而未决。由于这些动议在"移送后的移送"（removal survive removal）* 期间都在州法院悬而未决，因而本院根据最初向州法院提交的动议文件，使无名氏的动议可以在 1998 年 9 月 16 日回复。

在无名氏启动本案时，联合服务邀请无名氏去做另一次血液检测，并提出建议，如果他的肝酶指标达到正常，则向他发出标准费率的政策。无名氏拒绝了，可以认为是为了战胜一个过时的请求和主张他在起诉状中所主张的权利。

根据无名氏的观点，在消除卖保险的不公平实践中的公共利益、无名氏在不被公众认为是同性恋者方面享有的私人利益、以及无名氏对于他作为一位联邦法官法律助手的身份的担心，都支持他获得隐名诉讼的准允。联合服务否认本案要求无名氏公开他关于自己性倾向的隐秘信息或实践，认为本案的特征是涉及对保险公司"由于与性行为无关的健康风险"而向无名氏收取高额保费之决定的挑战，而不涉及同性恋或艾滋易感性问题。联合服务还争辩说，允许无名氏进行隐名诉讼将使该公司在一个涉及到它的高度曝光的案件中受到损害，同时使它不能避免曝光，也不能直接进行全面回应而记入诉讼档案。

"一般而言，诉讼是公开的事件，而公众在了解案件相关事实方面享有正当权利"。Free Market Compensation v. Commodity Exch., 98 F. R. D. 311, 312

---

* 译者注：当一方当事人（通常是被告）对州法院的管辖权有异议时，他们的律师会将案件移送至他们认为有管辖权的联邦法院。联邦法院应原告的动议或依职权审查后，如果认为该案不属于自己管辖，则会将案件退回州法院。这意味着后一次移送使该案经历前一次移送的劫难后而得以逃生故用"survive"。

(S. D. N. Y. 1983）。因此诉讼当事人通常应当以他们的真实姓名进行诉讼。参见联邦规则 10（a）（"在起诉状中，诉讼的标题应当包括所有当事人的姓名或名称……"）；联邦规则 17（"每个案件应当以有利害关系的真正当事人的名义提起。"）；另参见 Coe v. United States Dist. Court for the Dist of Colo., 676 F. 2d 411, 415（10th Cir. 1982）；Southern Methodist Univ. Assn. v. Wynne & Jaffe, 599 F. 2d 707, 712（5th Cir. 1979）。

然而，在特殊情况下，法院也曾允许当事人使用虚拟的姓名，特别是必须"在非常隐私的事项中保护隐私"。Doe v. Deschamps, 64 F. R. D. 652, 653（D. Mont. 1974）（节育）；See, e. g., Roe v. Wade, 410 U. S. 113（1973）（堕胎）；Poe v. Ullman, 367 U. S. 497（1961）（ ）；Doe v. Mundy, 514 F. 2d 1179（7th Cir. 1975）（堕胎）；Deo v. Alexander, 510 F. Supp. 900（D. Minn. 1981）（转换性别）；Doe v. Harris, 495 F. Supp. 1161（S. D. N. Y. 1980）（精神疾病）；Eoe v. McConn, 489 F. Supp. 76（S. D. Tex. 1980）Doe v. Shapiro, 302 F. Supp. 761（D. Conn. 1969）（非法出生的孩子的福利权利），appeal dismissed, 396 U. S. 488（1970）。

那些可能会冒着被公众认定为同性恋的风险当事人也提出过关切隐私的问题，这种担心在关于披露的规则中获得支持而成为一般原则的例外。见 Doe v. Weinberger, 820 F. 2d 1275（D. C. Cir. 1987）, cert. granted, —U. S. —108 S. Ct. 1073（1988）；Doe v. United States Air Force, 812 F. 2d 738（D. C. Cir. 1987）；Doe v. Commonwealth's Attorney for City of Richmond, 403 F. Supp. 1199（E. D. Va. 1975）, aff'd, 425 U. S. 901（1976）；Doe v. Chaffee, 355 F. Supp. 112（N. D. Cal. 1973）。对于避免被公众认定为同性恋的关切程度与广泛存在的公众害怕被感染艾滋病菌有关。参见 Doe v. Rostker, 89 F. R. D. 158, 161（在案件中的争议提出一个面临"某种社会污名"的风险时，隐名诉讼是适当的。）

尽管在事实上，无名氏称——联合服务也承认——他是异性恋者，但他很有可能被公众认为是同性恋。无名氏的起诉状称，联合服务歧视他是因为它怀疑他是同性恋，无名氏通过提起本案诉讼寻求为同性恋辩护的权利。同时，为无名氏担任本案律师的是兰姆达法律维护和教育基金会（Lambda Legal Defense and Education Fund, Inc.,）的合作者，这是一个以维护同性恋权利为宗旨而知名的组织。[法院在脚注中声称，"无名氏提出的本案采取隐名诉讼方式的理由是，本案的结果可能会对他作为一位联邦法官的法律助手的身份产生影响，本院决定允许无名氏进行隐名诉讼，反映了对于他被认为是同性恋者的关切，而不是对于他的职业身份的关切。法院不应当允许当事人仅仅为了保护其职业或经济生活而进行隐名诉讼"。参见 Coe v. United States District Court for the District of Colo., 676 F. 2d 411 (10th Cir. 1982); Southern Methodist Nniversity Assn. v. Wynne & Jaffe, 599 F. 2d 707 (5th Cir. 1979).]

十分重要的是，这不是一宗允许无名氏进行隐名诉讼会对联合服务产生不利的案件。联合服务已经知道无名氏的真实姓名，在本案的进程中它将享有完全的证据开示权利，它仅仅受到禁止的是，不使用或披露以本案防御以外的证据开示的成果。

基于上述原因，根据与驳回联合服务的动议有关的状况，无名氏的动议获支持。此令。

注释与问题

1. 联邦规则中有关本案决定的具体规定是什么？
2. 在什么情况下法院有权改变规则，比如规则 10（a）？
3. 在歧视案件中的原告绝大多数都必须披露其真实身份时，为什么本案原告被允许匿名起诉？法院成功地区别了本案事实与那些没有获得法院许可进行匿名诉讼的案件吗？
4. 根据隐含在我们程序制度中的价值，允许原告进行匿名诉讼有意义吗？为什么原告通常必须在起诉状中署名？
5. 联邦规则大部分是超/跨实体的，意即，程序规则适用于不同类型的案件，无论其实体如何。你是否认为像第 7 编（调整劳动歧视）那样反歧视的立法应当为那些原告必须披露其身份的情形提供特殊规则？（提示：这会是立法制定超实体的抑或不超实体的一个例子。）如果国会面对这个问题，对于这一提议会有什么样的支持或反对意见？考虑一下你在一则立法中使用的语言，描述一下原告能够或不能进行隐名诉讼的条件。
6. 你将发现"约翰·无名氏"当事人在另一种语境中，亦即当某原告必须在起诉状中指称被告的名字以规避制定法限制的障碍时，也会出现。这些情形经常由制定法调整，当原告（往往通过证据开示）试图揭开在起诉状中以约翰·无名氏指称的被告的身份时，制定法提供一种时效中断（tolling）制定法限制的方法。一旦原告发现在起诉状中使用假名的被告的身份，就必须补正起诉状，在使用"约翰·无名氏"的场合列名实际的被告。根据联邦规则，只要补正起诉状符合联邦规则 15（c）的规定，它们就溯及到最初提交诉讼的时间，这样就规避了制定法对于时效的限制。然而，在雅各布案［Jacobson v. Osborne, 133 F. 2d 315 (5th Cir. 1998)］中，当"约翰·无名氏"被告如此署名时，法院却不愿意允许原告使用规则 15（c），因为不可能认出他们的身份，而不是错误的结果。一些州制定法和判例为原告使用假名列名被告方面提供了很大的回旋余地。加利福尼亚州的法律在允许原告起诉"约翰·无名氏"被告方面尤其宽松。

六、答辩、动议和确认性防御

1. 初步动议

假设你是一位律师，代表已受送达的被告处理起诉状。你首先要注意你的行动必须在多长时间内完成，因为你不会希望你的客户因为未答辩而被"缺席判决"并因而败诉。如果你在联邦地区法院，你要查一下规则12（a），以确定可适用的时效。如果你需要延长时效，你再翻到规则6（b）。你还要查一下法院所在地的地方规则，以确定是否有特殊规则可以援引来延长时效。不要以为你只要获得原告律师的同意就可以处理时效延长的问题，尽管这种同意（如果可能，则用书面形式）是值得获取的，但最安全的途径是在最初允许的时效内让法院支持你申请延长时效的动议。

假如你已经解决了时效问题，那么现在你面对一个起诉状时的选择是什么？在联邦法院，良好的开端是从规则12和8开始。

要求更确定的陈述的动议（A motion for a more definite statement）。如果起诉状含混不清或模棱两可，以至于你的客户不能被合理地要求组织答辩，则可援引规则12（e）。这一规则要求，动议必须包含对"所不满的缺陷和所要求的细节"进行描述。这一动议必须"在提出应答文状之前"作出。你不能答辩，并且要在那个时候成功地提出动议。

法院曾努力避免要求更确定陈述的动议被用来取代证据开示。规则12（e）过去在措辞上允许动议出示细目，但1946年取消了这种方法，因为根据顾问委员会的意见，"关于对庭审的准备，当事人应当有权以规则所规定的各种方法，进行以庭审为目的的询问和证据开示"。

要求有的放矢的动议（A motion to strike）。联邦规则12（f）要求法院从文状中删除"任何不充分的防御或任何多余的、非实质性的、不相干的、诽谤性的事项"。注意规则12（f）还规定了时间限制，不过法院可以"在任何时间依职权"采取行动，删除规则中所述的内容。如果原告列举了几个潜在的诉因，而且其中每一个"都没有陈述救济据以支持的请求"，则被告可以具体根据"不是实质性的"为理由使用规则12（f），或者更常用的是，适用规则12（b）（6），动议法院予以驳回。假设你需要法院过去认定不充分的防御或"多余的、非实质性的、不相干的、诽谤性"事项的例子，去图书馆就可以很快找到。

2. 驳回诉讼的动议

复习一下联邦规则12（b），找到允许驳回诉讼的七种动议。注意规则12（b）给你两种选择：要么将这些防御作为你答辩的一部分，要么在提交答辩之前提出初步动议。你应当考虑，为什么你要选择先答辩——包括你在答辩中提出的规则12（b）防御——而不是提出动议和推迟答辩，以此作为被告的策略。一种考虑是规则15（a），该条允许当事人"在应答文状送达之前的任何时间"补正一次诉告文状作为当然的事项。既然动议不是被定义为文状（见规则7（a）），因而提交初步动议不会截断原告补正的绝对权利，然而，提出答辩状——即使是在答辩状中提出规则12（b）防御——却会达到这一效果。不过这一方式不是主要的考虑，因为联邦规则15（a）历史性地放宽了补正的规定，"当为着公正之目的时，可以自由地许可这种要求"。你把其他的策略考虑联系起来选取答辩或动议的路径吗？

你已经熟悉了"因未陈述请求而驳回诉讼的动议"[规则12（b）（6）]。规则12（b）条的其他规定包括在本书后面的其他内容中，例如第七章和第八章关于管辖权问题和送达程序。根据没有事项管辖权[12（b）（1）]、没有对人管辖权[12（b）（2）]、审判地不当[12（b）（3）]、传唤文件不充分[12（b）（4）]、传唤文件送达不充分[12（b）（4）]而提出的防御（或驳回诉讼动议）将在相应章节详述。也许你迫不及待要找出"不充分"与"传唤文件送达不充分"之间的差异，实际上，律师们在挑战传唤文件送达时常常会根据这两款提出动议。一般说来，前者质疑的是没有符合规则4（b）要求的传票，而后者挑战的是没有适当送达对方当事人，例如传票的形式可能是正确的，但没有正确地送达每一位被告。

规则12（b）（7）防御，即没有根据规则19合并的当事人，是指规则19所规定的不可缺少的当事人没有作为共同诉讼当事人参加诉讼。这将在第十一章关于更复杂的合并诉讼问题中详细讨论。你随后学习的内容是被告对规则19策略的利用，当一位不可缺少的当事人不可能参加共同诉讼时，他可凭这一条坚持要求这位当事人必须合并到诉讼中来，因为这会破坏事项管辖权，或者因为当案件已经开始时，原告在撇开19条所规定的当事人的情况下无法获得法院的对人管辖权。这张网可以导致驳回诉讼。

记住，尽管我们正在被告针对原告的起诉状作出答辩的语境中讨论规则12（b），但这种防御或动议在其他情境下也必须考虑，比如当原告面对反请求时，或者被告面对交叉请求时，都可以提出这样的防御或动议。规则8（a）规定了所有请求的条件，"无论是本请求、反请求、交叉请求、还是第三人请求"，而规则8（b）规定，当一方面对不利请求（比如原告面对反请求）时，必须作出防御和承认或者对主张的否认。

在起草答辩状（承认和否认及确认性防御均在其中）之前，你应当考虑一下规则12（g）和12（h）的规定，这两款调整的是在动议和自动放弃中的合并防御或者自动放弃或保留某些防御。有几种方法如果你忽略了，你可能丧失提出规则 12（b）规定的 4 种防御或动议的机会。（一会儿我们将解释"受青睐的"3 种防御，它们受到更多的保护。）丧失规则 12（b）所规定防御的一种途径是，提出规则 12（b）动议而忽略其他内容，这正是 12（g）的宗旨。假定你是被告的律师，提起因缺乏对人管辖权而驳回诉讼的动议（比如被告从未与法院地州有过隶属关系，也没有任何关于选择该法院管辖的合意），这一动议被驳回，你随后再提出因法院地错误而驳回诉讼的动议。规则 12（h）禁止这样做，于是你因为没有合并两个动议。

想一想同一例子，但这次你在对人管辖权动议失败后，提出一个挑战法院地的答辩状，以此智取规则 12（h）。这次你仍然会遭到狙击，但这一次的障碍是 12（h）（1）条，阅读这一条款，你会明白为什么。

或者，假如你不用动议来提出任何防御，而在答辩状中提出一项 12（h）（2）条规定的防御，亦即没有对人管辖权，后来你又增加一项对法院地的挑战。这是被 12（h）（1）条禁止的。通过补正答辩状而加进去这项防御通常也不会把你从自动放弃（防御）的命运中挽救出来。你明白这是为什么吗？

概而言之：（1）如果你在答辩之前提出一项 12（b）动议，那就同时在你的动议中提出任何似是而非的、可能不会受到支持的防御；（2）如果你答辩，而不首先提出 12（b）动议，那就在你的答辩状中包括似是而非的、可能不会受到支持的防御包括在内。这些关于合并和放弃 12（b）条之防御的规则对于你有意义吗？为什么有或没有？

我们还没有讨论，为什么在不陈述救济据以支持的请求、没有合并规则 19 所规定的不可缺少的当事人、以及没有事项管辖权的情况下，针对这些理由提出的防御不因为未将它们合并到其他 12（b）动议之中而被放弃，也不因为未将它们包含在你的答辩中而被放弃。的确，规则 12（c）（3）作出了进一步规定，"任何时候当事人表明或其他方式显示法院没有事项管辖权，法院都应当驳回诉讼"。

我们将在后面碰到事项管辖权和不可缺少的当事人的概念时，讨论它们的神圣意义。同样，我们还将在涉及对人管辖权、法院地、传唤文件问题时讨论放弃这些（防御）的意义。但是你已经能够猜出为什么 12（b）（6）条受到保护而不会被放弃。例如想一想，在一个案件的庭审中，有一个诉因，然而从诉告文状来看，这个诉因很明显不能涵盖争议中的交易（"交易"的概念详见第十章）。换言之，只要提出过 12（b）（6）条动议或者包括在答辩状中，就会获得支持。现在如果法院因为当事人自动放弃（权利）因而不能考虑动议怎么办？这有意义吗？为什么有或没有？

规则 12（h）后段规定，"未陈述对请求的法律防御，对此提出的反对"也可以"根据规则 7（a）而在任何允许或裁令的诉答中，或者通过根据诉答文状作出判决的动议中，或者在对实质性问题的庭审中"提出。为什么在未陈述对请求的法律防御时，原告对此提出的反对也受到保护而不会自动放弃权利？

尽管受到青睐的防御与事项管辖权、规则 19 有关，然而未陈述请求却不因在答辩状中忽略或未合并到 12（b）中的其他动议中而被自动放弃，答辩律师的普遍实践是把这些防御包含在答辩状中。但有的时候，被告不这么做。比如，被告律师可能认为，原告的律师太懒，没有意识到，如果不针对 12（b）（6）动议提出防御，他的案件中的特定要件就存在弱点。被告可能在自己的答辩状中忽略 12（b）（6）条防御，知道自己后来还可以提，或者，也许被告在指出原告没有任何证据证明要件之前，决定等到受指示裁判的阶段再提出——在这个阶段之后，原告补救自己的疏忽就为时已晚。[规则 12（b）（6）的确提到了起诉状和针对证据而作出受指示裁判。然而，由于一些法院不愿意支持 12（b）（6）动议，或者支持这种动议但同时许可进行补正，因而被告律师可能不希望在诉讼的早期阶段提醒原告律师注意自己案件中的潜在弱点。]

在规则 12（b）防御中还有最后一个事项。这些防御无论以初步动议提出，还是在答辩状中、或者——在那些受"青睐"的防御中——在答辩之后提出，规则 12（d）规定，这种防御都"应当听审并且在庭审之前应任何一方当事人之申请作出决定，除非法院裁定将对这些防御的听审和决定推迟到庭审的时候。"为什么规则鼓励早点决定 12（b）防御？

还应当注意到规则 12（c）关于根据诉答文状作出判决的动议，尽管它不经常使用。可能根据对所有的诉答文状——通常是一份起诉状和一份答辩状——的考虑，原告或被告胜诉已十分清楚。比如，起诉状中的主张表明，制定法的时效限制已到期，而答辩状则把制定法的时效限制作为确认性防御；另如，答辩状中已承认原告的所有主张，并提出没有有用的防御，如在合同案件中提出被害人自己的过失，此时原告动议根据诉答文状作出判决就可以获得支持。

3. 答辩状

现在该考虑你作为被告律师如何提出答辩了。假设你已决定不以单独的动议提出 12（b）动议。你的答辩状将包含四类内容，但你还有两个更多的考虑。答辩状中的四类内容是：（1）对原告起诉状中各项主张（averments）的承认或否认 [规则 8（b）]；（2）12（b）防御；（3）确认性防御 [规则 8（c）]；（4）反请求和交叉请求（规则13）。它们经常分别写在几个单独的文件中，即使跟答辩状一起提交。另外，答辩律师在提交答辩状时会同时考虑他们是否希望引入第三方当事人参加诉讼（implead）（规则 14）或者以其他方式谋求增加当事人。比如，被告可能考虑根据规则 13（h）在反请求中增加另一被告。答辩律师可能进一步努力通过动议把案件扩大成为合并诉讼［规则42（a）］，或者通过鼓励其他人介入诉讼（intervene）（规则24）。答辩律师还可以通过提出规则21条关于不当的共同诉讼（misjoinder）的动议而谋求减少当事人。最后，答辩律师在答辩的同时还应当考虑是否请求陪审团审判。陪审审判请求经常是在答辩状中陈述的。我们将在第五章关于陪审团审判时再专门讨论。

4. 承认与否认

关于承认和否认的原理是相当直接的。阅读规则8（b），该条要求对每一项主张作出承认或拒绝，除外情况是"当事人在缺乏充分了解或信息的情况下无法形成对一项主张是否真实的确信（belief），"这是我们马上要详细讨论的话题。诉答者可以否认具体的主张、起诉状中的某些段落、或者整个起诉状，同时声明不否认哪些，但规则特别规定，这种一般性的否认"受规则11义务调整"。所有诉答文状都受规则11调整，即使不再像这样具体提示。你们在后面将要学习规则11。本书附录中的卡彭特案的答辩就是典型的否定全部段落的例子。规则8（d）规定，在要求必须作出答辩时，未予否认的主张视为承认，一个例外是"损害的数额"。试想一个不要求提出应答文状的例子。见规则7（a）。当应答文状不要求或不承认应答文状时，该主张"视为被否认或被回避"。

答辩状的主要目的是缩小争议的范围和通知双方当事人仍然存在争议的是什么问题。防御律师非常小心不要承认实际上仍有争议的任何事情，因为一旦被告承认了一项主张，就没有弥补的机会再将承认改变为否认了，承认的事项将被案件的其他人视为真实。结果，在诉答状中的承认要比庭审中提交的证据更具有拘束力，事实认定者可以相信也可以不相信庭审中的证据。于是，只要有任何理由否认一项法律结论，比如"义务"或"过失"，让被告承认这种主张就非常困难。有的时候，防御律师会声称原告主张的是一项不要求承认或否认的"法律结论"，尽管规则并未特别涵盖这一情形。更多的时候，被告仅仅否认主张，如果原告想使用文状作为减少法律战役的机制，她最好在文状中详尽其事地陈述非常具体的事实，使对方律师在作出没有条件限制的否认时更为困难。

当诉答者实际上只否认一部分主张（而可以承认剩下的其他部分）时，否认整个主张会招致惩罚。一个人们喜欢引用的判例是齐林斯基案 Zielinski v. Philadelphia Piers, Inc. 139 F. Supp. 408（D. C. Pa. 1956），在该案中，原告在起诉状中主张一辆机动车为被告所有、经营和控制，它在管理其代理人、服务人员和雇员方面的疏忽和大意，致使它与原告之间发生了联系并造成原告受损害。被告否认了起诉状中这些主张的整个段落，但它本来可以承认，（1）事故发生了；（2）他是与原告发生联系的机动车辆的所有人；（3）原告的确有某种损害。但被告却认为由于它将车辆租给了另一公司，而该公司又雇用了被声称有过失的司机，因而否认了整组主张。原告于是起诉时列错了被告，在被告答辩之后而在原告探明正确的被告身份之前，制定法对于这一请求（针对适当被告）的时效限制已经过期了一些时间。尽管根据关于代理的某些理论，被列名的被告颇有理由承担责任，但法庭裁决，被告应当按照就像它已经承认自己经营和控制该车辆那样对待，一部分是因为它没有更仔细地承认和否认起诉状中的具体主张。这是一个不寻常的判例，实际上是法院认为原告被一种额外的方式误导了。尽管如此，该案给那些在承认和否认时不小心的被告敲了一记警钟。

有一种经常的情况，防御律师没有获得具体充分的了解和信息来形成关于一项主张的确信，因此想否认这项主张。一些法院还没有在这一方面要求精确地遵从规则8（b），另一些法院却严格要求遵守这一条规定，不允许"既不承认也不否认"的言辞。例如参见 Gilbert v. Johnston, 127 F. R. D. 145 (D. C. Ill. 1989)。

一些法院曾坚持认为，当事人不得使用规则8（b）"未获得具体充分的了解和信息以形成确信"的措辞，作为一种规避在承认或否认主张之前进行合理调查的借口。思考下列这段摘录：

格林鲍姆诉美国
Greengaum v. United States
360 F. Supp. 784（E. D. Pa. 1973）

地区法官休厄特（Huyett）：

原告莫利·格林鲍姆（Morey Greenbaum）根据《联邦侵权请求法案》（the Federal Tort Claims Act）（FTCA），28 U. S. C. A. §2671 提起对被告美国政府的诉讼。原告诉求赔偿20万美元，作为他在被告的宾西法尼亚州费城 Bustleton 邮政所摔伤的补偿……

1968年3月1日事故发生时，原告是美国邮政所的一名雇员，在 Bustleton 邮政所外面工作。事故发生在原告休假的时间，当时他刚穿过停车场通过雇员后门正进入大楼。在庭审中确立的事实是，那天他准备进入邮政所的原因之一是准备去取他的工资支票。联邦雇员赔偿法案（FECA）（5 U. S. C. A. §8101）规定，美国政府将赔偿雇员在履行职务中遭受人身伤害所导致的残废……这一赔偿是在任何人的损失范围内给予的排他性补偿……在同意或拒绝这种赔偿方面，劳动部长的承认或否认这一赔偿诉讼是就事实问题和法律问题作出的终局性诉讼，不受法院审查。

美国政府主张，我们在此时没有管辖权决定本案，我们应当要么驳回诉讼，要么中止诉讼以等待劳动部的决定……政府声称，有一个实体问题，即依赖于政府财政的雇员在休假时间来取自己的工资支票时受伤是否属于 FECA 的调整范围。被告声称，本院从未对这一问题作出过裁决，而只是引证州法院的意见，这使得在相同情形下的赔偿符合同一州的劳动者赔偿法。本案……由于政府声称本院没有事项管辖权而拖延了很长时间，并且变得复杂起来。

事故发生在 5 年前，即 1968 年 3 月 1 日。1968 年 5 月 17 日，原告提起了符合《联邦侵权请求法案》28 U. S. C. A. §2675（a）要求的针对邮政局（the Post Office Department）的诉讼。诉讼于 1969 年 5 月 9 日开始，几乎是一年以后……在提交起诉状与庭审开始之间长达 3 年又 3 个季度的时间内，被告从未提出过管辖权的问题，也没有以任何方式明确表示它对管辖权的异议。在大量的审前会议中，管辖权问题从未提出过。原告准备了最后的审前命令，最后都没有获得支持，但被告从未对任何一项包含"管辖权是适当的"声明提出过反对。

然而，被告仅仅是提出管辖权问题的时间太迟这一事实还不能影响其地位，因为缺乏管辖权的防御不因迟延而免除。"无论何时由当事人提示或以其他方式表明法院缺乏事项管辖权，法院都得驳回诉讼"。联邦规则 12（h）(3)……

原告从来没有主张他受伤是在履行职务的过程中，而始终声称他在事故发生时是一位在被告物业中服务的业务员（a business invitee），来购买邮票……本案的问题是政府在开示那些在他手中持有的证据资料方面的长时间和毫无理由的拖延，而这些资料提出了 FECA 的适用范围问题。曾有报告显示，原告在邮政所去取他的工资支票，在整个案件过程中政府提交的材料中都是这样说的，然而，负责本案的政府律师直到 1973 年 2 月以前却从未开示过这些报告，即使在那时，政府也没有任何暗示说它会对管辖权存在争议。

政府对本案的准备是非常不经意的，这拖延了对第三人送达起诉状和答辩状。政府在 1973 年 2 月以前没有向原告寻求过任何证据开示，而到了 1973 年 2 月，政府以"重新注入活力"的状态从事庭审准备，因为诉求的损害赔偿增加了。在此时之前，它在邮政局的材料中甚至从未发现过，由在事故发生当时 Bustleton 邮政所的主管詹姆斯·埃斯波西托的一份陈述和一份报告，而这些材料十分明显就在它自己的掌握之中，而且与案件的关联非常密切。这些书证是在事故之后非常近的时间内作出的，表明原告在当天来邮政所取他的工资支票，这正是被告现在用来作为其主张没有管辖权的根据。

这种在准备本案时甚至对政府自己的文件都没有进行合理调查的疏漏，妨碍了被告对原告声称自己是一位业务员这一主张的实际答辩。在对原告的原始起诉状和补正起诉状中的主张作出答辩时，被告根据联邦规则 8（b）声明，它缺乏充分的了解或信息承认或否认。

一个缺乏充分的了解或信息的答辩通常被认为是否认。然而，当事人可以履行义务进行合理的努力以获得对事实的了解……在本案中,被告没有调查可以获得的、与政府密切相关的、成为确信原告不是业务员、根据FTCA本院不享有管辖权的根据的文件。一项因为缺乏了解或信息而被否认的事实,如果是一方当事人确实具备对该事项的了解或信息,则可以被视为是(对该项事实的)承认……政府将被认为承认原告在发生事故时是业务员……

本院举行过至少5次审前会议,没有任何暗示对这一事实表示异议。只是当(诉讼)要求增加、政府开始重视本案、并且为了提出这一动议而进行初步的证据开示时,才提出这一问题……

受控环境系统诉太阳公司
Controlled Environment Systems v. Sun Process Co., Inc.
173 F. R. D. 509 (N. D. Ill. 1997)

资深地区法官沙德尔(Shadur):

[……原告受控环境系统在针对被告太阳公司反请求的答辩状中声称,]它"对第10段中所包含的主张缺乏充分的亲自了解,因而对于该主张既不承认也不否认,但要求对该主张实行严格证明"。这当然与规则8(b)第二句相抵触,该条款特别要求更严格的陈述,以使负有责任的一方当事人有权从被认为的否认中有所受益。对于规则8(b)的起草者而言——对于其他人而言也是如此——,某人虽然缺乏了解但仍然有足够信息形成确信……是可能的……这就是为什么规则8(b)要求,否认声明必须包括信息和确信这两方面;这也是为什么当受控环境系统在缺乏充分了解和信息、无法就起诉状中有争议的陈述进行确认时(如果它能以一种客观的诚实和善意这样做),太阳公司和本院都有权要求它作出陈述。因此……本意见书中提到的答辩状中的每一段都是有的放矢的(are stricken)。受控环境系统直到1997年7月3日才获准要么提交对答辩状的补正,以弥补在此确认的瑕疵,要么,如果它愿望,提交一个包括补正内容在内的答辩状。

有一个棘手的情况经常困扰着防御律师。律师曾得到过一些关于原告主张的信息,使她相信那些信息是不实的因而应当否认,但她又不十分肯定。这不属于有充分了解或信息的情况,而是由于不能核实资料的可靠性而在一个人作出否定时,在表达上的一种诚实的和有正当理由的犹豫。怀特和米勒(Wright & Miller)的教材解释道:

> 当一方当事人对于正在进行的诉答中的主张的有效性缺少第一手或亲自的了解,却有充分信息形成关于那些主张真实或虚假的确信,此时他可以提出"根据信息和确信"的否认。与那种根据缺乏形成确信的充分了解和信息而进行的否认

不同的是，这种形式的否认不是由规则 8（b）明确授权的。然而……联邦法院都承认根据信息和确信的主张，认为，因为这是法典所接受的，也因为……规则 11 中声明过，当一方律师签署诉答文状时，这一签署就"构成了签署者在合理调查之后形成的最好的了解、信息和确信……"

当诉答者的否认是根据由第三者——通常是律师或另一代理人——提供的信息而作出时，根据信息和确信作出的否认最为适当……

Charles A. Wright & Arthur R. Miller, 5 Federal Practice and Procedure § 1263.

5. 确认性防御

确认性防御是普通法中"承认和回避"（confession and avoidance）的对立概念。实际上，被告是在说，"即使你证明你的诉因（承认），我仍然会因为另一项规则或一个例外（回避）而胜诉"。例如，原告可能证明了比例过失（comparative negligence）*案件中的所有要素，却仍然因为制定法的时效限制或自害过失而败诉（如果根据准据法规定那是一个完全的防御）。通常，但非总是，被告对于确认性防御的所有要件负有应答、提出证据和说服责任，就像原告通常对其诉因负有相同责任一样。

规则 8（c）列举了 19 个事项作为确认性防御，但清楚地说明，这些只是举例，被告还有义务对"任何其他构成回避或确认性防御的事项"作出应辩。一篇为联邦法院实务者写的文章富有帮助地列举了某些额外的确认性防御：

> 其他被认为是确认性防御并因而要求确认性答辩的事项包括比例过失、赠与、撤销、救济的选择、诚实善意的购买、损害赔偿的减轻、债务通过延长履行时效而缓解、根据公平劳动标准法案等制定法而免税、根据罗宾逊-帕特曼法案（Robinson-Patman Act, 15 U. S. C. §13a）提起的正当价格或公平竞争诉讼、多方诉讼、诉讼尚未成熟、在保险政策条款中责任的例外或违反该条款、专利侵权中的优先公布或优先使用。

Richard A. Givens, 1 Manual of Fedral Practice § 3. 35（1）（4th ed. 1991）.
作者建议，"如果怀疑在否认之中的任何防御事项的存在，适当而且肯定是聪明的办法是作为确认性防御的事项提出"。在答辩状中没有具体列举为确认性防御

---

* 译者注：在美国，contributory negligence 系指原告自己的过失如果成为导致其自身安全或利益损失的实质性原因，则这种过失成为其在普通法上获得赔偿的完全障碍。但现在美国大多数州的制定法规定的都是比例过失（comparative negligence），即指受害人对于侵害结果的发生有比例上的过失，原告的这种"比例过失"只是减少其获得赔偿的比例，而不成为其获得赔偿的阻碍。这种差异在英国法上已不存在，英国在 1945 年法律改革之后就统一确立了比例过失制度，但仍然沿用了传统概念 contributory negligence，因而，英国的 contributory negligence 与美国的 comparative negligence 意义相同。参见 Bryan A. Garner, A Dictionary of Modern Legal Usage, 2nd edition. 法律出版社 2003 年英文版，页 182。本书译者按照美国法律的规定，将 contributory negligence 译为"自害过失"，而将 comparative negligence 译为"比例过失"，其实二者均为受害人与侵害人"互有过失"制度的一部分。

的，通常意味着被告已经自动放弃，因而不能在庭审中提出与之有关的证据，除非补正被允许。

通常，律师们事先知道或能够找到诉因的要件，因而对于诉因和适用确认性防御十分肯定。介绍诉因的资料中还经常介绍确认性防御。在有些罕见的情况下，法庭必须决定一种情形究竟应当成为原告表面证据案件的一部分还是成为被告确认性防御的一部分，在这些情况下，法庭意见书将这类事项作为其他事项来讨论，比如证据可否接受，潜在的防御是否为通常事件的例外，当事人在证明其案件时应当受到牵制还是应当给予帮助。如果涉及制定法，则法庭会努力辩明法条在措辞是否隐含着什么是确认性防御（比如制定法中的"例外"条款）或者立法意图是否有助于解决问题。

有的时候，法院或制定法会希望将某种负担/责任加诸被告，但又不是完全的确认性防御。比如，当一原告因为将西服交给干洗店洗涤（保管业务），干洗店将衣物交还时的状况不如交给干洗店时的状况好，或者根本就没有交还。谁来承担证明过失是否存在的责任？一些法院将证明过失的责任由原告负担，但然后说，如果事实认定者相信，原告将西服交给干洗店时处于良好状态，干洗店也接受了，却没有以良好状态交还（启动性事实）（traggering facts），于是就可以认为有过失，除非被告提供足够的证据形成一种它没有过失的认定（提出证据的责任），然后说服责任又转移到了原告。一些法院运用这种假定将证明责任完全转移给被告，因此就有效地创造了一种确认性防御，但只有在原告证明了启动性事实之后才能如此。

法院偶尔一用的另一种设计是将书面诉告的负担置于原告，但要求被告就要件的不存在进行书面应答作为确认性防御并加以证明。比如，通常原告在期票案件中必须主张没有支付，但被告必须主张已支付作为确认性防御，并且就支付的事实承担提供证据责任和说服责任。下面的案例将讨论在美国法典第 1983 节诉讼中"有资格的豁免"是否为确认性防御。关于诉答"有资格的豁免"及其豁免的程度的争论，在本章开头的莱瑟曼案件之后的注释与问题中也有所涉及。

戈梅斯诉托勒多
Gomez v. Toledo
446 U. S. 635 (1980)

大法官马歇尔制作最高法院意见书：

本案提交解决的问题是，在一宗根据美国法典第 42 编第 1983 节提起的针对一位公共官员——其地位可能赋予他享受豁免的资格——的诉讼中，原告是否必须主张这位官员的行为系为恶意，以陈述获得救济的请求，或者，是否被告必须主张善意，作为确认性防御。

I

申诉人卡罗斯·里韦罗·戈梅斯（Carlos Rivera Gomez）对答辩人波多黎各共和国警察总长（the Superintendent of the Police of the Commonwealth of Puerto Rico）提起本案诉讼，诉称答辩人解除了在刑事调查局警察部的职务，违反了他的程序性正当程序权利。申诉人根据美国法典第28编第1343（3）节赋予法院的管辖权，[该节赋予联邦地区法院管辖权，"救济根据任何州的各种类型的普通法、制定法、条例、规章、制度或惯例而剥夺由联邦宪法保障的或任何国会法案为了公民或在美国联邦辖区内的所有的人的平等权利而规定的任何权利、特权或豁免权"]，在其起诉状中主张了以下事实。申诉人于1968年以来一直受雇于波多黎各警察局作为一名密探（agent）。1975年4月，他向他的上司提交了一份宣示陈述，声称另外两位密探在他们对一宗刑事案件的调查中提供假证据。这个陈述使申诉人随即由南部地区刑事调查部调到位于圣胡安（波多黎各首府）警察总部，几个星期以后，他又被调到位于Gurabo的警察学院，在那儿他没有调查权。与此同时，答辩人命令对申诉人的陈述进行调查，警察局法律部的结论是，申诉人对于事实的陈述都是真实的。

1976年4月，当申诉人还在警察学院时，他被传唤在他声称证据为虚假的那个刑事案件中作证。在庭审中，申诉人以防御证人的身份出现，作证说，那个证据实际上是假的。这次作证的结果是，根据答辩人提供的信息而提出的刑事指控被用来指控申诉人，因为他被指称非法窃听密探们的电话。1976年5月答辩人将申诉人作为嫌疑人并于7月未经听审开除了他。10月，波多黎各地区法院认定，没有可能的理由相信申诉人犯有被指控的非法窃听罪，并且，在由检察院提起的上诉中，高等法院（the Superior Court）维持了这一判决。申诉人转过来向调查局、检察院和波多黎各上诉委员会请求审查对他的开除，波多黎各上诉委员会在一次听审之后，撤销了答辩人作出的开除命令，命令给予申诉人恢复原职并补发工资。

根据上述事实主张，申诉人提起了本案损害赔偿，诉称开除他违反了他的程序性正当程序权利，并造成他焦虑、窘迫和在社会上对他名誉的损害。答辩人在答辩中否认了申诉人的大量事实主张，并作出几项确认性防御。答辩人随后动议以没有陈述诉因为由驳回诉讼，见规则12（b）（6），地区法院支持了这项动议。地区法院认为，答辩人有权因为在官员责任范围内的善意行为获得豁免资格，因而认定，申诉人有义务在文状中诉称答辩人在为其所主张的行为时有恶意动机，以此作为其寻求救济的请求的一部分。没有任何这种主张，就应当驳回起诉状。联邦第一巡回法院维持了这一判决。602 F. 2 1018（1979）。

我们同意调卷审查解决上诉法院之间的冲突。我们现在撤销原判。

II

1983节为任何人"根据各种类型的制定法、条例、规章、制度或惯例，或者任何州或地区""剥夺由联邦宪法或法律保障的任何权利、特权或豁免权"的行为规定了一个诉因。这一立法的制定和实施旨在"保护人类的自由和人权"，Owen v. City of Independence, 445 U. S. 622, 636, 反映了国会的一个判断，即"针对冒犯者提起损害赔偿的救济是任何维护宪法保障的机制的一种至关重要的元件"，445 U. S. at 651. 作为救济性立法，1983节需要通过解释而得以丰富，以发展其基本宗旨。445 U. S. at 636.

我们曾经认定过，在某些有限的情形下，公共官员有权获得有资格的豁免，不承担1983节所规定的损害赔偿责任。这一结论的根据是不愿意从立法的沉默中引伸出国会欲取消豁免权的意图，豁免权"在普通法中完善地确立"并且"可与《民权法案》的宗旨相提并论"。445 U. S. at 638. 因此对于豁免权的认定"可根据对与普通法上有关官员相应的豁免历史及其背后的利益进行考察"。Imbler v. Pachtman, 424 U. S. 409, 421 (1976).

然而，1983节无论措辞还是历史都没有显示，在针对公共官员提起的诉讼中——这位官员如果以善意行为则其地位可以使之享有豁免权——原告必须主张其恶意才能陈述据以获得救济的请求。依据1983节的字面含义，陈述制定法所规定的诉因，必须陈述两项——且只有两项——主张，一是原告必须主张，某人剥夺了他的联邦权利；二是必须主张这个剥夺了他该项权利的人是依据州的或地方的各种法律。申诉人已经陈述了这两项必须的主张，他声称他被答辩人解雇违反了他的程序性正当程序权利……以及答辩人的行为依据是波多黎各州的法律。

同时，本院从未表明过，有资格的豁免与原告诉因的存在之间有什么关联，相反，我们曾将它描述为受质疑的官员可以采取的防御。既然有资格的豁免是一种防御，因而对它提出应答的负担就在被告这一方。见联邦规则8（c）（被告必须就任何"构成回避的事项或确认性防御"作出应答）；另参见Wright & Miller, 5 Federal Practice and Procedure §1271 (1969). 应当由官员来主张他的行为是有正当理由的，因为他客观而合理地相信这一行为是合法的。我们不知道让原告在起诉状中诉告被告以恶意行为，以此来承担预见这种防御的义务有什么根据。

我们关于诉答负担分配的结论受到有资格的豁免防御本身的性质的支持。正如我们的决定清楚地解释的那样，这种豁免是否已经确立，取决于在被告的了解和控制之内的特定事实。因此我们曾声明，"救济的合理依据的存在，与在当时和根据任何情形所形成的对（自己行为）善意的确信，二者结合在一起，才能给行政官员为其在实施官方行动过程中的行为享受有资格的豁免提供根据。

Scheuer v. Rhodes, supra, 416 U. S. at 247 – 248. 可适用的标准不仅仅集中在该官员是否有产生这种确信的客观的合理根据，而且集中在"这位官员自己是在真诚地行为而且相信他正在做正确的事情"，Wood v. Strickland, supra, 420 U. S. at 321. 也许原告没有办法事先了解被告是否有这样的确信或者他是否主张过他有这样的确信。主观确信的存在常常以一些原告不可能合理了解的因素出现……

撤销上诉法院的判决，案件发回该院进行符合本意见的进一步诉讼。

大法官伦奎斯特先生加入最高法院意见书，他的解释是，涉及有资格的豁免防御的问题，应留待说服责任来解决，而不是作为诉答负担。

注释与问题

1. 正如你们所读到的，最高法院在 1982 年声明，政府官员有资格的豁免范围是他履行自由裁量权能时"其行为没有明显违反一个通情达理的人都会知道的、已确立的制定法或宪法权利"。Harlow v. Fitzgerald, 457 U. S. 800, 818 (1982). 这重新解释了在戈梅斯案中叙述的"善意"的标准。如果一个案件像今天的戈梅斯案一样，结果会如何？

2. 大法官伦奎斯特在戈梅斯案中用他的一句并存意见实现了什么？

实务练习九

分析卡彭特案中的答辩状

这一练习的目的在于帮助你们掌握 12（b）（6）防御、否认、确认性防御之间的差异。兰德尔·迪对初始起诉状的答辩状在卷宗里。根据卡彭特案中的起诉状分析一下答辩状。（假设马萨诸塞州的文状规则与联邦民事诉讼规则相同）

（1）兰德尔·迪答辩状中的第 4 段和第 5 段的承认在审判中的效果是什么？

（2）假设被告有合理的了解，他对起诉状第 6 段的答辩符合马萨诸塞州规则的要求吗？

（3）对于第 10 段中的主张的否认提出了什么争议？假设该案后面的阶段（如证据开示、即决判决、审前会议）没有终结这一争议，而是仍然保留着由诉答文状确定的状态，那么法官如何就棘手的问题（包括证明责任问题）指示陪审团？

（4）审查兰德尔·迪的每一项防御，并解释其各属于哪种类型的防御？某项防御是真正的防御还是被贴错了标签的"否认"？

（5）注意兰德尔·迪的律师把各种防御堆在一起，而不是将确认性防御与其他防御区分开来。这是司空见惯的实践，不过有些律师在应答文状中分门别类地将"12（b）防御"与"确认性防御"区分开来。有些律师在答辩状以确认性防御为开端，因此在修辞技巧上占据优势。《联邦规则》附表建议如何标明？

(6) 如果你是面对这一问题的立法者或法官,你会将第二个防御作为确认性防御吗?为什么?

七、补正

当法官和律师想快速进入一宗民事案件时,他们常常首先看一看起诉状和答辩状,以便在案件事实和请求与防御的基础导自己。诉答文状还为庭审设置边界,除非以审判会议裁令加以改变,否则诉答文状即将当事人双方限制在已经声明的主张和防御之内,并且指示法官和律师关于哪些事实已经承认。然而,许多现代民事诉讼都是围绕证据开示展开的,在这一阶段经常会出现新的事实以及事先没有声明的诉因和防御。诚然,对原告最友好的规则 8(a)(2)会允许原告仅仅陈述一个表明诉因的请求,原告还可以在庭审中证明在起诉状中所陈述的故事中的任何诉因。然而,律师们非常小心,他们想把他们在庭审中所能引出的案件的所有证据都确定下来。庭审法官可能告诉他们他们不能引入在诉告文状中没有出现过的(或者在根据规则 16 或类似州程序规范作出的审前命令限制范围以外的)诉因的证据,因而律师们通常想对他们的诉告文状进行补正。在联邦法院的民事诉讼中,规则 15 全面规定了一个人能否补正诉告文状,不过有时地方规则却规定了进一步条件和限制。

规则 15 有 4 款,最关键的是,其一,规则 15(a)中规定,许可补正应"基于公正的需要自由地给予";其二,规则 15(c)中规定,补正在什么时候"追溯到(relate back to)最初诉告的期日"。

你们应当注意到规则 15(b)和 15(d)所规定的情形,规则 15(b)是为了帮助解决提供或承认那些似乎在诉答文状以外的证据的问题,其第一句将初审律师置于两难境地,它规定:"当诉答文状中未提出的问题因为当事人的明示或默示同意而作出审判时,这些问题应当完全作为就跟它们在诉答文状中提出过那样对待"。想一想,当原告引入一个与其在起诉状中明确提出过的诉因有少许差异的诉因时,被告律师如何选择;同样想一想,如果被告引入一个没有应答过的确认性防御,原告的律师又该处于怎样的困境。如果一方反对,则另一方会动议进行补正,"在基于公正需求时得自由地给予许可"〔规则 15(a)〕。如果一方不反对,那么他将面临该主张被视为"默示"同意的风险。

一般情况下,如果你认为你的对手是在引入诉答文状以外的证据时,提出反对可能更好。首先,了解是否真的提出了一个新的争点非常重要,这使你能够了解自己是否必须通过交叉询问或通过引入你自己的证据而与之相适应。有的时候,你的对手引入证据时用意何在并不清楚,而你又不想引致她提出她自己还没有意识到的某个新理由,所以可能有时你因为不想教会你的对手因而就不提出反对。然而,模棱两可的状态可能在后来获得解决而且对你不利(这是你不对证据的接受提出反对因而被视为"默示"同意的结果），因此如果你准确地了解自己和对方律师所处的位置就要好得多。

其次，你可能通过提出反对而获胜，并且将一个新的诉因、理由或防御从案件中排除了。你主张将依赖于新的理由的证据排斥在外，这一主张与你通常反对一项补正的主张很相似。常见的论点（除了制定法时效已过之外）是：（1）对方不合理的拖延导致了这一问题的发生；（2）由于这一拖延导致了你在该案准备中的不利益（prejudiced）；*（3）新问题的提出是基于恶意，比如其目的是掩饰真实的问题或造成事实认定者的混淆，或者旨在把注意力引向无关紧要的问题；或（4）新的争点在提出这一争点的当事人不可能在这一点上获胜，在此意义上该争点是"无效的"（futile）。规则 15（b）的最后一句允许法院同意反对方延长时间限制，以使她能够进行新的问题所要求的准备而不会受到不利益，然而当引入新的问题的当事人已经有充分的事先机会通过谋求正式补正而提出这一问题时，在陪审团审判期间不得专门向法官诉请这一选择。

有的时候，事件自与案件有关的原始诉告文状提交日期即已发生，但是由于其尚未发生的部分不能在当时提出诉告，这就是规则 15（d）"补正诉答文状"所规定的理由。比如，对所诉的合同的继续违反、或者分期付款的到期债务中的新一期债务、发生在初始起诉状提出之后的对专利、商标的侵犯。1963 年对规则 15（d）的补正规定澄清了初审法院有权同意补正诉告文状，即使这一新的资料是为了弥补原始起诉状中的缺陷。如果涉及到新的请求而制定法时效已经到期，则补正诉告文状的诉答者只能依赖于规则 15（c）的规定，该条款处理补正的"溯及力"（relation back）问题。

也许在规则 15 规定或者任何有关补正的规定中，制定法时效问题以及以附加请求或防御的方式溯及原始诉答是否符合这一制定法，这是诉讼中争议最多的问题。例如，如果原告在制定法时效内提出初始诉因，而"补正进来的"新的请求或诉因却超过了（run）制定法时效，原告希望"补充进来的"新的请求或诉因能够溯及到最初案件开始的日期。你们能否看出，为什么正是制定法时效的分割和补正的动议提出了争议最大的补正（诉告文状）的问题？

清楚地了解制定法时效是如何规定的，这非常重要。多数的州都有制定法规

---

* 译者注：have been prejudiced……"。prejudice 有两个主要含义，一是偏见和不公正，一是损害。这两个含义在本书中交替使用。联系上下文，作者想要表达的是，一方当事人在程序上占便宜（拖延），可能是导致双方在程序上的不公平或对拖延方的偏爱，也可能导致对方失去程序上的机会因而导致实体上的损害，所以在这里取两种含义之一均符合逻辑，却不能包含另一种合乎逻辑的含义。所以这里借用了诉讼法在这种场合下常用的术语"程序不利益"，将 prejudice 译为"不利益"，以涵盖（而非选择）其两重含义。

定某些诉因必须在自诉因发生之日起几年之内提起诉讼。一些联邦制定法为特别的联邦请求规定了具体的时效。[1] 通常，当诉因的每一个要件都发生时，诉因即发生了，而且通常以最后一个要件的发生作为损害的发生。典型的侵权法规定的时效为3年。因此，如果汽车事故在某日（Day One）发生，而原告因此在该"某日"受到伤害，那么原告就必须在自该"某日"之后的3年之内提起该案诉讼。（典型的合同法规定的时效为6年）

有的时候，潜在当事人会协议终止（to stop）制定法时效的连续计算（running）。被告可能不希望提交起诉状，可能愿意同意制定法时效在和解谈判期间中断（to forestall），这经常被称为"中断协议"（tolling agreements）。

制定法规定时效的理由包括，（1）在时间届满之后给潜在当事人一种安定感（一个人不应当为着一件可能发生过的错误而担忧一生）；（2）使诉方当事人在证据尚在新鲜的时候及时加以收集；（3）有助于法院避免把他们紧缺的资源花费在成年旧案上，因为在那些案件中认定究竟发生过什么，即使有可能也会十分困难。这些理由应当有助于你们认识，为什么当制定法时效届满之后谋求补正时关于补正的原理变得复杂起来。

在阅读一件制定法时效届满后补正的案件时，你应当注意两个概念性问题。一是补正是否仅仅加进一个请求或防御，而不是加入一个当事人。再读一遍规则15（c）。假设一个没有任何特殊的"溯及力"的法律作为附加条件的联邦诉因。〔如果你在联邦法院，而有一个根据州的法律提出的请求，那么联邦法院根据规则15（c）（1）1991年修订的条款，当州法律的规定比联邦规则更宽松时，适用州法律的"溯及力"原理。这一修订改变了规则15〔（c）（3）中的措辞，也改变了在夏沃恩案（Schiavone v. Fortune, 477 U. S. 21（1986）〕中的原理和暗示，该判例曾要求通知新列名的被告的时间比通知最初列名的被告的时间更早。〕如果你试图在制定法时效届满之后向你的第一个联邦请求中加入第二个请求，那么"溯及力"问题受规则15（c）（2）调整。但是如果你试图在作为准据法的制定法所规定的时效届满之后向你的第一个联邦诉因中加进一个新的当事人，则适用规则15（c）（3）更苛刻的规定。为什么这些规定会有差异？

第二个概念性的问题来自联邦规则15（a）和15（c）规定的不同标准。公正可能要求加入规则15（a）意义上的请求、防御和当事人，但假如可适用的制定法时效已经超过，则还可能有一个可靠的确认性防御，除非15（c）关于"溯及力"的规定得以补正当事人。法院可以首先同意补正，然后在（对方）作出

---

〔1〕 1990年颁布的美国法典第28编第1658节规定，所有"依据国会在本节规定之后颁布的制定法"提起的民事诉讼均以4年为一般时效（在联邦准据法中没有规定特别时效的情况下）。

的对补正后的文状的应辩中提出确认性防御之后，再审查规则15（c）是否允许补正者对这一防御再予回应。* 或者法院可以决定不允许补正，除非它首先确定补正的一方当事人将能够在准据法规定的时效内提出补正。有些法官喜欢第一种路径（分别决定补正的问题与溯及力问题），而有些法官则喜欢第二条路（如果没有溯及力，则拒绝补正）。

一个实践的观点：谨慎的律师经常是在动议补正时用准确的语言表述要补正的（增加的或减少的）内容，然后如果补正获得同意，则采取他可以采取的形式攻击整个诉告文状。如果你这样做，那么，法院如果同意，则可以只要求书记官处将这些补正记入案卷即可。通常地方规则或特殊的法院规则会明确说明你在谋求补正时应当使用的方法。

在下面的判例时，看一看你能否辨别出马萨诸塞州的规则和联邦规则关于"溯及力"的规定之差异。

沃辛顿诉威尔森
Worthington v. Wilson
8 F. 3d 1253（7th Cir. 1993）

巡回法官马里恩（Marion）：

理查德·沃辛顿（Richard Worthington）在他的1983节（美国法典第42编第1983节）诉讼中主张，他在受拘留的时候，拘留他的官员故意伤害了他。他在制定法时效到期的当天提起诉讼，将"3名不知姓名的警察"列名为被告。沃辛顿后来寻求对起诉状进行补正，将不知姓名的警察替换为戴夫·威尔森和杰夫·沃尔。地区法院认定，联邦规则15（c）规定的溯及力原理不适用，驳回了补正的起诉状。〔Richard Worthington v Wilson, 790 F. Supp. 829（C. D. Ill. 1992）〕。

1989年2月25日，理查德·沃辛顿被皮奥里亚高地（Peoria Heights）警察局拘留。在他被拘留的时候，他的左手已经受伤，他把自己的伤势告诉了正在对他实施拘留的警察。沃辛顿在起诉状诉称，这位警察用抓紧和拧住他受伤的左手回敬了他的提醒，沃辛顿推开这位警官并告诉他"轻一点"。第二位警官赶到现场，将沃辛顿摔打在地，戴上了手铐。两位警官随后拽着手铐把沃辛顿从地上扯起来，致使他的左手遭受骨折。

---

* 译者注：这里的原文是"……whether 15（c）permits the amender to surmount the defense."surmount的寓意为克服、超越或战胜，但其本意则是"登临某物（如高山）之上"。译者认为此处surmount是指在新的防御之上再增加一次回应，而补正者对于对方防御的"回应"本身也包含了对付或"战胜"对方防御的意思。

在整整两年后的 1991 年 2 月 25 日，沃辛顿向伊利诺斯州皮奥里亚郡巡回法院提交了 1 份有 5 个理由的起诉状，起诉皮奥里亚高地村和"3 名不知姓名的警官"，声明了上述事实，并主张他被违反 1983 节行为剥夺了宪法权利。理由一占据了起诉状的 3 段内容，指称了警官个人及其职位，提出多项损害赔偿主张。理由 4 和理由 5 指称皮奥里亚高地村，主张根据统一监督（respondeat superior）的原理，它要对警官的行为承担责任。该村将案件移送至联邦法院，请求根据规则 12（b）（6）的规定驳回诉讼，其理由是统一监督不是根据 1983 节规定承担责任的依据。在一次对驳回起诉的动议的听审中，沃辛顿自愿撤回了针对该村的诉讼，并获得提交补正起诉状的许可。高地村于是动议根据规则 11 对沃辛顿和他的律师进行制裁。该村在动议中主张，沃辛顿试图根据统一监督的原理提起针对它的请求与莫内尔案 [Monell v. Department of Social Services, 436 U. S. 658 (1978)] 相冲突，因而违反了规则 11。

1991 年 6 月 17 日，沃辛顿提交了一份补正起诉状，他在其中将原来指称的 1989 年 2 月 25 日拘留他的"不知道姓名的警官"被告更换为戴夫·威尔森和杰夫·沃尔，他们是皮奥里亚高地警察部门 12 名左右警官中的成员。戴夫·威尔森和杰夫·沃尔动议驳回补正起诉状，其根据是伊利诺斯州制定法规定的两年诉讼时效 [Ill. Ann. Stat. Ch. 735, P 5/13 - 202 (Smith - Hurd 1993)]，同时根据规则 15（c）的规定，补正不能溯及到原始起诉状。沃辛顿对此动议提出回复，1991 年 10 月 31 日由审裁法官（magistrate）主持了听审。

1991 年 12 月 19 日，审裁法官建议驳回威尔森和沃尔的驳回起诉状的动议，而同意高地村的制裁动议。沃辛顿对这些建议提出反对，而被告则对反对作出回应。

1992 年 3 月 17 日，地区法官就对审裁法官建议的反对举行了听审。在听审之前，地区法官提请双方当事人注意规则 15（c），该条是威尔森和沃尔论点的根据，其修订条款于 1991 年 12 月 1 日生效，法官并要求他们就这一修订条款对驳回诉讼动议的效力发表意见。

1992 年 4 月 27 日，地区法官根据修订后的规则 15（c）支持了威尔森和沃尔驳回补正起诉状的动议，驳回了高地村的制裁动议。Richard Worthington v Wilson, 790 F. Supp. 829 (C. D. Ill. 1992) 沃辛顿对此项驳回提起上诉。高地村对驳回制裁提起了交叉上诉。

修订规则 15（c）的目的是对于原告寻求修正其起诉状以变更被告的起诉状的"溯及力"给予较大的余地。规则 15（c）是在 1991 年 12 月 1 日修订的，它在相关部分规定：在以下情况下，对于诉告文状的补正溯及到最初诉告文状的时间：（1）规定该案可适用的时效的法律允许有溯及力；或者（2）在补正的文状中确认的请求或防御产生于在原始文状中提出过或有过提出的努力的行为、交易或事件；(3) 补正改变了请求所针对的当事人或当事人的指称，其前提是：前述的第(2)项条件获得满足，在规则 4(j) 规定的期间内送达传票和起诉状，补正起诉状中所提起的当事人 (A) 已收到变更诉讼的通知，以至于该方当事人不会在就实质性问题进行防御时遭受不利益，而且 (B) 他知道或应当知道，如果不是对正当当事人 (the proper party) 身份辨认的错误，该案件已经针对该方当事人提起了。

在补正之前，规则 15 (c) 规定的溯及力标准是在 Schiavone v. Fortune 案中产生的 [477 U. S. 21 (1986)]：根据规则 15 (c) 进行的"溯及力"的补正要具备四个前提条件：(1) 基本请求必须产生于在原始诉告文状中提出的同一行为；(2) 所提出的当事人必须收到过通知，通知的程度足以使他在进行防御时不会遭受不利益；(3) 如果不是涉及身份的错误，该方当事人必定或应当知道该案本来是会针对它而提起的；(4) 第 2 条和第 3 条要求必须在时效期间内获得满足。同前，页 29。

修订规则 15 (c) 的"顾问委员会说明"(the Advisory Committee Notes) 表明，这一修订否定了在 Schiavone 案中关于系属案件的通知必须在准据法规定的时效期间内发出的先例性意见。顾问委员会声明：如果条款 (A) 和 (B) 的条件均已满足，那么在规则 4 (m) 允许的送达传票和起诉状的期间内被通知诉讼的被打算作为被告者 (intended defendant)，不能以诉告文状在被告名称上的缺陷为由而对抗诉讼。如果通知的要求在规则 4 (m) 允许的期间内满足，则起诉状可以在任何时间修正，以纠正诸如写错姓名地址或错误指认这样的形式上的缺陷。规则 15 (c)、"顾问委员会说明"(1991 年修订)。

为了补充规则 15 (c)，最高法院表达了"关于公正和可行"的意向，修订后的条款适用于 1991 年 12 月 1 日系属于地区法院的案件。("采纳联邦民事诉讼规则修正案的命令"，联邦最高法院判例汇编 111 卷页 813 (1991 年 4 月 30 日)。

在本案中，威尔森和沃尔在诉讼时效届满之前的确不知道沃辛顿的诉讼，这是 Schiavone 案所要求的，但他们知道该案在新的规则 15 (c) 规定的额外 120 天之内在系属之中 (Worthington, 790 F. Supp. at 883)。鉴于补正对于"通知"的问题具有决定性意义，因此地区法官将新的规则 15 (c) 溯及适用于本案，认为如此做是"公正和可行"的。同前，页 883。我们不必像本案所适用的那样考虑修订后的规则 15 (c) 的溯及性适用，因为无论根据规则 15 (c) 的新版本还是旧版本沃辛顿的补正起诉状都没有溯及力。

规则 15 (c) 的两个版本都要求新的被告"知道或应当知道，如果不是涉及正当当事人身份的辨认错误，诉讼就会针对该当事人而提起。"在 Wood v.

Worachek 案中 [618 F. 2d 1225 (7th Cir. 1980)]，我们解释了规则 15 (c) 所要求的"错误"：原告通常可以根据规则 15 (c) 补正其起诉状，用以改变赔偿所依据的理由或制定法；或者作为正当当事人的原告在法院时用以更正原告的名称错误（misnomer）；或者用以改变原告据以起诉的资格，或者用以替换或增加真正的利害关系当事人作为原告；或者当诉讼自最初提起时即为集团诉讼时，用以增加其他原告。因此，有溯及力的补正一般是允许的，其目的在于，当正当的被告已经提交到法院而后果仅仅是更正所诉的名字/称时，纠正被告的名字/称的错误。然而，在制定法时效届满时，一般不能通过补正而替换或增加新的被告……

规则 15 (c)(2)[现在的规则 15 (c)(3)] 允许补正有溯及力的情形是，只有当涉及正当当事人的身份发生辨认错误时，以及当根据错误的信息该当事人是可被控诉者的时候；不允许有溯及力的情形是，不知道正当当事人（是谁），就像本案的情形。因此，在没有对正当当事人的辨认错误时，则无关于规则 15 (c)(2)[现行规则 15 (c)(3)] 的宗旨，即意图中的替代当事人是否知道或应当知道诉讼会针对他而提起。同前，页 1229 – 1230（引证省略）。记录显示，在涉及警官身份的辨认方面没有错误，在口头辩论中，沃辛顿的律师说明，他直至制定法时效期间届满之前的一两天才决定起诉。在这个时候，沃辛顿和他的律师都不知道被主张的侵犯权利的两位警官的姓名。因此起诉状就针对"不知道姓名的警官"提起了。由于沃辛顿没有列名威尔森和沃尔是因为不知道他们的身份，而不是把他们的名字弄错了，因此沃辛顿就不能适用规则 15 (c) 的原理而使其补正可以溯及力。

沃辛顿争辩说，根据地区法官所主张的对规则 15 (c) 的解读，没有把"错误"作为补正的起诉状溯及力的独立条件。地区法官将"错误"这个词解释为"变更当事人或当事人的称谓"。Worthington，790 F. Supp. 835. 然而这一解释忽略了 Wood 案判决理由的连续有效性，该案根据规则 15 (c) 的旧版本解释了"错误"这一条件，该判决理由并未受到 1991 年对规则 15 (c) 的修订的影响。

沃辛顿又争辩道，衡平法上的时效中断（tolling）应当妨碍威尔森和沃尔主张制定法上的时效限制作为防御，因为官员们欺骗性地向他隐瞒了他们的身份。沃辛顿承认他在诉告文状中只是含混地提到了时效中断的论点。地区法官在就驳回的动议举行的听审中依职权提出了时效中断的论点。本次上诉是当事人第一次有机会完整地表达关于时效中断主张的法律理由，因此这一论点没有自动放弃。

根据伊利诺斯州法律，主张欺诈性隐瞒而致制定法时效中断的原告必须提出被告避免他发现自己身份的确认性行为或语言。仅仅是被告的沉默和仅仅是原告方不知道诉因并不构成欺诈性隐瞒……

【法院认定没有欺诈性隐瞒的证据】

在交叉上诉中，高地村主张，规则 11 制裁已经针对沃辛顿的律师作出并且本来应当付诸执行的。地区法官在驳回规则 11 制裁时声称："……本院无权在这种情节下制裁沃辛顿的律师的行为。规则 11 授权对于向本院提起这样的诉讼而给予制裁，但未授权对于一宗最初向州法院起诉后来又移送到联邦法院的诉讼给予制裁……补正的起诉状是向本院提交的，其中没有提到统一监督问题。"因而驳回被告的制裁动议。Worthington，790 F. Supp. 838……

【因此该院认定，排除溯及力，同时驳回规则 11 制裁。】

克里斯多夫诉达菲
Christopher v. Duffy
28 Mass. App. Ct. 780（1990）

大法官卡普兰（Kaplan）：

一位高等法院的法官驳回了原告的动议，该动议请求许可第二次补正她的起诉状以便把 5 个公司和一个贸易协会列入被告之中，并请求针对他们提出新的责任理由。本院的一位独任大法官（a single justice in this court）根据 G. L. c. 231，§118 第一部分驳回了原告就中间裁决提出的申诉，但支持了原告向该院合议庭上诉的许可。我们现在维持这一决定，主要理由是法官在驳回申诉时没有滥用裁量权。

这一案件始于 1982 年 5 月 27 日。第一次补正起诉状提出了如下案件：克里斯多夫家庭——母亲、父亲和 5 个孩子——自 1979 年以来一直住在切西尔（Chelsea）自由大街 117 号的公寓里。1981 年 6 月 4 日，一位内科医生检查年龄不到 6 岁的珍妮特时发现她遭受了铅污染。他通知了适当的州机构，该机构命令房主为公寓"除铅"。该房主雇用了一位约翰·达菲承担这份工作，但据称他的工作非常不恰当以至于加重了铅污染。7 月 1 日，珍妮特的状况进一步恶化，7 月 9 日她被接受住院进行"螯合"（chelation）治疗（用其他物质中和铅）并于 7 月 15 日出院，7 月 20 日死于肺炎，按照原告的主张，这是因为她丧失抵抗力而在医院里接触感染所致。

本案中的原告是：母亲作为珍妮特房屋管理人，以及父亲和母亲作为个人。列名的被告为：詹姆斯和贝蒂娜，他们是自 1978 年以来的自由大街 117 号的不动产所有人；阿方斯，学校大街托拉斯的受托人，前所有人；以及约翰·达菲。针对不同被告发出了关于责任的不同的常规理由，包括违反防止铅污染的制定法（G. L. c. 111，§§191 以下）和规章、过失、因违反 G. L. c. 229 而非法致人死亡、故意施加精神折磨（对父母）、违反 G. L. c. 93A 而实行不公平的或欺骗性实践。然而，达菲还没有被送达。【在第一次补正的起诉状中，在原始起

诉状中"无名氏"的地方填上了约翰·达菲。这表明原告实施了对达菲的送达。】

1987年1月12日，该案达成了交付判决的协议，在根据这一协议的和解中，被告贝蒂娜赔偿47000美元，被告托拉斯赔偿5000美元，达菲未参与和解。

1987年11月6日，母亲作为房屋管理人以单独的原告动议对第一次补正的起诉状进行补正，撤下了除达菲以外的其他所有原始被告，并提起对5个制造用于含铅涂料的铅的厂家以及他们的贸易协会的诉讼……原告于1988年1月28日自愿撤回了她的动议，但于1988年9月20日重新提起这一动议。原告想把这个补正的起诉状溯及到原始起诉状中，要求这些公司对珍妮特的死承担责任，理由是他们1920年代以来就知道或应当知道他们的产品质量富于危险，却仍然过失地生产和投放市场，他们在新产品设计上存在过失，没有给予警告，他们违反了授权许可之规定。还进一步指控这些公司和他们的协会"合谋"向公众隐瞒产品的危害，认为这些公司的责任应当根据"市场份额"来划分。法官于1988年12月30日拒绝给予补正许可，他在备忘录中强调，这些新被告会因为不得不对延迟到现在才对他们提起的请求作出回应，因而导致对他们的程序不利益……

"补正的动议应当同意，除非有某种拒绝它的好的理由"。卡斯特鲁西案〔Castellucci v. United States Fid. & Guar. Co., 372 Mass. 288, 289, 361 N. E. 2d 1264 (1977)〕。马萨诸塞州民事程序规则〔Massachusetts Rule of Civil Procedure 15 (c), 365 Mass. 762 (1974)〕及其1988年修订本（G. L. c. 231, §51, St. 1988, c. 141, §1）的意思都是，像本案所申请的补正这样，即增加一方当事人、增加一个新的责任理由、但不主张最初诉请的损害救济，除非有好的理由拒绝，否则都应当同意，并应允许有溯及力。当任何补正提出的时候，法院都要决定是否有好的理由，这一过程属于裁量权行使的调整范围。

我们不必考虑在寻求补正时不适当的拖延本身是否足以使法院拒绝许可，我们认为，就像下面的法官所做的那样，在裁量过程中允许补正转化为另一个问题，即对方当事人可能因为允许补正而受到不利益，我们认识到，拖延可能造成甚至极大程度地造成这种不利益。我们还认为，应当由对方当事人来指出不利益，无论这种不利益是显而易见的还是要求证明的。

在本案中，法官在注意到长期拖延之后，也注意到了不利益问题："原告的诉因主张含铅涂料的摄取引起铅污染、引起住院治疗和高度易感性、引起肺炎、引起最终死亡。当……被申请的新被告在提起诉讼6年之后才被送达，却要在一件必须进行广泛的证据开示并对主张的每一个因果关系提出证明文件的案件中作出防御，这对于这些新被告而言是不公正的"。同样明显的是，达菲所见所为对于新被告的防御十分重要，但达菲自1985年以来就没有记忆了（他于1985年

11月17日去世)。这些被告关注的还有在鉴定时间前后使用涂料的公寓受影响的地方的实际状况,几年时间的流逝几乎必然成为这些事实的障碍,同样面临障碍的还有认定这些公司实际向任何涂料中加入这些铅的情况。(所有这些都是被告对于过失、有意隐瞒等等指控进行可能的防御的一部分)

普通的案件申请补正如果获得同意,则原有的一方当事人要受到一个新的责任理由的牵连,本案的情况并非如此。本案中的当事人过去与本案没有关联,而且在有关的制定法时效届满后很长时间才被送达。有关政策支持在时效期间届满之后则消灭请求权,这一政策不允许这样针对新被告进行补正。这些政策并没有说得那么绝对,但它们必须在考虑之内并加以权衡。基于这些理由,司法决定对于补正将遇到送达和合并新的当事人的难度作出了敏锐的判断……

总而言之,不能说法官在拒绝补正时恣意或武断,滥用了他的裁量权,他的决定应当受到尊重。维持裁定。

注释与问题

1. 在克里斯多夫诉达菲一案中适用的马萨诸塞州民事程序规则 15 与联邦民事诉讼规则 15 是一致的,只是第 15(c)条有所不同,它规定:

> 补正的溯及力。任何时候当补正的诉答文状所主张的请求或防御产生于与原始文状中提出或试图提出的同一行为、交易或事件时,补正(包括变更当事人的补正)均可溯及到原始文状。

2. 当然,对于任何个案而言都有许多"判决理由"(holdings)。在关于补正的联邦和州的民事程序规则的这两个判例中,判决理由是什么?

3. 有人曾批评马萨诸塞州民事程序规则关于在制定法时效届满后追加当事人的补正规则过于宽松。你怎样评价麻省规则 15(c)?

4. 关于时效、时效中断和"开示规则"(这一规则规定,制定法时效期间在诉因获得开示之前不应当开始计算)是制定法和判例法的产物。比如,当潜在的原告在服役期间时,联邦制定法可中断制定法时效。见《陆军士兵和海军士兵救济法案》,U. S. C. A. §525。同样,各州也经常有一些制定法可以中断制定法为未成年人规定的时效,准据法规定的时效期间可自未成年人达到成年(如 18 岁或 21 岁)时再开始计算。你们将在侵权法课程中发现,在一个通情达理的潜在原告不会知道自己被侵害的情形下,制定法时效不得起算。比如,外科医生把海绵遗留在病人的胃里,那么在原告知道海绵留在她胃里之前,制定法时效不能开始计算。在下面的案例中,专家一定会给你们一些感觉,了解这些问题如何产生、每一次调查都是如何进行具体问题具体分析的:

> 重要的是,冷漠、沮丧、外伤后的神经衰弱、由此导致的心理损伤和压抑、或者仅仅是精神疾病,都被认为足以导致中断 CPLR §208 的适用。但精神残疾却必

须是"严重的和使人丧失能力的（incapacitating）"。然而，压抑（repression）、损伤（trauma）或神经衰弱（neurosis）是"惟一的一组所请求的伤害，如果成立，则表明完全丧失了在社会上发挥作用的能力，因而制定法所规定的时效发生中断"。

Wenzel v. Nassau County Police Dept., 914 F. Supp. 902, 904 (E. D. N. Y. 1996).

实务练习十
论证卡彭特案中原告要求补正的动议

假设在涉及卡彭特案件中的初始备忘录中的事实不变（包括原告律师在阅读兰德尔·迪的笔录证言之前不知道兰德尔·迪在何处购买轮胎，并怀疑汽车设备有问题）。在证据开示之后，原告动议提交一份补正的起诉状。假设有关事件按照以下时效：第一次由原告通知采集兰德尔·迪的笔录证言制定法时效为两个月；后来兰德尔·迪的笔录证言拖延了几次——通常是应兰德尔·迪的需要（他的工作时间、他家庭里一次死亡事件、他偶尔的流感）；在采集笔录证言之前的那个星期制定法时效届满了；在录取证言时，迪声称他买了型号过大的车胎并且终极公司也有嫌疑；4周以后，原告的律师收到了笔录证言的副本；收到笔录证言副本的一周后，她动议补正起诉状，将终极公司和洛厄尔市增加为该案被告。在迪的笔录证言采集的次日，卡彭特的律师通知了洛厄尔市说它有责任。当然，洛厄尔市的警察在事故发生当时是了解这一事件的，并且根据原告的主张，这些警察甚至在事故发生之前本来应当知道这是违反制定法的。假设根据迪的笔录证言，他在事故发生之后的几天内已经告知了终极公司的主人，并且已经在他被送达之后大约一个月内将他被诉的事情告诉了他（送达是在准据制定法时效届满之前近3个月内完成的）。假设该案中所有准据制定法规定的时效都是3年。

在申请补正的动议第一次听审时，法官推迟了两周，并告诉原告律师将提议的补正及推迟听审的信息立即通知终极公司和洛厄尔市法律部，原告律师照此办理了。（法官在允许补正的情况下指令向那些将要作为增补被告的人们提前发出通知并不是普遍做法。）在听审中，代理原告、终极公司和洛厄尔市的律师全都出庭了，但终极公司和洛厄尔市的律师却未在卷宗里出现，因为他们还不是列名的当事人。

关于补正的动议现在要举行听审了。制定法规定的时效已届满了4个月。你了解法官听审这类动议时通常首先传唤动议方当事人。辩论也应当遵循这规则。但请记住法官也是人，而且是掌握着可能伤害人类或帮助人类的大权的人。请考虑一下，如果同意或驳回这一动议，各方的收获或损失是什么。书后所附案例中的补正动议是请求对起诉状的补正，如果原告获得许可则可提交补正的起诉状。

合理的推测是可以作出来的，想一想，洛厄尔市和终极公司能获得怎样的记录（records）。

补正的起诉状——如果准允的话——提到了默示保证和马萨诸塞州立法（Mass. G. L. A. 90，§7P）。在卷宗里你还会找到马萨诸塞州的其他法律（关于过失业致死、精神损害及欺诈性信息的制定法条款）。

重要指示

如果你的姓氏以 A 至 H 开头，则你是原告的律师，你应当准备支持补正的动议。姓氏以 I 至 J 开头的同学应当代理被告，兰德尔·迪和皮特·迪。以 K 至 P 开头的同学代理终极公司，反对这一动议。Q 至 V 的同学应当代理洛厄尔市，也反对动议。姓氏以 W 至 Z 的同学应当准备作主持法官的助理。法官助理通常帮助法官准备动议会议，有时提供关于要问哪些问题的建议。有些法官还会问他们的助理如何决定动议及其理由。

为了在动议会议之后展开讨论，请考虑以下问题：

（1）如果这是一宗向马萨诸塞地区的联邦地区法院提起的异籍诉讼，情况是否会有所不同？

（2）如果马萨诸塞州采用了联邦民事诉讼规则15，并且案件是向向马萨诸塞地区的联邦地区法院提起的异籍诉讼，情况是否会有所不同？论证存在哪些差异？

提示：主张支持动议的技巧

假设一位法官在一次动议会议（montions session）上对你的案件、动议、或准据法知之甚少乃至一无所知，这不是什么需要掩饰的事情，实际上这是一种好的实践。在那些允许对动议进行口头辩论的法院，法官在动议会议上常常是开一次庭处理许多案件，因而可能只是在辩论开始之前才第一次花几分钟看一眼有关材料。但是，你却必须迅速地作出辩论，因为动议法官可能很没有耐心，他们有太多事情要做。

尽管有许多方法可以用来在动议会议上说服法官，但这里提供几条线索可能对你们很有帮助。声明你是谁和代表谁。告诉法官必须决定的具体事项【比如"根据规则12（b）（6）提出动议，请求驳回原告起诉状中的第一个理由，因为未陈述救济据以支持的请求。我提请您基于两个主要理由支持这一动议"。】如果你首先发言，那么把案件事实和它的进展状态充分地告诉法官，使她能够容易跟上你的主张。如果你依赖于某个规则（或制定法），那么准确地告诉法官规则适用的是哪个条文（提供具体内容），如果你的案件中的事实处于似是而非的状态，则要解释为什么你的请求应当被准许，是合理的和公平的，还是必须的。如果你依赖于判例法，则充分告诉法官你所依赖的判例的事实，使她能够理解这一判例在具体语境中的判决理由并断定你所依赖的判例与她必须决定的这个案件相似。回答法官的问题——通常在法官提问的时候就回答。不要忽略你的对手的论辩，或者，如果你首先论辩，不要忽略你所预期的论辩；简要陈述对手的论点并迎头痛击。

在整个过程中，保持礼貌但不卑不亢。通常情况下，用直白的英语进行常识性的论辩效果最好。要相信，法官明白如果她作出对你的客户不利的裁定会导致何种不公平的影响。结束的时候再次准确地告诉法官你希望她裁定什么。（在不能确切地知道各方当事人想要的是什么时，法官们会特别不耐烦。）

第四节 民事诉讼的历史背景

你们将要面临的本课程的下一个原理是联邦规则11，这一条是经过多年的发展而形成的。我们认为，首先对历史背景有一点感觉，会有助于你们理解现在的程序和在大多数程序制度中存在的紧张关系。我们希望，对于联邦规则及其以前制度的历史背景的了解，有助于你们认识现行程序中的矛盾及其面临的问题。还会向你们介绍《判决规范法案》(the Rules of Decision Act)、《程序与统一法案》(Process and Conformity Acts)、《授权法案》(the Enabling Act)，所有这些对于全面理解现行程序问题和争论都是至关重要的。在本教程的早些时候你们已大略了解了程序的价值，现在你们可以探究实际的人们在历史语境中的那些相同的价值，他们——就像你们一样——复杂的需求、意识形态和阅历影响着他们的主张和观点。

一、我们正在走向何处？

现行美国民事程序正处于变迁时期。尽管我们还没有充分的视野加以肯定，但看起来似乎是，我们正在走向或者已经处于一个具有重大意义的变动时期，其意义之重大如同纽约州于1848年采纳新的程序法典和联邦民事诉讼规则于1938年被采纳一样。你们通过阅读和适用联邦民事诉讼规则可以了解民事程序的许多内容，那些规则以强调帮助诉讼获得"实质结果"（merits）——无论是通过自愿和解还是在公开的庭审中——的程序哲学为基础。好的程序制度的构成元素曾被认为是程序的简易、法院与法院之间的程序一致性、赋予律师选择余地和法官解决争议的裁量权的弹性的规则。

司法裁量权现在仍然受到强调；其他的目标和原则却遭到严重抨击，特别是20世纪80年代以后。结果，你们将在声称是自由的程序规则中参与实践，而实际上这些规则已变得越来越严厉、对律师越来越不友好。大量的记录表明，这种统治美国法律50年之久的程序秩序正在崩溃。你们可以浏览任何一份日报，观察国会对律师支配下（lawyer – dominated）的民事诉讼的敌意。当你们在第四章读到关于证据开示的资料时，你们将发现，原始联邦规则中敞开大门的证据开示在1980年和1983年的修订中受到限制［1980年增加了关于开示会议的规则26（f）条，1983年修改了规则26条并在规则16条中扩大了审前会议的目的］。1993年进一步修改了开示规则，而且进一步改革似乎已露端倪。结果，律师们在开示中的范围缩小了，而法院则使用更强硬的手腕。你们很快就要学到，1983年补充的规则11条专门用来减少律师的自由，它给联邦规则带来了些许19世纪菲尔德法典中所体现的对诉答更为严格的精神。1993年对规则11条的再次修改朝着一种不大相同的方向发展。

法院与法院之间程序一致性的理念已经被地方性规则的增生、拓展所侵蚀。见联邦民事诉讼规则83条。"全美司法会议规则实践与程序委员会地方规则项目"（The Local Rules Project of the Committee on Rules of Practice and Procedure of the Judicial Conference of the United State）收集了各地区法院的地方规则并于1988年作出报告：

> 94个地区法院现在总计有近5000个地方规范，还不包括许多"次级规范"，规定了程序运作的常规（standing）命令和标准。这些规范花样异常繁多，而且数量仍在迅速增长。举一个纯粹的例子，以洛杉矶为根据地的加利福尼亚中心地区，有31个地方规范和434个次级规范，并有275个常规命令。在另一端，乔治亚中部地区，只有一个地方规范和一个常规命令。这些地方规则涵盖了全部联邦实践谱系，从律师承认和规制，到初审的各个阶段，包括诉答和诉讼文件要求、审前证据开示程序以及诉讼成本的分担。

1990年《民事司法改革法案》P. L. 101 – 650（美国法典第28编第1章第471 – 482节）赋予各地区法院在该立法颁布后3年之内补充各自关于降低民事司法费用和减少诉讼拖延的方案，实际上是命令地区法院与地区法院之间实行程序多样化。该法案的一个主旨是鼓励法院试验不同类型的案件管理制度，并试验各种替代性纠纷解决（ADR）的方法。

你们已经了解一些关于美国民事程序中存在的不安定性和不确定性。有些联邦上诉法院对于那些民权案件的诉告文状采取了人们通过解读联邦诉答规则及其历史背景可能无法预料的更加严厉的制裁。国会也通过了《1995年私人债券诉讼改革法案》（the Private Securities Lithgation Reform Act）（PSLRA）［Publ. 104 – 67, 109 Stat. 737（1995）］，试图减少联邦程序制度中内含的权力滥用。PSLRA在主张债券欺诈的集团诉讼中使用了金字塔式的程序设计，包括更严厉的文状要求，以减少那些国会曾称之为"正在压制自由事业的没有价值的请求"。1997年2月27日《纽约时报》："投资者的集团诉讼并未呈现出恰如国会计划的特征"。例如，在制作起诉状时，原告必须具体列举和解释其所声称的被告的每一个误导性陈述，起诉状还必须陈述产生强有力诱导的具体事实，说明被告的行为具有所要求规则的主观状态。

对规则11条正在进行的修改也表明，律师和当事人应当在开始诉讼之前，需要努力提供大量事实和法律信息及确定性。同样，民权诉讼提供了一个重要的战场，因为事先要求的调查和细节越多（因而成本越高），则典型的民权原告及其律师愿意或能够开始诉讼的可能性就越小。

这些例子揭示了在英美民事程序法的每个发展阶段都会普遍存在的两个相互冲突的主题。其一，程序看起来是一个包容民事争议的形式化的途径，程序法——和实体法一道——被认为是一种减少决定者考虑的变数的途径，程序还被视为一种提供定义、焦点和时间限制的方式。有人会说，法律的宗旨恰恰在于提供这种形式化的定义和限制。大法官哈兰（Harlan）在博迪案［Boddie v. Connecticut, 401 U. S. 371, 374 (1971)］案中这样写道：

> 也许作为一个有组织和具有凝聚力的社会的特征，没有什么比一个具有这种规则的体制的设立和执行更重要，即，这些规则界定其成员的不同权利和义务，使他们能够以一种有序的可以预测的方式来规制自己的事务，并确定性地解决他们的分歧。没有这样的"法律体制"，社会的组织和凝聚实际上是不可能的……更简要地说，正是注入了这种规则之治，才使社会得以从抵制政治理论家所称的"自然状态"中获得益处。

第二个主题是，人类的处境特别是人类的争议不容易使人类借助于教条和形式主义。故事——现在一般称之为"叙事"（narrative）——显然超越于诉因及其要件的框架。的确，不了解产生请求的整个故事就不可能理解请求，联邦规则中"请求"的含义是一次完整的交易或事件，而在本课程的后面你会发现既判力的原则和排除的法律是循着这一理解而行的。詹姆斯·怀特教授是密西根大学的法律教授和英语教授，他曾论证说，并非只有法律学科没有能力把生活的情形减少到经过选择的一组由准确地知道自己的意思的语言构成的不同情境。［见 James B. White, The Legal Imagination: Studies in the Nature of Legal Thought (1973).］律师就像诗人、小说家、历史学家一样，不可避免地要讲述一个比语言的准确含义广泛得多的故事。初审律师知道说服的艺术在很大程度上就是组织和讲述故事的艺术。你们将很快看到，在可以追溯到中世纪普通法法院与衡平法院的不同程序的历史的某种措施中，受实体法和程序法限制的故事与讲述更大的故事的需要之间的紧张关系即已成为强弩之末。

这种形式主义与叙事之间的紧张在人类的真空中不会发生。正如你们从本书中第一则判例中所见，在民事程序中大多数复杂问题的背后是权力问题，这并是当下的现象。当你们阅读有关在普通法法院使用陪审团的问题时，重要的是要认识到，国王通过在普通法法院设立陪审团而谋求获得英国平民的忠诚；国王通过要求土地争议在他的法院内解决，而不是在男爵们那里或在郡县中解决，而谋求将他的新兴国家中央集权化，并把权力攫取在自己的手中；企业家集团正在兴起的权力和律师们需要更好地营生的欲望（这是一个职业权力的问题），在19世纪被称为"菲尔德法典"的美国程序改革中成为重要因素。

当你们读到下面关于衡平法与普通法、菲尔德法典、以及联邦规则的时候，请记住过去这些形式主义与叙事之间的紧张关系以及权力的要求是如何影响民事程序的，肯定地说，这两大主题也会影响现在和未来的改革运动。当你们经过本书中诉讼的不同阶段并思考过去和现在的程序改革者已经作出和继续作出的选择时，形式主义与叙事之间的紧张关系的主题以及权力的主题（其本身就存在紧张关系：法官与陪审团、当事人与律师、律师与法官、司法与立法）应当提供一些透镜，你们可以透过这些透镜开始理解在概念层面上和政治层面上的要害之处是什么。当然，形式主义与叙事的主题以及权力的主题本身也是相互关联的。形式化的程序规则经常试图限制权力，正如叙事可能是一种扩大裁量权或将程序制度民主化的一种方式一样。

二、普通法与衡平法[1]

"普通法"（common law）有几个意思。它在描述法官造法（judge - made law）的英国制度时，是作为大陆法制度（如法国和德国的制度）的对立概念。"普通法"在美国还用来区分由司法意见书而发展的法律与由国会颁布的制定法。此外，它还用来描述至少早于13世纪发生在英国的形式诉讼的两个系列的法院。一个系列是，有3个中心的普通法院——王座法院、财税法院和普通诉讼法院，适用"普通法"程序；另一系列是大法官法院（Chancery）或衡平法院，只有它自己的程序。

普通法院和衡平法院各有自己不同的程序制度、法理和见解，不考虑这些差异，就很难理解美国程序的发展。

普通法程序

普通法院有三个主要特征：令状（writs）、单一争议诉答（single - issue

---

〔1〕 本书作者史蒂芬·N·苏本曾经在两篇文章中描述过19-20世纪美国民事诉讼法的发展，以及作为这些程序之前身的英国制度。参见苏本："衡平法是如何征服普通法的：历史视角中的联邦民事诉讼规则"；[Stephen N. Subrin, How Equity Conquered Common Law: The Federal Rules of Civil Procedure in Historical Perspective, 135 U. Pa. La. Rev. 909 (1987)]；苏本："戴维·达德利·菲尔德与菲尔德法典"[Stephen N. Subrin, David Dudley Field and the Field Code: An Historical Analysis of an Earlier Procedural Vision, 6 L. & Hist. Rev. 311 (1988).] 本章许多关于历史的内容均借用了这两篇文章。

pleading)、* 陪审团。具有讽刺意味的是，令状制度是在大法官法院中发展起来的，后来一直收藏在衡平法院。早在13世纪，国王的臣民向大法官法院提起诉怨，而大法官法院的工作人员出售（sold）令状，令状是授权一家法院听审一个案件的，并指示一位法警保证被告出庭的王室命令。经年之后，令状变成了经常使用的各类起诉状，变得形式化，原告提起诉讼必须适合某个具体案件类型，比如过失（trespass）、返还原物（replevin）、或契约（covenant）。每一种令状蕴含着一个程序、救济和有证据支持的事件的范围，比如事项管辖权和对人管辖权、证明负担、和执行方法。令状开始意味着什么样的事件会允许什么救济，最终也发展了实体法的体系。

伴随着令状制度的是一种我们称之为"单一争议诉答"的程序。在早期，诉答的设计是用来把案件缩减为在伦敦的一位法官面前口头叙事的单个争议，后来发展到书面材料的交换。被告可以在诉答中就管辖权提出防御、提出异议（demur）从而审核一个法律问题、或者提出否认（traverse）从而引出一项事实争议。或者，被告可以提出一个"承认与回避"的应答，也就是现在的确认性防御。除非管辖权抗辩获得支持，否则当事人双方就会来回地诉答，直到一方要么提出异议从而引致一个法律争议，要么提出否认从而要求对事实争议作出解决。

事实争议会提交陪审团。陪审团取代了早期普通法审判方法，那种方法是在上帝面前通过拷问、格斗或邻居〔"证人"（compurgators）〕说他们相信当事人的诅咒发誓而作出裁判。陪审团的发展就像令状制度和单一争议诉答制度一样，是一种寻求对人类纷争更加理性和具有可预测性的解决的尝试。由于人类取代了上帝来听审和决定案件，因而有利于当事人提出能够改变现实的人类纠纷解决者的想法的事实。

普通法令状和单一争议制度的技术化和僵硬遭受奚落，被称为"专业诉答者""讼师"曾经是一种侮辱。然而考虑到如今许多诉讼的复杂性，有那么多的法律争议和那么多证据开示，人们也许同情我们的程序先辈的努力，这些努力表现在浓缩和集中案件、获得一定程度的可预测性、以及通过令状制度以定义的程

---

* 译者注：在 issue 的多重相近含义（主要有问题、争议、争点）中，这里选取"争议"之义，主要是结合美国民诉法历史上以民事请求权符合已经设定的案件类型才能提起诉讼、以及这里专门讲到的不允许合并诉讼的背景。在我们普遍使用的概念中，"争点"常常作为"争议焦点"的简称而混用，而美国民事程序中，"争点"（特别是与请求、诉因、诉答程序联系在一起时）有似于大陆法系"诉讼标的"的传统概念，一个"争点"实际上是一个以请求权为单元的一项"争议"或"有争议的问题或事项"，每一个"争议"中常常包含着许多"争议焦点"。在本书第10章关于既判力和争点排除的讨论中，将 issue 译为问题、争议或争点，请读者注意不要把美国法翻译中的"争点"与一些将"争议焦点"简称的"争点"混淆。

序来整合所追求的目的及其所使用的方法。而且，如今人们也许可以赞赏外行陪审团的历史发展，因为当今大多数百姓都没有多少机会像陪审团那样用于参与政府事务。

衡平法程序

到16世纪早叶，普通法制度与一种被称为衡平法的具有重大差别的制度相伴而行，也许是大法官法院时兴新的令状制度，这一历史性权力成为这种衡平法的基础。形式化的令状制度已经定义的文件夹还没有来得及允许在非常规的或不公平的情形下给予个人帮助，比如以错误或欺诈为基础的合同、或者被剥夺了在另一个人名下的财产收益的收益人。制作衡平法中的起诉状（bill）是用来说服大法官为那些由于僵化刻板地适用普通法而遭受所诉称的不公正待遇的申诉人提供救济。只有当存在普通法没有适当/充分（adequate）救济的情形时，才可以转而求助于衡平法。

衡平法院及其程序在几个方面区别于普通法院。衡平起诉状允许并经常要求合并多个当事人。在普通法院，当事人的自我利益被认为大到不允许他们自己作证的程度，而衡平法院的大法官则强制被告亲自到他面前，在宣誓之下回答申诉人起诉状中的每一句话。衡平法上的申诉人可以向申诉中增加质问，要求被告回答，这是现代审前证据开示中的前身。

大法官不在公开的法庭上采纳证言，而是依赖于书面材料作出决定。大法官——而不是陪审团——决定衡平案件。大法官有权形成禁令救济，比如强制一被告将财产的使用和收益给受益人，而不是像普通法院那样仅限于支持具体数额的损害赔偿。最后，大法官较少受僵硬的普通法令状和诉答制度的拘束，能够在特殊案件中基于实现正义的努力而行使更多的自由裁量权。

20世纪前美国的普通法精神

正如普通法制度由于技术化而导致不公正因而招致对其僵化的抨击一样，人们抱怨衡平法制度带来了太多的当事人、争议和文件负担。新世界的许多殖民者都带着对皇家大法官的深深的不信任，那些大法官是不公正的国王的象征。对于他们而言，衡平代表着不受控制的自由裁量、恣意专断、不必要的拖延和费用。[记起了查尔斯·狄更斯的作品《荒凉山庄》中引述的贾戴斯诉贾戴斯（Jarndyce v. Jarndyce）案]。

一些最早的殖民法院享有对争议的管辖权和造法职能，在英国，造法的职能会落在几个不同的法院甚至在立法者手中。自1680年至1820年，早期殖民者实行的相当没有结构的、没有技术的程序制度渐渐向较多依赖于普通法形式和程序的方向变化。诉答通常限于几个简单的步骤；合并诉讼受到限制；只允许单一形式的诉讼。具有讽刺意味的是，当战胜英国人的革命取得胜利时，许多州却更加形式化地遵循英国制度，不仅在诉答要求上，而且在确立独立的衡平法院或允许普通法法官听审衡平案件并给予衡平救济方面也是如此。

经过完全的殖民时期之后，巨大的信任寄托在了陪审团身上。最初的13个殖民地在获得州的地位之后，每一个州，还有联邦政府，都赋予公民在刑事和民事审判中获得陪审团审判的权利。陪审团被视为一种使外行人参与管理自己、教育公民、控制法官的裁量权和专断的一种途径。然而到19世纪初，美国法官就开始塑造（fashion）种种限制和控制陪审团角色的方式，随着岁月的流逝，许多律师和法官都开始把陪审团视为一种争议解决的麻烦、笨拙而且不可靠的模式，而不是作为民主政府的一部分。

注释与问题

1. 浏览一下法律图书馆里的历史部分对于你们来说可能是一个很好的机会。有几本不错的描述历史上英国普通法——衡平法分野的作品。梅特兰的两场报告"衡平法与普通法上的诉讼形式"［Frederick W. Maitland, Equity and The Forms of Action at Common Law（1939）］和米尔索姆的"普通法的历史基础"［Stroud Francis Charles Milsom, Historical Foundation of the Common Law（1969）］值得特别留意，对于后者需要仔细和反复阅读。较为容易并且更具有综合性的单卷本是普拉克内特的《普通法的简明历史》［T. Plucknett, A Concise History of the Common Law 139 – 156（5th ed. 1956）］。关于英国法的两本颇具影响的多卷本作品是霍尔兹沃思的《普通法的历史》［William S. Holdsworth, A History of Common Law（2d ed. 1937）］和波洛克和梅特兰的《英国法的历史》［Frederick Pollock and Frederick W. Maitland, History of English Law（2d ed. 1905）］。关于普通法文件的版本，请见塞尔登协会的（the Seldon Society）一套多年来一直连续出版的书。也许了解英国大法官法院的一个最富吸引力的方式是读一读查尔斯·狄更斯的经典作品《荒凉山庄》（Charles Dickens, Bleak House）。（你们看见即使在我们的作业中也存在形式主义与叙事之间的紧张关系了吗？）

2. 引证率最高的——如果不是最好的——单卷本美国法历史书非常值得一读，就是劳伦斯·M·弗里德曼的《美国法的历史》（A History of American Law, by Lawrence M. Friedman（2d ed. 1985））。关于早期美国法的单卷本作品是一本编辑作品《关于早期美国法的论文集》（Essays in the History of Early American law, by David H. Flaherty, ed. 1969）。关于殖民的经历和早期对陪审团的信仰，见内尔森《普通法的美国化》（William Nelson, Americanization of the Common Law（1975），这本书非常有用。霍维茨的《美国法的变迁 1780 – 1860》和《美国法的变迁 1780 – 1860：法律正统的危机》［Morton J. Horwitz, The Transformation of American Law 1780 – 1860（1977）; The Transfomation of American Law,

1870－1960：The Crisis of Legal Orthodoxy（1993）] 引导人们思索那些影响美国法发展的社会的和经济的议题。如果想轻松而娱乐性地了解美国民事程序的演进，就看一看雷姆巴的《土地的法律：我们的法律制度的演进》[Charles Rembar, The Law of the Land: The Evolution of Our Legal System (1980)]，这本书也会为一年级的其他课程提供背景。

3. 思考一下从梅特兰的文章中摘录的这一段 [Frederick W. Maitland, Selected Essays 19 (H. D. Hazeltine et al. eds. 1936)]：

> 我们不应当把普通法和衡平法视为两个并驾齐驱的（rival）制度。衡平法不是一个自足的制度，在任何一点上，它总是以普通法的存在为前提。普通法是一个自足的制度，我的意思是：如果立法者通过了一个简短法案说"就此废除衡平法"，我们可能仍然进展顺利；在某些方面我们的法律本来会是粗糙的、不公正的、滥用的，但那些非常基本的权利，比如免受暴力的权利、保持好名声的权利、财产所有权和占有权，都会获得相当好的保护，而合同也会照样履行。然而如果换过来，立法者说"就此废除普通法"，这项法令——如果获得遵行——就意味着无政府状态。衡平法在任何一点上都以普通法的存在为前提，以信托案件为例，衡平法说 A 是布莱卡为 B 设立的受托人（A is a trustee of Blackacre for B）是没有用的，除非某个法院可以说 A 是布莱卡的所有人。没有普通法的衡平法是空中楼阁，是不可能存在的。

梅特兰在讨论什么？你们能向另一个人解释为什么他认为衡平法的单独存在要么是"无政府状态"要么是"空中楼阁"？梅特兰显然是把衡平法作为一个实体法的贮备库（repository）来讨论的，他的见解在程序法中仍能行得通吗？

梅特兰把普通法和衡平法的关系看成是补充性的，在程序法方面，普通法与衡平法之间的相互关系如何？各自的优势和劣势是什么？

三、戴维·达德利·菲尔德与菲尔德法典：程序改革者们的多项议程

在 19 世纪上半叶，反对美国承继于英国的普通法——衡平法制度的开始逐步发展。1846 年，纽约的新宪法废除了大法官法院，创设了一个"享有普通法和衡平法上一般管辖权"的法院，同时规定，立法机构任命一个 3 个成员组成的委员会"修订、改革、简化、删节该州法院的实践规则，诉告文状、文书式样和诉讼程序记录，并向立法机构报告"。这一委员会就是"实践委员会"（the Practice Commission）。

戴维·达德利·菲尔德（David Dudley Field）是纽约市一位才华横溢事业成功的初审律师，他参与了他那个时代一些最重要的诉讼，比如他代理过吉姆·菲斯克（Jim Fisk）和杰伊·古尔德（Jay Gould）为摆脱埃里铁路（Erie Railroad）的控制而斗争，他还代理过波斯·特威德（Boss Tweed）。在他后来的职业生涯中，他在因为准备写自传而没有发表的笔记中断言，"在纽约律师行（the New

York Bar）里的所有律师中，也许在这个国家的任何律师行的律师中，我的业务是最大的，它们带给我的收入也是最多的"。他的律师事务所"菲尔德和希尔曼律师事务所"后来成为声望很高的"希尔曼和斯特林律师事务所"（Shearman and Sterling）。

菲尔德尽管不是实务委员会的原始成员之一，但他于1847年接受任命，取代了一位原始成员并且成为最具有影响力和最著名的委员。纽约程序法典于1848年在该州采用，被称为菲尔德法典。它最终被27个州采用，包括像加利福尼亚和俄亥俄州这样人口稠密的州。到1890年，美国6300万人口中有3800万人口生活在"菲尔德法典州"。菲尔德还撰写了几乎所有实体法的法典，但那些法典没有被纽约采纳，也没有被其他许多州采纳。

菲尔德法典取消了诉讼的形式，以主体部分规定了所有类型的案件适用的相同程序。它把繁多的诉答文状简化为起诉状（complaint）、答辩状（answer）、应答书（reply）和异议书（demurrer），摒弃了对一个一个的单一争议的程式化搜寻。它要求起诉状包括："用普通和简洁的语言、并以一种能使具有一般理解力的人了解其意图的方式陈述构成诉因的事实，不要重复"。[N. Y. Laws 1848, c. 379, §120 (2)]。1851年这一条被修订为："直白而简洁地陈述构成诉因的事实，没有不必要的重复"。[N. Y. Laws 1851, c. 379, §120 (2)]。

菲尔德法典放宽了当事人补正诉告文状和增补与诉答状不一致的证据的条件，它扩大了——但没有扩大到后来联邦规则那样的程度——可以在一次诉讼中合并的潜在当事人、诉因、防御的数量。菲尔德法典废除了请求开示和询问证人的衡平诉讼文状（bills），但规定可以请求查看和复印对方掌握或控制的"与诉讼的实质性问题或防御有关的""某个文件"，以此方式进行有限的证据开示（§342），并且规定了承认书面材料真实性的有限要求（§341）。法典允许接受对方当事人的笔录证言（depositions），不过与联邦规则不同的，法典的笔录证言取代了在庭审中传唤不利当事人的做法，笔录证言是在法官面前，由法官根据证据反对（evidence objection）作出裁定（§345）。法典允许法官支持原告"任何与起诉状所形成的案件相一致的、并且包含在争议之内的救济"（§231）。

程序改革是当今再次提起的主题。如果想更好地理解这一点，试试剥离菲尔德法典改革者们的理路（rationale），并与联邦民事诉讼规则背后的改革宗旨以及当代推动其改革的潜流进行比较。下面是戴维·达德利·菲尔德于1847年1月1日撰写的一篇关于程序改革的论文片断。

戴维·达德利·菲尔德：如何对待法院的实践？
戴维·达德利·菲尔德的讲演、论辩和各种文章
David Judley Field, What Shall be done with the Practice of the Courts? 226 – 260 (A. P. Sprague, ed. 1884)

本州的宪法今天已经生效，它将在我们的法律程序制度中引起巨大变化。它重构了我们的法院；在同一法庭（tribunal）中整合了普通法和衡平法；在两类案件中使用相似的方式指挥作证；取消了大法官法院中的主事官（Master）与询问官（Examiner）——那是衡平法制度中重要的组成部分；最后指示，立法机构得规定任命3名委员，他们的职责是"修订、改革、简化、删节该州法院的实践规则、诉告文状、文书式样和诉讼程序记录"，并向立法机构报告……

关于法律识别的案件，我建议……取消现行的诉讼文书式样，用一个起诉状和答辩状代替，每个起诉状和答辩状提出当事人的真正请求和防御。这种诉答文状完全与衡平案件中提出的一样，而我们应当对所有的案件有一个统一的诉答程式，无论其为法律案件还是衡平案件。两类案件的差异现在仅仅是在诉讼程序的式样（forms of proceeding）上存在差别……

让原告在他的起诉状中扼要地提出他的诉因，不加重复；让被告以同样方式作出答辩。让各方当事人宣誓他相信那是真实的以此证实他的主张。于是，起诉状将使被告了解真正的指控，而答辩状则通知原告真正的防御。争议的事实将从没有争议的事实中筛出，双方当事人将在走向庭审的时候了解他必须回答什么。原告将陈述如他所相信并期望证明的案情。被告则站在自己的立场上提出他所相信并期望确立的事实，他不会再需要提出更多。他可能不会断言他不相信什么，他的答辩将披露他的整个防御，因为不允许他证明任何答辩状中所未包括的东西。他不再为一语双关的诉告文状而困惑，也不会再受古老的技术规则的束缚……

最丰富的补正的权力应当赋予法院……

每一个法律管理的立法目标都是以最少可能的拖延和费用实现正义，每一项诉答制度都只有在趋向这一目标时才是有用的，而其实现只能通过两种途径：要么使当事人能够更好地准备庭审，要么帮助陪审团和法庭判断事由。让我们考虑一下这两个方面：

首先，当它使当事人能够更好地准备庭审时。做到这一点只能通过相互通知彼此的案情。预告他们解决那些他们之间存在分歧的方面，以使他们能够将不必要的证据过滤出去，而准备那些必要的证据，这是诉讼程序的立法目的，也是当事人所关注的目标。现在没有哪个制度能够比所建议的制度更有效地实现这一

点。原告的整个案件都在他的起诉状中陈述了,被告的整个案件都在他的答辩状中陈明,在这些内容之外不再接受证据,除非这种反证据(rebutting proof)本来是可以在书面要点中具体化的,而且必须在庭审前的某些时间之内提交……

其次,它帮助陪审团和法庭判断事由时。有一种主流观点认为,除了普通法争议之外,没有其他问题适宜陪审团解决。许多律师固守根据这种古老规则的诉答制度,不过他们所承认和探究的却是我们当今实践的缺憾。据说产生争点使案件脉络清晰,使事实问题的数量得以减少,并使事实问题与法律问题分离开来。

现在,我首先否定根据普通法的程式产生争点能够真正减少事实问题的数量。一个声明可以包含好多个诉由(counts),* 每个诉由提出不同诉因,或者同一诉因在不同的形式中。如果同一文状提出所有的诉由,那么争点的数量与诉由的数量就相同。但被告可以如其所愿想对每个诉由提出几个辩驳(pleas)都行;而原告——经法庭许可——可以对每个辩驳提出反诘(replication)的数量就跟他获得答辩的机会一样。现在假设一个声明中包含 5 个诉由——没有不正常的事情——针对一个诉由有 3 个辩驳,而针对每一个辩驳有一个反诘。现在有 15 个争点,如果一个辩驳有 2 个反诘,就会有 30 个……

试图在庭审之前把问题减少到问题的所有要件,一定会遭到失败。在证据全部披露之前,很少能够知道到底还会发生什么,最大的勤勉和技巧是或多或少地根据原始问题的性质引致一个接近值。首当其冲的永远是:原告有权利还是被告有权利?而这一问题依赖于其他问题,如果你高兴,你可以继续进行下去,把它们减少到越少越好,然而,在诉由提交庭审并提出证据之前,你极少能够触及到基本的问题。因此,经过严格的分析,它们被迅速地过滤了,而诉由到最后就变成了 2 个或 3 个……

注释与问题

1. 普通法程序强调诉告文状。对于菲尔德而言最重要的阶段是什么?

2. 大多数程序改革者在他们的建议中都有忽略潜在问题的倾向,结果大多数改革都让位于后来的改革。你认为菲尔德有什么——如果有的话——考虑不周之处?

3. 菲尔德的兄弟姊妹可以列入我国早年历史上最有成就和最重要的亚当斯(Adams)和詹姆斯(James)家族:Henry 是 Presbyterian 资历长达 40 年的编辑,Jonathan 是马萨诸塞州立法机构的一名领导;Matthew 建造了他那个时代最长的

---

* 译者注:在起诉状或类似文状中对于一个特定请求的声明。这个词在旧书中与声明(delaration)是同义词。但当一次诉讼包含两个或两个以上诉因时每个诉因要求有一个特别的声明(statement),或者当原告对一个诉因提出两个或两个以上不同的 statement 时,则每一个 statement 被称为一个 count,而所有 count 的集合构成 declaration. (Black's dictionary 7th ed., p. 353.)

吊桥；Cyrus 铺设了第一条跨大西洋电缆；Stephen 成为一名联邦最高法院的大法官。在那个时代很少有女性得以在法律（或其他任何）职业中取得成就，但菲尔德的惟一姐妹 Emelia 生下了 David Brewer，他和叔叔一样进入了联邦最高法院。

4. 通常程序改革都有响当当的程序理由支持。但程序改革也有许多侧面。菲尔德和他的改革有几个成功的要素。他想要诉讼成本较低而效率较高，他努力使法律易于为普通人理解和接受。他热诚地信仰机会平等。一位法律教授将菲尔德和他的作品概括为几个要素，即，菲尔德为"科学的法律改革、国际的和平、女权主义、和取消奴隶制"而工作。[1] 然而与此同时，菲尔德改革的基础中也有几个不大自由的方面。[2] 在一个对法律的技术性的抱怨不断加码和一场取消法律职业的时期，菲尔德强调了在代理当事人和"改革"法律两方面都需要受过良好训练的法律专家。他的改革取消了州的律师诉讼费用制度，允许菲尔德和他的极端富有的客户自行承担费用。在纽约州的农民反叛给整个国家的社会——经济构造提出难题的时代，菲尔德强调需要改革司法制度和民事程序。他想要一个定义准确的实体法和程序法，这将同时捆住法官的手脚而使当事人得以行动自由——除在法律特别禁止如此行动之外。

5. 美国法学会有一个"跨国民事程序规则"项目，在 1999 年 4 月 1 日讨论稿中，报告人 Michele Taruffo 和 Geoffrey C. Hazard, Jr.（自称是"一个人有欧洲民法法系背景而另一个人北美普通法背景"）解释道，"讨论稿的基本风格几乎就是邦联国家特别是英格兰（和威尔士）、加拿大和澳大利亚的民事程序……在普通法制度中，美国制度在拥有宽泛的证据开示和陪审团方面，以及在将这些程序结合方面，都是独一无二的。美国法学会"跨国民事程序规则（讨论稿）"(1999 年 4 月 1 日)，前言（1999 年 3 月 26 日 xi – xiii）。所建议的跨国民事规则"现在包含着'商事纠纷'"。同前，xi – xii。戴维·达德利·菲尔德的影响在讨论稿的诉答文状要求方面仍然存在："8. 陈述请求（a）原告应当陈述请求所依据的事实、支持请求的法律根据、以及根据本规则提出的请求的根据。对事实的陈述应当在合理地可行程度内提出时间、地点、参与人、事件……等细节"。同前，页 56。报告人解释，"规则要求陈述的具体化，比如在多数民法法系和多数普通法司法区内，特别是在美国'法典诉答文状'的传统条件下所要求的那样。

---

[1] Peggy A. Rabkin："法律改革的起源：19 世纪法典化运动的社会重要性及其对早期已婚妇女财产法案的通过的早期贡献"，24 buffalo L. Rev. 683，714 (1974).

[2] 关于菲尔德的哲学及其改革努力的争议的更全面探究，参见苏本："戴维·达德利·菲尔德与菲尔德法典"[Stephen N. Subrin, David Dudley Field and the Field Code: An Historical Analysis of an Earlier Procedural Vision, 6 L. & Hist. Rev. 311, 319–327 (1988)]。苏本为菲尔德的哲学的辩护在页 328–345。

而作为对照的是，美国某些体系，特别是那些实施联邦民事诉讼规则的体系，则允许非常概括的陈述……注释8.1，同前，页57。

四、联邦民事诉讼规则的历史背景

判决规范法案、程序与统一法案、及授权法案的规则

联邦制度要做的主要决定是在州法院和联邦法院应当适用什么法律。1789年，也就是第一次选举总统的那年，《联邦司法法》（the Federal Judiciary Act）规定了设立联邦最高法院和13个地区法院及3个巡回法院。1789年《联邦司法法》第34节规定，"除联邦宪法、条约或制定法另有要求或规定外，几个州的法律在联邦法院的普通法审判中得被视为案件的判决规范（the rules of decision）。这一节被称为"判决规范法案"，现在可以在美国法典第28编第1652节，形式略有不同。"判决规范法案"中的例外条款根源于宪法第6条"最高权力条款"（the Supremacy Clause）。

尚不清楚1789年《联邦司法法》的判决规范条款是否涵盖程序法，不过同年颁布的《程序法案》规定了相同的基本公式：在联邦法院适用州法律，除非联邦法另有规定。[Act of Sept. 29, 1789, ch. 21, §2, 1 Stat. 93（程序法案）]。后来的《程序与统一法案》重复了要求联邦初审法院大部分适用联邦法院所在州的程序的模式。因此，在没有可适用的联邦法时，州的实体法和程序法在州法院和联邦法院都适用。

直到1872年之前，《统一法案》一直被称为"静态统一法案"（static conformity），因为它们要求联邦法院适用在联邦法案通过时既已存在的州的程序法。允许州有效地通过会成为联邦程序法律的法律被认为是不明智的——即使不违宪。如果国会能够在任何一项统一法案出台时看一眼州的程序，然后投票以在那一天上的静态的方式将联邦程序与州的程序统一起来。

到1872年，静态统一法案给实践者们带来一些严重的问题。大多数律师当时在他们州的法院中适用与菲尔德法典相似的程序规定，在联邦法院却被要求适用先前的普通法程序，因为当联邦统一法案通过之后，静态统一要求联邦法院适用州的程序法。在1872年《统一法案》中，国会转向了所谓"动态统一"，要求联邦法院大部分适用与该州当时会适用的法律一致的程序法，从而保持联邦法院跟上——以动态形式——当时现行的州程序法。

然而基于几个实践上的理由，联邦法院的律师们在自己的州仍然不能仅仅适用他们所熟悉的州程序法。1872年统一法案规定，联邦初审法官应当将联邦程序与州的程序保持"尽可能接近"的一致性。联邦法官用这句话来适用他们喜欢的某些联邦程序，比如允许他们通过指示和许可重新审判的动议来监督——如果不控制——陪审团的那些规则。《统一法案》（以及《最高权力条款》及《判

决规则法案》的例外规则）还要求联邦初审法官适用国会为联邦法院通过的任何具体的程序法。

州法院与联邦法院程序统一的可能性进一步受到联邦法院中衡平实践的侵蚀。1789年，当第一个程序法案通过时，衡平管辖权、法理和程序在许多州法院中要么已不存在了，要么没有获得长足发展。因此，在一些州，已经很少或没有明显的衡平法可以遵守。程序与统一法案的连续性问题的解决途径，就是让联邦法院在衡平案件中适用历史上的衡平法，而不是州法律。最高法院采纳了在联邦初审法院适用于衡平案件的具体程序规则。最高法院采用了1912年《联邦衡平规则》并于1913年生效，取代了1842年《衡平规则》——它曾经是为了在历史衡平实践的背景中运作而起草的，吸取根据1873年和1875年《英国司法法》而大大简化的实践，取消了技术化的诉告文状和拒审动议，放宽了补正的权利。同时代的注释虽然并非完全一致，但多数意见认为1912年衡平规则简单而富有效率，并且通过适当把法官从程序技术中解脱出来而大大改进了衡平实践。

许多人主张将统一联邦规则适用于所有联邦地区法院，他们的立场的基本前提是，统一法案没有规定在州与联邦法院之间的真正的程序统一，而1913年衡平法案成为验证统一联邦程序规则的可能性的一个样版。统一联邦程序规则的支持者进一步主张，一旦联邦最高法院有一个为联邦法院制定的简单的、弹性的、统一的规则，那么各州就会纷纷仿效，从而最终实现根据一系列程序和统一法案未能完成的州和联邦实践的统一。

1911年开始，美国律师协会（ABA）一位弗吉尼亚律师托马斯·沃尔·谢尔顿（Thomas Wall Shelton）在国会游说通过一项授权最高法院为所有地区法院颁布统一程序规则即"授权法案"的议案，其中许多论辩都是根据经常被引证却很少被解释的内布拉斯加学院法律系主任罗斯科·庞德（Roscoe Pound）1906年在ABA年会上的讲话。庞德在他历史性的演讲"公众对于司法管理不满的原因中"［The Cause of Popular Dissatisfaction with the Administration of Justice, 29 A. B. B. Rep. 395, 409–413（1996）］，在提到演讲标题所揭示的话题时，他认为公众在批评司法的时候存在着错误。问题不在于在我们的宪法体制中法官掌握立法性实施违宪性的权力，也不在于在我们的三权分立的政府结构中法院不可避免地被抛向政治争论的漩涡，真正的错误在于程序，特别是"竞争的程序"和"司法的运动理论"，律师们正是依靠这些而从那些妨碍司法的程序性技术中大占便宜。1905年，他论证道，正是普通法令状制度的形式主义（他认为在菲尔德法典中仍阴魂不散）以及它的僵硬和不变通的程序步骤阻碍了正当地适用实体法和法律对于现代情势的调整。庞德指责美国法官被那些设计来控制他们的程序规则过度束缚，他们还受到作为不能"独立地寻找真理和正义"的居中裁判者的角色的妨碍。

庞德把衡平法作为样本，是因为扩大的司法裁量权和更自由的诉答和合并诉讼符合现代法理的需要。后来耶鲁大学法学院的教授和后来的院长查尔斯·E·克拉克附和了这一论点。1935年，克拉克成为由联邦最高法院任命的向顾问委员会汇报起草最初联邦规则的一名报告人（主要起草人）。他同意把衡平法作为现代程序的样本。

庞德和克拉克强调，在联邦法院和一些州的体系中拥有两类管辖权——普通法管辖权与衡平法管辖权——是导致时间浪费和不公正的罪魁祸首。一些当事人由于错误地选择了普通法或衡平法而被扔出法院门外，而那时制定法时效已经届满。克拉克和其他支持者历数菲尔德法典由于一些蹩脚的立法的补充而变得如何繁复和冗长，历数法官们由于坚持"事实性"诉告文状的准确性、缩小潜在当事人的合并范围、在任何一个案件中只允许原告提出一个证据开示的理由，已经使菲尔德法典变得太技术化。

1912年到1932年期间，ABA成功地制订出《授权法案》的议案，授权最高法院起草统一联邦规则。在几乎每一次国会会议上都提交了这一建议案。总统和后来的首席大法官威廉姆·霍华德·塔夫脱（William Howard Taft）、总统候选人和后来的首席大法官查尔斯·伊万·休斯（Charles Evan Hughes），实际上美国律师协会的每一位知识渊博者、一批又一批地方律师事务所的领导人和法学院的学者们，都支持ABA的努力。然而，在长达20年时间里，这一议案通常都只是在参议院司法委员会中搁置，而且有一次因为参院员托马斯·沃尔斯（Thomas Walsh）的决定性的反对而被枪毙。沃尔斯是一名蒙大拿进步民主党人士，1912年首次入选参议员——也就是威尔逊（Woodrow Wilson）当选总统的同时。沃尔斯是一位聪明过人的宪法律师和初审律师，他为了路易斯 D·布兰代斯（Louis D. Brandeis）获得确认而向最高法院进行过热情洋溢的论辩和写作，他支持司法内敛（judicial recall），反对法官对陪审团的控制，支持在劳动争议中强化陪审团的权力。

沃尔斯对建议授权最高法院颁布统一联邦程序规则的《授权法案》提出了许多反对意见。[1] 一次英国旅行和对英国法院的访问使他相信，法律文化远比程序规则对于律师的职业行为更具有影响力。他根据自己作为蒙大拿州初审律师

---

〔1〕沃尔斯对授权法案的反对意见，详见斯蒂芬·苏本："衡平法是如何征服普通法的：历史视角中的联邦民事诉讼规则"[Stephen N. Subrin, How Equity Conquered Common Law：The Federal Rules of Civil Procedure in Historical Perspective, 135 U. Pa. La. Rev. 909 (1987)]。

的经历认为,《统一法案》几乎没有导致程序的不确定性,菲尔德法典也运行良好,他所在的州也采用了。他认为,统一联邦规则不会统一州的实践,而会导致对一大批律师的损害,因为他们了解自己州的程序,但他们很少在联邦法院出庭。沃尔斯认为,联邦最高法院的成员与初审案件相隔甚远,不适宜承担在他看来具有立法功能的程序规则制定工作。最后,他主张,衡平规则会形成新的统一联邦规则的基础——他的这一看法是正确的——但它在实践中是十分复杂的,不会像授权法案的支持者们所辩护的那样引向统一和简化。1933年,沃尔斯死于赶往富兰克林·罗斯福总统就职典礼的途中,本来沃尔斯在此之后要宣誓就职于司法部长的,他的去世清除了统一联邦程序规则的主要障碍。

《授权法案》与联邦民事诉讼规则的起草

1932年,ABA放弃了让国会通过《授权法案》的努力。在保守派长达20年仍未疏浚通道之后,富兰克林·罗斯福总统的第一任司法部长霍默·卡明斯(Homer Cummings)于1934年名正言顺地将《授权法案》再次提交国会。这位民主党自由发言人就像塔夫脱和休斯一样,对主要银行、公司和公共事业团体的大案件和大客户了如指掌,当他1934年启动《授权法案》时,他响应了庞德和克拉克已经发展的主题:现在是律师们放弃技术性规则而帮助政府起草和完善新的立法以解决国家的问题的时候了。

1934年,授权法案在仅有微弱抵制的情况下通过了,现在美国法典第28编第2072节中能够找到这一法案。首先,联邦最高法院似乎不情愿集中起草统一联邦规则或者利用授权法案中那条允许该院合并普通法程序与衡平法程序的条款。1935年上半年,克拉克发起了精神饱满和富有效率的行动,促进最高法院行使授权法案赋予的权力,对普通法案件和衡平法案件采取同样的程序规则,使这些规则按照衡平法实践(特别是1913年联邦衡平法)形成模式,并让一个集聚了起草专家的委员会来完成这一目标。1935年下半年,联邦最高法院指定了一个由14人组成的委员会"起草衡平法与普通法规则统一制度",这就是"顾问委员会"(the Advisory Committee)。295 U. S. 774 (1935)。

顾问委员会的作品反映了政治保守派和学术自由派两方面的观点,但他们在支持统一联邦规则的问题上联合起来。克拉克、密西根大学法学院教授埃德森·森德兰(Edson Sunderland)(他主要负责起草自由证据开示条款)、哈佛法学院教授埃德蒙·摩根(Edmund Morgan)、弗吉尼亚大学法学院院长、以及一位明尼苏达州大学的法学教授与9名律师组合在一起,这些律师大多数都是在大律师事务所执业或者是ABA中的积极参与者,有些则兼具二者。委员会主席威廉姆·D·米切尔(William D. Mitchell)在纽约做律师事务所合伙人之前曾经是柯立芝(Coolidge)总统和胡佛(Hoover)总统门下的副司法部长(Solicitor General），那个律师事务所和进入该委员会的一些合伙人，如纽约市的卡德瓦拉德（Cadwalader）、威克沙姆（Wickersham）、塔夫脱和波斯顿市的 Palmer、Dodge、Cadwalader 和 Bradford 都在他们的社区代理过全国顶尖的银行、保险公司、企业、铁路、公共事业团体。尽管如此，由顾问委员会最初起草的联邦规则却表现出有利于原告的需要、有利于自由联邦法官的激进主义、以及为少数派、穷人、未被充分代表者以及其他公民创设新的权利的倾向。

在起草过程中，庞德和克拉克以衡平法为基础的观点占了上风。也许主导性的主题是，程序应当服从于而不应当妨碍实体。该规则于 1938 年以国会颁布的方式变为法律。稍后的注释将解释现在适用的对规则的修订是怎样完成的。

注释与问题

1. 在继续学习之前，请你们在大脑中明确判决规范法案、最高权力条款、程序与统一法案、以及授权法案的宗旨和要义。这些规则贯穿于整个民事程序课程始终。在本课程后半部分，特别是在埃里铁路案和汉纳案（Hanna v. Plumer）中，我们将较为详细地讨论《授权法案》的具体规定。

2. 《授权法案》的最全面历史是史蒂芬·伯班克撰写的 "1934 年授权法案的条款"（Stephen Burbank, The Rules Enabling Act of 1934, 130 U. Pa. L. Rev. 1015 (1982). 这篇缜密考察和论证的文章还在脚注中详尽地提供了关于《程序与统一法案》的历史资料。对于早期程序法案和判决规则法案的全面解释，见乔贝尔："1801 年前的联邦最高法院"（J. Geobel, History of the Supreme Court of the United States: Antecedents and Beginnings to 1801 (1971).）

3. 现在请思考克拉克作为起草《规则》的报告人关于规则的观点。

查尔斯·E·克拉克：注释
位于华盛顿的诉讼协会关于联邦民事诉讼规则的注释
（美国律师协会 1938 年 6 月，页 34－44）
（American Bar Association, Oct. 6, 1938), at 34－44

……我今天下午的任务是专门讨论规则 7－25，我很高兴承担此任，因为在我看来，从某个角度讲，这是我们在此计划的整个制度中的精髓。我认为，如果你们的想法与这里的总的方案和原则一致，你们就会同意所有其他规则。实际上，我可以这么说，如果你们对于这些我认为可能是新规则的资料感到震惊（shock），那么震荡（shock）就要降临了……

在律师们向法院提起诉讼的道路上，应当考虑大量的弹性空间。实际上我想，如果我们有什么先进之处的话，那就是我们认识到讲述故事的方法并不只有一种，只要我们清晰地、有力地、简要地向法院表达，法院就不应当费心告诉律师们他们本来应当用另一种不同的方法讲故事。换句话说，当前在陈述中存在着各种各样差异的可能性，而在新的制度还会有一如从前。因此，如果有饶舌的律师（我知道有这样的律师），那么他们在诉答中还可以继续饶舌——可能不会受处罚。所以你们有大量机会按照你们自己过去的方案和以前的实践。总之，你们正在向法院书写你们自己案件中的故事，就像你们书写其他任何类型的文章所必须选择的一样——因为我愿意告诉我的学生，制作文状是写文章的一种，当然是特别的一种，写文章你就必须单刀直入，富有说服力，并看看你是否抓住了要点——因此，既然在此有一个选择，你们就有权选择它。

然而，在此之外我还得说，你们将马上看到，这些诉答遵循一个哲学，那就是在陈述中不要求细节——精确的细节——而且总的说来也没有什么用处……

我提醒大家，诉答的功能不是为证据提供空间。期望以一种宽泛的方式，期望当事人或他们的律师在任何时候，在审判开始的时候等等，作出充分准备，给你一个对案件的承认，那不是诉答的功能。诉答的功能是，首先，将案件与其他任何事件区分开来，使你能够将它适当地将它送入法院的程序，送入适当的法庭进行审判，根据这些可能是必要的基本步骤来决定笔录证言的采纳、提交主事官、请求陪审团审判，等等，也就是决定案件通往法庭的适当路径。其次，作为判决的拘束力的基础，也就是为了适用"既判力"原则。

比较概括的诉告文状即足以满足这一宗旨。比方说，如果你们哪位感觉需要更多的信息来推进你自己的案件，如果你需要从你的对手那里获得更多的信息，那么我们都已作出了规定，而且我想我们的规定比你们通过试图强迫诉告文状的正确性而获得的东西更直接、更简单，那是在笔录证言和证据开示的章节中规定的。我认为那才是你们应当用来保障那些信息的设置。那些规则将在明天向你们解释……

为了在进入具体规则之前先给你们一个关于我所讲的具体的例子，请翻到附在后面的文书式样。我就花一点点时间讲一下那些式样想用来做什么。那些式样的意图不是一个办公手册，让你们在任何时候拿到一个案件就必须不假思索地对你的秘书说，"使用官方式样某某号"。那不是我们的目的。我们的目的是提供规则的示例。我们希望用那些图表向你们生动地解释规则，在我看来，如果你看一眼那些式样并印在大脑里，你就会理解我正在努力陈述的大量的一般哲学……（克拉克随后使用规则式样9"过失的起诉状"作为例子。）

我发现许多律师都觉得，"为什么（诉告文状中的）陈述是干巴巴的。我们不习惯那种东西"。但是我问你们，如果你们还记得我前面的提醒，即，你们不是在寻求承认或寻求替代证据，如果你们是在寻求概括地陈述、把它送到法院的适当渠道并最终提供既判力的范围，那你们怎么可以要求更多呢？这里的情况与其他任何提出要求法院行动的法律关系的情况都不同。这是行人与汽车之间事故的情形……

我想任何对这类案件有经验的人都会知道要期待什么，对于所有那些细节的额外要求都不会真正地往你们已有的图表中增加任何信息……

注释与问题

1. 你如何评价克拉克的程序哲学？现在最好再看看你已经学过的规则，比如联邦规则 7（a）、7（c）、8（a）、8（e）、12（b）（6）。考虑顾问委员会起草这些规则的历史背景。

2. 克拉克的程序哲学在他在 Dioguardi v. Durning, 139 F. 2d 774（2d Cir. 1944）案的意见书中彰显无遗，该意见书是他在联邦上诉法院任法官期间制作的。在戴奥嘎迪案中，原告提交了一份"明显是闭门造车"的起诉状——用蹩脚的英语——主张纽约港海关检票员偷了戴奥嘎迪先生的"药用精华"。地区法院以"没有陈述构成诉因的足够事实"为由驳回了起诉状。克拉克代表法院制作意见书，撤销了驳回诉讼的决定，他强调，规则 8（a）条允许了起诉状的自由特性："无论原告的陈述如何词不达意，原告终归还是披露了他的请求……"然后他批评了下级法院的裁定是"另一种草率司法，从长远来看会造成浪费"。

3. 过去问过你们，菲尔德在起草他的法典时可能有什么失误，那么《授权法案》的支持者和起草人（比如克拉克）呢？

4. 克拉克于 1939 年被罗斯福总统任命为杰出的第二巡回法院的法官，他是怎样结束与庞德、塔夫脱、谢尔顿之间的基本一致和他在 ABA 中进行程序改革的领导地位的？他又是如何从汤姆·沃尔斯（Tom Walsh）的对立阵营中退出的？克拉克与沃尔斯毕竟曾经被认为属于一个政治同盟。保守派和授权法案及联邦规则的支持者之间是不是也十分相似？

5. 在针对授权法院进行的争论和围绕联邦规则的起草进行的讨论中，极少明确论及规则（或规则内的程序选择）对于所有案件一视同仁（超实体的民事程序）。当然，关于普通法和衡平法的融合有大量讨论。那么，超实体规则的程序选择权又是如何产生的？是否蕴藏在支持者关于民事程序的其他设想中？

6. 现在关于民事程序的适当方向有两个相互关联的争论。一个是现行程序是否是或应当是不跨实体法的（non-trans-substantive）？换句话说，是否应当为某些类型的案件专门制定某些程序？一个相关的问题是，有多少民事程序特别适合于某些类型的诉讼当事人或某些类型的案件，以及这在多大程度上具有目的性？在联邦民事诉讼规则 50 年纪念会上对这些问题进行过讨论，见苏本："在联邦民事诉讼规则 50 年纪念会上的烽火"［Stephen N. Subrin, Fireworks on the Fiftieth Anniversary of the Federal Rules of Civil Procedure, 73 Judicature 4（1989）．

See also 137 U. Pa. L. Rev. 1873 – 2257 （1989）]。

7. 现行程序性造法的规定包含在美国法典第 28 编 2071 和 2072 节。修订联邦民事诉讼规则的提议在"民事规则顾问委员会"上第一次考虑和起草过，并且经过了有权改变这一提议的"实践与程序规则常设委员会"（the Standing Committee on Rules of Practice and Procedure）的审查。还有刑事、破产、证据及上诉规则顾问委员会。首席大法官任命了顾问委员会和常设委员会的成员。

常设委员会向全美司法会议提出规则方案，再由司法会议向最高法院提出规则方案。全美司法会议由美国法典第 28 编第 331 节定义。开宗明义如下：

> 联邦首席大法官得每年召集各个司法巡回区的首席法官、国际贸易法院的首席法官、以及一名来自司法巡回区的地区法官到会，在美国召开会议的时间和地点由他指定。他得作为该会议的主席，这就是全美司法会议。

最高法院决定将哪些规则呈交国会。根据第 28 编 2072 节，"这些规则由首席大法官在每次例会开始时或开始后而不晚于 5 月的第一天向国会报告，在此报告之当时或之后 90 天届满之前，规则不得生效。国会曾以不作为（inaction）的方法拒绝过某些修订变成法律，不过他们也不经常通过他们自己的法律。即使有这些例外的存在，联邦民事诉讼规则实际上也不是制定法，因为它们没有经过国会的程序由两院投票，也没有总统签署。然而 2072 节的确声明过，"在这些规则生效后，所有与这些规则相抵触的法律都归于无效"。

第五节 制 裁

你们已经了解了诉讼规则自由化的一面，这是 1938 年《联邦民事诉讼规则》的一个重要部分。你们也看到，在程序中，革命似乎带来了反向的革命。学者、法官和律师们现在质疑联邦规则是不是使启动一宗诉讼过于简单了。一些主张认为，联邦规则 8（a）对诉告文书条件的放松为轻率诉讼创造了便利条件——如果没有刺激轻率诉讼的话。面对这种主张，一些人建议回到要求诉告文书提出更具体的事实，另一些人则质疑规则 11 所规定的制裁能否对律师不在他们的起诉状中提出没有根据的主张形成有效扼制。

规则 11 自 1938 年订入联邦规则以来已经实质性地改变过两次。最初的规则 11 的效力自 1938 年开始直至 1983 年。1983 年的修订使用强制性制裁成为迫使律师在开始诉讼前进行适当的事实和法律调查的一种方式。许多人认为，这种变化陷入了一种法官对付律师以及律师对付律师的不良状况。他们觉得，这使诉讼变得令人胆战心惊，特别在民权诉讼的竞技场上更是如此。另一些人则认为，1983 年修订本运行良好并已实现其预期目的。尽管 1993 年修订本将 1983 年规则的苛刻程度有所缓和，但联邦最高法院仍然认为，联邦规则 11 将会阻止轻率诉讼，该院根据规则 11 和美国法典第 1927 节声明，"制裁规则为制止以政治利益或骚扰为目的而在总统的非官方职能范围内直接针对总统提起诉讼设置了一种重要障碍"。［克林顿诉琼斯案，Clinton v. Jones，117 S. Ct. 1636，1651 (1997)。］

在以下几页，你们将阅读到这些修订内容，通过解读这一条规则的演进，思考你会在州的实践中采用规则 11 中的那些内容。

第五巡回法院在 1988 年托马斯案的意见书中解释了 1983 年修订规则 11 的背景以及该院如何解释那些修订。托马斯案是一个依据第七编（Title VII）提起的集团诉讼，该院将该案发回重审，以明确认定是否违反规则 11 并对于如果存在的任何这种行为施予强制性制裁。

托马斯诉资产保障服务公司
Thomas v. Capital Security
836 F. 2d 866（5th Cir. 1988）

巡回法官约翰逊（Johnson）：

……

A. 修订后的规则 11

近年来，联邦民事诉讼规则 11 在法律学者、法学家和实务工作者中间产生了广泛争论。规则于 1937 年生效而于 1983 年修订，其现行规定的核心部分如下：

> 有律师代理的当事人的每一份诉答文状、动议及其他提交的文书都必须由至少一名诉讼记录中的律师签署个人的名字，并载明地址……律师或当事人的签名构成该签署者的确认，即确认签署者已阅读过诉答状、动议或其他文书；在签署者在合理调查之后所形成的最大可能的知悉、信息、及信赖的程度上，确认该文件有事实根据，并且有既存的法律或者扩大、修改或撤销既存法律的善意论辩作为其正当理由；确认该文书的提出不是基于任何不正当的目的，比如侵扰或者引起不必要的拖延或无谓的诉讼成本增加……如果诉答状、动议、或其他文件的签署违反该规则，则法院得根据动议或依职权对签署者、被代理的当事人、或对两者施以适当制裁，制裁包括裁令支付另一方当事人或双方当事人因提交诉答状、动议、或其他文书而发生的合理数额的支出，也包括合理的律师费。

规则 11（1983 年）。

尽管规则 11 的宗旨值得称颂，但它在 1983 年修订前却极少适用。对于误用和滥用诉讼程序的担心促使规则的制定者于 1983 年对该条进行修订，通过强调律师的责任并施加制裁强化这些责任，减少法院不愿意施加制裁的状况。（规则

11顾问委员会记录。）过去的规则11规定，律师的签名作为律师"在他最大可能的知悉、信息、及信赖的程度上，认为存在支持（该文书）的有力依据"，而估量律师行为是否符合规则11目的的标准是具有主观性的"善意"标准，只有当律师显示出恶意时才考虑制裁。修订后的规则11则要求，律师必须"在合理调查之后"才能形成确认，由此界定了一个根据律师行为测量其合理性的标准。

除了要求在提交诉告文状以前进行合理调查外，斯考华泽法官还在他题为"根据新的联邦规则11的制裁——近距离的一瞥"一文［Schowarzer: Sanctions Under the New Federal Rule 11——A Closer Look, 104 F. R. D. 181 (1985)］中指出，修订后的11条在其前身的影响下还有其他变化，包括：（1）规则现在适用于所有向法院提交的文书，而不仅仅包括诉告文状；（2）规则适用于律师和当事人，也适用于亲自出面的人；（3）规则专门规定，提交的文书必须在事实上有充分根据，并且在已有法律上是允许的，或者有扩展、修改或撤销已有法律的善意论辩作为诉讼的正当理由；（4）规则特别规定，文书的提出不得出于任何不正当的目的，比如折侵扰或者引起不必要的拖延或无谓的诉讼成本增加。同前，页184-185。前规则11与1983年修订后的现规则11之间的重要差异在于，后者具有强制性质，它指令地区法院一旦发生违反规则11的情况即施以制裁。修订后的规则11明确授权地区法院在其自由裁量的范围内支持包括律师费在内的合理的费用支出，以作为适当制裁。［在脚注中，该院写道，"除规则11之外，法院还可以根据其他几个制定法和程序法条款制止滥诉，比如美国法典第1927条允许法院对于在任何案件中不合理地和纠缠不休地将诉讼复杂化而引起诉讼费用、诉讼开支和律师费增加的律师作出评定。同时，规则37原则性地规定了针对当事人或没有正当理由阻挠证据开示的人施以制裁。在民权诉讼中，法院可以在自由裁量权范围内支持胜诉方当事人承担一部分合理律师费作为美国法典第42编第1988节规定的诉讼成本的一部分。此外，如前所述，规则16和26通过规定对庭审和证据开示的有效司法管理而制止滥用权利。最后，地区法院可以依据其内在权力，在胜诉当事人能够证明（对方）律师的行为是基于恶意的、缠讼的、荒谬的、或者侵扰的理由时，支持胜诉方合理的律师费。［Batson v. Neal Spelce Associates, 805 F. 2d 546, 550 (5th Cir. 1968).］除地区法院之外，上诉法院也可以向那些提起轻率上诉的当事人收取单倍或双倍诉讼费用作为制裁。（联邦规则38。）税务法院还有权判令提出轻率或无根据的请求或者仅仅为了拖延的纳税人支付损害赔偿——不超过5000美元——作为制裁。（美国法典第26编第6673节。）］

规则11案件在1983年修订版本的激励下开始出现，似乎法院不再吝于对那些游离于规则所确定的职责范围之外的律师和当事人实施制裁。然而，法院作出的规则11案件判决并非总是一致的，这在法院和律师业之间引起了混乱，也产生了不平等的结果。我们通过今天的意见书，通过澄清本案中适用规则11所提出的更重要的问题，寻求弥补这种混乱的途径，把已经存在的不公平修复到可能的限度……

C. 根据规则11产生的律师的义务

在确定审查规则11案件（滥用裁量权）的适当标准之后，我们现在转向修订后的这一规则给当事人及其代理人设定的义务。本院曾经提出过与1983年修订本的宗旨一致的判决理由，即，符合该规则的检测方法现在是一种在具体情形下的客观而非主观的合理性标准。（Robinson v. National Cash Register Co., 808 F. 2d 1119, 1127 (5th Cir. 1987): Davis v. Veslan Enterprises, 765 F. 2d 494, 497 (5th Cir. 1985). "律师的善意不再足以保护他们不受规则11的制裁"。（Robinson, 808 F. 2d at 1127.）

非常确定的是，规则11规定了下列确认义务，律师或当事人通过签署诉答文状、动议文书或其他材料来确认（certify）他遵守了这些义务：（1）律师已经对支持材料的事实进行了合理调查；（2）律师已经对法律进行了合理调查，使材料体现已有法律原则或"扩展、修改、或撤销已有法律"的善意主张；（3）动议的提出不是以拖延、侵扰、或增加诉讼成本为目的。除上述义务外，本合议庭（the instant panel）还可以要求作出保证的律师承担随案情进展而审核和重新衡量自己立场的进一步义务。

我们与本院过去合议庭的那些关切保持着共鸣，但本合议庭的意见书在文字表述上与本院根据规则11施加于律师进一步义务的早期判决有些不同。我们认为，评价一位律师在签署"诉答状、动议或其他文书"时的行为是否构成适用规则11的条件，要符合规则制定者的意图及规则所使用的语言的字面含义。规则11就像快速拍摄一样聚焦于拍照的那一瞬间——也就是签名落在材料的那一瞬。规则11就是为着一个特殊目的而颁布的——它要制止签署诉答文状的滥用……

D. 制裁的强制适用

规则11规定，"如果诉答状、动议、或其他文书的签署违反本规则，则法院应当根据动议或依职权实施……适当的制裁……"（规则11）。在贝尔诉贝尔（Bell v. Bell）案中，当一个违反规则11的行为适宜制裁时，地区法院认定不进行制裁，本院的一个合议庭认定该地区法院的裁决没有滥用自由裁量权。贝尔案的法庭声明，"我们并不一定说，地区法院在本案违反规则11成立的情况下必须实施某种名目的制裁"……本院的另一合议庭则认定，当地区法院确定律师的行为违反规则11时，该院就必须根据规则11的指令作出适当的制裁。（Robinson, 808 F. 2d at 1130 – 31.）我们采纳了罗宾森案的规则。违反规则 11 的律师和当事人不再有任何"自由通道"。只要违反规则 11 成立，该规则就强制适用制裁。这看来是符合规则字面含义的惟一解释。

当规则 11 在 1983 年进行修订从而在涉及实施制裁问题上包含强制性的措辞"应当"（shall）时，规则的制定者就往这一措辞中植入了一种意图，即抗击（combat）法官怠于对他们的职业同行实施制裁。这种司法怠于实施制裁的现象曾被解释为根源于法官——作为前实践者——的同情心，他们同情对抗制下的律师所承受的压力，他们担心律师受到制裁会惩罚到客户，他们对于法官能否依职权实施制裁心里没底。（内尔肯："修订后的联邦规则 11 下的制裁——在补偿与惩罚之间挣扎的一些'令人胆颤'的问题"，[Melissa L. Nelken, Sanctions Under Amended Federal Rule 11 Some "Chilling" Problems in the Struggle Between Cmpensation and Punishment, 74 Geo. L. J. 1313, 1321 – 22（1986）.] 本院在脚注中附加道："在 1983 年对规则 11 作出修订之前，法官不愿意实施制裁的程度可以从 1938 年至 1976 年期间的事实获得明证，在报告的案件中，规则 11 动议仅有 19 件。在那些案件中，认定违反规则的只有 11 件，而受到制裁的律师仅有 3 例。[Saul M. Kassin, An Empirical Study of Rule 11 Sanctions 2 (Fed. Jud. Center 1985).] 直到 1979 年，根据规则 11 条实施制裁的意见书仅增加了一例。（同前）形成对照的是，规则 11 条在 1983 年修订后，从 1983 年 8 月 1 日至 1985 年 8 月 1 日，在报告的案件中，涉及规则 11 制裁的超过 200 例。[Nelken, 74 Geo. L. J. 1326 (1986).]

然而，在得出规则 11 要求只要认定违反行为成立则应当实施制裁的结论时，我们也要强调，地区法院在决定对违反规则者实施"适当"制裁方面享有相当大的自由裁量权……

对 1983 年修订规则 11 之后的历史的调查表明，规则制定者植入规则 11 的裁量性措辞回应了担心强制性制裁会使对抗过程令人胆战心惊的关切……因此，可以推论，赋予地区法院在决定制裁方面以游刃有余的裁量权，旨在维护"安全价值"，减少强制性制裁的压力。

赋予地区法院的广泛的裁量权反映在可能根据规则 11 实施制裁的大量类型各异的案件中。正如律师费和合理的诉讼费已由规则 11 明确规定，我们认识到地区法院的自然倾向是向实施这些类型的制裁的方向移动。然而，我们必须小心：

> 制裁究竟可以视为因受规则 11 所禁止的缠讼或轻率诉讼而转移成本、赔偿对方当事人损害的一种形式，还是作为对那些违反这一规则的人实施惩罚的一种形式？根据规则 11 实施的制裁意在制止律师违反这一规则。

Donaldson v. Clark, 819 F. 2d 1551, 1556（着重号为作者所加）。制裁还应当具有教育和修复的性质，是为某些特殊错误量身订做的……

根据规则11，金钱制裁是适当的。本院过去认定，调整选择制裁方式的基本原则是，实施的制裁应当是足以达到制裁目的的最不严重的制裁。（Boazman v. Economics Laboratory, Inc. 537 F. 2d 210, 212 – 12 (5th Cir. 1970). See also Reizakais v. Interchemical Corp., 437 F. 2d 1336, 1339 (9th Cir. 1970). 我们特别采纳了实施的制裁应当是适合规则11制裁目的的最不严重的制裁之原则。因此，作为比金钱制裁轻微的替代性制裁，地区法院可以选择对违反规则11的律师实施训诫的制裁……一个地区法院用一种并不是新花样的方法要求犯错误的律师把该院批评他的意见向他所在的律师事务所全面传达。（Heuttig & Schromm, Inc. v. Landscape Contractors Council, 582 F. Supp. 1519 (N. D. Cal. 1984), aff'd, 790 F. 2d 1421 (9th Cir. 1986). 制裁的教育效果甚至可以通过要求进行某种形式的法律教育而得到强化……

总之，地区法院一旦认定违反规则11成立，就必须实施制裁，但地区法院在决定根据该规则作出的"适当"制裁时保留着绰绰有余的自由裁量权。什么是"适当"，可能是一个在诉讼记录中热烈而友好地讨论的话题，也可能是一个在公开的法庭上指着鼻子的训斥，还可以是强制法律教育、金钱制裁、或其他适宜具体情境的措施。无论最终实施什么制裁，地区法院都应当利用体现规则11宗旨和适于这一宗旨的最不严重的制裁……

基顿法官在写下面这封信时是"实践与程序规则常委会"主席，同时也是一名在马萨诸塞州的联邦地区法院的法官，在1979年被任命为法官之前，基顿法官是哈佛大学任职40多年的法律教授。Pointer法官是阿拉巴马北部地区联邦地区法院的首席法官。

民事规则顾问委员会主席萨姆·C·波因特尔阁下给罗伯特·E·基顿阁下的信函附件B
Attachment B to Letter to Hon. Robert E. Keeton From Hon. Sam C. Pionter, Jr., Chair of the Advisor Comm. On Civil Rules 146 F. R. D. 401, 522 – 525 (1993)

规则11修订建议稿富有争议，它激起了来自法院、律师行和公众的广泛评论……

1983年版本的目标仍然是适当而具有正当性的，它坚持当事人必须在提起诉答文状、动议和其他文书时要"三思而行"，委员会的意见中的这一点应当保留。在过去的9年中，一些最初的问题已通过判例法获得解决，尽管如此，以下这些意见尚不乏支持者：（1）规则 11 与其他规则联系起来看，显出对原告的影响比对被告更频繁、更严重的倾向；（2）这一规定有时会给试图主张新的法律论点或需要对方当事人开示证据才能确定自己相信的事实能否受证据支持的当事人带来问题；（3）这一规则极少能够通过非金钱制裁获得执行，因而转移诉讼成本就成为一种标准的制裁；（4）这一规则没有为当事人在确定他们不会获得事实或法律上的支持时放弃自己的立场提供多少激励，或者是抑制；（5）这一规则有时会在律师与客户之间产生不幸的冲突，加剧律师之间的对抗行为。此外，尽管大多数规则 11 动议都没有获得支持，但当事人和法庭在处理这类动议方面却花费了时间，这并非无关紧要。

委员会起草修订建议稿的目标是增加规则在制止提出和坚持草率观点方面的公平和效率，同时也为了减少规则 11 动议的使用频率。建议稿于 1991 年 8 月公开，产生了许多评论——书面的和口头的。

下面摘要了委员会已收到的（关于对规则 11 修订建议稿的）主要批评和建议。其中有些反映在由约翰·弗兰克（John Frank）律师和其他人牵头的规则 11 修正案的另一建议版本中，那个版本得到了来自法官、律师和各种社会组织的重要支持。

对这一版本"弱化"了规则的反对。不错，假如规定"安全港口"和影响所实施制裁的类型，那么修订本就应当减少规则 11 动议的数量和某些制裁的严厉程度。对于这些变化可以被视为"弱化"了规则顾问委员会没有异议，不过这正是他们想要的。

对任何"尚未成熟"的修订的反对。规则 111983 年版本面临严重问题的几个地方已经被判例法纠正了，其他地方仍然存在缺陷，而且不能通过在法院和律师行内部更大力度的实践来矫正。在新的修订本生效之前，前一个版本的施行已度过了十个春秋，顾问委员会一致认为，不应当为了更多的时间和更充分研究而再耽搁修订。

开示书证的申请。已发表的草案说明征求对于规则 11 是否应当明确规定不能申请开示书证作出评论，表明顾问委员会正在考虑作出这一改变，不再另行发表。收到的评论支持这样的改变。顾问委员会一致认为，应当作出这一改变，并且通过增加条款（d）已经作出了这一改变。

撤回缺少支持的主张的持续义务。发表的草案废除了现行规则采用的"签署者快速成相"（signer snapshot）的方法，这种方法仅仅让签署文书的人承担义务，并且仅仅衡量在提交文书的时候是否履行了那些义务。新的草案规定当事人有义务不再坚持那些不再受事实或法律支持的主张——尽管也许最初相信这一主张是有根据的。有几个评论表达了一种担心，即，至少如草案所言，这一修改可能会导致以没有重读和修正原先提交的诉答状、动议或法律理由书为根据而进行的破坏性和浪费性的活动。顾问委员会相信，后一种批评已经被吸收，并且对已发表文本的措辞作出了几处重大修改，已将限于未签署者的范围扩大到"谋求"（pursue）先前所提交的文书的人。这些变化与"安全港口"的规定并行，将最大限度地减少这一担心。

提交文书前进行调查的义务。一些批评表达了对于提交文书前进行适当调查的义务的怀疑，认为这一规则致使当事人在撤回缺少支持的主张时，得以提起根据"信息和相信"的诉告文状，并为反对提起规则11动议提供了一个"安全港口"。规则的文本中保留了关于提交文书前进行调查的基本要求，而且委员会的"说明"已经表明，在根据信息和相信提起诉答文状之前必须根据具体情境进行合理调查。这一修改并不是许可没有事实根据或正当理由地合并当事人、提出请求、或提出防御。然而，必须了解的是，这些变化的确可能带来一种风险，一些当事人可能会尝试在提起文书前进行比现行规则下更少的调查，顾问委员会相信，与这种变化带来的收益加以平衡，这一冒险是具有正当理由的。

"作为一个整体"的诉答文状。有几个评论主张，规则11的修改与某些判决所采用的方法是一体的，只有当文书"作为一个整体"违反了规则的标准时才允许实施制裁。顾问委员会仍然相信，"三思而行"的义务适用于所有的主张和声明，而不仅仅适用于其中的大多数。尽管如此，发表的草案在措辞上或许不适当地鼓励了以肢解诉答状和动议的细节为前提提出的少数规则11动议。顾问委员会已经改变了（b）款的文本，删除了专门提及"请求、防御、要求、反对、抗辩、或争辩（claim, defense, request, demand, objection, contention, or argument）"，也修改了相应的"说明"，"说明"原来特别强调规则11动议不应当用于——或有这种危险——不重要的、未产生后果的违反或作为专门用于让当事人双方挑战诉答状的充分性的传统动议。这些变化加上根据"安全港口"规定所赋予的更正主张的机会，应当排除了法院直接针对起诉状和答辩状中不重要的方面而考虑规则11的需要。

"强制性"制裁。在收到的批评中，频度最高的是修订本把如果法庭确定违反规则的成立就要实施某种制裁规定为强制性的。（批评者）建议，地区法院即使认定了违反规则，也应当享有裁量权不予制裁。顾问委员会中有两位成员赞成这种方法，不过他们没有要求把这一观点作为正式的少数意见明确写入委员会的说明中。顾问委员会的其他成员都认为，"安全港口"规则专门提供了机会，以便（甚至）在规则11动议提交之前撤回缺少支持的主张，如果法院应请求作出决定，而且确实已作出了决定，认定规则被违反了，就应当实施某种制裁。根据现行规则，法院就实施何种具体制裁保留裁量权，但要受制于一个原则，即，制裁的严厉程度不超过有效制止的需要，而且法庭关于是否违反规则的决定受上诉法院的审查，以审查其是否滥用了裁量权。[注意1993年对规则11的修订在最初由顾问委员会起草并呈交"实践与程序规则常设委员会"之后发生了变化。在由顾问委员会起草的版本中，(c) 款规定："如果法院在通知并给予一个合理的回应机会之后，确定 (b) 款已被违反，则法院应当 (shall) 根据下列条件实施适当制裁……。后来，"应当"被改为"可以"(may)。]

向对方当事人支付的金钱性制裁。另一个频度较高的批评是，草案仍然允许违反规则11引起的损害赔偿可以向对方支付，而不是将金钱赔偿作为罚款向法院支付。顾问委员会同意这样的前提，即转移成本刺激许多不必要的规则11动议，转移诉讼成本被过于频繁地选择用于制裁，而且的确引发了1983年版本的批评者们最经常引证的大量胜诉判决。发表的草案无论在文本中还是在委员会的说明中，都明确重申了规则11制裁的宗旨和可选用的非金钱性制裁。顾问委员会仍然确信，有一些情形，特别是当提出缺少支持的主张是为了侵扰或胁迫某些案件中在经济上濒于绝境的当事人时，在这些案件中，或许需要转移费用来进行有效的制止。然而，委员会在 (c)(2) 的文本上作了进一步改变，强调支付成本转移的判决应当作为制裁的例外，而不是常规方式。至于提出或反对规则11动议所发生的费用，发表的草案规定，法庭享有裁量权支持胜诉方当事人，这对于抑制没有根据的规则11动议是必须的，而且不会挫伤提出应当提出的动议。

保护被代理的当事人（有别于律师）不受制裁。现行规则允许法庭对签署文书的人，"被代理的当事人，或者二者兼具"实施制裁。发表的草案将对被代理的当事人实施的制裁限制在该当事人对违反规则11 (b)(1)（提交文书是基于侵扰和其他不当目的）负有责任的情形。对此评论十分复杂：有人反对任何这种限制；另一些人则反对任何对被代理的当事人实施金钱制裁；还有一些人建议改变草案的措辞。作为对这些评论的反映和考虑，顾问委员会认为，禁止对被代理的当事人实施金钱制裁应当限于违反规则11 (b)(2) 的情形（轻率的法律主张），并相应改变了 (c)(2)(A) 的措辞。

对律师事务所的制裁。发表的草案包含了取消现行规则关于限制对律师事务所制裁的规定。参见帕夫利克案 [Pavelic & Leflore v. Marvel Entertainment Group, 493 U.S. 120 (1989)]（规则11的1983年版本不允许对签署无根据起诉状的律师所在的律师事务所实施制裁）。许多评论支持这一改变，另一些则表示反对，支持者主张应当仅仅对被认定为违反规则的律师个人实施制裁。顾问委员会认为，按照代理的一般原则，律师事务所对于其合伙人、合作人、雇员违反规则负有连带责任。考虑到"安全港口"的规定已经为避免对动议实施制裁提供了机会，加之草案的变化减少了曾导致最多金钱制裁的"转移费用"制裁的使用频率，因而委员会在发表的草案中（c）（1）（A）款增加了律师事务所在这种情形下应当承担连带责任。

法院在驳回案件后依职权启动的制裁。有几组评论提出，在发表的草案中，安全港口规定只适用于由其他当事人提交的动议，但安全港口规定应当也适用于法院依职权发出的表明理由的裁令。顾问委员会认为，法院依职权作出的表明理由的裁令———一般涉及的是诸如藐视法庭这样的事项——作出多少有别于当事人动议的处理是适当的。但发表的草案的确在（c）（2）（B）中包含了在表明理由的裁令中保护当事人不受金钱制裁的规定，这一裁令在根据该裁令提出的请求或者违反该裁令的请求已经自愿撤回或达成和解之后才能实施。

上诉法院的审查标准。一些评论主张，修订本中的措辞改变了在库特尔案（Cooter & Gell v. Hartmarx Corp.）中宣布的上诉审查标准。顾问委员会的结论是，这些论点不足以为背离如下原则提供正当理由，即，在通常情况下这些规则不应当试图创设上诉审查的标准。

顾问委员会审慎地考虑了各种批评和建议，包括那些支持草案的评论。最后在委员会内部存在的惟一分歧是，制裁的实施应当是强制性还是裁量性的，这在上面已有论及。两位成员赞成裁量性标准，不过他们认为修订建议稿对于现行规则而言是可取的，因而委员会一致建议，采纳规则 11 的修订建议稿……

新规则的安全港口规定虽然在类型上是一个程序技术问题，但也产生了大量诉讼。下面案件中的争议就是以这一规定为中心的。

联邦储蓄发展银行诉国家西部借贷协会
Progress Federal Savings Bank v. National Westlenders Association, inc.

1999 WL 57942（E. E. Pa. Feb. 12, 1996）

地区法官杨（Yohn）：

【原告联邦储蓄发展银行（下称"发展银行"）诉被告国家西部借贷协会（下称"借贷协会"）违反合同，其针对借贷协会提出的请求是欺诈、虚假陈述、故意妨碍合同关系、以及民事合谋（civil conspiracy）。因欺诈和虚假陈述未陈述救济据以支持的请求而被本院驳回。5 个月以后，法院支持了借贷协会就余下诉由提出的即决判决动议。在驳回诉讼的 3 个月后，借贷协会提交了一份规则 11 动议，请求制裁发展银行。在按照规则 11 的要求等待了 21 天之后，借贷协会向本院提交了制裁动议书。发展银行用动议书予以反诘，声称借贷协会不符合规则 11 的程序要求，但没有提出任何实质性理由。本院在一个脚注中解释，联邦民事诉讼规则没有规定用动议书反诘动议，嗣后法院将这一动议书作为反对制裁的

法律理由书对待，并驳回了发展银行的制裁请求。】

……本院必须对规则 11 作出字面含义的解释，因为法院的任务是适用法律文本而不是改进它。［Pavelic & LeFlore v. Narvel Group, 493 U. S. 120, 123, 126 (1989).］当必须作出解释时，法院必须考虑规则的宗旨，包括 1993 年修订本意欲提出的式样。［Cooter & Gell v. Hartmarx Corp., 496 U. S. 384, 392 (1990).］

规则的基本宗旨是制裁没有根据的诉讼和滥讼的实践。［Business Guide, Inc. v. Chromatic Communications Enters., Inc., 498U. S. 533, 553 (1991)］。然而，1993 年对规则 11 的改变意欲在这一目标与 1983 年版本的不尽如人意的效果之间形成一种新的平衡。规则 11 的 1983 年版本受到广泛批评的原因在于，它刺激漫无边际的诉讼、侵蚀律师之间的礼遇、使那些代理民权原告和其他资源欠缺者的热忱律师不寒而栗。Howard A. Cutler, Comment, A Practitioner's Guide to the 1993 Amendment to Federal Rule of Civil Procedure 11, 67 Temp. L. Rev. 265, 268 (1994). 1993 年版本发生了重要变化，"安全港口"的规定是新规则结构中的主要因素。规则顾问委员会采用"安全港口"之规定时知道这一规定会减少对律师在提交文书之前善尽调查的激励……

I. "安全港口"规则的适用

当事人之间就借贷协会是否符合规则 11 的程序要求存在争议。借贷协会主张，它一再告诉发展银行它的主张是没有根据的，这为正确的诉讼提供了充分的时间，它还按照要求在向法院提交制裁动议，之前给过发展银行 21 天时间的正式通知。发展银行则反驳说，借贷协会准备和提交动议都太迟了。

在整个诉讼中，借贷协会都明确地给发展银行大量的正式警告，说他的行为违反了规则 11。因此，按照借贷协会的意见，一旦实际上提交制裁动议，就不再有"安全港口"期间。然而，发展银行有一个主张是正确的，即"正式的通知无论以信函还是其他方式，都不能引起 21 天期间的开始"。发展银行的立场更为有利。

借贷协会的确给了发展银行提交动议的 21 天通知。但是借贷协会直到针对借贷协会的全部请求均被驳回并进行了诉讼的结算完毕、双方当事人之间达成和解之后，才送达制裁的动议。这种时间计算与 21 天"安全港口"期间的宗旨是背道而驰的。换言之，"安全港口"认为动议是没有时间限制的，正如"解释"中所称，"尽管有'安全港口'的规定……但当事人提交规则 11 动议不得迟于案件终结（或驳回违反规则的主张）"。这一提示正好与规则的措辞吻合，规则规定，除非"被挑战的文书、请求、防御、主张、声明或否认没有撤回或适当纠正，否则禁止向法院提供制裁动议。"针对借贷协会的请求已由法庭通过支持驳回动议的方式驳回了其中部分请求,以支持即决判决动议的方式驳回另一部分请求,在此之后,发展银行已经没有什么可撤回或纠正的了。

正如联邦第三巡回法院所言,"提交有效动议的及时性不仅用于促进(上诉案件的)效率,而且在许多情况下用于制止在后面的诉讼中出现进一步违反规则11的行为[Mary Ann Pensiero, Inc. v. Lingle, 847 F. 2d 90, 99 (3rd Cir. 1988).)]。第三巡回法院1988年指示,制裁动议必须"在发现违反规则11之后尽早提出",(同前,页100。)1993年版本保留了这项授权,没有要求当事人在诉讼作为一个整体的情形下必须启动规则11程序,相反,1993年修订本只要求在送达与提出动议之间有一个延期。

II. 关于"安全港口"规定之例外的提议

借贷协会不是主张它满足了规则11的要求,而是重点强调"安全港口"的规定可基于三个理由获得支持:(1)发展银行自动放弃了"安全港口"的规定,并因此受禁反言的阻止不能再依赖于这一规定;(2)发展银行并未声明,如果早点提出制裁动议,它就会撤回自己的请求——实际上它通过行为已经表明了相反的意思;(3)至少,对于规则11请求而言,发展银行反对即决判决的立场,这本身就不符合"安全港口"的规定。然而,这些理由并未能说服本庭。

首先,借贷协会主张,发展银行的代理人"应当受禁反言的阻止,不能诉求适用安全港口条款",因为它请求借贷协会等到法庭作出即决判决之后再提出制裁动议。发展银行对此表示异议。然而,即使假定借贷协会的理由是真实的,本庭也不能认定禁反言成立。诉讼记录中没有证据表明发展银行向借贷银行提供过理由使之相信,无论动议什么时候提交,也不管动议根据任何可以提出的理由,他都不反对制裁动议。进而言之,规则11既约束法庭,也约束双方当事人,任何一方当事人都无权(任何当事人也不可能合理地)依赖其对抗性陈述来主张联邦民事诉讼规则不适用于既定情形。因此,发展银行没有也不能自动放弃它受规则11赋予的程序保护的权利。

其次,借贷协会主张,即使及时的动议已送达发展银行,发展银行也不会撤回其文书,因而不应当适用"安全港口"规则。为了鼓励本庭以此方式进行推论,借贷协会指向了席尔瓦案(Silva v. Witschen, 19 F. 3d 725 (1st Cir. 1994)。然而席尔瓦案完全是在1993年版本之前判决的案件,审判席尔瓦案的法庭在修正案尚未生效因而不能适用于系属于该院的案件时,仅仅考虑了,假如适用1993年"安全港口"的规定,违反方当事人可能会如何承担费用。然而这种臆测并未受到新的规则11的认可。

最后,借贷协会主张,既然本院在发展银行提交反诘的法律理由书后19天内根据即决判决动议作出了裁定,那么借贷协会关于反对即决判决的法律理由书是轻率行为的主张，"就可能符合规则11的安全港口规定"。这的确提出了一个有趣的理论问题，事实是借贷协会并没有因为这一事件的转变而受到实际损害。如果借贷协会在收到反诘的法律理由书之后，在紧接而来的几个星期内立即送达了它的制裁动议，则"安全港口"规定的例外或许能够获得支持。然而，借贷协会等待了3个星期才采取行动。就像已经讨论过的那样，第三巡回法院已经敦促过各地区法院抑制延迟提交制裁动议。此外，1993年顾问委员会的解释支持了第三巡回法院的方法："通常动议应当在不适当文书提交后立即送达，如果推迟太久，则可以被视为不及时"。

III. 对法院依职权作出制裁的考虑

规则11的"安全港口"规定不适用于法院（而不是当事人）发动的制裁考量。"解释"在进行分类时指出，"表明理由的裁令通常只能在类似藐视法庭这样的情形下发出"。解释还鼓励各法院在决定实施何种制裁——如果实施制裁——时，考虑发出表明理由的裁令之后的改正行为。因此，规则11的各种规定现在都体现了一个一致的政策：滥用（诉权）的抗议要在发生滥用的任何可能的时间内提出。

此令，驳回请求制裁的动议和请求回击的动议。

注释与问题

1. 规则11对于根据规则8（a）的要求提出的诉告文状的是否有影响？如果有，其影响是什么？

2. 对几项研究的解读可能表明，规则11（或者至少是1993年对1983年的修订）明显有利于被告，而特别有损于民权案件的原告，其中有些概括在瓦伊罗的文章"规则11：我们在哪儿，向哪儿去？"中（Georgene M. Vairo, Rule 11: Where We Are and Where We Are Going, 60 Fordham L. Rev. 475 (1991).）。也许关于规则11最全面的研究是《美国司法界》杂志发表的联邦第三巡回法院特别工作小组的报告"转变中的规则11：第三巡回法院特别工作小组关于联邦民事诉讼规则11的报告"〔Rule 11 in Transition: The Report of the Third Circuit Task Force on Federal Rule of Civil Procedure 11 (Stephen B. Burhank, Reporter, 1989.)〕。第三巡回法院的研究调查了第三巡回区一年的全部规则11动议，发现"根据规则11提出的制裁动议仅占第三巡回区各地区法院民事案件的0.5%（one half of one percent of）……"（同前，页xiii.）"在评价第三巡回区的规则11的成本与收益时，特别工作小组在回应它的律师问卷和与律师的会谈中找到证据，表明该规则对于那种规则制定者所希望的行为产生了广泛影响，其他证据也表明该规则产生了收益（比如促进撤诉和和解）……工作小组还发现，直接的关联成本（比如规则11争议产生的当事人和法院的成本）与期望的收益没有明显的不相称……"（同前，页 xiv。）

然而，第三巡回法院特别工作小组还报告：

> 根据我们调查的资料，根据规则 11 提出的制裁动议被实施者占 13.％（18/132）……原告（和/或他们的代理人）作为这类动议靶子的占这类动议的 66.7%（88/132）……；被告（和/或他们的代理人）作为靶子的占 33.3%（44/132）。原告被制裁的占针对他们提出的动议的 15.9%（14/88）……；被告被制裁占针对其动议的 9.1%（4/44）……民权和劳动歧视案件占所调查的规则 11 动议的 18.2%（24/132）……原告在这类案件中成为靶子的占这类案件动议的 70.8% 17/24）……，其中受到制裁的占这类动议的 47.1%（8/17）……

重要的是要注意，第三巡回法院特别工作小组发现，"在民权案件中请求制裁的比率（24/132 或 18.2%）仅仅比我们根据本巡回区民权案件的起诉数量作出的预测（16%）高出薄薄的一片"。（同前，页 69。）

针对原告提出的规则 11 制裁请求之所以比针对被告的多，而民权原告受到实质上的制裁频度之所以比其他原告要高（在第三巡回区一年案件中的比率分别为 47.1% 和 8.45%），其原因是什么？（同前，页 69。）是否可能有正当原因？如果改革者（1）担心对民权原告产生负面的心惊胆战的效果，却（2）认为规则 11 条是普遍有益的，那么他所建议的改变是什么？这一建议向谁去提？这可能是该你们回顾一下《规则授权法案》的准确措辞的好时候了。

3. 为什么顾问委员会不愿意把规则 11 条视为转移诉讼费用的设置？以制止滥讼之外的其他赔偿为目的有什么错误？委员会担心律师提出有问题的规则 11 条动议吗？规则 11 条提出的反动议（countermotion）的威胁是否照顾到这种担心？

4. 几年前全美司法会议建议联邦最高法院批准规则 11（及其他条款）修正案并转交国会。最高法院（原封不动地）将修正案提交给了国会，但是注意，这种转交并不"必定表明最高法院自己已经赞成了以提交的形式存在的这些修订"。（联邦最高法院首席大法官威廉·H·伦奎斯特在写给 the House of Representatives 的发言人 Thomas S. Foley 的一封信（1993 年 4 月 22 日），转载于 146 F. R. D 403（1993）.）公布的规则中附加了大法官怀特（Wright）的声明，他质疑现行的规则制定程序是否明智；同时还附有大法官斯卡利亚（Scalia）的反对意见，大法官托马斯（Thomas）附和了他关于规则 11 修正案的意见，质疑修正案是否明智。（同前，页 507。）关于规则第 11 条 1993 年修正案，大法官斯卡利亚写道：

> 规则的目标"公正、快捷、低廉地判定每一个案件"（联邦规则 1）、制止草率的诉答和动议，具有不可否认的重要性，现行的（1983 年－1993 年）规则通过要求对违反其标准者实施制裁和允许赔偿动议方的成本和律师费而实现了这一目标。

修订建议稿却致使规则11丧失威力（toothless），它允许法官毋须制裁（尽管赋予法院在制裁的方式上以广泛的裁量权），不赞成补偿诉讼费用，还提供了一个21天的"安全港口"，在这个期间内如果被指控轻率提交文书的当事人撤回该文书，则有权完全不受制裁。

首先谈最后一点：在我看来，那些提起轻率诉讼和诉告文状的人不应当有"安全港口"。这一规则应当关怀受滥讼侵扰者（法院和对方当事人），而不是滥讼者。根据修订后的规则，当事人将可以提交不假思索的、不计后果的、侵扰折磨的诉告文状，因为他明白自己不会失去任何东西而感到安全：如果提出反对，他们就撤回，什么惩罚也没有。修正建议案与本院刚刚在3年前所说的话自相矛盾："没有根据地提交文书将正义的机制置于动荡之中，加重法院和个人不必要的开支和迟延的负担。即使不留神的当事人很快撤回行为，但引发规则11所关切的损害却已经发生"。（Cooter & Gell v. Hartmarx Corp., 496 U. S. 384, 398 (1990). 顾问委员会自己原先也持相同观点。（出处同上）（引用民事规则顾问委员会主席的信函）。

规则修改建议案还减少了那些笨到不会在反对提出之后寻求安全港口避难的人获得惩罚的可能性和严厉性。建议案（c）款使任何制裁都成为裁量性的，而现行规定却是强制性的。法官如同其他人一样，当他们的义务没有要求他们去实施惩罚时都不喜欢这么做，对自己的熟人和他们自己的职业同行尤其如此。此外，他们不会马上看到严肃的规则11制裁在制度范围内的益处，不过他们强烈意识到他们自己的大量时间都要花在提交他们考虑和适用规则11的那些案件上。基于这些理由，我认为制裁保留强制性质对于制度的有效性是十分重要的。

最后，修正案将支持赔偿限制在"非正常情形"，把金钱制裁限定于"通常"向法院支付，这减少了轻率受到挑战的可能性。顾问委员会对规则11修正案的说明，页53—54。根据规则11（c）（2）修正案，法院只有当裁令支付"作为违反规则的直接结果而发生的某些或全部合理的律师费用及其他开支""是为了保证有效制止"时，才可以作出这种裁令。既然罚款极少因改变受支付者的身份而增加制止效果，可以想见这一规定所能涵盖的情形。注释清楚地表明，即使当赔偿获得支持，这种支持也是十分吝啬的——只能支持"由违反规则所导致的直接而且不可避免的"成本。（同前，页54。）从一个滥讼受害者的立场来看，这些修改把规则11从一种获得赔偿的方式转变为一种对做恶事之后扔善钱（throw good money after bad）的鼓励，其纯粹的效果就是减少对处于谨防法院曲解我们民事司法制度的地位的当事人的激励，而这是我们最具优势的制度。

如果有富于说服力的证据表明现行规则11的羁束无效，或者这一制度鼓励了过分膨胀的诉讼，那么我就不会记上这一笔反对意见了。然而，有一种共识是，规则11基本上是行之有效的，而且顾问委员会自己最近的报告也认同这一点。根据那个报告，联邦司法中心的一份调查表明，80%的地区法官认为规则11有一种总体积极的效果，应当保留其现状，95%认为规则没有妨碍法律的发展，75%则说其收益为司法时间的消耗提供了正当理由。见"关于规则 11 的中间报告，民事规则顾问委员会"，转引自瓦伊罗："规则 11 制裁：判例法视角与预防性措施"（Georgene M. Vairo, Rule 11 Sanctions: Case Law Perspectives and Preventive Measures, App. I-8-I-10 (2d ed. 1991). 诚然，许多律师不喜欢规则 11，这会带给他们经济上的责任，会损害他们在重要的客户面前的职业声誉，而且它所产生的诉讼成本节省并不进入律师的腰包，而是为当事人节省。但那些每天都在与滥用诉讼问题搏斗的联邦地区法官们对于该规则的压倒性支持已足以说服我，不应当像修改案所建议的那样釜底抽薪……

5. 最近的联邦改革努力，包括"与美国的契约"（the Contract with America），都谋求撤销 1993 年修订本中的规则 11。这些改革者主张，安全港口规定和裁量性制裁取出了该规则的内脏。参见共和党国家委员会："与美国的契约：一个大胆的计划"，Newt Gingrich, Rep. Dick Armey and the House Republicans to Change the Nation. (Ed Gillespie & Bob Schellhas eds., 1994)。

6. 根据规则 11 的 3 个版本中的任何一个，兰德·迪因为（对方）未陈述请求而动议驳回诉讼会不会受到制裁？

7. 1982 年，加利福尼亚大学的 John Oakley 教授使用一种 9 种变化的检测方法，确定那些州的程序规则"复制"了联邦规则。1975 年，他发现，在 22 个州加上哥伦比亚特区中，麻省成为最后一个通过司法公布的规则而实质上实施联邦程序规则的州；如果包括制定法采用联邦规则的修订本在内，则还有 4 个州，亦即总共有 26 个州。然而，在 10 个人口最多的州，只有俄亥俄州是昭抄的。John B. Oakley & Arthur F. Coon, The Federal Rules in State Courts: A Survey of State Court Systems of Civil Procedure, 61 Wash. L. Rev. 1367（1986）。

然而，《联邦规则》程序制度的影响甚至更广泛，联邦规则的最重要特征——普通法与衡平法的融合、相对容易的诉答和补正、当事人及理由合并的自由、宽泛的证据开示、以及即决判决——实际上成为调整每一个州享有一般管辖权的法院中的民事诉讼的一部分。

由于许多州都复制联邦模式作为其本州民事程序规则，因而这些州在每一次对联邦规则的修订时，都必须决定是否也采纳联邦规则的修订本。如果你是一位州的民事规则顾问委员会的成员，你会主张采纳规则 11 的修订本吗？修订规则 8（a）是不是实际规则 11 的最新修订所追求的目标的更好的途径？统一州规则和联邦规则的优点是什么？州内的程序统一是否折衷了其他程序价值？

8. 本章的资料给人的印象是，在当今的法院体制中有大量的轻率诉讼存在。这也许是也许不是真相。因为很少收集到关于法院系统的行为的数据，因而没有人确实了解。爱荷华州大学的一位法学教授麦可·萨克斯（Michael Saks）在他一篇题为"我们是否确实了解任何侵权诉讼制度——为什么不了解？"［Do We

Really Know Anything About the Behavior of the Tort Litigation Sytem——And Why Not?, 140 U. Pa. L. Rev. 1147 (1992).] 的论文中概括了关于这一主题的大量文章。他的介绍性文字成为这篇文章的缩写："我们对于侵权诉讼的了解大量是不真实的、未知的、或不可知的"。同前。

9. 规则11不是联邦法院制裁不适当行为的惟一方式，因为规则11不能适用于证据开示的争议［见规则11（d）］，因而法院使用规则37来执行证据开示规则。此外，美国法典第28编第1927节允许法院令律师对"因这种不合理的和缠讼行为而引起的过度的成本、开支和律师费"承担责任。法院还可以"根据自己的内在权力"实施适当制裁以控制其诉讼过程。Chambers v. NASCO, Inc. 501 U. S. 32, 50 (1991).

10. 在口头辩论期间的虚假陈述能够引起对规则11的违反和制裁。顾问委员会的关于1993修订本的报告中声明，规则11只适用于包含在提交向法院提起或呈交的文书中的陈述，第二巡回法院认为，这一段落或规则11（b）"后来的倡导"足以宽泛到使法院得以对口头虚假陈述实施制裁，只要该虚假陈述与向法院提交的签名文件之间有一种"实质性关联"。O'Brien v. Alexander, 101 F. 3d 1479 (2d Cir. 1996).

11. 法院在根据规则11实施制裁时变得颇具创造性。某地区法院要求某律师从一个受到认可的法律学校教授那里获得至少40小时的关于联邦规则和准据程序规则的指导。Bergeron v. Northwest Publications, Inc. 165 F. R. D. 518 (D. Minn. 1996). 一位律师由于没有适当地努力把案件从州法院移送到联邦法院，法院命令他从一本联邦实务书籍中手抄关于移送程序的内容。Curran v. Price, 150 F. R. D. 85 (D. Md. 1993).

实务练习十一
根据规则11审查克里夫兰案中的起诉状

重读一遍克里夫兰案中的备忘录，请准备在一次律师所的策略会议上讨论，合伙人是不是一种安全的设计，以及是否根据现行的规则11提交起诉状。思考一下起诉状的全部4个诉由，准备提出建议——每一个诉由还另外需要事实或法律调查。合伙人意识到现行的联邦民事诉讼规则11动议有一个安全港口条款，但她不想因为如果被告提出一项规则11制裁动议而被强迫撤回起诉状中的补正部分。在起诉状中合伙人应当用规则11（b）（3）所允许的什么"规避"性语言来提出主张？这时不要考虑起诉状中集团诉讼的方面。假设备忘录中的具体事实信息与起诉状中的具体事实主张都是真实的，而且有大量的证据支持。

第六节　简单合并

在起草起诉状时的某些显而易见的考虑是，能诉谁？诉因是什么？规则18和20提供了指南：前者规定了多项请求的合并，后者规定了当事人的合并。然而，规则20仅仅是"合并"这个谱系的一个终端，它仅仅规定谁可以被包括在起诉的当事人之内。规则20的补充是规则19。19条的规定将在最后一章讨论，它规范了对于诉讼必要的当事人的强制合并。

另一个与这些规则有关联的是规则21，它允许法院依职权或者作为任何当事人动议的结果而请退（drop）或追加任何不可缺少的当事人。由于这项规则非常直截了当，本章就不提供判例加以说明了。简而言之，规则21允许法院根据任何"正当理由"在诉讼的任何阶段请退或追加非必要的当事人。此外，法院还可以分割（sever）针对任何当事人的请求，将分割后的请求分别进行审理。

本章考虑了几种增加请求或追加当事人的更简单的方式：反请求［规则13（a, b）］、交叉请求［规则13（g）、将追加当事人合并到反请求和交叉请求之中（规则13（h）］、诉讼参加人（impleaders）——又称为第三人诉讼（third-party）（规则14）。最后一章将讨论更多是外来的（exotic）合并规则：相互诉讼（规则22）、集团诉讼（规则23）、介入诉讼（intervention），这些内容将与规则19联系起来讨论。下面的案例涉及规则18和20提出的问题。

联邦储蓄发展银行诉国家西部借贷协会
Kedra v. City of Philadelphia
454 F. Supp. 652（E. D. Pa. 1978）

地区法官龙格（Luongo）：

这宗民权诉讼产生于被诉称由费城（Philadelphia）的警察们对原告实施的一系列惨无人道的行为。起诉状中提出的这一事件跨越一年半，自1975年12月到1977年3月……

I. 事实主张[*]

原告是多洛雷斯·M·凯卓（Dolores M. Kedra）和她的孩子Elizabeth, Patricia, Teresa, Kenneth, Joseph, Michael, Robert, James，以及Elizabeth的丈夫Richard J. Rozanski。Michael, Robert, James Kedra是未成年人，他们的母亲作为他们的父母和自然监护人代理他们诉讼。

---

[*] 译者注：本案涉及的人名太多，而且没有除符号意义之外的其他价值，故未翻译。

被告是费城政府；警察局长 Joseph J. O'Neill；警察局杀人（案）科官员，科长 Donald Patterson、主侦察员 Joseph Golden、副主侦察员 Leslie Simmins 和 Sergeant John Tiers；杀人案侦探 Richard Strohm、James Richardson、George Cassidy 和 Michael Gannon；副警察科长 Augustus C. Miller；警官 James Brady、Robert Pitney、Jessie Vassor、John J. D'Amico、一位姓 Tuffo 的警官；还有警察局的其他不知姓名的成员。据称，在对原告的诉因至关重要的每一次，费城政府都雇用了所有这些个人被告，每一位个人被告的"单独地和一致"的行为都是在费城法律的基调上，并且"根据他们对机构、公职人员、和被告费城政府的雇员的授权，故意地（intentionally）和蓄谋地（deliberately）从事所描述的违法行为……"他们在其官方职能范围内单个地"以合并方式、几人一组地"被起诉。

起诉状中所称的一系列事件始于 1975 年 12 月 22 日。那天晚上，Richard J. Rozanski 和 Joseph、Michael Kedra 被被告 Vassor 和 D'Amico 用枪指着拘捕了，没有任何可能的理由，他们被带到了费城警察局总部（审讯室）（the Roundhouse）。在审讯室里，被告 Strohm、Richardson、Cassidy 和 Gannon 把他们分开，审问了长达 17 个小时，没有告知过他们有宪法权利，并拒绝了他们请律师的要求。起诉状称：

> 在审讯期间，原告 Richard J. Rozanski 和 Joseph、Michael Kedra 被被告 Strohm、Richardson、Cassidy 和 Gannon 反剪着手，头部、面部、腹部、肩膀和腿部等多处被拳头和器械一阵乱殴，还折磨和威胁他们还要挨打；在这次审讯中，原告 Richard J. Rozanski 被两名被告侦探分开双膝，Strohm 用脚踢他的睾丸、腹股沟、尾骨和腿部。Rozanski 和 Michael、Joseph Kedra 都被打成重伤。

同时，被告 Richardson 强行把 Elzabeth Rozanski 从她母亲的房子里带到这所审讯室时，她在那里被被告 Strohm、Richardson、Cassidy 和 Gannon 拘留并审讯长达 17 个小时。她没有受到关于自己权利的忠告。他们向她展示了她已经被打得遍体鳞伤的丈夫，"威胁她说会逮捕她，强迫她作虚假陈述"。被告 Strohm 和"其他人"未经她的同意也没有任何可能的理由，对她的房子进行了无证搜查。

同一天晚上，Dolores Kedra 自愿地去了审讯室，被告 Strohm、Richardson、Cassidy、Gannon 和其他不知姓名的被告"在那里对她进行了非法审讯、强迫签署了一个授权搜查她的房子的许可（release）、还强行拘留她"长达 9 个小时。

7 天以后，也就是 1975 年 12 月 29 日上午，被告 Brady 和 Pitney 来到 Kedra 的家，要求看 Richard Rozanski，并"谎称他们有他第二天出庭的文件"。当时除母亲 Dolores Kedra 以外的所有原告均在场。警官"试图将 Rozanski 拖出房子"，但 Rozanski 和 Kenneth Kedra 关上门并把门锁上了。Rozanski 请求看一下许可证，但 Brady 和 Pitney 没有。随后 Brady 和 Pitney 护卫着其他警官的帮助，没有许可证或任何可能的理由,"通过过度的强制","用枪托砸开了门,手持步枪、手枪、木棒和警棍,强行进入了房子"。被告 Brady、Pitney、Miller、Tiers "和被告费城警察局的其他 10 至 15 名成员"对房子进行了彻底搜查,在此期间,Patricia, Joseph, Michael 和 Kenneth Kedra 受到身体攻击,造成了严重伤害。他们还试图查抄一部相机和 Joseph Kedra 使用的笔记本。起诉状进一步称:

> 被告把前门和后门都锁上了,把原告非法拘禁在房子里,用可以看见的步枪、手枪和警棍显示,用暴力、强迫和肮脏的语言,让原告感到生命受到威胁和孤立无援。

Rozanski 和 Joseph、Michael、Kenneth Kedra 被带到一辆警车(police van)里的审讯室,Kenneth 在被带往警车的途中被打伤,Michael 和 Kenneth 在审讯室受到 24 小时的"非法拘禁",Rozanski "被被告 Strohm 打耳光",并拒绝了他们再三提出的请律师的要求。"在没有正当或可能的理由的情况下",Rozanski 被指控犯有谋杀、入室行窃、接收赃物,而 Kenneth 和 Joseph 则被指控强奸和斗殴、窝藏逃犯、拒捕。在对这些指控进行防御时,他们承担了(incurred)律师的费用。三名被指控者的全部指控均被宣告无罪。

关于 1975 年 12 月的事件,起诉状提出了下列概括性主张:

1. 在对原告的诉因至关重要的每一次,原告 Richard Rozanski 都通过他的律师提出(offer)自愿放弃对费城警察局的起诉;然而,被告却选择从事上面描述的一系列行为,其目的和效果是明知地、故意地、蓄谋地剥夺原告受联邦宪法保障的权利。

2. 所有前述行为都是被告故意地、蓄谋地、恶意地根据他们作为费城警察局的代理人、公职人员、雇员而获得的授权所为。

3. 前述行为是在被告 Joseph J. O'Neill 作为费城警察局长的官方职责的同意、知情、和指示下进行的。

4. 前述行为是在被告 Joseph Golden 作为费城警察局杀人(案)科主侦察员的官方职责的同意、知情、和指示下进行的。

5. 前述行为是在被告 Donald Patterson 作为费城警察局杀人(案)科科长、Joseph Golden 作为主侦察员、Leslie Simmins 和 Sergeant John Tiers 作为副主侦察员的官方职责的同意、知情、和指示下进行的。

6. 被告在 18、19、20、21 段中列举的被告在对原告的诉因至关重要的每一次都居于一种对被告官员和侦察行使直接管理权的地位,而且在对原告的诉因至关重要的每一次都切实行使了这样的控制和管理权。

7. 所有前述行为都是在没有与任何一位原告有关的正当或可能的理由的情况下进行的。

起诉状还诉称,"被告以剥夺原告的权利和特权为主观意图……从事了并仍在从事具有制度模式的折磨、威胁和压迫行为,并已产生了这一结果……"作为这种模式的一部分，1976 年 6 月 Michael Kedra 被拘捕并且受到被告 Strohm 的毒打，"他反剪着原告的双手，用警棍和拳头打他的胸部和腹部"。James Kedra 受到被告 D'Amico、Brady 和 Pitney"没有任何理由的折磨和威胁"，于 1977 年 2 月或 3 月被 Tuffo 和 Pitney"抓着衬衫，并以身体暴力相威胁"。

起诉状主张，"作为前述行为的结果，原告已受到并且继续遭受着严重的精神摧残"。

II. 起诉与动议

原告的起诉状于 1977 年 11 月 23 日提交，其根据是宪法和 1871 年民权法案（美国法典第 42 编第 1983、1985、1986 节），管辖权根据是美国法典第 28 编第 1331 和 1343 节。原告主张被告的行为剥夺了他们以下联邦"权利、特权和豁免权"，以此作为其民权请求的根据：

(1) 根据第一和第十四修正案所享有的自由言论的权利和和平聚会的权利。
(2) 根据第四和第十四修正案所享有的保障其人身、住房、文件和收益不受不合理搜查和扣押的权利。(3) 根据第五和第十四修正案所规定的禁止强制自我归罪。
(4) 根据第五和第十四修正案所享有的未经正当法律程序不被剥夺生命、自由或财产的权利。(5) 根据第八和第十四修正案的规定禁止残酷和非通常的惩罚。

起诉状还引用了第十四修正案的平等保护条款，宾夕法尼亚州宪法第 42 编 1983、1985、1986 节），管辖权根据是美国法典第 28 编第 1331 和 1343 节。原告主张被告的行为剥夺了他们以下联邦"权利、特权和豁免权"，以此作为其民权请求的根据。原告还援引系属管辖权原理，主张宾州法律所规定的因"错误拘捕、错误监禁、恶意追诉、暴行和殴打、侵入不动产和个人财产以及过失和故意造成精神折磨"而产生的请求权。原告寻求补偿性和惩罚性损害赔偿 1 万美元及律师费和诉讼费。

所有被列名的被告均提交了动议，请求驳回诉讼，动议的根据是几个理由，同时提出了程序问题和民权法上的管辖权问题和实体问题。此外，系属的州请求提出了动议中未讨论的管辖权问题，也应当在本意见书中加以讨论。

III. 程序问题

……被告辩称，根据联邦民事诉讼规则 20（a）规定，本案当事人的合并不适当……被告主张，原告对他们提出的请求不是"产生于同一次交易（transaction）、事件（occurrence）、或同一系列交易或事件"，因为它们起因于分散在 14 或 15 个月之间的几次事件。【一个脚注声称，联邦规则允许针对一个对方当事人的多项请求不受限制地合并［规则 18（a）］，但在当事人为多个的案件中，合并受到规则 20（a）的限制，该条规定，几个原告或几个被告不能合并在同一案件中，除非由一方提出的或针对一方提出的几个请求产生于同一事件并包含同一事实和法律问题。被告并未主张说本案中没有提出同一事实和法律问题；针对每一被告提出的请求的同类性（similarity）非常清楚地表明存在相同的争议。一旦根据规则20（a）合并当事人，则规则18（a）所规定的允许针对那些当事人的无限制的请求合并就完全可以适用了。见顾问委员会关于1966年对规则18修正案的说明。】联邦规则关于合并的规定是非常自由的，正如联邦最高法院在矿工工会案［United Mine Workers v. Gibbs, 383 U. S. 715,（1966）］中指出的那样，"规则的倾向是推动以公平对待当事人相符的原则容纳案件的最宽泛的可能的范围；请求、当事人、救济的合并受到坚定的鼓励"。（383 U. S. at 715）（省略脚注）。自由政策的理由是，在一次诉讼中统合多项请求对于当事人双方和法院都更多方便，更少经费开支和时间耗费。［Mosley v. General Motors Corp., 497 F. 2d 1330, 1332（8th Cir. 1974）.］在承认这种态度时，规则20中的"交易或事件"的措辞被解释为"允许与起诉或被诉的当事人所诉求或被诉求的救济的所有合理相关请求在一次诉讼中审判，毋须所有事件具有绝对的同一性（identity）"。（同前，页1333。）

尽管本案中产生原告请求的事件发生于一个较长的时间期间，但它们之间是"合理相关的"。起诉状提出了一系列声称的非法拘留、搜查、殴打和同类事件，并指控被告们"以剥夺原告权利的意图……从事了具有制度模式的折磨、威胁和压迫行为"；这一事件的每一次都包含在"制度性模式"之中。为什么所称的制度性行为不能延伸到一段时期，并没有逻辑上的理由，而且从这些指称的表面来看，也没有什么迹象表明延伸的时间跨度削弱了所有这些事件之间事实关系。针对被告提出的各项请求都产生于合乎规则20（a）之目的的"同一次交易、事件、或一系列交易或事件"。

然而，除了根据规则20（a）进行合并的程序适当性之外，还有一个问题是，针对被告的所有请求进行的一次审判会不会给某些被告带来不利益。某些被告仅仅涉及到所称的几次事件中的一次，将它们与其他那些牵涉多次事件的被告堆在一起可能不公平。这一问题特别关系到1975年12月29日的事件，这次事件除了所称的领导、监督和控制之外，似乎涉及到与所称的其他事件不同的行为人。联邦规则20（b）规定法院有权力对这种情形给予救济："法院可以作出裁定，以避免一方当事人由于被裹进既没有提出请求也没有被主张请求的当事人而受到困扰、迟延、或投入开支，还可以裁定分开审判或作出其他避免迟延或损害的裁定"。在口头辩论中，双方的律师都承认该案合并存在潜在的不利益后果，因而建议形成一个努力补救这一问题的方案（stipulation）。然而看来这一问题最好是在证据开示完毕之后、案件已做好庭审准备时再处理。到那个时候，每个被告涉人的程度更加清楚，潜在的不利益也比较容易评估。因此我得推迟对本案这一方面的决定，我得保留一定灵活性——将该案分成几个部分，或者在必要的时候，一旦不利益问题更清楚地成为焦点，则采取其他救济行动。

【我们省略了本案中处理12（b）（6）动议的一大段内容。】

注释与问题

1. 利用凯卓案作为契机，真实地介入事实并将确切的原理适用于那些事实。特别是为什么凯卓一家可以跟 Rozanski 一家一起作为共同原告？为什么的类型很不相同的所有被告可以合并？为什么寻求赔偿的各种请求和理由可以合并？好的法律分析与糟糕者之间的差别在于，律师是否绞尽脑汁地精当地叙述，使原理可以适用于具体事实。比如，不要只是说这是"同一次的交易、事件或系列交易或事件"、有一个对所有合并的人都"相同的法律问题或事实问题"。要通过包含在案件中的具体事实，把你的诉由放到一个框架中去证实。许多民事程序都是在证明发生在不同人身上的事件的同一性。集中分析的一种方法是问一问哪些具体事实和法律问题与适用于每个当事人的每个诉因的每个要素相关。比如，思考一下本章一开始介绍的乔诉萨莉案。假设萨莉被声称第二天把玛丽绊倒了，就难以提出任何法律问题或事实问题交迭或提出任何交易的同一性的主张，就没有达到使法官以驳回同一性的一般程度。你们可以争辩说，共同的法律问题是绊倒是不是故意（或不合理注意行为），但无论是同一交易的标准还是规则20"相同法律问题或事实问题"的标准所要求的同一性一定会更精确。

（翻译时节略了有关卡彭特案件的半页文字）

2. 规则18和规则20都没有提到可以对其施加限制的其他程序规则、概念和法律，但那些限制是现实存在的。比如，顾问委员会在对规则18（a）（1）款的解释中提醒律师，必须符合管辖权和法院地的条件。事项管辖权、对人管辖权、法院地和通知当然也适用于根据规则20合并的任何当事人。这些话题在本课程的其他部分讨论。此外，尽管规则18（请求合并）是允许的，但你们必须考虑民事程序的另一个领域，以决定合并什么诉因或理由。例如，在乔诉萨莉案中，如果乔因为殴打或疏忽过失而起诉，将会发生什么？假定萨莉胜诉而且案件进行到终局判决的阶段，嗣后乔能再次因同一次绊倒事件而诉萨莉过失吗？也许你们应当把既判力或排除规则放在规则18的旁边，以提醒你们自己，法律不允许像规则18让你们相信的那样具有许容性。

3. 整个课程你们都应当密切注意"交易或事件"（transaction or occurrence）的表述——这个术语是一个具有可塑性的指南，但它也是联邦规则起草者们偏爱的一个表述。特别要注意哪些规则使用了这个术语，并注意是如何使用的（就像在上诉判决理由中所解释的那样）。为什么查尔斯·克拉克使用像"交易"这样的概念作为限制合并诉讼的量度单位？这个"交易"的方法在联邦规则的整个哲学中扮演了什么角色？为什么普通法程序内含着对合并请求和当事人的更多限制？为什么菲尔德想要更少的合并、特别是如果他知道当今社会的案件类型时更将如此？律师们在向法庭作出论辩时，他们经常求助于规则的理路（rationale），以说服法院适用他们想要适用于案件事实的规则。在凯卓案中，原告是否提出了有助于他们说服法庭接受"交易、事件、或系列交易或事件"的更宽泛含义的政策主张？

4. 当决定在任何一个案件中提出多少主张和当事人时，策略考虑十分重要。例如，诉讼的规模对于这些方面有重大影响：（1）证据开示（比如质询只能向诉讼的实际当事人发出）；（2）成本（比如当事人和理由越多，证据开示就越多，而你的客户的成本就越高）；（3）证据（比如不同的传闻证据限制和改变哪些相关证据取决于你合并了哪些请求和当事人）；（4）陪审团（比如你可能想、也可能不想要几个被告都相互指责，或者你可能想、也可能不想把你自己与另一个当事人联结在一起——他的案件或身份（personality）也许会对你客户产生影响；（5）既判力（比如你可能不想把你的鸡蛋都放在一个篮子里，但你又不想受到似乎合理的请求的阻止）；（6）控制（比如更多的当事人可能会、也可能不会使和解更难，这取决于你如何估计情势；更多的被告意味着向你的客户赔付要从更多的口袋中掏钱，却也可能意味着他们任何一个人都不想掏很多；更多的当事人还可能意味着想要以不同方式控制诉讼的律师更多）。用凯卓案和卡彭特案来估计一下有关合并的一些策略考虑。

5. 在规则 18 和 20 中被"法典化"的价值是否推进了使司法更易接近的目标？效率的目标怎么样？这些目标是不是一个总数为零的买卖（a zero – sum trade – off）？比如在凯卓案中，原告与被告通过扩大合并规则获得或失去了什么？社会获得或失去了什么？在规则 20（b）和规则 42 授权予初审法官的巨大裁量权中蕴藏的价值是什么？如果你们起草诉讼合并条款，你们会赋予法官这样的裁量权吗？在所有的案件中呢？

6. 关于合并审理（consolidation）的规则［联邦规则 42（a）］与关于当事人合并的规则［规则 20（a）］之间的差异是什么？

第七节　反请求与交叉请求

反请求是一种被告针对原告主张的请求。反请求可以诉求法院有权给予的任何救济。救济可以与原告的请求有关，也可以无关。反请求可以请求仅仅抵消（neutralize）或抵偿（cancel out）原告的请求，也可以诉求超出原告所要的救济的救济。交叉请求是一种在共同当事人之间——通常是被告之间——的请求。

交叉请求与反请求的一揽子许容性不同的是，它不能主张可能存在于共同当事人之间的每一个请求，而必须与共同当事人之间的至少一个另外的请求密切相关。【但一旦正当地主张了交叉请求，请考虑规则18（a）所允许的扩展。】

根据联邦规则，反请求可以是强制性的，也可以是许容性的。参见规则13。下面的班魁魁案Banque Indosuez v. Trifinery介绍了两类反请求，同时提出了一个规则11的问题。而交叉请求则总是许容性的。不根据规则13（g）提出请求的当事人不会受到既判力、弃权、或禁反言的妨碍，他可以在另一次诉讼中提出这一请求。

班魁诉特里芬莱利
Banque Indosuez v. Trifinery
817 F. Supp. 386 (S. D. N. Y. 1993)

地区法官海特（Haight）：

本案是关于原告根据规则56提出的进行部分即决判决的动议。基于下述理由，本庭支持了原告的动议。

背　景

本案产生于由被告特里芬莱利执行而由被告布拉斯担保的期票。两位被告对于他们根据该票据而承担责任没有争议，但辩称，由于他们以反请求的方式提出了一个可行的抵消请求，因而即决判决是不适当的。【被告称，他们已经向原告赔偿了963183.36美元，这意味着期票的数额（1404420.00美元）比他们抵消的数额（461236.64美元）要少。】

既然对于期票项下的责任没有争议，惟一的争议只是被告所称的反请求是否有效，以及是否妨碍对该票据的即决判决。

讨　论

被告主张，在反请求的价值尚不确定的情况下作出即决判决是不适当的。原告则主张，特里芬莱利作为票据的制作人，布拉斯作为票据的担保人，都无权在本案中提出反请求，因为期票的一个条款规定："特里芬莱利在与本票据或与任何这类的其他责任有关的任何诉讼中放弃由陪审团审判的权利和提出任何反请求或任何类型的抵消"。原告抗辩道，根据这一条款，被告放弃了提出反请求的权利，作出即决判决没有任何障碍。

被告主张，这一条款在联邦法院不能执行，因为反请求是强制性的，而联邦规则13（a）要求当事人在本案中提出全部强制性反请求，要么就自动放弃这些请求。被告在支持其关于该条款不可强制执行的主张时引证了装载设备公司案〔Loader Leasing Corp. v. Kearns, 83 F. R. D. 202 (W. D. Pa. 1979).〕。装载设备公司案也涉及到一个被告放弃可能针对原告提出任何抵消请求之权利的条款。法院认定，尽管放弃权利的条款在州法院可以执行，但不能"不合理地限制在普通法院就一个争议提起诉讼的特权……或不合理地限制联邦法院的管辖权"，同前，页203。装载设备公司案中产生那些问题一部分是因为被告的反请求属于联邦规则13（a）所规定的强制性反请求，而且"没有主张强制性反请求将成为禁止其在联邦或州法院的后来诉讼中再提出这一请求的障碍"。同前，页203-204。在装载设备案中，地区法院对于被告属于许容性的第二个反请求确执行了放弃权利的条款，但拒绝对第一个反请求即强制性反请求执行这一条款。

双方当事人在法律理由书中都认为适用纽约法律。纽约法律强迫自动放弃权利者声明确认性防御、抵消或反请求（See Bank of New York v. Cariello, 69 A. D. 2d 805）；415 N. Y. S. 2d 65 [2d Dept. 1979；FDIC v. Frank Marino Corp., 74 A. D. 2d 620, 425 N. Y. S. 2d 34 (2d Dept. 1980).]。该巡回区的各法院适用纽约州法律，通常认定合同中协定在后来的诉讼中不主张防御、抵消或反请求并不与公共政策相抵触，因而是可强制执行的。See Banker Trust Co. v. Litton Systems, 599 F. 2d 488, 490 (2d Cir. 1979)；In re Gas Reclamation, Inc. Securities Litigation, 741 F. Supp. 1094, 1102 (S. D. N. Y. 1990)；FDIC v. Borne, 599 F. Supp. 891, 894-95 (E. D. N. Y. 1984)。自动放弃者不会被强制执行，使可行的抵消或反请求在欺诈案件中得以立足，不过受其妨碍的被告不能主张原告方面的欺诈行为。

根据纽约法律，所有的反请求都是许容性[N. Y. CPLR § 3019 (McKinneys 1991)]。这与联邦实践大相径庭，在联邦实践中，反请求可以是规则13（a）所规定的强制性反请求，也可以是规则13（b）所规定的许容性反请求，取决于具体情形。

在装载设备公司案中提出了公平的问题，因为原告可以选择向联邦法院提起诉讼。如果反请求是规则13（a）所规定的强制性反请求，则执行被告在合同中对权利的放弃就不公平。在另一种情形下也同样存在不公平，即包含这一自动放弃条款的合同的一方当事人能够通过选择跨州域的联邦法院，避免其对手的反请求抵达实质性审判阶段。

因此，被告在本案中主张反请求的权利取决于被告的请求根据规则13是许容性的还是强制性的。如果反请求是强制性的，则自动放弃条款就不能执行，因为执行这一条款就会排除被告将这一问题提交本院或任何其他法院解决的机会；如果反请求是许容性的，则自动放弃条款就是可强制执行的，被告必须将这一请求另行起诉。

在麦卡弗里案（McCaffrey v. Rex Motor Transp., Inc., 672 F. 2d 246, 248

(1st Cir. 1982) 中提出了确定许容性反请求与强制性反请求的标准：

(1) 由该请求提出的事实问题和法律问题与反请求所提出的问题是否大部分相同（largely the same）；(2) 在没有强制性反请求的情况下，既判力是否禁止针对被告提出继后诉讼；(3) 支持或反驳原告的请求和被告的反请求的证据是否实质上相同；(4) 在请求与反请求之间是否存在逻辑关系？

原告的请求是按照期票支付。被告的反请求则在实质上主张原告由于过失而耽搁了信用函（letters of credit）的手续（processing）和交付。

十分清楚，所提出的问题之间的相关性不足以使被告的反请求成为强制性反请求。事实问题和法律问题并非实质上相同：在以函件进行的交易中违反默示的注意义务提出了一大堆和期票项下的责任不同的问题。事实上，原告的请求涉及2封信用函，而被告的请求则涉及3封信用函，二者仅仅在1封信用函上发生交叉。

此外，由于争议不具有充分的相同性，因而如果原告的请求在被告的反请求之前作出判决，则不存在既判力的障碍。尽管两个请求的确都产生于相同的商事关系，但仅有这一点尚不足以使反请求具有强制性。

既然被告的反请求属于规则 13（b）所规定的许容性反请求，因而那个自动放弃被告主张反请求或抵消之权利的条款就是可强制执行的。因此在本案中被告不能主张反请求，这一请求将被没有损害地（without prejudice）驳回。

注释与问题

1. 你会用什么具体的事实来证明或驳倒本案提出的是规则 13（a）还是 13（b）所规定的反请求？

2. Wright & Miller 将适用规则 13（a）含义上的"交易或事件"描述为 4 个核查标准：

(1) 请求和反请求所提出的事实问题和法律问题是否大部分相同？

(2) 在没有强制性反请求规则的情况下，既判力是否禁止针对被告提出继后诉讼；

(3) 支持或反驳原告的请求和被告的反请求的证据是否实质上相同；

(4) 在请求与反请求之间是否存在逻辑关系？

Charles A. Wright, Arthur R. Miller & Mary Kay Kane, Federal Practice and Procedure § 1410 (2d ed. 1990).

3. 你们现在已经将"交易"或"事件"作为不同规则的一部分了：规则 20（许容性当事人合并）；规则 15（c）（补正的溯及力）；规则 13（a）（强制性反请求）；规则 13（g）（对共同当事人的交叉请求）。这些词应当用相同的方法解释而不考虑其不同语境吗？或者，这些词的解释可以呈现出略有不同的含义变化吗？解释这一问题的方法是，要考虑这些术语在每种语境下的目的。为什么"交易"和"事件"与背后关系相关？为什么它们与当事人合并或反请求是否为强制性相关？这种功能分析会导致一词多义吗？凯恩教授解释过"交易"这个术语是如何在联邦规则及其他地方基于不同目的而使用的，他论证说，那些不同的目的引致对同一词汇的不同解释。（Mary Kay Kane, Original Sin and the Transaction in Federal Civil Procedure, 76 Tex. L. Rev. 1723 (1998).）

4. 说一个反请求是"强制性的"或"许容性的"是什么意思？通常在什么情况下会提出这个问题？比如说，假定 A 与 B 在一次汽车事故中，各有一个驾驶过失，法庭必须面对 B 是否应当在第一次诉讼中针对 A 提起反请求的问题吗？或者在以后的诉讼中会出现这一问题吗？作为被告，如果你对一个反请求是不是强制性的感到怀疑，你如何答辩？

5. 规则 13（a）的反请求在查尔斯·克拉克的整个程序哲学中居于什么地位？如果你在起草程序规则的委员会中，你是否会考虑强制性反请求的规定会导致"效率"或"无效率"或二者兼而有之？思考一下法院体系、当事人及他们的律师的不同立场。

6. 规则 13（a）的第二句规定两个例外的理由是什么？

7. 关于为什么未在第一次案件中提出的强制性反请求受到禁止/妨碍（bar），各法院存在意见分歧。有些法院说这是自动放弃的结果，而另一些法院则适用既判力或禁反言的原理。从第一次案件的被告角度看，被告律师疏于提起强制性反请求（如此她就不能在后面的案件中再提起），很难看出，究竟哪一个理论导致其不能提起这一请求有什么重要性。

8. 交叉请求必须与诉讼中至少一个请求密切相关。思考一下这一要求的宗旨：

> 当原告提起对被告的诉讼时，如果被告利用这个由原告自己选择的战场提出针对原告的某些不相关的请求，那么原告在后来的某些时候就不能自由地提出反对。然而原告的诉讼不能变得不适当的复杂化，如果允许被告提出针对一个共同被告的请求，而原来的原告在其中没有任何利益，就可能导致对原告的不利益。

Charles A. Wright, Arthur R. Miller & Mary Kay Kane, Federal Practice and Procedure § 1431 (2d ed. 1990).

9. 设想一种涉及潜在的交叉请求的情形。为什么交叉请求不是强制性的？

实务练习十二
思考卡彭特案中的反请求、交叉请求和规则 13（h）附加当事人

反请求：思考卡彭特案件中以下可能的反请求。在导致丈夫死亡的那次车祸发生后不久，南希·卡彭特给一位朋友家里打电话，告诉这位在 Raytheon（兰德尔·迪受雇的单位）工作的朋友说兰德尔·迪是个酒鬼。兰德尔·迪于是被解雇了。兰德尔·迪会产生一项针对南希的诽谤请求吗？这是强制性反请求吗？是许容性反请求吗？你会需要在自己能够回答这些问题之前作一些法律调查吗？

　　交叉请求：假设动议会议上的法官已经准允了南希追加终极公司和洛厄尔市作为被告的动议，而且起诉状现在也按照补正后的状态入卷了。进而假设你是纠纷中的被告驾车者兰德尔·迪的代理人，你有什么可行的交叉请求吗？证明这一点。注意马萨诸塞州民事程序规则13（g）的措辞，与联邦民事诉讼规则一模一样。如果你有一项可行的交叉请求，这一请求有多少诉由？提交或者不提交这一交叉请求的策略性理由是什么？尽管如此，自己动手起草这样一则交叉请求。你会完全重新自己起草吗？或者你能够从手边的一些格式中获得帮助吗？

　　你们还应当注意卷宗里的马萨诸塞州自害过失制定法。思考其他可能的交叉请求，以及马萨诸塞州民事程序规则13（h）。你们会吗？

第八节　第三人实践

　　规则14调整被告将第三人引入诉讼的程序。这一规则许可法庭允许被告"引入"（implead）还不是案件当事人的某人而使其参加诉讼，其目的在于由该参加人全部或部分承担被告向原告所承担的责任。在这种情形下，原来的被告现在作为第三人之诉的原告（a third-party plaintiff）起诉一位第三人之诉的被告（a third-party defendant）。下面的案件将予解释。

格罗斯诉汉诺沃保险公司
Gross v. Hanover Insurance Company
138 F. R. D. 53（S. D. N. Y. 1991）

地区法官莱热（Leisure）：

　　本案产生于一项因声称的巨额珠宝损失而提起的保险请求。被告汉诺沃保险公司（Hanover Insurance Company）现在根据联邦民事诉讼规则14（a）提出动议，引入约瑟夫和安东尼作为第三人之诉被告。基于下面陈述的理由，同意被告的动议。

　　背　景

　　决定这一动议的必要事实并不复杂。原告称他在名叫"3-R珠宝行"的珠宝零售店遭受了一笔损失，其中包括一笔交由寄售的价值近21.78万美元的钻石、一笔原告留在3-R珠宝行保管的价值4.8万美元的钻石和翡翠。3-R在相关的时间是由安东尼所有，他雇用了他的兄弟约瑟夫作为店员。原告随后根据被告发给他的珠宝商保险政策,追索寄售物损失5万美元和保管物损失2.5万美元。双方当事人都承认,珠宝损失是由于3-R商店失窃所致。

被告称,1989年12月16日,即失窃的当晚,一位目击者看见一个人进入3-R商店,开始与约瑟夫谈话。紧接着,那个跟约瑟夫谈话的人走了出去,然后拿着一个文件袋回来,径直走到柜台后面,进入了里屋。当目击者离开3-R店时,那个人还在店里。马库斯先生(Stephen H. Marcus, Esq.)的宣誓证言(下称马库斯的证言),宣誓于1991年6月28日、证物H。约瑟夫在向警察的一次陈述中称,他当时正准备关店门,两个人进来要买一块手表。约瑟夫说他把那两个人留在店前,去后屋取那块表的质量保证书。他说他随后听到前门砰地关上了,当他回到店前时,那两个人已经走了,他走的时候没有关上安全柜,里面的一个盒子和一箱珠宝没有了。马库斯的证词、证物G。被告还称,约瑟夫沉溺于可卡因,而安东尼注意到这个事实,但仍然将他留用在店里。警察的报告包括安东尼的一些陈述,他说约瑟夫有吸毒的习惯,但他以为这个习惯在控制之下,但他"猜想要比他(安东尼)想像的要严重","约瑟夫似乎正在寻找着手点"。马库斯的证词、证物F。

因此,被告在申请追加第三人的起诉状中要求将约瑟夫和安东尼列为第三人,其根据是,如果被告被认定对原告承担责任,那么他们就要对被告负有责任。马库斯的证词、证物E。申请追加第三人的起诉状还特别针对约瑟夫作为原告的托卖人(consignee)或受托人(bailee)以及作为3-R商店的代理人在管理珠宝方面的过失,针对安东尼在雇用、保留和监督约瑟夫方面的过失,分别提出了请求。

讨 论

规则14(a)在相关部分规定,"在诉讼开始后的任何时间,被告作为第三人之诉原告,均可以向非本诉当事人的人送达传票和起诉状,该受送达者是或可能是就原告对于第三人原告所提出的全部或部分请求向第三人原告负有责任的人"。联邦规则14(a)。在此,被告在送达其原始答辩状之后10多天才申请提交第三人之诉的起诉状,被告"必须动议获得通知所有涉讼当事人的许可"。联邦规则14(a)。"这一规则的宗旨在于,通过排除被告另行提起对第三人的诉讼而促进司法效率,该第三人可能对被告所承担的原告的原始请求之全部或部分承担二级责任或派生责任。Consolidated Rail Corp. v. Metz, 115 F. R. D. 216, 218 (S. D. N. Y. 1987); Old Republic Insurance Co. Concast., 99 F. R. D. 566, 568 (S. D. N. Y. 1983)。"法院必须权衡引入第三人参加诉讼的利益——亦即在一次诉讼中处理相关事项的利益——与对原告及第三人被告所产生的潜在不利益。Oliner v. McBride's Industries, Inc., 106 F. R. D. 14, 20 (S.

D. N. Y. 1985）。

在本案中，被告意欲引入第三人的请求产生于"对原告的请求具有决定意义的在总体或核心上相同的事实"，因而允许将那些请求放在正在进行的案件中诉讼，可以满足司法经济上的利益。National Bank of Canada v. Artex Industries, Inc., 627 F. Supp. 610, 613 (S. D. N. Y. 1968) [Dery v. Wyer, 265 F. 2d 804, 807 (2d Cir. 1959)]．然而原告主张，所提出的第三人是"臆造的"（speculative），因而引入第三人参加诉讼的动议应当驳回。基于以下几个理由，这一主张不能支持。

首先，关于原告能否在诉讼的这一阶段对于所提出的第三人请求进行实质性攻击还是个问题。其次，完全可以确定的是，规则14（a）所使用的"有或者可能有责任"这一措辞已清楚地表明，即使不是一经确定第三人原告的对本诉原告的责任则第三人被告即告成立，引入第三人参加诉讼也是适当的……最后，第三人之诉的请求已经在符合规则14（a）宗旨的意义上给予了充分主张。"联邦法院和纽约州法院的判决均认定，第三人诉讼的实践包括代位清偿请求（subrogation claims）……"

原告反对这一动议的第二个论点形成了一个主张，即被告在谋求引入第三人时已经拖延了时间，如果证据开示扩大到包括第三人之诉的请求在内，则会给原告造成不利益。然而，几乎没有证据显示，被告在提起规则14（a）动议时行动迟缓到如此程度，以至于应当驳回这一动议。更重要的是，本院认为，原告所感觉到的不利益——如果有的话——是因为需要增加证据开示，但允许第三人参加诉讼所获得的更有效率的诉讼收益足以超过这种不利益的分量……如果在将来，原告认为被告是在利用第三人之诉的请求拖延本案本诉的进展，他应当将这一情况告知本院，不必说，本院不会支持这种战术……

结　论

基于上述理由，根据联邦民事诉讼规则14（a）之规定，支持被告引入约瑟夫·里佐和安东尼·里佐参加诉讼的动议。此令。

注释与问题

1. 也许规则14在适用时最难的措辞是第一句对于能够作为第三人被告而提出那一类不是当事人的人的描述。仔细体会下面的措辞："他是或可能是就原告对于第三人原告所提出的全部或部分请求向第三人原告负有责任的人"。(who is or may be liable to the third – party plaintiff for all or part of the plaintiff's claim against the third – party plaintiff.") 结果，为了让被告（第三人原告）引入一个新的当事人（第三人被告），必须满足三个条件（除现有的管辖及通知问题之外，这些将在随后讨论）。首先，最容易的一个条件是，参加之诉只能用于引入某个还不是当事人的人。其次，被告（第三人原告）必须对其准备引入的新的当事人（第三人被告）有请求。换言之，如果 A 诉 B，而 B 说，实际上"这不是我的过错，而是 C 的过错"，仅仅这种说法尚不成其为可以成立的参加人之诉的理由，B 需要一个由 C 承担责任的理由。顺便说，在整个审判中没有什么可以阻止 B 把矛头指向 C，甚至传 C 到庭作证。如果证据是相关的，为了支持一方而归咎于 C，也不一定要 C 做当事人才行。

第三，为了 B 能够有效地诉 C，B 不仅需要一个针对 C 的责任理由，而且必须是对 A 向 B 提出的"部分或全部"请求承担责任。这里有一个好的参加之诉的例子。A 借钱给 C，B 同意作为 C 的保证人。根据担保法关于保证的规定，如果担保人或保证人必须向出借人支付款项，则保证人基于借款人的欠债而被迫将这笔债务支付给出借人，因而对借款人享有请求权。于是，当 A（出借人）诉 B（保证人）时，B 就可以引入 C（借款人）作为第三人参加诉讼，因为 B 将就 B 将向 A 支付的全部或部分款项而对 C 享有请求权。

2. 规则 8（a）对诉告文状的要求明确适用于规则 14 规定的第三人之诉的起诉状。规则 7 清晰地规定，第三人之诉的起诉状通常是"诉告文状"，因而如果送达了"第三人之诉的起诉状"，则要求作出第三人之诉的答辩状。第三人被告的答辩状应当包括规则 8（b）的承认与否认以及规则 8（c）的确定性防御。此外，规则 12（b）还要求所有对"任何诉告文状中的要求救济的请求"——明确包括第三人之诉的请求——的防御，都"得在作出回应——如果要求对之作出回应——的诉答状中声明"，然后将能够以动议提出的规则 12（b）防御排除在外。因此，第三人被告应当通过答辩或动议提出针对第三人原告的 12（b）防御。[然而，12（b）（1）防御与 12（b）（3）防御通常是不成功的，下一章将进一步探讨。]第三人被告还可以根据规则 14"针对原告提出第三人原告必须就原告的请求所提出的任何防御"。为什么第三人被告应当能够主张本诉被告针对原告的防御？

3. 当你们阅读以下奥拉瓦里塔案 [United States v. Olavarrieta, 812 F. 2d 640 (11th Cir. 1987)] 的摘录时，看看你们是否同意该院关于这是一个不适当的参加之诉的观点，思考一下面对一位有机会在引入参加之诉与分别审判之间作出选择的当事人的策略问题。假设奥拉瓦里塔针对董事会的参加之诉是适当的，Olavarrieta 向董事会的提出请求能否多于美国政府正在向他提出的请求？确切地指出你从哪里找到这一问题的最后答案？

美国政府作为奥拉瓦里塔（Jose Olavarrieta）由联邦担保的总额为 4000 美元的学生贷款的担保人，为了收回贷款的未付款项和利息，对奥拉瓦里塔提起了诉讼。根据《美国法典》第 20 编第 1071 - 88 节，《1965 年高等教育法案》第 4 - B 编，

"联邦政府担保下的学生贷款项目",迈阿密国家间银行(Inter-National Bank of Miami)向奥拉瓦里塔提供了贷款。当奥拉瓦里塔不履行这笔贷款时,银行要求政府偿付。政府向银行付清了奥拉瓦里塔的这笔责任,然后提起本案诉讼要求奥拉瓦里塔偿还。

奥拉瓦里塔提起了针对佛罗里达大学的第三人之诉,起诉状声称,佛罗里达大学未授予他J. D. 学位,违反了《1965年高等教育法案》的规定及大学与他签订的合同。奥拉瓦里塔对这一起诉状进行了补正,追加佛罗里达教育部大学部董事会作为第三人被告,并增加一项请求,要求该第三人被告补偿他被认定欠政府的任何款项。地区法院支持了佛罗里达大学关于驳回第三人之诉的动议……

我们认为,地区法院驳回针对佛罗里达大学提出的第三人之诉是适当的。被诉的当事人资格由州法律确定。联邦规则17(b)。根据佛罗里达州的法律,佛罗里达大学未被赋予独立的社团法人资格,也没有以自己的名义应诉的资格。这些特征(characteristics)都赋予了作为佛罗里达大学系统领导的董事会。因此,佛罗里达不是本案的正当当事人,地区法院驳回针对它提出的第三人之诉是正确的。

地区法院驳回针对董事会提出的第三人之诉也是正确的。奥拉瓦里塔没有陈述赔偿的任何法律或事实根据,而且在以大学未按承诺授予奥拉瓦里塔J. D. 学位为由而提起的第三人之诉所寻求救济的范围内,也没有提出根据规则14(a)而提出第三人之诉请求的理由。规则14(a)允许被告针对任何一个非本诉当事人提出请求,其惟一情形是该第三人对于那项请求负有责任,这一责任以某种方式依赖于本请求的结果。规则14(a)不允许被告提出单独的和独立的请求,即使该请求产生于与本请求相同的总的系列事实也不行……奥拉瓦里塔的第三人请求声称是因为佛罗里达大学未按承诺授予他J. D. 学位从而违反了合同或构成欺诈,这与政府针对他的诉讼之间是一个单独的和独立的诉讼。无论奥拉瓦里塔是否有权就这一请求获得救济,都完全独立于他向政府承担的拖欠他的学生贷款的责任。因此,奥拉瓦里塔没有陈述支持其针对董事会提起第三人之诉的理由。

4. 一定要阅读整个第14条。它包含了你们应当了解的关于交易或事件的某些细节。比如,第三人被告可以但非必须针对原告提出产生于同一交易或事件的任何请求。本诉原告还可以针对第三人被告提出任何请求,只要该请求产生于同一交易或事件。

5. 注意第三人原告怎么能引入原告本来不能直接起诉的某人参加诉讼;同时注意他们怎么可以引入原告本来能够(但选择不)直接起诉的某人参加诉讼。

实务练习十三
思考卡彭特案件中的第三人诉讼

为了综合运用你们在本章内所学内容,现在假设你十分熟悉卡彭特案件并且十分成功,使那位代理被告终极公司的资深合伙人在这个侵权案件的最近发展阶段上继续依赖于你的帮助。她通知你说,原告南希·卡彭特有兴趣和我们的客户

334 达成和解，并且她已经与洛厄尔市以1.5万美元的赔偿结果达成了和解协议。如果和解对于客户是最佳选择的话，律师所当然何乐而不为呢。但那位合伙人还通知你说，前一天晚上她安排她的新助手起草了一份针对修理部及修理部所有人的第三人起诉状（thirdparty complaint），这个修理部检查了迪的吉普车并放它通过了。申请引入第三人的动议及第三人起诉状均可在卷宗里找到。你要解决的问题是：

　　1. 第三人起诉状是否起草得恰当？
　　2. 既然原告已经与洛厄尔市和解，终极公司还能引入修理部作为第三人吗？
　　3. 如果卡彭特就她对终极公司的请求达成了和解，我们的客户还能就其对第三人McGill的修理部的请求获得赔偿吗？如果能够，终极公司在这一诉讼中必须证明什么？［为了回答这些问题，你必须非常小心地阅读关于比较过失的制定法。特别要留意第3（d）条中的每一个字。］
　　4. 和解或不和解的总体得失是什么？各种风险的系数有多高？

　　在这一部分，你们需要适用（而且是非常小心地适用）规则14及马萨诸塞州自害过失制定法的条文，这些条文都在卷宗里。

　　比较过失是侵权法中的一种诉讼。当两方或多方当事人对于同一次伤害负有共同责任、而受害的一方当事人已经从其中一方当事人那里获得了赔偿，则关于比较过失的制定法允许支付赔偿的那方当事人从其他侵权人那里获得补偿。正如马萨诸塞州制定法所提示的那样，和解在实体上会把情形复杂化。

第九节　复　习

　　这是回顾本章资料的好时候。回顾之后回答这个复习题。

　　提示：完成下列案件中初审法庭的意见书。假设适用的是《联邦民事诉讼规则》。作一个细心的法官，对自己的行为作出解释。这一问题应当花90分钟才能完整回答；至少花一半时间思考，不要写。你们的《规则》附录是你们应当要求的惟一资料（尽管你们可以引证我们已学过的判例）。

335
弗兰内尔诉J.C.彭尼
Flannel v. J. C. Penny

大法官J.：

　　这宗诉求280万美元的案件所根据的事实可以追溯到消费者与零售商店的管理部门之间的一次2美元的纷争。弗兰内尔夫人在位于东北地区的中心城市（Capital City）的J.C.彭尼商店花8美元购买了一条蓝色牛仔裤，她谋求从嗣后发生在她身上的情形中"形成一个联邦案件"——这是她根据现行法律享有的权利。下面是她在向地区法院提交的起诉状中提供的事实。

在她购买牛仔裤之后的当天,她发现牛仔裤有缺陷,就把它退给商店。她要求他们给她一条新的或者退还她购买牛仔裤所支付的价金,她是用个人支票支付的。该商店拒绝了。弗兰内尔夫人拿着牛仔裤离开了商店,然后做了两件事:她停止了她的支票支付,去一家当地的洗衣店花了 2 美元换了拉链。她手里拿着修理费账单又回到那家商店,要求商店把修理费付给她。消费者反馈柜台的雇员达菲(Isabel Duffery)拒绝了,她反而向弗兰内尔夫人口头索取原来的购买价和由于停止支付支票而发生的银行服务管理费共计 13.25 美元。弗兰内尔夫人用富于强烈色彩的语言拒绝让这种支付要求兑现。第二天,商店的经理助理斯多夫(Douglas A. Stauffer)对她提起了刑事诉讼,控告她违反了空头支票立法(the bad check statute。18 N. G. L. §4195. 11[1]

在刑事起诉状递交后,弗兰内尔夫人回到商店,提议支付 8 美元,这一提议遭到拒绝。弗兰内尔夫人去见商店经理博伊德(Robert Boyd),博伊德告诉她,他已授权提交那份起诉状,因为"你试图对本店进行欺诈"。他还称,他不会撤回起诉状,因为"那样商店就必须支付法院费用,而且我们想杀一儆百,使其他人不会再试图对我们停止支票支付而自己却保留着商品"。这些话是当着弗兰内尔夫人、她的儿子以及其他顾客的面说的。

弗兰内尔夫人随后写信给新泽西总部的法人总裁,解释这一交易的来龙去脉,请求他出面调停并命令他的下属撤回刑事起诉状。她还告诉他她担心会在他的社区中对她的品格和声望造成声誉上的损害,因为她是当地 PTA 的主席,在她的教堂里也是一位老资格。根据她的起诉状的描述,回信表明他已获悉那次交易的事实,在对她提起刑事诉讼的问题上,他支持他在 Capital City 中的雇员的行动。

弗兰内尔夫人受到审判,法院宣告空头支票控诉不成立。后来她自愿向

---

〔1〕 这一问题的根据是第三巡回法院首席法官 Ruggero J. Aldisert 的判例 Rannels v. S. E. Nichols, Inc.,591 F. 2d 242 (3rd Cir. 1979)。

18 N. G. L. §4195. 11 规定:

(a) 犯罪定义。如果一个人为支付金钱而发出或通过一张支票或类似指令,明知其不会受到提款者的兑现,即构成此项罪名。

(b) 推定。为本节之目的及在任何对于以空头支票盗窃的指控,在下列条件下,均推定为发出者明知该支票或指令不能支付:如果(1)发出者在发出支票或指令的当时与提取者没有账目;或者(2)在发出后的 30 天之内交兑时,支付由于缺少资金而被提取者拒绝,而发出者没有在收到拒绝通知的 10 日内作出弥补(make good)。

(c) 罪行的等级。根据本节确定的犯罪如果支票或指令的金额超过 200 美元,则为第二级轻罪;其他情况为即决罪行(summary offense)。

"中心城市"支付了6美元,"以全额满足和解决她的债务"。

弗兰内尔夫人后来向本院提起了诉讼,要求赔偿恶意控诉所造成的损害赔偿280万美元。东北地区的法律关于恶意控诉的相关要素是:(1)对原告有利的刑事诉讼业已终结;(2)刑事诉讼缺乏可能的理由;(3)恶意。可能的理由被定义为"受情境支持的、有合理根据的怀疑,其合理程度足以达到其本身使一个警觉的人相信那个受到指控的人儿子有被指控的罪行"。恶意被定义为"没有正当理由或借口、以故意造成伤害或者在法律将暗含有害的故意的情境下(that the law will imply an evil intent),故意为错误行为"。

被告已提交12(b)(6)动议请求驳回诉讼,声称原告起诉状中的主张没有形成依据东北地区法律的救济,我们裁定……

【学生:完成这一意见书,给出你的裁定和论证。】

第四章

证据开示

第一节 概 述

证据开示程序的首要作用在于给诉讼人提供一个在审判前全面审视所有相关证据的机会。设定证据开示程序的这一功能，至少在三个方面与追求公正的司法目标相关。首先，证据开示程序大大减少了伏击审判（ambush）的机会，同时促进了当事人就案件实体作出决定。第二，它促进了当事人之间的和解，因为它使得当事人能够在审判前评估其案件的法律价值。第三，它减少了对于法院资源的消耗，因为证据开示通常缩小了纠纷争点的范围。

也许你对证据开示程序已经有所了解，但是，相信你对证据开示的理解不是来自其对公正的追求，而更多的是与其声名狼藉的成本和滥用相联系的。的确，在大众媒体中，证据开示程序现已成为一个众多批评的主要关注点。而且可以肯定的是，的确存在某些诉讼人，利用证据开示向他们的对手施加了过多的负担，或是向对方提出过度的证据开示要求，或通过制造一个文件雪崩，让对方在大海里捞针。在这样的情形中，证据开示没有成为一个追求公正的主导因素，相反，却被证明为一个阻止诉讼公正前行的障碍。但是我们要请你们对此保持一个开放的态度，从而对滥用证据开示的问题给予一个全方位的考察。在本章的结尾，你会看到，在大多数案件中，并非如其所饱受批评的那样，证据开示的使用是极其俭省的。

在本章，我们将从多角度就证据开示程序展开探讨，以便使读者了解其在程序法理中的角色。本章将在联邦民事诉讼规则的历史背景的语境下介绍证据开示的各项技术。在一个实务练习和案卷分析中，我们要请你考虑，在一个真实的案件中，各种证据开示的策略和效验。为了便于你了解证据开示程序（及其他程序）规则的适用，我们也提供了一个简短关于某些证据规则的读本。最后，在以下语境中，我们对证据开示规则的目标、使用（包括滥用）和效果予以重新审视，（1）律师作为热忱的倡导者的角色和（2）新近的、提议的改革。

第二节 证据开示程序的角色

关于证据开示的程序角色，某个执业律师向法学院学生传递的信息是再清楚不过的了：

> 不要搞错：这不是审判，但是正是证据开示程序，就是今天的诉讼律师（从前的审判律师）的工作。

你们也许已经对年轻律师的悲叹非常熟悉了："在我有机会坐在审判中的次席之前，我已经执业4个年头了"。"我们这里有些年轻的合伙人甚至从来都没有过任何参与审判的机会"。"即使有审判的时候，也总是由那些年长的合伙人来处理"。而且从资深律师那里传来的齐声合唱是这样的："我们已经为审判作好了准备，但是法院排期定在6个月后，所以我们可能首先选择和解"。"我的客户无法承担审判"。"如今很少案件会实际进入审判"。这些关于律师抱怨的现象都是真实的：

> 当然，作为律师，你的梦是在审判前两个星期被传召来就该案件的审判而作准备，这样你还有足够的时间来掌握事实，学习法律，并且不会被上百份文件和录取证言烦死。
>
> 但是，现实是大为不同的。现在，大多数案件的结果都是和解，而且胜利的取得是在于冗长的对文件的审查中获得。成功在于细节，在于精心起草的质问书或者提供记录的要求，以及有创造性的旨在获得所声称的受保护的特权的陈述。
>
> 这就是我们所作的证据开示。动议书，文件，和录取证言。是那些大量的挖阴沟的工作决定了最终的胜者。
>
> 我们知道，如果我们将我们的时间和汗水付予证据开示，那么，一个有利的陪审团裁判就将仅仅是个梦。

美国律师协会专刊，证据开示，诉讼（1997冬季号）。

在美国的民事诉讼程序中，证据开示是个首要的、费性的角色，但是，这既不是必然的，也不是不可避免的。的确，在很大程度上，它是我们自己创造出来的一个产品，并且甚至是一个晚近的产品。在联邦民事诉讼规则之前，在联邦法院的民事诉讼中，证据开示是受到严格限制的。[1] 在普通法中，甚至是在菲尔

---

[1] 在1938年以前，某些州已经试验性地在不同程度是运用了证据开示技术，这些后来成为联邦法院的核心内容。但是，没有一个州在开放性的证据开示方面像联邦法院走得那么远。

德法典中，诉答状是首要的用以挖掘和澄清争点与事实的机制，是通过这些诉答状，确定在审判中的争议，并决定案件的结果。

根据普通法的规定，联邦法院没有内在权力去命令施行证据开示，并且仅有两项制定法授权可以实施录取证言。（录取证言是被律师使用以询问潜在证人的方法，要求证人在宣誓下，就他们的所知和与诉讼有关的事件的参与活动作证）。这两项制定法中的第一项，仅允许录取证言"当证人住在距离法院地一百英里以外，或者正在海上航行，或者将要离开美国，或者当该证人过于年老或者体弱"。[1] 根据第二个制定法，录取证言被允许仅当，证人证言是为审判时所不可获得的，而不是为了发现事实。另外还有两个相关的规则仅适用于衡平案件。但是即使是这些规则，也仅允许对于那些对证明当事人的己方案件为必要的事实实施证据开示，当事人不允许去"开示"其对手的事实主张或抗辩。

即使是在今天，在其他国家中，开示对方当事人的事实主张或抗辩也不被广泛认可。在很多欧洲国家的诉讼制度中，也没有证据开示。例如，在德国，原告一般是在它的起诉状中附上所有主要的支持其事实主张的文件，并且被告也在其答辩状中遵循同样的规则。任一方律师都不得要求开示不为其客户所知的证据，因为寻求事实属于法院的领域。见 J. H. Langbein, The German Advantage in Civil Procedure, 52 U. Chicago L. Rev. 823, 827 (1985)。日本，作为另一个大陆法国家，则采取了另一种路径。在将案件提交到法院之前，律师被预期实施集中的审前调查，诸如会见证人和审查其他证据。所有的会见必须是自愿的，并且没有正式的方法用于寻求在宣誓或同意下所作的书面回答；在起诉状被提交后，律师可以要求从其他当事人那里获得特定类型的文件，如果存在该证据将被改变或者被毁灭的风险。在所有的要求中，都必须特别指明其特定文件，必须概括其内容，并且必须特别说明将要证明的事实。

通过建立一个宽泛的证据开示范围，联邦民事诉讼规则再次对美国的民事诉讼程序进行了革命，请阅读联邦民事诉讼规则 26（b）。通常说来，一方当事人被授权要求对于下列事项进行证据开示：

——与诉讼标的相关

——并非不合理的、重复的或不当负担的；以及

——非特权的

在人类想像力的范围内，关联性在实际上是没有界线的。而且，一方当事人被授权证据开示的，不仅是在审判中为关联的且可采的材料，而且也有权开示那

---

[1] Stephen N. Subrin, Fishing Expeditions Allowed：The Historical Background of the 1938 Fedeeal 证据开示规则，34 B. C. L. Rev. (1998) 691, 698 [引用艾迪逊·R·森德兰，The New Federal Rules, 45 W. Va. L. Q. 5, 19 (1938)].

些"被认为能够合理地导致对于可采纳的证据的证据开示"的信息,见联邦民事诉讼规则26(b)(1)。相应地,这就成为一个爬坡战——使法院信服由对方律师事务所寻求的证据开示与任何的事实主张、抗辩、争点、陈述、文件或者案件中其他可开示(discoverable)事项是如此地无关联,以至于不能说其落入规则26所确定的宽泛的范围内,即它是具有关联性的。

第二个证据开示标准是1983年对于规则26进行修正后生成的产品。本来,规则26规定了无限制的证据开示,"除非法院作出相反的命令。"由于修正的结果,该规则现在规定,法院可以限制证据开示的频率,当所寻求的信息是"不合理地累积的或重复的,或者能够从某些其他更方便的渠道获得的"。自然,一个好的律师对此通常都会提出一个不坏的辩论,来说明为什么即便是一份文件的多重相同的版本也必须提供,这样他们才能为其案件做好准备。

第三个证据开示的使用标准将受到特权保护的材料从证据开示中排除,即使它是"关联的"。最经常被援引的特权是律师—客户特权,该特权将律师与其客户之间的保密交流排除在证据开示之外。由于1970年对于规则26的修正,将限制置于为审判而准备的材料,及为获得关于专家及其意见信息的方法上。以下摘自1947年最高法院的一份判决,涉及对律师审判准备的处理,以及对他的工作成果进行保护的问题。在这里选用这份摘录是因为它概括了最高法院对于确立一个新的、开放式的、由当事人控制的证据开示范式的态度。这是自1938年颁布联邦规则以来,最高法院首次关于证据开示所作的重要讨论。

希克曼诉泰勒
Hickman v. Taylor
329 U. S. 495 (1947)

墨菲(Murphy)大法官代表最高法院制作如下意见书:

本案提出了一个重要的问题,即根据联邦民事诉讼规则,一方当事人对于另一方当事人可以在何种程度范围内,要求获得由对立当事人的律师控制的、在为可能的诉讼而准备的过程中得到的证人的口头和书面陈述,或其他信息。对于某人的文档、记录的检查,包括那些来自一个律师的职业活动的事项,都必须仔细进行判断。在此,涉及对个人的工作隐私的保护,而同时,公共政策又支持进行合理的且必须的调查。在这些竞争的利益中取得适当平衡是一个棘手的且困难的任务。

【本案的事实被归纳如下:J. M. 泰勒(TAILOR)过河的时候,在拖一个巴尔地摩和俄亥俄铁路火车车厢平底船时沉没了。5名船员淹死,4人获救。在事故发生的2个月后,美国轮船检察员作出了一个公开听证,当场对该4名获救船员询问。此后很快，该拖船船东的律师，弗腾巴哈，私下从这些获救船员和证人中获取了陈述，这些人是被预期在那些死难者家属提起的诉讼中作证的证人。最后，每个死难者的家庭针对该船东提起了诉讼。几乎全部的请求都无诉和解。大约9个月后，5名申诉人在联邦地区法院提起了诉讼，起诉船东和铁路公司。】

一年以后，申诉人向船东提出了39个质问书。在第38份质问书中，有这样一段：

> 陈述是否任何J. M. 泰勒何其他与拖动该车厢平底船和J. M. 泰勒拖船沉没有关的船只的船员陈述。
>
> 为此质问书附具全部、精确的陈述的副本，如果该陈述为书面陈述，如果是口头陈述，则详细说明这些口头陈述的准确的内容或报告。

补充的质问书要求是否所有口头的或者书面的、已经作出的与任何关于该拖船操作、拖船的沉没以及打捞和修理该拖船、以及死难者的死亡相关的事项的陈述、记录、报告或者其他的备忘录。如果对该回答是为肯定，则该拖船船东就被要求提供所有此类的记录、报告、陈述或者其他备忘录。

该拖船船东，对所有的质问书作了回答，但是第38号质问书及上述的补充质问书除外。在承认他们获得了获救者的陈述后，他们拒绝归纳或者提供其内容。他们这样做是基于，这些请求被称作是"要求获得为准备诉讼而获取的特权性事项"，并且构成了"一个试图非直接地获得律师的私人文档"的行为。他们主张，回答这些提问"将涉及实际翻阅了全部文档，而且还包括了电话记录和律师的思想"。

在就这些异议有关的听证中，弗腾巴哈作出了一个书面陈述，并给出了一个非正式的口头录取证言，解释了他获得这些陈述的情节。但是在录取证言中，他并没有明确地被要求提供这些陈述。……【地区法院判决，申诉人的要求不是特权性质的，并且命令律师回答该质问书及其补充质问书，提供所有的证人陈述，并陈述任何与被告从这些证人中获得的案件有关的事实，并】提供弗腾巴哈所作的、包含了经由证人提供的事实陈述的备忘录，或者向法院提供这些备忘录，以决定这些部分是否应当向原告出示。由于他们拒绝提供，因此地区法院裁判他们藐视法庭，并命令他们监禁直到他们遵守法院的命令。

第三巡回法院对本案满席听审，并推翻了地区法院的判决。上诉法院判决，这里所寻求的信息是"律师工作成果的一部分"，并且因此受到免于证据开示的保护，根据联邦民事诉讼规则。由于该问题的重要性，它已经造成了在地区法院之间的巨大分歧，因此我们准许了对本案的调卷令。

由规则26-37所确立的审前证据开示机制中的录取证言，是联邦民事诉讼规则最有意义的创举之一。根据先前的联邦实务，作为争点归纳和事实揭示的审前功能主要地、且不充分地是通过诉答状来完成的。在审前调查争点和事实被狭隘地受到限制，并且在方法上也常常是笨拙的。但是，新的规则将诉答状的范围限定到通常的给予通知的范围，并在为审判而准备的过程中，录取证言——证据开示程序成为了一个主要角色。存在多种的证据开示工具选择，使其作为（1）一个装置，与规则16确立的审前听审一道，缩小并澄清在当事人之间存在的基本争点，以及（2）作为一个确定事实的装置，或者关于获取已存在的与争点相关的或具有事实内容的信息的装置。从此，联邦法院的民事审判不再需要在黑暗中进行了。该方式现在已清楚地成为当事人在审判前获得全面的、可能的关于争点和事实的认知的手段……

本案中存在争议的基本问题是，是否证据开示能够被用于调查对立当事人律师收集的材料……

在主张他有权调查由弗腾巴哈所准备并获取的材料方面，申诉人强调联邦民事诉讼规则的录取证言——证据开示部分，被设计为用来开示真正的事实，并迫使当事人披露任何东西，无论其可能在哪里被发现。根据这些规则，申诉人认为可以进行这样的调查，它属于规则26（b）所概括的、非特权的关联事项，并且由于证据开示规定在于尽可能做广泛自由的适用，因此对于特权的限制必须被限定到最狭小的范围内。基于这一假设，律师－客户特权是本案所涉及的问题，申诉人认为，它必须被严格地限制在客户对其律师事务所做的保密交流范围内。而由于本案中存在争议的材料是由弗腾巴哈从第三方处获得的，不是从其客户——拖船船东——处获得的，因此其结论是，根据规则26（b），这些材料是适当的、可用于证据开示的材料。

作为对此结论的补充，申诉人还主张，如若根据这些情节而禁止证据开示，将在一个私人原告针对公司提起的诉讼中，给予作为公司的被告一个巨大的优势。因此在一个由受伤害的雇员针对铁路公司提起的诉讼中，或者在一个由受伤害的个人针对一个保险公司提起的诉讼中，该作为公司的被告将能够在它能够搜集到的、所有相关的事实上盖上黑暗的面纱，只要它主张，这些事实是由其律师职员搜集到的。同时，该个人原告，经常对于争议的事项具有直接的认知，并且通常是在直到他提起诉讼时，才会有律师帮助，并且才能获得所有关于他案件的内在细节的强制披露，那么在这种情况下，如果授予律师在其职责过程中所开示的事项以豁免，则在此类案件中，个人诉讼人的权利将被耗尽，并且诉讼将更加变成为一个欺骗的战争而非对真实的发现。

但是以帮助个人原告在针对作为公司的被告提起的诉讼这样的术语来阐释这个问题不是令人满意的回答。毋庸置疑，证据开示既对个人原告有利，也对其不利。换言之，证据开示不是一个单向的解决途径。它适用于所有类型的案件，对于任何一方当事人，个人或公司，原告或被告。因此该问题远超出本案申诉人所面对的问题。并且我们必须看到，由申诉人所寻求的特定类型的证据开示在哪些情况下应当受到限制适用。

当然，我们同意，录取证言－证据开示规则是应当得到宽泛的和自由的对待。不必再用长久的"捕捞"的抱怨来排除一方当事人获得那些构筑其对手案件的事实，相互的获得全部关联的事实对于适当的诉讼是必须的。最终，任何一方当事人可以强迫对方吐出那些为它所持有的事实。录取证言－证据开示程序简单地促进了诉讼的进程，从审判开始前实施的强制披露，能够减少突袭的可能性。但是像所有的程序事项一样，证据开示，具有最终的和必要的界限。【见规则 26（b）和（c）】……

但是，不适当的援引该特权并不提供一个对于我们眼前问题的答案。申诉人已经提出了一个较普通的关联性要求更多的要求，它已经在寻求开示作为权利事项的口头和书面的证人陈述，而对于申诉人来说，这些证人的身份是他所知的，并且对于申诉人来说，关于他们的证言，也是他可以无障碍地获得的。他已经最大限度地要求其对手在宣誓后，就其所知所信对于事实的最广泛的情节作答。质问书被直接指向所有的先前事件。对于这些宽泛的调查的全部的诚实的回答必然包括由弗腾巴哈收集的所有相关信息，即包括了他对于这些证人所做的询问。申诉人没有提示，并且我们也不能假设，在其给出的回答中，拖船船东或者弗腾巴哈的回答是不完全的，或者不诚实的。此外，申诉人也可以自由地检查由美国轮船检察员获得的各种公开的证人证言。因此我们对此问题的处理，是试图确保包含在文档中和弗腾巴哈律师头脑中的书面陈述和头脑印象不被披露，因为披露这些内容是没有任何必要的，因为对于任何情况来说，申诉人所寻求的事项都揭示给他了，他要寻求的，都可以通过质问书或者其他方式获得，这些都是可得的，他只要直接询问证人就可以了。

我们认为，规则 26 没有并且没有任何其他涉及证据开示的规则要求当事人提供本案情形中所要求提供的事项。这不是因为诉讼标的是特权的或者无关联的，这里存在着一种简单的企图，即在没有支持性的必要性和合理根据的情况下，去获得由对方当事人的律师在履行其法律职责的过程中所形成的书面陈述、私人的备忘录，和个人为准备审判而收集的书面陈述、私人的备忘录。因此，它落在了证据开示的范围之外，并且违反了公共政策。即使是最自由的证据开示理论也不能使得这些对律师文档和头脑印象的调查具有合理性。

从历史的角度看，律师是法院官员，并且对于促进正义的工作具有责任，但是，在律师的多重职责中，重要的是，律师必须具有一定程度的隐私工作，免受对方当事人及其律师的不必要侵入。适当的准备一个客户的案件要求律师组织信息，将他所认为的无关联性的材料过滤，准备其法律原理，并计划他的策略，而没有不当的和不必要的干扰。在我们的司法制度的框架下，这是律师行为的历史性的和必要的方式，如此方能促进司法公正并保护他们客户的利益。当然，这项工作体现为会见、陈述、备忘录、信、再要、头脑印象、个人信念和无数其他有形和无形的方式上－对此，本案的上诉法院已经大致做了适当的描述（153 F. 2d. 212, 223），称其为"律师工作成果"。如果仅基于要求，这些材料就对对方当事人的律师开放，那么大部分以书面方式完成的事项将以非书面的方式完成。因此一个律师的思想，将不再是他自己的了。在给予法律咨询和为审判而准备案件中，无效率、不公正以及武断的实务将不可避免地出现。这对于法律职业的结果是挫伤性的，并且客户的利益和公正的理想将不能得到实现。

我们并不是说，在所有的案件中，由对方律师出于诉讼的考虑而获得的或准备的全部书面材料都必然免于证据开示。保留在律师文档中的关联的和非特权的事实，以及提供这些事实对于准备一方的案件如属必然的话，则证据开示可以适当地得到使用。根据特定的情节，这些书面陈述和文件可以被允许作为证据而采纳，或者作为对关联事实的存在或所在的线索而被采纳。或者它们可以被用于抨击或者确证。并且，当证人不再是可获得的，则可以成为提供这些材料的正当理由。但是，我们通常反对侵入律师的准备过程，这项隐私政策一直得到我们社会的高度认同，而且它对于我们的法律程序开展有序的工作是如此之重要，因此，在此，责任负担置于要求提供方当事人。我们认为，该责任负担是必须绝对蕴涵在现在所构建的规则之中。

［规则 26（b）（3）］给予初审法官以必要的自由裁量权，从而就是否应当允许对从证人那里获得的书面陈述进行证据开示作出判断。但是，在本案中，没有为对申诉人有利而使用该自由裁量权的空间。没有理由说明，为什么弗腾巴哈应当被强制提供该书面陈述。对于这些作为权利事项的材料，仅有的一个未证实的一般性的要求和一个由地区法院作出的认定是，它们不涉及被认可的特权。但这不足以使得在本案的情形中，对这些文件的证据开示成为正当性的要求，所以法院应当拒绝关于拖船船东和弗腾巴哈提供材料的决定。

关于证人向弗腾巴哈所作的口头陈述，无论是以他的头脑印象的形式存在还是以备忘录的形式存在，我们都不认为有任何必要性，能够证明提供这些材料是正当的。根据通常情况，强制一律师复述或者写出所有证人已经告诉过他的话，以及将该叙述交给其对手，将产生严重的危险。没有什么正当的意图可以用于使这样的提供要求合理化。如果这样做了的话，那么就将迫使律师就他所记得的，或者他所看见的适合于写下来的关于证人的特征作证。而这样的证言不适合作为证据，并且如果使用它来抨击证人或者用于确证的意图，就将使该律师更多地成为普通的证人，而非法院官员，其职业标准必将因此将受损。

拒绝提供此种性质的文件不意味着任何非特权的事实或材料都能够被本案的申诉人所隐藏。申诉人的律师坦然承认，他想要口头陈述只是为了帮助他自己作询问证人的准备，以确保他没有遗漏任何事情。而这不足以允许他成为职业活动隐私保护政策的例外。假使存在一个例外的情形，使得提供这些事项具有合理根据，那么申诉人的案件也不属于这样的情形。

我们完全欣赏在法律职业者之间发生的关于本案所提出的问题的全面争论。这个问题是，什么是证据开示程序最朦胧的界线。但是除非某些规则或者制定法明确作出相反的规定后，我们不认为在本案这种情形中，允许对一个合格的具有合理根据的权利事项进行证据开示。当规则26和其他的证据开示规则被采纳时，最高法院和律师协会的成员普遍都不认为，所有的律师文档和头脑印象应对其对手开放，而成为可以自由查阅的事项。

因此，我们维持联邦上诉法院的判决。

杰克逊大法官提出了并存意见：

申诉人的律师坦率承认，他想要这些信息以帮助准备他自己的对证人的询问，以确保他没有忽略任何事情。在他的摘要中，他提出的支持性的观点是，联邦规则是为了废除旧有的把诉讼变成"一个律师之间的智慧战"的状况。但是普通法的审判是并且总应当是一个对立的诉讼格局。证据开示并没有被设定为使得一个博学的职业律师履行其职责，就无需智慧或者是从对手那里借得智慧。

由地区法院的命令所确立的实务，其真正的目的和可能的结果将是，把审判推到一个甚至低于一个"智慧战"的水平上。我认为，没有什么较要求律师写下并交给其对手证人对他的陈述更能够挫伤律师界。即使他的回忆是完美的，但陈述用的还是他的语言，渗入了他的推理。每个试着这样做过的人都知道，公正的记录一个证人的表述几乎是不可能的，要想使证人在法院的环境中以及在诱导性的问题的影响下所作的证言，与其在给予律师的证言在某些方面没有出入，这也几乎是不可能的。无论何时，一个证人的证言都将不同于律师已给出的"精确的"陈述。所以，不能使用该律师的陈述来抨击证人。而律师向其对手提供的"不精确的"陈述也没有任何意义，当我们说，"陪审团的先生们，这里存在着矛盾出入，我不知道是否这是我对手没有说真话，或者他的证人没有说真话，但是肯定有一个人没说真话"。当然，如果这样的实务被采纳，如此的情景将被一再地重复、重复再重复。交出这样的陈述的律师经常会发现他们自己被标记为骗子，那么，他们就会不得不为维持他自己的可信性而辩护，也许就将是反对他自己的主要证人，或者可能甚至反对他的客户。

每个律师都不喜欢把自己落入证人的立场，职业不鼓励这样做。但是实践促使他在这里被迫作为一个证人，不是关于他看见了什么或者做了什么，而是关于其他证人的故事，并且不是因为他想这样做，而是为了自卫……

注释与问题

1. 允许当事人通过肯定的证据开示获得信息，那么这对于揭示仅隐藏于诉答状的问题（无论是他们自己的还是对方当事人的）可能是一个中立的、对于自由化的"通知性的"诉告文状程序的辅助，对吗？它是否也是一个必要的辅助？

2. 联邦民事诉讼规则的起草者认为，宽泛的证据开示将帮助当事人在审判前获得关联性的事实，因此减少了突袭的可能性，并提供了一个更公正的结果。那么，为什么要对律师的工作成果提供保护？用另一种眼光看，为什么要保留这个特别的突袭因素？

3. 突袭因素必然与追求公正相反吗？正如一位联邦法官所言，"通常，一定数量的突袭，是产生真相的催化剂"。参见 Margeson v. Boston & Maine R. R, 16F. R. D. 200, 201 (D. Mass. 1954)。

第三节 证据开示技术

联邦民事诉讼规则 26 到 37 是调整证据开示实务的规则，概括了当事人可以获得证据开示的方法。下面，我们确定最通常使用的证据开示类型，阐述每种技术的优点和缺点。

一、非正式的证据开示

联邦民事诉讼规则没有探讨什么可能是最通常使用的证据开示的方法。非正式的证据开示技术包括（1）非当事人会面；（2）现场调查；（3）交换信息（例如，与其他已经针对同一被告或者处理过相似事件的律师交换意见）；（4）要求从政府机构处提供信息；（5）要求其他机构和法院提供记录（包括刑事、遗嘱检验、税务和土地法院以及姓名地址名录中）。总之，非正式的证据开示指任何形式的司法外的调查或者研究，以期获得与案件有关的事实。

非正式的证据开示技术有两个主要的优点。首先，非正式的证据开示费用较低。事实上，在特定的情节中，当事人可能为律师或者与律师协同进行非正式的证据开示，因此限制了费用的支出。在某些案件中，一个私人调查员也可以快速有效地开示特定的信息。非正式证据开示的第二个优点是，其非正式性对于对方当事人不会提供任何告知。对于一个希望发掘其案件而不警示其对手她所寻求的法律原理的律师来说，这也是很有用的。在这里它什么都不承担，诸如医院等机构将给出记录，只要有被寻求信息的当事人的授权。不过在这些情形中，对方当事人将可能了解到你的非正式的证据开示努力。

二、强制披露

除了特定的例外外，作为当然事项，当事人被要求披露某些信息。联邦民事诉讼规则26规定了强制性披露的三个阶段：初始阶段，专家，和审前。

"除双方当事人另有约定或法院命令或地方规则另有规定外"，一个初始的披露必须发生在当事人初次会面后的10天内。见联邦民事诉讼规则26（a）（1）和26（f）。在该阶段，规则要求一方当事人提供给对方当事人（无需等待证据开示要求）：

- 每一个可能具有可开示的"与诉答书中主张的特定争执事实有关的"信息的人的姓名、地址和电话号码；
- 与诉答书中主张的特定的争执事实有关的文件的副本或对该文件的描述；和
- 损害赔偿金的计算书。

然后，同样当事人有义务使得查阅或者复制成为可行（1）支持计算损害赔偿金的计算的文件和（2）任何保险协议，根据该保险协议，其持有者可以获得全部或部分为判决款项。

专家证言，除了特定的例外，被要求在法院的指示下披露，并且在任何情况下，至少在审判日期前90天完成。见联邦民事诉讼规则26（b）（2）。然后当事人被要求披露：

- 被用于在法庭作证的专家的身份；
- 专家被告，由该专家签字的，提出对于该专家将要作证的问题的意见，以及形成这些意见的根据和理由；和
- 关于该专家资格的简历信息，出版物，和该专家作证的其他案件。

被要求的披露的第三个阶段是发生在审判前的30天。见联邦民事诉讼规则26（d）（3）。在这一阶段，当事人必须每个该当事人预期传召的证人（或者其证言被预期以录取证言的方式提出的）的身份，如有必要，当事人要宣读证人的身份并且将确认被作为证据引入的文件。

作为一个实务的提示，记住联邦民事诉讼规则26（e）施加了一个关于持续补充强制性披露的责任。

三、开示附加事项的方法

联邦民事诉讼规则26（a）（5）规定当事人可以通过以下一个或多个方法获得证据开示。

1. 录取证言

录取证言被律师用于询问潜在的证人（既包括当事人也包括非当事人），在宣誓下就其所知和对于特定事件的参与或者关于构成讼案的情节提供其所知。录取证言典型的方式是口头进行，且其所说的每一个字将被法院记录员（或者通

过机械方式）逐字逐句地记录，并被录为文本。该证人（被称为被录取人）被给予一个查看文本并作出技术上改正的机会。见联邦民事诉讼规则30（e）。

录取证言被广泛地认为是最重要的正式证据开示程序。所以，没什么可惊讶的，在12个证据开示规则中，有半数都与录取证言有关。阅读联邦民事诉讼规则27到32，这些规则规定了一系列的技术，包括录取证言应当如何被通知，根据什么情节一个证人可以被笔录，录取证言可以在谁面前作出，以及如何使用一个录取证言文本。

可以以书面形式在"合理通知"中确定录取证言的时间。并且通知方当事人可以要求证人携带文件前往，当然这也引出了联邦民事诉讼规则34的时间限制，见联邦民事诉讼规则30（b）（5）。如果被录取证言人是一个非当事人，那么通知方当事人也要向该证人发传票。见联邦民事诉讼规则45。如果一个证人（无论是当事人还是非当事人）没有为录取证言而出庭，她可以被要求为通知方当事人支付费用和支出，根据联邦民事诉讼规则30（g）的规定。

在录取证言中，通知方当事人确定录取证言的地点，一般都是以该方当事人的律师办公室作为录取证言的地点。典型的录取证言像一个商务会议，有录取证言方当事人和其律师，坐在桌子的一端，对方律师在另一边。当事人有权参加任何为他们的案件而进行的录取证言，对各方当事人来说，去观察一个录取证言的进行，都经常是一个策略性的事项。被录取方的律师可以对在录取证言中的提问提出异议，但是能够排除被录取人回答提问的仅有异议是，一个关于问题形式的异议，和一个对其回答将揭示出特权信息的异议。所有其他的回答都被要求给出，并被记录，但是保留"属于异议"的记录，见联邦民事诉讼规则30（c）。

关于口头录取证言，至少有五个主要优势。（1）一个口头录取证言给予律师对一个潜在的证人在宣誓下提问的机会，这是一种和审判相似的方式进行的，因此评价证人的举止方面可能特别有用。（2）无论是否真实，所有的被录取证言人都在录取证言前获得律师辅导，对于问题的回答将具有一定程度的即时不可获得性，相对于其他的证据开示方式而言。（3）在一个录取证言中，律师有机会遵循基于回答中所解释的信息而提问。（4）根据证据规则，任何在录取证言中被记录的事项都可以在审判中使用。录取证言的部分经常被用于抨击证人的证言，并且可以被替代在法庭上的证言，如果某证人在审判中不能出庭的话。（5）非当事人也可以被录取证言。实际上，非当事人也可以被传唤携带文件或者其他的有形物来录取证言。因此，对于通过其他方式不可开示的证据，可以通过对关于该文件和物品的询问而获得。

采用录取证言的最大的劣势是费用开支。要求录取证言的当事人必须用相当多的时间来准备每一个录取证言。律师也必须雇用一个法院书记员，该人的收费大约是每小时 20 美元。然后，每页记录要收费 5 美元，这取决于录取证言的空间，法院书记员大约每小时最多记录 50 页文本。记录的支出，与法律费用加起来，意味着每 8 个小时的录取证言轻轻松松就要花费录取证言方当事人大约 5000 美元。此外，除了这些费用外，如果被录取证言人不在当地，当事人还必须支付车马费。被录取证言人也要支付费用，包括与其律师为录取证言而准备的时间，以及因无法工作而受到的损失。自 1993 年，有一个关于录取证言的限制，当事人可以作为权利性的事项使用，见联邦民事诉讼规则 30（a）（2）（A）；并且地方规则也可以作出更多的限制，见联邦民事诉讼规则 26（b）（2）。在某些情况下，考虑采取录取证言方式的律师会决定不这样做，因为他不想被录取人（或者被录取人的律师）能够探知任何关于他的案件的法律原理，同样地，他想直到审判开庭时才对该被录取人进行质问。

2. 书面质问

根据联邦民事诉讼规则 33 的规定，书面问题可以被提交给对方当事人，并且必须被以书面方式在宣誓后作答，并在指定的期间内送返。请阅读联邦民事诉讼规则 33，注意规则第 33（a）条详细说明了为了质问公司和合伙而使用的机构这一概念。提问可用于寻求任何根据规则 26（b）（1）条规定的可开示的信息。

使用书面质问至少有三种好处。首先，质问书经常是最有用的从对方处获得详细的和/或无争议的信息的机制。如果在案件的早期被送达，在获得姓名、地址、日期、雇主、历史、清单、数目或者其他的技术性信息方面，质问书可以非常有用。第二，从准备和向对方当事人送达上看，质问书比较经济。事实上，大多数律师（并且很多的实务书）都已经列出了针对特定类型案件的质问书。第三，质问书可以在审判中使用。对质问书的回答是对方当事人的陈述，因此，根据证据规则，作为对于传闻的异议，可以被采纳。

但是，质问书的不利之处在于，回答几乎总是由律师起草的，那么因此，其中所包含的信息就是尽可能的少。回答不是即席作出的，所以没有机会给予一个及时的后续提问以便澄清相关问题。而且，某些律师迟延对于质问书的回答，直到他们的客户由法官强迫回答，或者对于质问书的范围和措词作出每个令人信服的异议。与录取证言一样，对质问书也存在着数量限制，对此，当事人可以作为权利事项而主张，见联邦民事诉讼规则 33（a），现在的建议性限制是 25 个，地方规则还可以作出更多的限制，见联邦民事诉讼规则 26（b）（2）。

作为一个重要的策略考虑，起草和回答质问书都是应当考虑的一部分，你要告知你方当事人，你的法律原理。一方面，质问书是一个微妙的修辞性的装置，是一个辩护的机会；另一方面，足以说服的细节将令到对方当事人去思考，并且会给予你的对手充分的时间以形成一个回应性的法律原理。

再一次需要说明的是，记住联邦民事诉讼规则 26（e），它设定了一个持续性补充你的证据开示回答的责任。

3. 提供文件和物品

根据联邦民事诉讼规则 34 的规定，任一方当事人都可以要求对方当事人提供文件和物品，并在把他们交还给提供方之前，可以检查并复制这些文件和物品。请阅读联邦民事诉讼规则 34。"提供"可以包括提交一份被要求的信息的副本或者使得该文件和物品能够在一特定的时间和地点被查看。

通常被认为关于文件的要求的一个好处是，"文件"这一术语被作广泛的理解（正如在规则本身所列的物品中所暗含的），意指几乎任何类型的书面的、记录的或者数字化的信息物品。一个文件要求也包括对于事情的要求，包括了对于动产或不动产的物理查验，包括设备、装置、交通工具以及类似的物品。对于文件的宽泛定义与联邦民事诉讼规则 26（b）所设定的宽泛的证据开示范围相一致。

文件要求的一个主要不利之处，很难在过度和不足的之间获得平衡。一方面，文件要求应具有一个确定程度的明确性，因为要求方当事人必须提出具体的足以确保对方当事人将提交所寻求的文件的明确的要求。但是，提出该要求太过广泛的话，会导致一个文件雪崩，对于要求来说的确是给予了回应，但是将埋葬所寻求的文件。

使用一个证据开示要求的不利之处是，规则 34 被限于当事人，并且仅限于在当事人"持有、保有和控制"中的物品。但是，新近对于联邦民事诉讼规则的修正已经放松了这一限制。规则 34（c）部分允许一方当事人针对非当事人提出文件传票，以与规则 45 所规定的传票要求相一致的要求。

再次提醒你注意的是，联邦民事诉讼规则 26（e）对于补充证据开示要求施加了一个持续性的责任。

4. 身体和精神检查

根据联邦民事诉讼规则 35 的规定，对于某人的一项身体和/或精神检查可以提出要求，如果该人的状况有争议，并且该被检查人被给予了适当通知。请阅读联邦民事诉讼规则 35。医疗检查是仅有的需要获得事前的法院批准的证据开示，且该法院要求表明对于此种检查存在"良好理由"。

该装置仅适用于一个相对狭隘的案件类型，在于当被检查人是真正的"有争议"的。最高法院已经作出了清楚的说明，联邦民事诉讼规则要求较"诉答状中的结论性主张"更多甚至较"与案件具有关联性"更多的要求。必须是"一个肯定的表明，动议人对于所寻求的检查的每一个条件都是实际并且是真正具有争议性的"，见 Schlagenhauf v. Holder, 379 U. S. 104 (1964)。

当允许进行一项检查时，法院命令检查的时间和地点。被检查方当事人的律师通常不被允许参加，请再次阅读联邦民事诉讼规则35（b）（1），条然后你会看到，除了费用以外，都可以看作是该装置的不利之处。

5. **要求承认**

根据联邦民事诉讼规则36，一方当事人可以送达任一方当事人一份承认要求书，关于在证据开示范围内的任何事项。请阅读联邦民事诉讼规则36。要求承认最典型的状况是，为任一方当事人使用的用于探知对特定争议的"问题与回答"的陈述。要求方当事人以陈述的形式确定"问题"，回答方当事人被要求予以承认或否认。例如，一个辩护律师可以将一个诸如"承认或否认：在那次致命事故中，兰德·迪没有系安全带"的要求纳入。此类要求可以被设定为确定是否将在审判中使用特定的积极抗辩。

要求承认的主要好处是，他们提供了一个"锁定"特定同意或否认事实的机会。不同于在审判中的证据，这些证据将是可反驳的或者否认的，一旦同意，那么在系属诉讼中，该事实必须被作为是确实的事实，法院允许"撤回或者修改"，见联邦民事诉讼规则36（b）。重要的是，根据联邦民事诉讼规则，对于一方当事人提出的承认要求，没有数量上的限制。相应地，作为一个审前的装置，该装置可以特别有用，以消除关于特定的证明的必要性，包括，例如，确立文件的可采性的根据。

注释与问题

1. 根据强制性的披露规则，如果起诉状包含了一个简短的、简单的主张，但是没有特定的事实主张，那么，原告的义务是什么？被告的义务是什么？

2. 通过什么标准你能够确立对于一项主张的事实，伴随特定的细节足以启动一个披露义务？为表明你在哪里划定界线，请起草两种版本的事实主张（关于任何事项的），正处于你认为的"特定的"界线之上的。

3. 考虑关于支持和反对联邦民事诉讼规则26（a）（1）的观点，特别是允许通过地方规则背离该规则的规定。

4. 在希克曼（Hickman v. Taylor）案中的申诉人能够通知弗腾巴哈律师录取证言吗？申诉人能够强制弗腾巴哈律师回答规则33的质问书吗？

5. 证据开示制度要求在当事人之间的合作，但是该要求的合作与我们的对抗制背景是相反的。请再次阅读联邦民事诉讼规则26（g）和30（g），阅读联邦民事诉讼规则37。

6. 根据联邦民事诉讼规则26（c）的规定，为了获得一个针对证据开示要求提出反对的保护命令，一方当事人必须表明存在良好理由。当敏感性的材料是证据开示的主题时，法官可以进行一个照相审查以衡量给文件的敏感性，文件的敏感（或者特权性的）部分也可以被编辑以阻止关于特定信息的披露。

7. 证据开示规则不是最终的命令，因此很少受到上诉审查。即使当一个证据开示命令受到上诉法院的审查时（在作出最后判决后），一审法官的决定仅出于"滥用自由裁量权"而被审查，因此很少被推翻。

8. 开始你自己的免于证据开示方法的列表，那么在列表中，可能你会包括了某些方法：对于回答的反对（诸如对质问书的反对或者只是一个证人在录取证言中不作答），寻求连续性；限制回答或者遵守一个要求对于最狭隘的可能的问题；寻求一个限制性的命令或者保护令；提出取消动议；以最可能的宽泛的范围阅读一份要求，提供极多的信息，最具有关联性的信息将在混乱中迷失；主张对方当事人没有遵守所要求的披露、会面、计划和确定要求在开始额外证据开示之前。寻找使得上述内容被授权的相应的规则规定（以及所有那些你加入到列表中的内容）。

9. 列出你自己的强制证据开示一览表。从以下内容开始，然后去看相应的规则规定，关于所有你所列的事项的授权性规定；寻求一个强制遵守的命令；寻求藐视令；提出抗辩然后试图与对方律师达成一个自愿的明确的协议，关于证据开示将如何明智地且公正地进行的协议，包含了非常精确的内容（最好是让这样的协议纳入一个法院命令中）。你也可以动议要求强制你的对手遵守所要求的披露要求或者证据开示计划，或者补充披露。

10. 我们不认可任意的行为，事实上，在本章的后一部分，你将处理因证据开示规则而隐涉的伦理问题。也请考虑证据开示"是一条没有尽头的长路"。你的行为和名誉将确定你在别人眼中是如何看待的，以及你的言辞或辩论将如何被接受——现在或以后。当然，古老的花言巧语的艺术总是认为说话人——以及其言词——对于听众是否能被说服来说是至关重要的。

11. 为在美国的民事诉讼使用而在外国进行的证据开示提出了很多尖锐问题。世界上没有其他国家允许像美国如此多的证据开示，而且很多国家已经通过了立法以"阻碍"（toll）的制定法形式限制外籍当事人在其国界内所进行的证据开示。也许最著名的此种措施是法国的阻碍制定法，该法禁止当事人在法国法院的管辖范围内要求或者提供被用于在外国司法程序中的证据，而非通过经由海牙公约、其他的国际条约或法国法所明示规定的程序提供的证据。见 Vincent Mercier & Drake D. McKenney, Obtaining Evidence in France for Use in United States Litigation, 2 Tul. J. Int'l & Comp. L. 91, 92 (1994)。

在美国，三个基本程序规则调整在国外收集证据的活动：（1）如果该人受到美国法院的对人管辖权管辖，那么联邦规则的几个用于帮助在外国的证据开示适用，即联邦民事诉讼规则28（b）、34、45（b）(2)；（2）同样地，如果满足对人管辖权要求,州程序规则可以被用于辅助在州法院的诉讼;(3)关于在民商事事项中从外国取证的海牙公约,纳入《美国法典》第 28 编第 1781 节中。根据海牙公约,该证据开示规则适用于民事和商事诉讼人,在联邦法院和州法院中的,当要求开示的证据位于一个海牙公约的签署国中。无论在国外的证据开示是否根据海牙公约而进行,或者进行证据开示的程序规则应该是什么,这都是一个留待一审法院的自由裁量权决定的问题。见 Societe Nationale Industrielle Aerospatiale v. United States District Court for the Southern District of Iowa, 482 U. S. 522 (1987);又见 Gary B. Born & Scott Hoing, Comity and the Lower Courts: Post Aerospatiale Applications of the Hague Evidence Convention, 24 Int'l Law 393, 394 (1990)。

实务练习十四
在卡彭特案件中的证据开示计划

你是一个代理南希·卡彭特的律师事务所的聘用律师。假定原告,南希·卡彭特,作为一个遗产管理人,已经追加了终极公司和蓝带尔·迪和彼得·迪作为被告。结果,终极公司因其共同过失而针对蓝带尔·迪提起了交叉诉讼。再假定在起诉状中所寻求的初步禁令已经获准并仍然有效。

和南希·卡彭特的初次会面,初始起诉状和迪的答辩状,修改后的起诉状,以及终极公司的答辩状和交叉请求,都在案卷中。假定由贵事务所确定日期的惟一的开示是和蓝带尔和彼得·迪的律师的私人的调查和一个电话交谈,这促进了贵事务所提出动议要求修改起诉状,以追加终极公司作为另一个被告。

你已经从一个初级合伙人那里收到了以下的备忘录,你是一个暑期聘用律师。

备忘录

致:暑期聘用律师

关于:卡彭特诉迪/证据开示计划

我需要了解一些关于我们在卡彭特案件中的证据开示情况,因为我计划明天上午会见对方律师。请审查起诉书,以及相关的文件,然后概括出本案的一个证据开示计划。特别是,我对于你们关于我们应当使用什么样的证据开示技术很感兴趣,我们要对哪些证人录取证言,这些证据开示技术应当以什么顺序进行,我们现在已知的事实都有什么(别忘了非正式的技术和披露要求)。假定出于这个作业的目的,马萨诸塞州法院适用目前的联邦证据开示规则(并且对于联邦民事诉讼规则 26 (a) 没有被排除适用的部分)。

你要考虑是否以及何时对特定的证人录取证言。我将给你任何关于我的一些设想(尽管经常会有例外——而且很多大律师可能并不赞同这其中的某些内容）：

1. 我总要对于对方当事人录取证言。

2. 我通常要对于对方的非当事人证人录取证言，因为我需要确切地知道，他们将要如何作证。但是，我一般不会给予录取证言的通知，直到我确定我的对手也已经发现了该证人；我不会引导他们到一个他们不知道的证人。我也努力作出某些判断关于我是否认为该不利证人将会被用于审判。

3. 关于是否对于一个非当事人证人录取证言的问题，对于我来说是一个机警的信号。当有利的证人对于审判来说成为不可获得的，并且没有替代的录取证言，我已经看到了大灾难临头。我也已经看到友好的证人在向不友好的转向，在我能够获取他们的录取证言并把他们锁定之前。但是，同时，我总是享受在审判中传召那些没有被录取证言的证人在战术上的优势——特别是，在反之当我的对手可能会在录取证言中了解到某些在审判中可以发掘出的东西的时候（包括即使关于怎么对该证人发问是最好的）。

4. 别忘了录取证言是价格不菲的。考虑我们是否可以用打电话或者一个非正式的会面获得同样的结果。

如果我还没有关于诉讼的请求或者事实足够的认知的话，我通常会以一套常用的质问书和文件要求开始。在我们收到回答后，很快我通常就会对次要的证人录取证言，并且运用从他们那里获得的信息发出第二套质问书和文件要求，以便获得我们真正想要的信息。在有了这第二轮的书面证据开示的利益之后，然后我通常会对关键证人录取证言，包括其他的当事人。我一般是对专家录取证言，并提出对于任何重要的事项的采纳要求。

但是我认为本案是不同的。我还没有做过任何像这样的案件，现在我很怀疑我们是否应该立即对迪先生录取证言。

请给予某些考虑，并准备一个关于证据开示计划的概要以便让我审查。

N. B.，你应在案卷中通知我们所获得的关于"加高的卡车"的插图、例子和解释。现场的某些照片也应当加进去。

在你做这个作业时，你可以在案卷中看到卡彭特案件中的证据开示材料。但是，为了练习的考虑，假定现在还没有进行任何证据开示。你能够确定南希·卡彭特的实际律师的策略吗？你认为该律师的工作怎么样？

第四节　关于证据规则的简介

对于一个初审律师来说，理解这句话很重要，"法庭是自我现实的真实图景"；如果证据没有被采纳进入案件记录，那么该证据就不能被事实认定者考虑。换言之，那些对于支持裁决为必要的证据必须在记录中，因此律师必须确保，所有他要事实认定者考虑的证据都被适当地采纳。重要的，在诉答书中所主张的事实，提供或获得的证据开示材料，在审前程序中作出的陈述或辩论不是证据并且不能支持裁决。证据仅是那些在审判中被当事人引入的信息（无论是通过证言还是通过文件或事物）并且被法庭采纳进入记录的信息。[1] 证据规则规定，当事人可以提出什么样的证据才能够被采纳进入记录。

　　大多数案件都不是通过"冒烟的枪"而被证实的，也就是说，关于争点的直接证据。直接证据是那些明确证实问题的证据，例如，在卡彭特案中，作证表明她看见吉普车翻车的人，是证明翻车事实的直接证据。它为什么会翻车可能要求情境证据（circumstantial evidence），这是关于一系列的事实的证据。专家可能会对此作证表明，提高一个车辆将如何改变其重心，并且使该车变得不稳定，特别是当它转弯时。这个，和其他证据一起，会允许作出一个推论，在不预先作出警示的情况下，销售特大的轮胎和起升套件是（1）过失，（2）事实原因，和／或（3）查理斯·卡彭特死亡的近因。有大量的关于在民事诉讼中创造性地将事实变成证据的技巧和艺术，将会得出律师事务所期望的推论。

　　当某人在联邦法院时，证据可采性是受到联邦证据规则调整的。在州法院，可采性是受到书面的法典或者证据规则的制定法所调整，州的证据规则经常是仿效联邦证据规则制定的，或者普通法的证据规则，通常为制定法所补充。为了我们的卡彭特和克里夫兰市的作业考虑，假定该联邦证据规则是我们在本案中适用的规则。他们代表了普通法的证据规则，尽管在很多的情形下，他们较相应的普通法规则更倾向于采纳证据。

　　对你来说，有所帮助的是，即使在这个最初的阶段，熟悉某些证据规则，即某些与关联性、传闻、意见证据和特权相关的证据规则是非常有用的。当然，我们有专门的关于证据规则的课程，所以本部分只是一个简介。

　　关联证据，根据证据规则401的规定，"是指证据具有某种倾向，使决定某项在诉讼中待确认的争议事实的存在比没有该项证据时更具有可能性或更无可能性"，见联邦证据规则401。为了作出一个相关的辩论，某人必须求助于那些你在本教程中的先前部分所学到的概念：诉因和构成要件。我们怎么能知道一项事实是"对于某案件的决定是决定性的"，除非他知道所赖以依据的诉因、构成要件、抗辩和其构成要件，以及各方的法律原理。

　　我们再来考虑卡彭特诉迪这一案件。如果在过失案件中的单独法律原理是，

---

〔1〕 有一些经常被忽略的提供证据的方法，诸如要求法院对于一特定事实作出司法认知（judicial notice）或者通过当事人的事实协定（stipulation）采纳某些事实。

驾车人没有戴上规定的眼镜,并且因此而没能够看到行人,结果撞上了行人,那么关于车上的超大轮胎的证据很可能就是无关联性的(我们说可能,是因为过高的轮胎会与视线的区域相关,因此你也可能会提出另一个关联性的辩论)。但是当针对驾车人的法律原理是,过失改变吉普,通过用一个超大的轮胎和吊件(外加曲棍球)加高并且以这样的状况驾驶吉普车时,那么无关联的证据可能就突然变成了关联性证据。

在被提供的证据和有争议的问题之间的关系越远,法官就越不可能认定其具有关联性。在证据的用法方面,试图排除证据的当事人提出异议。如果法官同意该异议,则会维持(sustain)该动议。如果法官认为这个动议不怎么样,那么她就驳回(overrule)该动议。如果该动议被驳回了,那也就意味着,该证人将被命令回答问题,或者如果关于实物证据,则提出的实物证据被采纳。

一证人的可信性总是具有关联性的问题。证据规则允许使用多种抨击(impeach)证人可信性的方法,诸如,偏见,自相矛盾的陈述,这些被认为是对于该证人的真实性和诚实度的坏名声,或者一项重罪的定罪记录,或者涉及不诚实或错误陈述的罪名的定罪记录。在一些非常的案件中,关联性的证据也可能被排除,因为这些证据是偏见性的(见规则403)。例如,如果在事故发生时,卡彭特案件中的死者正处于盗窃罪的指控中,某人可能辩论,该死者被转移到别处,并且因此同意陪伴兰道·迪在吉普车中,而对于其加高的结构他本来应当拒绝的。某人也可能辩论,这一证言与死者的谋生能力具有关联性。但是无论该信息是否具有最轻微的比较过失证明力,或者某种程度上与损害赔偿问题相关,某些法官都会认为这样的信息的关联性价值足以被削弱,并且被其潜在的偏见性超出。

根据规则801(C)的规定,传闻是"指不是由陈述人在审判或听证中作证时作出的陈述,在证据上将它提供来证明所主张事项的真相",见联邦证据规则801(C)。传闻包括口头和书面陈述。一般而言,即使一个庭外陈述是被签署的或者是在口头宣誓下作出的,它仍然是传闻。传闻可能是最难懂的证据概念,并且有多种形式。传闻一般是不可采的,除非某人能够认定其属于传闻例外。

某些传闻的例子是相对简单的。在卡彭特案件中,如果美丽萨为作证李告诉她关于他所看到的该吉普车的事故而出庭作证,这样的证言就是传闻。事实认定者必须决定是否李关于该事故的说法是真实的,尽管李不在庭上被交叉询问。如果美丽萨被询问,李当时站在什么地方,他声称他看到了这起事故,那么她可能回答,"我不知道"。她可能会说,"去问李吧"。问题就在这儿。应当是那个实际看到事故的人来作证,因为对方当事人需要对他或她就他所讲述的故事发问。

有时,一个庭外陈述并不是出于传闻的目的(即,所主张的事项的真实性)

而被提出,并且因此它成为可采的。在一个口头合同案件中,A 说,B 作出了口头承诺,该合同的措词本身是关联性的并且是可采的,对于一个传闻的异议来说。如果 C 作证,说,他听到"A 告诉 B 他会每个星期给 B 的母亲 500 块钱,然后 B 说,由她来付这笔钱"。那么在一个基于该合同的诉讼中,这不是传闻。所说的话本身是关联的,并且某人不需要对于说话人进行交叉询问(A 和 B)。C 能够被交叉询问就足够了,关于 C 当时站在什么地方,以及关于 C 能否听见,或者 C 是否具有偏见。实际上,出于同样的原因,A 和 B 也可以对于合同的措词作证,在他们之间是怎么说的。"非传闻目的"的概念是难以捉摸的,并且它使得很多的学生在证据法课(以及律师实务课)上花大量的时间来掌握这个概念。

即使被提供的证言是传闻,它可能属于一个传闻例外,并且因此而可以作为证据而被法庭采纳。通常从历史的角度上看,这也会被称为承认例外,见联邦证据规则 801(d)(2)。为了证据的目的,一项"承认"是由对方当事人作出的任何陈述。它无关乎该对方当事人是否实际承认任何事情。如果你的对手这么说或是这么写,那么它就不会因传闻而被排除。换言之,如果在一个过失汽车人身伤害的案件中,被告说,"在出事的夜里,道路很滑",原告可以叫证人作证说,她听到被告这么说。它将被采纳而用来反对被告,无需任何的分析,该被告是否认为他在承认什么事。如果你的对手这么说,或是这么写,并且它是关联的,那么一般就是被采纳的。出于一个非常深思熟虑的理由,我们在此不作考虑,联邦证据规则的起草者把承认作为非传闻,而不是传闻例外〔见联邦证据规则 801(d)(2)〕。但是结果是一样的,一个对方当事人的陈述将被采纳对于一个传闻例外。

很多传闻例外被分为多种,其中关系到该庭外陈述人是否可以作证,因为诸如死亡、疾病、拒绝或者记忆问题的原因。规则 804 列出了要求提议人表明该陈述人不可得否则该陈述即为传闻的传闻例外。

意见证据规则一般把外行人的意见作为不可采,见联邦证据规则 701。在一个歧视案件中,原告一般不能说,她认为她受到了歧视。她被允许描述作为雇主的被告是怎样对待她的,这样事实认定者能够得出结论,是否存在违反法律的歧视。如果一个证人被证明(或者通过当事人之间的协定)是一个专家(这经常被称作资格),并且寻求在她的专业领域给予意见,从而帮助事实认定者就一个相关的问题,那么这样的专家意见一般是可采的(见联邦证据规则 702)。有些情况下,一方当事人需要专家以便满足其证明责任。例如,在一个医疗事故案件中,如果没有至少来自一位专家的证据关于医护的标准问题,原告通常难以幸免于关于要求指示裁判的动议,专家就被指称的行为违反标准以及是否被指称的过失就是导致伤害的原因作证。

另一组证据规则是关于特权的规则。你可能听说过宪法第五修正案的反对自证其罪的特权。但是还有几项其他特权，经常是制定法的，被确认为保护在特定人们之间的保密交流的特权。也许在诉讼中最常用的特权就是律师－客户特权，这是由普通法发展而来的，但是现在在很多州是制定法特权。如果一个被保护的职业关系存在，诸如在律师和客户之间的关系，那么是客户掌握着该特权。客户而不是律师，可以放弃排除与他们之间的职业关系有关的口头和书面交流的特权。这里的理性基础在于，如果没有这样的一种特权，那么客户不会披露信息，而为了提供好的法律服务，这些信息是他们的律师必须知道的。

很多的州也有以下特权，神甫－忏悔者、医生－病人、配偶（丈夫－妻子）特权。多种合理基础支持这些特权，这些你会在证据法的课程上学到。联邦证据规则的起草者们不能就特权达成一致意见。这一点特别体现在关于国家秘密方面的特权。结果，在联邦法院，联邦证据规则501是证据规则中关于特权的仅有部分。因此，为了适用证据规则，联邦法院会查看其他的法律渊源（诸如宪法、国会制定法和在联邦法院发展起来的普通法或州证据法，特别是涉及到异籍当事人的案件）。

当在证据事项上，律师需要更多的指导时，他们经常会看被称为麦克考米可证据法的专著。律师们也会参考怀特和米勒的证据法专著，涵盖联邦证据规则和联邦民事诉讼规则。此外，联邦证据规则的注释也提供了相关的判例法，在每一条规则后面。律师们经常使用这些判例法，以作为他们关于某特定证据的可采性辩论的补充。顾问委员会的释义在这方面也经常很有用。还存在证据的统一规则，某些州已经整体采纳或部分采纳。在州法院的律师们经常使用一本关于该州证据规则的手册。为就某州证据法的特定问题获得指引，律师们经常参考详细探讨该州的证据法的州专著。

第五节 热忱的律师代理和职业道德考虑

当勤勉地为他们的客户寻求信息时，律师经常试图阻止其对手获得他们所掌握的证据，即使非常优秀的律师也倾向于以尽可能狭隘的范围来阅读一条关于提供信息的要求，以便保护其客户。事实上，不这么做的话，就可能被认为是失职——或者至少是坏律师。在这一部分，我们将阐释在热忱的律师代理和职业道德责任之间的张力。阅读本节，请阅读在示范法典和职业责任示范规则中的相关部分。

这些部分使你们了解到在热忱的代理和在证据开示语境下的其他职业道德责

任。当你阅读由萨格教授撰写的《荒凉山庄》的文章时,你需要考虑这些问题:

1. 你认为萨格在代理他的客户方面做得好不好?如果你认为不好,那么你会有什么不同的做法?

2. 考虑到萨格和他所提起的案件,你认为被告方的律师怎么样?

3. 在本案中双方使用的证据开示是否有什么不合适?

4. 在纽约州的民事司法制度中,证据开示中存在的问题到了什么程度?在纽约州的制度中,你会建议对于证据开示规则或者其他的程序规则作出什么样的改变?

5. 如果证据开示已经被现行的联邦民事诉讼规则所调整,那么它的运行有什么不同?萨格做了什么来改进这个程序,如果他是在今天的联邦法院?请精确地考虑联邦民事诉讼规则 16,以及证据开示规则。

6. 总之,萨格的成就是什么?是他的个性特点和他的缺乏训练而带来的好处和不理想之处或者二者皆有?

菲利普·G·萨格,荒凉山庄之 1968:
一份关于消费者实验案件的报告
纽约法律评论第 44 期,第 115 页(1969)

这是大法官法院,在每个郡都有其破败的房屋和枯萎的土地,在每个疯人院都有着可怕的疯癫和墓地的死寂,崩溃的诉讼人,用他漫不经心的脚步,穿着借来的破旧衣服,在每个熟人中乞讨,但是一切都给了黑夜,他耗尽了钱财、耐心、勇气和希望,这一切是如此地令人绞尽脑汁,令人心碎。在那些职业律师中没有一个体面的人,他们不会给予——他们通常都不会给予——客户警告,"毋宁承受任何可能的错误也不要来这儿"!

——查尔斯·狄更斯:《荒凉山庄》

……在 1968 年间,作为一个聘用律师,我的大部分时间都在为全国贫困者权利保护办公室(NORI)工作。这个办公室是 NAACP 法律辩护基金的会员,旨在提起实验案件,从而针对某些关于消费者的不公正规则提出挑战。为便于读者阅读,我的这篇文章按照时间序列编排,我希望它能够给当今法学院的学生们提供一个图景,告诉他们实验诉讼是怎样展开的,以及它们如何在法律原理与诉讼战略的交汇之间日复一日地挣扎求存。我知道迄今为止还没有类似的可供法学院学生阅读的文本。我要讲的不是一个快乐的故事,因为我已经从中发现:我们的法院是如此的迟钝——不仅是对于实体法的改革迟钝,甚至是对于至少在外表上呈现出迅速实现司法的必要性都反应迟钝——以上从狄更斯小说中引用的段落是我惟一能够找到的、精确描述我们现代司法制度中的中层和基层法院现状的文字。

I. 背景：和解系统

在纽约市有上千个零售商，他们的经营做法都在打擦边球，他们或多或少地都在某种程度上实施了欺诈销售。每天，都有上千笔的有意识和无意识的欺诈交易；每天，都有上千笔的交易违反了产品质量保证。而在这种情况下，提出投诉的消费者却总是被模棱两可地搪塞。在纽约市，有一打财务公司，他们的业务大部分是这样的，当低收入的消费者与销售商签订销售合同后，他们就从消费者手中买下这些合同。当一个财务公司购买了一个消费者合同时，作为买方的消费者就变成了一个在 IBM 计算机中的代码。然后，依据该编码，买方会收到一份优惠手册，在手册中说明，和他的支票或者订单一起，他每个月都会收到一张息票。伴随该优惠手册一起来的，买方还收到一份通知，通知他，关于所购买的货品，如果他有任何的不满和投诉，他都必须在 10 天之内告知该财务公司，否则他就将永远丧失要求赔偿的权利（我从来没见过有哪个消费者在收到通知时，认真读过它；当我把这份通知念给他们听的时候，我也没见过有哪个普通的消费者真正明白这份通知的含义）。如果购买人买的商品随后有了问题（比如在一个月后，他买的桌子腿掉了等），然后，他给出售该商品的商店打电话，他们就会告诉他说："我们要做的事情就是向你收钱，我们不对该商品的质量负责"。

无论在哪里，当顾客遭到这番待遇后，他们的做法通常都是拒绝再付款；他们认为这样就会迫使商家注意到他们的投诉，或者对司法存在一些影响。但是实际情况是，只要他们停止付款，计算机就开始发出催款信，催款信不仅发给顾客，甚至对于威胁要提起诉讼的律师都发出催款信。

然后，该消费者可能就被告知，商家已经对他提起了诉讼。但是更为经常出现的情形是，那家财务公司的收债律师提交了一个标准格式的起诉状，并将它交给了传唤文件的送达人，或者警长，然后这人把传唤文件销毁，接着提交一份伪证的送达宣誓书——这被称为"下水道送达"，这种现象非常普遍。所以一个消费者首先应了解到，针对他作出的缺席判决（default judgment）已经在法院登录，然后，他的雇主会通知他，已对他实行了第三人扣押（garnishment）。通常雇主都会警告他，如果再出现一个第三人扣押，就将成为解雇他的理由。在这种情形中，消费者一般都会向法律援助中心求助，不过，他们通常很难在那儿找到律师。接着，和解程序就开始了。这时候，法律援助律师必须努力让缺席判决重新审判（reopen），这是一个几乎不可能的事情，因为其对手是财务公司，而在这种情形中，依据法律的规定，财务公司属于对于任何抗辩都免责的善意购买人。

NORI 的一个最大的好处就是，当你被某个问题折磨得发疯时，你可以免费来找它。所以，1967 年 12 月，我决定提起一系列消费者实验案件，来冲击这个可恶的和解系统,或者至少增强消费者代表的谈判权力。我告知法律援助中心,我想要从他们那儿得到两三个有意思的案件,我要通过诉讼来解决问题,而不是通过和解清算程序解决,没多久我就有了一个消费者客户。

II. 艾伦先生的冰箱

弗兰克·艾伦是个黑人,20岁,他上过10年学,住在城市公屋项目中,年薪5千美元。他告诉我他的遭遇:1966年3月,他遇见了一个推销员。这个推销员——"理查德"(他从没告诉过他姓什么),来找艾伦,说是艾伦的一个朋友介绍他来的,并且给了他们一个诱人的要约。他代表品质家居公司,一个在哈莱姆的很大的商店,有着133年的经营历史。理查德说,每个星期他们只要花不到20美元,就将获得这家公司给他们提供的全部食物,还有他们4岁女儿的一切必需品,而且从此他们就不用再浪费钱财和时间去杂货店或者超市了。不过他也注意到了,艾伦还是必须要到商店买牛奶和新鲜蔬菜,但是在他的销售计划中,除了这两样以外,他将提供所有其他他们需要的东西。"这些食物每个月都会送过来",他说,"那么你就需要有地方放这些东西,所以我还会向你提供一个非常好的冰箱供你使用,用这个冰箱,每星期花不到8美元。但是由于卖食物的余款很多,所以这个冰箱你得单独付款,而且实际上这个冰箱基本上就是免费给你用的"。

一个星期后,大批食物来了,和食物一起运来的,还有冰箱。这些食物的质量没有艾伦预期的那么高,不过还可以将就。但是,食物的数量,就很不够了,结果,根本没能坚持吃上4个月;在最后一星期,艾伦必须到商店去买东西,就像他们开始这项计划之前那样。

在食物和冰箱到达的一个星期后,艾伦先生收到了来自预算财务公司的两份息票,一个是关于食品的,一个是关于冰箱的。一个要求他每月支付30.22美元,另一个要求他每月支付74.83美元。艾伦先生看到这个息票后,认为他没有必要在4个星期内就付首付,他就把这些息票扔到了一边,一起丢掉的,还有几张表格,他把它们都丢到了抽屉里,直到他的首付到期。(在这时,他还不确定商店还会不会继续给他提供食物。)

尽管抱怨了4个月,艾伦先生还是按时支付息票。然后,艾伦先生给理查德打电话,告诉他,他不打算再订货了,因为他对于这些不足量的食物很不满意。"你可以在任何时候把冰箱拉走"。艾伦说,"哦,不",理查德说,"你可以取消食物订单,但是你不能取消对冰箱的付款。你签了购买冰箱的合同,每月支付30.22美元,一共付3年。你可以看看那份合同的副本"。

艾伦查看了合同,第一次发现他已经书面同意,不是租一个冰箱,而是买,以1087美元的价格,以3年的分期付款购买。他震惊极了,因为他从没听说过,一个冰箱要花 300 美元或 400 美元以上。"我要跟律师谈谈",他告诉理查德。理查德说,"别这样,我会处理这件事,然后我会给你打电话"。

艾伦先生去见了他的工会律师,律师告诉他说,这合同是有约束力的,而且一旦他签了字,那么他对此就无能为力。"而且,"律师说,"显然是有一个信用公司购买了你的合同。那么,如果你不继续付款的话,他们就会对你的工资实行第三人扣押,然后你就会被解雇"。

艾伦先生继续付款,付了 14 个月,他每一次付款都非常愤怒,最后他去了法律援助中心,然后被介绍给了我。

我很高兴有这样一个客户,因为在这种情形中,很少有顾客是处于无缺席判决的状况中,而且更为悲惨的是,他们中没有人会在缺席判决的听审中胜诉。所以,这个案件看起来像是个好机会,可以用来测试一下积极抗辩战略——起诉而不是被诉。我告诉艾伦先生,我的组织在从事实验案件业务——而且如果由我们来作他的代理人,那么他的案件可能就要诉讼很长时间,尽管潜在的利益很大,无论对别人还是对他自己来说都是。我说,如果他更乐意获得一个快的妥协和解清算,那么我会给他找一个好律师来代理他。他说,他跟定我了,那么我们就开始写起诉状。

我们决定起诉理查德·路易斯(推销员),品质家居公司(路易斯的雇主)和预算财务公司(购买销售协议的公司)。我们在起诉状中主张:(1)该合同是不合理的,因而是不可履行的,因为冰箱的价格"骇人的高";(2)欺诈,因为路易斯诱导艾伦相信他是租给他一台冰箱,而且已经做了保证,承诺食物会够 4 个月的用量;(3)违反了纽约州的零售分期付款销售法案。

这里有一个关于持票人的正当程序问题。在艾伦收到的和息票一起寄来的那些文件中,有一个他从未阅读或者试图阅读过的文件,即关于根据纽约州法使得一个信用公司变成了消费者合同的善意购买人的通知。这个通知包含了一个单独的 125 个字的句子,其内容如下:

> (1)如果你与销售人的交易声明在每一个方面是不正确的,或者(2)如果在一个本通知或者在一个与通知附上的文件中描述的汽车或者货品没有由销售人交付给你,或者现在不为你占有;或者(3)如果销售人没有全面履行所有他和你的协议,你必须自本通知寄出之日起 10 日内,依照右下的地址书面通知受让人,或者在本通知的附件中通知受让人,否则,你将丧失针对受让人提出任何源于该销售的权利主张、任何理由或者抗辩。

我已经设想了针对预算公司提出的两个可能的抗辩。一个是表明他们没有"以善意"获得合同,并且"没有关于主张或者抗辩的通知"。这将要求他们证明,在他们和品质家居公司之间存在相应的交易,或者提供其他类似事项的证明。也许一台1087美元的冰箱,这个价格——显然是在合同上的——就足够了。另一个战略就是提出抗辩,因为《统一商法典》允许法院依其自由裁量权废除那些消费者合同购买人的到期持票人地位。我决定,在我通过证据开示了解到更多关于这些公司之间的关系后,再在这些法律原理中选择最有利的抗辩。

我指示艾伦先生继续支付他的月供。

【1月】

我首先从预算公司的收债律师那里听到了消息——我要怎么和解?我对于这样的要约是有预期的,我已经和艾伦先生探讨过和解的问题,我们都认为我们不会接受和解,除非包括某些惩罚性损害赔偿。而这样的和解将是前所未有的,所以这样的和解一经公开,就将证明有必要对我们的和解体制予以变革。对于预算公司来说,这样的和解条件显然是不可能接受的。该收债律师要求延期给予答辩状,他告诉我,预算公司没有授权他处理有争议的诉讼。尽管我很急着想让这个案件快点上法院,特别是考虑到不可避免的由于法院的积案而造成的迟延,但是我还是同意延期处理,因为这是通常的做法。

1月10号,我收到了来自预算公司的答辩状,来自班德、西戈尔帕克和洛琴戈尔公司作出的答辩状,这是他们在华尔街的律师事务所。预算对起诉状提出否认,或者说明其对起诉状中的大部分主张都无所知,并且主张,在任何情况下,他都是一个合同的正当持票人,而且已经给了艾伦先生通知。与该答辩状一道来的,还有一个通知,关于在1月23日对艾伦先生口头录取证言的通知。

与预算公司的答辩状一起送来的,还有理查德·路易斯和品质家居公司的联合答辩状,他们聘用了同一家律师事务所——一个单独开业的律师,叫艾尔弗雷德·斯通——代理他们。(我后来了解到斯通是纽约市的著名收债律师之一,而且为包括品质家居在内的等多家公司服务)。这很奇怪,因为联合答辩状否认在路易斯和商店之间存在代理关系,这样的否认将对于商店有利,但是对于销售商来说没有好处。我的预感是,该商店决定让销售商一边去吧。因为在任何情况下,代理关系都是很容易证明的。因了这个答辩状,我就对于他们的诡计更加感兴趣了。

在他们的答辩状中包括了一个要求,要求我修改我的起诉状,追加艾伦夫人作为共同原告和必要当事人,因为合同上也有她的名字。我的确忽略了这个细节,我也没有反对作这样的修改,但是我有一种模糊的预感,就是,艾伦夫人作为共同原告,被告将对她询问,因为他们有权这样做。[1] 对于销售商来说,得

---

〔1〕 编者注:根据联邦民事诉讼规则,一方当事人可以对任何证人录取证言,无论其是否属于一方当事人。见联邦民事诉讼规则30(a)(1)。

到购买人的妻子在合同上的签字，就是使得他们获得了更多的附加保证，如果任一方威胁要提出诉讼，对于购买人来说，它都给了他一个额外的把生活变得更复杂的机会。当然，法院可以禁止律师运用开示程序骚扰对方当事人。但是，在发现被骚扰的事实之前，人怎么能证明，对方律师提议的录取证言不是善意的？并且，即使在发现了该事实之后，如果询问人足够聪明地问一些具有关联性的但基本是不必要的问题时，当事人又何以能够证明恶意的存在呢？

在艾伦先生的询问开始前，我和他又复习了一遍我们的案件。对于起诉状，他认为没有什么需要补充的了，所以我很信任他，我想，提问应该是简洁明了的。

如通知所要求的，我们在10：30到了班德和西戈尔的办公室接受询问。但是班德、西戈尔让我们等到11点。最后一个年轻的律师来到会客室，介绍说，他叫杰克·施瓦茨，他可以在会议室录取证言。艾尔弗雷德·斯通直到11：15才露面，我们开始了。尽管传统的纽约州实务是对每一个可能的提问都提出异议，但是我认为，除非艾伦先生真的感到被骚扰，甚至不必对那些不恰当的问题提出异议；因为异议要花掉很多时间，而且关于异议的恰当性的诉讼将使案件一再地迟延审理，这也是浪费我的时间。但是施瓦茨的第一个问题就几乎令我怒发冲冠，因为他开始调查艾伦先生的财务状况——他的收入和他妻子的收入。但是过了一会，他终于回到了轨道上，问了艾伦先生和理查德之间的谈话。他的问题涵盖了销售的每一个方面：艾伦是怎么知道理查德是谁的，以及他代表谁；谁介绍他的；介绍他的朋友是谁，说了些什么；关于食物和冰箱，理查德说了些什么；理查德给他看了些什么（要提供的食物清单，艾伦已经按照要求带来了）；艾伦签署了些什么文件；当他给理查德打电话要求取消订单的时候，艾伦说了些什么。施瓦茨的提问方式是非常细节性的，而且近乎于重复性的（但是并不是真的重复，因此我没办法提出异议），询问看起来几乎难以进行下去。这里我给大家看一个例子：

  问：在你们谈话的时候，路易斯先生给你看了冰箱合同没有？
  答：你是说他让我阅读这份合同吗？
  问：是的。
  答：没有。
  问：那你要求他给你看合同了吗？
  答：没有。
  问：他向你解释了合同的内容没有？合同是怎么说的？
  答：没有。
  问：你第一次看见合同是在什么时候？
  答：是那天晚上。

问：具体一点，在讨论的过程中，或者在和路易斯先生交谈的过程中，他首次给了你或者交给你这份文件了吗，是最初的那份文件吗？

答；我不记得了。

问：是在他做完这一切后，他指着这个黄色的文件，就像你此前说的？

答：是的。

问：那么它是不是已经像现在这样填好了的？

答：我不记得了。

问：就你所知，或者根据你的回忆，路易斯在把文件递给你之后，填了什么没有？

答：我不记得。我就是被要求签字。

问：你问什么问题了吗？当他要求你签字的时候？

答：没有。

问：你已经同意购买冰箱了吗？

答：买？不，是租。

问：这是你的签字吗？

答：是的。

问：是你妻子的签字吗？

答：是的。

问：你们两人都签了，在你第一次接受路易斯先生访问的那个晚上，对吗？

答：是这样。

问：当时你就签了，就是所有现在看到的这些已经签署的文件吗？

答：我不记得了。

问：在签字时，你阅读了文件没？

答：没有。

问：你妻子呢？

答：没有。

问：你有机会这么做吗？

答：我不明白你的意思。

问：你能够阅读吗？

答：我能够阅读吗？

问：对，就是这个问题。

答：也许吧。

问：当你说也许的时候，你的意思是指什么？

答：我就是被要求签字。

问；你被告诉你不能阅读吗？

答：没有。

当施瓦茨开始问艾伦，他同时从理查德或者质量家居公司收到的每一张文件时，这样的询问变得更加拖沓，——介绍其他顾客的表格，物品清单，和食物一起来的发票，其他文件放置的信封等等。艾伦什么时候第一次看到每一份文件？在哪里？上面都写了些什么？艾伦在背后潦草地写了些什么？什么时候？关于这个理查德说了些什么？以及等等。

这样到了下午1点，然后施瓦茨说，他还有更多的问题要问。虽然我们对这个步骤感到有些愤怒，但是我们还是焦急地要走过询问这一步骤，我们就去吃了午饭。午饭后，同样慢吞吞的步骤在重复：艾伦在理查德的第二次访问时签了什么？他读了文件没有？访问是在什么时候？谁在场？都说了些什么？一个小时过去了。艾伦先生开始变得对所有的文件都感到困惑了，间或他会给出一些自相矛盾的说法。但是，在这种情况下，我要是提出异议，只会不必要地把询问拉长，而且这些矛盾之处只是关于一些微小的细枝末节的问题。最后施瓦茨结束了关于交易的提问。按说这时候我们也该结束了，但是，一个意想不到的情形发生了：

问：你说合同是不合理的？
答：你说的不合理是什么意思？
问：那是你的用词。
萨格：你能够改述一下这个问题吗？显然这是他律师起草的起诉状。
施瓦茨：我想我不能改述这个问题，因为我根本不知道还可以用什么其他的词来问他。我无法定义在你的起诉状中说明的不合理的含义。
……
问：你熟悉《统一商法典》中第2-302节的内容吗？
答：不，我不熟。
问：你能告诉我在你的起诉状中所说的不合理这个词是什么含义吗？

我确信这时候我的客户会说"不"，而且那就将结束这个问题了，但是，在这会儿，他却说了句，"是的"。

所以在这里，我就提出了一个问题。当然我想要让我的起诉状作尽可能广义的理解，这样才不会限制我在审判中的证明范围。但是如果我的客户在询问中，说出他对于起诉状所理解的内容的话，那不就限制了我的证明了吗？但是，另一方面，如果我提出异议，我们必须要花上数个星期来争论这件事情。一旦我提出异议，施瓦茨就会对他的问题作出辩护，理由是，"开示程序的目的是使得我不会在审判中受到突袭"。最后，我决定，在插入更多的提问并延长询问之前，还是先看看我的客户是如何定义这个问题的。很幸运，艾伦先生说，对于不合理这个词，他并没有什么个人认知，他关于这方面的任何信息都来自律师提供的咨询。

但是，这时，施瓦茨开始了一整套全新的提问方式——而且他开始念起了起诉状，一段接一段的念，他问艾伦先生，关于他的法律权利主张的内容，在理查德的陈述中，哪一部分是欺诈性的陈述？你怎么知道陈述是错误的？你说的"过高的价格"是什么意思？这时，我一直盼着我的客户说，他不知道或者不懂。但是每次，我客户都试图尽可能地解释我起草的起诉状，甚至在施瓦茨和我就一些证人根本不可能知道的事情展开交涉后，还尽力地作出解释。

现在已经是下午5点了，尽管艾伦先生已经被问了一整天，施瓦茨居然说，他还有更多的问题要问，因为他还没有开始问关于预算财务公司的问题。"当然你们可以要求法院发布保护命令"，他说，"但是我的问题当然是关联性的问题，所以你们不会赢的。"（这是一个不犯规的中性警告）。犹豫着，但是我还是同意了，我答应他，在我们双方拿到第一轮的录取证言的文本后，如果我不向法院要求保护命令的话，我就会再带艾伦先生来。

同时，我开始了我的调查。1月19号，为了给口头录取证言打基础，我向理查德·路易斯的律师送达了一个查看所有与本案有关的文件要求，包括：在路易斯和品质家居之间的合同；在品质家居和预算公司之间的协议，表明品质家居支付给冰箱厂商的发票，和其他购买冰箱客户的名单（这个要求是具有关联性的要求，因为这些客户是路易斯欺诈推销伎俩的证人）等等。我要求在2月1日，将这些文件提供给我办公室。

在1月初，一份哈莱姆的报纸登载了关于消费者实验案件机构的消息，结果我收到了很多来自该社区的要求帮助的请求。从这些请求中，我选择了另外3个案件，当我在等待开示程序的进展期间，我迅速地接手了这3个案件。

【2月】

在2月和3月间，有好多次，我都感到，班德、西戈尔对我客户的口头录取证言看起来是没完没了的了。艾伦先生不断地被带来带去，他的证言总计247页。正如我所担心的，预算公司的律师，果然对艾伦夫人行使了他们询问的权利，他们要求对她询问，所以，我又把艾伦夫人带来了。

对于这些提问的任何一部分的引述都将使本文的篇幅变得异常冗长而令读者难以忍受。在这里，我想要说的就是，我发现我总是在不断地向我客户道歉，因为是我导致他们承受这样漫长艰难的询问；就一个通常将在一小时内和解解决的争议而言，提起实验案件，对于客户来说，忍受这样的痛苦是一个真正需要付出的代价。在这期间，施瓦茨的问题继续是近乎于重复的问题，但是他又很小心地避免两次问出完全相同的问题，除非证人给了一个模棱两可的回答。而且，这事情的困难还在于，我的客户很难准确地想起那些发生在销售中的事情，因为这些事情是发生在两年前的，而这样，每一个不确定的回答，都给施瓦茨提供了拉长半小时提问的动力。何况在2到3天的询问时间里，我客户自然也会有不可避免的自相矛盾之处，而这些经常是发生在施瓦茨有意提出重复的问题中。

在这种情形下，这些询问就变成了一个巨大的负担，无论是对于我的时间来说，还是对于我接手任何新的案件来说。在这期间，我的活动就是不断地陪着我的客户出入律师办公室接受询问，和我的客户一起阅读录取证言的文本，就这样用掉了几个星期。（当然，我并不完全沮丧，因为我想到，不管我花费了 NORI 多少时间，班德和西戈尔也在增加预算公司的律师费账单）。即便是这样，我还是不想提出动议，要求对方中止提问，因为，一般来说，对于限制这样的披露（或者说报告案件），法院总是比较犹疑，而且因为我想要尽可能快地进入审判，所以提出异议只会拖延时间，无论如何，只有等开示程序结束，我们才能进入审判。

同时，我试图保护我方的案件。在2月的一个早晨，本来我预计理查德·路易斯的律师——艾尔弗雷德·斯通，会带着文件出现在我办公室，带着那些我要求提供的关于艾伦先生案件的文件。但是在约定的时间到来时，却并没有人出现。因为我在大前天曾给他打过电话，我问他，"你提出了反对的动议书没？"他说，"我在前天把动议书发出去了"。提出要求阻止发现的动议中止了对文件的披露，我们得一直等到法院对该动议作出裁定后，才能继续发现。

第二天，我收到了斯通的动议书。我注意到，尽管一个动议人可以在8天内作出对动议的回复，但是，斯通先生却已经把他的动议通知定在了2月18日，也就是在将近3个星期后，因此就延长了我的开示程序被中止的期间。即使他的动议被驳回，我也得等到3星期后才能继续我的开示程序。关于我提出的披露文件的要求，斯通先生提出反对的理由是，被送达的通知"没有明确指明要提供的文件，以及对之作详细清楚的说明，这表明原告在实行捕捞……"这样的理由令我很是惊讶，因为我认为我的描述已经是非常的详细了。在我的文件中，我指出我想要的每一个特定的文件，斯通先生不可能不知道我指的是什么。此外，我还解释了我所要求的每一类文件的关联性。

2月18日，我到法院出庭，我预期将在法院对该动议提出论辩，这样我可以继续该案件的开示程序了（我已经为此损失了3个星期了！），我想，也许我该鼓励法院写一个关于这些文件的关联性的意见，那么就会提醒人们应当在法律制度中启动某些要求变革的运动。但是，来到法院，首先令我大吃一惊的是，居然有250个关于开示程序的动议被排期在当天听审。第二个令我震惊的是，出现我眼前的法院的景象：书记官在宣读听审日历，但是几乎无法听到他的声音，因为法院完全被淹没在一片嘈杂声中，因为当书记官念道，"肃静，肃静，请全体在庄严的法院出庭的人员，上前仔细听"当时有无数的律师正在做着最后一分钟的谈判。当天令我震惊的第三件事是，法官说，"你们应当知,道我们不允许就开示动议作出辩论，提交你们的文件"。

第四个令我震惊的事发生那天的晚些时候。在我讲述我的故事的时候，有另一个律师告诉我说，不仅法官不允许就开示动议提出辩论，而且由于法院的案卷挤压极其严重，因此他们根本就不会去看这些动议书；一般文件都是由助理写一点简短的决定，然后让法官签字就完了。第五件令我震惊的事发生在3星期后。就是，在我等了那么长的时间以后，我收到了来自法院的关于开示动议的裁定：

> 要求获得保护命令的动议已为本院审查，并被无不利影响地驳回，本院将对适当文件重新审查，包括起诉状的副本，被告发生在涉及与原告交易的范围之外的事项受到保护。

换言之，我的对手已经输了，因为他没有提交足够的文件（起诉状已经提交到法院书记官办公室，但是动议法官和书记官显然没有把这些文件从他们自己的法院案卷中拿出来——起诉状也必须附在动议书上）。但实际上，因为我的对手可以自然而然地从头开始，所以我已经在准备文件上损失很多时间——我损失了6个星期的时间。

【为了加速证据开示程序，我提出了两项动议，一项是开始对路易斯实行口头询问的动议，另一项是检查关于案件文件的动议。作为对这些动议的回应，斯通向我送达一个要求中止证据开示并获得保护命令的动议。】

……由于斯通提出的动议，使得预算公司对艾伦的录取证言，已经被不确定地中止了，这样，我也就无法再做任何事情，因为"被告在询问原告上具有优先受偿权，这是被告的基本权利，只有当完成对于原告的询问，才可以开始对被告的询问"。……[1]

【3月】

【整个3月，我都用来准备询问和参加询问。法院对斯通的动议作了答复，要求在被告完成对于原告的询问的10天内，让路易斯接受询问。作为对提交文件的替代性请求，斯通又提出了一个要求获得保护命令的动议，声称我没有使用足够的细节对文件作出描述，并认为存有争议的文件应当"有待于在被告完成其对原告的询问后决定"。】

【4月】

我了解到法院已经对斯通的动议授予了保护命令。但是，很幸运地，被告在4月中完成了他们对艾伦夫妇的询问。因此，在4月17号，我给斯通打电话，告诉他，询问已经结束了。但是他的立场是，只有当询问文本被打印出来并由艾伦签字后，才意味着完成了对于艾伦的询问……

我别无选择，只有接受他的解释。因为我要是向法院提出动议，那要花更长

---

[1] 编者注：这不是根据联邦民事诉讼规则26（d）的案件。

的时间（根据8天的通知要求）来获得一个询问的时间安排，然后还要等待法院对此作出的决定，那还不如等文本打印出来，等我客户阅读了文本，作出更正签字后再继续。

【5月】

……我预期将要开始真正的针对理查德·路易斯的询问进程了。对艾伦的询问文本在5月3号签了字，我把这事通知了斯通，说我打算在5月13号开始询问他的客户，这个日期是与法院的命令一致的。他说，他会告诉他客户这个日期，然后给我打电话。但是在5月7号之前，他并没有给我打电话，所以我又给他打。他说他没能够联系上他的客户，因为"没电话"。然后他说，他会在"几天内"给我打电话。结果这就让我们等了几乎10天，我写了封信给他，告诉他我将在5月13号，上午10点询问他的客户。

但是那天，斯通先生和路易斯先生都没有来。我给斯通打电话到他办公室。他说，他不能和客户联系上，他认为他的客户会和他联系，而他这些天没和我联系是因为他太忙了。

我特别愤怒，因为自从起诉以来，我除了让我的客户接受询问以外，我什么都没得到，对于我要实验的法律问题，我还完全没有接触到一丁点。所以，我就向法院提交了一份动议，要求删除理查德·路易斯的答辩状，因为他没有到庭；或者命令他到庭，并支付速记员的报酬以及合理的律师费，时间支出，还有我为要求他到庭而撰写动议书的时间支出。

对于不到庭，斯通的应答是，"在那么短的通知时间内……我无法与我的客户联系上"。"在此并没有特别紧急的状况，我们不了解到庭的理由"。他要求法庭来确定一个日期，并要求让路易斯在法庭接受询问。我认为这非常奇怪，因为通常，总是询问方当事人来确定选择询问的日期，而且询问的地点，也总是在询问方的律师办公室。

【6月】

6月3号，我提出的要求惩罚路易斯的动议得到了法院的批准，但是，法院的裁定中只是要求路易斯在17号接受询问，而完全没有提到关于费用支出和律师费的要求。并且，法院确定法庭为询问地点。所以这样，斯通不仅不到庭，而且还获得了一个月带4天的延期，并且把询问的地点从我的办公室转到了法庭，法庭离他的办公室非常近。

斯通和路易斯在17号到庭，询问进行得很成功。路易斯否认作出了任何关于食物会保证持续4个月用量的承诺，但是通过询问，关于他和预算公司之间的关系，他提供的证据超出了我的预期。他作证说，当客户给他一个订单时，他就让他的客户填一份信用申请表（在预算公司的表格上），然后交给预算财务公司。如果预算公司批准了该信用事情，顾客就会被通知该销售完成，但是如果预算公司拒绝了信用申请，顾客就会被告知交易已取消。除了预算公司外，路易斯没有说，还有其他对他提供支持的财务公司。

当天下午，在午饭后，斯通很狡猾地拒绝回到法庭，他说他和别人还有其他的事要做。而且在接下来的几个星期中，他也忙得很，无法继续完成询问。我想我有权坚持合理迅速地完成询问，但是，如果我提出动议，那么在等待对动议的裁决，必然还是要带来不可避免的数月的拖延，我没办法要求法院确定一个早一点的询问日期。因此，我就同意在7月15号继续询问。

【7月】

……7月15号，我完成了对理查德·路易斯的询问。第二轮询问没有第一轮那么成功。我问了他，他把冰箱都卖给了谁，这些问题是关联性的问题，因为我必须证明，在这里，存在着一种欺诈交易的方式或者实务，以便我能够要求获得惩罚性损害赔偿。但是斯通指示路易斯不对这些问题作出回答，也不披露其他购买人的姓名，因为他们与现有的诉讼无关。[1] 此外，路易斯也没有提供任何关于他的商业记录，他所说，他在我提起诉讼之前，这些记录就都没有了，因为他不再需要这些东西了。我确定他并没有说真话，但是也没有办法证明他没有销毁这些记录。

在7月初，预定于7月15号完成对路易斯的询问，我送达了斯通关于对品质家居的董事长的询问通知，询问定于7月16号。我不想早点开始对他的询问。因为我设想，从路易斯那里获得的信息将对询问来自品质家居的官员有所助益。但是到了15号，斯通再一次说，他没法满足我的要求，他让我在两个方案中作出选择，或者延长日期到他提议的8月13号再开始询问，或者向法院提出动议，要求惩罚他的客户。考虑到此前的历次动议的命运，我完全没有任何信心能够赢得法院的批准。于是，我接受他定的8月15号的询问日期。

【8月】

但是，到了8月9号，我收到了他的一封来信：

尊敬的先生：

我们被沉痛地告知，我们的客户，品质家居公司，已根据破产法典第11章提交了一个破产申请。在此情形下，所有针对它的诉讼被中止直至该破产程序处置完毕。关于在8月15号的询问也因此而被延期。

呜呼！瞧他信中那后悔的语调，他还好意思提到法律！这时候我开始严肃地考虑某些其他的职业了。

---

〔1〕编者注：见联邦民事诉讼规则30（c）。

我作的一些调查证实了他信中所说的事实，联邦破产法院的确中止了所有在州法院针对品质家居提起的诉讼（出于为债权人保全财产的目的），而且实际上，我们无法让这样的中止撤销。但是这也就使得我的诉讼成为不知何时才能确定的诉讼了。

虽然在我的头脑里并没有什么特别的计划，但是，我还是决定在联邦破产法院举行的首次破产听证中出庭，我要为我的客户主张权利。该听证于8月27号举行。

与此同时，我自行发明了一个侵权。代表在别的案件中我代理的客户，我送达了一份修改后的起诉状，指责品质家居的信用公司从事了购买不合理合同的行为模式或实务，该合同过分昂贵，同时，我指称该行为模式使得他们应承担惩罚性损害赔偿责任。我的想法是，我希望这样的主张能够让他们觉得这事情是如此荒谬而令人发指，因而他们会提出要求撤销起诉状的动议，但是他们并没有提出这样的动议。他们只是作出了答辩。所以为了明确提出这一争点，我又给他们送达了一个要求查看所有的销售冰箱合同的通知，关于他们在过去的3年间购买的冰箱。我知道他们不会遵守这样的要求，因为他们必然害怕我会用这些合同去挑唆新的原告们来起诉他们。这时候，他们完全不知道我手上已经有了半打这样的案件了。我想，他们必定会对该动议提出异议，因为这个侵权理由，完全是法律中没有的，本来嘛，这是我自创的。果然，他们的确这么做了，他们在8月23号提交一个这样的动议。这样，他们就给了提供我一个方便，使我得以告知法院这是一个重要的实验案件，而且他们的辩论完全是就法律价值提出的而非就某些晦涩的技术理据。这样，当然，在我的回复中，我也对法律价值作了辩论，我向法院说明了这在某种程度上存在因果关系。终于，在7个月之后，这个诉讼才如我的预期成为实验案件提出。对此，我预期会败诉，但是至少我将得到一个可上诉的判决，而且我将能够提出一个对于上诉法院来说具有某些重要意义的争点，我眺望9月，盼望得到一个关于该案件的法律价值的裁定，无论其结论是怎样的。

我在品质家居的破产听证中出庭，并动议撤销对于其他在州法院诉讼的案件的自动中止效力，从而可以继续其对品质家居的诉讼。两个月后，破产法院准予了我的这一动议，法院仅对开示程序撤销了自动中止，并要求我申请进一步的救济，如果他进入了州法院的审判日程。

【9月】

在9月初，我度了3星期的假。等我回来后发现，较之此前我工作的任何时期，在我不在的时候，我并没获得了更多的胜利。

关于有一件事，法院已经准予了我的动议，就是要求路易斯提供其他顾客的姓名和地址。但不幸地，法院关于作出这个决定并没有提供任何意见说明，所以其先例性的价值是有限的。而且正如我所预期的，即使是其即刻的影响也是微乎其微的。在我外出的时候，关于路易斯的商业记录，别的 NORI 律师对他作了询问（根据法院命令），但是路易斯坚持他原来的故事，"我从不保留任何记录"，以及"我把大部分的记录都扔了，因为我对这些东西不感兴趣……我要它们干什么？当然，对我来说，它们只是一堆垃圾"。……

我的最后的努力是在 9 月，起草了第三套质问书【在另一个案件中】。一个年纪大一些且比我聪明的专职律师认为，尽管在任何时候，法院从未说过，但是它的确发现在我的头两套质问书中存在某些令人恼火的东西，那就是它们的长度——90 个书面问题，这对于法院来说是太多了，无论它们的关联性怎样。所以我就把它们缩减到了 19 个更为重要的问题，那是一些我认为对于提交证据来说最具实质性的问题，是我必须确立的……

【10 月】

在 10 月 7 日，我给斯通先生发了一个新签发的联邦法院命令的副本，该命令允许我对品质家居的官员继续书面质询。我要求他选择一个方便的日期，这样他就不能借口我选了一个不可能的日期，而提出反对的动议。但是我没从他那儿得到回音。我在一个星期后给他打电话，他说，他还没有就日期与他的客户商谈，他会在下个星期做这事。当然，下个星期，我再打电话的时候，他说，在下周结束前，他都没有时间和他的客户联系。这样我别无选择，只好由我自己来定一个日期。我就给他发了一个通知，要求在 10 月 31 日对品质家居的董事长和财务部长询问，并要求他们携带关于路易斯推销的其他冰箱顾客的名单，如果他们有这样的名单的话。

如往常一样，在最后一分钟，斯通给我送达了一个要求保护命令的动议书（3 个星期后），声称我没有权利询问两位官员，并且我正在要求他们提供一些不适当的和无关联的文件，诸如其他冰箱顾客的名单。我指出，我们已经解决了关于顾客名单的争点，而且判例法已经作出了对我有利的解决。

【11 月】

如我所设想的，没有给予任何解释，法院在 11 月允许了对询问的继续（但是如斯通所要求的，询问将在法庭进行），但是我提出的查看顾客名单的要求被删除了，"因为不适当"。不过，本来我就没想品质家居会提供该名单，所以我也并没有为此而浪费时间。然后，很快地，法院就删除了我的第 3 套质问书。再一次，法院说，删除的理由是，因为要问的问题或者在记录中的事实与案件没有关系。

法院准予了我提出的、要求提交适当的质问书的要求。基于法院的批准，我起草了第四套质问书。这一次，我把问题缩减到了 17 个，这个第四套质问书和第三套很像，我删掉了要求复制某些文件的主张，只选择要求提供 9 份文件的副本。……但是，在 1968 年就快要过去了的时候，法院还是没有对第四套质问书作出裁定。

【12 月】

在接下来的破产程序中，法院准予了我提出的追加谢林·巴拉克——法律援助学会的律师——出席债权人会议的动议。下一个星期，我、谢林和另一位来自法律援助学会的律师，苏姗·弗瑞曼，一起出席了债权人会议。在会议上，品质家居的所有人不能和债权人达成一个适当的安排，并准备同意破产法院的裁判。该商店将被关闭，并被拍卖出售。

但是消费者的代表还是有作用的。虽然很吃惊，但是我们还是克制了自己的情绪，一直保持沉默，我们听到他们说，债权人决定不立即关闭商店，破产裁判在圣诞节后生效。因为圣诞节的销售将填满他们最后要瓜分的口袋，而在这期间，出售的货物合同将很快就会以现金的形式转让给预算公司。但是，没有人提到这一事实，如此一来，对于消费者的每一个明示和默示的保证都将是毫无意义的，因为品质家居不再经营了，而预算将作为善意购买人对所有的抗辩免于承担责任。

在 3 天后他们又回到法院，债权人和品质家居提出了一个联合申请，要求破产裁判在圣诞节后生效。这次，在法院发生了一个令人难以忘怀的场面。"尊敬的法官，在你签发命令之前，"弗瑞曼小姐以微细的嗓音说，"我认为有某些你应当了解的事情。"

"是什么？"法官问。她告诉他，根据《统一商法典》的规定，对于消费者的保证将在 4 年内有效，或者到圣诞节有效，视哪一个日期更早。

"你是在提示说，我应当立即关闭商店？"他问。"我是这么认为的。"她说。

"此令。"法官说。他作出了命令，结果，品质家居的律师立即给商店打电话，并指示管理者停止出售货物，把雇员遣散回家，锁上店门。

这时，品质家居的律师和债权人完全失控了，他们挥舞着胳膊，他们要知道弗瑞曼小姐是谁，还有她认为她有权代表谁。"她不代表任何的潜在的购买人！她没有资格作出动议，"一个律师叫喊着，"我怀疑她是否是个律师。"

但是弗瑞曼小姐——她不代理一个潜在的购买人——安静地站着，然后屋子里再一次安静下来，裁判官平静地说，"我认为，你们必须接受她，她是社区的代理人。"

III. 结论

我介入的破产程序是一个水平很高的、甚至是一个幽默的场景，否则这一年就将是让我的期待破灭又令我醒悟的一年。醒悟是因为我了解到了实验案件是何等的耗时且代价高昂,不过大部分的醒悟来自于我看到,法律援助律师和司法制度——至少是在北部——是迅速推进法律改革的盟友。但是,我也了解到,与之相反的是,基层的州法院——我们所真正实际依赖的——对于法律改革则既不友善也没有敌意,总之,他们是完全的漠然。

在普通法时代,犹如狄更斯所描述的,大法官法院对于迅速实现司法裁判装聋作哑,对于原初设立衡平法院的理论来说,这是一个悲剧性的嘲讽。但是,他也预言了今天的灾难……

注释与问题

1. 在1968年的美国,萨格和其他的法律援助律师事务所面临的最大问题是,基于信用出售货物的公司和购买信贷合同的信用公司都不对出售的商品承担保证责任。这个问题在1975年得到了解决,当时联邦贸易委员会通过了一项条例,该条例被称为正当持票人规则。在这个规则颁布之前,《统一商法典》第3条允许一个使用可转让票据的正当持票人对于大部分主张和抗辩免责。现在《统一商法典》规定,信用票据的持票人受制于诉讼人针对销售人提出的全部权利主张和抗辩。

2. 现在,在美国,律师的纪律规则是以两个"示范"的形式体现,即《职业责任示范法典》和《职业行为示范规则》。《职业责任示范法典》于1969年确立,当时美国律师协会整合并采纳了近50条来自州律师协会的规则。1983年,美国律师协会采纳了《职业行为示范规则》以取代示范法。比较而言,较之示范法典,该示范规则在法律的规定上更为具体,而且较少抽象性的规定。此后,几乎所有的州都从示范法典转向了示范规则。在本文中揭示的律师不良行为,如今在示范法典和示范规则中有了如下的调整规范:

《美国律师协会职业责任示范法典》
ABA Model Code of Professional Responsibility

第7条

律师应当在法律规定的范围内热忱地代理其客户

纪律规则7-101。热忱地代理客户。

(A) 律师不应当故意:

(1) 不通过合理的、可得的、为法律和纪律规则所允许的方法,为其客户寻求法律目标,纪律规则7-101(B)规定的除外。但是,同意对方律师的合理要求,且不会不利影响到其客户的权利,准时地完成全部的职业受托事项,避免不法的策略,或者礼貌的对待并考虑所有在法律程序中的涉案人员,则律师不违反该项纪律规则。

（2）不完成与客户签订的职业服务雇用合同，但是，当为纪律规则 2－110.5－102 和 5－105 所准许时，律师可以撤回其合同。

（3）在职业关系存续期间，侵害或损害其客户，为纪律规则 7－102（B）所规定的情形除外。（B）在代理客户期间，律师可以：

（1）经允许，行使其职业判断放弃或者不主张某权利或者其客户的立场。

（2）拒绝帮助或参与他认为属非法的行为，即使存在某些关于其行为合法性的支持辩论。

纪律规则 7－102。在法律范围内代理客户。

（A）在代理其客户中，律师不应当：

（1）提起诉讼，主张一个立场，实施一项抗辩，迟延审判，或者代表其客户采取其他行为，当他知道或者当显然此种行为将仅为骚扰或恶意伤害他人时、

（2）明知地提出一项根据现行法律无正当理由的主张或者抗辩，除非他提出的此种主张或者抗辩能够被要求扩展、调整或者取消现行法律的善意辩论所支持。

（3）隐匿或者明知地不披露法律要求他披露的事项。

（4）明知地使用伪证的证言或者错误的证据。

（5）明知地作出一个关于法律或者事实的错误陈述。

（6）参与制造或者保留证据，当他知道或者显然知道该证据是虚假的。

（7）商议或者帮助其客户从事律师知道属不法或欺诈性的活动。

（8）明知地从事其他不法行为或者实施与纪律规则相反的行为。

（B）得知已为清楚地确立以下事项成立的信息的律师：

（1）其客户已经，在代理的过程中，对于某人或法院犯有欺诈，应当立即告知其客户纠正其行为，并且，如果其客户拒绝或者不能这样做，那么他应当向受到影响的人或者法庭披露该欺诈，除非该信息作为特权交流受到保护。

（2）其客户以外的他人已犯有对法庭的欺诈，应当立即向法庭披露。

《美国律师协会职业行为示范规则》
ABA Model Rules of Professional Conduct

规则 1.1 胜任

律师应当向其客户提供胜任的代理。胜任的代理要求具备为代理所合理必要的法律知识、技能、尽全力和准备工作。

释义：

法律知识和技能。在确定在某特定事项上，律师是否运用了必要的知识和技能时，相关的考虑因素包括，事项的相对复杂性和专业限制，该律师的一般执业经验、培训和在该领域的经验，该律师能够给予的准备和研究，以及是否可能将该事项转介给其他律师，或者与其他在该领域中具有确定性能力的律师联合代理。在很多案件中，被要求的熟练精通是一般职业人的程度标准。在某些情形下，可以要求在特定的法律领域中的经验。……

尽全力和准备工作。合格的处理某特定事项包括对于问题事项的事实和法律要件的调查和分析，以及达到合格的职业人标准地运用调查手段和程序。它还包括充分的准备。该要求的注意和准备部分是由风险程度确定的；多当事人诉讼和复杂的交易通常要求更多的精心对待……

规则 1.3　勤勉

律师应当以合理的勤勉和机敏代理客户。

释义：

律师应当代表客户了解某事项，除非客户反对、阻碍律师这样做或者对律师造成个人不便，并且应当采取任何被要求的维护客户的案件或者努力的、合法的且合乎律师职业道德的措施。律师应当为客户的利益尽忠尽责。但是，律师没有义务为其客户要求每一项可能得到实现的利益。在决定所代理的事项应当以何种方式获得实现方面，律师具有职业裁量权。见规则1.2。律师的工作量应当受到控制，从而使得每个代理事项能够得到充分的处理……

规则 3.2　加速诉讼

律师应当为加速诉讼作出合理努力，以与其客户利益相符。

释义：

诉讼拖延为司法招致恶名。仅仅为了律师的便利，或者出于挫败对方当事人的试图获得公正救济的目的，或者中止诉讼的目的而为的拖延不应当被纵容。同样的行为常常得到法院和律师界的容忍不是拖延的正当理由。一个胜任代理的律师是否以善意行为诉讼的问题将考虑到案件的进程和除拖延外的诸多实质性目的。通过诉讼中的不当拖延而实现的经济或者其他利益不属于客户的正当利益。

注释与问题

1. 萨格的文章《荒凉山庄》中，关于在证据开示程序和其他的诉讼程序中，律师间缺乏礼貌的现象也令人印象至深。在美国，这是一个普遍存在的问题。马文·E·阿斯朋法官——伊利诺斯北部地区法院法官——曾在一篇文章中专门描述了该问题：

"对律师来说现在存在着很多问题。不仅是由于当前的经济不景气使其法律业务因此而受到影响，而且律师间的粗鲁无礼也已成为我们新的大众娱乐话题……当然，大部分的公开嘲讽和泛滥于媒体的消遣搞笑，都是没有合理根据的。但是，其中的某些嘲讽完全是律师自找的。我们必须要想一想，在公众对于律师是无情的、自私自利的、依靠别人的悲惨和不幸遭遇发家的寄生虫形象的误解中，有多少是律师自己促成的？

举个例子，请看下面的这段对话。这是今年在威斯康星州的麦迪逊，在录取证言的过程中，在两个老牌芝加哥审判律师间发生的。律师V要求律师A提供一份文件的副本，因为他要在对证人的询问中使用这份文件：

V先生：请别把文件扔给我。

A先生：接着。

V先生：别扔给我。

A先生：V先生，你别跟个孩子似的。虽然你穿得像个傻瓜，但是你也不用真跟个傻瓜似的。

V先生：别冲我嚷嚷。我们继续吧。

A先生：难道你没嚷嚷吗？你不承认我把每一份文件的副本都给了你吗？

V先生：你就是拒绝把副本给我。

A先生：你还不承认？

V先生：最后你把它扔给我。

A先生：哦，V先生，你别这么孩子气了。你看起来像个大傻瓜，你的行为也像个大傻瓜。

V先生：继续吧。

A先生：你的脑子肯定进水了。

尽管这是在律师间发生不礼貌行为的极端事例，但是，这番对话是发生在一个涉及几十亿美元的案件中。显然，这无疑是对律师职业关系已经出现严重问题的一个例证。"

马文·E·阿斯朋，The Search for Renewed Civility in Litigation, 28 Val. U. L. Rev. 513, 513-514 (1994)。

在该文的后一部分，阿斯朋法官列举了某些改进职业行为的标准，包括：

10. 不得使用任何形式的开示程序或者开示日程安排作为一种骚扰的手段……

13. 不得仅仅出于为不正当的迟延目的或者获得一个战术优势而要求延期……

19. 仅当为实际确定事实或信息或获取证言所必须，才使用录取证言，不得出于骚扰或者增加诉讼支出的目的录取证言……

20. 在录取证言期间，不从事任何当法官在场时属不适当行为的行为……

22. 在录取证言的过程中，仅询问那些合理相信对于诉讼的指控或者辩护为必要的问题……

26. 应对质问书作出合理回应,并且不得为避免对关联性的和非特权信息的披露,而以一种人为的限制性方式对质问书做文字上的解释。

同前,第 524 – 527 页。

阿斯朋法官在该提议标准的前言中这样说:"这些标准不应当作为诉讼的基础或者为了制裁或惩罚而使用。关于如何确定律师勤勉的标准问题上,在这些标准中没有什么是对现行的纪律法典的转换或者改变现行的行为标准。"(同前,第 524 页。)

你认为这样的标准是否能够改进律师间的礼仪?将如何改进以及为什么会改进?

2. 对于改进律师在诉讼中的礼仪,你有什么建议?你接受的法学教育对于你在法学院或者日常生活中的礼仪有什么影响?你认为你的法学教育将对于你在法律实务中的礼仪产生什么影响?你认为什么是造成在诉讼中缺乏礼仪的原因?

实务练习十五
证据开示中的职业道德问题

以下两个事实模式提出了可能在证据开示的语境中发生的问题。我们很有兴趣去发现你将如何回应在每个这样的情形中(假定你是有权作出这些选择的律师)。记住,你有责任热忱代理(或者示范规则规定的"胜任"和"勤勉")你的客户,并且在行为上符合职业道德要求。你可以考虑你的决定对于你的客户及其案件的潜在效果,对于对方当事人及其案件的潜在效果,对于你的职业的潜在效果,以及对于司法制度的潜在效果。当然,你还会考虑其他你认为适当的问题。

场景1

你的客户,是市警察局,局长和该局的工作人员,是一个民权案件中的被告。原告主张,两个警察袖手旁观,看到她的丈夫正野蛮地打她,他们没有阻止殴打,并且拒绝帮助家庭暴力的受害人。原告由一个律师单独代理,该律师刚从法学院毕业,(你是从一位朋友那里知道这个情况的)而且有一些债务,并且没有什么财产。她代理原告是基于免费的,慈善性质,而且(你听说)自愿为她的客户付费。你是一个有3年工作经验的受聘律师,在一个成功的、有名的律师事务所。被告付给你每小时175美元,外加费用支出。

原告要求你提供下列文件:

从1989年1月1日到1999年10月31日期间,正式和/非正式的、由女性向警察局作出的关于其丈夫或前夫、现任男友或者前男友,和/或现在的情人或以前的情人,和/或其他她们认识的人对她们实施的暴力、虐待、强迫性交和/或任何其他针对她们作出的伤害行为的投诉的任一和全部的记录。

关于在 1989 年 1 月 1 日到 1999 年 10 月 31 日期间，关于处理正式和/或非正式的、由女性向警察局作出的关于其丈夫或前夫、现任男友或者前男友，和/或现在的情人或以前的情人，和/或其他她们认识的人对她们实施的暴力、虐待、强迫性交和/或任何其他针对她们作出的伤害行为的投诉的任一和全部的陈述、备忘录、报告或者内部政策准则，无论以何种形式体现。

没有进一步的调查（基于你以及和某些被告人的谈话了解到），你知道某些东西存在在可证明的适合原告所要求的各类文件。你也知道大量的时间和金钱（对于警察局这方面）将被投入到整理所有这些所要求的材料。就你目前所知的，如果按照将原告的要求按照宽泛的理解的话，将会涉及到非常多的东西。你担心甚至会由某些特别要求的书面备忘录，由局长签字的要求家庭暴力案件"不关我们的事"，以及类似的由警察局的其他人作出的陈述。

你考虑到对于要求作出下面的答复（或者任何其他你认为适当的答复）：

（1）以尽可能的直接的方式，遵守你理解该要求的精神；

（2）什么都不提供，然后说，"这些要求太过宽泛，造成不当负担，并提出了在证据开示范围外的要求"；

（3）提供所有保存的可以为原告获得的材料，让他们在警察局的地下室里，在超过 3000 箱的投诉书、备忘录中搜寻。

（4）告知被告（你的客户），你必须亲自查看同样 3000 箱的材料，从而决定提供些什么（以你正常的工作速度）；

（5）要求局长提供那些他认为适合要求的（你和清楚出他的"视力很差"）并审查他提供的材料（以你日常的工作速度）来决定必须提供什么；

（6）递交全部由女性作出的投诉书的记录的影印本——包括很多与家庭暴力无关的投诉，甚至那些由女性代表她们的孩子、朋友等提出的投诉书，因为该要求的措词包括了这些东西。

那么，哪一种答复是恰当的？对于以上各项给出一个快速的评价，并草拟你的诉讼进程。

场景 2

与场景 1 的事实相同，局长到你的办公室准备他的录取证言，录取证言将在下周发生。对于他的到来，他说，"嗨，我知道我告诉你我还没有建立一个严格的关于如何处理家庭暴力案件政策，但是你知道吗？我忘了我在几年前下发过一些备忘录。今天早上，我最好的助手之一刚刚给了我他保存的一份。我想你会喜欢，因为我从那些著名的民权律师那里知道警察局该如何处理这些案件。在我今早离开警察局之前，我和我的手下谈了一会，他们都说，在他们的程序档案中有这些复印件，而且清楚地记得我对他们作出长篇演讲，要严肃处理这类案件。以前我比较有压力，现在我对于录取证言已经感觉好多了。"

你会怎么对局长说？在录取证言的时候，你会做什么，如果他有机会作证对于你刚才听到的这些事？

在热忱代理和其他的职业道德考虑之间的张力是大多数学者研究的课题。下列节选的文章是关于对抗制，特别是在证据开示的语境下的张力问题。

斯蒂芬·兰兹曼：为对抗制程序辩护：
解读对抗制的司法制度：美国式裁判的途径
33－39（1988）

盎格鲁－美国的法律史的一个基本课程是，纠纷解决的传统方法已经被作为一个对抗政府专制的壁垒。从这一洞见看来，司法机制的改革应当非常谨慎。历史证据将不支持断然拒绝改变（自从中世纪以来，在英国和美国的法律中，创新已经是一个重要的因素），但是必须慎重考虑那些与先前实务存在重大分歧的做法。因此，即使说对抗制没有任何好处，那些主张改变世界的人们还要面对巨大的说服责任。

当事人控制诉讼的好处

很多的原因，除了历史性的以外，都保证我们要依赖对抗制。对抗制提供给诉讼人控制其案件的手段。当事人在选择法院、设定证明和进入程序中起着决定性的作用。法院，作为一般的规则，裁判当事人提出的问题。最终，全部程序产生了结果，这是根据当事人的需要而剪裁的，并且以这样的方式巩固了个人的权利。正如已经指出的，通过严格的缩减不能支付的开支，这类程序也提高了裁判的经济效率。

当事人控制还有其他的有利之处。可能最重要的是，它促进了诉讼人和社会对于法院判决的接受程度。对抗的原理坚持认为，如果当事人被密切卷入到裁判的过程中，并感到他被给予了一个提出其案件的公平机会，那么他很可能接受案件的结果，无论对其是否有利。假定该原理是准确的，那么对抗制将对于减少诉讼后的摩擦和增进对司法命令的遵守。

对抗的原理将诉讼人控制作为满足当事人和社会需要的重要要件。当诉讼人指引程序时，很少有机会给法官来按照他自己的议程和偏见裁判。因为法官只是指导诉讼程序的进行，法官不可能被卷入到诉讼中去。他的出离保持了公正的外表和公正本身。在法律程序中，正如美国最高法院在奥夫特（Offutt v. United States［384 U. S. 11, 14（1954）］）一案中所言："公正应确保公正的外观"。当它没有这样做的时候，社会的可信性受到侵蚀，而不信任就此产生。与其他的裁判方式相对比，关于个人和社会对于对抗制的接受程度很少有直接的证据予以说明。但是很多的多国调研，包括那些由约翰·太波特和劳伦斯·沃科尔教授所从事的调查发现，大多数的主体将设定对抗制为最公正的纠纷解决程序。这一发现导致对于对抗制程序的支持，较非对抗制的方式，它被看作是最公正的且更可能满足诉讼人和旁观者。

太波特和沃科尔教授已经提供了实证数据表明，诉讼人控制还有着其他的长处。首先，对于诉讼人和他们的律师，它鼓励律师提供令人满意的行为。心里试验已经显示出，在对抗语境下进行的辩护工作将扩大有意义地改进其客户地位的努力。这是在审问制的背景下进行的辩护行为相对比，在这种情形下，律师就较少从事一个广泛的对支持脆弱案件的证据的搜寻。对抗制显得鼓励为保护当事人，而勇于面对一个最初不利的局面，并因此提高了证据的整体质量，而裁判正是以这些证据为基础的。

太波特和沃科尔还发现，在反对审判者的偏见方面，对抗制较那些要求审判者积极参与到收集证据的程序制度更有效。这一发现支持这一理论主张，最佳的裁判者是那些其功能就是裁判的裁判。因为对抗制将指控的功能分配给了当事人，他就用于增进审判者，从而使其能够将全部注意力投入到中立的案件裁判中去。

在对抗制程序中，分配给各方当事人一个单一的功能。法官是服务于作为中立的消极的裁判者。律师作为热忱的代理人。根据对抗制的原理，当每个角色仅履行一种单一的功能时，在法院的纠纷将被以公正的和最有效率的方式获得解决。这样的力量分配，单独的责任很清楚。制度中的参与人将面对冲突责任的可能性被最小化。每个人都知道，对他的预期是什么，并能够自觉地工作以获得一个明确设定的目标。当司法程序的参与人被面对冲突的责任时，要令人满意地放下责任就变得对于他们很困难了。他们越经常地面对冲突，那么他们就可能难以履行他们被分配的角色，或者不能以使冲突最小化的方式来履行职责，而非全面卸下其责任。在这方面最大的危险是，如果被鼓励收集证明真实的材料，法官将放弃中立性，并且律师将为其客户的利益而达成妥协，如果被强迫作为一个法院官员提供服务而非作为一个利益的主张者。在每一种这样的情况下，程序的公正性都被严重地破坏。

当事人控制还有另一个有利效果。他肯定了个体性。它强制对于各方当事人的意见的尊重，而非对于其律师，法院或者社会中的其他人。它提供给诉讼一个中立的论坛，来发表他的观点和承诺，那些观点将被听取和考虑。对抗制的这种个体化效果具有重要的含意，除了那些被介入的当事人的满意以外。对抗制程序对于个人主张的接纳性暗含了一个对抗制下的法院将采取一种富有同情心的态度，对于个人针对政府提出的主张。富有同情心的听审的前景是开放式的，因为法官，在一个更大的程度上，和陪审团一样都在政府控制之外，并且不能被迫按照政府的意愿作出决定。

这些关于对抗制下法院的接纳性的主张至少在部分上，是具有历史性证据支持的。几个世纪以来，实行对抗制的法院已经成为一个对官方专制的均衡力量，并且作为扩大个人的权利范围而发挥作用。在英国和美国的关于保护少数族裔的学说的稳固扩展就反映了这一事实。当对抗制程序在法院中被忽视时，也是人权减低且政府的镇压增加的日子。

我们生活在一个扩大律师权力的时代。紧迫的社会问题，包括资源的匮乏和国家保护的缺乏，倾向于引导政府对于市民施加压力合作以确保社会作为一个整体高效运转。这样的压力对于维护个人权利呈现出尖锐的威胁。在这些情形中，有必要保存那些将负有同情心地审视基于个人权利而非对于政府的必要性或者公共福利提出主张的制度。因为对抗制下的法院主要是听审，并且支持个人的主张，因此，他们更可能有效地处理这样的问题。

注释与问题

1. 对于对抗制程序，兰兹曼提出了一个有说服力的辩解。那么它在诉讼程序中的每个部分都得到遵循吗？——诸如证据开示——还是也应当建立在对于其他因素的考虑上？

2. 如果事实的发现留待法官，那么裁判的对抗制性质必然被折中妥协吗？参考约翰·H·朗本，The German Advantage in Civil Procedure, 52 U. Chi. L. Rev. 823（1985）。

3. 在为对抗制的辩护中，兰兹曼非常意味深长地把对抗制作为个人权利的保障者。什么是"权利"，请对诉讼的证据开示程序中，个人享有（和预期享有）的权利作一宽泛的定义。

4. 兰兹曼把批判和主张对抗制的文章作了一个节录汇编。上面节选的这一部分是他的导读部分，大部分是关于对抗制的颂扬。该书是在美国律师协会诉讼部的资助下出版。

威恩·布若：民事证据开示的对抗特性：一个要求变革的批判和建议

Wayne Brazil, The Adversary Character of Civil Discovery:
A Critique and Proposals for Change 37 Vand. L. Rev. 1295 (1978)

我们需要研究是否我们精心设计的对于证据开示的竞斗……可能是无可治愈的病症，内在于我们严格的坚持当事人控制证据，直到已经全部准备了并且打包给了在最后的连续审判中的竞争性的处理［马文·E·弗兰克，The Search for

Truth: An Umpireal View, 123 U. Pa. L. Rev. 1031, 1054 (1975)]。

I. 概　述

我将在本文中阐释，通过大量的来自我们法律制度的经济结构的强化，民事证据开示所具有的对抗性质，促进了那些系统性地阻碍证据开示程序的实务。证据开示机制的对抗结构创制了有意义的功能困境，并且对于我们的纠纷解决制度施加了昂贵的经济负担。因为这些困难和负担是对抗关系和竞争性的经济压力的一个不可避免的结果，他们不能被通过限制性的、非结构性的证据开示程序改革去除，这些已经在过去进行，并且一度再次被考虑的对于证据开示程序的改革不会有效。要解决这些问题就得对他们的源头展开攻击；有效的改革结果必须包括制度性的改变，这样的改变将实质性地限制在诉讼审前阶段中对抗制的力量。

II. 证据开示的目的

现代民事证据开示的目的被设计为实现那些对于纠纷解决获得公正的一个重要机制。在关于证据开示范围的意见中，美国最高法院宣布，"相互的对于所有相关的事实"将被获得。正如伊利诺斯州最高法院所坦承的，证据开示的超越一切的目的在于促进"探查真相和与此相应的对于案件的最终处理"。……

但是，在获得真相的目标和保护性的、竞争性的推动之间存在着一个根本的对抗性的状态，而后者是传统的对抗制纠纷解决的核心。然而证据开示规则的起草者和早期的倡议人并没有遗忘这样的对立状态，他们似乎是假定，规则本身将减少诉讼的竞技范围，其中存在着对抗的压力和在审前过程中收集相关的证据资料的战术。

在1938年采纳联邦民事诉讼规则的10年间，在学术和司法建议中关于证据开示的文献中，充满了乐观的预见，认为证据开示将给对抗制带来有利的改变。爱德森·莎德兰德，他是证据开示规则的起草者，写了新的程序规则："标志着目前在英语世界中，在消除在审判准备中的秘密性方面所达到的最高点。各方当事人能够有效地被其对手传召，或者被法官传召，要求将其所有的文件都放在桌子上，对此最重要的意义在于，诉讼不再是那些能够玩聪明人游戏的人的把戏了。"

6年前，在提倡通过证据开示改革联邦民事诉讼规则时，莎德兰德已经宣布：

> 那些长期在他们的实务中使用［证据开示］的律师发现，在促进公正方面，它具有无可比拟的帮助价值。证据开示程序在法律领域中的作用就像外科医学中的X光一样；如果它能够被充分延伸适用并且使其方法简化，那么作为机会赌博的诉讼将会大大终止。……

现代证据开示规则的主旨是，获得完整的对于所有相关的证据信息的全面披露,改变在审判准备阶段在当事人之间的关系。……不清楚的前提,看起来成为证据开示的大部分最为有力的倡议人的工作的基础是,收集、组织和分享证据信息的过程应当发生在一个基本非对抗的语境中……

III. 对抗本能和取消非对抗的假定

对于现代证据开示规则的倡议人而言,无论是学界还是司法界都显然没有预料到顽强的诉讼人如何能够坚持他们的对抗方式,以及在证据开示基本目的和统治对抗制诉讼的保护性的、竞争性的本能之间的对立状态之巨大。

作为缩减对于诉讼中的对抗力量的漂移,并将他们限制在审判阶段的替代选择,证据开示大量地扩展了其范围。它也提供给律师新的出于为对抗而打擦边球的目的武器、装备和动力,这本来是证据开示意在消减的。并非是挫败"司法原理的竞技或者游戏",证据开示已经扩张了竞技的范围和经济的复杂性。现代的证据开示也已经消除了大多数为从法院审查中逃脱而玩的欺骗游戏。因为很多的民事案件都是在审前和解的,因为在证据开示阶段,律师的行为是司法审查的主题,仅存在于不固定的和表面的状态中,现代诉讼大部分欺骗性的擦边球发生在私人环境中。

如传统的职业忠诚、根深蒂固的律师直觉和竞争性的经济压力这样的因素,保证了收集和组织证据的程序发生在一个主要是对抗的语境中。从这一结果中逃脱将要求大量的改变,改变应是在体制的语境下发生在证据开示的实施之中。但是,并没有这样的改变发生。从事证据开示的律师仍然被职业责任的规则所命令,并且被他们自己的经济自利以实现对他们的客户的最大利益的高度忠诚所命令。相反,对于律师自愿披露他们的调查成果或者以任何方式给对方律师和事实审理者作出对于真相的确定,并没有普遍存在的道德压力或者经济动因。简而言之,所有完好确立的代代相传的体制压力一直在对律师发挥作用,使得他们相互对抗地作出他们的观点。在这一语境中,实际上要希望证据开示,仅仅由其执行性的规则武装着,就能够在某种程度上抵制对抗制的袭击和统治其环境的竞争性的压力,真的是很幼稚的。……

V. 证据开示的心理和体制环境

在证据开示运作的范围内开始一个对于心理和体制环境的审查,是明确促动律师使用证据开示程序的目标。明确这些目标的过程必须开始于对一个控制性的事实的认知:使用证据开示程序的律师是那些进行诉讼的律师。证据开示是一种根据,其目的被固定为它是一个更大的程序的一部分。该更大的程序就是诉讼。诉讼中的律师有5个目标:(1)胜诉;(2)挣钱;(3)避免因失职而被诉;(4)赢得在职界的名望;(5)因其代理行为的质量而扩大自我认同。这些目标并不是简单的因玩世不恭和自私自利而生发。它们是被体制化地命令,从一个竞争性的经济结果的战场中散发出来的。不难体察这些目标,使得证据开示对于个人诉讼人的目的与其起草者预期的目的都大相径庭。

……

对于披露潜在的关联性的资料,对抗制诉讼和竞争性的经济没提供体制化的回报。相反,对于全面的披露,它们提供了很多的体制上的阻却。我们只要回顾一下诉讼人寻求从法律制度中获得胜诉的主要方法就可以了解这一点了。诉讼人一般相信他们会胜诉,完全不是通过全面的披露,不是通过无情的获得合理结果的努力,不是通过诚实、坦率和不作计算的合作,也不是不必要的通过效率和高质量的工作,而是通过剪裁为最聪明的战术战略锦囊以适合给定的案件而获得。

由诉讼人为获得胜诉而使用的这些方法一般都会介入到对人们的操纵,和为尽可能有说服力地和有利地提出他们的客户的立场而传递信息。这样的操纵可能涉及以下任一或者全部的通用技术:不披露那些会对其客户产生破坏性的证据,或者对对方有利的证据;不披露会对其客户产生破坏作用的有说服力的法律先例;破坏或者紧缩对客户不利的有说服力的证据和先例,并且应由对方律师提出这些证据,通过抨击证人的可信性或者掩盖不利的证据来实现这一目的;过度强调并提出那些对客户有利的背景性证据和先例;压制或者哄骗证人、陪审员和法官采纳那些支持其客户立场的观点;欺骗对方律师和当事人关于其客户案件的优势和劣势;对对方当事人和律师的脆弱性,夸大并加重到最大的可能程度,而这些是与给定的纠纷毫无关系的方面,当对手有一个公共形象问题,或者出于其他原因不能忍受审判的公开曝光的风险,通过威吓一个焦急的对手、让穷困的对手耗尽资源或者"泡"在和解中,等等手法。这些技术中没有什么是非法的,或者违反了职业道德规则。实际上,拒绝求助于其中的某些手法可以被解释为是律师违反了其"在法律规定的范围内热忱地代理客户"职责的行为。

……

【在本文的第四部分,作者详细探讨了"律师如何能够使用特定的证据开示工具来回应此前探讨的对抗性和经济压力,以限制和歪曲给予其对手和事实审理者的关联性的资料,以增加收集和组织资料的费用……"。他强调某些律师如何可能超量提供文件,为回应证据开示要求,希望关联性的信息将变成大海捞针,或者以最狭隘的方式来阅读证据开示要求,同样在于希望隐瞒对其案件不利信息的披露。】

VIII. 面向替代性选择

由于上述探讨已经很清楚了,在司法对于诉讼进程的控制程度和质量上,我认为证据开示不能有效地实现它的宗旨,除非发生重大的改变。而我提出了某些改革建议,我不能假装提供一个全面的精致的蓝本,对于一个替代证据开示机制的选择。而且我也不能阐释所有的可能伴随这些改变而产生的分化。但是,我希望的是,这些建议将促成在职界的一个富于思想的和建设性的争论,对于民事证据开示的基本结构。……

我建议的改变的核心是解决以下归纳的问题:转换律师的基本职责在调查和证据开示阶段,从偏袒的为客户利益追逐转为法院;对律师施加全面调查纠纷事实基础的责任;对于双方律师和当事人均施加一个自愿披露的责任,并且在所有的审判准备阶段,披露所有的潜在的关联性的证据和信息;缩小律师-客户特权的范围和工作成果原则;使早期证据开示会议成为强制性的规定;实质性地扩大法院在监督证据开示进行的角色;在超出一定数目的所有的和解中,要求彻底的司法审查,或者司法参与。

对于本文的基本前提,——因为现行控制诉讼的对抗制关系所生之压力和要求的忠诚对于挫败证据开示的宗旨的实现要负大部分的责任,这些改革建议是逻辑的派生物,如果没有改变那些压力并转换那些忠诚,有意义的改革不太可能。到最后,我建议在联邦民事诉讼规则中,以及在职业责任法典中,作更大的改变。改变被设定为尽可能地减少在证据开示程序中对抗力量的漂移。例如,职业责任法典,现在对待诉讼几乎是把它看作是铁板一块,仅对刑事诉讼和民事诉讼作有限的区别。必须对这个铁板作细目分割。特别应对民事事项度身定做职业责任和纪律规则。此外,职业道德标准应当被精细设定,一方面,在于对不同的调查和证据开示阶段予以区分,另一方面,在于将审判阶段和审前阶段予以区分。

特别需要指出的,新的职业责任规则和民事诉讼规则应当为调查和证据开示阶段量身定做。在这些阶段,律师应当被指示为主要把他们自己看作是法院官员而非偏颇的辩护人。作为法院官员,律师应当被新的道德指示和规则命令,勤勉地搜寻所有的可能帮助公正解决纠纷的资料,并自愿地和法院及其他当事人分享他们调查的结果。在新的体制下,法院将在证据开示会议中决定律师的调查将进行多长时间。在作出关于诉讼的范围以及设定审前的各个阶段的决定中,法院应当努力平衡在全部的参与律师间调查的负担。在所提议的这些改变下,律师的主要忠诚在审判和审判后阶段将保持今天的状态:向客户尽忠。……

在证据开示阶段提议的改变,是把律师的职责从单纯的偏颇的辩护转为全面的披露,这对于传统的在律师和客户之间的关系具有潜在的麻烦。例如,客户可能感到更有压力,而不向他们的律师披露证据,他们害怕,这会毁了他们的案件。客户也感到,这不公平,要他们支付一个律师的费用,而其忠诚在服务于司法的公共利益和客户私人的胜诉利益之间被分割。虽然这些问题可能是有意义的,但是他们的维度已经是过度夸大的了,而且他们可能并非是不可克服的。即使是在现行的规则下,例如,客户经常不愿意与其律师分享那些显然对他们不利的证据。这样的犹疑可能源自于客户不能理解职业责任规则的方法和证据可能对于他们具有保护作用的方法,他们害怕受到律师的道德谴责,或者嘲讽,如果他们与其律师分享特定的信息,他们对于是否这些信息将被披露就丧失了控制权心存疑虑。简而言之,总之不清楚的是,我提议的改变将到一个相当的程度上,转变大多数客户与其律师分享信息的相当程度。它似乎可以合理预言,那些预先设定为对其律师诚实的客户可能会继续这样做,而那些不被设定为这样的客户可能不会对其行为产生有意义的改变。……

强制披露不会是全部有效,但是,必须有确立的为了作出披露和为了强化披露责任而设定的程序机制。这可能需要有几种不同的程序形式,也可能被设定作为主要的披露工具而存在,但是无论怎样,都应当包括那些特定的最低特征。对此,一个最基本的要求是,为了确保在所有当事人和法院之间的可靠的信息分享,为保存能够分享的信息,必须对在审判中提出的证据作必要的记录,并对违反披露责任施加适当的制裁。那些例外的要求应当规定在披露程序中,在诉讼初始阶段提供的信息应当进行阶段性更新和补充。在某些形式的披露上,应当要求在每一个民事诉讼中都存在两个结合点:(1)在提交起诉状后立即要求实行争点结合;(2)在第一个主要调查阶段结束时,新的规则也应当作出某些规定,但是,对于随后的阶段性披露,精确的时间设定应留待主持证据开示会议的法官来决定。

由于披露的责任对于程序是核心性的,因此,设计一整套的控制性、奖励和制裁对于最大程度地遵循这些职责来说将是非常重要的。但是,我坦承,为了该目的而设计一个公正的有效的激励机制和执行机制将是非常困难的任务。没有什么机制能够削减滥用程序或通过有意的不诚实而为的推诿。但是,有几种措施的使用将能够减少特定的、重复的违反该披露责任的可能性,而这样的违反将严重阻碍到所提议的程序的公正性。

其中,有一项措施就是要求双方律师和客户宣誓表明,在审前阶段结束之时,他们已就每一项披露情节尽了勤勉调查并披露了所有被证明对于纠纷问题可能具有关联性的信息。……

另一个可能在强制披露责任方面被证明有效的设置是,要求律师和客户确认那些为法院和其他当事人所有的被寻求的信息或者证据的来源。……

一系列的强制证据开示会议将是基本的要求,至少在比较复杂的案件中,这应当成为基本要求,设立会议制度的目标是,旨在确立所有这些关于收集和分享资料的替代机制。……

对于司法制度来说,这些收集和组织信息的替代机制显然是考虑到了,审前程序应当是一个更大的且更应有所作为的角色。除了在前面描述的功能外,审前程序的此种扩张角色应当包括，法院具有直接参与诉讼调查和证据开示程序的权力。如果法院对于律师提出的问题的质量或者其容量不满意的话，那么法院应当被授权，确定对于当事人、证人或者律师——无论是谁——进行书面或口头询问。同样，法院也应当能够基于自己的意愿要求当事人承认事实并提供文件。它也应当被允许直接参与录取证言，或者通过一个主事官或书记官录取证言。但是对于这些权力，法官应当被指示审慎地运用这些工具，并且仅当出于公正的利益而被要求这样做的时候，才使用这项权力。……

注释与问题

1. 自 1984 年以来，威恩·布若担任美国加利福尼亚北部地区法院的审裁官。他还是加州大学哈斯廷法律学院的法学教授；自 1988 年起，他担任美国司法会议民事规则顾问委员会委员。

2. 布若假定民事证据开示的对抗制的特性促进了那些系统性地阻碍纠纷解决的基本体制的做法。布若的部分建议涉及对于当事人的特定证据开示的强制披露。尽管这是十多年前的建议了，但是在改革运动中，对于要求强制披露的 1993 修正案来说，本文还是非常重要的。顾问委员会在对于修正案的说明中引证了这篇文章；顾问委员会认为，该文提出了"施加披露责任的概念"。那么这些概念指的是什么？

3. 强制披露曾经是（且仍然是）一个热烈争论的改革措施。考虑以下摘自斯卡利亚大法官对于最高法院提出 1993 年修正案的反对意见：

所建议的对于证据开示的激进改革是潜在的、灾难性的，并且肯定是不成熟的——特别是对于诉讼人施加一个向对方当事人持续披露的责任……

提议的新改革不适合美国的司法制度，美国的司法制度依赖于对抗的诉讼，从而在一个中立的裁判者面前发掘事实。通过置于律师以披露信息的责任，将对他们的客户产生危害——基于他们自己的动机和一个对抗制的语境，要在必须披露和不必披露之间划一条线是非常困难的，而要求行使适当的判决——新规则将对律师代理其客户的职业道德责任施加无可忍受的限制，而且并不会对对方当事人产生帮助……

我认为，提出这样激进的转变，似乎是最轻率的行径，而顾问委员会没有注意到，这首先应当在地方层面上进行很多的实验。……任何关于证据开示规则的重大改革都应当等待那些由国会授权的实验项目的完成，特别是在法院已经有了相当大的自由裁量权来控制证据开示的情况下，参见联邦民事诉讼规则 26。

我还考虑到，这样的修改已经得到了来自几乎是我们司法制度中每一个可以想见的部分的批判，包括法官、律师、诉讼人、学者、公益团体和全国、州及地方律师协会。……实际上，在依照《美国法典》第 28 编第 2071（b）节的规定，要求就建议规则作出通知并征求意见期间,由于公众的批判是如此严厉,因而顾问委员会曾宣布放弃其对披露责任的掌控权(实行某些由国会批准的实验项目),但是,在没有征求更多的公众意见或作出更多的解释后,顾问委员会在6个星期后还是提出了该规则。……

4. 你预期对上述观点,布若将如何作答,他提议的强制披露与现行的证据开示实务有何区别?

5. 证据开示程序造成了现行的90%以上的案件都以和解或者其他形式而在审前终结案件的状况。从证据开示程序中获得信息使律师得以对其在审判中将使用的证据作出评价。口头录取证言给予了一个观察证人举止的机会。而在和解谈判中,这些信息都是极其有用的,因为对方律师将有机会听到、看到同样的录取证言。此外,证据开示的支出也会帮助促成和解。

6. 在考虑证据开示的过程时,很重要的一点是,你必须记住,某些特定的诉因,如产品责任、反托拉斯和雇用歧视,如果没有广泛地获取对方当事人所掌握的信息和其他证人的证言,那么要使得该诉因成立将是非常困难的,或者不可能胜诉(即使已知的事实,已经能够确定责任成立)。因此,对于无合理根据的、负担性的证据开示的滥用以及对于正当的证据开示的恣意阻碍来说,证据开示规则也提供了充分的手段挫败或者阻止这样的企图,而且保留了一个开放的证据开示系统的基本特质。关于这一点,需要考虑现行的制度如何起作用,又如何不起作用,以及应如何改变证据开示规则来阻止那些不合理的妨碍将我们的法律制度作为一个整体运行的因素。

第六节 批判:晚近的和提议的改革

在近20年间关于证据开示改革的潮流中,一直存着一种理念,且广泛地为法律界内外人士所保有,那就是,证据开示程序仍然令我们的法律制度窒息。请阅读以下文章,并考虑应如何对待这样的论调。

洛伦·可夫:证据开示改革
Loren Kieve, Discovery Reform A. B. A. J. 81–86 (1991年12月)

现在几乎存在普遍的认同,证据开示已成了一个恶梦。这体现为,副总统奎利属下的关于竞争性的顾问班子所给出的提议,以及最近关于修改联邦民事诉讼规则的议案,这些都促成了用地方规则限制证据开示的做法。

联邦法官,威廉姆·施瓦泽尔,他现在是联邦司法中心的主任,写了一发人深省的文章,"杀死费用与拖延的怪兽:披露会较证据开示更有效吗?"

对于施瓦泽尔的建议，法律专栏作家斯图尔特·泰勒称之为一条"对于被证据开示溺毙的制度的生命线"，他提出了强制披露要求——要求在最开始的阶段，双方当事人都披露任何对于纠纷具有关联性的材料。

披露的概念最近已经被纳入到联邦司法会议民事规则顾问委员会在1991年8月的建议修改草案中。【强制披露在1993修正案中被纳入联邦民事诉讼规则】

……但是，与施瓦泽尔法官的最初建议截然相反的是，该草案继续允许当事人使用传统的证据开示设置，尽管它将对数量和长度设定不太严厉的限制性界限（15个质问书和10个录取证言，各方不超过6小时）——除非当事人另行同意或者法院基于良好理由作出指定。

虽说在表面上具有吸引力，但是披露的概念远非生命线。它只是更加地把溺水者从河里拉出来，然后再把他们扔到别处罢了。

如果证据开示是无法抵抗的怪兽（我和很多人都这样认为），那么答案就不该是一个变异的证据开示形式——一个要求各方当事人在诉讼后立即来猜测书面文件，对方可能发现对于争点相关的或者"有意义的"（或者，用泰勒的话来说，就是"破坏性的"）东西，然后把它们扔给对方当事人。给一个已经不堪重负的制度增加混乱，这只能将问题复杂化。

我们的法律制度是建立在一个奇怪的概念上的，即只要有一个关于案件的空洞的想法——而不是审判——看起来像是什么，律师就能够起诉，然后再来要求对方当事人及其律师去穿越那些笨重的、高昂的筛选文件程序，从而留下不仅是相关的而且会"导向对于关联性的证据的证据开示"的材料。

我完全同意施瓦泽尔法官的底线观点。现行的证据开示程序是一个失控的怪兽。正如泰勒所言，证据开示"吞噬了百万的金钱和律师们无尽的时间，只是使得案件更好地和解或者使审判较少忙乱"。……

某些人以调侃的口吻建议，证据开示之所以吸引律师，因为它是一个理想的赚取时间报酬的好办法——通过撰写质问书，各种提供文件要求等方式消磨时间。所以，如果一个证据开示设置的头被砍掉了，那么其他的几个就会前仆后继、接踵而至。

而对方律师则首先以报复的方式作出回应，然后跟上来就有第二轮、第三轮的如此往复，接下来，通过分派其他小组来筛选每一个隐蔽的和有问题的客户文档，律师然后会创造出更多的时间报酬机会，他们的目标是，找到冒烟的枪。

当然，在所有这些程序中，双方当事人都必须为了证据开示的范围、特权、保护命令、录取证言的长度及诸如此类的种种事项而竞斗，——从而为他们创造出更多的收入。

由此可见，事实的真相是，证据开示制度本身就是一个恶魔。像蒙特·艾弗莱斯特指出的，律师使用证据开示是"因为它就在那儿"。它是工具之一（就像选择锯子还是斧头一样），这是规则给我们的。

如果你知道你的对手有这个工具，并且要用它，那么你的风险是：（1）败诉；（2）失职诉讼；（3）没有使用证据开示而导致你客户的愤怒——或出于进攻或出于防卫。

用披露来替代证据开示的建议希望能够消除这些问题。当然这是一个正确的方向，可惜它走得不够远，而且可能实际将使问题更加恶化。

在披露背后的理论是，它将要求当事人，在诉讼的最开始，就提供所有关联性的材料和那些了解案件的人的姓名。然后律师将了解到足够的案件情况，从而和解，或者提交一个处置性动议（或者部分处置性），或者进入审判。

如果披露真的就此打住，它可能会有点好处。但是，最近的关于披露的提案还是允许使用传统的证据开示方法，而且也考虑到了对于良好理由的表明，甚至是更多的录取证言，质问书和文件要求——这些用证据开示旧磨磨出来的粉。……

构建披露模式的前提是，在对案件实行管理并实质性地减少证据开示的竞斗中，它要求联邦一审法官采用一种更加积极的角色。如果一方当事人不确定什么是应当披露的，那么就将提交一份动议，要求澄清其责任，而法官将对此负责。

但这样也保障了同样类型的（如果不是更多的话）动议实务，那些现正渗入了我们的旧式证据开示制度的实务——不过让它朝着正前方行进。

而问题是，大部分联邦一审法官都是非常忙碌的，所以，既然他们现在没有时间监督证据开示程序（假定他们有这个意愿），那么他们也不会有时间用来监督披露程序。……

因此，很明显，最终的解决方法就应当是世界上其他文明国家所长期采用的方法（至少是在英国和大陆法国家）：没有证据开示。

那些在英国和大陆法国家的律师们，他们在诉讼提交前调查案件（假定已经采用了一切可能的方法设法和解），从而获得他们必须使用的文件和证人，当且仅当这时，他们才提起诉讼。而此时他们已经准备开始审判了。

一旦案件被提交到法院，初始诉答书就被提交以便查看案件是否具有法律价值。如果通过了这一检验，那么就将设定审判日期。在审判前，当事人交换证人名单以及一个简短的关于他们将作何陈述的文本，并交换他们将要出示的书证的复印件。然后，他们就进入审判。如果因某证人在其他司法辖区或者已过世而无法出庭作证，那么可以对他录取证言，但这只是例外。

不仅在英国和欧洲的律师们是这样做的，而且美国的刑事辩护律师和其他仲裁律师们也是这样做的。

我知道迄今尚没有实证研究或者科学研究，表明这样的程序产生了一个较不公正的结果。我也不知道是否有任何研究和证明指出，我们的独一无二的、不堪重负的制度是更好的。

我倒也知道，还是有一些实际的诉讼人，尽管很少——那些经过了严酷的美国证据开示的人们——他们认为我们的证据开示制度值得为它付出那些时间和费用。……

全面清除证据开示将加速案件，并要求律师和客户在起诉或者抗辩前严肃地考虑其案件的法律价值。（要求败诉方支付对方的律师费和支出也会走入一条长路，导向缩减我们的过度负担的民事诉讼，但是，那是一个不同的问题，尽管是相关的主题。）

可能在某些类型的案件中，使用有限的证据开示将是适当的，因为纠纷的性质——雇佣歧视等——使然，例如，在这样的案件中，原告必须获得雇主关于雇佣的信息数据——但是这些应当被作为有限的例外而存在。

消除证据开示可能将较在现行的通知诉答制度下要求更多的特定细节——在我们现行的制度下，律师只要宣称3被告之一，或者3人全部，过失驾驶或者导致一汽车被过失驾驶而给原告造成损害就足以了——但是更多的特定细节将有助于更好地勾勒争点，甚至在诉讼的早期就清除那些无法律价值的案件。

我亲身经历过在英国和美国制度下的诉讼程序，而我的结论是，美国的证据开示制度是没有价值的。

证据开示的最大实验——以及它将允许诉讼人以较少的支出获得更为公正的审判的理念——被证明是失败的。它应当被消除、限定且不为其他不解决问题而只会使之复杂化的制度来替代。

如果证据开示并不只是简单地被废除，那么它就必须在范围上和在时间上被严肃地消减。在这方面，弗吉尼亚东部地区法院——"火箭案卷"——已经有了一个这样的制度。虽然它并不会像没有证据开示那么好，但是，它当然比那些今天存在于其他法院的状况要好。

严格的证据开示最后期限（通常是3-4个月的范围）和严格的最后审前会议日期（一般是在证据开示结束后的一个月左右）被自动设定在每个案件中。他们可以依据良好理由而延长（但决不可因律师间达成协议而延长）。审判是在最后审前会议后的3到8周进行。法官应当对日程安排负责，所以如果一个法官不够用的话，那么就由别的法官来审理案件。

除非当事人基于良好理由得到了法院命令，否则当事人将被限于30个质问书——包括子项——和5个对非当事人的录取证言。对于证据开示的异议必须在15天内作出。提交任何动议之前，都要求当事人先行善意协商。

在法官听取刑事和民事动议时，应在最近的一个星期五作出通知。大多数动议应由法官立即决定，那些不寻常的动议可以在随后的一周内作出决定。最典型的决定形式是较简短的书面决定，但是应当能够让当事人知道法院是根据什么对之作出决定的。

更为重要的，基于这种设置，当事人获得了一个将其向审判推动或者全面处理案件的结果。事实上，有多少律师能够坦白地说，因为他们没有弄到某个特定的文件，或者不能做7个以上的录取证言，所以他们的案件被挫败了？

在弗吉尼亚东部地区法院的律师们知道，他们必须为审判做好准备。但是，其结果是，90%以上的民事案件都是以和解结案的。对于这样的结果，我访问过的法官们一致认为，设定严格的证据开示和审判期限确保了案件能够早期和解。这就是为什么在所有的联邦法院中，弗吉尼亚东部地区法院具有最高、最快的案件处置率的原因。……

沃尔特·奥森：牙医，侍应生和不受欢迎的律师
曼哈顿研究所，民事司法备忘录第37号（1999年4月）

现在，关于律师的不受欢迎已成为了很多文章的主题……根据美国律师协会的观点，目前对于律师的低评价与公众因注意到律师的失职行为而作出的反应，或者律师的骄傲自大，或者法律职业在范围上的过度延伸，或者司法制度本身的过度延伸并无关系。律师的职业尊重受到了质疑，并不是因为律师做了较其应该做的更多的、破坏性的或者无用的事情，也不是因为人们认为律师让他们的鼻子太过触探到美国生活的太多方面，不是因为制度给予了律师太多的权力致使他们给其对手、客户和第三人招致伤害。不，这些都是公众被可怕观念误导而得出的结论。律师不受欢迎的观点源于误解，或者，如果你愿意，也可以说是错误的感觉……

所以我留给律师协会的问题是，你们的职业不被信任是不是因为它不被理解？或者是因为它被作了过度诠释？

注释与问题

1. 洛伦·可夫是华盛顿特区 Debevoise & Plimpton 律师事务所的合伙人。威廉姆·施瓦泽尔是联邦司法中心的前任主任，该中心是联邦法院系统的研究机构。他现在是加利福尼亚北部地区法院的资深法官。沃尔特·奥森是1991年的畅销书《诉讼爆炸》的作者。

2. 为什么美国社会给予诉讼人如此多的权力，但却提供了很少的控制？兰兹曼回答了这个问题吗？对于这个问题的一个流行的答案是"私人总检察长"的理论。根据该理论，诉讼程序解释并且惩罚了不合理的、不道德的行为，并且

因此使得我们所有人都从中受益。但是，对于真正的公共检察官和管理机构，我们预期（并且被授权）他们会向公众提供精确的账目和审计结果。我们可以获得关于他们工资的信息，并享有知情权、公开的记录和阳光法等给予的保障。常规机构向公众提供了关于其运行状况的报告，并且也接受相应的调查。银行、航空公司、基础设施机构、医院和其他的私人企业同样受制于公共调查，无论何时当牵涉到某些公共利益的组成成分时。并且安全规章确保了大多数其他的大企业向公众披露明确的信息，包括资产负债表、收入资料和执行官员的工资。但是，到目前为止，关于诉讼业务的官方资料收集实际上还是不存在的。为什么？在这方面缺乏公共披露是否破坏了"私人总检察长"的理论？请解释。

在1999年8月，实务与程序规则常务委员会为回应公众评论，发布了由民事诉讼规则顾问委员会开发设计的一揽子修正案。设计这些修正案的目的在于对证据开示规则作出更多的改变，以纠正其在过去20年间所显现出来的种种缺陷。这些新近的建议修正案为我们提供了一个绝佳的机会，使我们得以关注那些重新出现的改革和种种努力，那些规则制定者们要以文本修正案试图治愈的证据开示病症。在下面选录的文章中，马库斯教授，加州大学法学院的教授，给我们提供某些历史背景，有助于我们更好地理解1998的改革议案。而桑博格教授回应了马库斯教授的分析。当你读到这些关于证据开示改革而呈现的"对话"时，请你考虑，改革是否正朝向正确的方向行进，以及该争论是否关注于正确的问题上。

理查德·L·马库斯：带证据开示回家
Richard L. Marcus, Discovery Containment Redux
39 B. C. L. Rev. 747 (1998)

I. 事情的本来面目

联邦民事诉讼规则通过纳入证据开示程序而创造了一个新的诉讼基础，但是，在1938年联邦民事诉讼规则通过时，规则的制定者们还没有使证据开示成为一个完全开放的程序。特别是，对于文件的证据开示，直到1946年才施行，而且限于一个狭窄的范围内，只允许对某些文件进行证据开示；至于对"那些构成或者包含与任何诉讼中涉及的事项有关的证据材料"的证据开示，是直到1970年才适用，而且要求通过动议表明，对这些材料的证据开示存在良好理由。在这期间，关于证据开示适用的更为普遍的特点是，把规则规定理解为各自单独的、不同的证据开示规定，而非结合起来的、通用的、关于关联性和类似事项的规定。……

显然，因自20世纪70年代以来自由的证据开示带来的非常宽泛的处理，证据开示已经在很大程度上成为美国民事诉讼的核心，这一点是非常清楚地得到了体现。结果，很多人都抱怨，60年代的规则修正案创制的程序工具侵蚀甚至是搅乱了实体法。……在20年间关于证据开示滥用的广泛关注足以令人们有充分的动力去再来两轮规则修改以限制证据开示。

II. 第一轮对于证据开示的限制

【文中的这部分解释了各种关于证据开示的关注，以及美国律师协会成立特别委员会以研究并提议解决方案。在对联邦民事诉讼规则进行了近一年的审查后（从1976年8月到1977年4月），该委员会宣布它的三项主要建议：（1）缩小证据开示材料的范围到那些与当事人在纠纷中提出的主张和辩护相关的问题上；（2）规定法院应当举行证据开示会议，如任一当事人提出此项要求；（3）限制质问书到30个。】

A. 1980修正案——在改变证据开示的范围间摇摆

【在对于美国律师协会的特别委员会提出的建议展开了很多争论后，1980修正案顾问委员会决定不遵从美国律师协会的建议。它拒绝缩小证据开示的范围，并通过了一个全国性的对于质问书的限制。但是，顾问委员会认为，应提议一个新的、纳入美国律师协会特别委员会关于证据开示会议建议的规则26（f）。它还建议补充规则37的规定，授权法院对于那些没有遵守法院根据规则26（f）作出的命令的当事人施加制裁。】

……在其评论【顾问委员会对于规则26的1980修正案】中，顾问委员会的解释是，"我们认为对于证据开示的滥用，尽管在某些案件中很严重，但并没有普遍到要求作根本性的修改"。1979年2月，美国律师协会特别委员会发布了一个长篇备忘录，支持其最初的提议，并指责1980修正案过于保守。但是在1980年，该修正案并没有通过，鲍威尔大法官（美国律师协会的前任主席），联合斯图尔特大法官和瑞恩斯特大法官，反对该修正案，理由是它没有走得足够远，并且"接受这些修修补补的改变将使真正有效的改革延误数年"。

B. 1983修正案——转向案件管理和比例均衡

但其实，鲍威尔大法官完全不必担忧，因为在他发出反对意见之前，要求进行更激进的改革的种子已经撒下了。……

1981年，顾问委员会散发了一套建议修正案，其中包含了很多不应该为证据开示所直接具有的特征的内容。这些内容的大多数是关于规则11的扩展，以及对于规则16的综合性修改，日程安排命令和进一步的案件管理等等更加流行的问题。他也提议对规则26进行修改，包括：（1）取消26（a）的最后一句话，即,"除非法院根据本规则(c)作出相反的命令,使用频率和对这些方法的使用不受限制";(2)对于26(b)增加了一个段落,指示法院限制不均衡的证据开示;(3)增加规则26(g)关于要求签字的证据开示要求,作为对律师善意的确认并允许对违反善意的行为实施制裁。顾问委员会在注释中解释说,这些改变考虑到"在证据开示程序中予以更大的司法干预",同时关于证据开示制裁的规则与现在的对规则11的修改并行。美国律师协会特别委员会普遍赞成这些修改,但提议应对之澄清。……在完成了注释后,顾问委员会改变了关于制裁的授权,从而加强了规则26(g)的规定,使之从"可以"变为"应当",且该修正案于1983年起生效。美国律师协会特别委员会认为其工作已经完成,在工作了5年后解散了该委员会。……

III. 第二轮对证据开示的限制——1993修正案

如果说,对于证据开示的首轮限制是以说服1979顾问委员会限制证据开示范围的失败而告终的话,那么第二轮可能就被刻画为介入太多的本当由顾问委员会解决的问题,……1991年,顾问委员会提出了一个建议修正案:(1)要求对于任何证人的姓名或者"包含了重要的关于任何主张和抗辩的信息的"文件名称实行初始披露;(2)排除正式的证据开示直到完成初始披露之后;(3)指示排除任何不按要求披露的证据;(4)要求准备一个报告,其中详细列明在审判中作证的专家证人的证言和背景;(5)扩展补充证据开示的职责,并在披露程序中适用这一扩展责任;(6)对于质问书和录取证言设置数目限制;(7)将录取证言限制到6小时;(8)授权无需法院的提前许可,即可对录取证言进行电视录像;(9)要求持有以特权为根据的材料的当事人提供关于所持有的材料的细节,从而足以允许对该特权主张进行评价……【其他的一些小修改也被提议,但是没有在这个清单中列出。】

在此值得我们驻足看看,初始披露的外观究竟是什么。首先,将初始披露限制到那些"包含了重要的关于任何请求和抗辩的信息的"材料,听起来像是要努力缩小证据开示的范围,因此,它没有涉及恶名远播的规则26(b)(1)中的"诉讼标的"的术语,且可能被看作是一个朝向将证据开示的范围缩小到请求和抗辩的努力。要求这些材料"包含重要的"关于请求和抗辩似乎是进一步缩小了责任,并且避免介入到外围事项中。当然这个方向是与将披露限制到"核心信息"的主张一致的。

此外,看起来,修正案旨在给予1983年追加的均衡规定装上牙齿。因此,对于当事人超越数目限制或者时间限制的要求,法院应当决定它是否与"在规则26(b)(2)中陈述的原则相一致"。

由于出现了"在规则制定以来的50年间前所未有的反对声浪",顾问委员会重新考虑了关于披露的要求。它先是决定，全部撤回其建议案，就像它在1979年所作的那样。但是很多的地区都根据《民事司法改革法》的规定，采纳了披露规则，其理由是，他们认为，需要"铺一条让行人走路的人行道"。在经过再度考虑后，顾问委员会采纳了一个修改后的关于披露的规则。它允许任一地区选择不使用该规定，并允许当事人通过协定来选择不进行披露。此外，尽管披露将被用于证据开示的全部范围内，但是它仅适用到与纠纷有关的具有特定细节的争议事实，因此减少了由来自模糊暧昧的起诉状而产生的负担。同时，还应当有一个在案件的早期举行的律师间设定证据开示计划的会议，该会议在与法院开规则16会议之前召开。顾问委员会也删除了对于录取证言的6小时限制，但是增加了对在录取证言期间行为的限制，禁止律师指示证人拒绝回答，除非基于特权或者由受案法官设定的对于证据开示的限制。

由于这个修正案有着不那么咄咄逼人的披露条款，因此，最高法院谨慎地采纳了该修正案。但是，关于披露的规定几乎没有生效。美国律师协会反对它，克林顿的行政班子反对它，众议院通过了一个议案将其从一揽子修正案里删除，该议案没有在参议院通过，它之所以能够提交给国会，完全是因为在最后一分钟考虑到这一揽子修正案的外观而已。实际上没有人认为关于披露的修正案会在实际的投票中获得通过。

伊丽莎白·G·桑博格：再给多一些：考察1998年证据开示建议案
52 SMU L. Rev. 229, 246-249 (1999)

Ⅰ. 谁想要限制证据开示

正如马休斯教授不久前提醒我们的，"在一个来自于利益集团和某些关注于他们私人优势角色的世界中，如果不把动机作为一个线索来考虑，探讨关于该提案所可能产生的满意度和影响，实际上是一种很愚蠢的行为"。然而这并不是惟一需要考虑的问题，重要的是，我们必须考虑是什么集团在游说，要求对民事证据开示施加限制。

这不是秘密——在产品责任、证券和反托拉斯案件中的被告提出了反证据开示的压力。最近关于限制证据开示的呼声与当年副总统奎利和总统的竞争顾问班子的提案很像。在1991年对美国律师协会发表的演讲中，副总统奎利宣布，该委员会提出的要求改变民事诉讼制度的建议，集中关注证据开示程序。该委员会的报告，后被称为美国民事司法改革议程，着力攻击证据开示、合并侵权责任和相关的程序问题，并认为，美国经济的下降是由侵权和产品责任制度造成的，都是由程序规则导致了诉讼交易费用剧增。该议程"提议修改侵权诉讼和程序规则以便给企业提供优势和保障。该议程呈现出一个喧闹的企图修改规则以便挫败原告诉讼的图景"。

同时,在国会提案的背后,由路易斯·哈里斯进行的一个危机倾向民意调查,成为布莱克斯-白登报告的基础。

> 哈里斯的调查和布莱克斯——白登报告都不是为了对联邦司法制度提出替代性的观点,而只是关注于那些企业和保险公司,无论是调查还是报告,他们对程序问题的关注为的仅仅是那些寻求确保美国在全球经济占主导地位的美国商人和保险公司。

随后,这些商业团体便作证支持民事司法改革法。当民事司法改革法在国会通过时,这些巨头集团的顾问团体被任命来研究证据开示程序的滥用,并列入了委员会的议程。

因此,现在,在该顾问委员会中存在的涉及证据开示的利益,源自于来自公司方的持续抱怨。1996年10月,保罗·尼梅叶(Paul V. Niemeyer),第4联邦上诉法院法官,在主持他的首次顾问委员会会议时,在对于滥用证据开示的"长久的关注"的回应中,尼梅叶"有力地说到对于证据开示不满意"。说这些体现在他自己作为律师的经历中,尼梅叶报告说,"他知道所有的技巧"和"我们用来搅乱文件的"伎俩。

1997年秋在波士顿法律学院举行的一次会议上,该委员会有机会考虑来自不同团体关于证据开示改革的报告。以原告为基础的美国审判律师协会的报告认为,证据开示滥用是"很少的",并且建议不要对规则进行修改,一个名为"伸张公共正义的审判律师"团体认为,"没有严肃的、学者式的实证调查能够使得对证据开示作出制度性限制成为合理"。另一方面,美国审判律师学院,建议以顾问委员会说提议的方式缩小证据开示的范围。该建议获得了辩护研究所的支持,他们也认为,应当以信息交换替代自动的披露,如对于引发诉讼的事件、法律主张和抗辩以及文件的叙述等。

而这类由顾问委员会提议的修改,是那些在法院作为被告人出庭的团体和律师提出的。但是,"一个给定的提议可能无论其始作俑者和支持者是谁,实际上都会被那些更为中立的理由而称为合理的……"

Ⅱ. 实证资料和改革的必要

……关于费用和滥用证据开示的呼声与"诉讼爆炸"的呼声是内在一致的。我们使用这一概念来描述民事积案危机,这个词的流行出自沃尔特·奥尔森(Walter K. Olson)1991年的畅销书,后由总统的竞争顾问班子将它政治化,并被媒体和律师炒得更热。审慎的实证分析,特别是马克·格兰特(Marc Gallanter) 已经证实并不存在这样的爆炸,[1] 但是这一由学者提出来的反驳,好像并没有对公众的感知造成影响。公共呼声和媒体的报道继续传递着这样的信息——证据开示是个巨大的问题。

联邦司法中心最近对实证研究的发现作了简要总结:"在通常的案件中几乎没有证据开示,而且证据开示都是以与案件本身的争讼金额相当的费用进行的,证据开示通常——在极其例外的情形下——都会产生有助于案件公正处理的信息"。[2] 该结论得到了近30年来所作的研究的支持。自60年代起,哥伦比亚有效司法项目即精心挑选案件,来对证据开示活动进行最大程度的观察。但即使是在项目中,也仅有2/3的律师报告说,他们使用了正式的证据开示。该研究得出了进一步的结论,"证据开示的费用不是压制性的,无论是就诉讼的支付能力而言还是从争讼金额的角度看"。[3] 10年后,联邦司法中心完成了一个重大的关于证据开示实务的研究。该项目研究了来自6个大的辖区中的3000个联邦民事案件。[4] 该中心发现,在52%的案件中,完全没有证据开示。在72%的案件中,没有两次以上的证据开示。在同一期间,民事诉讼研究项目(CLRP)在威斯康星州立大学研究"普通诉讼",即争讼金额在1000美元到100万之间的案件。结果发现,"在普通民事案件中相对来说几乎没有证据开示。没有证据显示,有过半数的案件中实行了证据开示"。[5]

这些研究结果都是一致的,但是是陈旧的。顾问委员会因此明智地查看了兰德民事司法研究所6)和联邦司法中心[7]关于近年来证据开示状况的研究报告。这两份结果与先前的研究结果一致。兰德的研究是基于在1992-1993年间在20个联邦地区法院提起的5222个案件。在其样本案件中,兰德排除了那些涉及较少的或者不涉及证据开示或案件管理的案件。[8] 在争点合并之前就结束的案件

---

[1] Marc Galanter, *Real World Torts:An Antidote to Anecdote*, 55 Maryland law Review 1093 (1996).

[2] Thomas E Willging 等, An Empirical Study of Discovery and Disclosure:Practice Under the 1993 Federal Rule Amendments, 39 Boston College Law Review 525, 549, table 6 (May 1998).

Thomas E Willging 等, An Empirical Study of Discovery and Disclosure:Practice Under the 1993 Federal Rule Amendments, 39 Boston College Law Review 525, 549, table 6 (May 1998).

[3] Judith A. Mckenna & Elizabeth C. Wiggins, Empirical Research on Civil Discovery, 39 B. C. L. Rev. 785, 787 (转引哥伦比亚的有效司法项目)。

[4] 见 Paul R. Connolly 等, Federal Judicial Center, Judicial Controls and the Civil Litigative Process: Discovery (1978).

[5] David M. Trubek 等, The Costs of Ordinary Litigation, 31 UCLA L. Rev. 72, 90 (1983).

[6] James Kakalik 等, Discovery Management:Further Analysis of the Civil Justice Reform Act Evaluation Data, 39 B. C. L. Rev. 613, 615 (1998).

[7] 见 Willging 等前注书,注释108.

[8] 他们排除了因犯案件,关于社会保险的行政审查案件,破产上诉案件,取消抵押回赎权的案件和罚款案件以及收债案件……

（约占28%）中，完全没有证据开示。在在大约270天后，在争点合并后结束的案件中（越战27%），律师平均对于每个诉讼人在证据开示中的工作时间是3个小时，即使在那些在起诉后270天以后结束的案件中，律师平均为每个诉讼人用于证据开示上的工作时间是20小时。在55%的兰德样本案件中，不涉及或者仅涉及很少的证据开示。对于一般的民事案件来说，占兰德样本案件的38%，律师用于证据开示的工作时间为0。

联邦司法中心研究了1000个在1996年的最后一季结束的案件。对于这些案件，联邦司法中心关注其费用的支出状况。他们发现，平均的证据开示费用大约为6500美元/每客户（约为中等诉讼费用的一半）。关于费用与争讼额之间的关系，联邦司法中心发现，证据开示费用比例非常低，平均仅为争讼额的3%。

除了这些与先前一致的关于证据开示的费用和功能制度的发现以外，研究结果也与关于规模比例的发现相一致，即在证据开示中，由于案件的规模不同，存在着大规模的证据开示活动和证据开示争议的问题。1978年联邦司法中心的研究结论是，在一些案件中——低于5个百分点——有10个以上的证据开示要求。另两个新近的证据开示研究也发现，大量的证据开示集中在少数案件中。例如，在兰德的研究中，中等的证据开示小时数在前10名的案件中是300小时——15倍于平均的证据开示时间。在联邦司法中心的研究中，尽管证据开示费用的平均百分比相对于争讼额来说是非常低的（仅为3%），但是有5%的案件中，证据开示费用占争讼额的32%以上。正如美国律师基金会的主任提醒我们的，"因此，在很少的案件中有着很大的证据开示数额。"[1]

至少在一个一般的水平上，该研究也确认了证据开示的特性——倾向于集结在某些少数的问题案件中，其中涉及争讼额、案件的复杂性、案件的争议性、案件的诉讼标的、律师事务所的规模、当事人的数量、以及诉讼主张的数量等因素，其中争讼额与证据开示之间存在着最密切的联系。这些研究发现使得兰德研究人员建议对于这些少数案件给予特别的关注。……

这些发现提醒政策制定者们，应当考虑将对证据开示规则的调整与区分案件类型的证据开示管理相结合，对于那些可能会发生高额证据开示费用的，以及那些可能产生这些高额证据开示费用的实务施加管理。更多的注意力和研究显然需要集中在，如何早期识别那些高额的证据开示费用案件上，以及如何对这些案件实行最佳的管理方面。

同样地，联邦司法中心的研究人员依据他们的数据，得出的结论是，"可能

---

[1] Bryant G. Garth, Two Worlds of Civil Discovery: From Studies of Cost and Delay to the Markets in legal Services and Legal Reform, 39 B. C. L. Rev. 597, 600 (1998).

存在问题案件,但是不是与每一种单独的证据开示形式有关的单独的问题"。

现在,我们还不清楚的是,为什么在这些特定的案件中存在了大量的证据开示和证据开示纠纷。这些问题究竟是什么?这些问题是规则引起的还是规则之外的力量造成的?对于律师、客户和法官来说,是什么动因导致了问题的产生并使其持续了如此之久?这些情况能够因规则的改变而得到纠正吗?……

注释与问题

1. 对于你所阅读的关于证据开示的广泛争议,重要的是要记住,设计证据开示的目的在于使其适用于大多数案件中,在通过私人诉讼搜寻不法行为方面,证据开示现在已经变得非常重要。而对此的替代性选择可能是,实质性的扩大政府调控,以及政府诉讼。但是,这样的选择能否带来改进?在就其从一个关于证据开示规则的专家会议中所获内容作总结时,现任联邦民事诉讼规则顾问委员会主席,得出了三个结论:

(1) 获得信息的愿望与民事纠纷解决之间的关系几乎是普世性的。在本次会议上,似乎没有人赞赏消除全面披露关联性信息的要求。

(2) 在那些常规案件中,证据开示程序现正有效且高效地运行着。

(3) 在那些证据开示被积极使用的案件中,证据开示被认为属不必要的支付和负累的……

参见 Paul Niemeyer, Here We Go Again: Are the Federal 证据开示 Rules Really in Need of Amendment? 39 B. C. L. Rev. 517 (1998)。

那么请问,这些观察结果对于证据开示来说,是具有鼓励性的吗?为什么?

2. 1998 修正案所建议的最大修改是针对联邦民事诉讼规则 26(a)(1)、26(b)(1)、30(d)(2) 和 34(b)。由于相对漫长的修正程序,因此,该修正案最早的生效日期可能是 2000 年 12 月。在 1998 修正案中,有如下四个重要的修改:

(1) 替换强制披露任何"系属诉讼所涉及的诉讼标的"的表述,对于联邦民事诉讼规则 26(a)(1) 的修改是,要求披露任何"趋于支持要求披露方当事人的立场的"材料。此外关于严格限制强制证据开示的范围,顾问委员会也提出了取消依据地方规则选择退出的规定,因此强制要求每个司法辖区都实行这样的规则。(但是,该修正案并不会取消通过当事人约定而不实行强制初始披露要求的规定)

(2) 修改联邦民事诉讼规则 26(b)(1),将"系属诉讼所涉及的诉讼标的"的表述从证据开示的定义中删除。在这样的改变下,证据开示的范围将被限定于当事人的主张和抗辩。顾问委员会提议该修改,是为了在特别容易出现过度宽泛的证据开示要求的案件中控制证据开示,诸如产品责任诉讼。

(3) 对联邦民事诉讼规则 34（b）增加特别规定，授权法院可以因证据开示而产生的重复的、不当负担的或者过度高昂的支出，要求请求方当事人支付合理的证据开示费用。这样的修改将使现在在很多司法辖区的实务做法生效，并在其他地区得以确立。

(4) 根据对于联邦民事诉讼规则 30 的修改，将录取证言限定为一天 7 小时。如果一方当事人想要对证人作超过 7 小时的更长时间的录取证言，该当事人必须获得法院和对方当事人的同意，并且必须与该被录取人协定一个追加的录取证言限制。

3. 1998 建议修正案是民事规则顾问委员会取得的成果。在 1990 年代中期，保罗·尼梅叶提出下面的 3 个问题，向该委员会传达他对证据开示规则的关注：

(1) 当证据开示规则获得全面运用时，相对于其对纠纷解决的贡献来说，证据开示程序是否过分昂贵？

(2) 这些规则的改变能够在不损害全面披露政策的前提下，降低证据开示的费用和迟延吗？

(3) 联邦证据开示规则应当，适用于涉及全国的实体法和程序法的案件中，也适用于涉及州法的案件中，从而在整个美国成为一个统一的规则吗？

对于 1998 建议修正案顾问委员会的成员来说，你建议他们应如何回答这些问题？你对于这些问题的回答是什么？如果要你提出 3 个关于证据开示改革的问题，那又会是哪 3 个？

4. 正如一个实证数据所建议的，对于普通的律师处理普通的案件来说，证据开示并不是一个体制性的问题，那么大多数律师是否会希望对证据开示程序实行重大的改变？

5. 某些学者认为，证据开示改革所针对的是排他性的过度证据开示——即，当事人力图从其对手那里挖掘出较他们有权获得的更多的东西（较一个合理的成本/利润分析更多的内容）。实际上，很少有提案关注对于证据开示的抵制措施。对于此二者之间的差别你将作何什么解释？请顾问委员会和联邦司法中心进行的实证研究，在这些研究中都指出，大多数的问题是发生在文件提供上，即当事人没有给予足够的回应，以及不及时回应的问题。参见 Thomas Willging 等, An Empirical Study of Discovery and Disclosure: Practice Under the 1993 Federal Rule Amendments, 39 B. C. L. Rev. 525, 540, (1998)。

实务练习十六
程序规则制定

现在，假设你是一个参加公开论坛讨论的人，你被要求对下列解决方案发表意见：

解决：最高法院是否是最佳的规则制定者角色，虽然国会已经依据美国法典第 28 编第 2072 和 2074 节授予其相应的权利。

在本次论坛的会议资料中清楚表明，首要的争论焦点将涉及个证据开示规则，特别是：（1）基于过去 20 年间的争论而提出的雇员证据开示规则的修改问题；（2）1993 修正案，在没有经过国会实质性的考虑或者辩论就通过了。在会议的材料中也涉及大量的争议，它们提出了以下可能应予以阐释的问题：（1）非超实体（non－trans－substantive）的程序；（2）司法制度中的效率；（3）分权；（4）能力的分配问题。

准备与大家一起分享你关于最高法院在以上事项中的角色问题。当然，你还应当为你所提议的改革作好辩护的准备。

作为这个实务练习的一部分，请阅读最高法院关于 1993 修正案（和怀特大法官的意见）给国会的信：

华盛顿特区 20543

美国最高法院

首席法官办公室

尊敬的众议院发言人：

受最高法院的指示，我很荣幸向国会提交关于联邦民事诉讼规则的修正案，该修正案已由最高法院根据美国法典第 28 编第 2072 节而采纳。虽然本院认为，所有要求的程序修改已经得到考察，但是本转递书并不必然表明本院会以提案的形式提出这些修正案。

怀特大法官单独作出了一份陈述，斯卡利亚大法官提出了反对意见，托马斯大法官加入了该反对意见，苏特大法官部分加入该反对意见……

此致

威廉姆·H·伦奎斯特
1993 年 4 月 22 日

【递交修正案的命令略】

美国最高法院

对于联邦民事诉讼规则的修正案

【1993 年 4 月 22 日】

怀特大法官：

《美国法典》第 28 编第 2072 节授权最高法院规定一般的实务和程序规则，以及在联邦法院诉讼的案件所适用的证据规则，包括由审裁官处理的程序和上诉法院适用的程序。但是本院自身并不起草并提议这些规则。第 2073 节基于在 2072 节中提到的规则目的，规定由司法会议设定程序。该会议是被授权制定规则的委员会，其成员由职业律师、一审法院和上诉法院的法官组成。该会议也指定一个关于实务规则和证据规则的常务委员会来审查顾问委员会的建议案，建议对于委员会指定的这些规则和对这些规则的修正案"对于维持司法的一致性或者促进司法公正是必要的"。任何由该委员会建议的规则都被转递到最高法院，然后最高法院再根据第 2072 节的规定，将其转递到国会。除了在第 2074（b）节中规定的情况外，所有经过此种程序的规则即于一个特定的时间生效，除非国会作出相反规定。

该顾问委员会和常务委员会的成员是经首席大法官慎重提名而组成的，因此我确信，这些经验丰富的法官和律师极其严肃地对待他们的工作。而且也有很明显的证据表明，对于所有提出的建议案，常务委员会或司法会议都不是橡皮图章。因此，顾问委员会的建议案被退回到最初的委员会以便作进一步审查的情形一点也不罕见。

在我于最高法院任职的 31 年期间，由于修改制定法之必要，顾问委员会的成员数目在大量增加。在这期间，至少是我所知道的，我们已按"规定"向国会转递了 64 个建议案。其中某些转递的建议案所涉范围很小，但是有些就很广泛。在这期间，布莱克大法官和道格拉斯大法官，联合或者单独 13 次提出了反对意见，认为由最高法院来转递这些规则不合适。除了这两位大法官外，鲍威尔大法官、斯图尔特大法官和伦奎斯特大法官都针对一种情形提出了反对意见，欧康纳大法官对于建议规则的实体提出了反对意见……在我的记忆中，只有一次，最高法院拒绝转递由司法会议提出的关于某些规则的修改。……

所以，现实的情形是，大法官很少会拒绝转递由司法会议提出的规则。除了布莱克大法官和道格拉斯大法官，其他大法官也很少反对任何这样的规则转递。这表明，在这期间，多数的大法官都认为国会在规则制定程序中具有非常有限的作用。绝大多数大法官（包括我本人在内）显然还没有归属到布莱克－道格拉斯的观点下，即认为很多建议的规则都涉及到实体事项，而这是宪法保留给国会的权限，且在任何情况下都应当为第 2072 节所禁止的，即关于不得消减、扩大或者修改实体权利的规定。

但是，我们当中的某些人，已经在默然分享了布莱克大法官和道格拉斯大法官的建议，即认为，修改制定法的职责在于司法会议而非最高法院。最初于1934 年颁布的关于制定法的第 1064 条，将司法会议的权力扩大到了对联邦法院工作的监督和限制上，并包括因此而对国会提出适当的立法建议。现在，根据美国法典第 28 编第 2072 节提出的规则都不是由我们准备的，而是由司法会议中首席法官任命的那些委员会准备的，在这些建议案提交给我们之前，根据美国法典第 28 编第 331 节，它们应获得司法会议的批准。该委员会和司法会议都是由著

417 名的、能干的成员组成，他们向公众提供了高质量的公共服务。但是，是他们而非我们，才是真正工作的人，对于我们来说，只是许可这些建议性的规则，所以，我们实际所作的仅有的贡献只是一个偶然的投票表决活动。如果关于联邦地区法院的规则制定将继续在现行制度下运行的话，那么，我们认为，对此，最高法院不应当再承担任何部分的任务，而且，应当对相关的制定法进行修改，从而使得司法会议能够更加积极地参与对规则的策划，并在规则设计方面，较我们更为积极地作出贡献。解除关于司法会议的转递功能，将把我们从尴尬的就规则的合宪性而坐着判决的局面中解脱出来，因为那些我们批准的、在特定情形下适用的规则可能会被宣布无效。见 374 U. S. 865, 869-90（1963）。【脚注略】

尽管有两位或一位大法官的重复抗议，但是国会并没有消除我们在规则制定程序中的参与作用。的确，我们的制定法角色是继续根据第 2072 条的规定，将我们的权限范围延伸到证据规则和适用于审裁官的程序规则制定中。国会明确继续指示我们"制定"特别的规则，但对此，我们中的大部分人得出的结论是，至少出于两个原因国会不能把我们的角色等同于常务委员会和司法会议的审查者。第一，履行这样的功能将需要很多的时间，由此产生的支出与增长的案件量不一致。第二，我们中的某些人，我也保留此观点，非常明确地认为，司法会议和其委员会"大部分来自基层法院的法官和律师，由于他们日日使用规则，因此他们较我们处于一个更佳的位置，来对规则的有益或无益，作出切合实际的判断"。383 U. S. 1089, 1090（1966）（道格拉斯大法官的反对意见）。

我曾经在民事规则顾问委员会任职，但是审判实务是一个动态的职业，一个人越远离实务，就越不应该由他来承担对于活跃在实务中的规则制定委员会的评判工作。至少，我们不应当履行一个重新审查的职责，而应当听从司法会议和其委员会的建议，只要他们对于其提议的修正案，有着某些合理的基础。

418 因此，如我所看到的，在过去的若干年间，最高法院的角色只是，无修改地、并且无需仔细研究地转递司法会议的建议。这样必然使得我们的工作不可避免地表面化。这是我的经验，即使在某些情形下，基于或许是过了时的观念，我对于修改特定规则的建议带着有着很大的怀疑。

关于提交到我们面前的规则修改建议案，没有人认为，在规则制定过程中，顾问委员会没有履行恰当的程序。道格拉斯大法官认为，应当将最高法院从整个规则制定程序中剔除，但是，国会坚持我们在"规定"规则方面的作用，因此，道格拉斯大法官拒绝仅仅作为一个递交的管道而存在，并且反对转发他不赞同的规则修改建议案。我注意到，斯卡利亚大法官也意在遵循这一范例。但是我也注意到，随着时间的推移，道格拉斯大法官坦承，他对于新规则的运行背景不够熟悉。

而我的结论是,在对多种规则进行修改的问题上,如果说,我们只具有司法会议常务委员会的复制功能,那么我认为,这对于法官、律师或者国会来说都是个错误,如我所言,在过去的多年间,我们的角色已经变成了一个更为有限的角色。

第五章

受陪审团审判的权利与结果的司法控制[*]

本章探讨围绕民事陪审团的争论,主要是获得陪审团审判的权利以及各种控制陪审团或者防止案件进入审判过程的方法,主要包括即决判决(summary judgment)、作为法律事项的判决(judgment as a matter of law)指示裁判(directed verdict)和不顾陪审团裁判的判决(judgment n. o. v.)、指示陪审团(jury instruction)、要求重新审判的动议(motions for new trial),以及增加赔偿金(additur)和减少赔偿金(remittitur)。最后两节是关于终结辩论(closing argument)和上诉。

第一节 价值理念和历史背景

一、概述

所有民事案件中,只有不足6%的案件进入审判程序,而其中只有不足1/3的案件接受陪审团的审判。[2] 既然使用民事陪审团的案件如此之少,为什么一本关于民事诉讼的书却用整整一章来论述"获得陪审团审判的权利和对陪审团裁判的司法控制"?尽管事实上接受陪审团审判的民事案件数量相对较少,但获得陪审团审判的权利一直是法律界所主张的案件审判的实质内容,而且诉讼的提起、准备及和解,都是在一种对于如果进入陪审团审判将会是什么结果的猜测的"阴影"之下进行的。另外,如果不考虑我国历史上对陪审团举棋不定的态度,

---

[*] 校者注:在普通法中,司法控制(judicial control)仅指法官实施的控制。陪审团参与审判虽然是"司法"制度的一部分,但与之相关的这样专指法官行为的术语,概念却不用judicial, judge或judgment。本章讨论的是法官对陪审团权力的控制。

[2] Paula L. Hannaford, B. Michael Dann, and G. Thomas Munsterman, How Judges View Civil Juries, 48 Depaul L. Rev. 247, 253 (1998) (citing Carol J. Defrances te al., Civil Jury Cases and Verdicts in Large Counties, Bureau of Just. Stat. Special Rep. (U. S. Dept. of Just., Washington, D. C.), July 1995, at 2.

深入理解目前的民事程序和美国法律的一般发展（特别是证据制度）将是非常困难的。正如本章所论述的，大量的程序理论被确定下来，其目的时保护获得民事陪审团审判的权利，但同时由于对普通人进行公正审判的能力不信任而产生对陪审团及其裁判进行法官控制的程序。

美国民事诉讼程序中存在的紧张主要源于对民事陪审团的保护与控制，例如明确界定和宽泛叙述之分歧，专家和普通人分歧。在现代社会中发生关于种族和性别的争论也对陪审员选择和陪审团组成产生影响。人们对陪审团权利的解读是否广泛，是限制还是扩展陪审团对证据的接触，陪审团接受指导的范围以及其裁判的受重视度在很大程度上受政治影响。

本章开头有两个方面的论证，一方面提供关于目前美国民事陪审团讨论的节录，另一方面是对陪审团发展历史的概括。你们可以阅读宪法中关于民事案件陪审团裁判的规定，以及判例法对这种权利的复杂界定。联邦宪法第七修正案规定：

> 在普通法上的诉讼，如果争议标的额超过20美元，陪审团审判的权利将受到保护。凡经陪审团审判的事实，除非依照普通法的规则，不得在合众国的任何法院中重新审理。

其中"陪审团审判的权利受保护"的表述，在1791年权利法案成为宪法的一部分之后，最高法院一直在考虑民事诉讼中陪审团审判的案件范围。法院试图求助于历史来对这种权利进行界定，因此，历史性的解释对我们了解民事陪审团程序是极为重要的。

本章第三部分是挑选陪审团的理论与实践，从中你可以看到在程序争议背后所蕴含的文化、种族以及性别的纷争。还有关于各种影响、控制以及推翻陪审团裁判的各种不同方法。在前文你曾经了解到的一些概念，例如即决裁判、指示陪审团（现在被称为作为法律事项的裁判）在这里我们将对其进行更加详细的论述。而且你可以学到一些理论，例如在没有足够证据保证原告能够胜诉时，将案件提交法官由法官做出事实判断更加有利于当事人。

下文中支持或反对在民事诉讼中运用陪审团审判的论述中，都包括了陪审团的组成和对陪审团的控制的理论，我们应当将民事陪审团放在一个制度整体中对它进行审视和判断——这些辩论实质上支持了什么，又反对了什么。

二、关于美国民事陪审团的争论

在美国现代诉讼中陪审团的职责是什么？他们被指示对证据的证明力作出公正无私的判断，从而对事实做出裁判，并在法官的指导下适用法律。无论是陪审团审判的案件还是在其影响下解决的案件，陪审团在现代司法实践中的全局地位是不可置疑的。但是陪审制度在几个世纪以来也一直受到各方的批评。目前，世界上大约有80%的陪审团审理的案件发生在美国，在其他国家民事诉讼中较少采用陪审团审判。因此，这成为反对者们的论据，"民事陪审团的反对者将陪审团在司法制度中的废弃作为民事陪审团过时的证据。事实上，加拿大和澳大利亚民事陪审团的使用大大减少，而且在该制度发源国英国，陪审团制度已经实际上消失了"。[1]

陪审团的反对者总是针对陪审团的效率提出各种反对意见。他们总是强调陪审团缺乏专业知识，在审判中容易受偏见和情绪影响。支持者们则主要是用数据来反驳对于陪审团效率和能力的批评。另外，他们认为民事陪审团在民主制度中扮演着极为重要的角色，他们保障程序的正当化，限制恣意司法行为，实现了社区价值，允许公民进入司法程序；除了对纠纷做出中立、公正和准确的裁决外，还可以对公民进行法律教育。请参考过去和现在的论辩，然后再得出你自己的结论。

> 陪审制度为理智和诚实设置了障碍，它是对无知、愚蠢和偏见的酬劳。仅仅因为一千年前它是好的我们就继续使用这个无价值的制度，这实在是一种耻辱。
>
> 马克·吐温：《磨》，第309页，(1872)。

> 陪审团审判的最好的案件也不过是外行人的杰作而已。我们如何能够想像，12个以不同方式随机挑选并且以缺乏专业知识作为惟一的标准的人如何具备特殊的能力来对当事人之间的争议裁判。
>
> 厄文·N·格瑞斯伍德，《哈佛大学法学院院长报告（1961－1962）》，第5－6页。

> 我们现在生活在一个不同的时代，与我们的法律制度一样社会上的一切变得复杂。早先，陪审团可能坐在那里一天或两天，解决邻里间的小纠纷。但是，今天却不是如此，陪审团可能要花几个月的时间试图从诉讼双方提供的堆积如山的证据中对涉及反托拉斯、证券交易、税收、专利等等诸如此类的案件做出判断。
>
> 一个加长型的审判，使来自不同背景的陪审团很难胜任其公正职责。诚然，陪审团的组成人员多数是一些工薪阶层的人，他们对加长型诉讼中所涉及的法律问题不熟悉，也没有充足的时间来参加审判。纽约南部地区的法官查理斯·L·布伦特指出："难道大多数案件要由退休的、无所事事的富人、靠社会救济生活的人以及抚养孩子的家庭主妇来裁判？这很难达到'法庭所要求的公正'"。
>
> 在案件中呈现的事实极其复杂，不仅这种争议需要非专业人员解决，而且这些需要从繁多的证据中来发现争议事实。同样，法律问题与事实问题之间的复杂的、重叠的和模棱两可的关系，要求对陪审团做出指示。但是即使对陪审团做出了明确指示，陪审团也难以胜任，也难以将这种抽象的指导运用于复杂的判断工作，特别是涉及技术性证据的问题时。

---

[1] 民事陪审团（法律的发展），哈佛法律评论第110期，页1408，1411（1997）（引证从略）。

爱德华·J·戴维特,《民事案件中是否应当进行陪审团审判?——对第七修正案的挑战》,47,J,Air L. & Comm. 495,497,498,500(1982).

杰瑞米·T·弗兰克:初审法庭
Jerome T. Frank, Courts on Trial
110-111,129-130(1949)

……对陪审团功能的学说主要有三种:

(1)幼稚的理论认为陪审团的作用是认定事实,而不必考虑法律规则,因为法律规则已经由法官进行了说明。

(2)一个较为复杂的理论认为,陪审团不仅认定事实,而且运用法律推理,将从法官那里接受的法律规则运用到这些事实中去……

在这一理论下,陪审团制度已经受到批判。它认为陪审团不是依据证据进行判断,而是歪曲了——或者"捏造了"事实,根据自己的好恶来作他们所希望的判断(通过运用法官所规定的法律规则对事实做出判断,就此故意产生错误的判断),而这种裁判在很大程度上受法官对法律规则指引的影响。在这个意义上,"案件事实"的发现是为了达到结果而不受法律规则的约束。

这种理论将审判结果归因于陪审团的狡猾。它认为他们完全理解了法官的指示,但他们利用计策逃避了这种规则——通过完全的技巧和狡猾——而他们通常发现的事实,是与这种规则互相关联,并在逻辑上达成他们想像的结果。

(3)第三种理论被称为"现实"理论。这种理论认为,由普通人组成的陪审团,他们对作为陪审员应当履行的职责可能并不了解——也就是说,陪审团既不能也没有试图将法官的指示运用到审判过程中。他们的直接令人难以忍受。他们可能希望约翰森从铁路公司那里得到5000美元,或者不希望美丽的尼尔·布朗因为杀害丈夫而被判监禁等等,他们就会依据自己的喜好作出总体裁判(general verdict)。通常,在所有的实践目的和意图上,法官对于法律规则可能从来就没有表达清楚。克雷门顿(Clemenston)写道:"我们也不能了解总体裁判的形成过程,我们也不能看到主要事实是如何被决定的,或者法官的指示是否被运用到事实决定过程中……这是一种常识,总体裁判绝对不是冷静慎重评议的结果,而是各种混杂的印象和观点,是有疑问的事实和各种观念冲击的产物。法庭也无从对陪审团裁判发表意见或进行审查"。

"现实"理论认为,在许多案件中由于总体裁判的保护作用,陪审团并不决定"事实",也不关注于法律规则,他们作为社区成员仅仅关注诉讼双方的权利和责任。由于法庭的最终判决以陪审团的总体裁判为依据,因此,这种判决也仅停留在社区成员对这种权利与责任的价值判断上……

陪审团的赞成者认为，陪审团由于具有诚实美德而且免受法律规则的困扰，因而会做出比法官更为优异的判断，然而，作为为陪审团进行理性辩护的理由，这的确非常奇特。这种理论声称，每一个陪审团都是一个由12人组成的星期立法机构，他们不是由选民选举产生的，却被赋予权力来摧毁选举产生的立法者们制定或授权的事务。因此，每一个陪审团都是一个立法会议，他们独立于其他人而进行立法。因为即使一个陪审团所做的不过是通过拒绝在一个具体案件中适用一项法律规则从而使之无效，但那仍然是立法活动，因为摧毁法律规则的权力是立法权力。上述对陪审团的辩护理由改变了我们对立法体系的描述，表明立法体系——比如在联邦政府中——由3个主体构成，即（1）参议院；（2）众议院；（3）复合型的陪审团。

我对这种描述提出一个反对的理由：我认为它过分老于世故。它隐含着这样一种含义，一般陪审团都会对自己说："我们不喜欢法官告诉我们的这个法律规则，我们不适用它，而要适用我们自己制定的规则。"然而，当陪审团不懂得法官所说的规则究竟是什么的时候，他们并不是因为不喜欢而是因为不理解而拒绝这种规则的运用。许多陪审团判决是依据对律师和证人的感情上的好恶，而不是任何法律规则或证据，他们可能喜欢原告巧舌如簧的律师、贫穷的寡妇、深情无助的眼神，他们不喜欢大公司、意大利的大胖子、不喜欢外国口音。我们没有统一的废弃陪审团裁判的规则，我们的规则使陪审团得以反复无常地规避适用好的规则或坏的规则。

哈芮·凯文：民事陪审团的尊严
Harry Kalven, The Digntiy of the Civil Jury
50 U. Va. L. Rev. 1055，1059-1067（1964）

陪审团审判比法官审判要长多少？专业法官和律师对此的判断差别很大，我们很难推断出一个令我们满意的答案，也不能对同一个案件进行两次审判以进行比较。另外，尽管有许多理由让我们相信，陪审团审判在许多方面比法官审判复杂，我们也不能从陪审团审判和法官审判的案件进行简单比较……但是，通过大量的推测，我们得出结论是法官审判大约比陪审团审判要节约40%的时间……

陪审制度具有优越性，我们可以从以下该制度经常被攻击也被赞扬的3个特点进行分析。

第一，一方面陪审团制度存在一系列的附带的优势和劣势，例如它赋予了公众参与审判的民主经历；而且，由于陪审团的普遍参与使得特定判决的严厉性可以被接受；或者因为陪审团的介入或者由于陪审团对案件的介入使得暴露在公众之下的法官避免了怨恨和批评；或者陪审团总体来说要求陪审员12人达成一致使案件审判更为审慎。在否定的方面，陪审团费用是一个附加的司法支出，陪审团审判通常是不经济的，并且给社会造成沉重的负担，由于这一原因，一些承担陪审员职责的人看到事实真相，从而会对司法行政管理丧失信心。

尽管这种考虑大量地出现在对陪审团的争论中，论证者有义务提出论据来证明这种观点，但是实际上并没有。我们收集了相当的资料对陪审员服务后的反馈进行分析。这些材料表明，那些承担了陪审员职责的人，他们对待其任务都极为严肃，他们精心做出裁判……更为重要的是，这种经历对他们的生活产生较大的影响，使他们能够成为一个好公民。

第二个问题是陪审团的能力。对于陪审团的批评源于此，他们是否有能力理解展示在他们面前的不同的事实和复杂的证据，是否能理解法律的规定，是否有效地进行了商讨？

第三个问题是陪审团与法律的关系问题。他们是否能够服从法律，并且做出了公平而非恣意的裁判？

后两个问题是我们长久以来争议的核心。而且陪审团可能被一些不同的价值所牵绊，缺乏相互之间的协商与调和。在这个问题上，或许实证的研究更能对此作一些洞察，尽管这并不能解决全部问题。

当人们说陪审团的判决具有较低的质量时，他可能指在一定程度上法官比陪审团更称职。如果他对此进行比较的话，那么他就突破了这种讨论的底线。不可否认，陪审团不像法官那样理智，他们可能会反复无常、缺乏对事实的理解、对法律缺乏服从，对陪审团的批评无非如此。如果我们从这个角度进行分析，仅仅是将法律秩序作为一个整体来考虑，而忽视了陪审团作为一种审判形式的特殊性。另外，法官审判与陪审团审判是相关的而且是可以互换的，对陪审团审判的争议同样也是对法官审判的争议。

［芝加哥大学陪审团项目，在对几千个陪审团审理的人身伤害的案件进行分析之后认为，79%的案件法官和陪审团认为责任存在，他们既不偏向于原告也不偏向于被告。而在赔偿的问题上，双方之间具有较大的分歧，大约有44%的案件法官和陪审团由一致的意见，在23%的案件中，陪审团做出了更高的赔偿，在17%的案件中，法官做出了更高的赔偿，大约有4%的案件双方做出的赔偿是相近的。陪审团的数额一般会比法官做出的赔偿数额高出20%。］

还有……更多的关于陪审团的能力的调查。我们曾经多次被告知陪审团审判的过程是由12个没有经验的外行人，他们相互是陌生人，他们被邀请应用他们不熟悉的法律对不明了的案情作出一个一致的判决。作为一个整体学习法律、记录事实并且进行有序的讨论，是每一个陪审团需要做的事情……

在初审法官对法官——陪审团能力的调查中，和其他因素一样，如果我们将案件根据难易程度分为不同的"较难理解"和"简单"的案件，我们可以遵循下列假说对陪审团和法官的认识能力进行分析。我们会发现对于陪审团是较为困难的案件，对于法官也是不容易解决的。另外，如果陪审团对案件了解程度越深他们就越容易达成共识，如果他们对案件产生了误解，法官也不会从一个不同的角度作出判定。所以，我们认为，这些关于判决的假设，是不合理的，陪审团在较为困难的案件中得出的结论有区别，但是在简单案件中，他们得出的结论往往是相同的。如果我们对简单的案件进行分析之后，也可以得出相同的结论……

如果我们能够更加仔细地研究陪审团履行职责的过程，许多关于陪审团的"神话"都将会不攻自破。我们在对审判后陪审团成员进行调查中发现，陪审员在案件评议过程中对案件进行了大量的模拟和激烈的讨论，他们在这种活动中运用了大量的技巧。我们发现，在法庭审理过程中陪审团并不像通常所描述的那样保持沉默，他们对案件的每一个细节都极为关注，他们之间有着充分的沟通。他们运用集体智慧对案件进行分析，陪审员之间互相提醒，案件的各个细节都被进行了讨论，审理案件的过程更多体现的是全体成员的意见而不是某个人或者某些个人的意见。因此，陪审团所得出的结论，能够更好地服务于其设立的宗旨，而且对于他不称职和缺乏判断力的断言是没有根据的……

维拉芮·P·汉斯和尼尔·维达：评判陪审团
Valerie P. Hans and Neil Vidmar, Judging the JURY
247–249 (1986)

在评判陪审团的问题上，我们应当考虑下列因素。首先是陪审团的替代制度。在法国、德国和其他一些欧洲国家，实行由法官和外行人组成的混合的裁判模式。在英国，轻罪刑事案件由外行人组成的治安法院进行裁判。但是，在多数情况下，人们赞成取消陪审团的主要目的是希望使法官行使这些案件中的审判权。问题是，法官是否事实上比陪审团更为优越？但不幸的是，我们并没有太多的资料来论证法官的能力……我们知道陪审团审判的规则主要是多数裁判规则，而法官审判则主要是依据其接受的法律训练，正如弗兰克大法官所说，法官应当在对证据进行更为科学的探索方面有所作为。另一方面，许多知名的法律评论家指出，法官并不必然比陪审团更适合作为事实认定者。假设陪审团中有一个或者几个人精于修理汽车，他们可能比法官更能处理好关于一个涉及汽车制造者的责任的案件的证据。也就是说，我们可以说普通法官在涉及法律事实的问题上可能比一个陪审员更为专业，但是他们是否比12个陪审员更加敏锐？

我们应当关注与一个事实，即审判机关既要关注公正又要关注法律。一个不可回避的事实是，近年来大量的少数民族和妇女进入司法界，但大部分的法官仍然是来自于社会特权阶层的法官。他们的背景决定了他们的观念，他们的公平正义观可能与普通民众相去甚远……

另外，我们还不得不考虑陪审团的两个政治性的因素。首先陪审团的功用在于其合法性。在一个民主体制下，人们对于法律的遵从主要不是来源于它的威慑力，而是他/她赋予了它合法性。尽管许多西方国家没有实行陪审制度也运作良好，但我们可以说，没有陪审制度民主难以实现，特别是在美国、加拿大、英国陪审团是承认合法性的一个重要标志。

陪审团的另一个方面的作用涉及它的社会功能。它不仅允许个人为法律制度做出贡献，而其还通过参与审判教育了大众。

托克维尔：美国的民主
Alexis De Tocqueville: Democracy in America
Pt II, Ch B (1835)

……美国视陪审团为一个优秀的政治机制，他是人民主权的一个重要表现形式；当这种主权被剥夺，那么这种陪审制度也不复存在了；换句话说，它必须与规定主权的法律相一致。正如议会是国家立法权的一个重要组成部分一样，陪审团是国家司法权的组成部分……

因此，只运用于刑事案件的陪审制度，必然永远处于困境；而一旦将它用于民事案件，变成为经得起时间考验和顶得住人力的反抗的陪审制度……陪审制度，特别是民事陪审制度，能使法官的一部分思维习惯进入所有公民的头脑。而这种思维习惯，正是人民为了实现自己的自由而要养成的习惯。这种制度教导所有的阶级要尊重判决的事实，养成权利的观念。假如它没有起到这两种作用，人们对自由的爱好就只能是一种破坏性的激情。这种制度教导人们要做事公道。每个人作邻人案件的陪审员的时候，总会想到有一天也会轮到他的邻人在他的案件中成为陪审员。这种情况，对于民事陪审员来说，尤为千真万确。因为人们有朝一日成为刑事诉讼审判对象的几率可能不大，但是人人又都可能涉讼……陪审制度赋予每个公民以一种主体地位，使人人感到自己对社会负有责任和参加了自己的政府。陪审制度以迫使人们去做与己无关的其他事情的办法去克服个人的自私自利，而这种自私自利正是这个社会的积弊……

陪审制度对于判决的形成和人的知识的提高有重大贡献。我认为，这正是它的最大好处。应当把陪审团看成是一所常设的免费学校，每个陪审员在这里运用自己的权利，经常同上层阶级的最有教养和最有知识的人士接触，学习运用法律的技术，并依靠律师的帮助、法官的指点、甚至两造的责问，而使自己精通了法律。我认为，美国人的政治常识和实践知识，主要是在长期运用民事陪审制度当中获得的。

注释与问题

1. 许多观点认为陪审团裁判有助于律师和当事人达成和解。另外陪审团裁判影响诉讼双方的行为,特别在被专业性地告知双方当事人的职业和商业地位以及金钱收入都会从实际上或者潜在地影响陪审团的审判活动。事实上,侵权责任案件的一个目标是对不合理的行为进行辨别,这通常是由陪审团决定的。尽管陪审团审判具有许多优势,但在实践中,陪审团审判的采纳仍然比我们想像的要少。例如,在1990年,美国的地区法院由4765个案件由陪审团进行审判,这仅占法庭审理案件总数的25%左右。另外一些调查显示,在州法院的陪审团审判的案件约有15万件。杰弗雷·阿布雷姆,We, The Jury, 251 (1994)。

目前,每年仍有许多人都参加到陪审团中来。"自1990年,联邦法院系统有超过40万人参加了陪审员资格审查,其中被选择从事陪审的有115 877人。在联邦法院作为陪审员的有825 020人。"(同上,页252。)

曾经担任过陪审员的人,都认为他们这种陪审员的经历是有益而且重要的:

> 对于许多运用过权利并且承担责任的数百万的美国民众来说,陪审团服务是一个难忘的经历。尽管大多数人避免从事此项服务,但是有1/3的人在进行此项服务后对陪审团的运作产生了比以前更好的认识。他们迫不及待地讲述发生在陪审团房间中的"战争",我们在其他方面也曾经对此有过一定的认识。本书所采访过得几乎所有的陪审员对他们的工作都感到非常自豪,他们为评议的严肃性、为自己冷静地行使了权利、为他们所作的判决——无论对与错——而感到自豪。他们意识到民主制度仍然存在于我们的国家——他们能够主宰自己,这种感受要比投票选举、纳税或者参加游行表现得更为真切。
>
> 陪审制度在法庭上可能失去秩序尽管有许多人对此表示失望,但是没有绝望。陪审制度仍然应当存在,而且还具有其存在的价值。

斯蒂芬·J·阿德勒,Stephen J. Adler, Trial and Error in the American Courtroom 242 (1994)。

2. 你已经阅读了有关芝加哥大学的著名的陪审团项目的内容,该项调查是在19世纪50年代进行的,该调查表明由80%的个人侵权案件中,法官和陪审团对于责任的裁判是一致的。晚近的研究还表明,陪审团在多数情况下是称职的,对于陪审团偏好支持原告、无理性地夸大损失或者倾向于给予较大的惩罚性赔偿是没有依据的。指责他们支持原告、非理性地滥判损害赔偿、或者倾向于判予惩罚性赔偿,都源自于这些数据,当然有时陪审团的行为可能的确有些异乎寻常。1986年,维拉瑞·P·汉斯和尼尔·维达出版了评判陪审员一书,分析了关于陪审团的一些实际数据,下面是他们的一些结论:

> 通过对陪审团的广泛的多角度的研究,我们发现作为一个普遍的是使陪审团并没有表现出不适格……不可否认有些陪审员确实如此。但是,在对于数千名陪审团

研究的数据表明:不称职仅仅是个别现象。陪审团确实在某些方面与法官不同,但这不是因为他们的不称职。

……有时陪审团卷入了法律的战争,但是这是一场温和的战争。陪审员不会直接摒弃法律,仅仅是用自己对公平、公正、衡平的观念来理解法律。有人可能认为这是错误的,他们认为陪审团应当服从于法律,也有人认为这是陪审团在进自己的责任。无论如何,从整体上看,这些事实表明陪审团的行为是合理的、尽责的。

同上,120 和 163 页。不过最近州法院研究中心以及司法标准局对州法院的陪审团诉讼作了研究并得出了如下结论:

从总体上看,在侵权案件的陪审团诉讼中,原告的胜率为 49%……而在医疗事故赔偿案件中……原告的胜率为 30%左右。其中陪审团做出的赔偿额的中间值是 52000 美元,去除案件的合理支出后,应当认为这是一个比较合适的数目……惩罚性赔偿案件中金钱给付的 6%用来支付陪审团的报酬……在所有存在惩罚性赔偿的案件中,中间额是 5 万美元,但是平均值是使该数额的 17 倍(859000 美元)……在 1992 年,在 75 个郡法庭的陪审员总共做出了 3.273 亿美元的惩罚性赔偿。从总体上看,侵权赔偿中的惩罚性赔偿额占赔偿总额的 1/3 强,而在合同案件中占63%,雇佣案件中特别是就业歧视案件中占 40%。在医疗事故或生产责任案件(除了有毒物致害的案件)中,惩罚性赔偿的额度不超过补偿性赔偿的 2 倍(引用略)。

布朗·欧斯特罗姆,达维·罗德曼和约翰·戈维特 Brian J. Ostrom, David B. Rottman, and John A. Goerdt: *A Step Above Anecdote:A Profile of the Civil Jury in the* 1990s, 79 Judicature, 233, 235 – 240, (1996 年 3 – 4 月)。

在 1998 年,在一个名为"美国民事陪审团:幻影与现实"的论坛中,有许多对陪审团进行的实证研究。其中大部分文章与上述观点和结论相似,他们指出许多对于陪审团的抨击——轻率不合理的裁判以及对商业界的偏见——都是站不住脚的。米歇尔·J·希科(Michael J. Saks)在"公众关于民事陪审团的观点:在幻影中追寻现实"一文中,对于"陪审团是多数人的狂怒的诉讼"以及陪审团在多数情况下支持原告而对伤害案件中的被告缺乏同情心的观点进行了批判,但是他认为陪审团从赔偿金中得到的报酬过多。[48DePaul L. Rev. 221, 229 – 231 (1998)]。其他一些论文表明,全国初审法官一般对陪审团在民事诉讼中的角色持肯定态度[Paula L. Hannaford, B. Michael Dann and G. Thomas Munsterman, *How Judges View Civil Juries*, 48DePaul L. Rev. 247 (1998)],并且认为这种简单推定陪审团反商界的观点是不切实际的[Valerie P. Hans, The Illusions and Realities of Juror's Treatment of Corporate Defendants, 48 DePaul L. Rev. 327 (1998)]。法官和陪审团都会让公司在与个人在犯有同样过失时承担更多责任,不是因为一种反商界的偏见或者因为想要按照"水往低处流"的方式配置财产,而是基于理性的感知认为公司应当按高标准来要求，因为他们对于潜在的危害有更多的了解，他们更具有能力减少风险。同上。为了回应希科的这篇文章，Alschuler 教授认为：公众对陪审员的否定态度可能并不是敌对的。（Albert W. Alschuler, Explaining the Public Wariness of Juries, 48 DePaul L. Rev. 407（1998）.

3. 你认为支持陪审团的辩论哪一个更有说服力？反对陪审团的哪一个声音最强？你对赞成和反对陪审团在个别案件中的运用有什么意见？

4. 关于陪审团的最近三个辩论尤其值得关注：

（1）陪审团的规模。在19世纪70年代的一系列判决中，Williams v Florida, 399 U. S. 78（1970）；Colgrove v. Battin, 413 U. S. 149（1973）；Ballew v. Georgia, 435 u. s. 223（1978），美国最高法院无视600年来的普通法传统和两个世纪以来的宪政历史，做出了与先前判决相反的决定，判定无论在刑事诉讼中还是民事诉讼中，少于12人的陪审团都是合宪的。许多州和地区法院都利用了最高法院的判决缩减了陪审团的规模……最高法院大法官们的多数意见认为，陪审团的规模对判决结果没有影响，但其人数最低不得少于6人。Michael J. Saks, the Smaller the Jury, the Greater the Unpredictability, 79 Judicature 263（1996年3－4月 1996.）现在有许多理论和资料都认为最高法院缩减陪审团的行为是不合理的，人数的减少会增加判决的不确定性，由于总数的减少，陪审团中的少数民族代表也会相应减少，他们在陪审团中所起的作用也会被大大削弱，也减少了陪审团作为一个整体的判决能力和经验。在1996年，全美司法会议规则与程序常务委员会提议修改联邦民事程序法48条，使陪审团的规模恢复到12人，但是这一提议没有被司法会议采纳。参见 the Civil Jury（Developments in the Law），110 Harv. L. Rev. 1408, 1487（1997）。

（2）全体一致。美国先前的判例认为依据宪法第七修正案陪审团应当全体一致达成最后判决。最近，法庭认为第十四修正案并不要求在州刑事陪审团审判中达成一个全体一致的判决，Apodaca v. Oregon, 1972, 406 U. S. 404, 但是依据第6修正案在联邦起诉的案件应当达到全体一致。406 U. S. at 366（Powell, J., concurring.）最近并没有关于在民事诉讼中是否要求全体一致的争论，但是一旦提出此类问题，法庭肯定认为全体一致不是必须的。Charles A. Wright, law of federal courts 671－672 n. 5（5th ed. 1994）。联邦民事程序法48条要求陪审团作出全体一致的判决，"除非当事人另有约定"。一些陪审团的模拟研究表明：采用不完全一致的陪审团裁判可能有一些不利后果。例如，如果要求一致，案件的评论可能会延长，但是对证据和法律的评价可能会更加彻底，持少数意见的陪审员可能更加积极地参与到讨论中而不是仅仅做听众，而且陪审员们可能对最终的一致裁判更满意。Valerie P. Hans and Neil Vidmar, judging the jury 175

(1986)。在Apodace案中,大法官道格拉斯提出的反对意见认为:人类的经验告诉我们,取得全体一致的判决不是要用礼貌、学术性的讨论替代急切和激烈的争论。

(3) 复杂性。某些人认为,复杂的民事诉讼可能要持续较长时间,因此宪法并不要求必须进行陪审团审判。在 Ross v. Bernand (1970) 案件中,在关于第七修正案下的陪审团审判,除了传统和救济的需要,最高法院提出了一个新的因素,"陪审团的实际能力和限制"。他们认为,在1791年之前,英国的先例将复杂案件作为陪审团审判的例外来规定。另一些人认为,免除陪审团审判是宪法第5条正当程序条款的要求。但是联邦第九上诉法院驳回了这种观点,认为并不存在复杂性的例外。第三上诉法院基于正当程序条款驳回了关于复杂性的例外。最终第五巡回法庭没有对是否存在复杂的案件表明态度,但是他们认为:如果案件非常困难以至于陪审团审判不能达成一个理性的判决时,可以不由陪审团审判。Charles A. Wright, Law of Federal Courts 659-660 (5th ed. 1994)。正如我们在芝加哥大学关于陪审团的研究中所了解的那样,陪审团可能会与法官在此类案件的判决上产生较大的分歧。

5. 现代对于陪审团的讨论是围绕着对陪审团制度作出可能的变革而不是取消陪审团进行的。请依据我们前文所讨论的"通知和听审"的要求来分析一下我们提出的对陪审团改革的建议:

(1) 允许陪审员在庭审过程中记笔记;
(2) 允许陪审员对证人提问;
(3) 以更容易的语言改写陪审团的指示(通常陪审团指示是以口头形式做出,可能长达几个小时之久,而且常常较为复杂);
(4) 在听取证据之前,给予陪审团指示;
(5) 允许陪审员拿到指示的复印件;
(6) 提高陪审员的报酬;
(7) 通过安排律师和法官的会面来减少审判过程的中断。

很多司法辖区已经采取了这种调整方式,你认为这种调整方式会对陪审团制度产生什么影响?

三、美国现代民事陪审团的历史背景

尽管一些历史学家将美国现代民事陪审团制度追溯到古希腊和罗马的文明或者追溯到公元1000年斯堪的纳维亚人定居英格兰的时代,但是多数学者仍然认为现代陪审制度的历史起源于1066年诺曼公爵征服英格兰。一般认为,早期的陪审团是由征服者威廉(William)召集来判决特定领地的划分的。后来,陪审团审判成为法庭审判的一种替代方式,而这些案件都充满了各种各样的斗争、折

磨以及宣誓，其中诉讼中双方当事人都会要求朋友来宣誓证明他们的真实性。陪审员主要来自于事件发生的社区，而且对案件情况熟悉，从一定意义上讲，早期的陪审团是由证人组成的，他们讨论案情并且做出判决。当时法官职责是告知陪审团处理争议应当使用的法律。参见 Lloyd E. Moore, the Jury : Tool of Kings, Palladium of Liberty, 2d ed. (1985)。

在随后的几个世纪中，陪审员和证人的界线逐渐变得明显。在过渡时期，对案情有所了解的陪审员被要求在公开审判中作证，然后回到陪审席继续进行审判。后来，法庭逐渐认识到陪审团审判的依据不应当是个人对案件的了解，而是展示在法庭上的证据。因此精心设置了程序，只有那些对案件无私无利的人（disinterested persons）才坐在陪审席上。参见 John Marshall Mitnick, From Neighbour – Wittness to Judge of Proofs：the Transformation of the English Civil Juror, 32 Am. J. Legal Hist. 201 (1988)。

当最初的英国殖民者将陪审团审判带到美洲时，陪审制度仍然在发展过程中。后来在1670年Bushell的案件中，一个英国的法官宣称陪审员有权使用他们的个人知识来进行判决。在美国殖民地时期，陪审团可以在不同的法官口中听到三种不同的解释。在这种案件中，陪审团既判定事实又适用法律，这种情形在独立革命之前的美国殖民地（例如马萨诸塞州）极为普遍。参见 William E. Nelson, Americanization of the Common Law (1975)。

在殖民地时期，陪审团成为与政府所任命的法官对抗保卫社区价值的卫士。他们也被认为是防止公共官员腐败的一个清廉的壁垒。最终，随着革命的临近，他们也成为对抗殖民者不公正的爱国主义的象征。英国人试图限制陪审团的运用，这种限制成为美国的建立者最初对殖民者的谴责理由之一，因此获得陪审团审判的权利被写入了独立宣言。

当英国殖民者被驱逐后，美国的法官成为各级法院的领导者。但是美国政府的领导者认为陪审制度阻碍债权人行使债权，因而对新政权的经济稳定造成了威胁，因此他们试图限制陪审制度的运用。依照宪法惯例，在联邦政权中债权人的利益是主导，在最初的文件中没有规定民事陪审制度。事实上，北方联盟纲领83条对此进行了规定，亚历山大·汉密尔顿认为获得民事陪审团审判的权利对于自由而言不是根本的，而且由于各州的多样性，实行陪审制度可能有许多缺陷。

在民事诉讼中，对陪审团审判的放弃是允许最高法院对案件进行复审的一个重要前提条件。这在支持债权人反对北方联盟的集会中成为主要的反对事由。他们的这种请求促使州立法机关批准了保护债务人取得陪审团审判的权利。最终，反北方联盟在争论中取得了胜利。1791年宪法第七修正案规定："在普通法上的诉讼，如果争议标的额超过 20 美元，陪审团审判的权利将受保护。凡经陪审团审判的事实，除非依照普通法的规定，不得在合众国的任何法院中重审"。要深入了解北方联盟和反对方关于第七修正案的讨论，可参见 Charles W. Wolfram, the Constitutional History of the Seventh Amendment, 57 Minn. L. Rev. 639 (1973)。

第二节 联邦法院中民事案件获得陪审团审判的权利

阅读联邦宪法第七修正案。在对第七修正案进行分析的早期，联邦最高法院大法官斯托里认为在联邦宪法中的"普通法"应当以英国的普通法为标准来判定。(U. S. v. Wonson, 28 F Cas. 745.) 随后的最高法院对这种观点进行了限制，他们将注意力集中于"保留"一词及其所具有的特定含义上，要求依据 1791 年该修正案被通过时英国的普通法进行判断。

这就出现了两个方面的问题，一个是由于普通法与衡平法的合并，如果我们仅仅限于 1791 年的普通法，那么若干年之后民事程序所产生的成文法还有什么意义？仅仅因为它不是修正案通过当时的法律，这些诉讼便被自动排除在该修正案之外吗？第二，自从成文法与衡平法合并之后，当事人能否有权提出衡平救济和法律救济？大法官斯托里自 1983 年的帕特森（Parsons v. Bedford 28 U. S. 433. 447）案中开始对这一问题进行探讨：

> 依据普通法，[第七修正案的架构] 意味着……不仅仅普通法已经在他曾经的已决程序中意识到这一点，而且包括已经被赋予权利和判决的案件中，这种权利与衡平权利本身的区别也应经被认识，并且采纳了这种衡平救济……

在最近的历史中，这一争论始于贝肯剧院案 [Beacon Theaters v. Westover, 359, u. s. 500 (1959)] 并且一直持续到今天，最高法院至今仍然被这一问题所困扰。

切夫、泰姆斯和赫尔珀斯、第 391 分会诉台瑞
Chauffeurs, Teamsters and Helpers, Local No. 391 v. Terry
494 U. S. 558 (1990)

马歇尔大法官表述了最高法院的意见，除了第 III—A 部分以外：

本案指出一个雇员要求支付欠薪的案件，由于工会违背了其公正代表的职责是否有权要求进行陪审团审判的问题。我们认为，依据宪法第七修正案，他有权获得陪审团的审判。

I

麦克林卡车公司和该协会是一个集体谈判协议的当事人双方，他们调整关于

麦克林公司的雇佣条款。该协议涉及27个受雇于麦克林卡车公司的卡车司机，他们都是该工会的成员。在1982年，麦克林公司改变了他的运作方式，结果导致工厂关闭进行了重组。作为重组的一个部分，麦克林公司将本案中的答辩人调往位于温斯顿莎莱姆的总部，并且许诺给他们优厚的待遇并且与当地的临时工相区别。

答辩人在被调往温斯顿莱莎姆工作6个星期之后，被解雇并且有几次被召回。因此，他们向工会提出投诉，对麦克林公司的行为提出抗议，并且对麦克林公司的解雇享有特权的雇员的政策提出了置疑。答辩人声称麦克林公司违反了订立协议时的承诺。在这个诉讼之后，工会命令麦克林公司召回所有的被解雇的答辩人，并且解雇他们所召回的已退休人员。另外，工会要求麦克林公司承认答辩人的特权，除非退休司机被重新召回公司。

根据这一决定，麦克林公司召回了所有的答辩人并解雇了那些已经列在退休名单上的人。但此后不久，麦克林又召回了退休人员，并且给他们比答辩人更加优越的待遇。在第二轮的解雇中，答辩人由于享受的待遇低于退休人员，所以被最先解雇。因此，答辩人又提出了新的诉求，认为麦克林公司的行为有意违背了先前的判决。工会代表也出席了听证委员会，答辩人和已经退休司机的意见也被提交到委员会。在听证结束时，听证委员会认为麦克林公司没有侵犯工会的第一次决定。

麦克林公司继续在总部进行短期的解雇并且召回工人的做法。答辩人第3次向工会提出了诉讼请求，但是工会拒绝成立新的听证会，因为他们认为相关的问题已经在前面的程序中得到了处理。

1983年6月，答辩人在地区法院提起了诉讼，声称麦克林公司违反了集体谈判的协议以及劳动管理法第301条［1947, 61. STAT. 156, 29 U. S. C. §185 (1982ed)］, 而且工会也违反了它的公平代表职责。1947年，劳动管理法301条（a）款规定了针对工会所进行的诉讼，"代表雇员利益的工会违背了雇员和工会之间协议的行为、或者雇员和此类工会之间的纠纷在本章中得到规定，这种纠纷可以诉至对任何一方有管辖权的美国地区法院，而不论这种争议的数量或者双方是否都具有公民权。61 stat. 156, 29 U. S. C. §185 (1982).

答辩人申请一个永久禁令命令被告人停止非法行为并且恢复他们的资深地位，并且要求就损失和健康获得赔偿。1986年，麦克林公司提出破产申请，随后与对其进行的诉讼自愿撤销。

答辩人在起诉状中要求进行陪审团审判，同时申请禁令救济的全部请求也一并撤销。工会提出取消陪审团审判的动议，原因是在公平代表案件中不存在获得陪审团审判的权利。地区法院否定了这一动议，经过中间上诉，第四巡回法院维持了初审裁判，认为第七修正案赋予答辩人在金钱赔偿案件中要求陪审团审判的权利。我们准许用调卷令的方式来解决关于此类问题的冲突，现在我们维持了第四巡回法院的判决。

II

……为了获得金钱赔偿，雇员必须证明两个事实：雇主的行为违背了集体谈判的协议，工会违背了她公平代表的责任。

III

我们现在关注本案提出的宪法争议，也就是答辩人是否有获得陪审团审判的权利。宪法第七修正案规定，"在普通法上的诉讼，如果争议标的额超过20美元，陪审团审判的权利将受保护。凡经陪审团审判的事实，除非依照普通法的规定，不得在合众国的任何法院中重审"。获得陪审团的权利包括的不外乎1791年认可的普通法形式的诉讼；"普通法上的诉讼"一词是指"立法上的权利有待确认和判决的诉讼，它与那些衡平权利受到承认的诉讼不同，衡平救济是执行性的（administered）"。Parsons v. Bedford, 3 Pet. 433, 447, 7 L. Ed. 732 (1983). （这一修正案后来被解释为包括不是衡平管辖权和军事管辖权的所有诉讼，不管所想要确定法律权利的具体形式是什么）。这一权利扩大到由国会确定的诉因。自从普通法体系和衡平法体系合并之后，（见联邦民事程序规则2）本院在立法上的权利发生危机时，一直小心维护接受陪审团审判的权利。正如法庭在贝肯剧院案［Beacon Theaters v. Westover, 359, U. S. 500 (1959)］中所指出的："保留陪审团作为事实发现者极为重要，在我们的历史和法理上牢牢地占有一席之地，任何对陪审团审判的权利造成损害的事项均应受到限制"。359 U. S. 500, 501 (1959)。

为了决定一个具体诉讼是否涉及法律权利，我们要考察该争议的性质及其所寻求的救济。"首先，我们比较制定法上的诉讼与普通法院和衡平法院合并之前提交于18世纪英国法院的诉讼。其次，我们要考察诉讼中所诉求的是衡平性质还是法律性质的救济。(481. U. S., at 417-418). 后一方面的考量在我们的分析中更为重要。

A

因为工会违反公平代表义务而提起的诉讼，在18世纪的英国还是不为人知的；事实上当时像本案这样的集体谈判（collective-bargaining）并不是合法的。因此我们必须寻找一个在18世纪已经存在的诉因分类来决定这种公平代表诉讼是立法上的还是衡平法上的。

工会认为，公平代表义务诉讼类似于撤销仲裁的诉讼，因为答辩人诉求的是撤销怨情解决程序的结果。在18世纪，撤销仲裁结果是作为衡平事项来考虑的。2 joseph story, *commentaries on equity jurisprudence* §1425, pp. 789 – 790. （13th ed. 1886）.（衡平法院对于根据"仲裁错误"支持撤销仲裁裁决的请求享有管辖权。）……

然而，仲裁的类比对于本案所提出的第七修正案并不恰当，没有任何解决怨情的组织处理过答辩人所主张的工会违反其公平代表义务的请求。申怨的过程仅仅涉及所声称的雇主违反集体谈判协议。因此答辩人针对工会的请求不能定性为撤销仲裁裁决的诉讼……

工会又提出，答辩人提出公平代表的义务诉讼可以与信托中的受益人针对托管人违反受托人义务的诉讼。这种诉讼属于衡平法院的排他管辖权的范畴。这种类比要比前一说法具说服力得多。在信托关系中，托管人为了受益人的最大利益而行为，工会作为工人利益的排他性代表，也必须行使权力来忠诚地代表雇员。（Vaca v. Sipes [386 U. S., 171, 177（1967）]）另外，就像受益人不能直接控制对托管人的诉讼，因此，雇员个人对于工会代表他利益的诉讼也没有直接控制……

答辩人则主张，他们的公平代表义务的不像信托诉讼，而更类似于对失职律师的诉讼，这种诉讼一直被认为是普通法上的诉讼……我们认定，在第七修正案考量的语境下，这种与律师诉讼的类比也不像信托诉讼那样全面抓住工会与其所代表的雇员之间的关系的特征。

失职律师诉讼在几个方面是不能吻合的。尽管律师失职诉讼在某些方面有点像主张工会违反其受托义务的诉讼，但两种诉讼在根本上是不同的。一类诉讼的性质在很大程度上决定于作为其基础的双方当事人之间关系的性质。在律师代理关系中，客户控制了涉及其代理的重大决定，而且如果客户对律师行为表示不满则可以更换律师，这些显然与工会及其代表的雇员的关系不同……因此，失职的类比不如信托的类比有说服力。

尽管如此，信托的类比并没有让我们确信答辩人的请求整个都是衡平法上的救济。工会的主张使我们在比较18世纪的诉讼形式时对本案产生错误的定性。正如我们在罗斯案 [Ross v. Bernhard, 396 U. S. 531（1970）] 中所表述的，"第七修正案问题取决于提交审判的争议的性质，而不取决于整个诉讼的特征。（因为该案原告的案件提出的是违约和过失的法律争议，因而法院认为在股东派生诉讼中享有陪审团审判的权利，股东派生诉讼是一类传统上在衡平法院提起的诉讼。）如此所述……在本案中，答辩人要想从工会取得赔偿，他们必须证明麦克林公司违背了集体谈判协议从而违反了第301节法律规定，以及工会违反了他们的公平义务。当我们单独考虑到这个问题时，关于公平代表职责的诉讼与信托中受托人违反忠诚义务的情况相似。然而，301 节诉讼相当于一个违约之诉，是法律问题。

答辩人针对工会的诉讼交叉了衡平争议和法律争议。第七修正案考量的第一部分就要求我们就答辩人是否有权获得陪审团审判作出衡平。

B

我们依据第七条修正案考量的第一部分所作的决定仅仅是初步的。在本案中，当事人寻求的惟一救济是补偿性救济，他们要求支付欠薪和福利。金钱赔偿诉讼通常是"在普通法院中提供的传统救济形式"，Curtis v. Loether, 425 U. S. 189，196（1974），但由于我们的结论认为，在我们找到一般原则的例外并确定赔偿具有衡平性质之前，答辩人寻求的救济没有一点点必须具备的特征，因此我们认为，答辩人诉求的救济是制定法上的救济。

首先，当赔偿为返还性质的赔偿时，我们认为其具有衡平的特征，譬如在"香槟酒渣的不当得利案"中（Tull，481 U. S. at 424）。答辩人诉求的支付欠薪不是被工会错误扣留的金钱，而是他们本来应当从 McLean 那里收到的工资和福利——假如工会适当处理了雇员的不满，他们就可以收到这笔钱。这种救济不是返还性质的。

其次，"附带性或竞合性的"金钱判予可能是衡平救济。（Tull，481 U. S. at 424；Mitchell v. DeMario Jewelry, Inc. , 361 U. S. 288，291 - 292（1960）（地区法院有权——这一权力附带在法院的禁令权之中——根据公平劳动标准法案判予返还欠薪；该案也是返还性质的救济。）由于答辩人只诉求金钱赔偿，因而本案显然缺乏这一特征。

工会争辩道，本案诉求的返还救济必须被当着衡平救济来考虑，因为本院曾经将根据第 7 编（美国法典第 42 编第 2000e 节，1982 年编）之规定判予的救济贴上了衡平救济的标签。参见 Albemarle Paper Co. v. Moody，422 U. S. 405，415 - 418（1975）.（将根据第 7 编规定针对雇主判予的救济定性为衡平救济。）工会认为，第 7 编分类在公平代表义务的语境下是强制性的，因为该编对于返还的规定是根据 NLRA 条款，该条款调整的是因不公平劳动政策而产生的返还，（美国法典第 29 编第 160（c）节，1982 年编辑）（"当一项裁令指示为一雇员复职时，可以要求雇主或劳动组织返还欠薪"。）这种主张不能说服我们。

本院从未认定根据第 7 编追索返还欠薪的原告有权获得陪审团审判。参见 Lorillard v. Pons，434 U. S. 575，581 - 582（1978）。假如——并不是决定——该第 7 编原告没有权利获得陪审团审判，那么工会的论点就不能使我们相信本案答辩人没有权利获得陪审团审判。国会特别把根据第 7 编规定给予的返还定性为"衡平救济"形式。[美国法典第 42 编第 2000e - 5（g）节，1982 年编]……而关于公平代表义务国会没有作出同样的宣告。再之，本院曾指出，根据第7编诉求向雇主索回欠薪一般在性质上属于复职，参见 Curtis v. Loether, at 197，这与本案中诉求从工会那里获得赔偿形成反差。因此，在本案这样的公平代表诉讼中所诉求的救济显然不同于因违反第7编而追索的返还欠薪。

因此我们认为，本案这起公平代表诉讼中所诉求的救济在性质上是立法上的。考虑到第七修正案考量的两个部分，我们认定，答辩人有权就其诉讼中提出的全部争议获得陪审团审判。

IV

经过平衡，我们对于答辩人提出的公平代表义务诉讼和所诉求的追讨欠款救济分析表明，本案是一宗普通法上的诉讼。尽管我们比照18世纪的诉讼认为，这一请求中既包含普通法争议又包含衡平争议，但是答辩人请求的金钱赔偿在传统上通常是由普通法院授予的。因此，依据第七修正案的规定，答辩人有权获得陪审团审判，我们维持上诉法院的判决。

布伦南大法官同意本案判决，并部分同意意见书：

我同意本院认为答辩人寻求的救济在本质上是一种普通法性质的，而且第七修正案已赋予答辩人就其公平代表义务的请求接受陪审团审判的权利。我赞同本庭意见中的第Ⅰ、Ⅱ、Ⅲ-B、Ⅳ部分。我不赞同本院关于决定一个请求是否为第七修正案所规定的"普通法上的诉讼"的历史分析……因为历史性的检验标准能够而且应当简单化……

我认为我们支持陪审团审判的权利关键在于系争的实体权利在200年前英国法院使用的诉讼形式，勿须牵涉第七修正案的法理。在过去的十几年中，本院认为历史分析对救济的性质和权利性质的检验标准两个部分的权衡是不均衡的，因为获得陪审团审判权利依赖于救济的性质，没有没有选举的一个专业化的判决者，仍然会通过尘封之下的古老的令状中找到根据。现在该是借用一下威廉的奥克姆剪刀来将我们的分析切割开来的时候了……

法官没有经过训练、时间也不允许他们成为历史学者，要求他们区分混乱不堪的首要和次要的渊源来决定今天争议的权利根源于一百多年前的哪一种令状，只会导致法院纠缠于历史上争论不休的泥沼……

同时，对于今天系争事项的相应历史分类的探究不一定要受到根据最佳情形来合理解决问题的方式的影响……

再者，今天制定法上的权利在18世纪并不存在，即使是最精确的历史研究也不能划分出历史分类。比如，今天案件中的权利是现代劳动法的产物，对乔治时代的英国还是一个外来物……

仅仅根据所诉求的救济的性质来检验第七修正案所要求的检验标准，当然不会为联邦法院解决所有这类案件提供一项规则。法院仍将面临着解决哪些救济在传统上是普通法上可得的、哪些是衡平法上的这样的问题。然而这种探究和考量却较少变化，较易于选择，从整体上来说，它比我们进行的这种学术化的争论要易于操作。此外，我所建议的这种规则对于第七修正案而言也一样适用，"（普通法与衡平法之间）的管辖权界限基本上是一处救济的事项"这是没有争议的。John C. McCoid, II, Procedural Reform and the Right to Jury Trial: A Study of Beacon Theatres, Inc. v. Westover, 116 U. Pa. L. Rev. 1 (1967) ……

民事陪审团审判被殖民统治者侵蚀的地盘"在英美矛盾爆发时就在历史的地平线上成为一个分歧深重的问题"，因此13个州宣布独立之后便对这一权利加以制度化。Charles W. Wolfram, The Constitutional History of the Seventh Amendment, 57 Minn. L. Rev. 639, 654-655 (1973) ……

我们能够保护当事人的权利，并防止法庭仅仅因为我们已经存在大量疑问的第七修正案检验标准而陷入不必要的、不策略的、对不熟悉领域进行研究的怪圈之中。如果我们还没有准备好将历史的分类与影响我们考量结果的权衡因素取得充分的一致，我们有什么理由坚持要求联邦法官们去运用这些艰涩费解的考量标准？是到了我们阅读墙上这些训条的时候了，这些训条是我们自己挂在那里的。

[斯蒂文森大法官对判决的并存意见和对意见书的部分并存意见，略]
肯尼迪大法官发表了反对意见，欧康纳大法官和斯卡尼亚大法官加入：
……要对公平代表义务诉讼中的权利和救济问题属于普通法性质还是衡平法性质进行分析，我们应当对在18世纪英国普通法院审理的案件做一个比较，而我们也必须对所诉求的救济的性质进行分析。这方面我也同意本院几位法官关于公平代表案件类似于信托而不是代理失职的论断。

但是我不同意本院对此所做的创新，他们认为信托制度作为现代公平代表诉讼的模型不足以对本案作出判决。第七修正案要求我们决定，公平代表职责案件究竟与普通法院还是衡平法院中已处理过的案件类似。Tull v. United States, 481 U. S. 412, 417 (1987). 在作出支持其为衡平诉讼的判决之后，我们的探究就该到此为止。由于本院不同意这一点，因而我表示反对。

I

[肯尼迪大法官解释了他们认为本案类比于受益人与托管人之间的衡平法上的诉讼更有说服力，主要是因为信托人有义务公正无偏袒地为客户服务而不受客户的指令。他认为这种诉讼不同于律师代理，因为律师接受委托，仅仅代表客户的利益，并作为代表客户利益的代理人。肯尼迪大法官还主张，在雇员因工会违背公平代表义务而提起的诉讼在性质上是衡平的，因此更像是在针对托管人提起诉讼所获得的救济，而客户针对律师的诉讼则通常是获得补偿性的赔偿。]

II

本院依赖于两组判例得出结论,认为信托行为应当作为有拘束力的模型。在第一组判例中,本院考虑到基于联邦法院的现代程序改革而实行的简化。马歇尔大法官指出,我们在此类案件中更多关注的是个体利益而非案件的整体。第二组判例表明了在决定以选择最适当类别的救济而决定将案件归于衡平性质或普通法性质的重要性。本院根据这些判例判决本案答辩人有权获得陪审团审判,因为答辩人诉求的是金钱赔偿。这些权威并未支持本院的判决理由。

A

在下述三个案例中我们都认定,当存在普通法请求,但基于程序上的理由,原告本来可以或本来必须向两个体系合并以前的衡平法院提起时,即有权获得陪审团审判。

在贝肯剧院案 [Becon Theatres, Inc. v. Westover, 359 U. S. 500 (1959)] 中,潜在被告福克斯受到普通法反垄断请求的威胁,提起了针对贝肯公司(原告)的诉讼,要求针对贝肯公司作出宣告性判决和禁令救济。由于在衡平法院和普通法院合并之前,只有衡平法院受理这种请求,福克斯以为这样就会剥夺贝肯公司受陪审团审理的机会,但是贝肯公司提出了反垄断的反诉,并且寻求陪审团审判。我们裁定认为,由于贝肯公司本来有权就其反垄断诉讼获得陪审团的审理,因而福克斯不能仅仅因为首先提起了诉讼而对剥夺贝肯公司的程序权利,该规定与联邦民事程序法的精神一致,联邦民事程序规则允许将普通法诉讼与衡平法诉讼自由合并,宣告性判决法案(美国法典第 28 编第 2201 和 2202 节)也维护双方当事人获得陪审团审判的权利。

在黛丽皇后案 [Dairy Queen, Inc. v. Wood, 369 U. S. 469 (1962)] 中,本院以同样方式认定,原告不能通过提出商标侵权的衡平法诉讼请求,而剥夺被告人基于合同上的反诉而应当享有的陪审团审判的权利。尽管衡平法院本来应当将合同请求作为会计诉讼的一部分提出,但是我们认为在现代程序它们是可以分割的。

在罗斯案 [Ross v. Bernhard, 396 U. S. 531 (1970)] 中,原告作为股票持有人在一起股东派生诉讼中代表其公司利益提出一项普通法请求,要求陪审团审判,而被告则反对陪审团审判。在本案判决中,本院承认只有在衡平法庭中只有程序性的手段允许股东代表公司起诉。但是本院仍然裁决现代诉讼程序允许将法律上的请求进行陪审团审判。

上述三个案例都对法院系统合并而产生的问题进行了回应。他们支持这种主张,即,由于衡平法院已经不复存在,用先前衡平法院的标准来决定或的陪审团审判的权利已经不可能或者不必要。马歇尔大法官解读这些判例时认为,当诉因包含法律问题时应当进行陪审团审判，本案有权获得陪审团审判，因为答辩人必须证明对方存在违反集体协议的行为以支持其请求的一个要件。

因此，我反对。在本案中答辩人的诉求形成了一个衡平法的请求。基于这一结论，贝肯剧院案、罗斯案、黛丽皇后案均不适用于本案……

B

本院同时裁决，尽管在整体上比照适用信托，但答辩人仍有权取得陪审团审判，主要是因为他们要求的是金钱赔偿。在决定案件在1791年当时属于普通法还是衡平法上的纠纷时，救济的性质是重要因素之一，但我们还没有采纳一个规则，认为允许赔偿的制定法上的诉讼在定义上要归类于普通法诉讼而不能归类于衡平诉讼。在每一个案件中，我们都考察了救济的性质，以确定在同时考虑其他因素时，救济的性质是否会将一个案件放在"普通法诉讼"的范围之内……

III

根据宪法要求，本院在决定案件是否由陪审团审判时必须遵循历史性审查标准。第七修正案保留了民事诉讼中陪审团审判的权利。我们不能保留一个在1791年存在的权利，除非我们搜寻历史并将它识别出来。我们的先例也证明了这一点，并且始终坚持历史的检验标准。在已存宪法未重写之前我们也没有其他标准……

如果国会没有规定陪审团审判，我们限于第七修正案本身来决定是否需要这种审判。我们自己关于使用陪审团的智慧的观点应当抛在一边。同布伦纳大法官一样，我对陪审团也是极为敬仰。其他法官则采取了不同的立场。参见 Jerome Frank, Law and the Modern Mind 170 – 185 (1931). 但是我们现实的判断并不总是适用于历史的教材，我们整体的宪法历史教给我们。我们必须对历史进行审查。我们对于宪法和权利法案应当负有责任，这种责任不比那些为我们写下这些条款的前辈的影响更小，这种责任不允许我们忽略那些可能是具有惟一历史形式的事项的规定……

注释与问题

1. 描述马歇尔大法官代表多数意见所使用的检验标准和肯尼迪大法官在反对意见中所使用的检验标准的基础。布伦纳大法官认为应当如何改变这种标准？

2. 尽管最高法院继续适用历史性标准来决定是否适用陪审团审判，但是最高法院仍然对实用性标准和在1996年第七修正案的案件中的政策性标准的采纳留有余地。在麦克迈〕Markman v. Westview Instruments, Inc., 517 U. S. 370 (1996)〕案中，法院一致同意在专利侵权案件中对专利的解释是由法官决定的法律事项，而不是由陪审团决定。在发现历史证据模棱两可之后，最高法院在对法官和陪审团的解释能力的分配中考虑到"对于法官、陪审团和成文法的政策

3. 历史性标准是否合理？是否真能发挥作用？请考察一下相反的观点：

  第七修正案中"普通法"的字眼，可能是指法律发展过程而不是一个永远不变的法律状态……因此，我认为，对于第七修正案的理解……可能合理地被认为不能依据从英国的法律和任何州的法律来理解，当然也不能随意地从当时的情况判断，而应当从英国和美国的普通法裁判程序和法律制定来承认它的脆弱性和易变性。[在这种第七修正案进行机能性解读之后，我们假设将来的发展是可预测的，而且这种发展"在很大程度上可以在普通法上得到救济"。]而从当时在英国和美国的普通法裁判程序和法律制定方面来看，一个可能的选择是，承认宪法的效力仅在那些在1791年以前的普通法救济和实务方面发生了的改变对于扩大民事陪审团的审判权事项起作用的事项上……

参见 Charles W. Wolfram, the Constitutional History of the Seventh Amendment, 57 Minn. L. Rev. 639, 744 – 747（1973）。Martin Redish, Seventh Amendment Right to Jury Trial: a Study in the Irrationality of Decision Making, 70 Nw U. L. Rev. 486, 530 – 531（1975）。

  在涉及第七修正案中最高法院采取的推理方法看上去与的社会转变有关，但是这仅仅在有限的程度上。因为这种方法使得宪法权利得到广泛的扩展在现代社会能够更好的得到实现。这种具有致命的不完整性，因为它没有进一步考虑到这种宽泛的目的在现代社会中是否适当和可行……尽管依据第七修正案，……允许对涉及宪法权利有疑问的案件进行管辖……，但并没有超越其恰当的角色。修正案用了"保留"一词表明这是一个历史上的权利，而没有考虑到在两种法院系统合并之后可能产生不合理的实践，这种方法一旦扩展，将会使许多在1791年之后产生的诉因免于接受陪审团的审判。

Martin Redish, Seventh Amendment Right to Jury Trial: A Study in the Irrationality of Decision Making, 70 Nw. U. L. Rev. 486, 530 – 531（1975）。

4. 在决定制定法创制的诉因是否需要进行陪审团审判时，最高法院在应用宪法第七修正案时采用了不同的标准。首先，要考察立法宗旨：如果国会在传统的司法系统之外，创制了一个行政机制来裁判该争议或者已经将纠纷授权一个特殊的法院裁决，那么就不存在陪审团的审判权。例如，NLRB v. Jones Laughlin, 57 301 U. S. 1 (1937)（国会为了解决劳动争议和破产案件的行政机构，采用陪审团进行审判推翻了国会的立法意图）；Katchen v. Landy, 382 U. S. 323 (1966)（破产法院是特殊的，类似解决复杂争议的衡平法庭；陪审团审判推翻了国会关于破产法的立法本意）。其次，法庭要考虑制定法是否创制了促使公权或私权实现的运作机制。如果该权利是一种公权利，通常不必由陪审团审判权。如果制定法创设了私权的执行机制，那么在审判这些私权利时可使用陪审团审判。参见 Granfinanciera v. Nordberg, 492 U. S. 33（1989）（在破产案件中涉及私权性质的纠纷，需要陪审团审判）。再次，法院还要考察制定法中所规定的救济的性质。如果这种救济是传统的法律救济，那么就是用陪审团审判，如果在本质上是衡平救济，那么在这种情况下不适用陪审团审判没有侵犯宪法第七修正案所规定的权利。

由于考虑到依据民权法案的歧视案件，法官将判决分为两个部分。在柯蒂斯诉若斯案〕Curtis v. Loether, U. S. 189（1974）〕中，认为第七修正案包括歧视案件的当事人有权获得陪审团审判的权利。在基于种族的故意歧视情况下，法庭要提供依据1981条规定的陪审团审判，而不是依据权利法案第七条所提供的。在1991年的民权法案中，特别规定了基于种族、性别和宗教的故意歧视案件提供了陪审团审判方式。最高法院对该问题没有进行特别的规定，但是大部分下级法院同意对于非故意的或者"异类影响"歧视案件依据权利法案第七条没有获得陪审团审判的权利。

5. 在贝肯剧院案、黛丽女王公司案和罗斯案中，最高法院明确指出，在衡平救济和法律救济并存的案件中，解决衡平争议之前法律争议必须由陪审团审理决定。这类案件都涉及衡平救济和法律救济在最初在同一民事案件中合并的情况。至少有一个联邦巡回法庭判决认为法官可能在陪审团审判之前对衡平问题和法律问题进行分别审理，如果诉讼最初被单独提起，后来依照民事程序法合并审理。为什么要对复合的请求区别对待？

6. 你在宪法课上已经了解到，第七修正案是少数几个不通过第十四修正案的正当程序条款适用于各州的权利法案权利之一。大多数州宪法都规定了获得陪审团审判的权利，这种权利实现的形式在州与州之间存在差别，其中一些提供的权力臂膀宪法提供的更加广泛，也有其他一些提供了更为严格的权利。你将如何拟定一个宪法修正案来保证陪审团审判权？你是否会扩大或者缩小目前联邦宪法所提供的权利？你认为修正案的其他意图应当包括那些？

实务练习十七
关于陪审团审判权的立法练习

假设你是一个立法委员会指派为的政治家，在关于是否允许在歧视案件的诉讼中使用陪审团审判问题做出决定，如克利夫兰市消防员诉讼案。使用 Rerry 案和在本部分的其他材料，决定第七修正案是否要求或者是应当要求在这样的案件中适用陪审团。不考虑是否第七修正案是否对此作出要求，国会是否将民权法案第7章的异类影响案件作为权利事项授予陪审团审判权？

实务练习十八
律师事务所关于克利夫兰市案件陪审团审判的战略会议

你是克利夫兰案件的律师会议的成员之一。该会议的任务限于一个问题：是否要求陪审团审判。如果你的名字的是 A 至 L 开头的，作为原告的律师，其他人则代表被告。

第三节 挑选陪审团：技巧和目的，无因回避

在本部分，你能够学习到挑选陪审团的技巧，了解代表社区的公正陪审团的候选人是如何选出的，并且在挑选陪审团的过程中控制陪审员的歧视情绪。本部分是以一个指导性的文章开始，随后是联邦陪审团的成文法和最高法院的两个案例，埃德蒙森案和 J. E. B. 案。

一、律师的行为

在大多数法院中陪审团候选人的名单或者名册都是事先抽签决定的。在一些地区，在陪审员接触律师之前，他们会通过看电影或者阅读小册子了解陪审团职责或者直接被告知陪审员的责任。陪审团的候选人经常阅读一些描述陪审员义务和对法庭中可能发生的事件进行详细描述的小册子。在多数法庭中，律师会得到关于陪审团候选人的基本信息的目录。在联邦法院律师通常会得到一个包括候选人姓名、住址、职业和配偶职业的目录。通常，律师在进行陪审员选择之前是不会阅读该目录的。

随后进行的是法庭进行的陪审团资格预先审查程序，它是陪审团选择程序的组成部分。该程序的目的是排除那些不公正和有偏见的陪审团候选人。例如，一个陪审团候选人可能认识一方当事人或者一方律师或者事先对案件有所了解。但是在这一程序的开始，律师已经利用这一程序来建立与陪审团的友好关系，并且将他们对案件的观点通过提问灌输到陪审员的头脑中。

由于各州的差异和法庭的特殊性，陪审团资格审查所采用的方式各不相同。过去通常由律师通过提问来主导陪审团的资格审查。现在在法庭中，特别是联邦法庭中最为典型的方法是由法官向候选陪审员提问。也有一些法院由法官就基本问题提问，在得到法官的允许后律师可以进行追加提问。

当然，一个优秀的律师会在审判前了解特殊案件中陪审员的挑选过程。在一些法庭中，全部的候选人都会接受提问。在另一些法庭中，法庭会随机挑选出一部分人接受询问。有时全部候选人接受一般提问，而对于准备做陪审团成员则有一些特殊问题。

大部分年轻律师会花大量时间从资深律师或者办事员那里学习挑选陪审团的

本地的实践和传统。他必须弄清楚进行庭审的陪审团数量和替补成员的数量。在对陪审团进行资格审查时谁有权提出问题？谁有权选择陪审的代表人，他或她在审判中将坐在哪个位置？陪审团裁判是否必须达到完全一致？他们是否能在审判中进行提问或者作记录？事前阅读一些关于陪审团的小册子或者看一些描写陪审员的有指导性的电影也非常重要。在案件审判中，陪审团作为案件的听众对案件事实作出裁判，让他们了解基本事实非常关键。

律师可以对陪审员提出有因回避（challenge for cause）或者不需要任何说明的无因回避（peremptory challenges）。有因回避的次数没有限制，有时成文法会将回避原则列出来。通常也会将无因回避行使的次数列明。有些成文法允许法官对无因回避权行使的次数进行裁量。你可能想事先了解一旦陪审团成立你是否有机会再次对某个陪审员提出回避以及你是否必须在公开开庭时对你所排除的陪审员及理由进行说明。

律师在陪审团挑选时依据的理论可能是多种多样的，当然，与法庭、现场、陪审团候选人、类似案例、当地习惯和类似事项相关。例如，在一个法庭组成的陪审团可能在整个月都从事审判活动。因此如果在一个月末，律师一般不希望挑选陪审员或者不愿意派出陪审员候选人，除非有明显的无可非议的理由。受到排除的候选人，他的陪审员的午餐会伙伴——将来可能成为陪审员的候选人会对律师产生敌意。这种情况在律师必须公开排除候选人的情况下得到了加强，但是，尽管这种过程是秘密的，律师也不愿陪审员陷入猜测中。如果允许，律师更愿意在公开法庭上说："不排除任何人，我同意"。或许他们相信这是证明他们的案件有获胜的把握，而不在乎由谁进行审判的一个机会。

如果你要排除的陪审团的候选人，就要找出你的理由和偏见。某些律师寻找特定的道德或者职业特征来申请回避。某些优秀律师会质疑候选人的能力——或者任何人的能力——来理性地排除候选人，而且他们很少排除候选人。例如，依照传统保险公司的职员一般会被排斥在民事陪审团之外，因为一些律师认为大公司的职员会对其他大公司产生敌意。这种情况可能会逐渐发生改变。但是仍然没有变化的是，律师不愿意使用他们的无因回避请求权除非迫不得已；他们担心被排除掉的候选人可能比最终选上的陪审员更加合格。

无论你是依据何种方式来进行陪审团的选择，要记住在任何时候，你在法官和陪审员面前进行选择时，你同时也在接受审判。将来对你的案件进行审理的法官和陪审团在这个过程中也正对你进行观察和倾听。但是这并不意味着你应当为审判或者陪审员资格审查而改变你的人格；通常无论以某种方式，一个人的本性在审判程序中也会呈现出来。也就是说，你应当考虑如何在诉讼的每一个阶段将自己最好地呈现在法官和陪审团面前。

注释与问题

1. 你对陪审团候选人存在何种假定?你决定如何检测他们是真实还是虚伪?

2. 律师如何能知道他们挑选技术发生了何种作用?他们又如何知道这种技术失败?其他因素是否会影响案件的审理结果?在英国,律师要求陪审团回避的权利极为有限,而且有极少甚至没有机会提出问题。你倾向于认为他们制度是优是劣?在联邦法庭,联邦民事程序规则47(a)让法庭裁量是否亲自审查陪审员的资格或者允许当事人或他们的律师进行审查。注意至少有一个研究表明,通过律师选择的陪审团和随机挑选的陪审团作出的判决结果上并没有太大的区别。Hans and Vidmar, Judging the Jury (1986)。

3. 在过去的十几年中,随着完全的工业社会中,诉讼当事人必须对陪审团的服务支出费用,挑选陪审团的技巧也变得更加复杂。我们考虑下面的一些文章,摘自 Hans and Vidmar 的 Judging the Jury 一书以及同时一些新闻报道。在阅读中,请思考 M.C.I. 使用的技巧,广泛使用这种方式是否有利于公正的实现?其潜在缺陷是什么?为什么?

瓦莱尔和尼尔:评判陪审团
Valerie P. Hans & Neil Vidmar, Judging the Jury 79–80 (1980)

1980年6月,经过了15个月的证明活动之后,在一个反垄断的诉讼中联邦陪审团判决美国电报电话公司(AT&T)公司付给 M.C.I. 通讯公司6亿美元的赔偿。为了惩罚的目的,反垄断法自动将惩罚增加到了3倍,这意味着,最终 M.C.I. 公司会获得有史以来数额最大的反垄断赔偿,18亿美元。律师为获得如此大的胜利而欢呼,但他们一点也不感到意外,在审判前,他们对陪审团进行了研究,并运用社会科学的知识来决定挑选那些对 M.C.I. 公司有利的陪审员,对陪审团对证据的反映进行预测分析。

一个芝加哥的研究公司在当地居民中进行了关于陪审团的电话调查和个人访问。在这个调查中,问题设计是:假如被采访者是陪审员,他们会支持 M.C.I. 还是 AT&T。他们同样也取得了这些被访问者的个性特征。通过计算机对这些答复的分析,研究人员得出了人们会支持和反对 M.C.I. 公司的被访者的分布区域,这种知识保证了挑选有利陪审员的工作。

然后,该公司持续3个晚上进行了有3组对 M.C.I. 持支持态度的人组成的陪审团对案件进行模拟。在小型的模拟审判中,由8个人组成的模拟陪审团,听取了双方律师的辩论,研究者和律师通过单面的镜子观察了模拟陪审员的讨论。他们在单面镜子后面了解到,如何将他们的案件展示在陪审团面前。

M.C.I. 起诉 AT&T 因为后者垄断造成的损失。依据法律,AT&T 被要求与其他公司共享线路，这一信息留在模拟陪审员的记忆里。在第一次模拟中研究者们发现模拟陪审团热烈地讨论该法律是否公正。一些陪审员认为，毕竟享有线路的所有权，他们是否应当与竞争对手共享该线路。律师们从这种争论中得到启发。第二次他们对模拟的陪审团强调他们对该案的起诉一举了法律，而没有考虑法律是否公正。在这次模拟中，陪审团很容易就接受了这一法律。

他们得到的另一个教训与他们所得到的赔偿额有关。在第一次模拟中，M.C.I. 律师声称他们由于 AT&T 的垄断行为而造成了 M.C.I. 公司 100 万美元的损失。于是支持 M.C.I. 公司的陪审员判给了 100 万美元的赔偿。注意到这种相似性，律师试图发现如果审判中避免提出确切的损失数额会发生何种情况。在第二次模拟审判中，他们没有对数额提出指引或者限制，第二个陪审团给了他们 900 万美元的赔偿。

这样，通过社区调查和模拟审判，M.C.I. 的律师学会了在陪审团选择过程中要选择什么样的陪审员和淘汰何种陪审员。他们同样得到了在不同类型的人面前展示案件的技巧。一个对 M.C.I. 案件进行过报道的新闻记者莫顿·哈特认为律师的行为推动了陪审团的审判活动。在一定程度上，尽管在 M.C.I. 案中，律师们推动了陪审团的审判活动，M.C.I. 的团队研究非常精确和科学，他们做了几个世纪以来律师们试图去做的事情：将陪审员进行类型化的划分。他们在这方面取得了过分的成功。但是初审陪审团的裁判被认为过多而在上诉中被推翻，第二个陪审团判决给了他们 37.8 万美元的赔偿。

关于联邦陪审团选择的制定法
Federal Jury Selection Statutes
28 U.S.C. §1861, Declaration of Policy

美国的政策是：所有在联邦法院中享有陪审团（包括大陪审团和普通陪审团）审判权的当事人，应当有权来以随机的方式从该法院所在地区或者社取得陪审员候选人中选择他认为是公正的陪审员。另外一个政策是，美国的所有公民均有机会成为美国地区法院的陪审员，而且在被法庭以此目的传唤时有义务担任陪审员。

28 U.S.C. §1865，例外

没有公民被排除在美国地区法院的陪审团和大陪审团的提供服务的义务之外，或者在国际贸易法庭中因为种族、肤色、信仰、性别、国别或者经济状况而被排除作为陪审团成员的权利。

28 U.S.C. §1865，提供陪审团服务的资格

（a）地区法院的主审法官，或者其他地区法院法官，依据他们自愿或者应

书记官的要求提交陪审团资格审查表,以陪审员资格表或者其他合格的证据为基础单独决定改陪审员合格或者豁免提供服务的义务或者被排除初陪审团。书记官应当将他们的决定列入以字母序排列的陪审团名单的表格中,如果候选人没有依据传票到庭,也应当被记录在案。

(b) 在做出决定时,地区法院的主审法官或者其他地区法院法官应当确信任何公民都有担任陪审员的资格,除非他——

(1) 不符合年满18岁居住在本司法区域内一年以上的美国公民的条件;

(2) 没有足够的读写理解英语的能力以至于没有能力填写陪审团资格审查表格;

(3) 不能说英语;

(4) 由于精神问题或者身体不适,不能提供令人满意的服务;或者

(5) 有一个针对他的指控尚未判决,或者在联邦法院或者州法院被定罪,他被监禁一年以上并且被剥夺了民权。

注释与问题

1. 什么是社区公正?多样性是否应当基于种族、道德、宗教、年龄、性别、政治观点或者其他标准?在美国,确定陪审团候选人名单的最普遍形式是依据本司法区域内的选民登记名单确定。这种方式是否体现了社会公正?依据选民名单确定,会有什么社会团体可能被排除在陪审团候选人之外?

2. 最高法院判决认为:社区公正的要求仅仅应用于陪审团候选人名单或者候选人作为一个整体的情况。这两者在实务上和理论上有什么区别?可能的结果是什么?

二、无因回避与歧视

在传统上,律师提出无因回避的权利不提出任何理由而排除某个陪审员候选人。这种回避的原因可能是基于律师对某一类人的直觉。克劳伦斯·达伦(Clarence Darrow)建议刑事被告律师在法庭上排除女性成为陪审员;相反,马科文·贝利(Melvin Belli)在他关于审判技巧的书中建议:辩护方在审判中应当争取女性陪审员,因为她们往往会比较同情被告人。最为声名狼藉的专断地排除陪审团的原因是基于未经证明的推测和信仰以少数种族、道德团体或者性别为基础而对陪审员进行的排除,这种行为在最近几年中得到越来越多的批判。

在巴特森 [Batson v. Kentucky, 476 U. S. 79 (1986)] 一个刑事案件中,最高法院判决政府在黑人被告人的案件中专断地系统地排除黑人陪审员会侵犯被告人依据宪法第14修正案所享有的平等保护权。在巴特森和随后的案件中,一旦被告人初次到庭接受聆讯,检察官采用无因回避的排除特定种族或者道德团体的成员作为陪审员成员,那么政府负有责任提出排除陪审员的种族中立的原因。

在鲍威尔诉俄亥俄州案件中〔Powers v. Ohio, 499 U. S. 400 (1991)〕，法庭扩展了这种排除的禁止，认为在白人被告人的案件中，禁止检察官以种族为由排除黑人陪审员。但是仍然存在几个问题。目前最为紧迫的问题是，巴特森案的规则是否适用于政府不作为当事人一方的民事案件。关键的理论问题围绕着宪法中的"政府行为"。依据巴特森和鲍威尔案件中的权利起源的第十四修正案，政府剥夺了个人依据法律所享有的平等保护权的行为才得到禁止。当原告和被告在挑选陪审员的行为是否符合"政府行为"为特征？你在阅读下面的案例时，评判下列针对政府行为问题的解释中，多数观点还是少数观点更具有说服力。

埃德莫森诉李斯维水泥公司
Edmonson v. Leesville Comcrete Co., INC. 500 U. S. 614 (1991)

肯尼迪大法官代表最高法院做出了判决意见：

在我们面对的案件中，我们必须决定，一个民事案件中的当事人是否能够基于种族原因而对陪审员候选人申请无因回避。考虑到法庭中产生种族偏见使不恰当的，我们认为以种族原因排除陪审员候选人侵犯了被排除者的平等保护权利。这一民事案件由美国地区法院初审，我们认为平等保护是美国第五修正案正当程序条款的重要组成部分。参见 Bolling v. Sharpe, 347 U. S. 497 (1954)。

I

撒迪厄斯·唐纳德·埃德莫森是一个建筑工人，在路易斯安娜少数民族聚居区福特朋德的一次事故中受伤。他在路易斯安娜西部地区法院起诉了李斯维水泥公司，声称公司在事故中负有过失责任，声称公司作为雇主，允许卡车后翻，并且将他推到建筑设备上。埃德莫森使用了第七修正案取得了由陪审团进行审判的权利。

在陪审团的资格审查中，李维斯公司两次使用成文法中规定的无因回避排除了两名黑人候选人。我们在巴特森案件中所作的判决得到了重申，埃德蒙森是一个黑人，他请求地区法院要求李维斯公司清晰明白地说明排除两名黑人陪审员非基于种族的理由。地区法院以巴特森案的规则在民事诉讼中不适用加以拒绝。最终组成了有1名黑人和11名白人组成的陪审团。该陪审团经过审判作出了对埃德莫森有利的判决，并判处埃德默森所收的损失总数为9万美元。但是同时陪审团认为埃德莫森对该损害负有80%的过失责任，因此最终他仅得到18000美元的赔偿金。

埃德莫森提出了上诉，第五巡回法院分庭推翻了原判决，认为：我们在巴特森案件的意见，应用于在民事诉讼中私人律师代表诉讼当事人，而且在民事审判中基于种族的无因回避不能在民事诉讼中使用。上诉法院认为，私人诉讼人行使无因回避权的行为是政府行为，而将巴特森规则限制于刑事诉讼中，"违背了巴特森案的基本原则——政府使用、忍受和赞同基于种族的无因回避侵犯了平等保护条款"。法庭将案件归还初审法院来考虑，依据巴特森规则，埃德莫斯是否因为种族歧视而提出了一个初步成立的案件。

全员合议庭（full court）命令对案件重新进行满席审判。但是一个满席审判的分庭（a divided en banc panel）维持了地区法院的判决，认为私人当事人在民事诉讼中可以使用无因回避而不必对种族歧视陈述理由。该院的结论是在民事诉讼中当事人排除陪审员候选人的行为不构成政府行为，因此没有隐含的宪法权利。少数派也一直以此为由进行申辩，上诉法院在这一问题上产生了分歧……

II
A

在鲍威尔诉俄亥俄案中，我们认为刑事被告人无论其种族，都可以对检察官以种族为由排除陪审员候选人的行为说明理由。我们的结论有两个方面的分析。第一，与我们在巴特森案和卡特诉案中的意见一致，我们明确认为，检察官因为种族原因而行使无因回避权侵犯了被排除者享有的平等保护权利。第二，我们求助于一个已经建立起来的中立的第三方进行审判的良好规则可能会破坏，并剥夺陪审团成员之间享有的平等保护权。

鲍威尔的判决依赖于一个世纪以来，法院系统努力避免在陪审团选择过程中减少种族偏见。[参见，e. g., Baston, supra, 476 U. S., at 84; Swain v. Alabama, 380 U. S. 202, 203－204（1965）; Carter, supra, 396 U. S., at 329－330; Neal v. Delaware, 103 U. S. 370, 386（1881）]。但我们作出判决认为在很大程度上在刑事案件中挑选陪审员过程中的种族歧视行为由检察官或者其他政府官员实施是违反联邦宪法的行为，但是我们并没有明确表示在民事程序中类似的行为违宪。事实上，在民事诉讼中的类似行为对被排除的陪审员候选人所造成的损害不亚于在刑事审判中的行为的损害。上述两种诉讼中，种族成为惟一的排除符合陪审团召集令条件的人应当享有的参与司法的荣誉和特权。

当该行为由政府官员实施是构成了对宪法权利的侵犯，但是这并不没有回答如果该行为由私人当事人或律师实施是否违反宪法这一问题。宪法对个人自由和平等的保护权利的保障通常仅仅应用于政府行为。种族歧视尽管在各个方面都令人厌恶，只有政府实施歧视或者歧视行为可以归结为政府行为时才违宪……

我们对于政府行为结构的分析始于我们在鲁格案［Lugar, supra, 457 U. S., at 937］中的讨论。在该案中，我们认为政府行为使得正当程序得到扩展，包括私人当事人取得预先的扩展。我们首先要问的是州的行为是否从本质上剥夺了公民所主张的宪法权利，其次，这种行使权利的行为是否可以顺利地归结为政府行为。

毫无疑问，本案符合鲁格案中规则1。从他们的本质讲，无因回避在法院之外毫无意义。他们惟一目的是允许诉讼当事人帮助政府寻找一个公正的事实裁判者……可以说，无因回避是由制定法或者判例法所确定的，由政府的允许的，认为双方当事人排除一定范围的人作为陪审团成员提供服务是恰当的。

对于无因回避的立法授权如同对他的限制一样，可以追溯至共和国建立之初，而且普通法的历史又使之往前推移。参见 Holland v. Illinois, 493 U. S. 474, 481 (1990)。今天，无论是在刑事司法还是在民事司法领域内，制定法或者规则在大部分权限内，对无因回避都进行了次数限制。在我们面前的案件中所进行的无因回避是依照联邦制定法进行的，该法律规定："在民事案件中，每一方当事人都有3次行使无因回避的权利，3个以上的原告或者被告在申请时被视为一方当事人，或者由法庭决定是否有权行使附加的回避申请权或者由他们共同或分别行使回避请求权。"没有这种通过国会法案的授权，李斯维公司不能行使这种权利。

假设成文法对案件中进行回避申请的授权是明确的，剩下需要我们讨论的中心问题便是鲁格案规则的第二个方面，私人诉讼人在依照法律授权挑选陪审团的行为是否是政府行为。尽管我们认为这一方面的分析通常与事实相关，我们的案件揭露了特定原则的一般应用。我们的先例认为，为了决定某一特定行为或者行为的起因是政府性的，我们要考察下列相关方面：该行为在多大程度上得到政府的帮助或许可［参见突沙市职业收藏服务公司诉 Pope 案, 485 U. S. 478 (1988)］, 伯特诉惠灵顿公园管理处案, 365 U. S. 715 (1961); 该行为的实行是否带有政府的传统功能［参见特瑞诉亚当斯案, 345 U. S. 461 (1953)］, 马斯诉亚拉巴马案 326 U. S. 501, 圣弗朗西斯科艺术和体育公司诉美国奥林匹克协会案, 483 U. S. 522, 544 - 545 (1987); 以及是否是基于政府的权力附带产生的损害［参见雪莱诉克莱默案 334 U. S. 1 (1948)］。基于上述三个原则在这种情况下的运用，我们认为被告人在地区法院行使无因回避的行为应当视为起因为政府行为。

尽管私人对政府批准的权利救济或者程序并没有自然地被提高到政府行为的高度，（突沙市职业收藏服务公司案, supra, 485 U. S., at 486），但本案认为，当民事在程序中行使这种权利"明显需要政府官员的帮助"时该行为构成政府行为。485 U. S., at 486; 参见鲁格诉埃德默森石油公司案件, 457 U. S. 922 (1982); 斯奈德克诉家庭资金公司案, 395 U. S. 337 (1969)……

……如果没有法庭公开的重要的帮助，私人就不能行使无因回避的权利。政府传唤陪审员，限制他们活动的自由，使他们处于政府的管理和审查之中。当事人诉诸于法庭的正式权威而行使无因回避权，而法庭必须免除部分陪审团候选人进行审判的权利，以这种方式，这种行为影响了对公民个人参与陪审团审判权利的"最终和实践上的否定"。弗吉尼亚诉运河，100 U. S. 313，322（1880）. 没有法官直接和必要的参与，毫无疑问这是政府行为，这种无因回避制度的目的便无法实现……

在李斯维案件中政府因素的情况，我们下一步要考虑争议中的行为是否是政府传统功能。政府的传统功能便是证据。无因回避作为一种选择权其本质是典型的政府行为，对于私人事件没有任何意义。陪审团在法庭上行使法庭和和政府共同赋予的司法权……

最后，我们注意到，政府容忍这种事情发生在法庭上因此这种歧视造成的损害变得更加严重。因为没有其他场所比法庭更能够保障少数人真正表达宪法权利，而法庭也是法律实现的场所……

在程序正义得到实现的法庭，种族歧视会产生许多严重的问题。种族歧视损害了司法系统的完整性，而且妨碍了民主政府理念的实现……

B

在民事诉讼中，我们认为基于种族原因而排陪审员候选人侵犯了他们依据平等保护权，我们考虑到对方诉讼当事人是否能够就此为他或者她的利益提出抗诉。正如我们在鲍威尔案中所指出的："在通常情况下，诉讼当事人必须主张他或她自己的法律权利和利益，而不能以第三人的权利和利益提起诉讼。"（同上，页410。）但是我们同样也认为，这种基本限制存在"特定有限的例外"，出处同上，而且一个诉讼当事人可能提出一个有利于第三方的请求，而且他或者她获得的损害与第三方有密切的联系，在第三方保护自己利益的能力受到限制的情况下，当事人可以提起诉讼。通常满足这三个条件的第三方可以在刑事诉讼和民事诉讼中获得救济。

我们在鲍威尔案中的结论认为，一个公民被排除在陪审团之外不能保护他们自己的权利应用于民事诉讼中的平等保护……

我们相信，在本案中，惟一值得我们进一步考虑的问题是：一个民事诉讼当事人是否能够证明基于种族原因排除陪审员的行为违宪。在鲍威尔案中，我们认为："检察官适用基于歧视的无因回避被认为造成损害，而被告人在排除陪审员的事件中享有具体利益。参见艾伦诉哈迪案，478 U. S.，259 页［（1986）（认定被告人的利益在'中立的陪审团选择程序'］。这不是因为有检察官排除的陪审员个人可能倾向于支持被告，因为如果在这种情况下，可以为申请陪审员候选人回避提供正当理由。更确切地说，这是因为种族歧视在选择陪审团的案件中会使人们对'司法的正直性产生怀疑',罗斯诉麦特泰尔案(同上,页556),而且使人们对刑事程序的公正性产生怀疑。"

III

剩下我们要考虑的问题是,在本案中是否有初步成立的种族歧视的诉因,要求李斯维对它的无因回避行为提供非基于种族的解释。在巴特森案中,我们认为决定是否有初步成立的种族歧视的诉因需要考虑相关的环境,包括是否存在对特定种族的利益损害。476 U. S.,96–97页。在民事诉讼中,我们进行了同样的考虑,而且我们将该问题留到初审法庭审判中利用证据规则来执行我们的决定。

判决被推翻,而且案件被发回,依据最高法院的判决理由进行进一步审理。欧康纳大法官、斯考利大法官发表了反对意见:

法庭认为私人律师排除陪审员的行为可以归因为政府行为,因此构成了违宪。这种结论仅仅是因为该行为发生在诉讼中,但并非所有发生在法庭的行为都是政府行为。在诉讼过程中,特别是民事诉讼程序的设计在很大程度上基于当事人的行为:法庭是人们通过和平有序的方式解决争议的场所。也就是政府仅仅提供了一个平台,这并不因此导致政府必须为在法庭上发生的所有行为负责。尽管我们尽量从法庭中消除种族歧视,但是宪法对这一点做得并不好。因为我相信:私人诉讼当事人行使无因回避的权利,在根本上是一个私人选择,而不是政府行为,我持反对意见。

I

为了证明存在违宪行为,埃德莫森首先必须证明李斯维行使的无因回避权可以公平地归因于政府行为……

法庭认为,在本案中已经达到了此种标准。这种判断主要依赖两种经验性的推论。首先,私人当事人行使无因回避权利有"明显的重要的政府行为的参与";第二,私人当事人行使无因回避的权利"涉及传统政府权利的行使"。这两种论断都不正确。

A

法庭首先对无因回避权利进行了完整准确的界定。无因回避"允许当事人不提供任何理由而排除一定数量的陪审团候选人"。这种界定需要得到进一步明确,因为这种界定证明了法庭随后关于回避的结论为假。

无因回避"允许当事人",在本案中指民事当事人排除陪审员候选人。从实质上看,回避权的行使完全是当事人自由裁量的结果……回避权被设计为在政府主导的程序中保护异族权利的手段……

B

当法庭认为行使回避权是政府传统的权利时,他们又犯了错误。在判决中对无因回避权的界定，法庭认为，确切地，陪审员对于通过行使回避权"或者……满足关于提供陪审团服务的要求"。无论当事人通过何种可能的原因来行使回避权，这种原因并不在政府。相反政府为当事人提供了陪审团服务，将这种使用任何原因请求陪审团候选人回避的自由选择权赋予了民事当事人。这并不是政府的功能来建立要求成立的陪审团服务……

……无因回避不是一种传统的政府功能；所谓的"传统"只是一种无指导的私人选择……

C

所有的这些都不应当是新的，正如本案公平地受布克镇诉达森案控制，454 U. S. 312（1981）。我们认为作为一个公共的被告人，被政府雇佣的辩护人，当他们在刑事诉讼中为被告人进行辩护时并不是在代表政府行为。在这种情况下，政府的雇佣行为并不构成政府的职责。更为重要的是，这同样也不是律师在法庭上的职责。这是因为，当律师在代表私人当事人时，不能同时代表政府履行职责……

II

除了"重要的参与"和"传统功能"，法庭的最终辩论理由是民事诉讼人的无因回避行为发生在法庭中是政府行为。最终，这是法庭所留下的；回避并不涉及"政府明显的、重要的参与"，他们的行为也不构成"政府的传统功能"。法庭在它的最后声明中同样也是错误的。如果达森案件代表什么，那就是律师在法庭上的行为并没有因为他除在法庭上便代表了政府。即使他们的行为有种族倾向也是如此。

种族主义是一件可怕的事。它是极端的、非理性的、破坏性和卑贱的事。在法庭审判中，基于种族而进行的随意回避行为种族歧视更是可恨的，因为法庭是政府建立的通过理性解决争端的场所。但是并非所有不名誉和不公正的行为都是违宪的。第五修正案所确立的正当程序条款只禁止政府行为，政府并不对发生在法庭的所有行为负责，也不对私人当事人排除陪审员的行为负责。我持反对意见。

斯卡利亚大法官大法官的反对意见：

我赞同欧康纳大法官的少数意见，他认为今天的观点在原则上是错误的。我写下意见是因为在它的推论中，仍然有令人遗憾的推论。

法庭最近发现的宪法规则产生的具体利益是有问题的。这对于少数民族的当事人获得多种族的陪审团不是一个广泛地推动而是增加了阻力……双方均有无因回避的申请权，而且他们有时会使用这种权利来保障而不是排除多种族的陪审团。

另一方面，今天判决的具体代价是毫无疑问，也是罪恶的。我们现在对已经陷入困境的州和联邦初审法庭增加了责任，赋予他们确保种族并不包括在其他因素（性别、年龄、宗教、礼貌的观念、经济状况）被民事当事人用来行使他们无因回避权的义务。如果没有对抗式程序的进行，这种责任有可能成为足够的负担；而且，当然这已经成为一种负担。当与我们在鲍威尔诉俄亥俄州案件的判决相比，在该案件中我们认为反对给予种族的原因而行使回避权的一方，没有必要和被排除的陪审团候选人是同一种族，而今天的判决则认为，在所有的民事陪审团审判的案件中，当事人双方，无论其种族（而且，事实上甚至他们是拟制的实体例如公司），都可能行使反对种族歧视的回避，而且，在这种异议被审理并且否定之后，随之而来的是——针对异议提起的上诉，如果他们成功了，与他们相反的判决便会被推翻。因而，这样另一个复杂性被强加于这个逐渐复杂的古典的司法公正体制之中，而在这个体制越来越多地关注与细枝末节的问题，而越来越少地关注案件本身的价值。

注释与问题

1. 即使在联邦宪法第七修正案下（或者州宪法）授权的可以进行陪审团审判的案件中，双方都可以放弃陪审团审判权，相反选择由独任法官进行审判。联邦民事程序法 38（b）要求进行陪审团审判的当事人依据第 5 条（d），在诉讼开始后，对该争议的最后答辩书送达后 10 日内，提交一个书面的申请。否则，视为放弃权利。联邦民事诉讼法 38（b）。（许多律师在起诉状或者答辩书中提出进行陪审团审判的要求，以防止因为粗心而导致的权利丧失。）换句话说，第七修正案并不要求所有的民事案件都由陪审团审判。为什么不能如此，为什么会如此？

2. 尽管在巴特森案中，法庭基于在刑事诉讼中被告人禁止利用种族原因排除陪审团候选人，赋予了当事人对民事诉讼中此类行为的异议权，但是在埃德莫森案中，法庭则将权利赋予了另一方当事人。法庭在埃德莫森案中维护了谁的利益？巴特森案的判决也影响了刑事审判，在乔治亚州诉麦克卡伦［Georgia v. Mc. Collum, 505 U. S. 42（1992）］案中，法庭将巴特森案扩张并允许排除黑人陪审团的当事人在选择陪审员时要求平等保护而提起诉讼。

3. 巴特森案确立了检验回避请求的种族歧视因素的三段论式检验，这种检验标准在今天仍然适用。首先，反对排除该候选人的当事人必须向法庭提出初步成立的案件表明对方当事人基于种族的原因排除该陪审员候选人。例如，一方可能满足该标准的第一部分证明对方排除了另一个种族的所有的候选人。第二，责任转移到排除该候选人的一方，他们必须提供一个排除该候选人的种族中立的理由。第三，提出证明这种排除存在故意的歧视动因是反对排除该候选人者义不容辞的责任。假设,这种非种族的原因可能导致已经列入陪审团名单的人被排除在法庭之外,这就表明排除者的原因是伪造的而且存在故意歧视。巡回法庭将这种观点分裂开来,比较特纳诉马歇尔案 [Turner v. Marshall, 121 F. 3d 1248, 1251-1252 (9th Cir. 1997) (种族中立的原因,在被排除的陪审团候选人同一种族的陪审团成员具有共同特征时是一种借口)] 和杜里诉沃尔马特储藏公司案 [Dudley v. Wal-Mart stores, Inc., 166 F. 3d 1317, 1321 (11th Cir. 1999) (排除了同陪审团成员具有相似特征的候选人"并不必然证明为歧视")]。

4. 在帕科特诉埃尔姆案中 [Purkett v. Elem, 514 U. S. 765 (1995)],在法官的判词中,多数法官(法官斯蒂芬,与布莱耶法官持少数意见)认为:排除者提出一个非种族的解释是要"有说服力的甚至是似乎是有道理的"。在该案中,检察官排除了一个黑人男性候选人,因为"'他有长的蜷曲的头发,……留着山羊胡子……他的头发在所有的陪审团成员中是最长的'",他同时也排除了另一个黑人男性,因为"他也留有山羊胡子,因为他认为他们不可信。他们仅仅是在陪审团中的两个人……他们的面部的头发……以及我不喜欢我不喜欢他的外表,他们的头发样式。而且胡须和山羊胡子使我觉得可疑"。他又补充说,他对他第二次所排除的陪审员候选人有些害怕,该候选人在一次超市抢劫案中被人用枪指着,他可能相信,"如果进行抢劫,必须有枪,而本案中没有枪"。最高法院维持了这一回避请求,推翻了第八上诉法院的判决,第八巡回法院认为检察官对排除第一个和第二个候选人的解释是"借口"。最高法院认为,这种判断符合巴特森案件中第二个要考察的因素的要求,即"法律的原因……不是有意义的原因……但是这种原因并没有否定平等保护"。一个律师认为,巴特森案件试图消除由于种族或性别而产生的排除(参见 J. E. B 诉阿拉巴马,在随后的内容中)"可能是一种边际性的应用,因为几乎任何一个称职的律师都会为他的回避要求提出似是而非的理由,使他们免受由于排除而产生的责难"。Andrew T. Berry, Selecting Jurors, 24 Litigation 8. 9 (1997)。

5. 在陪审团的选择过程中,无视最高法院认为基于种族而提出回避请求违宪的判决的情况比比皆是,实际数据表明,在陪审团的候选人和最终组成的陪审团中有色人种不能得到充分的代表。德伯拉·拉米雷斯教授描述了这一情况并且分析了其产生的原因:

在少数民族人口分布相对较少的司法区域内,甚至在陪审团组成名单中没有对少数民族的人口比例有所反映,如此组成的陪审团几乎没有少数民族成员。另外,陪审团候选人名单中并没有公正地体现出少数民族在总人口中的比例,因此,加剧了各种问题的产生。在全国,无论是在联邦和州法院中,还是在城市和农村,少数民族陪审员与所有陪审员的比例明显小于少数民族成年人口在当地社区成年人口中所占的比例。

当一个非种族混杂的陪审团，对于一个涉及少数民族被告人或者被害人的案件进行审理时，这种判决的公正性往往受到正确的或者是错误的批评。少数民族的被告人或被害人在法庭之外便饱受歧视，他们会担心陪审团将这种歧视带入法庭。他们相信少数民族的代表参加到陪审团对于产生公正的结果非常关键。因此，如果没有成立一个多种族的陪审团，就会降低判决的可信性和合法性，在一些公开的案件中，会激起公众对判决的怀疑和义愤［引用略］。

Deborah Ramirez, The Mixed Jury And The Ancient Custom of Trial by Jury De Linguae: A History And a Proposal for Change, 74 B. U. L. Rev. 777, 780–781 (1994).

导致陪审团组成名单和陪审团实际组成中少数民族人员缺乏的原因很多。选择陪审团的要求和标准要求当地居民必须有读写说和理解英语的能力，或者排除法庭或者法律代理人，可能成为排除的因素之一。陪审团成员的名单常常依赖选民名单，他们倾向于选择年长的人、相对富裕的人、自由职业者和政府职员。而上述人中很少有少数民族，也很少有黑人、拉美人和女人，那些经常变换住所的人往往是少数民族，他们很少进行选民登记。甚至法庭会用其他方式来确定候选人名单，例如驾驶执照登记册，有复姓的人一般不会作为候选人。一些州还存在主观标准，例如，"良好的个性特征"、"有效的判断力"、"心智正常"并且"有智慧"，这些都可以称为非歧视性的排除因素。还有一些州对语言要求，利用资格问卷来对候选人进行考察，是否经常旅行和工资等都是附加的考察因素。Hiroshi Fukurai and Edgar W. Butler, Sources of Racial Disenfranchisement in the Jury and Jury Selection System, 13 natl. black l. j. 238 (1994). 基于种族原因而产生的回避，往往会隐藏在一些"中立原因"下，这同样也是一个关键因素："基于联邦低级法院判决结果的统计分析……表明，联邦法院极少能够判定违反种族的排除，多数情况下对种族的排除会以非种族的"中立"原因为幌子"。Jeffrey Brand, The Supreme Court, Equal Protection, And Jury Selection: Denying That Race Still Maters, 1994 Wis. L. Rev. 511, 584.

6. Ramirez 教授认为成立一个混合型陪审团以取得公正判决并不是一种新的观点，"在英国法律中使用混合型陪审团已有600余年的历史。这种制度始于12世纪，这一法律原则被称为 *De Medietate Lingnae* 或者半数言论的陪审团（the jury of half tongue），主要是确保涉及犹太人的民事和犹太人刑事被告人的案件中，有半数的陪审团是犹太人"。Deborah Ramirez, Affirmative Jury Selection: A Proposal to Advance Both the Deliberative Ideal and Jury Diversity, 1998 U. Chi. Legal f. 161, 167–168. 后来这一权利扩展到外籍商人，"最终成为一个由外国人享有的在英国审判中陪审团的半数席位由英国人和其种族的人平分的权利。当英国殖民者到达新大陆时，他们也将这一原则带到这里"。（Ramirez 教授没有，尽管，为了实现更加多样性的陪审团有目的的配额会解决这个问题。）

7. 为了成立包括各种族成员在内的陪审团，尤其是在有色人种当事人的案件中，最近有人建议：(1) 减少无因回避的要求；(2) 在对少数民族陪审员候选人选择时，采用不同的回避要求；(3) 肯定性地增加陪审团候选名单及陪审团成员中的少数民族代表；(4) 允许双方当事人强制对陪审团组成名单的成员增加。参见 Albert W. Alschuler, Racial Quotas and the Jury, 44 Duke L. J. 704 (1995)。

8. 实际上，我们不应当仅仅关注陪审团的偏见，更应当关注法官和法院职员的偏见。他们的偏见很难去除，大法官卡多佐（Cardoze）将这种偏见进行了描述："每一天，在我心中都生长出一种新的确信：独立与我们的真理和我们内心的整理之间有不可避免的关系。就像我们每个人显示出来的时代精神来说，他太经常只是一个群体——因为偶然的出生、教育、职业或同胞这些因素，我们才在这一群体中获得了一个位置——的精神。任何心灵的努力或革命都不能完全、也不能在所有石刻推翻这些下意识的忠诚的绝对统治。"* Benjamin N. Cardozo, The Nature of the Judicial Process 174 – 175 (1921)。休谟大法官也提出了类似的观点："通常我们最喜欢和尊崇的是由我们最初的想像所决定的，我喜欢花岗岩和有伏牛花的灌木丛，无疑是因为他们是我早期的兴趣并且一直传延到我的生命中来。但是一旦个人经历的事情成为他生命中的教义，他就再也不能看到其他的方面。贫穷的灵魂，可能也接受了某些事物作为教义。这同样意味着对教义的怀疑"。Oliver Wendell Holmes, Natural Law, 32 Harv. L. Rev. 40, 41 (1918). 法官、法庭其他成员，与律师一样，在对少数民族和妇女的看法上，难以摆脱自身的偏见，这在许多调查中均表现出来。43% 的律师指出，他们的意见由于性别、种族或其他因素而被法官忽视或者根本不到采纳，而只有 7% 的白人律师有过此类经历。少数民族女性当事人中出现此类情况的几率更高。40% 的黑人被告人认为他们在法庭上与白人律师做对手时，受到了不公正的待遇。下面是马萨诸塞州的研究："少数民族的律师经常因为种族或者民族从其他律师、法庭和法官那里得到较差的待遇。这种不公正待遇是对律师职业的否定，在法庭上表现为不礼貌或歧视性的评论或行为"。"性别偏见在马萨诸塞州法庭上极为普遍，男性至上的语言和行为仍然十分普遍，除了这种明显的偏见和标志，很多做法在程序中并没有明显受到偏见的驱动，但是却产生了偏见的结果"。[最高法院关于性别

---

* 译者注：本杰明·卡多佐：《司法过程的性质》，苏力译，商务印书馆 2000 年版，第 110 页。

歧视的研究报告，马萨诸塞州1（1989）。］

9. 在1994年的 J. E. B v. Alabama 案中，最高法院提出了依据巴特森案和艾德莫森案件认为不能基于性别原因行使无因回避权。阅读随后的这个案件，特别注意该理论将来可能产生的扩展。法庭是否会取消这种扩展？关于仅仅基于陪审团的性别倾向而进行的无因回避应当如何对待？

J. E. B 诉阿拉巴马
J. E. B v. Alabama
511 U. S. 127（1994）

布莱克曼大法官代表法庭书写了意见书：

……今天我们面临的问题是：平等保护条款是否如同禁止种族歧视一样禁止基于性别产生的歧视。我们认为：性别与种族一样是对陪审员能力和公正性的不合宪审查方式。

阿拉巴马州代表起诉人 T. B.，一个未成年母亲在杰克逊地区法院针对被告人 J. E. B 提交了起诉状，要求确认父亲身份和对儿童进行抚养。1991年10月21日，法庭开始传唤并且挑选陪审员。法庭共召集了36位候选人，12名男性，24个女性。在基于有因回避排除了3名候选人之后，在33名候选人中仅剩下10名男性，政府行使了无因回避权排除了余下的10名男性候选人中的9名，申诉人仅仅用了一次权利排除了其中一名女性候选人。最终，法庭组成了全部由女性组成的陪审团进行审判。

在陪审团成立之前，申诉人对政府仅仅基于性别而对男性陪审团候选人提出无因回避的行为提出了异议，认为这种行为损害了他基于第十四修正案应当享有的平等保护权。申诉人认为依据巴特森诉肯塔基州案件的逻辑和推理，禁止仅仅因为种族的原因而对陪审团候选人行使无因回避行为，同时应当同样禁止因为性别而对他加以排除。法庭驳回了申诉人的请求，并采用这个全部是女性的陪审团进行审理。陪审团认为申诉人是孩子的父亲，并指令他支付抚养费。在审判后的动议中，法庭重新确立了巴特森案的判决不扩展到基于性别的排除。阿拉巴马州民事上诉法院维持了该判决。而最高法院则否定了诉讼案件移送书。

我们决定采取调卷令来解决涉及权利冲突的问题——平等保护条款是否要求像禁止基于种族歧视的无因回避一样而禁止基于性别歧视的无因回避。今天，我们再一次确信，现在必须使用下列公理：以性别为基础产生的故意歧视侵犯了平等保护条款，在此处，歧视行为基于承认和绝对个人的、古代的男女之间能力的相对差异。

基于性别的歧视的无因回避是最近出现的现象。基于性别的回避请求在我国的很多地区并不普遍，直到19世纪，妇女基本上被完全排除于陪审团之外。在

1880年，当法庭认为将黑人排除与陪审团之外违反了第十四修正案规定的权利的时候法庭还不认为女性可以成为陪审团的成员，因为法庭仅仅将陪审员的范围限于男性，而且毫无疑问的表示政府"可能将陪审团的选择限于男性"。Strauder v. West Virginia, 100 U. S. 303, 310.

直到本世纪为止，许多州仍然不允许妇女成为陪审团的成员，尽管事实上妇女的权利在1920年第十九修正案确认上历经了许多磨难。[在一个脚注中，法庭简明地指出，在1947年妇女在16个州仍然没有被赋予提供陪审团服务的权利。参见华莱士 M. 鲁道夫，陪审团中的妇女——自愿的或者强迫的？44 J. Am. Jud. Soc. 206（1961）。直到1961年，阿拉巴马、密西西比和南卡罗来纳3个州仍然将妇女排除在陪审团之外。]允许妇女作为陪审团成员的州往往对妇女提供陪审团服务设置许多障碍，例如，注册要求和自动豁免这种制度设计用来阻止妇女进入陪审团。参见费诉纽约州案件，332 U. S., at 289；（"1942年，在28个允许妇女作为陪审团的州中有15个州允许妇女因为性别要求提出陪审团审判服务的豁免"。）Hoyt v. Florida, 386 U. S. 57（1961）（该案中认为允许妇女从强制为陪审团服务中获得豁免）……

自从里德案［Reed v. Reed404, U. S. 71（1971）］以来，法院一直强调以性别为基础的划分必须经过严格审查，因为这种划分可能使政府的政策受损，使人们相信政府政策在对待性别关系上是落伍的……或者给予对妇女地位落后观点"认为妇女的角色在家庭而不是在商场或者智力世界"。Caring v. Boren, 429 U. S. 190, 198 - 199（1976）。尽管这种严格的审查提供了一个基于性别的区别，申诉人辩解认为，在选择陪审团时进行这种性别歧视应当是允许的，尽管当时基于种族的选择已经被禁止。

答辩人认为，"在这个国家中，因为性别所产生的歧视……远远没有达到美国黑人所受的歧视程度"，因此，和种族歧视不同，性别歧视在法庭上是可以容忍的。同时，在这个国家中对妇女的偏见态度与美国少数种族所受的偏见其区分并不明显，妇女在美国受到的偏见和歧视与美国少数民族所受到的偏见和歧视具有一定的相似性。Note, Beyond Batson：Eliminating Gender - Based Peremptory Challenges, 105 Harv. L. Rev. 1920, 1921（1992）. 正如法庭的多数派在Frontiero v. Richardson, 411 U. S. 677, 685（1973）一案中所表述的：

> 在19世纪，妇女在我们社会生活中的地位，在许多方面与在独立战争前的黑人的奴隶地位具有可比性。妇女和奴隶一样，不能担任公共职务，不能成为陪审员或者以自己的名义进行诉讼，而且已婚妇女在传统上被否认了持有财产或者作为其子女监护人的法律资格……而且尽管黑人在1870年获得选举权时，妇女仍然没有选举权——选举权本身是"基本权利和政治权利的代表"——直到半个世纪后第

十九修正案的通过妇女猜取得了这一权利（脚注略）。

当然，考虑到提供陪审团服务，黑人和妇女在历史上都被完全排除在外，在黑人权利限制被终止后，历史发展到应当终止这种对妇女的歧视的时候……

在我们平等保护的法律规程下，基于性别的分类要求提供"具有说服力的"能够通过违宪审查的理由。然而，惟一的问题是在选择陪审团时基于性别的歧视是否在实质上促进了州的司法利益公平和无偏袒的实现……

除了对这种基于性别的无因回避要求提供一个有说服力的判决之外，答辩人认为，在本案中，他们将所有男性排除在陪审团之外"可能合理地基于这种推定，在历史上，而且男性相反地总体上更加耐心和具有洞察力在确认非婚生子女的父亲的案件中可能更有同情心作为陪审团成员，所有由男性组成的陪审团可能中，更易于被人接受，同样符合条件的妇女也更具有同情心和洞察力，更容易接受拥有子女的证人的证言"。申诉人的第10项法律理由书。

我们不能接受这样的抗辩，在陪审团挑选中基于性别的歧视"这种典型的法律谴责"。答辩人的推理，不像通常表达的基于性别的回避请求，使人想起将所有女性排除在陪审团的范围之外的公正性。【布莱克曼大法官进一步指出：从前在德克萨斯的德里郡用来指导检察官的小册子中提出了以下建议：我不喜欢女性陪审员是因为我不信任她们。尽管在未成年犯罪案件中她们会成为出色的陪审员，如果你不靠事实来打赢官司，那么妇女的直觉可以帮助你。The Supreme Court and the Jury: Voir Dire, Peremptory Challenge, and the Review of Jury Verdicts, 56 U. Chi. L. Rev. 153, 210 (1989).】

无论是基于种族或性别的陪审团挑选中的歧视都会对诉讼中的当事人、社区以及被错误地排除了陪审员资格的人造成伤害。诉讼当事人因此而承受这种偏见一直影响整个诉讼过程……社区的公众也会因为政府在法庭参与了对个人的典型化的划分而必然产生对法律和政府的不信任。

当政府因素介入到依据性别类型对陪审员的无因回避之中时，他们实际上强调了男性和女性在相对能力上的偏见。因为这种典型化使性别的划分在公共生活的其他场合也变得明显，而且当事人这种积极的在陪审团挑选过程中基于性别的歧视"必定会对陪审团的中立和依据法律进行活动产生愤世嫉俗的情绪"。Power v. Ohio, U. S., at 412. 这种可能的愤世嫉俗的情绪在与性别相关的案件，例如强奸案件，性骚扰案件或者父亲身份的确认案件中表现得更加明显。无因回避的歧视会给人造成一种印象：司法系统倾向于排除某一性别的人群对司法程序的参与，这样会使"司法天平倾斜"于另一方当事人……

考虑到这些问题，平等保护条款禁止在陪审团挑选中进行性别歧视，或者基于当事人在一个全部是女性或全部是男性的陪审团进行审判会造成偏见的假设……阿拉巴马州上诉法院的判决被推翻，案件应当发回初审法院依照我们的意见进一步审理。

［我们省略了欧康纳大法官和肯尼迪大法官的部分并存意见，以及首席大法官瑞奎斯特的反对意见，和斯卡利亚的法官的反对意见。］

注释与问题

1. J. E. B v. Alabama 案提出了一个基于巴特森案中的平等保护的问题。在 Hernandez v. N. Y., 500 U. S. 352（1991），最高法院认为基于种族来源国（被排除的陪审团候选人是西班牙后裔）的无因回避也是违法的，但是认为以陪审员是否讲英语而提出的回避合法。许多州认为基于宗教信仰的无因回避请求违反了州的法律。某些评论家（以及至少一个法庭）指出，基于残疾提出的无因回避也是不合法的。参见 Andrew Weis, Peremptory Challenges: The Last Barrier to Jury Service for People with Disabilities, 33 Willamette L. Rev. 1（winter 1997），和 People v. Green, 561 N. Y. S. 2d 130（N. Y. Co. Ct. 1990）（涉及排除耳聋的候选人）。

2. 一个案例书的作者试图引导读者发现"实现政府目的并且不会造成团体类型划分的方法。" Marth Minnow, Not Only for Myself——Identity, Politics and the Law (1997)。她所举的三个例子中有一个是取消无因回避权。下面是她的论点，你是否被他说服：

> 取消无因回避的权利有许多好处。对于平等保护和一些围绕陪审团挑选的策略性争议会终止，或者成为一种有原因的回避，或者至少要求进行有理由的排除和司法权的审查。取消无因回避会减少当事人（以及律师）试图规划陪审团以及影响案件结果的能力，因为无因回避权利的行使及产生了积极的效应，但同时也明显损害了弱势当事人。设计陪审团的活动恰恰是通过对于已经被他们典型化的特定团体的人对诉讼可能会产生特定的反映的假定而行使无因回避的权利。取消这种无因回避的申请权，他们对于这些团体的人预设了许多假定性的身份识别标志，至少使这种思想在法庭范围内象征性地消除。
>
> 事实上，当事人律师之所以通常以这种团体特征来排除陪审团，是因为他们对该团体进行了诸多假设，并设定了诸多偏见。控方试图排除哪些看起来会基于同情而对被告人产生不适当的怜悯的人，而辩护方则试图排除哪些与被告不同种族或者民族的人。为什么允许对那些有明显区别而不能产生共鸣的人行使无因回避权呢？不仅这种规则对人性来说是不真实的，而且它可能是一个自我满足的预言。
>
> 取消无因回避并不能禁止对人基于团体分类的关注，因为在系统层次上，需要对确定和传召陪审团候选人提供服务事项上进行更为积极地对抗歧视行为。取消无因回避，可能会为限制政府施加在团体定性方面的行为提供一个有效的途径。因为这种取消会对政府执行或者加强团体典型化的某一项实践活动必须终止所发出的一

个信号。

同上，页 99-100。

3. 你认为如果取消无因回避的权利，会对律师、法官和陪审员的行为产生何种影响？

花一些时间来考虑你对陪审团的看法。在下面的部分你讲会学到法官如何运用不同方法在审判前、审判中或者审判后将案件从陪审团手中拿走。请利用你对陪审团的观点对陪审团控制的手段进行分析。

第四节　即决判决

本章开始是关于美国陪审团的角色和组成。本章剩余的部分将主要涉及对陪审团权利进行控制和限制的司法方法。通过本章的学习，你应当考虑每种方法的优缺点，以及在何种程度上他们是推动还是阻碍了陪审制度优势。

尽管我们通常会关注程序对权利和陪审团审判的实质关系，你应当记住到我们所讨论的程序事件同样适用于没有陪审团审判的案件。例如，即决判决在陪审团审判和非陪审团审判的案件中都可以适用。

你可以按照自己的理解来解释，为什么联邦民事程序规则的起草者规定了在证据开示后，审判之前法官做出有效的即决判决。记住，它最初依照规则 8（a）和 12（b）（6）所建立，其目的是使原告能够相对简单地通过证据开示程序。查理斯·克拉克和他顾问委员会的同事们并没有试图使许多案件在起诉阶段就被排除。但是，由于起诉阶段的要求过于宽泛而使大量案件进入诉讼程序，因此在证据开始之后必须有一个机制来排除大量案件进入诉讼程序，因此在证据开示之后必须有一个机制来排除一些简单且审判结果一目了然的案件。这并不意味着强制当事人遵从一个先前结论。例如，作为一个法官，你知道在一个过失案件中原告在审判中不能提供被告未尽合理注意义务的证据，又何必让双方当事人和法院系统进入审判阶段？换句话说，假设作为一个法官，在一个假定的案件中你可能对案件作出肯定的预测，因为原告没有提供充分的证据使陪审团相信原告行为之外的原因导致结果的发生，一个支持被告的指示裁判（现在被称为"法律上的判决"）可能作出。这岂不是既公正又有效地在审判之前形成判决，而无需在将来的陪审团审判中浪费时间、精力，并且不会使当事人和证人（如果存在陪审团的话）感到麻烦的方式？

但是，如果在设立和理解程序时作为典型，那么任何改变都是危险的。毕竟，如果仅仅通过法官对在将来审判中可能会提出的证据进行推测便使一方得到有利的判决结果，那么当事人获得陪审团审判的权利会受到严重损害。另一方面，如果法庭不情愿对将来可能会进行指示裁判的案件作出即决判决，那么这对胜诉一方不公平，对双方当事人和公众来说也是一种浪费。甚至如果没有陪审团审判，法官也必须对即决判决的动议进行审慎的审查，防止任何一方当事人因为其证人没有亲自出庭，证据没有经过严格的审理，交叉询问、最初陈述和最终陈述而被剥夺了合法的权益。

另外有四点需要说明。第一，记住法官必须考虑以联邦民事程序规则12（b）（6）动议、即决判决的动议以及指示裁判的动议的区别。在12（b）（6）中，仅仅存在起诉状中的声明。在即决判决中，法官试图通过对诉答状、宣誓证词和证据开示的关注，对审判中可能提交的证据进行预测。[在56（c）中提到起诉状可能会产生误导。正如你所看到的，既然法官试图在即决判决阶段对判决时可能会提交到法庭的证据进行预测，而一个仅仅未经证实的起诉书可能对一方在法庭上是否会增加证据毫无帮助。]不像12（b）（6）动议（仅仅依据诉答状）或者即决判决的动议（主要依赖宣誓证词和证据开示），指示裁判的动议基于最终在审判中采纳的证据（包括由于准入而采纳的证据或者依照约定或其他）。

第二，大多数要求即决判决、指示裁判并且最终产生有利于申请方结果的动议都是被告方提出的。你能否说明原因？因为原告要想赢得即决判决的结果，她必须令法官信服，必须有可采纳的、有说服力的而且无可辩驳的证据来证明诉因中所有构成要件。例如，在过失案件中，原告提出一个即决判决的动议可能利用宣誓证词和证据开示的结果（以及在展示中被告承认的事实）来说服法官，使理性的人相信：存在义务，义务的违反或者不合情理的注意，事实的起因，可能的原因和特定数量的损害。原告申请即决判决必须使法官确信没有可疑的问题和任务由陪审团来执行。原告的动议必须使法官相信，他无可怀疑地履行了提出证据责任和说服责任。而另一方面，在过失案件中的被告人，如果申请即决判决（或者指示裁判），仅仅需要进行一点证明即证明原告没有履行提出证据的责任就可以赢得即决判决。相对让法官相信所有的证据和案情为真实来说，表明证据缺乏更容易令法官相信。

第三，研究规则第56（c）陈述动议方获得即决判决的关键性语言，该条规定，如果有下列材料表明"材料提供的任何要件事实没有正式性的争议，并且动议提出方当事人有权要求一个法律事项的判决"，那么法庭应当依据动议进行即决判决。在这里"要件事实"具有特殊意义，他涉及关联性问题，但不仅如此。让我们以卡彭特案为例，真正的争议在于不合理的注意、因果关系和损害程度3个方面。但是在法定期限进一步认为没有无可争议的事实导致不可回避的结论。如果被告人能够说服法官进行即决判决，在审判中，被告必须在一个确认性抗辩中获胜（判决可能由于时效法而有利于被告），这种问题可能会导致不合理的注意、因果关系和损害数额等要件事实。同样地，如果被告使法官确信，在将来进行的审判中原告没有可以采纳的证据来支持构成要件的成立，这必将导致对事实争议"非客观性"的结论。

换言之，法官在即决判决阶段必须相信有大量的争议事实（例如吉普车的颜色，司机的清醒程度以及损害的数量），但是如果原告不能为任何一个构成要件提供证据（或者一个有效的抗辩得到了承认），这表明所有的争议是非实质性的，他仍然会败诉。在这种情况下，即使存在争议事实，法官仍然会进行即决判决。

第四，在即决判决中，如果动议的提出方不是承担举证责任和说服责任的一方，这会产生一些尴尬。遗憾的是，事实上这是一种典型的情况：被告有责任说服法官作出即决判决，因为他有充分的理由支持即决判决的动议，而他能够证明原告没有充分证据来满足至少是审判构成要件之一的事实的证明责任。在这种案件中，动议提出方（被告）承担积极的责任证明以取得动议的成功，但是这种责任是一种否定性的表述：原告没有充分的证据来保证通过指示裁判。

联邦民事程序规则56（e）特别是该条的倒数第二句，你可以看到他使法官和律师陷入一个问题："当一个即决判决的动议依据本规则提出并生效，则对方当事人不能仅仅声称或者否定其请求，但是他通过宣誓证词或者本规则规定的其他方式作出的回应，必须提出具体事实表明存在真实的争议提交判决"。在即决判决中，动议的提出方（通常是被告）应当如何做才能实现动议？例如，没有证据开示，被告能否直接要求指示裁判？在本章随后的阿迪克斯和赛罗太克斯两个案例中，这可能是促使原告展示她在案件中的证据，并且涉及动议的证明责任问题。

仔细阅读第56条，并且在阅读以下两个判例时，你必须不停地问自己，动议方的角色如何？非动议方的角色呢？法官在即决判决中的角色怎样？上诉各方在诉讼中的职责分别是什么？阿迪克斯和赛罗太克斯案是否一致？在何种程度上，阿迪克斯和赛罗太克斯案后最高法院的判决使即决判决有了什么新发展？

一、法律标准：从阿迪克斯案到赛罗太克斯案

阿迪克斯诉克莱斯公司
Adicks v. S. H. Kress & CO.[1]
398. U. S. 144（1970）

哈兰大法官代表最高法院制作判决意见：

---

〔1〕 在案件的审判意见中，没有相关的案件背景，一些学生可能想先阅读案件情况。

申诉人桑德拉·阿迪克斯，一个纽约学校的白人老师，在纽约南部法院提起诉讼克莱斯公司（以下简称克莱斯），声称该公司侵犯了她由宪法第14修正案所规定应当获得的平等保护权，要求法官依据美国法典第42编第1983节判决被告赔偿损失。起诉发生于1964年8月14日，阿迪克斯在密西西比州海兹堡的饭店中被拒绝提供服务，并且在离开之后被海兹堡警察局拘留。而在她被拒绝提供服务和被拘留的时候，和她在一起的她在那个夏天所在一个密西西比州"自由学校"执教的6个黑人学生，被提供了服务并且没有受到逮捕。

申诉人的起诉有两项指控，都基于美国法典第1983节提出，每项指控都声称克莱斯剥夺了她宪法第14条规定的平等保护的权利对她进行了种族歧视。第一项指控是克莱斯拒绝服务，克莱斯辩称：他们拒绝为阿迪克斯服务是因为"她是与黑人同伍的白人"。阿迪克斯试图说明：对她拒绝服务是遵循"在公共餐区按种族分开就餐"的社区传统。但是，在审前裁定252 F. Supp. 140 (1966) 中，地区法院认为：阿迪克斯小姐要获得赔偿必须证明她在被拒绝提供服务时，密西西比州政府存在"禁止向与黑人在一起的白人提供服务"的惯例。由于在诉讼中申诉人不能提供此类证据，而且海兹堡的其他地区也没有发生过与黑人在一起的白人被拒绝提供服务的事件，因此，法庭作出了有利于答辩人的指示裁判。上诉法院合议庭基于此维持了该判决，同时认为依据1983节，"通常在州范围内，如果要证明遭受不公正待遇时必须证明当地存在歧视的惯例或者做法，而申诉人没有满足这一证明要求，因此不能获得赔偿"。

申诉人的起诉中另一项诉因，声称她被拒绝提供服务并随后被海兹堡警察局逮捕都是克莱斯公司和海兹堡警察局密谋的结果，该项指控在审判前的即决判决动议中被撤销。地区法院判决申诉人"没有任何证据可以推导出共谋的存在"。252 F. Supp. At 144. 这一决定在上诉法院得到维持。409 F. 2d, at 126 - 127.

阿迪克斯小姐，为了寻求复审的机会，向最高法院提起了上诉，声称地区法院错误地对实体主张和共谋主张在即决判决中解决。我们采取了调卷令394 U. S. 1011 (1969) 对案件进行了审查，我们推翻了裁定，并要求法院对申诉人的两项指控进行进一步审理。

正如在第一部分所描述的，答辩人没有提供任何争议构成要件的事实，我们认为，地区法院错误地进行了即决判决。至于实体主张，正如在第二部分推理所指出的，我们认为申诉人要依据1983节提出侵犯她的平等保护权利提起诉讼的原因在于存在由州政府实施的惯例要求在海兹堡的公共餐厅实行种族分餐制。阿迪克斯小姐已经有效地提出了诉讼主张。我们认为法庭在以下方面产生了错误：(1) 表明该隔离习惯是密西西比刑事制定法中所奉行的规则，这仅仅是一种推测；(2) 为了定义了州习惯的关联性，要求以海兹堡和密西西比拒绝为与黑人在一起的白人提供服务的实践作为证据,而不是以海兹堡餐馆中存在强制的种族隔离行为为前提。

I

简要的说,申诉人共谋的指控请求主要是下面的内容。在 1964 年 8 月 14 日下午,作为密西西比州海兹堡黑人"自由学校"的义务教师的申诉人,与 6 个黑人学生进入了海兹堡公共图书馆。图书管理员拒绝黑人学生使用该公共图书馆,并要求他们离开。由于他们拒绝离开,管理员打电话给海兹堡的警长。该警长告诉申诉人和他的学生,图书馆已经关闭,并命令他们离开。从图书馆离开之后,阿迪克斯小姐和她的学生便进入被告克莱斯餐厅,他们希望在那里吃午餐。据原告声称,当他们坐下准备吃饭时,一个警察进入了餐厅,"并发现申诉人[阿迪克斯小姐]与一群黑人学生在一起"。随后,一个女招待来到申诉人面前的餐桌并拿走了黑人学生的菜单,并拒绝为阿迪克斯小姐提供服务,因为她是与"黑人为伍"的白人。起诉状表明申诉人在餐厅招待拒绝为其提供服务之后,没有吃饭便离开了克莱斯餐厅。当他们一行走到餐厅外面的便道上时,"先前曾经进入餐厅的警官"以流浪罪的名义逮捕了她,并把她实施了拘留。

基于这种事实,申诉人声称:克莱斯和海兹堡警察局在下列事项上存在共谋:(1)"剥夺了她在公共场合享受平等对待和接受服务的权利";以及(2)基于"错误的流浪罪名"对她进行了逮捕。

A. 公共官员和私人之间的共谋——支配原则

第 1983 节明确规定,要满足诉讼主张有两个因素是必要的。第一,原告必须证明被告剥夺了她依据"联邦宪法和法律"所享有的权利;第二,原告必须证明被告剥夺她的宪法权利的行为是"基于何种法律、命令、规则、习惯的授意下,或者在哪个州或地区进行"。第二个因素要求,原告的行为是"依照法律的行为"。

如前所述,申诉人的两项指控都认为是基于种族歧视造成了的对申诉人平等保护权利的侵犯。在我们的宪法中,没有几个法律原则像禁止任何州基于种族或者其同伴的种族而对其进行歧视,或者以任何方式强制或鼓励种族隔离一样,如此深入地嵌入我国的宪法体系。尽管这是一个对私人的起诉,而不是针对政府或者其他官员进行的,我们的案件表明,申诉人认为这种行为侵犯了她依据宪法第十四修正案应当享有的平等保护的权利,只要他能够证明克莱斯公司的雇员在受雇佣期间和海兹堡的警察在某种程度上达成"合意",因为阿迪克斯是与黑人为伍的白人而拒绝为她提供服务或者引起了她随后被逮捕的结果,那么她就有权依据第 1983 节请求赔偿。

政府官员如果涉及对此类事件的共谋则直接表明,州的行为侵犯了申诉人依照宪法的平等保护权利，而不论该政府官员的行为是否是官方授权或者是否合法〔重述略〕。另外，私人当事人如果涉及此类密谋，即使不是政府官员，依据1983节也应当承担责任。"私人当事人与州政府官员在一起进行了法律禁止的行为，是'依据法律'的行为或者是为了成文法目的的行为。'依据法律'进行行为并不以被告人是政府官员为前提。只要他自愿加入政府或者他的代理人的行为中即可"。美国诉皮尔斯，383 U. S. 787, 794 (1966)。

B. 即决判决

我们现在讨论地区法院关于密谋的指控进行即决判决是否有错误。为了对答辩人的动议做出决定，地区法院简单地指出："在诉告文状或宣誓证词中没有证据或者其他材料使'理性的人'可以得出存在串通的推断"。252 F. Supp., at 144, Aff'd, 409 F. 2d at 126-127。我们对申诉人的起诉状中的事实理由以及克莱斯的提交的宣誓证词和作证书中的事实进行了详细审查，由此我们得出在此处进行即决判决不恰当的这一结论，因为我们认为，答辩人没有实现他证明任何事实问题的责任。在我们解释为什么会出现这种情况时，由当事人提供的对事实问题的陈述是有价值的，而且法庭进行了一系列的推理。

为了达到即决判决的目的，克莱斯辩称在克莱斯雇主和警察之间的串通并不存在是"无可争议的事实"。为了证明这种判断，克莱斯首先指出饭店经理人帕尔先生（1）没有与警察联系，〔1〕（2）而且没有使用任何的无声信号，〔2〕命令服务员拒绝向阿迪克斯小姐提供服务仅仅是因为他担心由于商店的顾客看到一个

---

〔1〕 在这份证言中，帕尔承认知道海兹堡的警察局长霍夫·海芮警官，而且他承认在1964年阿迪克斯小姐的事件发生前与他有过两次接触。当问及逮捕的执行官阿道夫·赫曼多长时间会来店里时，帕尔说他并不确知但是可能每天都来。但是帕尔说在8月14日他记不起看到任何警官在商店外或者商店内。而且他否认：（1）他通知了警察；（2）他与任何政府官员达成一致认为阿迪克斯没有权利使用图书馆；（3）在争议发生时他与任何政府官员达成任何人都可以拒绝向阿迪克斯提供服务的协议；（4）他请求警察将阿迪克斯逮捕。

〔2〕 帕尔所说的信号是指点头。帕尔声称它在1个月之前曾经知会过柜台管理员巴葛特小姐，他告诉她，如果她摇头示意便不要为一些与黑人为伍的白人提供服务。如果他没有任何表示，则可以直接提供服务。帕尔声称，他与巴葛特小姐作出此种约定的原因在于：海兹堡是一个暴力的地方，暴力的主要对象是和有色人种在一起的白人，也就是所谓的混合种群。

白人和一群黑人混在一起会引起骚动。[1] 克莱斯同样也求助于海兹堡警察局长[2]和两个逮捕执行官的宣誓证词[3]来证明帕尔没有要求逮捕申诉人。最终，克莱斯也指出申诉人自己的陈述也表明他对克莱斯雇员和海兹堡警察之间有无共谋并不知情，只是依赖环境证据来证明她认为克莱斯和警察之间有共同的安排的观点。

申诉人，反对进行即决判决，指出答辩人没有在其动议书中表明申诉人起诉状中的争议，在她的作证书中的陈述[4]以及克莱斯雇员的未经宣誓的陈述，[5]这些证据均表明：在餐厅中她被拒绝提供服务时有警察存在，而且这个警察随后逮捕了她。申诉人认为：尽管她对克莱斯和警察之间是否存在协议并不知情，但是事件发生时的境况使人怀疑双方有密谋的可能，特别是密谋的证据来自于对方提供的证词。另外，她提交的作证书认为对方所说的"一触即发"的紧张情况当时并不存在，因此认为他们捏造这样的事实目的是为了拒绝对其提供服务。

我们认为从上面的事实可以看出，进行即决判决是错误的。因为作为动议的

---

[1] 帕尔将阿迪克斯小姐被拒绝的情形进行了如下描述：当天刚过了12点，我估计有75至100人在店里，而且柜台特别忙，几乎是满的，我正在通向门口的过道上，朝店门口看过去。有几个有色人种女孩和一个白人妇女从柜台的旁边的北门进来。更让我注意到的是：他们穿着相似，都穿着一样的蓝色斜纹格子布的衬衫。他们进入之后，人们都停下来看。他们走向餐馆中空着的两个隔间。其中那个白人妇女坐在一边，另外几个坐在另一边。在他们刚进来几分钟，已经有人开始围绕在柜台附近并准备吃午餐，当时，我在甜点柜台附近，我很清楚的看到了这一切。人们脸上露出愤怒的表情，他们显然被激怒了。我经历过1954年的韩国暴乱，嗅到了紧张的气味，我通过玻璃窗看到了外面马路上的一切，那里没有黑人，北门的窗户正对着柜台，有25或者30个人站在那里围观，对面街道的首饰店，也有人站在那里，愤怒的看着我。似乎如果有人高呼"我们上"就会马上引起一阵骚乱。为了决定避免混乱，保护在店里的客人和雇员，而且保护可能引起暴乱的人，我示意他们拒绝提供服务。而我的初衷是避免这种随时可能爆发的紧急事件。

[2] 警察局长在逮捕当时并不在场，但他对案情进行了相关陈述：帕尔先生没有要求我去逮捕阿迪克斯小姐或者任何人，事实上，在作出此种陈述之前他们并不认识。帕尔先生和我在今天之前并没有讨论过她的逮捕，而且在此之前并没有以任何方式讨论过他。

[3] 波曼巡警和赫曼警官分别陈述了：我今天应约翰·威廉姆先生（克莱斯公司的经营者）的请求，作出关于先前逮捕的陈述。这次逮捕发生在密西西比海兹堡街头，是一次警察裁量的逮捕。我们事先没有咨询帕尔先生，而且直到今天我们才知道他姓甚名谁，克莱斯公司没有人要求执行逮捕，而且在逮捕前我们没有和任何人进行过磋商。

[4] 当被问及她被拒绝提供服务时，是否有警察在场时，阿迪克斯小姐回答说："我背朝着门，但是我的一个学生看到警察进来"。这名学生叫卡罗林。在审判中，申诉人的学生卡罗林证明：在他们坐下并等待服务期间，大约有5分钟，有一个警察进来，她说："他进来商店，我的脸正对着店门，他进来并从这边走过，最后在我们坐的地方停下站住，上下打量并微笑，然后到了店后面，不一会直接回来并离开"。这一证言与戴妮·卡罗林的一致，她也是他们其中的一员，她声称他们等待服务时，警察进入店里，逗留片刻并观察了她们，然后进了店的后面。

[5] 在证据开示中，答辩人提供给申诉人艾伦·苏利文小姐克莱斯的出纳员，一个未经宣誓的证言。在这一陈述中，苏利文小姐说：她看到巡逻官赫曼在刚刚12点之后进入了店里，当时申诉人也在。警官对苏利文小姐打了个招呼，经过她的柜台然后走到了店的后面。几分钟之后，赫曼警官经过了前门和几个黑人和一个白人妇女共同坐的桌子面前走过，并离开了店里。赫曼走出店门走上警车开进一个胡同停了下来。不久，赫曼带着和黑人在一起的白人妇女上了警车。

提出者，克莱斯有责任证明：对于任何要件事实不存在任何争点，而且要作出即决判决必须将所有的材料从有利于动议反对方当事人的角度来看待。答辩人没有履行他的责任，因为他没有排除当申诉人在等待服务时，由警察在该店中的可能性，而且该警察与店员就拒绝对申诉人提供服务达成了某种程度的一致性的可能。

事实上，帕尔先生作为经理，在其证词中声明，在他对柜台服务员巴葛特小姐[1]暗示之前，没有看到警察与她有任何交流。但是答辩人没有提供任何人巴葛特小姐的宣誓证词或者菲而曼小姐，[2]她直接拒绝了为申诉人提供服务，而这两个人看到警察在店中或者与警察有交流。另外，执行逮捕的警官在其证词中没有排除下列可能性：（1）当申诉人在店里的时候，警察也在；而且（2）当看到申诉人与黑人为伍，他明示或者默示向克莱斯的雇员表示不满，导致饭店拒绝向申诉人提供服务。

由于答辩人材料中无法解释的缺陷，我们认为答辩人并没有实现他最初的责任来证明本案的一个关键因素——当时店里没有警察。如果警察在场，我们认为案件应当由陪审团进行审理，从当时的情形可以推理出：警察与克莱斯的雇员存在某种程度上的"合意"，因而导致了申诉人被拒绝提供服务。因为"基于即决判决，[动议方当事人]所提供的材料事实中所作的推论必须从有利于动议反对方的角度进行分析"，U. S. v. Diebold, Inc. 369 U. S. 654, 655 (1962)，我们认为答辩人没有表明当时没有警察，因此我们推翻了地区法院的判决。

依据1963年修订[3]的联邦民事程序规则56（e），答辩人认为，如果他依赖于这一事实避免即决判决的话，要求申诉人提供一个关于警察在场的恰当的宣誓证词并不困难。答辩人注意到在这个方面申诉人提供的材料不符合56（e）的要求。

这种辩论是经不起推敲的，因为1963年对联邦民事程序规则的修改不是要

---

[1] 在附加的一个简短的文件中，答辩人提供了一份由巴葛特小姐作出的未经宣誓的证词，她否认在当天就有关问题与警察有过交流。除了这一证据没有经过宣誓，该陈述并没有被记入程序中，因此可能不会被初审法庭考虑在内。同样，在我们处理案件时也不会对此进行恰当的考虑。在证据开示中，申诉人试图使巴葛特小姐作证，但克莱斯认为她不是管理人员没有权利作出管理性决定为由成功的拒绝了这一请求。

[2] 同样也有一份菲而曼小姐的没有经过宣誓的证词，她声称：她没有与警察联系也没有要求其他人与警察联系来进行随后发生的逮捕行为。这份陈述，没有宣誓不符合联邦民事程序规则56（e）的要求，不能作为答辩人请求即决判决的依据。另外，这也不能排除菲而曼小姐拒绝向阿迪克斯小姐提供服务与警察出现在店里有关的可能性。

[3] 56（e）曾做了如下修改：当一个即决判决的动议作出并且在这一规则中得到支持，相对方可能不能依赖于对请求的否定，而是通过他的宣誓证词或者本条规定的其他方式满足，必须在审判中提供特定的事实。如果他没有进行答辩，如果合理，对他不利的即决判决就会作出。

将动议方当事人应当承担的证明要件事实不存在的责任转移给另一方当事人。顾问委员会对于这些修改的陈述是：修改不是要"影响即决判决适用标准的应用"，而且，在一个特定的针对答辩人论点的声明中，委员会认为："如果支持动议的证据事实没有使审判者确信真实争议的缺乏，即决判决的动议将被否定，即使没有相反的证据事实被提供"。因为答辩人没有满足证实警察不在店里的证明责任，此处并不要求申诉人提供适当宣誓证言进行相反地证明。

如果答辩人没有满足他的初步责任，例如提交由警察做出的能够证明本案中讨论的警察不在现场的宣誓证词，规则56（e）可能要求申诉人阿迪克斯除了在起诉书中进行简单否认之外，还要提出更多的证据。为了避免法庭认定这一事实并进行即决判决，申诉人必须提交下列证据之一：（1）某人看到警察在店中的宣誓证词或者（2）依据56（f）要求的解释在当时提供是不切实际的。尽管在这里反对答辩人的动议不是必须的，申诉人的律师可能更愿意提供此类证据。正如一个评论家所说的："反对方既不提供什么相反证据材料又不依据56（f）提供宣誓证词是危险的。而且这种危险仍在继续（在第56条修改之后）。虽然动议提出方有义务证明他依据本规则有权获得即决判决；而且如果他没有履行自己的证明责任，他便没有权利获得即决判决。对于不充分的要求没有必要进行抗辩"。［6 James Moore, Federal Practice, 6. 22, pp. 2824 - 2825 (2d ed. 1966)］……

【我们省略了哈兰大法官的第二部分的意见，在该意见中，表述了依据1983节惯例认为申诉人的第十四修正案的权利被侵犯。我们也省略了布莱克大法官的并存意见，以及道格拉斯大法官的反对意见，伯曼大法官的部分并存和部分反对意见。】

下面是本案的相关背景，考虑它对你了解案件是否有所帮助，这一背景可能有助于你阿迪克斯案与赛罗太克斯案进行比较。

二、阿迪克斯诉克莱斯案的背景*

在1994年的密西西比，没有人能够预见这一事件——以及同时所发生的事件——的发生具有何等深远的意义。当时，密西西比州内部处于战争状态。在桑德拉·阿迪克斯到达密西西比之后的4个月内，有3人被杀，"在35次枪击事件中有80余人受伤，1000多人被捕，35个黑人教堂被烧毁……31个家庭住宅和其他建筑物遭遇爆炸。另外，有多起因为种族冲突而产生的针对黑人的谋杀尚未结案。John Herbers, Communiqué from the Mississippi Front, N. Y. Times Magazine, October 8, 1964, at 34.

---

* 感谢乔·罗森，1994年东北大学法学院的毕业生。他对此方面问题的研究与写作。

大约在一年前，联邦军队必须面对由于第一个黑人学生詹姆斯·美尔迪斯（James Meredith）在密西西比大学注册所引起的武装暴乱。在随后的冲突中，有两名记者被杀。

黑人文化在60年代后期已经带上了暴力色彩，普利策新闻奖得主贺丁·卡特（Hodding Cater）写道，"双方态度非常强硬。宿命论的观点的一个最终结论使双方均相信……黑人对白人的仇恨也是毫不掩饰的，在他们的言谈举止中便表现出来"。[Hodding Cater, Mississippi Now – Hate and Fear, N. Y. Times Magazine, June 23, 1963, at 11, 24.] 密西西比人担心会发生类似华盛顿、纽约、芝加哥和底特律的黑人暴乱。

由于担心出现难以预测的黑人武装暴乱，白人也为了战斗而全副武装。各种流言在密西西比传播，有人说，有一群黑人他们的喉部系着白色的绷带，他们计划强暴白人妇女；黑人厨师会在当地餐厅饭菜中下毒；黑人女佣会通过将有价值的物品私藏起来使她们的女主人认为物品被盗窃的方式来侵扰她们的女主人。

白人的反映也非常极端。麦戈·伊文思一个出生在密西西比州的NAACP秘书在一次冲突中被枪击身亡。三K党的"空军"对黑人教堂和集会地投掷了炸弹。其他人乘坐汽车，向社交中心进行扫射。在西南密西西比州，警察在涉嫌对黑人房屋实施爆炸被捕白人的住所发现了他们隐藏的高火力步枪、卡宾枪、手枪、炸药等许多军需品，还有大量的手榴弹和木棒等。

北部的自由人士，他们试图帮助黑人进入社会的主流，其关注的焦点有二：一是消除密西西比州法律确立的种族隔离制度；二是帮助黑人取得选举权。

选举登记是一个明显而且即刻的分享权力的手段。在密西西比州有90万黑人占该州人口的42%，他们的政治潜力是无穷的，但是，他们获得权利的努力面临白人的拒绝，仍然有极大的困难。而那些依赖白人生活的黑人，也害怕他们因此而无法生存，可见在为了生存而挣扎的背后隐藏着暴力的威胁。

在密西西比州，参政的障碍还不止于此，州还要求投票者要有"良好的道德品格"、通过文化考试，并能解释两条州宪法的内容。司法部官员罗伯特·肯尼迪对这种有种族歧视的测试提出了质疑，特别是这种规则剥夺了未受教育的黑人的选举权。但是在1964年3月，联邦法院承认了这些规定的合宪性。显然，如果黑人选民要获得登记，他们必须先接受教育。

自由学校关注黑人的教育和选民登记，这是联邦会议机构（COFO）签发由耶鲁大学历史学家斯坦顿·里恩教授负责运作的项目。该机构（COFO）在密西西比州的教堂、舞会以及卡车中设立了47个自由学校。他们提供了一个对密西西比州黑人的6年制教育。这种学校典型地资金不足，黑人学生们通过每年花一天的时间来拾棉花来支付这一教育费用。

自由学校关注美国黑人的历史和美国政府。在那里他们被允许传播自由、开放的思想,课堂上经常讨论怀疑论、分权和选举权的问题。教师和学生住在黑人居住区,统计新选民而且讨论新观点。当然,白人对这种学校通常是敌对的甚至是暴力的。(参见 Pat Waters, Their Text is a Civil Rights Primer, N. Y. Times Magazine, December 20, 1964, at 44.)

在 1964 年上半年,桑德拉·阿迪克斯在纽约接受了为自由学校工作的训练。她知道她的工作不仅仅是制定学习计划和授课。更重要的是,她将与贫困的黑人贫民一起生活,并参与他们的社区生活。"我们会被叫去砍棉花,如果这也是社区的人们的工作,如果要成为优秀的自由学校的老师……这是我们应当做的"。申诉人的简明陈述(Adicks v. S. H. Kress & CO. at 44)。这种培训指示他们不要抗击逮捕,不要激化冲突。"如果我们被侮辱,我们……不要滥用权利来回应……我们被建议不要独自旅行,如果万一我们中的一位被捕,其他人应当立即报告;如果我们一起被捕……我们必须互相安慰"。(同上,页 50。)阿迪克斯不知道密西西比的白人会如何对待自由学校的教师,"他们认为自己是虔诚、守法的好公民,而认为那些自由学校的教师是无神论者,试图用共产主义来破坏他们的生活方式"。(同上,页 51。)

在 7 月 4 日,议会通过民权法案之后的 2 天,桑德拉·阿迪克斯离开纽约到达密西西比州海兹堡的一个自由学校。

海兹堡坐落在福来斯坦郡,有 3.5 万人口,大部分是黑人。民权的领袖将该地作为鼓动选民登记的重镇。该城市成为北方激进者的一个困扰。在 3 月,有 10 位神职人员因为推动选民登记而被逮捕而且罚款;在 5 月,有另外 7 个人因为不合法的集会而被捕。当时,桑德拉·阿迪克斯结束了培训,开始了她在当地一个自由学校的授课。

阿迪克斯在海兹堡郊区的黑人社区,与一个黑人家庭生活在一起。她和另外大约 7 个教师在克里克族人浸信会教派的教堂中教授 80 名黑人学生,主要讲授美国黑人的历史、美国社会思潮和当代史,包括 1964 年通过的民权法案。

在 8 月初,课堂上讨论了民权法案所赋予的新的权利。谈话直接转向自由,学生们真正希望能够自由进出假日酒店、白人学校、公共图书馆和电影院。当时仅有一个电影院允许黑人进入,而且中间有绳子隔开的区域才可以进入。一些学生说,自从民权法案通过之后,他们在当地的伍尔沃斯和克莱斯饭店吃饭,对他们的服务总是很怠慢,而且吃饭时经常受到其他顾客的侮辱。于是这堂课他们决定进行一个简短的实地旅行,去一个他们以前不允许进入的地方——尽管他们的父母也纳了税——海兹堡图书馆,然后去吃饭。

阿迪克斯和五个黑人女孩和一个黑人男孩,乘车来到市中心并到达图书馆。

在他们走进图书馆时，一个年轻人正在接听电话。她扣上电话，用蜂鸣器呼叫了管理员，然后转身对着他们，当时他们正在索要图书馆的卡片，她告诉他们"我们现在不提供任何卡片"。

管理员到达后，建议他到专门为黑人提供服务的图书馆。学生们回答说：他们曾去过那里，但是那里没有他们所需要的书。管理员告诉他们自己是北方人，而且对黑人比较同情；事实上她曾经试图说服老板对黑人开放图书馆，但是老板却命令说，如果有黑人来，他们必须闭馆。但是，学生们认为隔离的图书馆并不比没有图书馆好。

当学生们拒绝离开时，管理员说："闭上你们的嘴巴，睁开眼睛看看"。最后，表示了同情的管理员摇了摇手说，"我不能说服你们离开，但是如果你们坚持呆在这里，我们只能关闭图书馆并且叫警察来"。

他们拒绝离开。几分钟之后，警察局长到来并且关闭了图书馆。

在这件侵犯了他们依据联邦法律应当得到保障的民权事件发生之后，他们决定去吃午饭。他们先来到伍尔沃斯，但那里太拥挤了。他们决定到附近的克莱斯。当他们在餐桌前等待时，海兹堡的巡警鲁道夫·赫曼进来然后离开。一个女招待拿走了学生们的菜单去取汉堡和可乐。阿迪克斯提醒她忘记了她的菜单。

"不，"服务员说，"我不为你服务"。

阿迪克斯问为什么。

服务员回答说，"我们必须为黑人服务，但我们不为与他们在一起的白人提供服务"。

阿迪克斯问，"你们不知道这违反了民权法案吗"？

服务员说她听从经理G·T·帕尔先生的盼咐行事，帕尔后来的证词表明他作出这种命令是因为担心在餐厅中发生冲突事件。

他们一行人没有吃饭便离开了。阿迪克斯一走上人行道，有一辆警车从胡同里冲出来，并在她前面的街道上停了下来。赫曼和另一个警察从里面出来。他们以流浪罪的名义将她逮捕。阿迪克斯当时身上有50多美元，而且还有年薪2200美元的纽约学校教师的职业。她并不符合流浪罪的定义——"没有固定职业或者任何看得见的谋生手段"，她将这些告知了警察。其中一个警官回答说："我们得到命令要将你带走。"他们抓住了她的胳膊，说"不要反抗"，然后把她带到了警车后厢。

在路上，一个警察嘲笑她，并且反复问她，"你是不是黑鬼？你带着眼镜，你是不是黑鬼？"

5分钟之后，她在警察局登记，捺印，并被带到看守室，大约1个小时之后，3个律师来到并将她保释。

阿迪克斯在最高法院对她有利的判决作出后并没有重新起诉。

但是，此后桑德拉·阿迪克斯并没有从法律风暴中走出来。在1969年，她又出现在纽约州法院。在该案中，她涉嫌在教师罢工中用脚踢了警察；当她由于涉及另一个教师的逮捕而被捕之后，她依据第1983节起诉政府剥夺了她的宪法权利，但是最终阿迪克斯没有胜诉。惟一令法律学者们欣慰的是，她仍然在为权利而斗争着。

三、相关的三个案件

正如你所看到的，在19世纪80年代中期，对于滥用开放式的联邦规则的行为存在大量的批评。对于证据开示和规则11的修订便是对此的回应。有人断言，在这种情况下许多微不足道的案件可能要受到更为严格的即决判决的审查。赛罗太克斯和其他两个案件便是在当时情况下作出的，这三个连续的案件被认为是许多试图废弃最高法院多数派意见的案件。

赛罗太克斯诉卡磋特
Celotex Corp. v. Catreet
477 U. S. 317（1968）

瑞奎斯特大法官代表最高法院发表了意见：

哥伦比亚地区法院在卡磋特夫人诉赛罗太克斯案中，依据申请人赛罗太克斯的要求作出了对答辩人卡磋特不利的判决，因为她没有为她的诉讼请求——她的丈夫因为暴露在石棉制品下而导致死亡——提供证据支持。哥伦比亚上诉法院分庭推翻了这一判决，但是认为，申诉人没有提出证据支持其主张，因此作出了即决判决。本案的判决意见与第三分庭的意见产生了冲突。我们授权以调卷令的方式来解决冲突，经过审理我们驳回了哥伦比亚巡回法庭的判决。

本案答辩人在1980年9月提起诉讼，声称她的丈夫路易斯·H·卡磋特因为长期在石棉制品的环境下工作导致他在1979年死亡，因此她起诉了相关的15个石棉制品公司。答辩人的起诉认为被告有过失，违反了产品责任保证和严格责任。其中两个被告公司提出州法院没有对人管辖权的动议，另外13个公司包括申诉人提出了即决判决动议。申诉人的动议最初在1981年9月提出，该动议认为即决判决是恰当的，因为答辩人"在地区法院的司法权限范围内，没有提出证据表明任何［赛罗太克斯公司］的产品……是造成损害的可能原因"。尤其是，申诉人申诉人认为，答辩人没有指出任何证据表明：死者曾经长期暴露在赛罗太克斯的石棉制品之下。为了回应申诉人提出的即决判决的动议，原告提出了三项她认为能够"证明存在实质争议"并且证明死者在曾经长期暴露在石棉制品之下的证据。这三个文件分别是：死者生前的描述、答辩人试图申请其出庭作证的死者生前雇主的证言以及一封来自保险公司律师的信。所有这些证据表明：死者在1970年至1971年，在芝加哥长期暴露在石棉制品之中。相反，申诉人认为，这三种文件是不可采纳的传闻，因此也不能作为反对即决判决的依据。

在1982年7月，在提起诉讼的两年之后，地区法院接受了所有被告人要求进行即决判决的动议。法庭解释说，做出对被告人有利的即决判决的原因在于，"原告的证据没有表明死者暴露在赛罗太克斯在哥伦比亚州的产品或者在产品的有效期内暴露在这种产品中"。原告针对法庭作出的支持申诉人的即决判决提出上诉，哥伦比亚上诉法院分庭推翻了地区法院的裁定。上诉法院的多数意见认为：被告提出的即决判决动议存在致命性的缺陷，因为被告事实上没有试图提供任何证据、宣誓证词或者其他文件支持该动议。依据多说派的意见，联邦民事程序规则56（e）以及阿迪克斯案件中的法庭意见，设立了"只有动议方当事人满足了他提出不存在要件事实的争点的证明之后，反对即决判决的当事人才有义务提出反对的证据"。因此法庭的多数意见驳回了被告人提出辩论的考虑，即为了反对要求作出即决判决的动议，答辩人提供的证据不具有可采性。少数派法官指出，"多说派错误地认为：寻求即决判决的一方必须总是提供肯定性的证据，即便是那些不存在可审判的事实争议的案件中"。依据少数派的意见，多数派的观点"破坏了传统初审法官在没有法律价值的案件中作出即决判决的权利"。

我们认为上诉法院的多数意见所采取的立场和规则56（c）中关于即决判决的标准不一致。依据56（e），"如果起诉书、取证书和对书面询问的答复以及对书面文件的承认，与宣誓证词一起，证明要件事实不存在真正争点，而且证明动议方当事人有权进行一个作为法律事项的判决"，那么法官作出即决判决是合理的。我们认为规则56（c）清楚地表明，基于充分的证据开示和当事人动议之后，应当作出对没有提出充分的证据确立案件的基本构成要件成立而又负担证明责任的一方不利的即决判决。在这种情况下，"任何争议事实的要件均不成立"，而非动议方完全不能证明其案件的基本构成要件存在，那么必然会导致所有其他的事实都是非要件性的。动议提出方"有权获得一个作为法律事项的判决，因为动议反对方没有充分承担证明责任。进行即决判决的标准与依据联邦民事程序规则50（a）规定的直接裁定标准相似"。

当然，要求即决判决的当事人总是承担初步的责任，来告知地区法院关于动议的依据，并且确认那些认为表明了关于构成要件事实缺乏真实争点的部分"诉讼文书、证词、对书面询问的答复以及对书面文件的承认和宣誓证词"。但是，与上诉法院不同的是，我们认为，依据联邦民事证据规则56，没有明示或者暗示的要求，动议主张者用宣誓证词或者其他类似的材料来否定反对方的主张。相反，56（c）所提出的"宣誓证词，如果存在的话……"来陈述这种要求不存在的情形。而且如果规则56（c）的含义在这方面存在任何疑问，这种疑问已经被56（a）和（b）消除，这两条规则规定，原告和被告，分别利用"使用或不使用支持性的宣誓证词要求法院作出即决判决。"

答辩人辩称，尽管规则56（e）将提供反驳动议的宣誓证词的责任或者其他特定情况的证据的责任移交给动议反对方，仅仅考虑到"即决判决可以在这一规则下作出并且得以成立"。依据答辩人的辩论，因为申诉人没有提出宣誓证词来支持该动议，在这种情况下，作出即决判决是不恰当的。但是正如我们已经提到的，动议的提出依据第56条。动议的反对方将对反对问题在审判承担提供证据的责任，而即决判决的动议方只要提出"诉告文状、笔录证言、对讯问的回答以及对书面文件的承认"，因此规则56（e）要求动议反对方对抗诉讼请求，通过自己的宣誓证词，或者通过"笔录证言、对提问的回答、以及对书面文件的承认，来提供具体事实证明在存在真实的争议以提交审判"。

我们的意思并不是动议的反对方必须提交具有可采性的证据来避免即决判决。很显然，规则56并不要求动议反对方必须向法庭展示证据。规则56（e）允许以56（c）列举的任何种类的证据材料来对即决判决动议提出恰当的反对意见，除非仅仅是本身，而且仅仅依据动议反对方通常的展示方式来反对即决判决的动议的。

在本案中，上诉法院认为自己受制于最高法院在阿迪克斯案中的判决。在阿迪克斯案中，我们认为移居美国法典第1983节所作出的有利于被告人克莱斯的即决判决是不恰当的。在最高法院判决意见中，阿迪克斯的审判法庭表明，"现代和1963年修正案的背景都确定性的表明，它并非调整动议方当事人所应负担的责任……而应当表明，该事实要件在最初便缺乏争议"。我们认为这种陈述在字面上是准确的，而且我们完全同意阿迪克斯法庭的判决意见，并认为1963年对56（e）的修正案并不是调整由56（c）确定的责任承担。同样对我们而言，基于在阿迪克斯案中的先前判决表明，案件中的即决判决动议应当被否定。但是我们并不认为阿迪克斯案的判决表明，即决判决的动议方甚至在动议反对方承担证明责任的事项上，承担提供证据表明缺乏构成要件事实争点的证明责任。相反，正如我们所说的，置于动议提出方当事人的责任可以通过"表明"——也就是，向地区法院指出——缺乏一个支持非动议方当事人案件的证据的存在而得到满足。

规则56（e）最后两句是附加的，正如法庭在阿迪克斯案中所指出的，驳回反对即决判决的动议仅仅使用起诉状中所提出来的异议即可。在阿迪克斯案中，最高法院无疑是正确的，他指出这两句话其意图并在于减轻动议方当事人的责任，同样很明显他们也不倾向于增加这种责任……

在法庭上，原告简短的口头证明已经充分表明死者长期暴露在被告人所生产的石棉制品中，在这种情况下，原告无需再提交任何证据。但是上诉法院却倾向于认为：原告并没有提出充分的可采的证据来反对被告提出即决判决的动议，或者是否这种证据如果缩减可采纳的证据，可能会充分地实现答辩人在审判中的证明责任。我们认为上诉法院依据其地位比我们更有能力依据当地的法律作出最好初审判决。

联邦民事程序规则颁行已经有50年的历史，在这期间，该规则授权提出缺乏真实的关于构成要件事项的动议。即决判决程序不是一个不受欢迎的程序捷径，而应当被视为联邦规则整体的组成部分，该程序被设计为"确保公正、迅速和便宜地对每一个案件作出判决"的程序。Fed. R. Civ. Proc. 1；参见 William Schwarzer, Summary Judgement Under the Frderal Rules：Defining Genuine Issues of, Material Fact, 99 F. R. D. 456, 467（1984）。在联邦程序规则要求我们转向"适当注意"之前，排除主张和抗辩的动议因为主张或抗辩缺乏事实的理由或者可能被适当的注意所排除而不在进入法庭审理，以防止不合理地浪费公共和私人资源。但是，随着"通知性诉答状"（notice pleading）的出现，排除动议很少能够实现这一功能，而该动议的地位往往会被即决判决的动议所替代。规则 56 必须解释为适当注意，不仅应当考虑提出主张或抗辩的人将权利充分地建立在事实之上，并应当使这种主张或抗辩得到陪审团的审判，而且也是为了这种依据规则提出的请求或者抗辩的反对者的利益，而在审判之前，这种主张或抗辩没有事实基础。

因此，推翻上诉法院判决，案件发回并要求依据本意见进行重新审理。

怀特大法官的并存意见：

我同意多数派的如下观点：上诉法院认为，判决动议的反对方必须总是用证据或宣誓证词来支持动议或者宣誓证词表明案件缺乏事实争议，上诉法院的这一判断是错误的。我也赞同动议方可以依赖这些宣誓证词、对讯问的回答以及诸如此类的证据来表明原告没有支持这一案件的证据，并因此认为可以确定没有事实争点。但是动议方必须满足这一规则所规定的责任：没有支持该动议的结论性主张来表明原告的案件缺乏争点，要求进行即决判决是不够的。

原告无须实行证据开示或者披露他的证人或者证据，除非依据证据开示规则或者法庭的命令。当然，如果他被作出如此要求的话，那就必须作出答复。但是他不需要因为没有提供任何对他的案件提供支持性的证据或者提供其他的宣誓证据，来排除即决判决的动议。因为对案件请求的根据进行否定的证明责任在被告……

首席大法官布伦南和布莱克曼大法官发表了反对意见：

本案要求本院决定：由于原告缺乏证据来证明他的案件成立要件，被告赛罗太克斯是否满足了他最初的即决判决的动议中提出证据的责任。我并非不同意法庭的法律分析。法庭明确反对上诉法院关于被告人必须提供确定的证据来对抗原告提出的诉讼的判决。但是除此之外，法庭没有清楚解释要求即决判决的动议当事人应当满足何种条件。缺乏这样的澄清是很不利的：地区法院必须例行决定即决判决的动议，而多数派的意见容易造成判断上的混乱。出于这个原因，即便我同意法庭的判决意见，我也会单独将这一方面的法律问题解释清楚。但是，因为我相信赛罗太克斯没有依据民事证据规则56满足他提供证据的责任，因此，我反对多数派的判决。

I

如果法庭认为，"没有任何证明构成要件事实的争点的证据，而且动议提出方有权要求法律上的判决"，那么作出即决判决是恰当的。联邦民事程序规则56(c)。证明事实争点不存在的责任在于提出动议的一方当事人。这一责任有两个组成部分：提出证据的责任，这一责任在动议提出方履行之后转移给了动议的反对方；最终的说服责任，这一责任始终由动议提出方承担。法庭不需要决定动议提出方是否满足了最终的说服责任，除非或直至法庭认为动议提出方满足了提出证据的责任。阿迪克斯诉克莱斯案 Adicks v. S. H. Kress & CO., 398 U. S. 144, 157-161 (1970); 1963年顾问委员会在对联邦民事程序规则56(e)的脚注。

规则56规定的举证责任要求动议提出方在初次审判中提出是否要求即决判决的表示。这种表示的方式依赖在审判中所承担的说服责任的主体的不同而有所不同。如果动议的提出方在审判中需要承担说服责任，他必须提供可信的证据来支持这一动议——使用任何规则56(c)所规定的证据——将会产生一个直接判决而不是在审判中产生争议。引文同上。这种肯定地提出证据的责任转移到动议反对方，这种责任要求该当事人提供关于构成要件事实来证明真实争点的存在，或者要求使用宣誓证词来要求增加证据开示的时间。引文同上；联邦民事程序规则56(e), (f)。

如果在审判中，说服责任在动议的反对方，而提出即决判决的动议方可能以下列方式来满足规则56所规定的举证责任：第一，动议方可能提供肯定性的证据来否定反对方声明的关键部分；第二，动议方可能向法庭表明动议反对方的证据不足以成立对动议反对方声明的必要成分的否定。如果动议反对方不能掌握足够的证据来证明这种诉讼请求，审判可能没有作用，动议提出方可以得到关于法律问题的即决判决。Anderson v. Liberty Lobby Inc., 477 U. S. 242, 249 (1986).

如果动议方采取了第二种选择，而且寻求即决判决，而即决判决的提出是基于非动议方当事人——他在审判中负有说服责任——没有证据，那么这种责任的转移便对非动议方当事人不公平。很明显，一个非动议方没有证据的结论性陈述不充分。这种提出证据的"责任"根本不是责任，可能会使即决判决成为一种阻碍公正的工具。另外，正如法庭所指出的，因为对方没有证据而提出即决判决动议的一方，必须肯定地在法庭记录中表明，证据并不存在。这时动议反对方会要求动议方提供证据或者证明文件性证据不充分。如果在法庭记录中没有文字证据，动议方可能会要求复查法庭记录、询问当事人和在法庭中进行证据交换。但是无论以何种方式，动议方必须肯定性表明在法庭记录中没有证据支持对动议反对方有利的判决。如果动议方当事人没有完全满足其最初的举证责任，那么他的即决判决的动议必须被否决，而且法庭无须考虑动议提出方是否满足了他最终的说服责任。因此，动议反对方可能否决即决判决中的动议，并声称反对方没有提醒法庭关注已经在法庭记录中的支持证据，而被动议提出方忽略的证据。在这种案件中，动议方必须通过指出展示证据的不充分来反驳，因为它要通过试图对所有对动议反对方有利的法庭记录进行反驳才能够满足规则56举证责任的要求。然而，如果法庭记录表明动议方忽略了能够提供有利于反对方的相关证言的证人，法庭不能认为动议方满足了提供证据的责任，除非动议提出方证明该证人证言不充分。如果动议方没有作出类似证明，即决判决的动议可能由于动议方没有依据规则56提供相应的证据而被否决。

阿迪克斯案的判决结果和这一原则完全一致。在这个案件中，申诉人在答辩人的餐厅中被拒绝服务，而且在她离开之后便被警察以流浪罪逮捕。申诉人依据美国法典第42章第1983节提起诉讼，声称被拒绝服务和随后的逮捕是被告人和警察共谋的结果；作为证明这种共谋的证据，申诉人指出当她被拒绝服务时事后逮捕她的警察在场。随后，答辩人以在法庭记录中原告没有提出密谋的确实证据提出即决判决的动议。作为回应，申诉人提出了她自己证言的相关内容和克莱斯雇员的未经宣誓的证词，这两个证词已经存在于法庭记录中，而且都被被告人忽略了，上述证言都表明，逮捕原告的警察在原告被拒绝服务时在店里。我们认为，"如果有警察在场，……这个案件必须得到陪审团审判。因为从随后发生的事件推断，警察和克莱斯的雇员之间在认为原告应当被拒绝服务的问题上，有某种程度上的'合意'"。398 U. S., at 158. 因此，我们认为，初审法院认为由于答辩人没有完成其最初的提供证据的责任证明警察在店中，因此作出即决判决的决定错误。（同上，页157-158。）

阿迪克斯案的观点常常被解读为：因为答辩人没有提供确定的证据来否定有警察在店中的可能性，而导致了即决判决的不恰当。在赛罗太克斯案中，上诉法院很明显的进行了这样的理解，因此要求赛罗太克斯提供证据表明死者没有暴露在石棉制品中。我认为法庭误读了阿迪克斯案的判决，而且赛罗太克斯可能寻求即决判决因为原告不能证明死者曾经长期暴露在石棉制品之下，但是，赛罗太克斯仍然要履行其最初的举证责任。

II

我并没有对法庭意见作出解读而作出任何与先前判决不一致或者不同的断言。我不同意法庭在涉及该原则在本案事实应用上的做法。

在本案中，赛罗太克斯基于原告"没有提供"任何证据证明死者长期暴露在石棉制品之中，而要求获得即决判决。赛罗太克斯提供了两页的事实陈述来表明她所提出的"本案不存在事实争点"的主张，同时提交了3页的"观点和权威的备忘录"指出：原告没有提出任何证据来回应赛罗太克斯提出的两个疑问，而且法庭记录中"完全缺乏"支持原告意见的证据。

大约3个月前，赛罗太克斯提出了交换必要证据的动议。为了证明案件中存在需要审判的争点，原告在这一过程中提交了三项证据，她认为这三项证据"至少……表明在本案中确实存在事实争议"：（1）另一个被告人的保险代理人描述死者长期暴露在石棉制品下导致死亡的信件；（2）死者生前的主管霍夫的一封描述死者在石棉制品环境下工作的情况的信件；（3）死者生前在一个工人赔偿诉讼中的证言的副本。同时原告明确表示，如果审判中有必要，她会要求霍夫先生出庭。

随后，赛罗太克斯撤回了要求即决判决的第一个动议。但是，作为该动议的结果，当赛罗太克斯再次提出即决判决的动议时，法庭记录中确实包括证据——至少有一个证人——支持原告的主张。事实上，在赛罗太克斯的律师提出第二个动议时，在向法官作口头陈述时表明，赛罗太克斯明知有证据存在而且原告有申请霍夫先生出庭的意愿。另外，原告为了对第二个动议进行回应，指出这个证据——表明她已经在第一次动议过程中对赛罗太克斯的律师提供了证据——而且辩称赛罗太克斯没有"满足证明该诉讼没有事实争点的责任"。

上述事实表明，毫无疑问，赛罗太克斯没有满足其最初的提供证据的责任。将其动议选择建立在记录中没有支持原告请求的证据方面，赛罗太克斯没有免除由于忽略记录中存在的证据而产生的责任。另外，赛罗太克斯被要求，提出初始事项来对原告证据的充分性提出质疑。赛罗太克斯没有满足这一简单的证明要求，因此不能免除他依据规则56的举证责任，因此法院作出即决判决是不恰当的。

案件［因此］与阿迪克斯案没有区别……

［史蒂文斯大法官的反对意见略。］

注释与问题

1. 在赛罗太克斯案件中，原告通过提出上诉的方式挫败了被告提出的即决判决动议。上诉法院肯尼斯·斯坦写了一份异议书，驳回了原告要求即决判决的动议。Catrett v. Johns – Mansville, 8 26 F, 2d 33 (D. C. Cir. 1987).

2. 你是否同意布伦南大法官关于赛罗太克斯和阿迪克斯案是一致的观点？两个案件得出即决判决是基于同一方法吗？怀特大法官提出并存意见的理由是什么？在赛罗太克斯案后，被告寻求即决判决所承担的责任是什么？

3. 最高法院关于即决判决的判例除了赛罗太克斯案以外，还有两个类似的案件，这三个案件通常被称为即决判决的"3 案件"。当时大部分评论者认为三案件是联邦法庭比以前更加倾向于处理关于即决判决的案件的标志。例如，一个纽约州较大的法律服务公司——Skadden, Arps, Slate, Meagher& Flom 的合伙人在三案件判决后的一年内指出了这一趋势："毫无疑问，法院对即决判决的态度友好了。全国对即决判决的态度也在改变方向。法官们比原来更希望能够在案件早期将案件处理掉"。Stephen Labaton , The Summary Judgment Rule , N. Y. Times , Aug, 17, 1987, at 22. 在最近关于即决判决评价中，参见帕翠西·M·沃德（Paticia Wald），60 年代的即决判决，76 Tex. L. Rev. 1897 (1988)，帕翠西法官对哥伦比亚地区法院案件进行的调查中发现：1996 年度，美国地区法院的民事案件中，22%采用了即决判决，仅有 3%的进入了审判阶段。"我们的时代认为民事诉讼是一种'病态的事件'""当法官倾向于要求原告提供证据以确保提出更详细的证据以防止案件被取消时，他们也不情愿发现真实的事实争点以进行审判，通常会声称事实争点不是关键性的，或者要求在即决判决上要求在更高层次上证明争议事实通常是必要的"。

4. 三案件中的第二个是安德森案 Anderson v. Liberty Lobby, Inc. 477 U. S. 242 (1980)。在该案中，地区法院准许进行即决判决，由于案件的性质是诽谤，原告需要证明存在事实上的恶意，而原告所提供的证据没有能够达到这种证明的要求。上诉法院推翻了初审法院的判决，并且指出要求原告提出证明存在事实上的恶意的确切地和清晰的证据的责任并不应用于即决判决阶段。怀特大法官代表最高法院多数派作出判决意见明确指出，即决判决要求在法庭预见到在直接判决阶段可能会产生的情况："申诉人建议，而且我们也同意，依据规则 56（c）进行的即决判决的标准与依据 50（a）的直接裁定标准极为相似，如果法官必须依照法律进行直接判决，那么他也可以进行即决判决。（同上，页 250。）

怀特大法官进一步指出，"我们的意见认为要支持即决判决的动议，必须使用清楚而且确切的证据标准"。（同上，页 255。）但是布伦南大法官在少数派意见中指出，如果使用清楚而且令人信服的证明标准，即使在判决的层次，法庭也难免会对证据的证明力进行衡量,这就会侵越陪审团的权利。因此他反对使用这种标准。布伦南大法官认为,法庭意见不能解释法官"应当如何从一个角度对证据进行判断,而应当由'公平'的陪审团'合理'决定……我并不能做出这样的指导,法官'本身不对证据的证明力进行判断'以及法官必须考虑证明标准所要求的证据的'定量'以及考虑证据是否具有充分'能力和数量'来符合这种'定量'要求。我可能认为这种是否具有'能力和数量'的决定,也就是说,'要求的'数量只能在审判中通过衡量证据来实现。"(同上,页265-66。)

瑞奎斯特大法官和首席大法官博格在反对意见中认为,法庭的多数意见在适用上存在困难。如果原告在即决判决阶段便表明具有证明恶意存在的相关证据,瑞奎斯特法官并没有看到,除非法官作出可信的决定,而如果没有令陪审团发现恶意存在的充分证据,一个法官如何对即决判决的动议作出可信的判决。瑞奎斯特大法官总结说:"法庭判决的基本影响是,使初审法庭在诽谤案件审判中更加容易出错和比以前更加容易产生矛盾。这主要是因为法庭创造了一个不同于通常使用于即决判决标准的标准,甚至没有指出如何将这一标准运用于个案"。(同上,页272-273。)

基于最高法院的判决,联邦地区法院运用了"对事实预谋的清楚且确信"的证据标准,并且依据9位大法官中7位的意见进行了即决判决。Liberty Lobby v. Anderson, 1991 WL 186998 (D. D. C. May 1, 1991)。

5. 第三个案件中,日本电器公司诉顶点公司案 Matsushita v. Zenith, 475 U. S. 574 (1986),这是顶点公司和21个日本在美国的电器制造和销售公司以及日本控股的电器制造销售公司的纠纷。顶点公司声称,日本公司达成了共谋,违反了谢尔曼反垄断法和其他成文法,对电器价格进行人为控制,在日本本土实行高价位,非法在美国低价倾销,试图将美国公司挤出市场。该案件焦点集中在"5公司规则"——被告人之间制订的每个公司不能超过5个分销商的规则。

地区法院认为顶点公司的理由不经济,依据被告人的申请进行即决判决。上诉法院推翻了即决判决的决定,认为有足够的证据表明某些被告公司之间存在同谋,案件需要有陪审团进行审判。最高法院推翻了这个判决,将案件发回,大法官鲍威尔发表了法庭意见,博格大法官、马歇尔大法官和瑞奎斯特大法官和欧康纳大法官表示赞同。

法庭判决认为,"从记录的整体来看,可以得出一个支持动议方当事人即决判决的动议,表明案件中没有事实争议"。(同上,页587。)依据本案的事实,法庭认为,动议反对方当事人顶点公司在审判中承担证明责任,而他在即决判决阶段没有提出"排除这种声明的无密谋行为可能性"的相关证据。(同上,页588。)法庭认为原告的起诉没有从经济学角度进行考虑,而且5公司规则的目的在于抬高市场价格而不是压低价格。法庭认为不能认为原告提供的专家证言表明存在密谋行为便免除原告的证明责任；而且法庭认为专家意见是"难以置信"的，而且与法庭记录中的其他证据不一致。

怀特大法官与布伦南大法官和史蒂文斯大法官提出了反对意见，他们认为法庭忽视了传统上的即决判决的理论。他们认为多数派意见忽略了专家证言，是对与即决判决阶段的不能判断证据证明力和评价其可信性的司法义务的违反，"如果法庭使每个法官审理反垄断案件即决判决的动议时，进行裁决，如果依据证据可以推断出密谋的可能性较大时，这种行为违背了制定法的规则。如果法庭没有试图进行这种断言，这将会限制一些不必要的宽泛的或者容易产生混淆的词句。"（同上，页598，601。）考虑到多数意见否定了原告提出的专家证据，少数派意见指出，"毫无疑问，法庭比较推崇德帕文博士（Dr. Depodwin）的经济学理论，但是没有理由否认事实发现者对与德帕文先生德经济学观点基于受损害者的起诉进行审查的机会。事实上，从我们目前关于日本工厂使用长期的价格政策扩大效率的认识来看，我们可能要考虑德帕文先生的经济理论对于事实发现者来讲是否可信。因此，法庭否定事实发现者考察专家证人的做法不妥"。你对此有何种看法？

6. 在你的法律生涯中，你会多次听到：陪审团是事实认定者，法官是法律问题处理者的表述。然而，即决判决和指示裁判的理念，将允许法官进行事实裁定为预设。因此，这就使问题复杂化。为了防止陪审团的非理性行为，在理论上，法官在陪审团审判之前必须依据证明责任的分配原则来确定是否有充分的证据来保障理性的人能够真正就事实争点进行裁决。因此，司法为陪审团对事实的判决设立了一个门槛：是否有充分的证据保障合理的事实判决的形成，这被视为一个法律问题由法官来决定。

当法官说某事属于法律问题时，其实这是法官下面言论的简单表述，"由我来决定这个问题而陪审团无权对此听审"。当法官作出了有利于被告的即决判决，则表明，由于原告在没有提供足够的证据使案件初步成立，法官因此会指出，"作为法律问题，我认为，原告在案件的审判中没有充分证明在案件审判过程中，他没有充分的证据使陪审团对案件事实进行裁判"。

法律没有明确规定哪些问题应当被视为由法官解决的"法律"问题，哪些问题被视为由陪审团裁判的"事实"问题。或许，我们应当认为通常所说的"作为法律问题"是关于上述意图的简单表述，基于政策的考虑，法官行使决定权，可能比由外行人组成的陪审团作出判决更为合理。

在一些案件中，例如阿迪克斯和赛罗太克斯案，最高法院假定在饭店和警察之间是否存在共谋，或者死者是否曾经长期暴露在石棉制品之中，是事实问题应当由陪审团来解决；而其中的法律问题便是，是否存在足够的证据让陪审团对这一事项做出裁判。威廉姆·W·施瓦泽，美国加利福尼亚北部地区法院资深法官和前联邦司法中心官员，对事实和法律的区分从另一个角度进行了描述：在最初决定是否应当由陪审团进行审理时，通常是法律和事实的混合问题，应当由陪审团决定。在下面的文章中，施瓦泽法官解释了他的这个观点并举出例证。

威廉姆·W·施瓦泽：联邦规则下的即决判决：界定真正的要件事实争点
William Schwarzer, Summary Judgment Under the Federal Rules: Defining Genuine Issues of Material Fact 99 F. R. D. 465, 471-474 (1984)

法庭首先考虑的是，作为先例或者政策事项，争议的事实应当由陪审团决定还是由法官来决定。我们可以毫不费力地举出大量的例证，这无疑应当是由陪审团来决定的事项。被告在驾驶过程中是否尽到注意义务，是否是在工作期间进行驾驶，以及是否原告受伤是由于被告驾驶中的疏忽所引起的，这在本质上是一个事实问题，应当由陪审团来裁判。同样，当事人是否具有合理的理由，是否是在合理的时间内进行行为，或者是否违反了注意义务，这也应当由陪审团决定。这些从本质上是对个人行为的最终事实的审查和评价应当由陪审团的普通经验决定。这些问题，我们认为，"12个人所了解的日常生活中的事情被推定为比一个人多，他们在认定事实方面可能得出比一个法官更为明智和安全的结论"。此类问题的结论，通常依赖于常识，而较少求助于政策，先例也仅有极少的影响，而且没有一个强制的、统一的、可以预测的结果。对于法律和事实相混淆的问题，其中的法律因素常常是比较少的。

这并不意味着所有的此类问题都应当交由陪审团进行审理，也就是排除即决判决。这涉及的另一个问题是，关于即决判决的标准问题——要看动议或者反对是否足够确立获得指示裁判或者不顾陪审团裁判的判决的要求……

第二类终极事实争点包括：涉及将法律标准适用于无争议的历史性事实问题上。在这个问题的判决上，不能依赖陪审团的常识、经验，而是作为法律文化以及体现了特殊法律规划技术问题的政策。这不是常识，此时一致性、同一性和可预见性对于应用法律极为重要。而这种问题常常出现在立法或者公共政策的运用上。例如，工会是否违反了他的公共代表职责，交易人是否以良知来依照证券法行事，在交易协议中的地方登记是否实施了不合理的限制，是否违反了反垄断法……类似的混合性问题，公平的说应当是其中的法律内容占据了主导地位。

这类终极事实由法官决定较为恰当，而且如果隐含的历史事实没有争议也适合即决判决。尽管审判过程必须由审判法庭基于双方的争议来"衡量证据的证明力"，并决定如何取得终极事实……

第三类终极事实是在某些案件中适合由陪审团审理，但在另一些案件中不适合陪审团审理。其中一个明显的例证便是在反垄断案件中依据反垄断法是否存在共谋问题。在特定的共谋案件中，被告人之间的合法的联合行为可以体现他们的目的和意图，而事实问题通常存在争议，而且在陪审团审理的范围之内。在其他案件中，同谋问题可能表现为法律和政策问题，在当事人之间存在特别的关系或者历史事实是毫无争议的，应当视为非法的同谋……

注释与问题

规则56的部分内容清楚的表明，法官可能作出部分的即决判决。这可能意味着在审判过程中，某些事实或者构成要件将被认为是真实的，而将其他部分留给事实发现者——陪审团来进行审判。你在研究这一规则时，应当注意56（a）的结尾的几个字，以及56（c）和56（d）的最后一句话，其中每一句都允许法官作出部分的即决判决。

四、战略考虑

像其他动议的提交一样，在提交即决判决的动议之前，还有战略性的考虑。这不仅仅是为了避免制裁或者避免金钱和时间的浪费，尽管这些都是我们必须要考虑的问题。提出即决判决的动议和备忘录，或者支持动议的简短说明表示你自己的观点会影响对方律师，在某些情况下，是自己的案件。另一方面，有时候这种动议仅仅是在放烟雾弹。但是事情远非如此简单。如果动议反对方认为她无须亮出所有的底牌便可击败这种动议，她可能会那么做。例如，原告可能握有许多可以利用的理由和大量的潜在证据，但是在动议阶段提出的仅仅是一部分足以支持自己主张的证据，这同样也很复杂。在这种情况下很麻烦——如果不是不当——律师反对即决判决不是为了教训对方当事人，而是为了表明自己的当事人在即决判决阶段便已经失利。

要记住，动议成功或失败并不是惟一的问题，在法庭上除了对方当事人还有其他听众——法官。你必须考虑到法官将会站在哪一边，即决判决是否是将事实灌输给法官的最佳时机。同时你要考虑动议听审中的法官是否是审判中的法官？这同样可能涉及的问题解决。在动议听审结束后，案件是否更加容易解决？你是否想冒这种风险？

一些案件是有利还是不利在于这种案件是依赖书面记录还是活生生的证言。你在考虑法官或者陪审团进行事实判断时，简单地看案件可能有所不同。尽管即决判决的动议在很大程度上是针对直接判决阶段可能产生的事项，但是仍然会存在较大程度的不同。许多案件要求进行推理,例如,一方提出的使人产生同情的证词可能使案件的可推断性更加明显。

最后,要考虑下列问题。提出即决判决是否会使你的审判延迟?这种延迟对你的当事人有利还是不利?是否快速决定——甚至是一个对你的当事人不利的判决——对你的当事人都是有优势的?或许你和你的当事人在司法管辖范围内准备提出一个新的诉因,或者你想尽快使案件由上诉法院进行审理。但是,同样地,你可能试图试图使上诉法院的法官依据一个完整的法庭记录在创设先例。

诉讼是人类的一个事业,经验在其中便发挥着重要的作用;律师也会随着年龄和经历的增长变得更有价值。如果你选择做一些诉讼事务,你要建立你自己的诉讼战略。你将学会如何在你和你的客户的利益方面作出各种各样的重要抉择——而且,如果你的客户足够幸运的话,你必须使自己视角开阔,从各个方面进行思考。

实务练习十九
卡彭特案中的即决判决动议

这个练习分为两个部分。你可以选择其中之一或者两个都选择。双方当事人应当阅读第三方抗辩人的即决判决动议以及支持判决的备忘录、法规、各方的契约、重述的摘录和相关的派特森案件(Pederson v. Time, Inc.)以及其他你认为与卡彭特案件相关的材料。(绝对没有必要超越本书所介绍的内容,包括案件的文件,便可以针对这个案件练习作出一流的工作。)请你在阅读材料的时候思考,如果你代理麦克吉尔和麦克吉尔修车部,你必须使法官相信,没有争议的案件的要件事实需要由陪审团进行裁判。因此,案件作为法律问题应当在其决判决阶段由法官作出裁决。案件应当由陪审团还是由法官进行裁决的问题应当是由法庭而不是陪审团决定,或者应当是法庭决定的一个或者更多的问题,艾特美汽车公司没有充分的证据来使法庭作出对他有利的裁定——或者两者都是正确的?

请你以口头的方式完成练习,假定案件的结构。南希·卡彭特起诉迪,然后又补正诉答状追加了艾特美汽车公司和市政府作为被告,而艾特美汽车公司又将麦克吉尔和麦克吉尔修车部引入诉讼(implead)。迪,艾特美汽车公司和政府之间又进行了交叉诉讼。在证据开示之后,卡彭特对麦克吉尔和麦克吉尔修车部的起诉进行修正之前,麦克吉尔和麦克吉尔修车部针对艾特美汽车公司的起诉提出了即决判决的动议,艾特美公司反对这一动议。在上述两位当事人的即决判决的动议中,你必须以口头形式和书面形式代表卡彭特发表意见。

在实际的诉讼过程中,该市政府同时也提出了即决判决的动议,而且该动议被否决。但是,作为诉讼策略,原告的律师随后放弃了对政府的起诉,因为考虑到,(1)陪审团可能会归责为警察没有将吉普车拖离马路,这会减轻陪审团对艾特美公司的责难；(2) 陪审团成员作为纳税人可能不会使政府为本案作过多的支出，陪审团的这种心理可能对原告不利；(3) 陪审团认为原告起诉所有在场的人，会对原告产生不利；(4) 担心政府会提出大量的证据；而且 (5) 认为政府作为被告对本案的原告不利。事实上，在实际的诉讼之后，马萨诸塞议会通过了一个成文法规定在此类案件中起诉马萨诸塞政府机关是合理的。

1. 写作练习。作为艾特美汽车公司的律师，准备一份备忘录，要求法院反对第三人在即决判决中提出反对意见。该备忘录必需不超过两页纸（包括解说词）。备忘录在下课的时候必须交上来。在你准备备忘录之前，确定你很明确你有多少论据。你可能愿意事先列一个大纲。例如，你是否针对法律规定的宽泛责任进行辩论，或者是否存在隐含的事实争议或者两者皆是？对你的每一项辩论的副辩论项目和其他原因进行列举。限定并澄清上述问题对组织一个有效的法律辩论是关键的。

2. 口头练习。作为艾特美汽车公司的律师或者修车部的律师，准备一份即决判决动议意见书。在动议中，法官会在决定是否进行即决判决时征询艾特美汽车公司和修车部的意见。如果你的姓氏是以 H 到 T 开头的，准备为艾特美汽车公司做辩论。如果你的姓氏是以其他字母开头的，准备为麦克吉尔和麦克吉尔修车部进行辩论以支持即决判决的动议。假设法官会先听取动议方的意见。同时，假设法官是新上任的，他对于本案的事实不甚了解。

第五节　撤销诉讼·指示裁判·不顾裁判的判决·重新审判的动议·撤销判决的动议

现在，你已经学习了发生在审判之前的即决判决。我们接下来要教你关于3种主要的陪审团控制机制——指示裁判，不顾（陪审团）裁判的判决和重新审判的动议——另外还包括撤销案件和要求撤销判决的动议。如果我们以时间为顺序，那么联邦法院中陪审团审判的案件流程如下。但是不要仅仅从字面上来进行严格理解，不是每一个程序在诉讼中都会发生，有许多步骤你可以依据不同的原因和不同的顺序进行。

　　起诉状
　　依据规则12（b）的动议
　　答辩状
　　自愿或非自愿撤销案件的动议
　　规则16的日程安排会议和命令（见第六章）
　　证据开示

要求补正的动议
和解讨论
即决判决的动议
规则 16 的审前会议
庭审
指示裁判的动议/要求作为法律事项判决的动议
陪审团裁判
登录判决
要求进行不顾（陪审团）裁判的判决的动议/作为法律事项判决的动议
重新审判的动议
上诉
撤销判决的动议
判决的执行

  你在头脑中对审判的进程，应当有一定的规划。陪审团审判的案件的最初还包括组成陪审团的程序，即资格审查、有因回避和无因回避这些我们已经讨论过的事项。不论是否由陪审团审判，下一步便是双方进行了开场陈述，一般是原告先作陈述。然后双方通过传召证人或者提供证据将证据展现在法庭上。一方出示证据时，对方当事人可以以证据不具有可采性提出异议。被告律师有机会对原告的证人逐一进行交叉询问，通常随后是原告律师的再直接询问和再反询问。在原告方结束这些活动后，如果没有指示裁判的动议或者这种动议被否决，被告人便将他的案件以原告同样的方式展示在法庭上（采用直接询问和交叉询问的方式）。原告可以提出反驳证据，被告也可以继续进行举证。假设案件进行到此，仍然没有指示裁判的动议，便进入了双方当事人最后辩论阶段。在许多法庭中，由被告人先进行最后陈述，然后才是原告。而在另一些法庭中，原告可以进行最初的最后陈述和最终的最后陈述，中间是被告的最终陈述。如果由陪审团进行审判，法官通常会针对最终陈述对陪审团作出法律指示。一些法官会选择在案件开始和结束时对陪审团进行指示，另一些法官会再最终陈述后作出相关指示。然后陪审团进行评议并作出裁判，填写裁判记录或者回答法官所提出的问题，有时候要进行上述两种工作。

  下面，我们讨论撤销案件，指示裁判的动议及其他诸如此类的规则。

一、自愿撤销诉讼

  联邦民事程序规则 41（a）（1）规定了当原告自愿撤销案件时，同时 41（b）（1）条规定了法庭有权允许原告自愿撤销案件。在普通案件中，在对方提供答辩状或者提出即决判决的动议之前，原告有绝对的权利撤销案件，而且这种撤销不会产生既判力的效果，这意味着这种撤销不会影响他对案件的重新起诉。

除非由法庭命令撤销，或者出席法庭的各方同意撤销诉讼，或者原告曾经在州或者联邦法院起诉后被撤销，那么撤销会导致既判力的效果，原告不能就同一要点对同一被告重新提起诉讼。这意味着么没有针对起诉的偏见；换句话说，这意味着撤诉不会产生既判力的效果。

依据联邦民事程序规则 41（a）（2），原告在 41（a）（1）之外的情况下，可以请求自愿撤销诉讼。法庭"在他认为是合理的情况下"，有权准许撤销诉讼。除非法庭有特别声明，否则这种撤销诉讼"无不利影响（Without prejudice）"。"条件和情况"是要求法庭审查原告的撤回诉讼的行为对被告人由于诉讼而支出的部分或者全部费用并决定责令原告支付的情况。法庭也可能同意允许"无不利影响"的自愿撤诉。如果案件已经进行了一定的程度，法庭、对方当事人可能为案件付出了重要的时间和精力，法庭可能会做出造成损害的撤诉或者基于原告为对方当事人的诉讼支出做出赔偿而做出无不利影响的撤诉。联邦民事程序规则 41（d）弥补了规则 41（a）（1）中的漏洞：这种情况是指原告有绝对的权利自愿撤回案件"而无不利影响"，但是，这并不是原告第一次申请撤诉的情况。在这种情况下，法庭可以将诉讼的先期费用的负担从对方当事人身上免除，而且"终止诉讼直至原告支付费用后再命令撤回诉讼"。

注意联邦民事程序规则 41（c）允许原告以外的当事人撤销诉讼。这主要发生在反请、交叉请求和第三方请求而使被告具有了原告特征的情况下。

二、非自愿撤销诉讼

法庭经常会在原告希望继续进行诉讼时撤销案件。例如，由于没有陈述诉讼请求或者在即决判决动议失利后而撤销案件。依据联邦民事程序规则 41（b），除非法庭有相反的命令，这种撤销和其他非自愿撤销诉讼是"司法权运作的结果"，换言之，就是非自愿的撤销诉讼产生既判力效力。我们在学到管辖权的事项以及规则 19（必要且不可缺少的诉讼当事人）时，我们要考虑为什么缺乏事项管辖权、对人管辖权和审判地或者没有合并必要共同诉讼人就不能产生"既判力"效果。

不自愿撤销案件也可能是由于原告没有依照法庭的要求进行诉讼而形成了"司法权运作的结果"。如果允许原告或他的律师不服从证据开示的命令，或者不进行审前会议或者不按照法庭的其他命令进行诉讼活动，那么这个程序将是无效率的程序。因此法庭应当命令撤销案件并要求原告对其他当事人作出损害赔偿。

下面部分我们所讨论的三个程序充分体现了本章开头的主题：陪审团审判权和对陪审团的司法控制。

三、指示裁判（作为法律事项的判决）

在第三章我们便对这种陪审团控制的方法进行了一定的探讨，在举证责任和即决判决的相关问题中，我们也接触过此类问题。为了更新你的记忆，在该事项上承担举证责任的一方（我们先前使用了"要件"一词，因为通常这是至关重要的）有义务登录充分的证据以保证理性的事实发现者会发现有利于自己的事实。相反，由于对方对该事实提出了恰当的反对动议并且成立，负担举证责任的一方责任履行失败。如果在这类问题上，承担举证责任的当事人没有提供证据，便意味着当事人不能取得胜诉，也就是他失去了自己的案件。

可能非常明显的事，在即决判决阶段，法官进行指示裁判也主要依赖于动议反对方提供的证据，考虑到动议反对方可以相信证据并且对动议反对方给予有利的推断。这种程序机制通常是由被告人用来对抗原告，在事实发现者可以考虑这些证据之前，至少事实发现者不能以上述证据为基点来发现支持原告诉因的任何一个要素。我们在随后的盖洛维案件之后，会讨论在什么情况下原告可以寻求并且取得一个指示裁判或者"作为法律事项的判决"。

正如联邦民事程序规则重述中指出，在陪审团审判之前，如果一方当事人"对某个争点需要由陪审团进行审判还没有获得充分的证据支持"，那么该请求不能被维持；如果这种证据并没有被提交——而且如果一方在该问题上没有获得完全的听审——然后基于申请"可能进行一个作为法律事项的判决"。联邦民事程序规则50（a）（1）。重新阅读联邦民事程序规则50（a）（1），确保你已经了解了修订后的新规则。

依据新规则的规定，在陪审团审判之前，当事人可以寻求一个作为法律事项的判决。联邦民事程序规则50（a）（2）。在顾问委员会对修正案的注释中指出，这意味着法官可能要求原告在案件早期提交他支持诉因要素成立的证据，例如，要求原告在诉讼活动的早期提交所有的关于必要构成要件的证据（正如在过失案件中的责任或者合理的注意）以及，在原告将他的案件展示在法庭上之前，允许被告基于某个要素的证据不足提出进行法律事项的判决的动议。请阅读顾问委员会在1991年修正案中的注释来研究为什么"指示判决"一词会转变为"作为法律事项的判决"，尽管顾问委员会较快的增加了新的规则，但是仍然没有"改变现存的判例法中长期被确立的标准"。

你在阅读盖洛维案的少数派意见时，注意其中存在逐渐取消在民事诉讼中依照宪法第七修正案进行陪审团审判的倾向，考虑是否对规则50的修正也是这种取消活动的继续。例如，当事人在陪审团审判之前的任何诉讼阶段提出作为法律事项的判决会有什么影响？比较联邦民事程序规则50（a）的用语与先前有什么不同？

"得以认定案件要件的充分的证据"（用另一种方式表达为"提出证据的责任"）这一概念，在没有陪审团审判的案件中同样适用。如果在第七修正案的案件中没有进行陪审团审判，原告没有关于不公正歧视的证据（即没有敌对的对待和敌对的影响），这并不表示被告负有责任将案件提交到法庭由陪审团或者法官进行审判。规则52（c）涉及这种情形，因为一方当事人经过"就此类问题的充分听审"不能获得胜诉，那么法律允许法官作出作为法律事项的判决。

请注意规则52（c）涉及的没有陪审团的案件，没有使用规则50所采用的"法律上充分证据基础"的字眼。你能说出其中的原因吗？例如，在卡彭特案件中，诉讼当事人寻求一个没有陪审团的裁判，假设原告提供的证据足以支持原告对零售商艾特美汽车公司存在过失，但是法官不相信原告的证据，而且法官认定被告人也提供了有利于己的证据。法官能否主动作出不利于原告的作为法律事项的判决，尽管他在陪审团审判的案件中不能做出这种决定？在规则50（a）和52（c）表述上的差异是否有意义？在陪审团审判和没有陪审团审判的案件中，原告可否在被告有机会提出自己的案件前，要求法官作出法律事项上的裁决？

四、不顾陪审团裁判的判决（作为法律事项的判决）

在陪审团审判的案件中，即使在陪审团作出裁判之后，法官——因为先前采用同样的理由曾经对指示判决的动议进行了否定——仍然可以作出不顾陪审团裁判的判决。这与指示裁判［或者规则50（a）规定的指示裁判和作为法律事项的判决］相同。关于这一概念的规定，可以参见联邦民事证据规则50（b）的规定。

我们以一个简单的交通过失案件为例。假设原告，一个行人，将他的证据提交到法庭之后自动停止作证。被告，汽车驾驶员，因为原告没有提出充分的证据证明其违反了合理的注意，提出了指示裁判的动议。法官可能认为被告提出的原告的证据不充分的观点是正确的，而且试图作出指示判决，但是仍然有不确定因素。最终要解决的问题是——一个人基于地上的刹车痕迹可以推断出确实有事故发生过——法官认为上诉法院能不会同意进行指示裁判。你能否找出法官否定指示裁判，但是在陪审团进行审理作出有利于原告的裁判之后，法官作出不顾（陪审团）裁判的判决的两个原因吗？如果你需要帮助，或者只想凭直觉去判断，顾问委员会在1991年对联邦民事证据规则50（b）的补充中的注释讨论了这个问题。

重新阅读宪法第七修正案，注意"没有需要陪审团审判的事实"的字眼，你可以看出不顾陪审团的裁判的在合宪性上存在问题。（不顾裁判的判决是对普通法上的动议的一个简称，用拉丁文表述是 judgment non-obstante veredicto。）在苏力克案件 Slocum v. N. Y. Insurance Co., 228 U. S. 364（1913）中，法庭的多数派认为法官依据当事人动议作出不顾（陪审团）裁判的判决是违宪的。但是在巴底莫尔案 Baltimore Carolina Line, Inc. v. Redman, 295 U. S. 654（1935）中，最高法院支持了这种动议，该案初审法院在陪审团裁判后，依照当事人指示裁决的动议撤销了判决。最高法院紧扣"保留"，以区别于苏力克案中的判决意见。而联邦民事程序规则的制定者在 52（b）中更进了一步，他们认为，如果一方当事人在所有证据开示完结后申请指示裁判，而法庭驳回或未支持这一动议，那么"一般认为法庭已经将案件提交陪审团进行裁判，并且随后对其产生的相关法律问题进行裁决"。在这个阶段，作出这种决定合法而且合宪。Neely v. Martin K. Eby Construction Co., 386 U. S. 317, 321（1967）。

最高法院肯定了提出指示裁判动议的当事人在证据开示结束之后，可以提出一个不顾（陪审团）裁判判决的动议。参见 9A Charles A. Wright & Arthur R. Miller, Federal Practice and Procedure §2537。当这种动议成为可能［记住规则 11 适用于规则 7（b）(3）的动议］，抗辩律师通常在原告终止举证之后提出指示裁判的动议，而且然后，如果被否决，同样可以在所有当事人终止举证后提出动议。在所有依据联邦民事程序规则 50 的动议中，规则 52（a）（2）要求动议方"使寻求的判决特定化而且动议方提出的法律和事实能够实现这种动议"。在联邦法院中，联邦民事程序规则 7（b）（1）要求这种动议必须以书面形式作出。阅读规则以考虑联邦法庭中的指示裁判的动议和不顾（陪审团）裁判的动议是否必须以书面形式作出。

五、重新审判的动议

甚至在陪审团提交裁判结果后（或者法官作出不顾裁判的判决），败诉方仍然可以提出重新审判的动议。事实上，在联邦法院依据民事程序规则 59（d），法官可以自主做出重新审判的命令。学生常常发现重新审判的动议是对陪审团的进行司法控制的"最后一根稻草"。但是，在你对他下定论之前先进行一些思考。

首先对该规则本身的语言进行分析，该规则规定"如果在美国法院审判的案件中存在任何重新审判的制定法上规定的事由"，那么法庭在陪审团审理的案件中可以支持重新审判的动议。联邦民事程序规则 59（a）（1）。许多州采取了相似的做法，尽管他们可能仅仅考察该规则在州法院中的先例。其他州依据制定法或者规则，对要求重新审判的动议的提出列举了事由，但是，这往往与在联邦或者州法院仅仅考虑先例相似。

一种重新审判的动议不应当存在不确定性。设想一下在陪审团提交其裁判之后（或者甚至在案件审判过程中），法官确信她自己做了在上诉法院中将会被推翻错误的决定，而又没有方法进行补救。例如，法官在陪审团提交裁判之后，发现他错误地允许证据进入法庭，而且不是联邦民事程序规则61规定的"无害"错误。或者假设她在审判中错误地进行了陪审团指示，而败诉方则试图通过依据联邦民事程序规则51（"指示陪审团；异议"）来避免法官的错误。如果败诉方以上诉法院会判决进行重新审理为由提出了重新裁判的动议，那么初审法官如果现在就意识到自己的错误是可撤销的，这时允许重新审理就很有意义。既然已经知道了上诉的结果，为什么还要用其他方式来迫使当事人投入时间、金钱和焦虑呢？那不是浪费——如果不是残忍——吗？我们看到，初审法官很少能确定他自己犯了一个可以撤销的错误，但是，当他们确信上诉法院会驳回现在的判决时，他们一定会（而且更倾向于）进行重新审理。

在对要求重新审理的动议进行审查时，更为不确定的标准是：由于陪审团错误理解了他们的责任或者审判中有极端的偏见，陪审团的裁判是极端的或者不充分的，从而进行重新审判。在损害可以计算时这种情况是明显的，例如在存在特定的金钱数量的书面合同案件中，陪审团在判决中做出了有利原告但与合同无关的赔偿。一个侵权赔偿案件做出了对"伤害和痛苦"或者"毁容"的赔偿金。决定赔偿金是多余还是不充分的是一个纯粹裁量的事项。但是这种赔偿金对理性的人来说是"没有证据支持的"，那么法庭可以准许进行重新审理。甚至在这种案件中被告疏忽大意导致原告被擦伤，他没有任何故意或者主观上加重伤害的意图，这导致了几百万美元的赔偿。法官作为公正的化身，难道不对其进行重新审判以实现公正吗？在上诉法院对初审法庭进行干预要求重新审判，会扩展到何种程度的问题上，法庭没有一致意见，这主要是赔偿的数额决定的。

随后，我们可以考虑有关损害赔偿和陪审团控制的问题，例如是否法官可以以重新审理来威胁原告减少（remittitur）赔偿要求或者要求被告增加（additur）赔偿数额。如果法官认为陪审团对责任的判断是正确的，但是在赔偿数额上产生了错误判断，那么，是否可以仅就赔偿数额进行重新审判？我们同样也会关注基于"陪审团被误导"而提起的要求重新审理的动议。我们再一次指出，即使对民事陪审团极端热衷的人也会主张对陪审团审判进行司法控制。因而，"陪审员酗酒、受贿、与当事人有单方面的联系、在陪审团面前法庭的官员或者外界做出不合理的言论，陪审员成员对于非证据性材料的接触，都是不顾陪审团裁判的充分理由"。弗莱明·詹姆斯，杰弗雷·哈兰德和约翰·洛布斯德福，《民事程序》1992年第4版，7. 27节第389页。Flemming James Jr., Geoffrey Hazard, &John Leubsdorf, Civil Procedure §7. 27 at 389 (4th ed. 1992)。

如果陪审团在评议过程被误导将会产生更为严重的问题。例如，如果陪审员对证人证言有了错误记忆或者对法官指示产生了错误理解，尽管人们不能从判决结果看出这种错误，在这种情况下陪审团的裁判是否应当被忽视？这种事例，体现了人类和社会结构的缺陷，而不是对整个程序的曲解，通常被证据规则保护防止陪审团在此类问题上进行商议，但是同时允许在证据进入上的粗略错误。

让我们考虑几个强制性的政策问题。如果允许律师和法官深入研究陪审团的和议过程，那么很少有陪审团的判决可以站得住脚。12个或者6个人的行为往往不可能是完美的，或许他们根本就没有试图达到完美。（当然在法官独自审判的案件中我们也可以这样说）。事实上，如果因为在审理过程中产生了错误而容易攻击陪审团的裁判，或者说要求陪审团就评论的内容作证，那么（1）在案件中败诉方的律师可能有义务详细地对陪审员进行询问；而且（2）一些陪审员在结论做出的过程中可能不愿发表意见（或者是少没有说出他们所想）。这可能会产生陪审员在实际审判中保持沉默的情况，这也是困扰陪审团裁判的一个因素。（这将会对陪审团的审判产生干扰，例如接受贿赂或者与一方当事人的私下接触，这种行为在陪审团审判过程中是严格禁止的。）

联邦证据规则试图在这个问题上做出平衡。这种联邦的方式可能吸纳了许多普通法的规则来保障陪审团的裁判不能因陪审员本人的证词而受到弹劾，但是试图对通常的审理过程和不公正的外部干扰划清界限：

> 联邦证据规则606（b）对陪审团判决或裁判合法性的审查。当对陪审团裁判或起诉书的合法性进行审查时，陪审员不能对陪审团评议期间的任何事项或者陈述作证，也不能对涉及评议事项的作用、影响其他陪审团赞成或反对该裁决或起诉书的心灵或感情因素、或者与此相关的陪审员的思想过程作证。除非，陪审团就是否有额外的偏见信息不恰当地引起了陪审团的注意或者外界的影响是否对陪审团判决的过程进行了干扰进行陈述。如果有陪审团不能作证的事项，所有陪审团的宣誓证词或其他任何证据都不能以此目的提交到法庭。

通常，陪审团作为整体的行为是不可指归的，除非由于外界因素影响到审判过程。例如，哈兰德教授、詹姆斯和洛布斯德福将这类案件描述为"通过投掷硬币而达成的判决，或者接受多数派意见而做出的陪审团裁判或者从所有陪审员的意见中取得中间值而做出的裁判"。Flemming James Jr., Geoffrey Hazard, & John Leubsdorf, Civil Procedure §7.27 at 389,390. 法庭对于如何处理这种问题存在争议。一种方法时认为这种行为是进行重新审判的证据，但是，依照联邦证据规则606（b），允许行为被合法的证据证明而不是陪审员自己的证词。这种证词可能被偷听者或者法庭的官员在陪审团房间中发现的数学计算公式所证明。

最后，我们认为提出重新审判的动议你可能碰到的最不确定的因素：即基于"证据的证明力"而提出的重新审判动议。在联邦法院和在大部分州法院，败诉方律师可能针对初审法官的裁量而要求进行重新审理，并不是因为没有充分的证据来支持陪审团的裁判（此处的裁判是指指示裁判和不顾陪审团裁判的判决），而是因为裁判有明显的错误；陪审团做出了致命的错误、存在有对公正的错误的执行。我们在盖洛维案之后，会提出关于动议的问题，在做出结论之前，请你阅读以下一个州最高法院法官的言论：

> 普通法中，通过重新审判来控制陪审团的裁判在美国殖民地建立之前的英格兰便得到了确立，而且总是没有受到任何挑战便存在于我们的宪法中。这是一种从法律和证据角度对案件进行审查的权力以保证结论的合法性和公正性，如果没有这种方式，我们的陪审团审判系统可能会是任意的和让人难以忍受的专制，没有人能够长期忍受这种制度。法庭比以往更经常地认为这应当是法庭的权利。

斯密斯诉时代出版公司案 [Smith v. Times Publishing co., 178 Pa. 481 (1897)]。

在 Aetna Casualty Surety Co. v. Yeatts, 122 F. 2d 350 (4th cir. 1941) 案中，依据上述的论证，派克法官对州法院和联邦法院基于证据证明力要求重新审判的动议中应有的作用进行了论述：

> 在这种动议中，审判法官有义务搁置陪审团的裁判并且做出重新审理的决定，如果他认为陪审团的裁判没有建立在对证据证明力进行准确衡量、或者裁判是基于错误的证据做出的，或者裁判会导致公正的偏差，尽管可能存在实体的证据阻碍了判决的形成。

多数的上诉法院，包括联邦上诉法院，倾向于将动议的裁量权留给初审法官，几乎通常不会影响初审法官给予或者拒绝进行重新审判的决定。很明显，这种动议提出的频率远远高于它被允许的程度。另外，很少有一方当事人两次在陪审团审判中败诉，而在随后的审理过程中的提出第三次审理的要求初审法官再次行使这种裁量权。

如果你是一名法官，在何种情况下你会对依据因为证据证明力问题而提出的重新审理的动议进行重新审理？你是否认为法官做出重新审理的决定是否需要说明原因？何时会否决这种动议？（法官通常否决或者承认这种动议，像对待其他动议一样，不做任何解释。）

这可能是一个帮助你否决陪审团审判的合乎逻辑场所，因为这种动议允许以重新审判的方式对审判中产生的错误进行更正。从教育学的原因来讲，现在阅读 Galloway 案件会对你的学习有益，这一案件与指示判决和普通法中重新审判的动议直接相关。我们将在本部分的最后附上规则 60 的具体内容。

六、指示裁判·不顾陪审团裁判的判决·重新审判的动议的细节

盖洛维诉美国

Galloway v. United States

319 U. S. 372 (1943)

鲁特莱基大法官代表最高法院做出了判决意见书：

申诉人要求发生在 1919 年 3 月 31 日日的精神错乱而造成的全部和永久性的残疾获得保险赔偿。而该日期是他的保险单续交保险金的有效期内的最后一天。

案件在 1938 年 6 月 15 日提起诉讼。在法庭举证结束时，地区法院准许了政府要求指示判决的动议。并随后进行了判决。联邦巡回上诉法院维持了初审法院的判决。两法院都认为合法的证据不足以支持对申诉人有利的判决。申诉人认为这是错误的，而且这种判决剥夺了他依据第七修正案所享有的获得陪审团审判的权利。

申诉人提出的宪法上的争论并不能支持将案件交给陪审团审理的要求，也不能作为反对法院因为他没有提交充分的证据而进行指示判决的理由。本案存在的惟一的争点是，申诉人提供的案件是否是实质的，因此，法庭的相反结论是错误的，其结果便是否定了申诉人获得陪审团审判的权利……案件的惟一的问题是是否证据足以使陪审团做出对申诉人有利的判决。基于此，我们认为原判决应当被维持。

I

本案中某些特定事实是毫无争议的。1917 年 11 月 1 日，在第一次世界大战中被应征入伍之前，申诉人在费城的码头和其他一些地方做装卸工。（这种记录并没有表明这种雇佣是否是持续的还是非持续性的。也没有迹象表明申诉人的行为在他 1918 年 4 月到达法国时是不正常的。）他在一个机械步兵营中做厨师。1918 年 4 月他随所在的部队到达了法国。他服役到 9 月 24 日。从 9 月 24 日到次年的 1 月他一直因为流感而住院。治愈后又继续服役。1919 年 4 月 29 日他光荣退役，并回到了美国。他在 1920 年 1 月 15 日加入海军，在 6 月因不良行为而结束服役。随后，12 月他又加入陆军，一直服役到 1922 年 5 月，他当时是逃兵。因此，他在军队中的最终记录是逃兵。

在 1930 年的退伍军人署对退伍兵进行了一系列医学检查。在当年的 5 月 19 日，他的症状被诊断为"抑郁、痴呆、智力低下"。在 1931 年 11 月，在进一步的检查之后，做出了如下的诊断："精神病伴随着其他疾病或症状（因为中枢神经紊乱而引发的官能症，症状的具体类型尚未决定）"。在 1934 年 7 月，第三次诊断为"精神躁狂症和精神抑郁症、精神紧张、耳炎、慢性病和后遗症、静脉曲张后遗症、牙根脓疮、慢性心肌炎"。

申诉人的妻子是本案名义上的当事人，在 1932 年 4 月被指定为申诉人及其财产的监护人。在 1934 年 6 月申请获得保险受益。1936 年 1 月最终被退伍军人局否决。本案在两年半后提交法院审判。

申诉人在本案审判前便由于精神不正常完全且永久性的丧失了个人能力。很明显，我们应当承认在他 1918 年 4 月到法国之前身体和心理状况是良好的。

申诉人主张他在国外紧张的军队工作的压力下产生了心理变化，这仅仅是他的心理问题的产生，而在随后的几年里他的状况不断恶化。在其中关键的一点是，到1919年3月31日时他已经完全并永久地丧失了一切能力。

支持这一观点的证据依据时间分成三个部分，也就是1923年以前的证据、1923到1930年间的证据、以及1930年以后的证据。这包括表明在法国发生变化的意外的证据，关于申诉人在法国回来之后其外表和行为与他离开美国之前的变化的证词，1930年及以后对申诉人的医疗的相关证据；最后是一个心理医生的证言，主要是医学观点他试图将所有的证据结合起来做出结论，也就是表明了申诉人失去能力是在1919年5月之后。

书面证据包括申诉人在部队、海军和退伍军人局中的记录。在审判中做出的证人证言主要有5个。一位是奥尼尔，申诉人的工友和童年的伙伴；有两位，威尔士和坦尼克瓦，和申诉人一起在海外服役；马萨维，部队的军医，他在1920年的加利福尼亚的部队医院给申诉人或者申诉人同名的人进行过诊断；以及维尔德，一个医师，在审判前给申诉人做过身体检查并且以他自己的名义提出了一份专家证言。申诉人分别提供了1920-1922年他在海军和陆军中服役时，他的长官普赖特和马萨维的证词。

威尔士和坦尼克瓦对在1918-1919年在法国服役期间的事件作了证明。威尔士证明了在法国军营中发生的事故，军队在到达法国后进行行动之前驻扎在Aisonville。在一天晚上深夜，申诉人制造了一些混乱，"他喊叫、尖叫、发狂、诅咒……他使附近的人全部起来了"。威尔士并没有亲眼看到这一事件，但他听到申诉人后来在他的监察官面前发誓而且看到了"他所得到的下场，眼上被打了一拳"。但是，他并没有看到"是谁打的"。威尔士个人除了这一事件以外，并没有发现申诉人有任何异常，而且不知道该事件是如何发生的。申诉人的身体状况看起来很好，他每天都"很好地履行他作为厨师的职责"，而且证人在6月1日之后，除了在7月的3天看到申诉人在为落伍的士兵提供食物便再也没有见过他。

坦尼克瓦，出生在夏威夷的美国公民，在1918年9月申诉人住院治疗前和他一起服役。尽管他们在一起战斗，但他认为申诉人在10月的Argonne战役中表现不正常。在北卡罗来纳的格莱尼军营中，申诉人还是"一个普通的士兵，很正常……很干净"。但是到了法国Aisonville之后，"他变得总是非常紧张……很不安，而且常常和其他士兵打架"。在6月份之前，他发现申诉人被关禁闭。这次禁闭与威尔士所说的事件有无关联不得而知。

坦尼克瓦描述了另外一个发生在6月的当他们在Marne的军营（和德国人对峙）中发生的事件。在一个新建的防线上，证人和申诉人及其他人一起在执勤。

坦尼克瓦知道德国人可能会发动较大的突袭。"一天晚上,他(申诉人)大叫起来,他说'德国人来了',我们塞住了他的嘴,制止了他"。没有枪声,也没有任何迹象表明德国人来了,证人本人也不相信德国人来了。因为这件事,申诉人上了军事法庭,但他不知道他们"对他做了什么事情"。证人在当天没有和盖洛维谈话,因为"他失去了理智",看起来像是发疯了。坦尼克瓦不知道申诉人在何时离开部队或者在 Argonne 战役后发生了什么事情(正如证人所说的),但是他听说申诉人进了医院,"我猜是因为神经质",证人认为。证人再一次见到申诉人是在 1936 年,在加利福尼亚的残疾老兵聚会上。申诉人"看着我,好像我完全不存在似的。他神智失常……与他在法国的行为一样,特别是当我们塞住他的嘴的时候一样……"

奥尼尔和申诉人一起"出生和长大",并且和他一起做搬运工,而且在"他从海外服役归来后的 7 年内一直和他有联系"。当申诉人 1919 年 4 月或者 5 月服役回来后,"他与离开之前相比健康状况似乎受到损害。这个家伙的头脑失去了平衡"。一些特定的症状伴随着他;他经常会尖叫、痛哭,间或有反常的行为和胡言乱语,见到好朋友是表现出恐惧因为担心"朋友们会打他",吐血并且并且会说脏话。一次申诉人说,"G-d-it,我可能是 Jekyll 医生和 Hyde 先生"。

奥尼尔所说的症状和情况在申诉人身上大约持续了 5 年。奥尼尔认为"申诉人时而是一个正常人,时而是一个不正常的人"。而期间的间断可能是"两三天或者两三个月"。在正常的时间内,申诉人"看起来老了……但是绝对还好"。

奥尼尔清楚地记得在 1919 年经常看到申诉人,但是这种减免主要是短暂的,在午餐时间在大街上见到他。他不确定盖洛维是否是参加了海军,而且"对他加入海军非常惊奇,我认为是在海军或者在其他政府部门服务"。

奥尼尔坚持认为他在 1920 年见过盖洛维几次,但是他回忆不起具体的日期和见面的次数,对于见面时发生的具体事件也不是非常确定。他可能对他见过申诉人的次数进行了推测:"在 1920 年,我不能说具体见过几次面"。在此后的几年间,他可能见过 5 次左右,或者更多或者更少。在交叉询问中,他的证言表明,他记得 1919 年申诉人刚刚服役回来时,"因为他那时的状况与先前相比有很大反差",但是在随后的几年间,他不能提供确切的信息。[法庭在注释中对它的证言进行了摘录:

"X 你是否能明确告诉我们在 1919 年你大约见过他多少次?A 不能。我经常见他以至于我不能说出确切的次数"。"X 同样的情况也发生在 1920 年吗?A 我对 1920 年见面的次数也不确定。我对他的最大印象在他刚刚回到家里的时候,因为他有太大的变化了。否则,除了有特别的事情发生,我不能及其确切的时间""X 你能否记起 1920 年他的状况?A 不能"。"X 你能否发誓说你在 1921 年在什么地方见过他？A 我认为我在 1920. 1921 以及以后的几年间见过他。通常间隔几个月或者几个星期，但是我可以肯定我在随后的几年一直见到过他，至少 5 年中。"X 你能否对 1920 年你见到他的次数做一个推测？A 不，我不能。""X 是否超过 5 次？A 在 1920 年，我不能记起具体次数。但是我记得他第一次回家的情况，但是不知道从那之后见到过他多少次"。P516 "X 同样的事情也发生在 1921. 1922. 1923 和 1924 年吗？A 我只能说在随后的 5 年中我间断见到过他，但是不知道何时或者见面的时间间隔除了他刚刚回家后的几个月内"。"X 但是在他回来后的几年中，你不能说出你见到他的具体次数时 5 次或者更多，是吗？A 是。因为在他第一次回到家的时候，发生了很大的变化，很多人都注意到这一点并且记住了这一点，因此更容易记住。你可以问我和其他朋友见面的次数，如果没有什么特别的事情，我都不记得了"。[法庭进一步指出，"申诉人的证据表明，他在 1920 年 1 月 15 日到同年 6 月在海军服役，在 1920 年 11 月到 1922 年 6 月在陆军服役。在证词中表明，奥尼尔并不确定他在从事何种工作，而且'对于他进入海军非常惊讶，我认为是在海军或者在政府中服务。'奥尼尔不确定在盖洛维从海外回到费城之后的一周内是否穿制服，尽管他说看到申诉人'在他再次从军的期间，但是不能回忆起来'"奥尼尔在刑事诉讼证明过程中，回忆了 1919 年当申诉人回到费城的情景，"在 1920 和 1921 年，我不太确定"。他同时又说，"在他离开的 5 年或者 6 年间，他回到费城，但是我记不起具体的时间。他在费城呆了大约 5 或者 6 个月的时间，当时的迹象表明他很正常，后来他可能离开了。]

马萨维说，在 1920 年的上半年，大约有 6 个星期的时间，他在加利福尼亚的战地医院中，曾观察过一个名叫约瑟芬·盖洛维的士兵，他由于开小差而被管制，他的头脑有问题。马萨维的证词清楚地表明盖洛维精神有问题。但是在他的证据有一个致命的弱点。在直接陈述中，马萨维认为这个士兵就是申诉人。但是当被用盖洛维在 1920 年上半年是在海军中服役的事实质问时，证人首先说他可能在观察时间上弄错了。随后，他在陈述中表明，他在时间上没有弄错，他可能误以为盖洛维是申诉人本人了。最后他自愿做了以下的陈述："我不能记起我碰到的士兵是否是本案的原告，因为这经过了很长时间"。他见到的病人一直躺在床上，在一段记录没有其他的证据证明，也没有相关的医院或者军队记录证明被告人在 1920 年或者其他任何时间在该战地医院曾经作过病人和囚犯。

普赖特长官证明，申诉人在海军服役期间 1920 年上半年，由于不服从命令和擅自离开船只而引起了麻烦。在"多次警告和处分之后，被带到了海事法庭"，他被判行为不法。

申诉人的律师用马萨维（不作为医生）的可以被罢黜的证词打断了维尔德医生的证明活动。维尔德是盖洛维的 1921 年初到是年夏天转到另一个军队之前的长官。最初马萨维认为申诉人是一个正常人，但是后来发现他并不可信，然后不得不用纪律来约束他。申诉人"经常酗酒"，"我们通常他们为布尔什维克"，他看起来不忠诚,是一个非常古板的人。军官认为"他是一个精神反常的人可能使用了尼古丁",但是不能得出确定结论。盖洛维因为在公共场合酗酒和不服从命令而被起诉至海事法庭,做了一月的苦力,然后又回到部队继续服役。有时他"是我所见到的最好的士兵",可以胜任部队的工作,可以经历严格的军事训练,等等,"身体非常好"。但有时他又不可信。他的身体很好,他有时高兴有时情绪低落,在大多数情况下比较配合,不会反抗命令和其他人相处融洽。军官将申诉人的行为归结为酗酒和尼古丁的影响,但是这种行为在申诉人并没有发生。

维尔德是关键证人。他不是精神疾病方面的专家,仅仅是对这方面有一些"特别的关注"。他在审判之前见过申诉人,并对他进行了"几次"检查。他的结论是:"申诉人患有精神分裂症"。维尔德是在听取和阅读了其他证人的证词之后得出的这一结论。基于这些材料,他从中推断并得出结论:申诉人患有"先天精神紊乱症",尽管直到他到法国之前都是正常的;由于军队紧张的生活激发了这种疾病。在1919年5月,"申诉人仍然会有精神崩溃的情况……他的状况一直在恶化,但是这种恶化是从他在法国的精神崩溃开始的……"在1920年,申诉人是"确定性的精神分裂症,是的,法官大人,"而且他"至少在1918年7月之后在Marne军营中服役的时候一直处于这种状态",也就是说,"在当时他已经不能适应自己的生活了。我的意思并不是他不能进行执行一些常规的任务……而是他在精神上已经完全崩溃了"。他仅能做"一些常规的事情",不能从事持续工作,也不能按时工作,不做他不想做的事情。维尔德出示了申诉人的工作记录并指出了他的发现:"在他参加战争之后的期间内,我们认为它不能从事任何工作。他立即崩溃了"。他对申诉人此后又参加海军和陆军解释道,"这完全没有什么恶作剧,因为一个合理的遵守秩序的人会被吸纳入海军服役"。

但是,该证人对申诉人1925 – 1930年的情况毫不了解,"只知道他结婚了",而且他对申诉人1922 – 1925年的了解也完全依赖奥尼尔的证言和一个不在案的记录。维尔德医生最初认为申诉人在1925 – 1930年的活动并不重要,"我们可以看到,这是一种持续的疾病,从他在军中服役开始出现症状,很明显这种症状一直持续到1930年,而且1930年以后申诉人的状况对我来说是微不足道的……"但是政府的律师此时打断了他的陈述,询问道:"那么,如果他在1925 – 1930年将每天连续工作8小时,他是否能承受呢"?证人回答道:"这对他来说太多了"。在进一步的询问中,他又重新回到最初的立场,他说他没有必要知道申诉人在1925 – 1930年间做了什么,"我仅就我所知的信息作证"。

II

我们认为,本案的症结在于申诉人是否履行了证明责任。他的责任是证明在

1919年5月31日之前他已经完全并且永久性地丧失了个人能力。他必须证明最初在这个时间之前他的能力丧失是间断的，但在随后的几年内继续并且恶化。他很明显已经确立了在1938年以前，也就是起诉时他已经完全且永久地丧失了个人能力。在我们的观点中，这种医学上的论断已经在1934年7月退伍军人局的检查和诊断体现出来。

但是如果记录表明在1930年以前存在精神病的症状，然后变得完全永久地丧失能力。申诉人存在的问题表明他的状况在1919年5月31日之前已经存在，而且直到1930年这种状况一直持续并且恶化。

为了表明这个关键的日期，申诉人提交了两个在法国发生的反常现象的证据，一件发生在他尚未到达前线时，另一件发生在接近德军阵营他在Marne执行巡逻任务时所引发的一场麻烦。在他参军在海外服役的一年多时间中，没有其他证据证明他的精神状况不正常。

他为这种间歇性的不正常行为，接受了军事法庭的审判，并且被认为有责任，这表明他当时并且没有被证明是精神病患者或者总体上"由于精神脆弱"而产生了精神崩溃，而这种变化在他长期作为码头搬运工的过程中并没有产生。

申诉人还追加了奥尼尔的证言，在奥尼尔的证言中，他将申诉人在法国回来的一个月内的行为与申诉人先前的行为相比较，指出申诉人看起来和他的行为像一个精神受到破坏的人。但是奥尼尔对接下来的第二年、第三年和第四或第五年申诉人状况的记忆变得模糊了。

奥尼尔的证言显然没有考虑到申诉人回家前在法国因为得了流感而住院101天的事实。即便给予该证言最大的信任，这也并不能表明从申诉人回家到1922年，被告人有间隔的精神异常。而且，由于证人对于时间、日期和见面次数的描述过于模糊，他的证言不能进行过多地考虑，而且他对1922–1925年的证言大多是基于推论。

在法国发生的两次事件可以证明奥尼尔证言中关于申诉人在1919年精神状况发生变化并且在1922年持续恶化的情况。而且有普赖特和马萨维两位长官对申诉人1920–1922年分别在海军和陆军中服役的情况进行的分析。没有证言认为申诉人的精神不正常或者有迹象表明申诉人的精神不正常。中间有8年的间隔。其间我们惟一知道的是申诉人在这期间和他目前的监护人结婚，这一行为不能表明他的精神是否正常。

从这些材料中，允许作出申诉人8年持续的精神不正常的推论。如果是这样的话，他的精神不正常无须推断。持续的精神不正常是不可能躲过证人的眼睛和耳朵的。关于发生在法国的两件申诉人"发疯"小事是不能证明8年期间，其中有5年在美国的不正常状况的。

这些差距是不能用推论来弥补的。申诉人在 1922 – 1925 年或者到 1930 年间的行为和活动他的亲属和妻子了解，他的妻子提起了诉讼，尽管是间接地，也是为了她自己，他证明自己持续精神不正常，他在这个期间做出了什么行为，以及没有作出什么行为对案件来说是关键的。除了他结婚了之外，在 5 年间甚至 8 年间他的记录都是空白的。从表面上看起来，他在这期间，可能担任全职工作持续了 5 年到 8 年，其间仅有一次中断。

从这些空白中我们不能做出有利于申诉人的推断。我们也不能从现存证据中作出推论。虽然这种情况被初次阶段之外的证据证明，但是在这之前或者之后，申诉人的妻子与他结婚，并且可以出庭作证，但是她却没有提供证言。最合理的结论便是申诉人或者他的代理人故意选择无疑对申诉人有力的证据没有提供任何证据或者撤回了这相当长期间内的证据（我们无意对这种行为进行批评，既然这种行为是一种诉讼策略，这应当由出庭律师加以判断），而依赖于专家证人的推断和司法的不严谨来弥补这一缺陷。

从事实上来看，专家证人并不可信，司法也不允许这种不严谨的行为。在这种推论中我们没有发现任何案件可以引用，而且我们也没有发现长达 8 年的推论，尽管专家被允许来弥补长达 8 年的证据缺乏，但是从所有的理由来看，这种证据必须是实在的。允许这种弥补可能会允许推论，充其量是单薄的，不仅仅因为缺乏证据的不可能和困难，而且因为能够提交的证据没有提供。因此，申诉人提供的证言多半是推测性的，除了 1919 年 5 月精神错乱的证言之外，至少在证明力上非常有限，如果马萨威的证言应用于申诉人，这种推断可能性或许更大。但是，如果不借助于推断，证明申诉人当时精神不正常的证据比较薄弱。

除此之外，也没有证据证明申诉人精神不正常的完全性和持续性。这仅仅有上诉法院所谓的"长期的有追溯性的诊断"。这可能是充分的，即使这种严格的推断是一种观点，如果医疗诊断可以透过 8 年的时间看到申诉人症状的这种持续性状况……但是 8 年的时间不允许我们忽略掉，如果时间间隔更短一些（如果数字可能会发生改变），当一群证人先否认、然后承认、而后否认，因为那时发生的事情与他们现在看到的存在着太大的差别。专家证人的推论可以更加有效。但是我们认为当事人对专家证言的依赖性过大……

III

对于案件的处理已经进行了上述论述。因此，我们无需再多说什么。虽然不是那么明确，但是申诉人的提出的异议是以指示裁判违反了他依据宪法第七修正案应当享有的陪审团审判的权利为基础的。

需要指出的是，首先修正案并不自动运用于案件的审判过程中。本案针对美国政府提出，要求获得金钱赔偿。而根据 1791 年的普通法，很难认为在诉讼当事人针对国家提出侵权赔偿的案件中有权活动陪审团审判的权利。尽管修正案由于国会在立法过程中对权利进行了确定,因此修正案才具有可执行性。尽管如此,甚至依据这种要求而建立的异议是站不住脚的。

如果异议的目的通常是主张修正案剥夺了联邦法院因为证据不足而做出指示裁判的权利,那么对于这样的请求肯定不能成立,因为自从一个世纪以来,我们的司法实践都表明这样的做法是联邦民事程序规则所允许的。最近,这种事件被联邦民事程序规则 50 确定下来,因此这种异议来得太迟了。

另外,关于历史性的辩论也是不可信的。1791 年的"普通法规则"并没有阻止法院将案件从陪审团手中收回,法律也没有类似规定,或者上诉法院还有权对案件判决进行复审。在 1791 年,陪审团也不是案件事实的绝对裁判人。现在,法庭排除不相关的证据,出于其他的原因排除一些相关的证据。这种争论认为他们的逐一衡量证据的证明力,不仅单独进行衡量,而且完全将证据交由陪审团进行裁判,至少通过下列两个程序:对证据的抗辩和进行重新审判的动议。因此异议并不是基本的程序,它的目的是将案件从陪审团手中拿回或者在案件证据不足时解决案件。这是一种附带的或者附加的影响,也就是说,指示裁判与上述两种方法采用的程序不同,这是因为,一方面这要求较高的证据标准,另一方面伴随着进一步的诉讼主张会产生其他的后果。除了证据标准以外,这种争论试图说明在 1791 年,当事人质疑对方的证据可以通过下列两种方式:在法庭审判中提出异议,如果异议有效,会决定终止诉讼;或者在提出申请重新审判动议来质疑对方的证据,如果重新审判的动议获得了批准,对方仍然有机会将自己的案件展示在法庭上,因此修正案排除了任何不法结果的产生。

在 1791 年,修正案并不依据普通法将联邦法庭限制于确定程序或者依据陪审团审判的所有细节,也不将他们限于普通法上的请求或者其他通行的证据规则……

每一种经典的质疑方式 [也就是,意义和重新审判的动议] 都反证了另一种的特征,而依据第七修正案继续进行诉讼则是对其他方式的排除。这种保证并不能调和冲突的宪法政策,这种质疑的结果往往是导致诉讼的终止,而对方则要求进行重新审判,并不是因为推定或者要求,而是认为两者都是不必要的。

最后,异议似乎通常指向了法官对提交给陪审团的证据的要求……无论这种通常的标准是什么,关键的要求是在对于所有的可能的支持被攻击方的案件的推定进行了恰当的定量分析之后,对于可能的事实不允许进行推论……

依据该要求进行的裁判,不是基于纯粹的猜测,我们无法得出结论,申诉人的证明责任,依照其权利要求的性质,表明他精神完全失常已经持续了将近 20 年,但是我们不能从申诉人提供的证据中做出任何有利于他的推断,因为他没有提供完全的证明，没有提供他至少5年或者8年的处所、活动，仅仅提供了他的一个模糊的描述和对他初次回到家的情况的说明……"完全和永久的无能力"是一个制定法的词语，不是我们自己的表述。它意味着不是间断的和偶然的精神失常，而是要求更多的证据。但是，从目前的证据来看，我们很难得出这一结论。

因此，维持原判。

布莱克大法官提出了反对意见，道格拉斯大法官和墨菲大法官同意他的意见：

宪法第七修正案规定：

> 在普通法上的诉讼，如果争议标的额超过20美元，陪审团审判的权利将受保护。凡经陪审团审判的事实，除非依照普通法的规定，不得在合众国的任何法院中重审。

最高法院在此处重新审查了一个在普通法诉讼中所提出的证言，衡量了相互冲突的证据，而且认为当事人不能将案件交由陪审团审判。政府的缔造者们认为对案件事实实行陪审团审判是对公民自由的一个重要保障。因此，他们通过了宪法第3条第2款及第六和第七修正案。今天的判决则标志着，在150年以后，司法逐渐侵夺了依据第七修正案的权利保障。

I

……在1789年，陪审团在司法系统中有举足轻重的地位。他们在民事诉讼和刑事诉讼中是法律和事实的裁判者。在第七修正案公布之后的3年内，法庭依据最初的管辖权在民事案件中召集陪审团。对于案件事实并没有争议，大法官杰（Jay）在一个完全一致的判决中指出："就案件而论，一方面我们假设陪审团是最佳的事实裁判者；另一方面，假设法官是最好的法律裁判者。但是尽管如此，所有的判决原因在我们判决权限内是合法的"。乔治亚州诉布兰斯福特，State of Georgia v. Brailsford, 3 Dall. 1, 4, 1 L. Eed. 483。康地涅格、马萨诸塞、伊利诺斯和路易斯安娜巡回法院或者有更多的法院都赞同这一观点……

正如汉密尔顿在《联邦党人文集》中所指出的那样，对陪审团基本的司法控制在于法院命令对案件进行重新。在1830年，最高法院认为："在普通法上对案件事实进行重新审查的权利通过初审法院的法官做出重新审判的决定来实现，或者由上诉法院因为法律适用错误组成陪审重新审判"。帕森斯诉班迪夫，parsons v. Bedford, supra, 3 pet. 448 页, 7 L. Ed. 732。要求组成新的陪审团进行审判的宪法权利在 Slocum 案件中得到重述。Slocum v. New York Insurance Co., 228 u. s. 364。

指示裁判的应用在法官来决定事实而非陪审团来决定事实方面是一大进步。

在1850年第一个指示判决的案件帕克森案接受了判决。帕克森诉罗斯案，Parks v. Ross, 11 How. 362, 374。法庭认为指示裁判的目的相当于对证据的异议，而且案件中针对关键问题没有相关的证据，因此指示裁判得到支持。该判决是一个创新，是对仅仅在15年前在绿叶案件中得到重述的传统规则的背离。在该案中法庭认为，"当没有证据倾向于证明一个特定的事实时，法庭有责任依请求对陪审团做出指示；但是他们不能在法律上针对证据的证明力和陪审团应当得的结论做出指示"。绿叶案（Greenleaf v. Birth, 1835, 9 Pet. 292, 299）。

这种新的机制存在证据的异议中没有的对陪审团的司法控制。第一，对证据的异议是有风险的，因为在进行异议的时候，一方不仅承认了证词的内容，而且也暴露了可能从证词中得出的合理推论；而且合并诉讼当事人在法官对这种异议进行审查的期间不能够得到陪审团的审判。这种风险的产生不单纯是技术性的，因为申请取消陪审团的审判对申请方不利，而且早期的法律一直认为事实只能由陪审团进行审理。在指示裁判的实践中，动议的申请方也处于被动地位，如果动议被否决，他不会得到一个不利于他的指示裁判，但是他只能接受陪审团继续对案件进行审理。而当事人在提出指示裁判的动议不仅不存在风险，而且有两次机会避免陪审团的审判；在不顾陪审团的裁判而进行的判决中，法官可能保留了在指示判决的动议中观点而做出在陪审团做出对动议提出方不利的裁判之后作出有利于他的判决。第二，在指示判决的实践中，法庭很快摒弃了"准许考虑所有的事实和合理推断"的标准，创造了所谓的"实在证据"的规则允许基于比原告支持起诉要低的证据标准进行判决的。

在指示裁判制度被采用时，实在证据规则并没有在实践中被运用。在以后的几年中，联邦法院的法官认为传统陪审团审判的证据规则最终是存在"一点证据"。"没有证据"案件必须交由陪审团审理的规则在 Schuylkill 案中被完全推翻，而今天法官仍然在一定程度上依赖这一规则。Schuylkill and Dauphin Improvemet Co. v. Munson, 14 Wall. 442, 447, 448 (1871)。在该案中，法庭认为"一些证据（some evidence）"不够——必须有能够说服法官认为案件交由陪审团审理是合理的证据。为了摒弃传统的规则，法官们用了"微量的证据"来形容先前的证据规则。

后来的案件允许法官对陪审团进行司法控制。新的完全没有依据的标准，在它刚刚出现时便应当被法律除去，在1929年的甘宁案（Gunning v. cooley, 281 u. s. 90）中被采纳，在这个案件中，简单的判断便代替了宪法下的陪审团审判程序。该案件认为，法官而不是陪审团在双方当事人的证据都不具有明显优势的情况下，对证据进行裁量并做出判决。该案同时，"当原告提出的证据与被告人没有疏忽大意的推测一致时，而同时又存在对被告不利的因素时，这个证据没有证明效力"。这种判断……基于法官可以针对证据作出一个数学比较的假定之上,而且完全剥夺了陪审团对此类争议进行解决的权利……通过这种方式,陪审团的裁判便被搁置,或者申请指示裁判成为一种惯例,陪审团审判的权利便被法官从通常意义上作出的裁决所取代。

甘宁案中确立了,"证人的可信性……由陪审团决定"。在今天法庭已经开始审查证人的可信性,并在多数人不相信时将其排除出审判,这也是对陪审团权利的侵夺。

这种对宪法权利限制的行为不应当再继续下去……

宪法第七修正案的内容不能进行公式化理解。一个地区法院法官在泰特案(Tarter v. U. S., D. C., 17 F. Supp. 691,692,693)中关于第七修正案最小限度的理解意见,代表了我的意见:

> 宪法第七修正案认为,有实质的证据支持原告的起诉,原告就有权获得陪审团审判。如果有一个证人证明双方存在争议,或者理性的人会从这种证词中得出不同的结论,而其中之一可以支持起诉的要求,那么案件必须由陪审团审判。陪审团审判是公民的基本权利,法官不应当过于细心地搜索证据,而剥夺了当事人获得陪审团审判的权利。

对第七修正案的真正应用不是文字上的,而是真诚地愿意看到宪法权利得到保护的精神。法官和陪审团都必须决定事实,而且在一定程度上法官负有责任对陪审团进行指导。法官维持这一法案存在诸多困难,因为这意味着对其本身权利的限制……对我而言,只有在法官没有对证据的可信度进行评判或者在没有事实争议的情况下,进行指示判决……

II

在本案中,关键问题是证明申诉人在1919年5月31日之前,精神就处于完全的持续性的不正常状态。毫无疑问,在1918年申诉人的健康状况良好,相关证据表明他至少在1930年之后精神失常了。在间隔期间,申诉人的精神不正常现象是否发生?

医生证明申诉人患有以智力丧失为症状的精神分裂。他声称正常的人可以经受严重的生理和心理刺激,而一些人生来便有精神不正常,因此,他们不能经受突如其来的严重压力。医生的证词表明,申诉人属后一种类型,战争的冲突使他产生不可治愈的精神崩溃。医生的证词表明申诉人主要的症状是极端内向并且对个人的兴趣过于专注,被复杂困扰,感情不稳定变化无常。患此种疾病的人通常不能从事持续的工作。

申诉人提出了战争时期的证据和战后的同伴和长官的证词证明他的目前的精神状况在那个关键的日期已经存在了。存在大量的证据使一个正常人得出结论,也就是他的精神失常来自于那个特定的时期。[布莱克大法官总结了这些证据。]……所有的证据，如果认为他们是可信的，都表明了，一个健康且正常的人在参加了战争，从海外战场回来之后，就有了某些精神失常的症状，而且直到1930年完全失常。在这种情况下，我认为医生关于申诉人从1918年到1938年持续处于失常状态的断言是合理的。对于中间有5年事实无法证明，究竟应当相信政府还是相信申诉人，这个问题应当交给陪审团进行决定，而不是法院作出一个对申诉人不利的假定，排除了陪审团做出对申诉人有利判断的可能。即使在5年间，申诉人曾经被雇佣，我们也不能排除申诉人精神不正常的怀疑，毫无疑问申诉认得这种精神不正常状态是持续的但是我们不能否认这种状态的间断性……

这一案件清楚地表明了，允许法官做出指示判决而不是等待陪审团判决或者要求进行新的审判。支持做出不利于申诉认得指示判决的主要原因是有5到8年的时间除了有专家证人的推断没有任何的证据证明申诉人的精神状态。或许，申诉人有足够的证据让陪审团确信，但是却没有足够的证据让法官做出对他有力的判决。如果法庭以申诉人提供的证据不足为由要求进行重新审理，申诉人可能会提供证据支持专家证人的主张。法庭认为没有充分的证据来支持陪审团的判决，我们至少要做出重新审理的决定……

我认为关于申诉人在1919年5月31日精神失常，并且在以后的时间内一直处于完全和永久丧失能力的判断必须有陪审团作出。申诉人的战友、朋友、长官，以及专家证人他们的诚实性和能力都没有受到质疑，不能以任何方式被我们的法官所否决。

注释与问题

1. 关于盖洛维案件，请回答下列问题：

（1）本案的诉因和构成要件分别是什么？

（2）哪些构成要件的要素是没有争议的？请解释原因。

（3）为了推动案件进行，盖洛维的律师可以用什么方法来确定哪些在审判中被认为是真实的问题？（不要考虑规则16或者案件的运作，我们将在随后讨论。）依据联邦民事程序规则12（b）（6）或者12（c）哪一方会胜诉？

（4）假设你是盖洛维的律师，在原告方结束举证之后，被告方的律师提出了要求进行指示裁判的动议（或者依据规则50作出"作为法律事项的判决"）。法官会要求你解释原告是否满足了对每一个争议的构成要件的举证责任，并对证据进行评价。法官也会问你："为什么你没有让原告的妻子作证？是否她出庭作证会影响你的案件？"你应当如何回答？

（5）假设你代表政府出庭。解释你为什么认为原告没有提供充分的证据允许法庭作出对原告有利的裁决。和其他问题一起，如果法官问你："你是否试图让我对证人的可信性和证据的证明力进行评价？我不能这样做。"你应当如何作答？

（6）假设你是初审法官的助理，法官问你："我认为原告的证据不足而且甚至对于一个构成要件来说是不存在的。那么对于这个案件，我应当交给陪审团审理然后再进行不顾（陪审团）裁判的判决，或者我应当直接进行指示裁判呢？"为什么？你对此应当如何回答。考虑律师在进行诉讼时运用的策略，对于当事人和司法制度来说，哪一种方法更有效？你是否确定？请说出你的理由。

（7）你代表被告。假设在2月1日星期四，陪审团作出了有利于原告盖洛维的裁判并在当天登录。你提出动议要求进行不顾（陪审团）裁判的判决以及要求重新审判。你在等待证明书的副本，而且因此非常需要时间。但是你在外地遭遇暴风雪，你可以提交动议的最后一天是哪一天？根据联邦民事程序规则6你能否申请延期？延期对你的重新审理的动议有没有影响？

（8）你是一个新组织（S. A. J 拯救美国陪审团）的成员，该组织是由律师、法官和学者组成的旨在捍卫在民事诉讼中陪审团审判的权利而设的，在州议会和联邦议会中鼓吹这一权利。对于因为证据的证明力而引起的指示判决的动议、不顾陪审团裁判的判决动议和重新审判的动议，请提出你的反对意见和维护陪审团审判权的新方法？

2. 被告人提出要求指示裁判的动议依据的理由很多，其中有很多动议是重合的。例如：

（1）没有充分的证据对于一个或多个构成要件允许合理的陪审团认定其主张属实。这种争论常常是证明原告的证明不充分的一个理由。你已经在盖洛维案件中看到了这种辩论。如果你经常研究联邦法院的判例，特别要注意原告提供的证据达到何种程度可以使原告幸免于指示判决的动议，证据的推断可以延伸到何种程度，你必须对判例法进行评价。许多最高法院作出的依据劳动雇佣法案审判的相关案件作出支持原告的即决判决，这在很大程度上有历史和政策的原因。参见查尔斯·怀特和亚瑟·米勒，《联邦实践和程序》，2526页。

（2）事实处于"迷雾"之中。没有人知道发生了什么事情，因此，原告不能提出一个完整的案件。有时候，仅仅存在一个文字上的争论，就像在一个双方驾驶员都遭遇意外的交通肇事案件，不存在任何证据（可能发生在大雾之中），没有案件的复原，只能基于现存的物理性证据。在这种情况下和类似情况下，被告以陪审团可能会陷入"单纯推测"或者原告提出的证据也是"推测"的来进行辩论。

（3）我们知道发生了什么，但对于普通人来说这并没有达到法律标准。例如，原告可能会详细描述被告人的行为，但是作为法律的事项，这些行为中没有

"责任"或者过失的标准的行为,来支持原告的事实主张。在一个合同案件中,被告人可能请求解释一个书面的合同例如原告解释了事实问题,甚至相信,不能合理发现被告人违约。

(4) 被告人可能承认原告已经有足够的证据来支持其中的一个构成要件,但是认为理性的人不会相信这个证据因为他表面上不可信。我们可以从这个角度看盖洛维案件,和我们在即决判决中提到过的 Matsushita 案。

(5) 还有另一类案件,证据看起来允许两个同等的但是相矛盾的推论,因为被告人辩论认为陪审团可能仅仅靠猜测来决定哪一个是真实的。最典型的案例是宾夕法尼亚铁路公司案 Pennsylvania Railroad Co. v. Chamberlain, 288 U. S. 333 (1933),但是该案确立的规则已经不在联邦法院中实行了。"法庭也认识到他们缺乏在两个推论中进行判断的能力"。参见查尔斯·怀特和亚瑟·米勒,《联邦实践和程序》,2528 页。(引言略)

(6) 有时,原告试图避免指示判决动议的证据在原告手中,而陪审团在判断被告人的举止或者其他证据时,应当认为被告人或者其证人不可信,而相反的证据可信:"既然被告人否认他作这种事情,你可以看到他是无赖而且撒谎,你应当相信相反的证据。"这种错误的观点很难去除。事实上,如果陪审团这样认为,被告人不可能在指示裁判中获得利益而且上诉法院不知道指示裁判被错误地否定了,因为陪审团可能总是相信他所听到的事物的反面。如果你想对这个问题进行研究,可以参考戴耶案 Dyer v. Macdougall, 201 F. 2d 265 (2d Cir. 1952),该案在你的程序论说文集或者一些鼓吹的文章中都有,因为该判决意见(出自博学的法官之手)每当学者们讨论到这一个话题时,总是会提出其中的观点。我们提出这一问题是因为,一旦被告人从原告的否定辩论中取得从支持被告的结论,原告关于特定的构成要件可能不存在任何证据。

(7) 被告人依据可信的证据寻求指示裁判。这在两个方面对被告人有所帮助。一方面这种证据可以挫败原告的必要的构成要件的成立。或者这些无争议的事实会作为"法律的事项"击败原告的主张。一些法庭认为,当涉及到证人的证言时,必须交陪审团审判,因为陪审团可能不相信这种证言。通行的观点认为当事人要取得对自己有利的指示判决,不仅要承担提供清楚的、无争议的、一直的和连贯的证据的责任,而且必须承担说服责任。而这种证据的数量必须使理性的人不相信相反的证据。Flemming James Jr. , Geoffrey Hazard, &John Leubsdorf, Civil Procedure §7. 20 at 364－365 (4th ed. 1992)

3. 在指示裁判和即决判决中,联邦证据规则起到了重要的作用。联邦法院更倾向于排除专家证人的证言,因为他们认为该证言不可信。(参见 Daubert v. Merrill Dow Pharmaceuticals, Inc. , 509, U. S. 578, 1993, Kumho Tire Co. Ltd.

v. Carmichael，No. 97 – 1709，1999 U. S. LEXIS 2189，1999 年 3 月 23 日）。这也导致了对何种案件可以提交的陪审团进行审判增加了限制，如果案件可以通过指示裁判来解决，那么陪审团便失去了审判的对象。

4. 有时，原告尽管也可能获得对自己有利指示裁判，他还是要承担举证责任和说服责任。我们先前已经讨论了这种可能性，现在我们将讨论为什么与原告相比被告更容易获得有利于己的指示裁判。有些案件具有原告获得指示裁判的有利时机，例如在期票案件中，被告人没有抗辩并且弥补了损失的情况下。记住，原告也会获得作为"法律事项"的判决的胜诉。例如，如果被告人承认了诉讼请求，或者在案件中以主动承认或者默认的方式承认（联邦民事程序规则 36），或者作了总括性的承认，法官可能就这种构成要件指示陪审团必须认为它属实。相反，法官可能省略这种陪审团被指示考虑的构成要件。

5. 你应当理解是否进行指示裁判是法律问题——尽管其决定过程必然涉及事实问题。可以换一个思路来思考，也就是法官必须决定是否存在足够的事实让陪审团来作出判决。

6. 在联邦民事程序规则颁布后不久，最高法院在 Montgomery Ward Co. v. Duncan，311 U. S. 243（1940）案中，被要求对不顾陪审团裁判的判决的动议和要求重新审判的动议（联邦民事程序规则 59）之间的关系进行解释。1963 年对规则 50 的修正案试图厘清初审法官在碰到两种动议如何选择，随后的修正案也试图对这个问题进行指导。当初审法官进行了不顾陪审团裁判的判决而当事人又提出重新审判的请求时，法官应当作出何种选择？从被告人的观点来看，有机会在作出不顾陪审团裁判的判决的法官面前申请进行重新审判非常重要，为什么？在何种情况下，法官进行不顾陪审团裁判的动议和重新审判的裁决的选择具有关联性？这对动议反对方通常是原告，是否会产生不公？

实务练习二十
在克利夫兰市案件中对指示裁判的动议做出判决

你是克利夫兰市案件的法官助理，在法官的房间中讨论案件。阅读案件文件中的法官在指示判决中的备忘录和法官审判记录。假设原告律师已经举证结束，被告方对四项诉因提出了指示判决的动议。被告人的律师必须被告知哪些诉因应当继续接受审判。法官想尽快了解案件，不想将交给陪审团审判。尽管法官会在法庭上听取双方当事人的意见，但是他想听取你关于在哪些方面可以进行指示裁判。你可以从备忘录上看到，法官已经确定对于其中一个诉因如何做出判决。当然，法官可能也考虑作出不顾陪审团裁判的判决。备忘录将告诉你哪一个诉因应当作出准备，请提出你的建议。

七、撤销判决的动议

重新阅读联邦民事程序规则60，该规则规定了要求撤销判决的动议。这一规则属于典型的应用于州的规则。该规则通常在允许提出要求进行不顾陪审团的裁判的判决和要求重新审判的动议后提出，但并没有禁止败诉方在事件允许的情况下同时提出上述三种动议。

该规则要求律师在提出这种动议之前进行更多的研究。例如，许多在60（b）中的规定有特定解释，我们不能仅仅通过阅读作出推论，而这种解释往往会使该规则的运用变得狭隘。下面是一些例子，但绝对没有穷尽这种规定：

（1）规则60（b）（1）所用的"错误、疏忽、突袭或可以原谅的过失"等字眼，在判例法中有明确的界定。在大多数案件中，因为缺席判决或者类似原因的当事人无法运用这一规则。

（2）规则60（b）（2）中关于"新发现的证据"，附加了一系列限定条件。一些案件表明，证据必须不能仅仅是累计的或者有疑问的，而且证据必须在审判的时候便已经存在了。该规则本身要求这种证据必须是因为正当的忽略没有被发现，这是一个难以符合的条件，需要许多发现手段。

（3）在规则60（b）（3）中规定的"欺诈……，错误陈述或者对方当事人的其他错误行为"要考虑一系列的因素，例如，在审判前和审判过程中发现错误陈述的几率，错误陈述的证明力的大小。这种解释因素和欺诈的事实是并存的，而且规则明确表示并不限制法庭通过特定的行为而无视由于错误所产生判决的权力。规则60（b）认为欺诈也是导致判决无效的一个原因，而且该规则明确表示在一个独立的案件中"它并没有限制法庭的……将基于欺诈做出的判决置之不顾的权力"。依据本规则还有几个下一层次的错误，并不仅仅是一个学术上的考虑。而且本规则规定的动议必须在一年内提出，其他动议必须在一个合理的期间内提出。但是独立的行为并非动议，因此它的提出有一个独立的时间期限。

（4）规则60（b）（6）确立了一系列的"获得其他任何救济的正当理由"。既然这种规定并不"限于一年的期限"，律师通常会试图依据前三项（b）（1）、（2）和（3）提出动议。但是，法庭倾向于认为如果案件没有发生本条所规定的情况，不会赋予当事人动议，因此当事人很难依据本规则提出动议并产生效果。

下面的案例涉及到联邦民事程序法60（b）（1）的运用。你在阅读案件的时候，做出你自己的判断。你是否为法院的判决意外？你能否写出一份令人信服的不同的判决意见吗？

信息系统和网络公司诉美国
Information System & Networks Corp. v. United States
944 F. 2d 792 (Fed. Cir. 1993)

巡回法院法官路芮作出了判决意见：

信息系统和网络公司（ISN）于1992年6月16日，针对美国联邦索赔法院驳回其要求缺席判决动议的命令提起上诉。我们认为索赔法院在驳回 ISN 的动议中滥用了其自由裁量权，因此推翻原命令。

背 景

1988年9月，美国空军和 ISN 签署了一份协议，在协议中 ISN 被要求为空军的电脑提供 IBM 公司的设备。在1991年5月21日，合同官签署了一个最后决定，终止该合同，并且声称由于 ISN 没有提供合同规定的设备，造成的错误政府将得到385211.32美元的赔偿。ISN 随后向索赔法院提出起诉，声称政府违约而且终止合同是错误的。ISN 然后提出了一个合并动议……要求将合同的分包者作为合同的当事人合并到诉讼中来。

政府在1992年1月27日针对 ISN 的起诉提交了答辩状，并在1月31日提出了修正的答辩状和反诉。反诉基于合同官的最后决定提出，并重申了要求 ISN 给予赔偿。对于反诉 ISN 没有做出答辩，在1992年2月28日，书记官依据美国索赔法院程序规则55（a）进行了缺席登录。1992年3月20日，政府提出要求缺席判决的动议，索赔法院于3月31日对反诉的请求数额进行了判决。

在登录了缺席判决之后，以前一直采用法律顾问的 ISN 立即雇佣了律师，并且依据联邦索赔法院程序规则55（c）提起要求撤销该判决的动议，理由是："有合理的原因表明法庭在登录信息时产生了错误，而依据错误的登录信息进行的判决可以依据联邦索赔法院程序规则60（b）撤销"。联邦索赔法院程序规则60（b）规定（节录）："基于动议或者公正起见，法院可以减轻一方或者他的法定代表人的责任，并基于以下原因作出一个最终的判决、命令或者程序：（1）错误、疏忽、突袭或者可以原谅的过失"。ISN 提交了支持其动议的法律顾问的宣誓书，声称他错误地认为合并诉讼的动议会使提交答辩状的期限延长，在缺席登录后，他在准备联合的初步报告时，与政府律师进行了会面，他有一个印象，就是政府律师不打算要求缺席判决的动议。因此 ISN 认为他没有提交答辩状属于可以原谅的过失。

索赔法院驳回了 ISN 的动议。法庭认为政府不会有成见如果他们按照 ISN 的动议行事，而且 ISN 的诉讼请求没有构成有价值的对反诉的对抗，尽管 ISN 提出政府具有违约责任。（同上，页317。）法庭认为，尽管 ISN 在接到政府的反起诉状后没有提交答辩状,但是这种事实表明 ISN 的行为是可责备的,并不能证明存在依据联邦索赔法院程序规则 60(b)(1)规定的可以原谅的过失。

摆在我们面前惟一的问题是法庭在对 ISN 的请求驳回使是否恰当地适用了联邦索赔法院程序规则 60(b)(1)规定。考虑到政府没有偏见和没有有价值的对抗的陈述,案件的症结在于对于可责备的行为的界定及与可原谅过失的标准之间的关系。

讨 论

我们考察了初审法院否决依据联邦索赔法院程序规则 60(b)[1] 提出的救济时有滥用自由裁量权的嫌疑……

我们的观点有建立良好的规则的指引,该规则认为判决是基于错误的裁判作出而案件应当以有利于要求判决被宣布为错误的一方为原则……

当法庭否决了一方当事人从错误判决中获得救济的权利时,"推翻法院的判决并不要求法院存在'极度滥用自由裁量权'的情形,……而且甚至"轻微的自由裁量权的滥用就会成为推翻判决的合理根据"。联邦索赔法院程序规则 60(b)也规定如果"判决存在错误该规则便自由适用"。

其他巡回法院已经对于联邦索赔法院程序规则 60(b)中的"可原谅的疏忽"的立法意图进行了考察,要求法院考察 3 个要素:(1)是否非缺席方当事人受不利影响;(2)是否缺席方当事人存在有利抗辩;(3)是否缺席方的可归责行为导致了错误结果的发生。初审法院应用了这些规则我们也采纳了这些规则。

法庭认为 3 个因素是"选择性"的,以至于符合任何一个对缺席方不利的因素要求否定赔偿动议。法庭认为,前 2 个因素有利于 ISN,政府也对此没有提出异议。法庭进一步发现 ISN 没有对政府的反诉提出答辩,这是可责备的行为。考虑到可归责的标准,法庭认为"如果当事人得到了'事实的或者推定性的提起诉讼的通知,并且没有对请求作出答辩',那么当事人的行为便是可责备的"。

法庭认为"允许 ISN 对反诉存在疑问,但是在他获得充分的通知后,还有足够的时间提起答辩,或者提出登录法庭的错误的要求,而他最终采用了缺席的态度"。

ISN 辩解说赔偿法庭对联邦索赔法院程序规则 60(b)动议的评价不正确。他认为 3 种因素的运用是不合理的,由于有效的抗辩和政府没有损害产生,法庭在否决可以原谅的过失方面滥用了自由裁量权。

我们同意这种观点。首先,法庭错误地根据 Ackermann 案〔Ackermann v.

---

〔1〕 编者注:联邦索赔法院程序规则 60(b)(1)实际上是联邦民事程序规则 60(b)的复制。

U. S., 340 U. S. 193（1950）］的观点，规则 60（b）要求体现特定的环境。法庭依赖该案错误地依赖 60（b）（1）做出决定，而不是依赖 60（b）（6）。而依据 60（b）（6）应当考虑案件的"特定环境"（Ackermann v. U. S., 202 页），和相关因素来"共同排除"（Pionner Inv. Services Co. v. Brunswick Assoc. Ltd. Partnership, 113, S Ct. 1489）。而且在 60（b）中忽略要求并不应用于 60（b）（1）中的可以原谅的过失。

另外，法庭独立地运用了三个因素这是错误的。巡回法庭的多数派意见认为应当将三个因素结合起来综合平衡，在涉及破产规则 9006（b）（1）中的可以原谅过失的帕涅尔（Pioneer）案中，该案件属于处理"可以原谅的过失"，最高法院采纳了平衡分析的方法，"考虑到所有的关于当事人忽略的环境和因素"。我们也采纳平衡分析的方法因为它对于法庭衡量事实和使用裁量权决定是否一方当事人值得受到缺席判决的惩罚。

我们也反对初审法庭的评判标准。上诉法院的多数派将焦点集中在错误方的主观意愿上，来考察当事人是否故意侵犯法庭的规则和程序……

我们赞成多数派的意见。而依据［少数派的意见］，当事人一旦被通知应诉并且没有提出答辩可能永远都不会从错判中得到救济。我们发现结果与规则 60（b）（1）不一致，该规则对于处于"可以原谅的过失"而产生的判决可以申请救济。事实上，最高法院最近认为该规则中"可以原谅的过失"是对破产规则 9006（b）（1）允许迟到的文件基于可以原谅的过失被法庭接受的解释基础上产生的。帕涅尔案（Pioneer, 113 S. Ct., at 1489）。法庭认为，"至少依规则 60（b）的要求，'可以原谅的过失'在许多情况下例如由于疏忽而引起的超越期限的情况，可以适用。同上，at 1497。如果疏忽可以归结为可以原谅的过失，那么仅仅在接到反诉通知后没有应诉的过失应当视为可以原谅的过失。因而，一方当事人应当对缺席方是否存在违背法庭的规则和程序的故意进行调查。

我们的结论是初审法庭在决定 ISN 没有答辩时在可归责行为的问题上滥用了自由裁量权。在我们采纳的标准之下，并没有确定的事实表明是当事人的行为是故意忽视法庭规则和程序的行为，仅仅是过失而已。政府则反复声称事实表明"一个故意对法庭规则的忽略"。但是，政府惟一能够提出的证据便是 ISN 在接到反起诉状之后没有及时提出答辩，而且在法庭作出缺席判决之前没有到庭。政府强调了他提出反诉请求到法庭登录缺席判决的时间间隔。

这种事实并没有表明 ISN 故意忽视法庭规则和程序。ISN 的法律顾问声称他相信他们不需要对反诉提供任何答辩，而且 ISN 已经勤勉地在诉讼的其他方面尽力而为。"缺席判决是比较严厉的做法，只能在一些极端的案件中采用"。该案件不是极端案件不能采用严厉的缺席判决的做法。

另一个否定ISN故意的是他没有对反诉答辩的行为具有极少得实在因素，正如初审法庭所认为的，ISN的起诉状已经最大程度地对政府的反诉提出了抗辩，政府在反诉中质疑ISN的能力，并指出不是政府违约……

因此，我们做出结论认为，ISN没有故意，而且，关于可原谅的过失的另外两个考虑因素上，显然对ISN有利，因此我们认为对ISN有利的判决不应当被推翻。

结　论

由于缺乏对政府的损害，存在有价值的抗辩，而且ISN缺乏故意，我们认为，在依据联邦索赔法院程序规则60（b）（1）拒绝了对ISN的缺席判决进行救济的问题上，初审法院滥用了自由裁量权。

第六节　指示·两分法/三分法·裁判的类型·增加和减少

在这一部分我们将向你介绍关于陪审团指示、两分法和三分法，裁判的种类以及增加（additur）和减少（remittitur）的理论和策略。这些方法对实现陪审团的理性和公正有利还是妨碍了事实发现？

传统上看，陪审团作出总体裁判。在民事审判中，法官通常作出支持原告或者支持被告的裁决，或者对赔偿数额做出裁决。在联邦法院和州法院已经存在一个程序设置，即具体裁判（specific verdict），在这种机制中，初审法官可以对陪审团的推理过程进行指导。依据联邦民事程序规则，审判法官提供给陪审团一些书面问题，陪审团填写具体裁判并写明所发现的事实。相反地，法官也可以让法官作出总体裁判，但是必须接受法官的询问。和其他方法一起，法官为陪审团的判决过程逐步进行指导。阅读联邦民事程序规则49。

对陪审团特别裁判过程的传统支持者认为，这种指导"会促使陪审团对争议事项进行讨论"，"使陪审团将注意力集中在特定的事项上"，"帮助陪审团发现事实，并且防止混乱"，"促成一致判决的形成"，"使上诉程序中一审的事实判决得到承认"，"而且对于间接禁反言规则（排除规则）的实现具有极大的帮助"。参见，马科·伯丁尼，《诉讼过程的准确、效率和可信性——事实裁判的案件》，59 U. Cinn. L. Rev 15（1990）。这种争论表明陪审团仅仅是被委托或者要求对事实进行判决。你对这种所谓的事实决定过程有什么样的认识？

另一种改革是将审判分阶段进行，（例如，将第一次对责任的审判与损害赔偿分开，或者将随后接受审理的构成要件事实分开，除非原告在先前的审判中在某个构成要件的问题上败诉）。这种程序在处理大众侵权案件中对法官特别有吸引力。但是，有学者对这种机制的使用持批评态度，他们认为这种方式歪曲了陪审团制度的初衷，通常是以支持被告为出发点。下面便是对这种方式的批评。

罗格·唐鲁德：大众侵权案件的集团诉讼：反对意见
Roger H. Trangsrud, Mass Trials in the Mass Tort Cases: Adissent
1989 U. ILL. L. REV. 69

支持在大众侵权案件进行集团诉讼的教授和法官忽略了或者降低了这种程序的后果。这种集团诉讼涉及实质上个人损害或者不公正的死亡的诉讼请求，导致了一个对所有的当事人的妥协正当程序，特别是对原告来说。正如在本涤汀案件的三分法（trifurcation），[1] 具体裁判格式的使用以及其他对于通常程序的特殊的修正。这种机制是非实体的，在集团诉讼中的大量的不同寻常的程序同样也在基于法官的判决在实体法上有所体现，对解决程序的不恰当的司法干预，也会扭曲律师和当事人的关系。

三分法在集团诉讼中既不公平也不效率。它不公平是因为剥夺了陪审团在侵权案件中衡量被告人的责任对于损害的不确定性的权利。而且三分法也必然导致因果律的技术性问题与原告伤害事实的分离以及被告人的事件中的角色。

上诉法院对于集团诉讼的三分法表达了他们的忧虑，但是禁止推翻这种命令。在随后的比利山晚餐俱乐部火灾案件中，初审法官无视原告的反对，将案件的因果率归结到铝线生产者。而在集团诉讼中，陪审团达成了一个具体裁判认为：铝线不是起火的原因。在上诉中第六上诉法院指出："两分法可能会剥夺原告在陪审团面前展示支持他全部诉因的证据的合法权利……而将其替换为与真实损害隔离的贫乏的或者试验性的环境"。第六上诉法院在一定程度上是公开的推测认为火灾是事故，而且陪审团可能事先已经了解原告伤亡的情况，因此会是陪审员产生预先推定。

当第六巡回法院对在本涤汀诉讼中三分法采用之后，特别判决的形成和对判决的分割又被重新确立。尽管法庭没有基于三分法的命令而推翻法庭判决，但是进行案件审判的三个法官对于该程序非常关注。尽管第三个法官并不对该命令表示赞同，而是认为依据这种方式的行为属于法官自由裁量的范围，但是有两个法官认为这是在上诉中最"麻烦"的问题。无视宪法涉及的通常的"因果律"是否是"与众不同的和独立的"，并且将它从审判中分离，允许依照宪法第七修正

---

[1] 三分法为了审判的目的将案件分为三个部分，通常包括因果律、责任和损害进行审理。两分法通常将案件分为责任和赔偿两个部分分别审理。当然如果事实发现者认为被告人存在因果律或责任，那么案件就不需要进行进一步审判。在本涤汀（Bendectin）案件中，诉讼被分为因果律和责任，首先对因果律进行了审理。"担心对被告人有不公正的损害，法庭排除了原告和其他10岁以下的原告的出庭"。参见本涤汀诉讼，875 F. 2d 290（第六上诉法院1988）。编者注。

案可以进行独立审判。第六巡回法院认为三分法的命令，登录了一个有效的司法资源使司法官能够在一个更宽泛的范围内指导案件的审判。

原告认为，三分法将一个通常的侵权诉讼变成一个贫乏的试验性的对因果律的追求，因为它看起来完全不可能。第六巡回法院声称这种问题被法官对陪审团的指示制止，"这是一个意义重大的案件，它涉及许多人"，而且原告律师的终结陈述认为案件并不是"学术实习"，而且"涉及许多寻求司法公正的现实中的人"。原告律师在诉讼中的活动，可以代替受伤的原告和所有因为被告所生产的药物受损的人进行证明活动。本涤汀案件的陪审团被剥夺了在集团侵权诉讼中陪审团通常可以看到的进行判断所依据的原告被伤害的情况。

一些评论家认为侵权案件应当依照惯例被分为两个部分，以此保证陪审团对责任问题的判断不会受到证据的内容和原告的伤害程度的干扰。尽管上诉判决将案件问题分开，两分法在侵权诉讼中并不常见，因为几十年来，大部分法庭感到在侵权案件中责任和损害的混合，对于允许陪审团行使其作为审判者的正当和传统的角色的实现，更加符合现代的标准、关系和思想。有时，法律理论并不比陪审团明智。在存在争议的场合，许多年来陪审团总是"不恰当地"忽略了原告地过失，而不是仅仅基于原告存在过失而支持被告。今天，法律理论正式赞同通过对方地忽略的方法来判断责任，这在许多州极为盛行。

在本涤汀案件中，每个诉讼请求如果单独进行审判，那么获胜的可能总是被告人。陪审团在诉讼中也可能会作出不利于被告制药公司的判决，可能会对原告作出大量的赔偿。而这种判决，基于陪审团对于原告的伤害情况的了解和被告药品造成损害的不确定证据而作出。这种结果用我们今天的因果律来衡量是奇怪的，但是可能会对法律的修改提供借鉴性的预见。或许法律倾向于在药品对人体产生超自然的损害时忽略它在治疗疾病中的积极作用，但是严格的因果律不能归于时间的流逝和科学的不完备。

在任何情况下，将这种听取大众侵权诉讼的审判并将选择权从陪审团手中拿走，仅仅提供给他们一个对抽象因果律发表意见的机会。在这种案件中，原告的案件得到了和进行单独侵权诉讼的案件得到了同样的陪审团审判的机会……

程序性规则试图促使程序争议的公平处理，公平的一个重要含义便是相似的案件在所有可能影响案件结果方面必须得到相似的处理。一个由于医生疏忽而导致的子宫受害者与子宫内置仪器造成同样损害的大众受害者，在程序上应当得到同样的对待。由此，特殊的程序规则和实践对可能的案件结果意义重大，但是除非强制，他不能在被视为普通侵权的集团诉讼中运用。

许多联邦的法律和理论反映了这一实体中立的原则。例如，在许多异籍案件中，联邦法庭在程序和实践中的活动在一定程度上可能与"确定的结果"或者影响当事人实体权利的政策或者相应规则不符。艾伦规则的目标是对联邦程序和实践进行限制,防止案件由于起诉法院的不同而产生审理的偏差,保证案件审理结果上的一致性。

这种实体中立的原则在联邦法院也有其他的表现。当为了方便当事人和证人参加诉讼,复杂的案件从一个联邦司法区域转移到另一个司法区域时,最高法院推定:接受案件的法官与前一个法院采取了相同的选择。该规则的目的明显是防止任何有与改变审判法院而产生的任何可能的结果。尽管联邦初审法院有权对侵权案件用两分法进行审理。但是他们为了防止在没有对原告损害的严重性和本质进行分析之前,使陪审团面临对责任问题的审判,因此较少使用这种方式进行审判。事实上,联邦民事程序规则42的立法者们明确指出,应当减少审判分离和两分法的使用。这是因为在侵权案件中,有实体证据证明在很大程度上判决的结果以来于案件整体或是部分展现在陪审团面前。

正如前面所论述的,实体中立的原则已经在集团诉讼中受到损害。审判法官使用特别的判决形式而且将案件使用三分法,这似乎忽略了公正或者可能的审判结果的影响。他们决定案件的实体和所适用的法律的选择问题,并以不同的方式跨越集团诉讼中的程序性障碍。审判法官与律师合作促成案件和解的作出,然后讨论律师的费用,然后驳回与案件不一致的剩余诉讼请求……所有的这种额外的活动和行为,都是在效率和节约司法资源的名义下进行的,尽管我们至今仍不清楚这种程序是否真正可能以任何手段实现这种目的。

实务练习二十一
在克利夫兰市案中要求两分法审判的动议

复习两分法的审判,并且与克利夫兰市案件相比较。在实际的消防队员的诉讼中,两个案件被合并进行审理。一个由美国政府依据民权法案第7条的诉因提起;另一个是私人集团诉讼,你可以从案件的相关文件中看到。假设在证据开示过程中,政府提出了分为两个阶段审判的动议,而且提交了备忘录,然后政府修正了他的主张并认为在证据开示中没有任何人因此而受到损害。你在集团诉讼中作为原告的律师,会如何对该动议提出反对意见?为什么会如此?你对法官针对动议的裁决提出何种建议?

注释与问题

1. 关于大众侵权诉讼中两分法的争议贯穿着这样一种理念:陈述和正式的法律推理之间的张力。也就是说,推崇这种形式的法律推理可能支持在单独的审判中的逻辑要素,例如,这种分开审理是否会破坏受害者向陪审团提供的案件的完整性。对于在大众侵权诉讼中支持分开审理的观点可以参见:现代产品责任诉讼中分开审理的最佳效果。参见詹姆斯·赫德森,《现代产品责任诉讼中的最优化分开审理问题》，James A. Henderson et al., Optimal Issue Separation in Modern Products Liability Litigation, 73 Tex. L. Rev. 1635 (1995)。

2. 如果你更支持陪审团制度而不是对陪审团审判持怀疑态度，我们希望你针对指导陪审团提出你的真实意见。在克利夫兰市案件中，你会发现法官依据1983节的诉因在针对政府的诉讼中对陪审团作出指导。如果你留意一下法官对陪审团的控制，你认为这种指导是否必要？请准备为你的意见作出辩护。

如果你认为在本案中陪审团需要大量指导，请准备作出你对法官指导的建议。这些指导是否有助于陪审团作出合理的基于法律的判决？如果可能，你能否用不同的方式作出对陪审团的指示？我们在此并不要求你对法律的正确性发表评论，而是考虑事实问题，并且使用清楚的语气使指导具有特定性。是否可以对"法律问题"进行指示？是否可以对证据的证明力作出评价或者对证据作出描述，这对陪审团审判是否有作用？

3. 在联邦法院和一些州法院，法官对证据机进行评价是很普通的事情。当然，如果法官指出哪一方应当获得胜诉是不恰当的，但是在什么时候允许对证据发表评论，法官可以对特殊的证据进行总结或者告诉陪审团这些证据应当加以考虑。自然，有时候这种总结或者评论对一方当事人来说不是中立的。

4. 假设法官在对陪审团作出指示之前，请你对他将要作出的指示进行评价。

(1) 假设你代表克利夫兰市。你是否同意法官的指示，是否同意法官作出指示时所使用的语言，是否同意他对陪审团所要解决的问题提出的意见？（法官是否有权作出这种指示，这种指示的方法有哪些？）你会建议法官作何种改变，特别是在裁决方法和法官对这种方法的指导上有什么建议？

(2) 假设你代表原告，对 (1) 中的问题，提出你的建议。

5. 假设克利夫兰市案中的被告克里夫兰市政府举证结束，由于他的证据平稳地和快速地提交到法庭，因此他的举证比期望的要快。然后法官面对双方当事人，告诉他们判决所涉及的内容，并告知他们作出最后陈述。在最后陈述之后，双方都提交了要求法官指示陪审团的要求，法官也向陪审团作出指示，指示内容被记入案件文件。（多数的联邦法院法官此时会问你对指示的书面要求的意见，而且会告诉你一些在最终意见中的细节。通常，这发生在案件审判前的几天，同时在法庭审理结束之后由于可能存在突发事件而使这种要求更加深入。）在法官指示结束后，陪审团进行评议之前，作为克利夫兰市的代理律师法官对你说，你是否要求澄清或者追加指示？准备好在法官对你进行询问时依据联邦民事程序规则应当如何行为，如果要进行追加，请你告诉法官你请求的指示及其依据的规则是什么？

6. 继续考虑你关于民事陪审团的观点，以及各种对陪审团进行指导和控制的方法，同时考虑下面一个真实的案件。本案起源于斯迪温·布莱叶的文章（Steven Brill, Inside the Jury Room at the Washington Post Libel Trial, American Lawyer, Nov. 1982, at 937）以及1983年5月2日美国哥伦比亚地区法院法官奥利弗在塔罗伦斯案件（Tavoulareas v. the Washington Post Company, et al., C. A. No. 80-3032.）中的备忘录和命令。增加的被告包括：邮报的编辑本·布兰力 Ben Bradlee 和鲍勃·伍德沃德 Bob Woodward。泰罗伦斯是石油公司的经理，他的儿子皮特从事油船贸易。在1999年，邮报在头版刊发了关于成功的父亲和儿子的两篇文章，文章的标题是：汽车大王令儿子冒险。在文章的第一段写道："汽车石油公司主席威廉姆·P·塔罗伦斯，让他的儿子在5年前成为本部在伦敦的汽船运输公司的合伙人，儿子使用汽车公司所有的船只进行了数百万美元的商业活动"。父亲声称他仅仅在来到的时候对儿子提供了帮助，而这种报道玷污了他的清白声誉。他与 Ben Bradlee 交涉，要求报纸撤回这种报道，4天后报纸仅仅刊登了一个简短的故事性声明增加了信息。

塔罗伦斯认为他在一年内试图使邮报承认他们的错误，"但是，他们轻蔑、自大，我不断告诉他们我要起诉"。原告以诽谤罪起诉，原告律师约翰·沃森以及邮报的律师当时著名的证据学家和陪审团策略研究家沃伦·杨格为首的律师团对抗。案件由陪审团进行审判。

审判持续了19天，审判之后，法官指导陪审团："文章内容是否真实的证明责任不在被告。原告有责任向你们证明其内容上的不真实性。塔罗伦斯没有必要充分证明被告没有进行一个完整的关于事实问题的调查或者被告在写作过程中或者编辑时存在疏忽。为了满足诉讼请求，原告必须证明被告对于文章的错误或者可能的错误有较高程度的明知，或者由于疏忽而没有考虑到文章是否会产生误差。如果你认为被告相信文章的信息来源可靠，而且相信故事在发表时比较准确。你必须作出被告对塔罗伦斯没有恶意的判断"。布莱叶认为陪审团主席（foreman）和其他5名陪审员，认为法官的指示实际上"没有任何的指示"。陪审团的主席认为：邮报有责任证明他们的文章是真实、准确的。事实上，沃伦·杨格提出了对于文章准确性的判断，因为他的经验告诉他强调证明责任在被告被指控有违法行为的案件中不是获得胜诉的最佳方案，相反，你应当提出你的当事人是正确的判断。

其中一个陪审员认为书面的指示可能会对判决有帮助，但是法官同意律师的意见，而且不准备作出书面指示，因为他担心这种指示可能会被分开阅读而不是作为一个整体加以理解。布莱叶写道：有一个陪审员说，"我们从来没有听懂法官的指示，而且我们也没有试图假装理解了这种指示"。尽管第一次陪审团以4：2对所有的诉因作出了支持有邮报的裁决，但是陪审团的主席一直反对，在评议的第三天,陪审团妥协,并且判决给父亲25万美元的赔偿,最终作出了对邮报不利的判决。在简短的陪审团陈述之后,法官作出了1.8万美元赔偿的判决。

在后来陪审团的讨论中是什么因素促成了判决,在和议中有几个陪审员曾经提到悬而未决的陪审团。最终,陪审团作出妥协,这种妥协对个别陪审员的意见产生了较大的压力,其中一个陪审员指出,"这种压力令人感到恶心",她认为这个案件应当由12个陪审员进行审理。当被问及"邮报是否有意或者无意中歪曲了事实"时,一个陪审员说,"在这个案件中,原告可能对判决不服,但是我认为邮报没有任何的疏忽或者故意"。

双方当事人都上诉,原告律师认为,如果邮报对父亲产生了侵害,那么在本案中儿子也应当获得诉讼的胜利,而被告律师则坚持,没有证据支持这个判决,因此要求进行不顾陪审团裁判的判决,或者减少赔偿数额。几个月之后,在一个长达9页的备忘录式的意见书中,法官通过慎重研究大量证据之后,出于对于陪审团意见的尊重,法官认为,"根据最高法院发表的标准,陪审团在此案中的裁判成立。而不顾陪审团的裁判作出不具备条件,因为这种判决仅仅在陪审团作出的结论所依据的证据在法庭记录中没有充分的、清楚和确实的证据[1]来证明被告人在11月30日公布的文章存在歪曲真实性的故意。争议的文章不是一个公正的、无偏见的、调查性的报道。在记录中没有任何证据,但是,为了表明他包括明知的谎言或者无视事实进行陈述的故意。依据法庭确立的严格审查要求(N. Y. Times Co. v. Sullivan),陪审团的判决应当被忽略"。最后,法官依据被告人的申请作出了不顾陪审团裁判的判决。

事实如前所述。你对陪审团审理是否产生态度上的转变?从中你可以看到关于民事诉讼和陪审团审判的教训。

7. 现在我们讨论了两分法,陪审团审判和指示陪审团的不同类型。与陪审团控制相关的还有"增加"和"减少"。为了对上述概念进行理解。你应当回忆一下关于要求重新审判的动议中的相关问题,基于陪审团的裁判金额过多或者过少是"一个法律问题"。考虑到重新审判的社会和当事人的时间和金钱上的支出,一些法庭将新审判基于原告拒绝将赔偿减少特定的数额(在赔偿数额过多的情况下)。换句话说,法官会以明示或者暗示的方式告诉原告的律师:"我同意被告指出的损害过多,将会依据动议重新进行审判,除非你的当事人同意减少赔偿至X数额。"

---

[1] 诽谤案件与普通的民事案件中的责任不同,在典型的民事案件中,原告没有必要必须提交"清楚且确实"的证据,只是让陪审团确信(包括所有的合理的推论),他所初步提交的案件成立的可能性较大。

在案件中，在实际判例中，减少赔偿数额的情况比增加的情况要多。在增加的情况下，法官明示或者暗示的对被告律师说："原告尽管胜诉，但是由于判决中赔偿数额过少而要求重新审判。我赞同原告的意见，而且准备同意原告的动议除非你的当事人同意增加赔偿至 X 数额。这是你的当事人的选择。"

在你对两者进行考察之前，你首先必须清楚，增加和减少都是合宪的，而且在实践中是可行的。在迪美克［Dimick v. Schiedt 293 U. S. 474（1935）］案中，最高法院考察了增加的合宪性，在一个 5∶4 的判决中，认为联邦法院采纳这种增加是不合宪的。法庭认为，减少和减少的暗示都可以存在。区别的原因在于：对于多数派来说，在 1791 年以前的英国存在减少的先例，在减少的情况下，"在判决中当陪审团判决数额过多时，法庭应当将多余的数额减去。"对于多数派来说，增加纯粹是对判决中没有的内容的附加。此后，最高法院准备作出一个关于增加是否违宪的混合的观点。在塔尔（Tull v. U. S. 412, 533 n. 16 (1996)）案中，法庭认为，迪美克案件是一个例外，而且暗示法庭在以后的时间内应当对问题进行重新考虑。但是在最近，在 Feltner v. Columbia Pictures TV. Inc., 118 S. Ct. 1279（1998）案中，最高法院认为陪审团审判中，陪审团有权依据联邦成文法对损害进行评价，而且，塔尔案与先前的案例存在紧张关系，包括迪美克案中的增加，在实践中州最高法院更多的是允许减少。州法院更加愿意增加到清偿债务的金额，因为这种增加的数额是可以清算的，例如一个金额固定的合同或者可以计量的利益的情况下。

假设法庭允许一个新的审判动议，除非动议的反对方同意增加或者减少损失的赔偿额。考察到下面三个减少的可能性，法官将依据被告人的动议进行重新审判，除非原告同意：（1）减少可能最少的数额以至于这种数额达到法官认为的在一个允许的判决范围内的数额；（2）减少的数量使法官相信一个合理的陪审团可能会作出；（3）减少最多的数额使法官认为合理的最少的赔偿额度，并提出证据。

如果原告拒绝减少（或者被告拒绝增加），法官因此决定依据动议重新审判，法官可以决定是否进行完全的重新审判或者仅就损害赔偿进行重新审判。如果仅就损害赔偿进行重新审判，这就出现了通常在两分法中的问题。

相关证据表明，美国的原告通常收集的证据相对少于判决达到赔偿金额所需要的证据。减少的广泛应用是原因之一；另一个原因是在新的审判或者上诉中存在未决和解，或者在原告在审判中试图收集证据。或许更为重要的是，被告人的经济窘况（例如破产或者缺少资金或者财产来支付赔偿）可能导致原告实际所得的赔偿金少于应付的赔偿金额。

尽管几乎没有经验主义的关于陪审团判决后的赔偿数额调整的实践，一个类似的研究表明，至少在较大的案件中，原告最终获得的实质赔偿少于陪审团的判定。

  艾沃·布罗德研究了发生在 1984－1985 年的，陪审团审判后判决金额在 100 万美元以及 100 万美元以上的 198 个案件。原告获得的实际赔偿数额仅占陪审团裁定数额的 1/4。平均来说最终的合计对原告的赔偿低于最初判决数额的 57%，医疗事故赔偿，平均降至原判的 27%。但是，平均的统计表明，大额的赔偿实际减少尤为明显。该研究报告没有指明这种减少是由初审法官或者上诉法院或者达成了一个判决的和解或者无法从被告那里获得赔偿的执行。

尼尔·温德曼，菲利西亚·科洛斯和玛丽·洛斯，《陪审团对医疗事故的赔偿和裁判后赔偿金的调整》，Neil Vidmar, Felicia Gross, & Mary Rose, Jury Awards for Medical Malpractice and Post－verdict Adjustments of Those Awards, 48 Depaul L. Rev. 265, 279－280 (1998)。[摘自艾沃·布罗德，《百万赔偿的特征：陪审团的裁判和最终的赔偿》, Ivy E Broder, Characteristics of Million Dollar Awards; Jury Verdicts and Final Disbursements, 11 Just. Sys. J. 349, 350 (1986)]。

  8. 增加和减少会引发何种特定的宪法问题？仔细考察第七修正案所采用的语言。在迪美克案中的多数派意见在宪法上的区分是否有意义？为什么依据州宪法关于增加的裁定在迪美克案中有什么不同？当被告基于数额过多而提出重新审判的动议时，原告依据法官的要求，进行了减少，重新审判的动议便被否决，被告能否提起上诉？如果完全允许被告人上诉，那么甚至在减少之后，上诉的数额是针对减少前的数额？当减少的决定已经作出时，被告人的律师如果提出上诉他可能会冒何种风险？

  除了考虑第七修正案以外，请你运用常识来解决下列问题。你无须进行研究，但是你要考虑是在哪个地方进行这种诉讼活动，你必须首先熟悉所有的法律和传统。

  考虑法官在决定减少的数额时采用的标准问题。对此，你赞成或者反对的意见分别是什么？你会作出何种选择？在基于数额过多或者数额不足而进行的重新审判的动议之后，新审判是针对所有的问题还是仅仅针对损害赔偿？赞成和反对的意见分别是什么？从这个角度看，你能否处理不同的案件。

  9. 复习我们谈到的控制陪审团的方法：证据规则、即决判决、指示裁判、不顾陪审团裁判的判决、指示陪审团、由于证据证明力不足而提出的重新审判动议、由于损害赔偿过多或者过少而提出的重新审判的动议、裁判的类型化或者陪审团的询问，两分法和三分法的审判，要求增加或减少赔偿数额。你认为哪些方式是有效的？哪些对你来说是公平的和合理的？

实务练习二十二
挑战陪审团裁判的动议

约翰·迪金斯，一个成功的 32 岁的黑人男性，在 Crabtree 地区的州法院提起了一个针对福斯实验室因为失职提出的诉讼赔偿并获得了胜诉。陪审团作出了支持迪金斯先生的总体裁判，赔偿数额是 5 万美元。福斯实验室错误的诊断使迪金斯先生的胃癌在早期没有得到有效治疗。由于实验室的错误，迪金斯先生的胃癌到扩展到其他器官之后采被发现。如果诊断没有产生错误，先生如果立即接受治疗会有 90–95% 的生存可能性。由于迟延治疗，先生必须经历两大手术，目前还在接受化疗，他的生存可能性降到了 50–60%。

在过去的 18 个月内，该州有曾经有 4 个白人和原告的情形相似，原告年龄、收入、生存可能的降低和生命的减少都与本案相似，并以原告的胜诉告终。这 4 个案件中陪审团判决的平均金额为 20 万美元，4 个案件中原告均为白人。

原告迪金斯先生认为，判决数额较低，而这主要归因于陪审团的种族歧视和对黑人男性的社会成见。在审判中，被告人提供的医疗证据表明，黑人男性的心脏病发病几率极高，部分是继承而来，部分与他们的生活习惯有关。被告同时提出原告尽管经济收入稳定，但是曾经有过酗酒和开快车的记录。

问题：如果你代表迪金斯先生进行诉讼，你会提出何种动议质疑陪审团的裁判。你会作出何种辩论？并且对被告的判断和策略作出预测。

第七节 终结辩论

进行终结辩论是诉讼律师在案件诉讼过程中最激动人心的时刻。一些律师在对案件进行早期分析和准备时便考虑终结辩论，将他视为对案件准备的一个重要方面，并最终提出他们最有力的主张。在我们对终结辩论进行分析之前，首先阅读一个对案件审判终结辩论的论述。

劳埃德·保罗·斯特赖克：辩论的艺术
Lloyd Paul Stryker, the Art of Adcocacy (1954)

……最后的总结是辩论艺术的高潮，它是对所有要素的总结和积累，是案件的高潮。这是挽救似乎面临失败命运的案件的最后机会。他是一种极高的说服艺术，不仅要求较高的技巧，而且要求勇气，这是对律师品格的考验，对她的逻辑能力、推理能力、记忆力、耐力和反映能力、准确的语言表达能力的考验。总之，这是一种说服的艺术，而且还要求较强的概括能力……

辩护律师的职责之一便是要帮助处于困难中的人们。你便是这样的人，你惟一的目标便是全心全意的帮助你的当事人。

在终结辩论中陪审团会以更加关注的眼神注视着你,你在此时受到的关注远远比你第一次出场时更为重要。他们会记住你的承诺,而且记住你提交的证据,他们在等待你对每一个争点进行论证,你要尽全力去说服他们,他们也在对你进行挑战。

但是如果他们在研究你,那么你对他们的评审便缺乏张力。你应当记得特定证据提交时,陪审团每一位成员的表情,他们对你的交叉询问的反应。他们中某些人可能询问过证人,你应当回忆一下,他们提问的目的和所取得的答案。如果你在审判中能够建立良好的信赖关系,如果你确信,你的举止良好并且正直,你所进行的诉讼活动会产生良好的效果,你要对此作进一步的加强,以免丧失陪审团对你的善意,你要对这种善意进行加强……

在每个新的案件中,律师都有特定的问题。他必须独自接触证据。他不是过去事件的经历者,但是要对陪审团和法官的感受进行体察,他在自己进行的诉讼中会感到孤单。因此,他在案件的诉因上应当更加主动,而不能仅仅依赖于这些"沉默"的书面文件。

终结辩论中的想像可能对案件的结果产生无法预见的帮助。最好的例证便是芝加哥律师威莫斯·克利克兰德 Weymouth Kirkland 在一个案件中作出的终结辩论。他在案件中为一个保险公司集团辩护,这些公司拒绝对一个名为派克的工程师的死亡理赔案件。原告声称,派克从密歇根湖上的一个汽船上落入水中导致死亡从而对保险公司提起理赔诉讼。另一方面,被告试图证明派克没有落入水中,他将外套放在船舱中是一个计策,当船在第二天早晨进港时,他从甲板上悄悄走了下来。

原告增加了许多证据来证明派克落水的事实,并指出水流和风将他的尸体带到了一个特定的地点。原告提出了一个汽船上的厨师的证言,在派克失踪3天后,他所在的船恰巧经过了其他正人所说的派克尸体曾经漂流过的地方。在直接询问中,该厨师说他在经过某一地点的时候,恰巧从冷冻室向外张望,他看到了尸体,并且认出这是他的老朋友派克。

该证据提出后,这是威莫斯律师进行交叉询问的一个极好的时机,他进行了如下的提问:

问:你认识派克多长时间了?

答:15年。

问:你很了解他吗?

答:是的。

问:你是如何看到他的尸体的?

答：我从装货口向外看。

问：你是否确信尸体是派克的？

答：是的。

问：当时你有没有惊叫？

答：没有。

问：你是否要求船长停船？

答：没有。

问：当你往窗外看，并发现尸体在外面的时候，你正在作什么？

答：在剥土豆皮。

问：也就是说，当你的老朋友派克的尸体从旁边漂过，你仅仅是继续剥土豆皮？

答：是的。

这只是这个精彩的交叉询问的一部分，它是如何在终结辩论中使用的呢？律师是否告知陪审团厨师的证言明显是不真实的？他有没有对回答的荒唐性作出质疑？威莫斯律师处理的非常巧妙。当他在陪审团面前进行最后陈述时，他从口袋中拿出了一只土豆，另一个口袋中拿出了一把刀子。然后，他将一只脚放在椅子上，开始剥土豆皮，并且说："什么？那里是什么？谁从这里浮过？是我的老朋友派克。我应当在第二天告诉船长。现在我必须继续剥土豆"。

用这种讽刺，他推翻了厨师的证词。一个小聪明实现了比花言巧语或者言语讽刺更好的效果。

如果让我对辩论的先决条件进行规定，我可能将想像列为第一位的。一个试图说服法官或者陪审团的人，应当不受所有的事实的弦外之音和微弱的可能性的影响。想像力对于律师，像对小说家、艺术家和诗人一样重要。诗人和文学家、画家的作品是一种心理观念的表态，因此也使用这种对于证据内心印象的编排或者表达对陪审团对你的承认极为重要。以一个小的情景，使他的观点戏剧化地表现出来，使你的听众对你的表达有一个主观的认识。

无论你用何种方法，你必须使陪审团远离单纯对行为的逻辑推理，而不是冷冰冰的枯燥的推理，而是施加了感情的影响，并促使了判决的产生。而且要记住，你在寻求一个对你和你的当事人有利的判决。

最为坚固的三段论式的推理并不能帮助你实现这些。所有的都与此无关，相关的只是你试图俘获的 12 个人的心理和意志。你达到此种目的的最佳方式是：进行系统安排并且将有利于你的事实运用到你的理论结果和环境中来。但是说服并不限于此——说服仅仅对于你试图说服的对象起作用，只有使他变成对你信仰并且对你的诉因狂热崇拜的人。

你最能说服 12 个人的设备是你的心灵。你要全心全意，否则你使用所有的技巧,你所拥有的所有魔法对于挽回你的陪审团都于事无补。

如果你将你的听众设置为你的艺术展示,你的所有努力便会作废。普通人喜欢自己来思考并产生理解,花言巧语或有嫌疑判断的渗透仅仅对冷冰冰的推理产生效果。了解到这些,你便会掌握进行总结和展示的有效方法。

你不能仅仅是音乐家或者一个演出者。你必须研究你的当事人以至于你能够了解他。你必须成为你的当事人。"你不能仅仅表演哈姆雷特,你必须成为哈姆雷特本人。"不仅如此,你要成为一个音乐家或者演员。你还要成为一个领袖,同时你要成为一个普通士兵知道如何来执行命令,你也是一个将军,你要知道如何作出最有力的军事命令:"跟我来!"你必须让你的陪审团跟随你的眼睛来发现事实。真正的辩论者不仅如此,他能俘获所有在他面前的倾听者。辩论是否是一项艺术?是否是更加强有力的?……

实务练习二十三
分析克利夫兰市案件中的终结辩论

在案卷中编辑了救火员案件中的终结辩论。案件由于最初依据1983条的诉因由陪审团审判,而依据民权法案第7条的诉因应当由法官单独审判,这使案件变得不寻常。法官允许所有的证据同时提交到法庭,并接受法官和陪审团同时的审理。在案件的结尾,虽然1983条的诉因在指示判决中被削减。随后,要进行的是终结辩论部分,这种依据民权法案第7条的辩论仅仅提交给法官而没有对陪审团提出。

卡理普瑞作为原告律师代理美国政府,并且与被告诉讼集团进行对抗。詹尼弗在集团诉讼中代表原告,萨雷姆代表克利夫兰市和其他被告。

在阅读这一辩论时,请你考虑下列问题:
(1) 发言人如何能够打动听众?听众会认为那一类辩论最有说服力?
(2) 在辩论终结时,有哪些相对重要的事实、法律、情绪和道德?
(3) 说话人应当以何种方式表达其个性和观点?
(4) 你能否概括每一个辩论,通过概括,你认为终结辩论的目的何在?
(5) 发言人需要在他的辩论中使用大量的证据吗?为什么?
(6) 如果是面向陪审团,终结辩论有什么不同?
(7) 你认为哪个终结辩论更具说服力?他们将如何对你产生影响?对法官或者陪审团成员产生何种影响?
(8) 你的做法会有何不同?

实务练习二十四
在克利夫兰市案中准备和制作终结辩论

在这个练习中,我们为你提供了机会进行下列活动:(1) 准备和提交一份案件详细的终结辩论；(2) 练习经历正式的诉讼程序（构成要件、诉因、证明责任），并且学习在诉讼中如何将生活中的情感、道德和常识通过诉讼程序表达出来；而且 (3) 帮助你在程序将尽结束的时候学习如何更好地处理各部分程序之间的关系（起诉状提交、证据开示、动议和审判）。

为原告或者克利夫兰市依据1983条的诉因准备一个终结辩论，并准备一个打印的终结辩论的提纲（不超过3页纸，2倍行距），并且在下课后交上来。除了你的姓名，请将你代理的当事人写在提纲上第一页的开头。你的客户的选择和是否使用陪审团审判由你所决定。假设指示裁判的动议依据1983节被驳回，而且克利夫兰市作为惟一的被告。案件中只有责任部分接受陪审团审判，而赔偿问题则不由陪审团判决。除非在作出总体裁判的情况下，法庭在终结辩论之后对陪审图作出指示。假设提出终结辩论的顺序是：克利夫兰市的律师，然后是原告律师。假设陪审团仅仅作出总体裁判。请代表你的当事人进行一个15分钟的终结辩论。

你可能使用本案中的任何证据，（甚至只是为了终结辩论的目的）包括在诉讼请求中的证据、最初的备忘录中的证据进行辩论。更重要的是，你可以使用任何记录在法官的审判文件中的在案证据。你可以使用图书馆，但是一般不需要。无论你可以得到何种帮助，你的书面提纲必须是你自己的。而且，当然，如果你被要求作出言词辩论，该言词辩论也应当是你自己作出的。

注：作出终结辩论的提示

大部分律师在作出终结辩论时已经对他们要说明的事情有了很好的打算，他们列出了提纲，但是他们并不是将终结辩论的内容读出来。他们试图与法官或者陪审图产生眼神的交流，而且如果他们在终结辩论之前，试图调整辩论内容以避免与其他律师产生重复。

面对陪审团的终结辩论通常在总体上依据法官给出的指导作出的（如果她仍然没有作出指示）。律师希望陪审团在听取终结辩论的时候，将注意力集中在法律应用的问题上。终结辩论主要依赖律师在诉讼中提交的证据，而且他们通过证据和自然推理支持结论的建设。一个好的终结辩论不单单是对证言和其他证据的总结，相反，它是一个选择性的结论。通常，终结辩论将提交一个关于重要当事人和证据的结合，集中于特定所谓证据的可信性上。终结辩论试图说明一个事实——用语言给出一个图景——使陪审团得到希望的结果并且对陪审团的思考过程进行评价。

终结辩论不能基于在法庭记录中没有的证据进行。同样，在大部分的法律辩论中，对对方的强有力的证据的重视是非常重要的。同样，你必须讨论它们，并且通过证据、逻辑、法律理论、道德或者其他方式损害它们的证明力。并且向陪审团解释为什么相反的图景展示是不恰当的或者至少是不完全的。

如果有重要的证物，记住陪审团评议室内进行做出裁判时会考虑到它们。一些律师倾向于将这种证据在终结辩论中展示相关的证物，这样陪审团会在评议过程中随时记起他们的辩论。

但是，律师在终结辩论中对某事实是否应当相信作出断言是不道德的。相反，你可能使用这种话语，例如"证据表明"或者"证据仅仅允许一个合理的结论"确定地告诉事实发现者你想做的事情。例如你可以告诉他们"陪审团的女士们和先生们，如果你同意我的意见，你应当在这里作标记，而且说'支持被告'"。当涉及对赔偿的裁决时，你需要对当地的法律和习惯进行了解，以确定在何种程度上你可以要求特定的赔偿。在许多情况下，审判中你不能在终结辩论阶段要求陪审团站在原告或者被告的立场上对案件进行分析，或者要求陪审团假设事实没有发生，想像生命可能性的大小或者作出其他推测。

尤为重要的是，要认识到没有单纯正确或者最佳的方式来进行终结辩论。终结辩论的有效性依赖你的个性、案件的类型、证据、证人、陪审团、法官和法庭的环境以及你对这种程序的影响力的大小。花言巧语——说服的艺术，是一个古老的而且值得我们尊敬的事业。希望你从中得到乐趣。

第八节 上　　诉

如果案件不能通过上诉审查，那么对你有利的判决在事实上便不可能。胜诉者即刻变成了输家，而败诉者便获得了使法院确信应当作出对他们有利的判决或者获得重新审判的机会。

上诉程序与下级法院审判程序在具体程序和目的方面存在较大区别。律师在二审中并不像在初审中对案件事实进行证明，而是将初审法院未经证实的错误提交到二审法院进行审查。二审法院在其管辖范围内有权审查初审法官决定并保证法律的实施。在下面的程序中，初审法官可能没有时间对初审时的问题进行重新审查，并且将一系列问题反映给上诉法院。另外，上诉法官的审查提供了一个对初审法官的判决进行审查的机会，并且可能通过对判决的肯定给予初审法官自信。

上诉法院不像初审法庭，它似乎超越了双方当事人的权利。上诉法院在其辖区内维护法律的权威，他们试图创造出一个统一的司法体制，并且使将来的案件更具有可预测性。实现这种目的的程序很多，但是联邦上诉规则为联邦法院设立了机制，并且在许多州法院也审理了相应的程序保障这一目的的实现。

1789年的司法法在联邦系统设立了三级法院：最高法院、巡回法院和地区法院。目前有13个上诉法院——11个巡回法院,一个是哥伦比亚特区法院,一个是1982年建立的联邦巡回上诉法院。联邦上诉法院听取州或者联邦司法辖区内审理的案件的上诉。基于实践的原因,上诉的权利是制定法规定的,而不是宪法的。

上诉法院仅仅听取尚未证实的在法庭记录中出现的审理中的错误,而且通常不会考虑到新发现的事实。审判记录必须也提出了对方尚未证实的错误的异议。这种错误必须对案件的审理结果有实质性的影响而且必须在一定程度上是可以审查的。如果一方没有提出在审判记录中发现的错误,上诉法院一般会将审判搁置。

联邦法院和多数州法院要求初审判决具有终结性作为上诉的基础。这种要求,被称为终局判决规则(the final judgment rule),要求案件在初审法院审理终结之后,才能提出上诉。在终局判决作出后30天内,可以明示提出上诉。

终局判决规则背后的主要原则是保存司法资源。终局性要求案件所有的争点被一审法院判决之后,仅仅剩下判决的执行之后才可以提起上诉。Catlin v. U. S., 324 U. S. 229, 233 (1945)。如果没有最终判决,上诉是不必要的。当未决程序可能通过和解结束,或者问题在审判中已经不在具有合法的意义时,才能提起上诉。但是,直接对上诉复审进行否定,便防止了使用这种最昂贵的迟延诉讼的技巧并防止了对方当事人陷入这种困扰。

并非所有的立即上诉要求都会被否定。即时复审(immediate review)对为初审法庭提供指导和防止错误具有重要的意义。最终判决规则的例外包括:附带裁定原理(the collateral order doctrine),中间上诉(interlocutory appeal),以及指令(writs of mandamus)和禁止令(prohibition)。

附带裁定原理是对最终判决规则的司法例外,这仅仅是对少数案件审判的例外。这种附带裁定是诉讼原则的衍生,而上诉并不要求对案件本身进行审查,"这种命令必须最终决定案件的争议问题,这种问题不是案件本身的问题,它们在案件的初审终结接受上诉审查的过程中是无法得到复审的"。库珀诉利夫赛[Coppers & Lybrand v. Livesay, 437 U. S. 463, 468 (1978)]。

当案件在一审审理中被延期时,在案件本身争点尚未解决之前,依据美国法典第28编第1292节,须作出一个宣判期间的上诉,这种上诉可能依据宣判期间的上诉的命令主要针对禁令、破产监管事务和海事案件中的当事人责任。同时,地区法院在审判过程中也会在有限的情况下作出上诉的命令;如果他们认为,即时上诉可能会"在实质上促进诉讼的进程",而且上诉法院在是否允许上诉问题上拥有自由裁量权。

调卷令和禁止令是寻求上诉法院要求或者禁止由公共官员进行特定行为。公共官员可能是下级法院的法官，进行与诉讼期间的命令相似的程序指令。联邦最高法院在克尔诉联邦地区法院案［Kerr v. U. S. District Court 426 U. S. 394 (1976)］的判决中指出，"对禁令的救济是一种严格的救济"，而且"只有在司法权滥用的情况下，才能运用这种特殊的法律救济"。同时，最高法院也列举了法庭作出令状的几种情况，包括如果一方当事人申请令状因为没有其他充分的手段来获取期待的救济，而且一方可以证明签发令状的需要是"明确和毫无争议的"。

在上诉法院中，通常包括3名法官通过多数选择确定判决。尽管上诉法院会对初审法院判决上的错误进行判定，但是并非所有的错误都会导致判决撤销，撤销主要依赖复审的标准。上诉法院在对初审法院认定事实的复审中，通常会服从地区法院的认定，因为地区法院在审理过程中接触了大量的具体的证据并且对案件较为熟悉，他们对事实的判定较为权威。依据联邦上诉程序规则52（a）上诉法院会忽略对事实的判定，除非他们"明显错误"。在美国诉美国石膏公司案中［U. S. v. U. S. Gypsum co., 333 U. S. 364, 395 (1948)］，最高法院指出，明显的错误的标准是"当复审法庭依据全部的证据来决定明确和确定的判决已经存在错误"。初审法官可能误解了法律或者没有充分的证据支持而作出了事实判断。但是，如果案件经过陪审团审判，上诉法院必须对这种事实服从。

联邦民事程序规则52（a）并不要求在对法律判决的审查中，实行"明显错误"的标准。这种审查标准的缺乏使上诉法院完全有权自由考查法律结论。但是，上诉法院仅仅在初审法庭对法律判决产生较大的错误可能时才能推翻原判决。尽管法庭在特定案件中运用特定的标准（例如在合同案件中），但是关于法律和事实的混合产生的复审法庭适用与纯粹法律错误同样的标准。一旦初审法官做了一个法律上的判决基于材料的4个转折，上诉法院会重新审查（de novo）案件。但是，一旦初审法庭考察了外部的证据而得出了关于事实的结论，那么案件可能会在"明显错误"的基础上得到复审。

最后，当初审法院依据裁量权作出了判决，复审的标准是"滥用裁量权"。既然初审法官处于作出裁量决定的最佳位置，因而当上诉法院确定初审法官存在明显错误时，才会推翻初审法官的判决。

当上诉法院作出判决之后，对方当事人可能在更高层次的法院要求复审。针对上诉法院的判决，如果当事人要寻求最高法院的复审只能通过调卷令的形式进行。最高法院能否作出调卷令，依赖于巡回法院的判决之间是否产生了冲突、案件所涉及法律问题的重要性以及案件的重要性。

如果案件在州法院进行了初审，当事人有权上诉到州上诉法院。而在联邦法院系统，多数州可以申请最高法院对案件进行复审，而是否审查也是最高法院裁量的结果。依据美国法典第 28 编第 1257 节规定，如果问题存在于联邦法律中，而且"最终的判决由州最高法院作出"……这种判决也"可能由联邦最高法院通过调卷令的形式进行审查……"

在要求联邦最高法院进行复审的案件中，只有极少的案件被赋予调卷令并且通过最高法院的书面意见得到复审。事实上，最高法院书面判决的数量已经逐渐减少了。例如，在 1980 年，有 4174 个案件被列入备审案件目录，其中 159 个案件以书面的形式得以解决。在 1995 年，有 6996 个案件列入备审目录，但是最高法院只对 95 个案件作出了书面判决。理查德·弗伦，丹尼尔·迈尔兹和达维·塞伦，《联邦法庭和联邦系统》，Richard H. Fallon, Jr., Daniel J. Meltzer, & David L. Shapiro, The Federal Courts and the Federal System 57（1996）。

第九节　复　习

下面的问题来帮助你对至今为止所学的内容进行回顾，并且帮助你进行复习和获得更多的知识，同时你可以对典型法学院的考试的相关问题有一定程度的了解。

如果你遵从指示，你会从下列测试中得益：至少要用两个小时的时间来进行测试，如果你提前完成，则表明你没有进行充分的评价或者答案不详细，使用你自己的资料，在你和你的学习小组讨论之前进行测试。

备忘录

致：夏季法院实习生

自：法官，莫伦，州初审法院法官

日期：2000 年 11 月 10 日

2000 年 3 月，万恩·爱瑞斯特和克利夫兰·格拉夫（以后分别简称"爱瑞斯特"和"格拉夫"）在我的法庭中提起诉讼，并要求进行陪审团审判。这类案件的诉讼时效是两年。我们的法院所在的州已经在相关方面采纳了联邦民事证据规则。[1] 我们州没有冲突的制定法。

原告在诉讼请求中声称：被告人吉尔·朱克和塞尔斯·塞尔斯（以后分别简称"朱克"和"塞尔斯"），在万圣节前夕，1998 年 10 月 31 日上午 9 点 15 分，爱瑞斯特进入了朱克经营和管理的朱克商店。在下午 3 点 30 分，格拉夫也进入了商店。在他们推门进入商店的时候，一个"鬼魂"出现，然后有一声巨

---

〔1〕　在这个州，起诉不需要提出事项管辖权，因为初审法院拥有一般管辖权而且可以听取几乎所有种类的案件。

大的爆炸声，结果，所有的原告都受了重伤。爱瑞斯特需要进行为期7周的住院治疗，格拉夫也需要治疗。因此，2个人都有大量的医疗费用支出，并且几个周没有工资收入，必须忍受担心、头痛、失眠等症状。因此两人提起诉讼，分别要求2万美元的赔偿。并且提交了由律师签名的请求书。

朱克及时提交了答辩状，其中她：（1）承认他对朱克商店的所有权和经营权，但是否认了其他的起诉，并且声称当天她并没有在店里，而且该商店也应当在当时停业，而且塞尔斯不是她的雇员；（2）依据12（b）（6）提出了抗辩；而且（3）起诉格拉夫没有付清从1998年1月1日至10月31日2500美元的购物欠款。同时她提出了一个针对塞尔斯的起诉，认为"他在1998年10月31日事发当时已经被解雇，他没有权利呆在商店里；而且如果依照他的意思商店应当在当天关门停业；她认为对于事件的发生如果她有责任，也是由于塞尔斯的疏忽和对她和商店的侵害造成的，因此塞尔斯应当对此作出赔偿"。朱克同时也对卡尔·卡普提起诉讼，认为，"如果在1998年10月31日，他不引起爆炸的发生，我便与此事毫无关系，因为我当时不在现场，而且对此不知情。如果被告请求爆炸使他们烧伤或者受到其他伤害，如果法庭认为我承担责任，那么卡普必须对我进行赔偿"。

在证据开示之后，朱克提供了一个宣誓证词，对所有在她的答辩、反诉和两项起诉中的内容进行了重述。她也提供了格拉夫主治医生证言的一部分，表明，"格拉夫在10月31日以前便患有焦虑症，和他在爆炸后呈现的症状相同。我并不相信如果10月31日发现了什么意外情况会对他造成什么损害。"朱克也提供了塞尔斯询问记录中的陈述表明，"我被允许在朱克商店中工作到1998年10月31日。卡尔·卡普在我禁止他进入商店后，在商店窗外制造了一系列爆炸，这可能使爱瑞斯特受到惊吓，在爆炸发生后，我看到了卡普。"格拉夫提供的一份宣誓证词表明，"尽管我在1998年10月31日之前便有焦虑症，但是由于朱克和塞尔斯的过失，我感到此后病情恶化，并且不能马上进行工作，需要医疗治疗，难道说这个'鬼魂'和大量的爆炸没有使我受到惊吓？"

尽管有广泛的证据开示使各方当事人了解所有的相关证据，我在这个备忘录中提供给你所有我必须对下列动议或者抗辩进行裁决：

1. 朱克提出的12（b）（6）的抗辩；
2. 朱克针对格拉夫提出的即决判决动议；
3. 朱克提出的去除格拉夫因为他错误的参与诉讼的动议或者将两个原告的案件分开进行审理的动议；
4. 塞尔斯和卡普提出的去除对各自不恰当起诉的动议；
5. 格拉夫提出的去除朱克商店对他的不恰当的反诉的动议；

6. 两周之前，格拉夫对他的诉讼请求提出了修改的动议，其中修正如下："另外，第二天，我对朱克进行抱怨时，她打破了我的鼻子，并使我产生了头痛症，支出了医疗费用失去了一些工作时间。"

我应当对上述动议作出何种判决？（注意该备忘录的时间，而且假设你在该日起对案件作出反应。）请提出你的原因并进行分析。对所有的动议作出裁决，即使一种动议可能因为其他动议而失去意义。当然，在爱瑞斯特和塞尔斯的案件中也有附加的请求和动议，但是我们不须对它们作出裁决。

第六章

质疑并驯服现行制度

561　　美国联邦和州民事司法体系的批评者们引证了诉讼成本和诉讼迟延的现象，将之视为严重且持续时间很长的问题。法院卷宗的爆炸性数目、律师推动的诉答以及传统的司法被动性造成了诸多问题，而与审前证据开示相关的诉讼迟延和诉讼成本这一特别问题只构成这些问题的一个部分。对于那些诉讼当事人以及那些无法承受诉讼迟延和诉讼成本的人来说，在诉讼迟延且昂贵之时，正义的质量就缩水了。一种单独的批评路径直接指向了对抗性（adversariness）的诸多命题和效果。对抗制程序应当促进真相大白、公正以及权利的行使。批评者断言，对抗制的实际运作情况与此正好相反，它是在促进隐瞒事实、耍手段和胜者全赢的解决方法，而不是促进问题的建设性解决。

其他的批评者把注意力集中在法院处理根据自由诉告规则精心制作的那些案件的资格——或者无资格——上，自由诉告规则允许提起涉及复杂社会和经济问题的多方当事人和多重诉讼请求案件。一些人强调对审判进行严格限制的必要性，而其他人则为法官对现代型诉讼——包括涉及公共机构和公共价值的诉讼——的创造性回应进行辩护。

本章将考察对抗制的前提和对它的批评、其与律师的角色的关系、围绕法院解决复杂诉讼的能力问题所产生的争论、对美国是否真的存在一场诉讼危机这一问题的争议、以及对同时在诉讼的语境之下和法院之外所发展出来的诸多替代性措施的描述和评价。考虑到这一事实，即在美国联邦和各州法院立案的大多数案件最终都不能进入审判阶段，可以说和解、协商、仲裁以及调解这些选择对于每一宗案件都是至关重要的。

第一节　关于对抗制的思考

562　　正当程序诸观念中的一个至关重要的假设是对抗。在美国，对抗已构成正式诉讼的基础，并且更为通常地影响着纠纷处理的过程，无论它是被用于通过竞争的陈述来表达对事实真相的追求，还是被用来强调一种民主对集权的不信任。在仔细考察之下，对抗制的假定益处能很好地站住脚吗？替代性措施——比如调解和仲裁——可能的利和弊是什么呢？在州和联邦法院立案的大量民事和刑事案件都以和解而告终，我们应当如何评价这种现象，或者该如何促进这种现象抑或该如何阻止这种现象？

一、评价对抗制

在对律师和正义的全面研究中，哲学家戴维·鲁本（David Luban）考察了传统的美国律师角色在多大程度上以对抗制的假定益处为基础而得到了正当化。在你阅读他对这一制度之评论的时候，请思考一下在他的论证中哪些是有说服力的而哪些并不那么有说服力。同时考虑一下他的观点对于正当程序诸观念的意义。

戴维·鲁本：律师与正义：一个伦理的分析
David Luban, Lawyers and Justice: An Ethical Study
Princeton Univ. Press 67-103 (1988)

为什么我们会有对抗制？

在诺曼第人入侵（Norman Invasion）以前，盎格鲁-萨克森的法律程序通过神明裁判和宣誓断案（compurgation）*的方式将案件的裁判委诸于上帝。在后者情况下（即在宣誓断案的情况下），被告须依赖其自身的可信赖度（credibility）而赢得诉讼，这种可信赖度由所谓的"宣誓被告无辜者"（compurgators）所作出的宣誓证词来证明。只要宣誓被告无辜者能够流畅地或者不犯任何错误地完成宣誓，那么该宣誓的证词就是有效的，而且，如果被告撒谎，那么神的手会扭断他的舌头。毋庸置疑，在此之后不久就出现了职业性的宣誓被告无辜者，这些人能够不犯任何错误地通过最复杂的宣誓过程，而且有些人的解释断言盎格鲁-萨克森的法律职业发源于这些受人雇佣的宣誓被告无辜者。

因此，盎格鲁-萨克森的对抗制发源于迷信，而且对这种制度作为真相发现者之内在固有优越性的教条式信仰也差不多相当于不朽的迷信。我们在这里必须说明的问题是是否能够用这些头脑僵化的观点来为现代的对抗制辩护，或者对抗制审判仍然需要上帝作为它的副手。

---

* 译者注：依靠他人宣誓证明被告无罪的程序，英国古代的法庭，针对刑事或民事案件的被指控者，可用宣誓来证明他是清白无辜的，但应按照规定邀请一定数量的人，一般为12人同来法庭宣誓，证明他所说的是真实的，这些人就称为 compurgators。

无数的曾经为对抗制作过辩护的作者都提供了代表他们自己的令人费解的多种观点，但是所有这些观点都属于两个广泛的范畴：认为对抗制是达到多种目标之最佳途径的观点（结果主义者的观点），和认为对抗制具有内在固有的善的观点（非结果主义者的观点）。首先，我们想来看看前一种观点的三种形式：其一，认为对抗制是获取真相的最佳途径；其二，认为对抗制是维护诉讼当事人法定权利的最佳途径；其三，认为对抗制通过确立制衡（checks and balances）而成为防止当事人滥用权利的最佳途径。

接下来我们转向三种非结果主义者的观点。根据第一种观点，对抗制所确立的律师－客户关系本身即具有内在固有的价值。根据第二种观点，通过在法律程序中赋予每个诉讼当事人以发表意见的权利，对抗制是要尊重人性的尊严。根据第三种观点，对抗制与社会结构的结合是如此紧密，以至于对它的修补改正都将是不正当且欠考虑的。

我的目的是想表明这些观点全都站不住脚，然而即便如此，仍然有正当理由为对抗制辩护。在本章结尾的部分，我会提出自己的观点，我毫不谦虚的认为此乃保留对抗制的惟一具有正当性的理由：这是一个并不那么激动人心的实用主义的观点，即对抗制并不比那些似是而非的替代性措施更糟糕。

这一观点的全部要点将在下面的章节展开。我将在下面的章节中论证，为对抗制提供的正当理由的类型对于决定该制度能否为认同为律师提供的制度上的借口至关重要。如果通常的观点本身——我们在此考察的六种结果主义者和非结果主义者的观点——可以得到支持，那么答案也许是"能"；但是考虑到保留对抗制的真正理由，答案将会是令人惊奇的"不能"。

结果主义者为对抗制辩护的理由

真实（Truth）。对抗制是否从各个方面来说都是在法庭上发现案件真相的最佳途径这个问题听起来似乎是一个实证的问题。我恰恰认为它是一个实证的问题，而且是一个极少为人探讨过且最不能回答的问题。这是因为在审判结束之后，我们不会看到当事人站出来如实陈述冲突之所在并将所发生事实的真相告知于世人这种现象。审判并不是一场答案就在一个封好的信封里的测试表演（quiz show）。我们不能直接得知是否案件事实真的就像审判者所决定的那样，因为我们从未曾查明过事实……

发现下面的事实是毫不令人惊奇的，即旨在显示对抗制作为事实认定者具有诸多优势的各种论证大多数都是非实证的，而是一种先验的调查理论和闭门造车的心理学（armchair psychology）的混合体。

这里就是一个这样的论证：它将其自身建立在与卡尔·波普尔（Sir Karl Popper）爵士的科学理性理论非常相似的思想之上，科学理性理论认为，到达真理的方法是一种证实（assertion）和证伪（refutation）的彻底辩证过程……

这一理论受到许多反对意见的攻击。首先，与波普尔的科学方法论相类比就不太恰如其分。或许科学是通过提出诸多猜想然后努力推翻这些猜想而获得发展的，但是科学并不是通过提出科学家认为是错误的猜想然后运用程序规则来排除有证据力的证据而获得发展的，但那却是通过律师－客户特权来使人们对值得信赖的证人产生怀疑或者"把事实隐瞒起来"（hide the ball）要达到的目标。

而且，对抗制下的双方律师各负有一项义务，必须以最合乎其客户立场的方式来陈述事实——防止不利证据的引入，破坏反方证人的可信任性，将诸多不利的事实置于其重要性被最小化的语境之中，力图引起对其客户有利的推论。这里的假设是，这样的两种理由（account）会相互抵消，而事实真相则会水落石出。但是根本没有理由相信这种情况会发生——事实只是会令人困惑地堆积起来。

在那些时常发生、其所涉及的事实关系到一个人的品格或者心理状态的案件中，这种情况特别容易发生。精神病学家的行列中的汉纳·阿伦特（Hannah Arendt）曾经称这种案件为"精神专家们的喜剧"。不用说，它们是律师们准备好的，有时是在没有意识到的情况下……

当然，另一方可以交叉询问这样一个证人以便获取事实真相。后来欧文·杨格（Irving Younger）——他或许是这个国家最受欢迎的法庭策略讲师——告诉我们怎样去做。在其著名的"交叉询问十戒"中有下面的几条：

1. 除了主要的问题以外绝对不要问其他的问题；
2. 绝对不要问一个你还不知道答案的问题；
3. 绝对不能允许证人解释他或者她的回答；
4. 不要在交叉询问中显示出你的结论，将结论留待证人无法反驳的终结辩论（closing arguments）阶段再发表。

当然，反方也可以为应对这些作准备；他们也许已经看过杨格关于如何询问专家证人的3个小时的录像带。因此，他们或许知道，交叉询问者正在为终结辩论保留其结论。别担心！杨格知道如何在终结辩论中防止律师扭曲事实真相。"如果反方律师正在使陪审团陷入着迷状态……那么要不惜一切代价破坏这种着迷状态。（杨格）建议律师跳起来，进行激烈的佯装的反对。尽管这些反对会被驳回，但是至少它们可能打乱反方律师的注意力。"

我的猜想是，这并非正是卡尔·波普尔爵士在写作之时脑海中所设想的情况，"西方理性主义传统……是批判研究的传统——运用试图驳倒命题或者理论的方式来检讨和标准这些命题或理论。"

所有的这一切并不意味着对抗制实际上在许多棘手案件中不能达致事实真相。（庭审律师的战争故事造成了混合的结果。）我猜想它是和其竞争对手一样好的制度，但是为了重复我开头的观点，我想说没有任何人知道它好到什么地步。

法定权利。然而，有时候据说对抗制的要义并不在于它是达致真相的最佳途径，而是维护个人法定权利的最佳途径。很明显，这是一个与刑事案件相关的狂热辩护理论的版本。弗里德曼（Freedman）指出，如果审判的惟一目的在于达致事实真相，我们就不需要第四、第五和第六修正案的权利了；这一事实，即采用不正当手段获取的证据不得作为对我们不利的证据而且我们不得被要求作对我们自己不利的证，表明我们的社会认为其他的价值比事实真相更为重要。而且，根据我们现在应当考虑的理论，这些其他价值与法定权利有关。

这一观点是，确保个人之法定权利受到保护的最佳途径——在民事问题上和在刑事问题上一样——在于为之提供一个会促进其利益的、狂热的对抗制辩护律师。

我们应当注意这一观点与弗里德曼的观点略有不同，依弗里德曼之见，一个狂热辩护律师的辩护不只是维护一个人法定权利的最佳途径，其本身就是这些权利中的一种。当然，这会使对抗制成为维护法定权利的必要之物，但是只是在微不足道的意义上是如此，即剥夺某人的律师侵害了她获得律师帮助的权利而且你不能通过侵害一种权利来维护这项权利。弗里德曼表明，对抗制的辩护是一种宪法性价值，但是这并不明显。宪法并没有明确地提及对抗制……这一点是不甚明了的，即法院将会发现普通法或者修补对抗制格式（format）的制定法乃是对正当程序的剥夺；这一点也是不甚明了的，即转变成一个非对抗性的制度将需要一个宪法修正案……

我们这里所考虑的毋宁是这样一种观点，即除了获得律师帮助的权利以外，对抗制的辩护是维护我们其他法定权利的最好方法。不受控制的、狂热的律师试图获得法律所能赋予的一切（如果那是客户的愿望的话），而且因此能比一个不太负责的律师更能维护其客户的法定权利。

然而，这样看来很明显的是，这一观点包含着一个令人困惑的地方。我的法定权利是我事实上被法律所赋予的一切，而不是法律被迫所给予的一切。因为很明显的是，一个好的律师或许能够给我我对之并不享有权利的东西，但是直言不讳地说，这是侵害我的对手法定权利的一个例证，而并不是对我的权利的维护……

对于这个问题，或许可以回答道，以这种方式来看待这个问题是将对方的律师放在了一边。当然，这一回答可以继续，即没有任何人会认为一个狂热的对抗制律师是在力图维护法定权利：她只是在力图胜诉。这种观点只是说两个这样的对抗者之间的冲突会在事实上极其有效地维护法定权利……

明显的是，律师以他们的胜诉－败诉记录为自豪。《全国法律杂志》（The National Law Journal）描述了"世界上最成功的刑事律师——229次谋杀罪无罪释放而无一次败诉"，随后继续提到了内部派系（Inner Circle），这是一个律师俱乐部，其会员要求是胜诉记录在7位数。当然，你绝不会知道或许这些案件中的每一个事实上都是本方当事人有法定权利的案件。而且当一枚硬币229次都清一色地正面朝上时，它也许是公平的——但是有另外一种解释。律师自己并不把维护其客户的法定权利看成是他们工作的要义，而是把他们的工作看成是运用法律获得其客户想要的东西的活动……

让我来说明反对意见是什么。它并不是说作为维护法定权利的对抗制的缺陷在于道德上不完美且渴望胜利的律师们的过度攻击（overkill）。反对意见在于，在对抗制之下，一个模范的律师被要求去醉心于过度攻击，以便获得事实上也许并非法定权利的法定权利收益（legal rights benefits）。

伦理上的劳动分工

通过诉诸对促进发现真实或者维护法定权利的过度/过分性（excesses）的狂热辩护已不再能够为这一观点进行辩解了，但这一观点却因托马斯·那格尔（Thomas Nagel）所称的"伦理上的劳动分工"而获得辩解……其理念是，从普通伦理的立场来看是错误的行为却因为其他社会角色的存在的事实而获得正当性，其他社会角色存在的目的是与因有问题的角色行为而产生的过度形成反作用。狂热的对抗性辩护因为另一方当事人也配备了一名狂热的辩护人这一事实而获得正当理由；不偏不倚的裁判者则提供了进一步的制约……

问题就在这里。制衡的观念之所以是值得期望（desirable），是因为如果制度其他部分的存在纠正了其某个部分的过度，一个人就能够专心于手头上的工作而且把它做得更好。这类似于在击剑运动中穿着防护服：在明知某人的对手也全副武装的情况下，某人在比赛中全力以赴就是正当的了。但是在对抗制中，情况是不同的，因为律师是在试图绕过制约与平衡：这就如同一个运用了一种能够刺穿对手防护服的特殊犯规动作的击剑手。换句话说，对抗制律师力图规避制约与平衡，而不是要指望它来拯救人们。你不能争辩说对抗制能起作用是因为它是自我制约的（self-checking），因为只要它起作用它就是自我制约的……

非结果主义者为对抗制作出的正当化解释

然而，或许有人认为按照结果主义者所说的对抗制能起一定作用的观点来评价对抗制是没有把握住要点。一些社会制度，诸如参与性民主，尽管——或许甚至正是因为——事实上它们效率低下，但是它们仍然是正当的。这样的制度在道德上的立足点具有一种非工具主义的基础。

我希望考察三种非结果主义者为对抗制所作的正当化解释。第1种观点，而且也许是最大胆的是一种在最宽泛的意义上——诉讼之内或者诉讼之外——正当化对抗制的一种努力：它是这样一种观点，即传统的律师-客户关系是一种内在固有的道德上的善。第二种观点是，对抗制对于适当地尊重人性尊严来说是必需的。第三种观点是一束相关观点的集合：对抗制审判是一个宝贵的、有价值的传统，对抗制享有被规制者（the governed）的同意，对抗制因此是我们社会结构不可分割的一个部分。

作为内在固有之善的对抗制辩护

当我们想获得一个专业人士的服务之时，我们所想获得的不只是一个对价（quid pro quo）。*或许这是因为收益（quo）对我们来说非常重要；或许是因为雇佣这些服务需要相当大的代价（quid）。在任何情况下，我们所具有的常识是将我们生活的重大部分委托给这个人，而且她承担了一项如此亲密的重任且在利益攸关的时候是以一种值得信赖和熟练的方式在处理这项重任，这一事实似乎本身就是值得称道的。这位专业人士通过提供这一服务来谋生这一事实似乎也不能减轻它的可称道性（praiseworthiness）。营生的方面（the business aspect）是沿着一个不同的道德维度向前移动的：它解释了关系是如何产生的，而没有解释它所包含的内容。最后，我们能够将我们的缺陷和错误暴露在该专业人士而且在不受谴责的情况下接受帮助，这些强化了我们的常识，即仁慈或者道德上的高尚在这里是起作用的。说来也怪，我们的律师宽恕了我们的犯罪行为。

诸多这样的感觉是相当真实的；问题是它们是否不只是感觉。如果它们不只是感觉，那就表明了施瓦兹（Schwartz）的两个原则，而且因此对抗制及其所支持的行为本身就是积极的道德上的善。

事实上，有人经常作出这样的论证：它们是以"服务伦理"——提供服务是内在固有的善这种思想——为基础的。没有人比梅林科夫（Mellinkoff）对这种思想的表述更为精妙。他把典型的客户看成是"陷入麻烦的人"：

> 律师，作为律师，决不是可爱的、善良的、令人亲近的道德说教者。他假设有人需要他，而且没有人来看他度过一天的时光。他是一个探测器、一个分析家、一个拳击手、一个对其客户忠心耿耿的人。对于陷入麻烦中的人来说，这似乎异乎寻常地美好；而对于没有麻烦的旁观者来说，这似乎就异乎寻常地丑陋。

查尔斯·弗莱德（Charles Fried）将律师看成是一个"特殊目的的朋友"，其活动——强化客户的自治性和个人性——是一钟内在固有善。即使在律师的"友谊"在于帮助牟取暴利的恶房东驱逐一个贫寒的房客，或者指使派克（Pakel）利用关于时效的立法（the statute of limitation）逃避对扎贝拉（Zabella）的

---

* 译者注：pro quo 本意是以一定的成本或代价（quid）换取（pro）对价（quo），放在一起时通常译为"对价"。

一项诚实债务的时候,这种看法仍然是正确的。

我同时提及梅林科夫(Mellinkoff)和查尔斯·弗莱德的观点,其原因在于,对我来说它们似乎表达了相似的思想。然而后一观点令人讨厌的结论暴露了前一观点的诸多局限性。两种观点都在试图表明一个服务于客户的律师构成了一种内在固有的道德上的善。然而,梅林科夫对这一服务的描述确实表明了某种相当软弱无力的东西,即一个服务于一个陷入麻烦的人的律师是在(或者更为谨慎地说,能够)从事一项内在固有的道德善行。如果客户是一个在某个时候解雇许多工人以便要挟联邦贸易委员会允许其进行一项兼并的公司,那么我们所面对的不是陷入麻烦的人,梅林科夫的观点所要求的直觉也消失了……梅林科夫之观点的问题在于,他使所有的客户看上去比通常看上去要可怜。

另一方面,弗莱德情愿硬着头皮上,他主张说,代表特别没有麻烦的人,亦即给他人带来麻烦的人,在道德上是善的。弗莱德的观点是,如果一个疏远的人(甚至一个陷入麻烦的人)与代理人之间的抽象关联能够发挥制约代理人的作用,使之克服其增进诸如朋友、家人或者客户等其他具体个人的利益的倾向,那么这种作用力真是太小了。这种观点证明对我们的朋友过多的特殊关怀是对的,甚至以"抽象的其他人"为代价也是如此,而且由于过度的关怀在道德上是值得称道的,一旦我们轻信了律师是一个特殊目之朋友的观念,我们就如释重负并且能够保证律师-客户关系的内在固有价值……

友谊的类比削弱(undercut)而非确立了无责任(nonaccountability)的原则。我们——除了世界上的戈登·里迪斯(Gordon Liddys)——不愿意为了帮助我们的朋友而做非常不道德的事情,我们也不应当那样去做。布劳戈哈姆爵士(Lord Brougham)的道歉绝不是任何形式上的人类友谊的信条。弗莱德意识到了危险,因为他承认道:

> 我不会为我的朋友撒谎或者盗窃,我也许也不会从事对社会有害的计划、取消孤儿寡母的抵押品赎回权,或者帮助他人逃避正当的惩罚。因此我们必须小心翼翼,以免整个观点在这个要点上暴露了我们。

然而,维护这一观点的方法是令人失望的。弗莱德区分了律师事务所为的个人性违法行为——比如滥用一个证人——和律师事务所引起的制度性违法行为——比如取消寡妇的抵押品赎回权。后者正是律师在扮演其适当的推进客户之法律自治性的角色之时所干的事情,而且——一种预先建立的和谐?——它们正是道德上善的事情。这是因为律师不是真的在将它们当作救济发放,而制度却是在将它们当做救济发放。

自从第二次世界大战以来,这个最后的区分一直都不是非常流行,而且弗莱德在努力地将它限定在"一般而言正当且正派的"制度,而不是纳粹德国。在这种限定之下，他能够更加心安理得地主张："我们应当宣布解除律师因其所达成之结果而负担的个人道德责任，因为该违法行为是完全制度性的……"

  人性尊严的论点

  为了给对抗制提供一种不同的非结果主义者的辩护，哲学家阿兰·东纳干（Alan Donagan）解释了弗莱德（以及弗里德曼）为对抗制辩护所作出之正当化解释的精髓。依东纳干之见，潜在于对抗制之下的核心观念是客户的人性尊严。通过暂时将我们在法律纠纷（民事的或者刑事的）中所保持的立场视为善意的立场——即使这些立场并非善意的立场之时亦是如此——一个社会尊重了我们的人性尊严……

  简而言之：只有在要求当事人在律师帮助下能够在法庭上表明其自身善意之立场的限度内，人性尊严的概念才可以为对抗制打保票。可以确信的是，那是某种解释，但是不是非常充足的解释。它只不过是像法国和德国所提供的纠问制（inquisitorial system）那样的事实问题。这种观点的确不能为任何像盎格鲁-撒克逊版本的对抗制程序一样不文雅的东西提供正当化解释。而且，由于它不能为标准概念的两个原则中的任何一个提供正当化解释，它实际上削弱了本章前部所讨论的对抗制的广泛意义。

  社会结构的论点

  余下的论点是截然不同但却是紧密相关的。它们是如下思想——或许可以称之为"社会结构观点"——的两个变种：不管对抗制是否有效，它仍然是我们文化的一个不可分割的部分，而且这一事实本身就为之提供了正当化解释。第一个变种是以民主理论为基础的：它主张对抗制得以正当化的原因在于它享有被规制者的同意。第二个变种是以保守理论为基础的：它主张对抗制得以正当化的原因在于它是深深植根于我们传统的一个部分。

  根据社会结构的观点，坚持我们的制度的道德原因正是因为它们是我们的制度。我们在这些制度之下生活、使我们的生活和实践适合于它、根据它们来评价我们的邻人的行为、将它们作为衡量其他生活方式的一种标准。传统的制度约束着我们——道德地并且合法地约束着我们——因为我们已经将自己融合到我们的传统之中了（变种一）。按照政治理论的话说，我们同意了它们（变种二）。它们表达了我们是谁以及我们支持什么……

  然而，这一观点的一个直接问题在于，我们并没有明确地同意对抗制。没有人问过我们，而且我料想也没有人打算向我们问这样一个问题，即是否我们接受对抗制作为一种审判模式……

  于是，我们从这些默示同意的观点中得到最多的是一种示证（demonstration），表明我们没有必要瓦解对抗制，华尔泽（Walzer）求助于我们的"共同生活"就是这类观点之一。为了使论证更为有力，我们必须诉诸于民主理论中的一个不同概念而不是同意（consent）：我们必须表明人们需要对抗制。按卢梭的话说，我们必须表明拥有对抗制乃是我们的"公意"。

对抗制通过了这样一个试验标准吗？我认为答案是没有。我们的制度很少有像对抗制审判那样不受信任，这正是因为它看起来似乎在许可律师践踏事实真相、法定权利和道德……

从传统出发的论证忽视了不存在不变传统的这一事实：普通法在经常地修改对抗制。事实上，对抗制辩护是变动不居的传统范围内一个晚近的发明。在英国，重罪辩护律师直到1837年才被允许在法庭上发言；在美国，直到1963年吉登案（Gideon Case）判决之后贫寒的刑事被告才获得免费辩护律师的保障。贫寒的民事诉讼当事人仍然得不到免费辩护律师的保障，即便在半刑事的问题上——比如一个州将一个小孩从其父母身边夺走的企图——亦是如此。很难将对抗制视为"伟大的原始契约中的一个条款"。

其次，与伯克（Burke）所关注的那些制度相比，对抗制是附属性的制度……

支持对抗制的真正理由

到现在为止，论证的过程一直是完全消极的，都是在迫害和暗杀（persecution and assassination）对抗制。现在，你们有资格问我：为了把它放在合适的位置，我会提出什么样的建议。我的答案是：没有任何建议，因为我认为对抗制本来就是正当的。

就让我赶紧说出我的观点吧，我并不想提出一种新颖的观点。一种制度能在优点（virtues）——从前没有任何人曾察觉到的优点——的基础上得到正当化，那将的确是怪事。我的正当化解释是一个谦虚的、不带意识形态负担的解释：我将称之为"实用主义的正当化解释"或者"实用主义的论证"，以表明其与美国的实用主义相关联的那种宽松的、问题导向的、历史循环论者（historicist）的正当化解释观念之间的密切关系。这一正当化解释是这样的：首先，尽管存在诸多不完美、非理性、漏洞和反常情形，对抗制似乎在发现事实和保护法定权利方面和其他制度一样出色。它现存的对手——特别是纠问制和社会主义制度——没有一个明显地比它更为出色，而且其中一些——比如神明裁判——则明显地比它更为糟糕。事实上，即使这些其他制度中的某一个有些许的出色之出，人类的成本——在努力、困惑、紧张、迷惑、因不当理解造成的疏忽性误判、再教育、不满、传统的丧失等等方面（随便你怎样称呼它们）的成本——也会超过替换现存制度的诸多理由。

其次，某种审判制度是必要的。

最后，它是我们处理问题的一贯做法。

这些命题构成了一个实用主义的观点：如果一种社会制度起到了相当大的作用，以至于替换它所需要花费的成本超过了收益，而且如果我们希望它继续发挥这样的作用的话，那么我们就应当坚持我们已经拥有的这一制度……

一个例证：西德的程序制度[1]

此刻，读者也许会觉得我的"实用主义正当化解释"等于是把他饿着肚子打发走了。一种逻辑上无力但实践上有力的观点似乎更像是屈从（resignation）而非正当化解释。

当然，问题在于，这样一种抽象的断言——对抗制"起到了相当大的作用以至于替换它所需要花费的成本超过了收益"——会不可避免地引起这样一种怀疑，即它只是一种粉饰现状（status quo）的玩意。为了使观点更令人信服，我建议将之更加具体化。让我们比较一下美国的对抗制与德意志联邦共和国的所谓"纠问制"。

当然，"纠问"的标签是非常容易使人误解的。它勾起对宗教公判大会（auto-da-fe）、铁面少女（the Iron Maiden）以及陷阱和摇摆（the Pit and the Pendulum）的想像。事实上，这一术语只是指在审判中法庭所扮演的角色更为重大而已……

在德国的程序中，几乎不存在证据排除规则。特别是像诸如传闻证据排除规则这样的规则更是闻所未闻，而这些规则却它存在于普通法国家，其存在理由是惟恐外行陪审员无法评价传闻证据。在德国，外行"陪审员"与职业法官一起商讨案件，而且人们假设后者能够向外行参与者解释证据的价值。

在法官询问证人之后，律师和被告可以询问进一步的问题。然而，除非在政治审判中以外，他们很少行使这项选择权，而且几乎没有听说过一个律师提出的问题会超过一个或者两个……

在民事案件中，没有陪审团。一个法官或者几个法官组成的合议庭与当事人及其律师一起参加一系列的会议（conference）。这些会议的目的在于弄清案件的争议问题。为了这个目的，律师们会提交书面的诉答状（pleadings）——以美国人的标准来看，这些诉答状是异常不正式的——随着案件的发展，这些诉答状会受到不断的修改和更新……

与在刑事审判中一样，基于"法院熟悉法律"（jura novit curia）的原理，

---

[1] 编者注：为更多地了解德国民事司法过程，参见 Oscar Chase, *Legal Processes and National Cultures*, 5 Cardozo J. Intl. & Comp. L. 1 (1997); John H. Langbein, *Cultural Chauvinism in Comparative Law*, 5 Cardozo J. Intl. & Comp. L. 41 (1997); and John H. Langbein, *The German Advantage in Civil Procedure*, 52 U. Chi. L. Rev. 823 (1985)。

由法院自己决定法律问题。当然,在决定法律方面是相当很容易的,因为在像德国这样的民法国家,法律是法定的而不是先例性的(尽管先例在德国法中正在扮演日益重要的角色),这使法律搜寻大大地简单化了……

当然,一个像德国这样的程序制度要求律师不要像他们的美国兄弟姐妹一样搅和到大规模的诸多困惑之中,因为法庭几乎没有资源或者时间去发现它们。此乃官方的法律道德法典的功能之一,其基本原则将律师的地位界定为一个独立的司法行政组织(*unabhangiges Organ der Rechtspflege*);对这一原则的评论解释道,这意味着独立于客户以及国家……

三个其他的安排(arrangements)值得提及,因为它们有助于德国律师作为一个司法行政机关的独立性。第一个安排是以"询问和建议证人"为题的伦理规则。在美国,诉讼的关键特征之一是这样一个事实,即在独立地调查案件之后,每一方当事人都选择自己的证人。证人通常受到集中的排练或者训练,以便为审判作好准备……

相反,德国的规则禁止律师影响证人并且因此强烈地阻止与证人的接触……

其次,我们可以对比德国和美国的法律教育。非常简单,德国学生从法官的立场来学习法律,而美国学生则是从律师的立场来学习法律……

最后,德国律师费的结构可以通过减轻对过度狂热的经济刺激而有助于保存律师的独立性。律师费由《联邦律师费法案》(Federal Lawyers' Fees Act,BRA-GO)来确定,起到一种争议之数额的功能(Gegenstandswert),而且无论案件胜诉或者败诉,律师都将得到相同的费用……

德国制度运作得如何呢?根据一位著名的比较法学家约翰·亨利·梅利曼(John Henry Merryman)的观点来看:

> 对于那些关注两种制度之相对正义问题的人来说,一位著名的学者在经过长期而仔细的研究后所作出的总结是有益的:他说如果他是无辜的,他宁愿在一个民法法系的法庭上受审,但是如果他是有罪的,那么他宁愿在一个普通法系的法庭上受审。实际上,这是一个判断,它表明民法法系的刑事程序可能更能精确地区分有罪和无罪。

而且,尽管联合会议报告(Joint Conference Report)的大多数评论者认为德国的法官是高度熟练而有效的证人询问者,不过先验心理学的观点与此相反。德国程序另外的优势是很容易看到的:德国程序远没有那么正式和繁复;当事人的直接参与注入了一种人的要素(human element)(一个人会想到电影《摩根》中片名人物的母亲所说的话:"你父亲总是说犯罪将人的要素放到了法律之中");法庭的舞台效果和美国的法律消遣,诸如证据开示滥用和没完没了的动议活动,是不存在的;法定的律师费是相当低的。许多美国权威人士愉快地指出,由于不存在有罪答辩，所以事实上也不存在辩诉交易（检察官只有通过减轻对轻罪者的指控来从事辩诉交易）。

然而，我相信大多数美国都会发现德国程序是相当没有魅力的。这是实用主义观点的要点：尽管德国程序有诸多的诱人之处，但它要求在法律体系上的变革，还要求围绕这些程序的关联价值的变化，而这些变化将使这种交换不受欢迎。（你不能只是变革体系的一个部分）……

考虑这个问题的一种方式是，比起美国人可能发现似是而非或者甚至可以容忍的法官形象来说，德国的制度要求——特别是在刑事审判中——对其法官的正直和公正无私的信任度要大得多。而且一旦我们已经注意到这一点，它就成了反映在无数实践和制度中的德国制度的主旨（Leitmotiv）。

例如，在民事案件中，不存在检察官，并且因此没有卷宗（dossier）。由于这个原因，将审判分割成彼此之间有重大时间间隔的、不连续的会议乃是制度基本的而非偶然性的特征：因为法官必须理解案件，她必须有机会研究案件、以类似于美国庭审律师的案件准备方式来准备案件、并且将其认识的东西融会贯通。但是一旦审判被分割，挑选陪审团就行不通了——毕竟，你不能强迫人们一次又一次地离开其工作及其承担的义务。因此，没有陪审团也是德国民事程序的一个基本特征，正如法官与检察官之间或许过于惬意的关系是德国刑事程序的一个基本特征一样……

我已经注意到，德国的律师费制度是抑制律师玩对抗制把戏的一个重要部分，而如果法官主导的审判不想垮台，变成一堆废墟，那么这随后将成为基本的部分。我们同样看到，胜诉酬金制（contingent fee）的废除要求一个由国家提供法律援助的全面体系。但是一个全面法律援助的体系会使其自身承担额外的、必须履行的责任：它必须清楚侵扰性的案件或者没有根据的案件，以避免诉讼爆炸的发生。因此由法院决定在一场法律诉讼中是否给予法律援助——而那意味着赋予司法机关更大的信任和权力。

由于BRAGO，对政府机构的额外信任当然是必要的：不管一个由国家强加的律师费目录具有什么样的优点——这些优点是明显的——这样一种安排将需要美国的客户和律师调整心理。（并且注意到，一个以 *Gegenstandswert* 为基础、严格的、没有裁量余地的律师费目录是一把双面刃：它抑制了最高的律师费数额，但是却提高了最低的律师费数额。一些德国律师对我抱怨说，当一个有价值但却非常简单的案件——这个案件几乎不关律师什么事——以高额比率来收费的时候，他们的外国客户就会被激怒。）

在德国由法官而非当事人挑选专家证人也同样是把双面刃，它确实防止了美国审判中一道最不体面和最可耻的现象，即高额聘请、细心训练和毫不妥协地具有党派偏见的专家们之间的争斗。但是由于德国法官通常只任命一名专家并且信赖其证言，法官的选任过程或者专家观点方面的任何偏见对于运气不佳的当事人都将是毁灭性的。因此制度要求对法官和专家的正直都要有高度信任……

而且，一个法官主导的制度要求一个非常庞大的司法机关；德国所有法律家的28%是法官——在这个人口为6100万的国度有17000名法官——与此相比，美国的比例是4%（在这个人口为2.4亿的国度大约有14000名法官）。法官数量的丰富不仅增强了司法机关的相对匿名性（anonymity），而且也增加了司法机关被官僚命令所控制并因此被转变成一个更加隔膜的精英阶层的危险。

有人一定也会考虑在普通法的国家是否法官主导的程序也可以成为可能这个问题。普通法是非常复杂的，而且彻底地研究法律问题要花费大量的时间。在我们的对抗制中，这些时间主要是在法庭之外、以客户的费用由两名律师来投入的。然而，在纠问制中，研究的负担将被转移给法院，费用也被转移给国家。我们注意到，由于法律研究的相对轻松，这在德国并不是特别沉重以至于无法承受的重担。随后，这是两个因素的一种功能：制定法相对于先例的优越性以及权威性评论的存在。然而，美国人几乎不可能放弃普通法，而且他们也不可能对教授们投入极大的信任，教授职位在德国近乎天堂（Olympus），而在美国，人们是以一种混合着半信半疑和半是景仰半是开心的谦恭心情来看待它的……

最后，让我们回顾纠问制的一个关键点，即由法院决定采用什么样的证据。然而，法院的时间和资源都有限，因此在复杂的案件中就必然会有许多未解决的问题。当然，这并不意味着纠问制的法院不大可能发现事实的真相：代表有钱客户的美国大律师事务所所采用的"全面战争"诉讼策略（而且这是我们谈到复杂诉讼时通常所谈论的问题）经常让人想起向各个其他方向放烟雾的大乌贼——这些策略包括诉讼迟延、没完没了的证据开示、讨厌的动议以及为了躲避这些明枪暗箭而必须采用的辅助性诡计。然而，我们的"在法庭上充分展现一日"——或者或许是半年——的意识形态意味着能够充分地展现一个人的律师事务所想要展现的有利事实——他们或多或少想要展示的有利事实。我们将不得不认为我们的法官非常慈善，允许他们在法庭上的那一日内玩阴谋诡计。即使瓦普纳法官（Wapner）也没有得到这种尊重。

让我来作一个小结。黑格尔（Hegel）将文职或者官僚看成是一种"普遍的阶级（universal class）"，这个阶级会实现普遍的利益而非个别的利益；他也（错误地）引用了歌德（Goethe），认为"群众在战斗方面是可敬的人，但是在审判方面是可怜的人"。如果我的观点正确的话，那么可以说，某些这样的反平民主义的观点强化了德国的纠问制。我的猜测是，尽管这一制度有着许多诱人的特征，但是美国人会发现纠问制的诫律是令他们无法接受的。这些诫律的核心是，必须依赖对一个庞大的、自命不凡的官僚机关及其附属政府机构的极大信任。

当然，一个人从来都不知道——或许在不会造成太大混乱的情况下就可以实现转型。但是我倾向于对此持怀疑态度。即使这种转型能实现，比如通过渐进地将纠问制的要素引入对抗制程序之中，事实仍然是，我们这样做将会牺牲人民对法律制度控制的某些重要要素。

而且，如果我在这一点上是正确的，我们就可以看出为什么对抗制的实用主义正当化解释是有道理的。让我强调一下：我并不是在主张说转向对抗制所必需的变革是坏的——问题的要点只是在于它们是交换而不是显然的改进。这一观点能够同样有效地解释为什么德国人没有匆忙地放弃一个更为有效、更有能力的、更专业的纠问制而支持昂贵的、戏剧性的对抗制程序。对抗制和纠问制都或多或少有补充性的优点和缺点；那么，为什么要到栅栏的另一边寻找更绿的草呢？

二、法院的强度与限度

某些种类的纠纷或许不适合于对抗制过程。朗·富勒（Lon Fuller）教授和亚伯拉罕·蔡斯（Abram Chayes）教授探讨了对于法院处理复杂的社会和经济问题之能力的争论。在阅读的时候，牢记那些关于学校内种族隔离的案件、关于监狱暴动的案件以及关于破产的经济实体如铁路的案件，也要牢记你自己对这场争论的观点。考虑一下朗·富勒对审判之局限性的论述；你认为何种类型的法律纠纷适合他的"多中心的任务"（polycentric task）观念？应当将它们从法院分离出来送往某些其他的纠纷处理机构吗？或者，存在一种将对抗制加以修正以适合于处理这些案件的途径吗？

朗·富勒：司法的形式和局限性
Lon Fuller, The Forms and Limits of
Adjudication 92 Harv. L. Rev. 353 (1978)

现在注意力指向了这个问题，哪些类型的案件天生就不适合于司法？这里的检验标准是放之四海而皆准的。如果一个特定的任务被指派给司法来处理，它可能保存受影响的当事人通过证明和辩论参与案件审理的意义吗？

（为了论述局限性问题之目的），本节引入一个"多中心的任务"（polycentric task）的概念，这一概念来源于迈克尔·波拉尼的《自由的逻辑》一书（Michael Polanyi, The Logic of Liberty (1951)。为了引入这一概念，最好先从几个例子开始。

几个月前，一个名叫蒂姆肯（Timken）的富婆在纽约去世了，她给大都市博物馆（Metropolitan Museum）和国家美术馆（National Gallery）留下了她所收集的一些珍贵但有点混杂的画，它们对这些画"享有同等的份额"，但是她的遗嘱没有指明具体的分配方案。当对这个遗嘱进行遗嘱标准时，法官作出了一点评论，其大意是当事人似乎遭遇到了一个真正的问题。其中一个博物馆的律师大声说："我们是好朋友。我们会找出某种方法来解决这个问题"。什么使得实现平均分配这些画这个问题成为一个多中心的任务呢？答案在于这一事实，即处理任何一幅单个的画对于适当地处理其他的每一幅画都有诸多意味。如果得到了雷诺阿（Renoir）的画，国家美术馆也许就不太想要 Cezanne 的画了，但是会更想得到 Bellows 的画，不一而足。如果把适当地处理这些的问题付诸讨论，那么不存在一个清楚的、任何一方当事人可以针对其展开证明和争辩的争点（issue）。任何被指派去听审这场争论的法官都被诱惑去担任调解人的角色或者采用古典的解决途径：让年长的兄弟（在本案中是大都市博物馆）将该遗产分配成他所认为平均的份额，然后让年轻的兄弟（在本案中是国家美术馆）挑他自己那一块。

正如第二个例子所设想的那样，在一个社会主义政权里，有一点是确定的，即所有的工资和价格都由法官在进行通常形式的审判之后来加以确定。我设想这里是一个无法通过司法方法完成的任务……

我们可以通过想像一个蜘蛛网来想像这种情形。对一根蛛丝施加的一股拉力会以一种复杂的方式在整个蜘蛛网上分配张力。在十之八九的情况下，将原来的拉力加倍将不只是使随之发生的张力加倍，而且将产生一种不同的、复杂的张力方式。比如说，如果加倍的拉力导致一根或者数根不那么结实的蛛丝突然断裂的话——这种情况的确是会出现的——那结果会是怎样呢？这是一种"多中心的"的情形，因为它是"有多个中心"的——每一个蛛丝的交接点就是一个分配张力的独特中心……

应当谨慎指出的是，受影响的人的多样性并不是多中心问题的一个不变特征。这一点在蒂姆肯（Timken）夫人的遗嘱案中能得到充分说明。那个案件也表明，这样一个事实，即时光飞逝并非如是问题的不变特征。在另一方面，在实践中，可能涉及到司法的多中心问题通常会包含许多受到影响的当事人和某种不固定的事态。事实上，最后一个特征乃是这样一个简单事实的必然结果，即互动的中心越多，那么每一个中心受到环境中某个变化之影响的可能性就越大，而且如果环境是多中心的，这一变化将以一种复杂的方式将其自身传递给其他中心……

现在，如果看清什么是一个多中心的问题是重要的，那么同样重要的是，要意识到所涉及的区别通常是个程度的问题。在几乎所有提交给司法处理的问题中都存在多中心的要素。一个判决可以作为一个先例——通常是一个蹩脚的先例——在一些情形下，这个先例是裁判者没有预见到的。此外，假设在一个当事人诉某铁路公司的案件中,法官判决认为,在一个特定的交叉口没有修建一个地下通道是该铁路公司的过失。也许将这个交叉口与该铁路上其他的交叉口区别开来是没有意义的。作为一个具有统计上可能性的问题是——或许这一问题很明显,比起惟一的安全措施只是为人熟知的"停、看、听"标志来说,沿着整条铁路线修建地下通道会使更多人丧生(比如说由于爆炸事故)。如果是这样,那么看起来似乎只是简单地宣告双方当事人权利义务的判决在事实上就是一个不适当的、解决一个多中心问题的途径,这个多中心问题的某些要素不能在一个简单的受损害方诉被告铁路公司的案件中提交给法院处理。在较低的程度上,隐蔽的多中心问题可能会在几乎所有的通过司法解决的问题中展现出来。那么,这就不是一个区别白与黑的问题。它是一个知晓在什么情况下多中心的要素变得如此重要和突出以至于已经达到了司法的适当限度的问题……

第一个要提出的问题是:当试图通过司法的形式来处理一个本质上多中心的问题之时,会发生什么情况呢?根据我的观察,会发生三种情况,而且有时候这三种情况会同时发生。首先,司法的解决途径可能会失败。意外的反响会使判决无法起作用;判决会不被理睬或者被修改,有时候这种情况会反复发生。其次,期冀中的裁判者(purported arbiter)会忽视司法的特质(proprieties)——他会在听审之后的会议上"试验"各种解决途径、与听审中没有代理人的当事人进行商议、猜测未被证明的事实和任何象司法注意这样的事情没有适当关系的事实。其三,他会重新构建问题以使之服从通过司法程序的解决途径,而不是使他的程序适应其所面对之问题的性质。

只有这三点中的最后一点需要例证。假设劳资双方约定,雇主的对晋升的控制权应当受到通过仲裁所实行之复审的约束。现在很明显的是,一个仲裁员无法决定在琼斯被评定为A级机械师的时候是否有其他的某个人更值得在这个工厂里工作,或者——考虑到琼斯的年纪——是否将他放在另一个报酬相当的工作岗位上更为合适,这是完全不适合由司法来处理的那种配置性问题。然而,存在两种获得可行的、通过仲裁对晋升加以控制的方法。其中一个是公告工作岗位;当一个工作岗位空缺时,利害关系人可以申请晋升到该工作岗位。在听审之时,只有那些已经提出申请的人才有权得到考虑,而且当然只有被公告的工作才能成为争议的对象。这里的问题已经事先被简化到可以被仲裁的程度了,尽管并非不存在难点——特别是无休止的就事实上是否存在着一个本应当公告的空缺以及是否提出要求者按时并以适当的形式提交了申请而展开的争辩,等等。另外一个使问题适合由仲裁来处理的方法是,不由仲裁员来决定谁应当晋升,而是由他来决定谁已经晋升了。换言之,合同包含了确定的"工作描述",每一个描述都有适当的等级;提出请求者宣称他事实上是在机械师A的工作,尽管他被分配的仍然是机械师 B 的报酬和头衔。这一争议有两方当事人：公司和由工会代表的提出要求者，而且一个单一的事实争议是，提出要求者事实上是在做机械师 A 的工作吗？

在实践中，申请被指派到所公告之工作的程序通常会在合同本身中加以规定，因此合同的条款将仲裁员有关晋升方面的功能维持在可以操作的限度内。其他能够使通过仲裁控制晋升具有可行性的方法通常产生于仲裁员自己对其角色之局限性的理解。合同可能只包含一个工作等级和工作分类的目录和一个表明"开除、晋升和解雇应当受到投诉程序（grievance procedure）之约束"的一般条款。如果仲裁员想把这样一个合同解释为授予他对晋升的一般监督权的话，那么他将使自己从事完全不适合由任何仲裁程序来解决的管理性任务。因此，一种保存其角色之完整性的本能会驱使他按照已经指出的方式来解释合同，这样他可以避免任何有关义务分配方面的责任，而且只须决定实际上已经分配的义务能否使公司分配给投诉雇员的分类（classiffication）成为适宜……

在结束这一多中心性的讨论时，最好奉劝读者，以防止两种可能的误解。提示多中心问题通常由"管理性的直觉"来加以解决，不能被认为暗含着抵制理性解决途径的多中心问题具有不可改变的特征。存在诸多架设钢结构桥的理性原理，却没有一个理性的原则主张钢梁 A 和钢梁 B 之间的角度必须总是 45 度，这个角度取决于整座大桥。一个人不能通过连续进行单独的、有关每对相交叉之钢梁的合适角度方面的论证来架设一座大桥，他必须应对大桥的整个结构。

最后，一个司法判决影响并成为一种多中心的关系，这一事实本身并不意味着审判庭正在脱离其适当的范围。相反，没有一个比经济市场更好的多中心关系例证了，可是使市场正确运作之规则的制定通常是司法非常适于担当的一个任务。我们普通法中合同规则的设计已经通过司法逐案推进，不过潜藏在这一进度（rate）之后并因此发展出来的基本原则在于，它们应当促进多中心市场上货物的自由交换。法院并非在制定有关缔约的规则时陷入困境，而是在其试图签订合同之时陷入了困境……

艾布拉姆·蔡斯：公法诉讼中的法官角色
Abram Chayes, The Role of the Judge in Public Law Litigation
89 Harv. L. Rev. 1281（1976）

……我们看到一种新的民事诉讼模式方兴未艾，我认为，如果用传统的司法概念与基于该司法概念建立的框架来评判这种新模式中的法官与法院角色的可行性与合法性，那是无益的，是一种误导。

在我们传统的观念中，民事诉讼是解决私人当事人之间关于私权纠纷的手段。民事司法的显著特征是：

（1）诉讼是两极的。诉讼是两个个体或代表两种利益的双方组织的一场对抗，两方利益直接相对，胜者获得从诉讼中得到的一切利益。

（2）诉讼是回顾性的。争执围绕着如何确认一系列过去的事件：它们是否发生过，如果它们发生过，那么对双方的法律关系造成怎样的影响。

（3）权利与救济相互依赖。根据一般的理论，原告有权获得与由于被告违反义务对他造成的损害相当的赔偿，因此，救济的范围基本上合乎逻辑地归结为实质性违反——在合同法中，被告须给予原告未违反义务情形下原告可得的金钱；在侵权法中，被告须赔偿其造成损害的价值。

（4）诉讼是一个自足的事件。判决的影响力仅及于双方。如果原告赢了，就会得到一个赔偿，通常以金钱的形式，有时也表现为特定物的返还或为特定行为。如果被告赢了，那么损失继续存在。无论哪种情况，判决一出，法院就与此脱了干系。

（5）诉讼过程由当事人发动并由当事人控制。案件的组织与问题的界定均通过双方的交流而确定。发现事实的责任也归于双方。初审法院是双方交锋时一个中立的裁判者，仅在一方提出关于法律问题的动议时作出决定……

传统的模式，不管在历史上曾经多么有效，却在当今联邦地区法院的民事诉讼中明显地失去作用。可能是因为当今联邦诉讼的一个重要特征表现为诉讼已不再是私人双方关于私权利的争执。相反，诉讼的目标是为宪法权利或法律政策辩护。诉讼之法律基础的转变，从很多方面可以解释当今联邦初审法院的"实际"状况，但不是全部。从这个角度来说，虽然我们为这种新的诉讼模式贴上"公法诉讼"这个标签不是完全能令人满意，也就姑且这么提吧。

公法模式的许多特征明显有别于传统模式。当事人的结构是无计划无组织的，在诉讼进程中可能不断变化。传统模式表现出来的那种对抗性关系，在这里充满了各种折衷妥协。法官扮演组织和引导诉讼的主导性角色，他不但要寻求诉讼双方及其律师的赞同，还要考虑很多局外人的意见——书记官、专家或有见识的个人。最重要的是，初审法官日益成为许多复杂的救济形式的创造者与管理者，这些救济对诉讼之外的人也有广泛的影响，这就要求法官在结案后还要介入判决的执行与救济的实施。学校内的种族隔离、劳动雇佣中的歧视、服刑的犯人及其同宿者的权利，诸如此类的案件，都是这种新的诉讼模式之表现。但是我们倘以为这种诉讼模式仅限于用于这些案件，那便错了。反托拉斯、证券欺诈与其他的公司行为、破产与重组、联合监管、消费者欺诈、住房歧视、竞选的重新计票、环境管理——所有这些领域的诉讼都不同程度地带有公法诉讼的特征……

Ⅱ. 公法诉讼模式

1875年之后，面对一系列立法明显地触动与调整了基本的社会与经济制度，关于民事司法的私法理论于是也日益动摇。与此同时，由于司法对立法的审查日益加强，引发了一系列政治后果，司法造法的科学性与其自身应具有的演绎特征也受到了攻击。

这些变化是妇孺皆知的，它已成为我们的政治与知识史中固有的一部分。我这里想强调的是这些变化带来的民事诉讼的程序方面相关的变化。许多对诉讼程序变化的论述，虽然承认这种变化的影响是深远的，却认为这些新变化只是为提高传统模式的效率、改善其功能而作的一点"改良"。我认为，这些可确认的、虽然仍在发展的制度因素之相互联系，已构成一种新的司法行为与司法角色之模式，此模式与传统观念已判然有别。

A. 两造结构的逊位

合并诉讼，在普通法下受到严格限制，以符合需要在争议中享有"利益"（interests）的所有当事人都合并进来的衡平方法。然而，法律规定最初并没能带来合并的自由。相反，法院对"利益"概念进行了狭窄解释，以排除那些在主要纠纷中不具有获得救济之独立权利的当事人……

……如今，最高法院正在富有气势却步履艰辛地确立一个划定谁可以起诉的公式，即马上停止"可能受其诉求解决的情形严重影响的任何人"，但是这规则能否成功尚有疑问。*

"任何人"——即使是"几乎任何人"都可能意味着很多人，尤其当诉讼的主题不是相对私人化的纠纷的时候。因此，这个舞台是为集团诉讼而设的……不管当今围绕集团诉讼的众多争议的解决途径何在，我以为，至少不可能再按照传统的诉讼模式处理。集团诉讼，是我们对一系列公共与私人相互关系——可能是对大多数人生存状态至关重要的关系——的意识日趋凸显的表现，这些关系以制度或行政的方式处理，不能再视为私人个体的双边交易。从另一个角度看，集团诉讼是对我们的社会中日益增多的、或紧密或松散的组织体的一种反应，表现了一种将某些很重要的利益视为集体利益的趋势……

B. 衡平法的胜利

本世纪程序法中，最重要的一个发展便是衡平救济之重要性的日益凸显。也许，现在便推翻那句认为金钱赔偿是其他特殊救济形式无可适用时适用之救济的

---

* 译者注：这里的原文是：Today, the Supreme Court is struggleing manfully, but with questionable success, to establish a formula for delimilting who may sue that stops short of "anybody who might be significantly affected by the situation he seeks to litigation."

格言为时尚早。但很显然，将衡平救济视为"例外"的观念已然过时了。

我在这里关注的不是强制履行———一片土地或一件特定物的强制转移。这种救济形式与传统的金钱赔偿并没什么很大的区别，都是在特定时间里对财物作单向的转移，法院在执行之后就不再过问。禁令就不同，即使是一个简单的消极的命令，这样一个禁令是一个对现在行为的禁止，它易于执行，相比赔偿金形式，它更能防止未来再次出现违法行为。而且，禁令是延续的，随着时间推移，双方可能请求法院根据变迁后的情势执行或修改原来的禁令。最后，在发布禁令时，法院对于其禁令对于与诉讼无关的人造成不利影响应承担公共责任。

除了以上的区别以外，这种救济形式的预期性给诉讼过程引进了偶然性与可预知性。与对于一系列过去事件的结果进行争论相反，法庭对未来的可能性进行争论。由于禁令的干预性与损害的偶然性，衡平原则自然要求平衡各方的利益。既然直接当事人的利益需要考虑衡量，那么不难推论，对于其他可能受到禁令影响的人的利益也需要斟酌……

C. 事实认定过程的改变

传统的诉讼模式主要关注的是对双方之间过去发生的特定事件的评价。这种回顾性质的定位，往往不适合公法诉讼，因为公法诉讼中关注的通常是对未来的行为或可能的行为的禁止，或改变现在正在进行的行为或现在的状况。在前一种情况，对于可能的行为是否会发生、在什么情况下可能发生、会带来什么后果这样的问题，只能通过理智去猜测。在后一种情况下，现在的状况是如何产生的只是一个次要的问题，至于当事者的主观态度为何更是无关紧要，因为在考虑达成积极的管理目标时是不考虑这些因素的。事实如此，在法院处理关于重大的政治行为或公司合并的案件时，主观意志、意图、欺诈这类概念日益成为一种隐喻。

在公法诉讼的救济阶段，事实认定更具有明显的前瞻性……救济的轮廓不像传统模式中那样由判明的实体过错导出。（衡平）判决/法令（decree）的形成过程很大程度上就是初审法官的裁量过程，在这一过程中需要法官对评价和支持可能纠正实体过错的替代措施的后果。在确定责任和救济阶段，重要的问题大体是一样的：怎样让公法政策最好地贯彻于具体的案件？

因此，在公法诉讼中，事实认定主要关注的是"立法的"事实而不是"司法的"事实。可能"事实评价"是比"事实认定"更确切的一个词。整个过程看上去就像我们对立法过程的传统印象：注意力被集中于现存的或可能发生的"损害"（mischief），诉讼双方与法官的目标在于设计可行的措施以消除该损害。的确，如果判决设置了一个规制不确定的未来中的争议行为并对这个轨道上的人们的确定的界域——事实也经常如此，那么在这个意义上，说它是一种立法行为不为夸张……

看起来法官继续主要依靠诉讼当事人提供和发掘的事实材料,但是有很多因素使法官不可能脱离诉讼的组织工作。由于当事人结构的扩张,事实问题不仅仅是两方敌对当事人之间的对抗,一方坚持肯定事实一方坚持否定事实。诉讼往往是非常复杂而且旷日持久,事实因素与法律因素千头万绪、纠缠不清。将所有重要的事实问题都留到"审判阶段"已经行不通了,而且在没有陪审团的情况下这也不必要。在证据开示阶段可开掘的事实调查的范围与需要消化的事实材料的数量,使得法庭面临大量的组织工作和类似工作。所有这些因素都迫使法官不得不扮演形成、组织和便利诉讼的积极角色。也许我们还没有到大陆法系的调查式法官那样的地步,但是,传统的消极仲裁者的模式已经被远远甩在后面了。

D. 衡平判决/法令(Decree)*

日渐兴起的公法模式,其核心要素就是判决/法令。它与传统模式中的救济在任何方面都有差别,不仅仅是在它居于公法救济核心的地位而言。法令是对未来行为的矫正,不是对过去错误的补偿。法令是人为精心设计的,不是从所受的损害中通过逻辑推导而出。判决/法令规制的是复杂、持续的行为,不是简单的、瞬间的、单向的转移。最后,判决/法令延长、加深了法院对纠纷的介入,而不是在结案以后即终止介入……

我在上文中提到,司法的衡平判决/法令确立了行为的界域,在这个程度上它是一个立法的行为。但是在积极地设计判决/法令和监督判决/法令的执行、在双方之间进行调停、发展出法官的专业技能与知识方面,初审法官甚至超越了立法者的角色,成为一名政策制定者与管理者。

E. 公法诉讼的形态

本文中描述的公法诉讼,推翻了传统诉讼观念的许多关键特征与前提:

(1)诉讼的范围不是外生的,而是主要由法官和当事人形成的。

(2)当事人结构不是严格的两方,而是发散的和不定型的。

(3)事实调查不是历史性、裁判性的,而是前瞻性、立法性的。

(4)救济不是在一个逻辑地从实体责任导出并局限于对直接受害方的影响的框架内对过去错误的补偿,相反,它是前瞻的,是根据灵活而广泛的救济原则特别(ad hoc)设计出来的,往往对很多人——包括诉讼之外的人——有重大影响。

(5)救济不是由法官施加的,而是协商得出的。

---

* 译者注:decree 有两个主要含义,一是(衡平)判决,一是法令。就其关注的范围和形成方式上两者有一些共通之处。校者理解作者在此选用 decree 来描述司法行为的新模式,意在强调司法判决的衡平功能和立法("法令")功能,但立足点仍在司法,因而翻译时将其两个中文含义并在一起,以体现其双关的原意。

(6) 判决/法令不意味着司法对该事件介入的终止；对判决/法令的执行要求法院继续的参与。

(7) 法官不是消极的，功能仅限于分析和对法律规则的阐述；他是积极的，不仅对事实评价负有职责，而且组织与规划诉讼，以确保诉讼得到公正而可行的结果。

(8) 诉讼的主题不是私人当事人之间关于私权的纠纷，而是关于公共政策的执行问题。

事实上，以传统模式的观点来看，这个过程之所以还被称作是诉讼，只不过因为它在法院的房间里进行，由一个叫做法官的官员主持。但是，这么说也实在言过其实了。上面所列的所有这些程序上的特点都和历史上的衡平法实践是类似的。随着衡平的重要性在现代的提升，采用和强化这种诉讼程序自是不足为奇……

Ⅳ. 对合法性（Legitimacy）的一些思考

……随着近年来传统诉讼模式被取代，……司法的合法性与责任的问题又引起人们的注意……

在我看来，司法行为之合法性，就在于它回应了、实际上也就是调和了我们这个社会对正义的深远而持续的需求。我认为，举例而言，在面对攻击隔离区与警察暴力这两种在美国仍然存在的最丑恶的官方暴力的时候，光靠传统的模式，要实现正义是有困难的。如果我们关注现实而不陷于口舌之争，我们看到美国的司法传统已经确认了实质结果合法性的意义与司法行为的责任……

注释与问题

1. 在富勒和蔡斯关于法院的功能与能力的争论中，他们使用的概念与判断的根源是什么？富勒将理性概念置于司法过程的核心。这个概念是正当程序所固有的吗？它是理想中的法院还是现实生活中的美国法院所固有的呢？蔡斯提出了一些进行创新实践的法院的例子。这些例子是不是适用于所有的法院，还是仅表明了个别法官的特殊才能呢？法官对民主活动的参与和对广大公众的责任是不是符合其身份呢？

2. 在法院处理复杂的、"多中心"（polycentric）的纠纷（用富勒的术语说）时应发挥怎样的作用这场辩论中，对于司法的合法性与法院行为的功效有什么争议？

3. 蔡斯描述的公法法庭是不是抛弃了对抗性司法这个前提？对抗性司法的那些前提对于事实认定、判决与执行的任务具有什么意义？通过当事人合作与协商，是否也能完成这些任务、也能具有一样的合法性呢？

4. 如果合作与协商是管理复杂纠纷的核心要素，那么是不是应引进替代性的制度？替代性纠纷解决的技术——包括调解与仲裁——可以应用于处理大规模集团诉讼中的个人诉求，也可以使这种诉讼管理程序的技术得到发展。例如参见，马克·埃德尔：大规模侵权诉讼的处理方法：现有方法与未来趋势的实践指南，（Mark Z. Edell et al., *Resolutions of Mass Tort Litigation: A Practitioner's Guide to Existing Methods and Emerging Trends*, C949 A. L. I. - A. B. A.；案例研究：产品责任（Court of Study: Products Liability (A. L. I. - A. B. A. 37 (1949)（见 WESTLAW, ALI - ABI 数据库）；（肯尼思·范伯格："对德博拉·金斯勒的回应：一杯水半满，一杯水半空：在大规模人身伤害诉讼中替代性纠纷解决措施的运用"），（Kenneth R. Feinberg, *Response to Deborah Hensler, A Glass Half Full, a Glass Half Empty: The Use of Alternative Dispute Resolution in Mass Personal Injury Litigation*。73 Tex. L. Rev. 1647, (1995). 法院也可以为大规模案件创造诉讼处理的方法。见林达·马莱尼克斯："集合大规模侵权诉讼的处理：新私法纠纷处理之范例"，（Linda S. Mullenix, *Resolving Aggregate Mass Tort Litigation: The New Private Law Dispute Resolution Paradigm* 33 Val. U. L. Rev. 413 (1999)；另见下文第六章第三节。

第二节 存在诉讼危机吗？

与法院对复杂纠纷的参与这一问题的争论以及有关对抗制的诸多观点相关的是就美国的诉讼危机问题产生的争议。是否存在太多需要法院处理的纠纷，或者这些过多的纠纷是否有利于社会呢？或者"诉讼过多"这一洞见本身是对特定实体法律发展——比如支持原告的（pro - plaintiff）侵权法——的一种回应吗？这些问题最终都是规范性的问题，但是它们产生于这样的基本争议，比如如何描述事实（事实上，法律上和生活中更多的争议或许是与对事实的意见不一相关，而不是对应该适用之规范的争议）。

这里是一些事实性的材料以及就那些事实而提出的主张，这些材料和主张与判定是否存在一场诉讼危机这一问题相关。存在这样一种洞见，即这样一场危机的存在推动了以法院为基础之纠纷处理的替代性措施的大量产生，同时也促使法院内部在处理大量积案方面进行诸多革新，这些问题是本章下面一些章节的主题。

1. 为了回应日益增多的公众和职业团体对联邦法院诉讼中存在的案件积压、诉讼迟延和诉讼成本等问题的关注，国会指示美国联邦最高法院首席法官进行一项为期15个月的对联邦法院存在之问题的研究。1990年4月2日，《联邦法院研究委员会（Federal Courts Study Committee）报告》提出了这项研究的分析和建议。该报告指出,在1958年至1988年期间,在联邦法院立案的案件数量翻了3番,而且上诉审的立案数量增加了10倍。对应于这种状况,国会将地区法院和上诉审法官的数量增加了2倍多,同时增加了其他法院人员,如审裁官、法律助手、巡回法院行政人员以及幕僚律师(staff attorneys)的数量。"其结果是,联邦法院雇员中法官的比例从1958年的10%下降到1990年的3%。尽管国会扩大了法院系统,但是所增加之案件的规模超过了被任命到联邦法院的附加法官的数量〔美国司法会议长期计划委员会(The Committee on Long Range Planning for the Judicial Conference of the United States),联邦法院长期计划15 (1995) (以下简称长期计划)〕。因此,"民事案件立案数从1955年每名法官207件增加到1990年每名法官448件"〔Kim Dayton, *The Myth of Alternative Dispute Resolution in Federal Courts*(联邦法院替代性纠纷解决的神话),76 Iowa L. Rev. 889, 889 - 890 (1991)〕。估计到2020年,一百多万件新的案件将会增加到联邦法院系统的待决案件中,计划需要4000多名法官(长期计划,附录A,图表一,第161页)。

2. 20世纪60年代以来待决案件猛增的原因在于最高法院对根据宪法、人身保护法以及制定法而主张的个人权利进行了若干扩张性解释〔参见,Richard A. Posner, *The Federal Courts*(联邦法院)80 - 81 (1985)〕。然而,其他人则强调,相当大比重的案件增长或多或少应归因于刑事追诉的增长〔Judge Roger J. Miner, *The Federal Courts:Challenge and Reform*(联邦法院:挑战和改革),46 Cath. U. L. Rev. 1189, 1190 (1997)〕。更为基本的理由在于,灵活的答辩规则、法律职业的增长、自由派和保守派两方的政治议程以及从认命(accepting misfortune)到期待"总体正义"(total justice)的文化转向都促进了法院立案数量的增加〔See Lawrence Friedman, Total Justice(总体正义)〕。

3. 联邦法院立案数量的增加促使立案到审判之间的时间延长了。一项1987年的调查表明,对于一件典型的民事损害赔偿案件来说,立案到审判之间的平均时间在联邦法院是15个月,在州法院是18个月。无需审判而得以处理(通过和解或者驳回诉讼)的案件的平均时间在联邦法院是10个月,而在州法院则为12个月〔Taylor, *Judges Identify Causes of Delay in Civil Litigation*, 14 Litigation News 3 (Dec. 1988) (总结了路易斯·哈里斯及其下属公司的调查,"法官对于民事程序中之问题的态度")〕。当然,平均可能是具有误导性的。在这里,平均数掩盖了三年多都未解决的案件的比例,也掩盖了不同类型的案件以及不同地区和州之间的差异。

4. 面对日益增长的未决案件,联邦上诉法院的法官们大幅度地削减了口头辩论的时间,"尽管这样的辩论有助于确保律师和法官之间必要的沟通,加强法官的责任感,同时至少可以为当事人提供某些保证,即他们的辩论已经得到活生生的法官现场地听取和考虑"[Judge Stephen Reinhardt, Commentary: Developing the Mission: Another View(评论:创造使命:另一种视角), 27 Conn. L. Rev. 877, 879 (1995)]。联邦上诉法院的法官也在开始越来越多地发表不公开的判决意见,同时更大程度上依靠法院职员包括法律助手、法院顾问和审裁官等等,这种做法带有削弱司法过程之可信赖性的危险[参见前面879-880页。也可参见(潜藏在当前关于民事司法改革背后的规范性争议:一种考虑官僚体制和联邦法院之未来的方法) Robert G. Vaugh, Normative Controversies Underlying Contemporary Debates About Civil Justice Reform: A Way of Taking About Bureaucracy and the Future of the Federal Courts, 76 Denv. U. L. Rev. 217 (1998)]。

5. 这个国家大约90%的司法事务是由各州法院而不是由联邦法院处理的。民事司法研究院(The Institute for Civil Justice)——RAND 研究中心的一个部门——同时对各州法院和联邦法院所处理的民事诉讼案件进行了多项研究。RAND 的研究发现,1982年具有一般管辖权的50个州和美国地区法院处理侵权案件的政府预计开支是3.2亿美元,这些案件中不到10%的案件进入了陪审团审判,但是陪审团审判的案件花费了被研究的那些州处理侵权案件政府开支的将近一半左右[民事司法体系的成本:处理侵权案件的法院开支 James S. Akakalik and Abby E. Robyn, *Costs of Civil Justice System: Court Expenditure for Processing Tort Cases* (R-2888-ICJ)]。1966年立案的案件中大约87500万件是由16236个州初审法院处理的[全国州法院中心(检查 National Center for State Courts), 各州法院的工作(1996)]。1998年,根据美国法院行政办公署(Administrative Office of the U. S Courts)和全国州法院中心的资料,联邦法院法官的人数为2030名,州法院法官的人数为29808名。

6. 在法院立案的案件中有极大比例的案件早在审判之前就通过和解或者其他的方式结案了[例如参见, David Trubek et al., *The Costs of Ordinary Litigation*(普通诉讼的成本), 31 U. C. L. A. L. Rev. 73, 89 (1983)(在对州和联邦的案件大量取样后发现,不到8%的案件最后进入了审判阶段)]。

7. 或许虽然一部分案件所占的比例很小,但是却在那些当事人众多、法律问题复杂、费用极高和滥用证据开示的案件中占据了极大的比例[See Wayne Brazil, Civil Discovery: Lawyers' Views of Its Effectiveness, Its Principal Problems and Abuses(民事证据开示:律师对其效用、主要问题和滥用现象的看法), 4 A. B. F. Research J. 789 (1980)]。

8. 许多评论者认为,诉讼爆炸和法院纠纷处理的低效这些观点是夸大了或者无法得到数据的支持。例如,威斯康星大学法学院的马克·加兰特(Marc Ga-

lanter)运用已知的数据表明，只有少部分纷争和伤害演变成了纠纷，而只有小部分的纠纷最后演变成了法律诉讼。然后，绝大部分的法律诉讼最后被撤回起诉、以和解结案或者无需全部判决（full-blown adjudication）而结案。尽管近年来诉讼率有所攀升，但是目前的水平在19世纪是有先例的。与来自其他国家的数据所进行的有启发性的——尽管不是结论性的——对比表明，尽管美国人均的诉讼率虽然比许多工业化国家的要高一些，但是和英国、澳大利亚和渥太华（加拿大）却是处于相同水平的。媒体的普及程度、政府行为的变化以及其他文化上的转向扩大了美国人生活中所存在的诉讼的象征性意义，尽管个人直接遭遇全部判决的情况已经变得相对稀少。认为存在病态的健讼的诸多主张反映了特别的政治议程和法律实证研究的不充分［（解读纠纷的现象：关于我们涉嫌是一个好斗和健讼社会这个问题，我们所知道的和不知道的以及我们自以为知道的内容）See Marc Galanter，Reading the Landscape of Disputes：What We Know and Don't Know（and Think We Know）About Our Allegedly Contentious and Litigious Society］。最近一个全面的研究美国侵权法体系的成果对于诸多夸大的、认为存在健讼现象的主张得出了类似的结论。尽管作者极其具体地勾勒了现有知识的局限性，但是他仍然下结论认为：

几乎在每个阶段，侵权诉讼体系都在为减少侵权人须补偿受害者的可能性起作用。可诉的侵权行为（actionable injuries）所产生的费用只有很少一部分是由侵权人支付的。尽管侵权法在受害者所受到之意外伤害的补偿中只能起很小的作用，而且在实现这种作用之时也要花费相对较高的交易费用，但是作为一种威慑，它是有用且有效的。在它提供这种偶然的和部分的补偿的同时，它成功地使许多被告的头脑对它的力量产生了大量过高的估计。

［Michael Saks，Do We Really Know Anything About the Behavior of the Tort Litigation System - and Why not?（我们真的了解侵权诉讼体系运作的一切情况吗——为什么不能了解一切?），140 U. Pa. L. Rev. 1147，1287-1288（1992）.］

9. 一种新的对改革的推动力已经对日益增长的诉讼危机的疾呼声构成了挑战。事实上，全国州法院中心和位于弗吉尼亚威廉堡的全美州法院行政管理者会议（the Conference of State Court Administrators）最近的一项研究否决了这种诉讼危机的观念。这一调查发现，在所调查的16个州中，侵权案件的立案数实际上已经从1986年的330 124件减少到1993年的303 606件。同样地，在范围更广的27个州中，1991年至1993年间侵权案件的立案数也下降了6%。在该段时间内，人口不那么稠密的州如夏威夷、印第安纳和内华达州，立案数有大幅度的增加，但是在人口较为稠密的州如加里福利亚州和新泽西州，立案数却分别下降了23%和13%。改革者们指向了产品责任案件和医疗事故案件中原告大发横财的现象，但是该中心对10个州的卷宗的研究发现，产品案件只占1993年所有立案数4%，而医疗事故案件则只占所有案件的7%。在审判中，只有51%的侵权诉讼原告人胜诉，而产品责任案件和医疗事故案件中，原告的胜诉率则比这个比例低得多。在胜诉的原告中，产品责任判决的平均赔偿额是26万美元，而医疗事故案件判决的平均赔偿额是20万美元。在所有的案件中，只有7%的原告获得了惩罚性赔偿，而且这些案件中绝大部分通常是其中发现存在蓄意的侵权——如诽谤或者欺诈——的案件。惩罚性赔偿的中间值是5万美元。[See John E. Morris,（侵权危机？什么危机？）*Tort Crisis? What Crisis?* American Lawyer 18（June 1995）（总结该调查）。]

第三节 替代性纠纷解决机制（ADR）

对于那些对对抗制的诸多批评和法院不堪重负的工作量，一种主要的回应是替代性纠纷解决过程的发展。通过更多地运用协商、妥协和当事人参与这些手段而较少运用正式的、对抗制的审判程序，通过提供更多的指导和支持而较少采取非正式的、独立的和解，替代性纠纷解决（Alternative Dispute Resolution）（ADR）过程力图解决人类的诸多问题。作为一种绕开了诉讼成本和诉讼迟延困境的方式，ADR受到了支持，尽管它也受到了批评，因为它将当事人暴露在不平等的谈判力量、秘密和在法院可以强制执行的诸多权利方面作出让步的诸多后果之下。

主要的替代性措施包括下面一些：

调解（mediation）。一个中立的参与者可以促成纠纷双方达成和解协议。一些调解人致力于改善双方当事人之间的交流；一些调解人为当事人提供诸多建议并且努力僵局；一些调解人通过运用道德压力或者对纠纷由法官审结将会产生何种后果的估计来要求当事人达成和解协议。从理念上看，参与者是自愿参与该过程；然而，在某些情况下，在当事人可以将纠纷提交给法官处理之前，调解是必经程序。

简易的陪审团审判（summary jury trial）。这种审判方式是托马斯·兰布罗斯（Thomas Lambros）发明的，这是一种由法院发动并受法院监督的和解程序，旨在确保自愿性、非拘束性和保密性，同时给予每一方当事人在陪审团面前陈述对己方有利之事实的机会。随后，陪审团将陈述其对相互冲突之证据的看法，以便使和解过程中的每一方当事人都能更为客观意识到己方的不足［See Thomas Lambros,（简易的陪审团审判：和解的有效助手）*The Summary Jury Trial:An Effective Aid to Settlement*, 77 Judicature 6（1993）］。通过允许当事人在一名退休法官、一名执业律师或者一名评价观点的专家面前陈述对己方有利的事实，这一过程的诸多形式可以提供早期的中立性评价。随后，根据该独立的第三方所作出的评论和发表的观点，双方可以达成和解协议。

租借法官（rent-a-judge）。经由加州法律的授权，当双方当事人选择一名调解人并且要求初审法官颁布一道指示令或者任命令以授权该调解人听审该案件之时，这一过程就开始了。该令状会要求遵循、改变或者放弃正式的程序和证据规则。双方当事人通常平摊费用并就在何地进行审判达成一致意见。调解人会发布一个包含有事实认定和法律结论的报告；其决定必须受到现行的实体法的指导，同时这一决定既是有约束力也是可以上诉的。在一些司法区，当事人有权选择在一名退休法官或者一名为司法官的审裁官面前进行审判。

仲裁（arbitration）。经由对立双方一致同意，一名中立且熟练的参与者会根据当事人的陈述作出裁决，同时当事人同意遵守该裁决并放弃上诉。仲裁程序可以非常不正式，或者也可以真实地展现法庭上运用的程序。仲裁过程可以是自立的（free-standing）或者附属于法院系统。

这些过程可以完全在法院系统之外进行，在私人的（甚或公共的）纠纷解决中心，调解项目和诸如此类的机构中进行。或者这些替代性过程也可以附属于法院甚或由法院来管理。在一些特定的情况下，法官自身也可以成为运用调解或者其他技巧来解决纠纷的问题解决者。这里，法官不只是在管理法院的卷宗，而是在完全地改变法院的工作。下面的阅读材料代表了替代性纠纷解决诸多发展的支持者和批评者所提出的一系列观点。

杰思罗·利伯曼和詹姆斯·亨利：
从替代性纠纷解决运动得到的诸多启示
Jethro K. Lieberman and James F. Henry:
Lessons From the Alternative Dispute Resolution
Movement 53 U. Chi. L. Rev. 424 (1986)

……ADR背后的理论

开辟沟通的诸多渠道。通常阻碍纠纷得到解决的原因在于未能沟通，未能沟通则是由于在当事人之间缺乏一种信任。ADR建立在这样一个假设之上，即如果当事人能够克服这种不信任，他们就会自愿地达成与法院作出的判决一样公正的和解。

对抗过程——审判制度的动力——是在一种根本上不信任的理论基础上运作的：绝不能信赖对手。因此，诉讼就变成了形式化、耍狡猾、离间当事人、消耗时间和扭曲事实的玩意了。这些特征反映在大规模商业案件中证据开示的普通形象上，这些案件要花数年的时间办理，因为当事人要仔细地训练和准备证人，同时也要学会在交叉询问中熟练地弹劾对方的有力证人。相反，创造信任对于许多ADR过程的设计来说是最重要的。

请考虑一下微型审判（mini-trial）的例证。微型审判实际上根本不是什么审判，而是一个高度结构化的和解过程。因为它是一种可以被用来适应当事人诸多精确要求的灵活工具，所以还没有哪一个单独的微型审判程序模式曾经普遍盛行过。但是总体而言，已知的诸多微型审判具有如下许多共同的特征：

1. 当事人就规制这一非拘束性的微型审判的一套程序性基础规则（协议）进行协商。

2. 准备的时间是相对较短的——在6个月至3个月之间——而且证据开示的数量是相对有限的。

3. 听审本身是十分简化的——通常不到两天。

4. 听审通常由中立的第三方——通常被称为"中立顾问（neutral advisor）"——来进行。

5. 案件是向有权力和解之当事人的代表陈述的，没有法官或者陪审团。

6. 律师会陈述对他们最有利的事实，而没有时间深入研究细枝末节的问题。

7. 在听审之后，当事人的代表会马上私下会面，就和解协议进行协商。

8. 如果他们无法达成和解。中立顾问会给出一个咨询意见，表明他认为如果案件提交法院法官将会如何裁决的看法。

9. 程序是保密的：当事人通常都会保证不想任何局外人透露程序的细节。

关于微型审判的信任建构能力，一些观点是妥当。首先，就协议进行协商这一过程本身就倾向于加强信任。其次，通过将注意力集中在双方各自最可能有利的方面，律师通常会感觉到在讨论核心问题上会受到约束。再次，那种律师事务所采用的、或许会使法庭陷入激动的通常把戏——如吹毛求疵、耍花招以及诡辩——会令作为微型审判之展示对象的那些商业经理人员们非常不高兴。最后，在听审之时，一个双方均已同意的中立顾问的出席会增强他们信任该中立顾问作出之任何咨询意见的可能性。

调解以某种不太相同的方式导向信任的建构。调解使得中立者得以从双方了解诸多隐秘的事实，而这些事实在审判准备的过程中是双方当事人决不会彼此共享的。通过在调解人身上建立双方当事人的信任，这一过程因而能促使当事人寻求有效的、可选择的问题解决途径。在其所了解之情况的基础上，调解人可以认识到双方当事人的分歧有多大，从而想出弥合这种分歧的各种方法。

因此，ADR所给予的一个启示在于，这些旨在修复和建立信任的诸多过程能够克服对抗制所鼓励的双方当事人之间的怀疑和敌意，从而将当事人引向解决彼此分歧的道路上。如果将 ADR 诸多过程的实体性结果与在法院中处理纠纷得到的类似结果相比较的话——而且持续的诉讼的成本还难以计算——那么一般而言双方当事人都会从 ADR 中获益。

　　结果的优越性。ADR 运作一个假设是，ADR 的诸多结果通常优于法院判决——而且甚至很明显优于传统的各种和解途径。尽管这一假设很难验证，但是它却受到了一些观点的支持。

　　第一，判决是以"胜者全赢"的后果为特征的。这并非完全是事实，因为陪审团的赔偿裁定书会对当事人之间的妥协起作用，而且当事人也可以通过谈判形成合意判决（consent decree）。然而，在许多案件中，责任的根本问题仅仅通过判决原告胜诉或者被告胜诉就能够得到解决。与此相对，ADR 则不受审判的这种零和博弈（zero-sum game）的限制。尽管我们将 ADR 定义为与"法律争议"相关的途径，但是 ADR 的参与者可以不受限制地超越其争议之范围的法律定义。他们可以就引起争议的问题达成创造性的解决方案，同时这些解决方案或许会比法院有权给予的任何救济都要新奇得多。例如，在特克萨科（Texaco）和博登（Borden）两人主持的微型审判中，当事人通过就整个天然气供应合同进行重新谈判而解决了一个总额为几亿美元的违约请求和反托拉斯之反请求的纠纷。双方当事人都认为自己获得净利益。没有任何法院曾命令当事人重新谈判。一个法官或者陪审团至多只能在其判决给胜者的赔偿额上稍加折中。

　　第二，在涉及诸多复杂机构的多种案件中，经理人员们展开的谈判更可能产生优于律师事务所进行之谈判所产生的结果。经理人员远比他们的律师更为熟悉自己业务的细微差别，同时他们也能更迅速且更具创造性地回应他们的对手所提出的诸多建议。我们并不是想减损律师在谈判中的作用或者责任，他们的法律知识通常对于成功的和解至关重要，而且优秀的律师谈判者会比那些训练不足的经理人员谈判者更为熟练。然而，商业经理人的注意力被假定为较少受到法律投射到争议之上的阴影的影响。经理人员会考察整个商业图景，而不会受到法律教义所强加的那些狭隘因素的制约。

　　第三，客户的直接参与能够消除或者最小化律师的自利所带来的诸多困难。这一点也许对法官特别有教育意义。通过要求客户们参加审前会议，法官能够确信客户已经知道并许可其律师在法庭上代表他们所主张的那些观点。

　　第四，ADR 的诸多技巧和过程比传统的和解谈判中精明的讨价还价要系统得多。和解谈判通常被认为是由精明的策略所构成的，而且由于双方当事人缺乏彼此沟通的手段，所以"不合乎原则的"（unprincipled）谈判大量出现。

　　第五，设计得当的 ADR 过程能使和解决定更可能建立在争议的实质性问题

（merits）的基础上。正如理查德·波斯纳（Richard A. Posner）所表明的那样，许多因素都或多或少有助于达成和解。司法体系中的迟延可能会"通过减少案件中的风险来增加运用和解的可能性"，这部分是由于诉讼迟延减损了最终裁决的当前价值。其他的因素包括规制判决前利益的规则以及审前证据开示的可获得性。这一分析能将法院引向支持增加诉讼迟延（或者其他诉讼成本）的政策，以便促使当事人的和解。然而，因此而发生的和解并不必然是公正的，因为它们也许并未曾考虑权力*上的不对等。拥有更为有利之主张的一方当事人也许无法胜诉，这是因为他太穷，以至于无法通过证据开示过程收集必要的证据。社会或许有权力通过操纵能引诱人们远离法院的那些因素来制造出更高的和解率，但是ADR的许多支持者并不会将这些政策看成是与ADR的哲学相一致的东西。一个纠纷不能只是得到处理，它应当得到公正的处理。

……最后，认为ADR会导向"更好"结果的理由在于，私人中立者的采用能使当事人将争议提交给一个对他们特定的主题有更多专长的人，而不用在法庭上碰运气（the luck of the draw）。**许多复杂的争议会涉及到通才法官（以及所有的陪审团）也难以理解的数据和概念。而当事人可以挑选具有特定专长的人作为ADR的中立者，因而可以节省当事人培养事实认定者（以及无法培养事实认定者的风险）的成本。[1] 进而言之，如果当事人自己参与到挑选中立者的过程之中，那么他们在心理上就更倾向于接受对案件的陈述，无论它是一个有约束力的裁决（正如在仲裁中的那样）还是一个咨询意见（正如在微型审判中的那样）……

欧文·费思：反对和解

Owen M. Fiss, Against Settlement 93 Yale L. J. 1073 (1984)

……这场运动（ADR）承诺能减少提起之诉讼的数量，因此其大量的建议都专注于审前的谈判和调解之上。但是它对这些所谓"优雅艺术"的兴趣并不仅限于此。它也扩展到正在进行的诉讼之上，而且ADR的诸多支持者一直都在

---

* 译者注：这里的"权力"是广泛的政治学和社会学意义上的权力，是指一个人影响和控制他人行为的力量。

** 译者注：the luck of the draw 原意是指一个人一个命（有的人运气好，而有的人运气不好），这里是说如果当事人将争议提交法院，假如他们遇到对其争议的特定主题有专长的法官，他们的争议或许可以得到较好的解决。但是假如他们遇到一个对其争议的特定主题一无所知的法官，那么他们的争议就很难得到圆满解决。这无异于是在碰运气。

[1] 编者注：在许多年中，而且频率越来越高的现象是，许多州都曾经尝试过建立处理特定类型案件——如商业诉讼——的专门化法院。参见，例如，Rocehelle C. Dreyfuss, *Forums of the Future: The Role of Specialized Courts in Resolving Business Disputes*, 61 Brook. L. Rev. 1 (1995); Robert L. Haig, *Can New York's New Commercial Division Between Business Disputes as Well as Anyone?* 13 Touro L. Rev. 191 (1996).

寻找新的途径以便促使甚或是迫使当事人就未决案件达成和解……《联邦民事诉讼规则》第 16 条最近进行了修正,以便加强初审法官在撮合达成和解方面的力度:"促使和解"成了审前会议的一个公开目的,而且当事人被正式地邀请去考虑——如果这是更恰如其分的用语的话——"和解或者运用司法外程序解决纠纷的可能性"。(在 1983 年)民事规则顾问委员会(The Advisory Committee on Civil Rules)建议修正第 68 条,以便更有力地鼓励和解:根据该修正案,一方当事人如果拒绝接受和解请求,而随后得到一个不如该和解请求对他更为有利的判决,那么他必须支付对方当事人的律师费……

ADR 的支持者们被引向支持这样的措施,同时被引向更为一般性地高度赞扬和解的思想,这是因为他们将审判视为一种解决纠纷的过程。他们就像法院出面解决已经陷入僵局并求助于陌生人的邻里之间的争吵一样在行事。法院被看成是一个陌生人的制度化,审判被看成是陌生人行使权力的过程。邻里已经求助于某个另外的人来解决他们之间的纠纷这一事实本身就表明其社会关系的破裂。ADR 的支持者承认这一点,但是即便如此,他们仍然希望邻里在陌生人作出判决之前能达成一项协议。和解就是该项协议。它毋宁是一个休战协定,而非真正的和解,但是它似乎优于判决,因为它依赖于双方当事人的同意并且避免了冗长的审判的成本。

权力的不平衡

通过将法律诉讼看成是一场邻里之间的争吵,构成 ADR 之基础的纠纷解决故事隐含地要求我们假设在相互冲突的当事人之间的有一种大致的平等。它将和解视为对审判之结果的预期并假设和解条件是当事人对该结果之预测的产物。然而,事实上和解也是每一方当事人能用来为诉讼提供资金的那些资源的一种功能,而且那些资源的分配通常是不平等的。许多法律诉讼并不涉及邻里之间的财产纠纷或者美国电话电报公司(AT&T)与政府之间的纠纷(如果更新这一故事的话),而是涉及一名少数种族的成员与市警察局之间就所谓警察采取了残暴行为问题而展开的斗争,或者涉及一个工人对一个大公司提起的工伤请求。在这些情况下,财政资源的分配或者一方当事人承担诉讼成本的能力将不可改变地影响谈判的过程,和解与力图为不相关的当事方创造幸福的正义观念是相互冲突的。

双方当事人之间资源的不对等会在三个方面影响和解。首先,较为贫穷的一方当事人不太有能力收集并分析预测诉讼结果所必需的信息,因此在谈判过程中就处于不利地位。其次,他或许急需得到他所寻求的赔偿,因此这会诱使他同意和解以便加快赔偿的支付,尽管他意识到当前他得到的可能比他如果等候判决的话得到的少一些。所有的原告人都希望马上得到赔偿,但是一个贫穷的原告会受到一个富有的被告的剥削,因为该原告的需要是如此急切以至于被告能够强迫他接受一个比普通的判决所确定的赔偿额都少的金额。最后，较为贫穷的一方当事人或许会被强迫去和解，因为他没有为诉讼提供资金的资源，他没有能力支付其自身预计的费用——如律师的时间费用——或者他的对手通过操纵诸如证据开示这样的程序机制而强加给他的费用。或许看起来和解通过容许原告避免诉讼成本而使他受益了，但是事实上并不是那么回事。被告会预见到在案件得到完全地审判的情况下原告的成本，因此他会减少原告提出的赔偿请求额。即便原告和解，贫穷的他仍然是诉讼成本的受害者。

当然，权力的不平衡也会扭曲审判：资源影响法庭陈述的质量，而这随后又与谁胜诉和胜利的条件有重要的关系。然而，我们指望法官指导的存在，他能够运用许多措施以降低分配上不平等的影响。比如说，他能够通过提问来补充当事人的陈述、传唤法庭证人并且邀请其他的人和机构以法庭之友（amici）的身份参与进来。这些措施也许只能对缓和分配上不平等的影响起到很小的作用，但是不应当因这一理由而被忽视。对于和解，甚至这些步骤都是不可能的。而且，在一个像和解这样的过程——这一过程建立在讨价还价基础上，并且承认财富的不平等是该过程的一个不可或缺且合法的（legitimate）组成部分——和一个像审判这样的过程——这个过程有意地反对那些不平等——之间存在一个严重的差异。审判渴望从分配上的不平等中获得自治，而且它也正是因为这种渴望而赢得了多数的吸引力。

缺乏权威性同意

支持和解的观点预先假设纠纷的冲突方是个人。这些个人代表他们自己，而且他们也应该受到他们所产生之规则的约束。然而，在许多情况下，个人会陷入损害他们自治的合同关系。比如，律师或者保险公司或许会同意符合他们利益而并不最符合其客户利益的和解方案——如果他们的客户仍有权作出选择的话，他们是不会同意这些和解方案的。但是一个更深层和更为棘手的问题会产生于这样一个事实，即许多当事人不是个人，而是组织或者团体（groups）。我们并不清楚谁有权代表这些实体，谁有权作出决定诸多和解之请求的同意。

当我们的注意力从诸多组织转移开来并考虑这一事实，即大多数现代诉讼涉及到更为模糊的社会实体（entities）即团体时，这些问题就会变得更为明显。一些像少数种族、监狱囚犯、为心理障碍者设立之公共机构的常驻代表这样的团体，可以具有一种超越诉讼的身份（identity）或者实体（existence），但是他们没有任何正式的组织结构，因此缺乏任何产生权威性同意程序。这样一种程序的缺乏在涉及一个团体——如1972年至1982年间Cuisinarts的购买者——的案件时就会更加明显，这样一个团体的建立只是为了创立足够庞大的基金，以便在财政上对律师处理案件有吸引力。

597　　　诉诸于审判并不会完全地消除非权威性行动的风险，正如它并不能完全消除资源上的不对等所产生的诸多扭曲现象一样。一个团体或者一个组织的代表所陈述的案件事实将无可否认地影响案件的结果，而且该结果将约束那些或许同时受到一项和解之约束的人。另一方面，审判不会对所谓的代表们作出同样的要求。在代表们所做和所说与法院最终的决定之间，存在一种概念性和规范性的差异，这是因为法官乃是根据独立的程序性和实体性标准来检验那些陈述和行动的。审判的权威来自于法律，而不是来自于假定的（putative）代表们的陈述或者行动，因此我们允许审判约束并不直接涉及诉讼的人们，即使在我们不情愿让和解也具有同样的约束力之时亦是如此。

　　已经被设计出来用于监督涉及团体或者组织时之和解过程的程序并未消除产生权威性同意的诸多困难。这些程序中的某些为和解的批准提供了实体性标准，而且甚至都没有考虑同意的问题。一个相关的案件是唐尼法案（Tunney Act）。该法案确立了在政府反托拉斯案件中向局外人通告和解提议（proposed settlement）的诸多程序，并且要求法官决定是否司法部所提议的和解是为了"公众的利益"。这一制定法隐含地承认了确定谁有权以某种权威性的形式来代表美利坚合众国的困难性，但是它仍然事实上没有为法官进行这样的确定或者决定是否批准和解提供指导。"公众利益"标准事实上似乎鼓励法官去考虑这样的非司法因素如公众情感以及追诉资源（prosecutorial resources）的有效配置。

　　其他的监督机制——例如规制集团诉讼的第23条——并未花气力将批准和解的实体性标准清楚明白地表达出来，相反，这些机制将全部的事务都委托给了法官。在这样的情况下，法官的批准在理论上应当取决于该团体的同意，但是确定是否存在这样的同意通常是不可能的，这是因为真正的同意至少要包含一个团体中所有成员明确的全体一致，而所有成员的数目也许会是成千上万，而且这些成员分布在美国各地。法官的批准转而取决于和解提议与法官所设想的案件审结之后所获得之判决有多么接近或者相去多远。与纠纷解决故事所表明的内容相反，批准一项和解的基础因而不是同意，而是和解与判决的相近程度。这或许会消除我对和解的反对意见，除非被用作和解之一种措施的判决确实很不寻常的：它事实上从未被运用过，而只是想像而已。它已经在没有完全审判之益处的情况下被建构了，而且法官一度不再依靠对抗制所保证的彻底陈述。相互竞争的当事人已经达成协议，并且与维护和解协议和说服法官该和解协议符合法律具有完全的利害关系。

缺乏持续的司法参与的基础

598　　纠纷解决故事使得法律诉讼的救济维度变得无足重轻，并且错误地假设判决是过程的终结。它假设法官的职责在于宣示哪一个邻人对哪一个错，并且这一宣示将结束法官的参与（除非出现最意外的情况下，在那种情况下他也有必要签发一个指示郡长执行该宣示的令状）。根据这些假设，和解看起来似乎是审判近乎完美的替代物，因为它也能够宣示当事人的权利。然而，判决通常并非一场法律诉讼的终结而只是开始。法院的参与甚至可能会无限持续下去。在这些情况下，和解不能为这种必要的延续司法参与提供一个充分的基础，因此它绝不是审判的替代物。

有时候当事人也许会老是纠缠在纠纷之中并且将法律诉讼视为长期持续的斗争中的一个阶段。所以审判的介入并不会终结这场斗争，而只是改变了斗争的条件和权力的平衡。一方当事人老是会回到法院，再次要求法院的帮助，这并不是由于情况发生了改变，而是由于——很不幸地是——作为法律诉讼之先决条件的情况并未发生改变。这种情况经常发生在家庭关系案件中，在这样的案件中，离婚判决只是代表了一系列无休止的、就监护和抚养问题产生之小冲突的序幕。

对联邦的积案（docket）起到如此显著作用的那些结构性改革案件为持续司法的参与提供了另外一个机会。在这些案件中，法院力图通过重新构建大规模的官僚机构来保障公共价值。这个任务是庞大艰巨的，但是我们在如何重新构建正在运作的官僚机构方面的知识却是有限的。其结果是，法院必须长时期地——或许是永远地——监视和对付救济过程。我认为这恐怕就是大多数学校内废除种族隔离案件的实情，这些案件中的一些已经悬而未决达20年或者30年之久了。在寻求剥夺一个产业的资金或者重组该产业的反托拉斯案件中，这也是实情。

和解的诱惑力在很大程度上来源于这样一个事实，即它避免了对审判的需要。因此和解必须在审判终结、法官已经作出事实裁定和得出法律结论之前出现。其结果是，面对修改一个合意判决之要求的法官必须回顾性地（retrospectively）重构该令状作出之时所存在的情形，并且决定现在的情形是否已经发生了充分的改变以至于有正当理由对该令状作出修改……这样一种调查[*]……可能会将最初的和解所节省下来的一切司法资源全都浪费掉。

和解也会阻碍有力的执行，有力的执行有时要求运用藐视法庭制裁（contempt）这项权力。作为一个正式问题，藐视法庭可以用来惩罚违反合意判决的行为。但是法院在运用该项权力强制执行仅仅依靠同意令状之时会犹豫不决，特别是当强制执行指向职位很高的公共官员的时候更是如此……法院并不会将当事人之间的那一点点讨价还价视为行使其强制性权力的充分基础。

正义而非安宁

正如我们所看到的那样，通过使法律诉讼的救济维度变得无足轻重，同时通

---

[*] 译者注：指法官为了确定是否有正当理由修改令状而对过去和现在情况的调查。

过将诉讼的社会功能简化为一种解决私人纠纷的途径，纠纷解决故事使得和解看起来似乎是审判的完美替代物：在该故事中，和解似乎实现了与审判完全相同的目的——当事人之间的安宁——但是比起审判所花费的社会成本而言，它在实现这一目的时所花费的社会成本要少得多。两个争吵的邻人为了解决他们的纠纷而求助于法院，而且社会使人们可以获得法院帮助的原因在于，它希望帮助他们达到其私人目的或者确保他们之间的安宁。

然而，依我之见，审判的目的应该在更广泛的意义上加以理解。审判所运用的是公共资源，所雇佣的不是由当事人挑选的陌生人而是由公众参与的过程所挑选的公共官员。和立法部门和行政部门的人员一样，这些官员拥有公法而非私人协议所确定和赋予的权力。他们的任务并不是要使私人当事人的目的最大化，也不只是要确保安宁，而是要说明并使权威性的文本如宪法和制定法所体现的诸多价值产生效力：解释这些价值并使现实与它们相符合。这一任务在当事人和解时并未履行……

哈里·爱德华兹：替代性纠纷解决：灵丹妙药抑或被咒逐的事物

Harry T. Edwards,[1] Alternative Dispute Resolution: Panacea or Anathema? 99 Harv. L. Rev. 68 (1986)

……在严格的私人纠纷中，ADR 机制——如仲裁——通常优于司法。纠纷能够由更适宜于由当事人挑选、具有实质性专长的中立者来解决，而且纠纷的实质可以在没有混淆视听的诸多程序规则的情况下得到考察。每年，劳动和商业仲裁都会通过这种途径解决成千上万的案件，而且更多的私人纠纷通过 ADR 而非通过司法毫无疑问能得到更好的解决。

然而，如果被扩展到去解决困难的宪法或者公法问题——运用非法律的价值去解决重要的社会问题或者在允许这样做的情况下法律力图规制限定公共权利和义务——有很好的理由要考虑这个问题。司法的一个被人再三忘记的价值在于，它确保了纠纷的正当解决以及公共价值的适用。在我们迫不及待地拥抱诉讼的替代性措施，我们也要注意不要危及法律已经实现的价值，注意不要摧毁正式司法的这种重要的功能……

这里要考虑的是，ADR 将会用非法律的价值代替法治。J. 安东尼·卢卡斯（J. Anthony Lucas）对于公共汽车载人危机（busing crisis）期间波士顿的杰出研究强调了很关键的一点，即通常我们这个国家大多数基本的价值——诸如依法律的平等司法——会与地方性的非法律习俗（mores）发生冲突。这是学校内废

---

[1] 编者注：哈里·T·爱德华兹法官是美国哥伦比亚巡回区上诉法院的首席法官。

除隔离斗争期间波士顿的真实写照,也是 60 年代民权斗争中的南方的真实写照。然而,这种反映在规则之治/法治中的国家公共价值与或许包含在替代性纠纷解决中的非法律价值之间的冲突,甚至在更为世俗的(mundane)公共价值中也会存在。

比如说,许多环境纠纷现在通过谈判协商和调解而不是通过司法得以解决。事实上,正如我的同事沃德法官(Judge Wald)最近所评论的那样,通过需要庞大资金投入的立法(superfund legislation)解决我们这个国家的有毒废物问题的希望十分渺茫,这些大量的有毒废物纠纷只能通过谈判协商而非诉讼得到解决。然而,无论环境问题上的谈判协商多么必要,这个问题仍然是很麻烦的。当国会或者一个政府机构已经制定了严格的环境保护标准的时候,用不那么牢靠的标准去修改这些严格标准的诸多谈判协商将会导致适用那些完全不能与法治相符的诸多价值。进而言之,环境问题上的调解和谈判协商会产生这样一种危险,即环境标准将由不受政府机构之民主制约的私人团体来确定。

我们也必须保持注意,以免 ADR 变成一种减少处于不利地位者(the disadvantaged)法定权利方面之司法发展的工具。托尼·阿姆斯特丹(Tony Amsterdam)教授曾恰当地评论道,ADR 可能"以增加对司法的接近和司法效率的名义"导致遭受不法行为侵害的贫穷者和生活水平低下的人获得法定赔偿的可能性较少,便宜的、迅速且非正式的司法并不总是公平和正义的司法的同义词。决策者也许不能理解利益攸关(at stake)的价值,纠纷的当事人并不总是拥有平等的权力的资源。有时候由于这种不平等,有时候由于缺乏程序保护的非正式过程的诸多缺陷,替代性机制的运用所产生的只不过会是便宜的而且没有见地的决定。而且,这些决定可能只不过是将社会中现存的权力结构合法化罢了。此外,通过将特定类型的案件从司法上转移开,我们也许会扼杀了诸多受冷落的法律领域中的法律发展。比如,我们可以想像一下:如果 60 年代和 70 年代所有的种族歧视案件是被用调解解决而不是用司法解决的话,那么民权法贫瘠的本质将会导致什么样的结果。将所有涉及贫穷者法定权利的案件完全从司法上转移开将导致这些权利由我们社会中的强者来定义的后果,而不会导致反映在法治中的根本社会价值的适用……

一旦一个法律体系发展得很完备的时候,仲裁和其他的 ADR 机制就会以一种公共权利和义务不由私人团体来定义和界定的方式建构起来。最近联邦部门劳动仲裁员的经验——这些仲裁员被要求去监督与法律、规则和规章的相符——表明,解释和适用法律也许并不在仲裁员的能力之外。只要我们将仲裁员的职责限制在适用定义明确的法律规则之上,同时将阐述公法的权力严格地限定由法院来行使,那么 ADR 能够成为减少正在迅速增加的未决案件的一种有效的手段。雇佣歧视案件提供了一个很有前途的例证。许多雇佣歧视案件是相当受事实限制的（fact-bound），因此可以通过适用固定的法律原理来解决。然而，其他的案件提出了新颖的问题，这些问题应当由法院来解决。如果更多日常的案件能够被正式证明能由一个有效率的、具有作出某些最终决定之权力的替代性纠纷解决体系来解决的话，那么法院就可以把更多的注意力投向新颖的法律问题，整个反歧视法的效率就可以得到加强。

在其他的领域，我们能够利用由行之有效的 ADR 机制发展出来的实质性专长和标准。例如，通过数 10 年的劳动仲裁和调解发展出来的经验和标准会被证明在处理"不正当解雇"（unjust dismissal）案件中没有参加工会的雇员与其雇主之间的纠纷方面特别有用……

最后，存在一些纠纷，在这些纠纷中社区价值——以及法治的价值——或许是一个丰富的司法资源。对家长和学校之间就残疾儿童的特别教育计划产生之纠纷所进行的调解业已非常成功。大多数纠纷已经通过调解得到解决，而且家长们一般对（调解的）结果和过程持乐观态度。这些调解中所涉及的问题是一个儿童的适当教育问题，这是一个最好由家长和教育者——而非法院——加以解决的问题。同样地，许多房东-房客纠纷最终也只能通过谈判协商来解决。大多数房客"权利"只是程序性而非实体性的权利。然而，房客期望在住宅条件或者他们不被驱逐的保证方面能有实质性的改善。因此，对房东-房客纠纷所进行的调解会非常成功——通常比司法成功得多——这是因为双方当事人通过谈判协商都能获益匪浅。

然而，在这两个例证中，最终诉诸于司法的选择权是必要的。正是因为残疾的儿童享有法定的受教育权，所以家长-学校之间的调解才能成功。正是因为房客享有程序性权利，所以房东才会进行一点讨价还价。

因此，ADR 在建构一个既更便于管理又更能回应我们市民需要的司法体系方面能发挥重要的作用。将 ADR 的这种作用进行严格限制，以便防止用独立于法院之外的 ADR 机制去解决重要的宪法和公法问题是必要的——正如前面的例子所说明的那样。幸运的是，很少有 ADR 项目试图将公法问题从法院转移走。尽管这或许只是反映了 ADR 运动的相对年轻，但是它或许同样表明了一种对非司法的场所（fora）解决公法问题之危险的认识。

莉萨·伯恩斯坦：理解与法院相关联的 ADR 的诸多局限性：
对附属于法院的联邦仲裁项目的批判
Lisa Bernstein, Understanding The Limits of Court – Connected ADR:
A Critique of Federal Court – Annexed Arbitration Programs
141 U. Pa. L. Rev. 2169 (1993)

……CAA（附属于法院的仲裁，Court – annexed arbitration）项目的一个首要目标在于减少发生纠纷的私人和社会成本。然而，对有关联邦 CAA 项目（这些项目没有仲裁后（post – arbitration）费用，也没有抑止要求司法的诉讼成本转移）的实证性文献的审查表明，没有决定性的证据表明 CAA 项目减少了私人或者社会发生纠纷的成本。

社会成本的一个量度是每件案件的处理成本。最近对北卡罗莱纳州 CAA 项目所进行的一项研究发现"每个以仲裁方式结案的案件的平均审理成本是1209美元，而每个结案的控制集团（control group）案件的平均审理成本是1240美元"，并且警告说"成本上的区别在数据统计上并不是很明显"。一个区终止了其（仲裁）项目是"由于不成比例的高行政成本……本区 14% 的行政资源被花费在处理仲裁案件上，而这些仲裁案件只占本区民事案件总量的 7.2%"。

即便 CAA 项目对于每件案件的处理成本没有影响，但是如果它们降低了审判率，那么它们就可能在总体上节省社会成本。然而，没有决定性的证据表明这些项目降低了审判率，而且因为提交给这些项目（由它们处理）的案件中只有很少的案件本来应该提交给只有初审权的管辖权区（trial – only jurisdiction）的法院处理，所以需要运用多年的资料才能可靠地发现审判率上的诸多变化。

有一些证据表明这些项目可能会稍微降低发生争议的私人成本，但是所报告的降低幅度很小，这些研究并不是决定性的，而且这些结果可能会受到严重的反应偏见（response bias）的破坏。进而言之，那些发现对原告的私人争议成本有少许降低的研究并没有发现原告向其律师支付的胜诉酬金（contingent fee）的比率有任何变化。这表明在侵权案件的语境之下，CAA 项目可能会有利于原告的律师，而不是原告自己……

CAA 项目的另外一个目标是减少迟延。联邦司法中心（Federal Judicial Center）对立案到结案这段时间的一项研究结论认为，"更为迅速的结案并不是仲裁项目的一个必然益处"，而且 RAND 的一个研究发现在结案时间上，（仲裁和司法）并没有统计数据上的重大差异。无论如何，即使这些项目真的减少了案件平均的处理时间，只要仲裁裁决不具有约束力，那么更有能力承担迟延之成本的一方当事人就仍然可以威胁另一方，要求将争议提交司法解决……

私人 ADR 的一个最重要的特征是程序和结果的保密性。私人 ADR 提供者的宣传广告总是会强调保密性。

保密性能同时影响和解达成的可能性和一个请求的和解价值。在一方当事人总是诉讼缠身并有兴趣拥有一个难对付的谈判者这种名声的情况下，保密性会去除在特定案件中被认为是难对付的谈判者的益处，而且使他更容易和解。相反，一个在没有 ADR 协议情况下或许已经同意和解以免泄露专利信息的当事人在存在这样协议——确定地知道程序会保密——的情况下也许会拒绝和解。

保密性的另外一个益处在于，它能使诉讼当事人将对其名誉的损害最小化。尽管这一点在小额诉讼（small claims）中——在这样的案件中，一个纠纷的存在的至多会影响纠纷悬而未决期间一方当事人对资金的获得——或许不太重要，然而他仍然是私人 ADR 的一个重要优势。

附属于法院的联邦 ADR 项目并不能为当事人提供与私人 ADR 项目相同程度的保密性。即使是在附属于法院的 ADR 诉讼程序中——在这样的程序中，听审是不对公众公开的，因此在此程序中所披露的信息会被保密——纠纷的存在和起诉状中的指控事由仍然是一个公共记录的问题。此外，尽管第六巡回区法院已经裁定，认为简易陪审团司法可以不向公众公开，但是不向公众公开其他类型的附属于法院的联邦 ADR 程序这种做法的合宪性问题还没有被任何联邦法院考虑过。

根据 ADR 的专业人士的观点，非正式性（informality）是当事人倾向于私人 ADR 的一个重要理由。非正式的过程被认为在保存正在发展中的商业关系方面优于正式的对抗制程序。然而，只有在关联合同（relational contract）的情况之下才会如此，在关联合同的情况下，当事人已经进行过长时期多次交易，而且他们知道最可能发生的纠纷类型，懂得为私人 ADR 进行磋商的障碍是最少的而这样做的收益是最大的，同时当事人能够很容易地找到一个他们认为会公正且友善地解决所产生之任何纠纷的事实裁判者。在这样一种情况下，未将一个 ADR 条款涵盖在合同中可能反映出当事人的谨慎选择，也可能表明这一点，即如果发生了一个难以通过友善方式解决的纠纷，他们更偏爱于用传统的司法来解决。

在当事人倾向于采用相对非正式的私人 ADR 过程之时，附属于法院的 ADR 程序完全把握非正式性之诸多益处的能力是有限的。首先，大多数非正式纠纷解决过程的成功在很大程度上是由于这一事实，即当事人同意采用这些过程。在一方当事人不希望参与之时，一个非正式过程是不可能导向一个合意解决的。其次，机构司法（agency adjudication）的历史表明，附属于法院的 ADR 项目和程序可能会变得越来越正式和复杂……

法院和私人 ADR 裁判庭强制执行其裁决的能力会有实质性的差异：私人（法律外）纠纷解决裁判庭通常受到青睐的原因在于它们有能力施行法律上的制

裁措施，例如金钱损害赔偿和具体履行以及法律外的制裁措施。这些法律外的制裁措施给当事人施加了额外的压力，以便使他们遵守仲裁裁决，这种压力是法院所不具有的。例如，在一个组织良好的行业中，行会裁判庭能迅速地将未履行的判决（unpaid judgment）变为对名誉的损害。一些同业工会和商品交易所要求其成员签订一个协议，同意将争议提交给组织内部所设立的纠纷解决裁判庭解决并保证迅速地遵守它们的裁决。通过威胁要开除一个成员或者将某人不履行已作出的不利于自己之裁决的行为公之与众，这些工会能够采取可靠的威胁手段，以将一个不听话的争议者逐出该行业。在钻石行业中——在这个行业中，世界钻石交易所成员之间的所有争议都是通过交易所经营的调解和仲裁庭来解决的——只要纠纷解决裁判庭的裁决得到遵守，那么争议的存在和结果就可以保密，但是如果一个当事人未能迅速地履行一个不利于他的裁决，那么他的照片就会被张贴在世界上钻石交易所内，同时附带一个醒目的告示，描述他的不当行为和他未能履行裁决的事实。在芝加哥商品交易所——在这里，仅仅存在一个争议这一点就足以威胁到公众市场完整性的理解——一个纠纷的存在和该交易所纠纷解决裁判庭对该争议的裁决会张贴在交易大厅的外面，即使有过错的一方当事人迅速履行了对他不利的判决亦是如此。尽管交易所规则限制了可以作出的最高罚款额，然而将纠纷和裁决公之与众对名誉产生的影响将会极大地增强制裁的效力。

相反，一个由法院指定的仲裁员不能利用这些类型的法律外强制执行机制：他不能产生独特的压力以迫使当事人接受他的裁决，而且他已经作出了一个裁决这一事实或许不会对当事人的名誉产生任何影响，也不会对当事人径直将案件提交法院解决产生任何影响。

总而言之，将 ADR 条款包含在合同之中可以获得的私人益处远远超过了事后（ex post）迟延的减少和纠纷解决的成本。如果当事人能够就可以就双方接受的中立者达成一致，那么制作严密的 ADR 条款就可以减少签订合同的成本，而且在违约的情况下可以用来减少受承诺人（promisee）所遭受的实际损害并因此增加了一个合同承诺的价值。此外，这样的条款可以扩大当事人可以获得的、值得信赖的合同承诺，而且在特定语境下可以被用来确保强制执行的诸多优势以及名誉关系的全部利益。虽然这些利益中的一些可以通过运用私人的事后 ADR 机制来获得，但是在很多情况下，它们不能通过要求当事人参加一个由地方律师协会的自愿成员所举行的、非约束性的 CAA 听审的方式来获得。因此，私人的、合意的并具有约束力的 ADR 的声望和成功的证据不应当被用来为法定的、非约束性的、附属于法院的仲裁项目提供正当理由，而且在用来分析其他类型的附属于法院之 ADR 项目的可欲性（desirability）之时也应当慎重……

乔治·库姆：国际商事纠纷的解决：一个来自北美的视角
George W. Coombe, Jr., The Resolution of Transational Commercial Disputes: A Perspective from North America
5 Ann. Surv. Intl. & Comp. Law 13 (1999)

国际（跨国）商事纠纷的解决需要对一个特定纠纷所产生的基础性（underlying）商事交易进行仔细的评价。必须对一些附带问题——政治的、经济的、法哲学的以及文化的——给予特别的关注，在解决国内商事纠纷的时候很少会遭遇这些问题。如果受到了良好的建议，那么商业经理们在就一个跨国协议进行谈判协商之前会较为充分地考虑这些问题的含义。事实上，理解这些问题法律和实用主义方面的含义是不够的；谈判协商的过程本身应当反映这种理解。因此，这样一个协议的一个重要组成部分应当是一个纠纷解决条款，这个条款反映了当事人的这一明确意图，即预料到将来可能会发生纠纷并且希望以一种有益于保存商业关系的方式来解决该纠纷。

长久以来，跨国纠纷的解决完全是由一小部分所谓的"国际律师事务所"来进行的，他们深谙于国际诉讼和仲裁的错综复杂之道。直到最近，诉讼和仲裁仍然代表着纠纷解决惟一技巧。然而，最近20年已经见证了可用之纠纷解决技巧的扩展，这表明商事活动中，人们越来越信任通过自愿的、非约束性的过程——诸如谈判协商、调解、和解和微型司法——来解决纠纷的做法……

北美自由贸易协定（NAFTA）提供了一个外国投资者与一个成员国间的之间仲裁。NAFTA规定，根据国际投资争端解决中心（Internatioanl Center for the Settlement of Investment Disputes, ICSID）或者联合国国际贸易法委员会（United Nations Commission on International Trade Law, UNCITRAL）的规则，一个投资者可以将争端提交国际仲裁。而且，NAFTA明确地鼓励国际商事仲裁："每一方当事人应尽最大之可能鼓励并促进运用仲裁和其他替代性纠纷解决措施来解决自由贸易区内私人当事方之间的国际商事纠纷"。

NAFTA一直在鼓励新的处理私人跨境纠纷仲裁和调解中心的发展。美洲国家商事仲裁与调解中心（The Commercial Arbitration and Mediation Center for the Americas, CAMCA）的创立是为了促进北美自由贸易区内私人越境纠纷的解决。CAMCA是经过其构成成员的诸多努力才得以形成的，这些构成成员包括：美洲仲裁协会（American Arbitration Association）、英国哥伦比亚商事仲裁中心（British Columbia Commercial Arbitration Center）、墨西哥城全国商会（the Mexico City National Chamber of Commerce）、魁北克国内和国际商事仲裁中心（the Quebec National and International Commercial Arbitration Center）。CAMCA是由分布

在3个NAFTA国家中的这些主要纠纷解决中心中的每一个来共同管理的。进而言之，CAMCA已经建立了一个多国家的仲裁员和调解人名录，而且已经创设了一种在缺乏当事人间协议的时候确定仲裁或者调解之地位的机制……

尽管这一地区近来存在着诸多经济问题，然而在过去10年内外国投资向亚洲和太平洋地区转移的迅速程度比世界历史任何时期都要快。作为这些资本流动的结果，20亿人——这个人口数是生活在工业化的西方的人口总数的两倍半——正在在一代人的时间内将他们自己带入现代化。

由于在商业上亚洲对美国和加拿大所具有的重要性，亚洲的诸多传统影响美国和加拿大的思维方式就不足为奇了。作为对仲裁的一种有用的增加（augmentation），（亚洲的）这样一个传统——商事纠纷以和解方式解决——已经在整个北美牢固地确立下来了。通过与其亚洲对手直接谈判协商的经验，商业经理们和他们的律师已经逐步领会到这个道理，即强调保存商业关系和维护交易双方之可信赖性的亚洲价值观正是可靠的商事纠纷解决的精神之所在。

人们越来越认识到正式的、用来解决纠纷的司法程序——诸如诉讼和仲裁——的诸多适得其反的特征，正是由于受到这种现实的激励，美国和加拿大的许多法律职业人士已经开始寻求更好的解决法律纠纷的途径。激发对替代性程序之寻求的诸多目标反映了被确定为是内在于传统司法程序的一系列问题：当事人参与的愿望；在不终止基础性商事关系或者不破坏这种商事关系所赖以建立之信任的情况下解决纠纷的必要性；使当事人的注意力集中在纠纷的主要争点之上并且最可能避免将时间和精力转移到程序性和其他辅助性问题上的必要性：以及对自由对话的促进。

鉴于上述诸多考虑，同时为了利用在亚洲得到普遍青睐的诸多非约束性之谈判协商程序的优势，这些程序能够在仲裁程序的框架得以建构。事实上，仲裁框架为当事人提供了很大的自由度，这种自由度使得当事人能清楚地确定程序的范围和结构，以便他们能达到替代性程序的诸多目标，同时在所协商的和解协议未能达成的情况下仍能得到一个最终的裁决。

因此，设计仲裁协议是可能的，根据这种仲裁协议，对仲裁的要求将会在仲裁员选任之前自动地引发诸多初步的非约束性程序。如果构造得当，这样的条款不仅可以将诸多程序从司法干预（judicial interference）中隔离开来，而且能够使援用替代性程序的一方当事人获得法院的帮助，以迫使其顽抗的对手将替代性程序作为仲裁不可分割的一个部分。目前，对仲裁框架的运用为替代性、非约束性谈判协商程序在跨国商事纠纷上的适用提供了最有前途的路径。其结果是，我们应当继续关注亚洲的诸多价值观和传统以及它们对跨国商事活动和最近跨国商事纠纷的解决所产生的日甚一日的影响……

里查德·戴尔加多：公正与程序：
将替代性纠纷解决中偏见的风险最小化
Richard Delgado, Et Al., Fairness and Fromality:
Minimizing the Risk of Prejudice in Alternative
Dispute Resolution 1985 Wis. L. Rev. 1359

ADR 提供了许多显而易见的益处。它能够灵活地形成一个裁决，以保护当事人之间持续性的关系；它成本低廉、非常迅速，而且对于一些人来说，至少它是非胁迫性的（nonintimidating）。不过，对于在一场迅速的、没有痛苦的、由于受到偏见影响而作出对其不利判决的听审中的少数种族当事人而言，仍然是没有多大益处可言的。

第三部分表明，偏见的风险在以下情形中是最大的：在一个团体内的成员与一个团体内的成员对峙的情形下；在这种对峙是直接而没有中间人介入的情形下；在几乎没有规则约束行为的情形下；在环境封闭并且并不清楚是否"公共"价值观处于优势地位的情形下；在争议涉及一个隐私性的、个人性的问题而非一些非人格化（impersonal）问题的情形下。我们的回顾也表明，许多少数种族的参与者——当他们相信其所作所为会产生影响、结构会对之作出回应并且结果是可预期的且与其努力和美德相关联的时候——他们会不遗余力地主张其权利。

由此可以得出的结论是，在当一个身份低微、没有权力的人与一个身份显赫、手握重权的个人或者机构对峙之时，ADR 最易将偏见掺和进来。在这样的情况下，身份显赫的一方当事人比在其他情况下更可能企图提出带有偏见的要求；同时，身份低微的个人不太可能强烈地主张他的或者她的权利。当调解人或者其他的第三方属于高级团体或者阶层的时候，这些危险就会增加。可能包含这些特征的 ADR 环境的例子有：监狱和其他的制度性审查委员会、消费者投诉处理委员会和特定的被称为舞弊的调查官员（ombudsman）的案件类型。在这些情况下，少数种族和其他外部团体（out-groups）的成员会倾向于正式的法院内司法这种纠纷处理方式，而且司法体系应当避免强迫他们接受一个替代性纠纷解决程序。ADR 可以保留下来，以便处理那些权力和地位旗鼓相当的当事人相互对峙的案件。

当所要裁决的争议触及一个敏感或者隐私的生活领域——比如说住房或者以文化为基础的行为之时，ADR 同样会导致诸多偏见风险的增大。因此，许多房东-房客、邻里之间以及家庭内部的纠纷通常难以用 ADR 来解决。在当事人地位不平等而且所诉求的问题涉及一个敏感的、隐私的领域的情况下，结果带有偏见色彩的风险就会特别巨大。如果基于经济或者效率的原因，这些情形必须诉诸于 ADR 的话，那么通过制定明确地规定程序的范围并禁止不相关或者干预性之间询（inquires）的规则，通过规定某种形式的更高级复审，偏见的可能性可以得到减少。第三方撮合者（facilitator）或者决策者应当是专业性的并且应当是为双方当事人所共同接受的人。任何一方当事人都应当配备一名熟悉在法庭上代理相关问题的辩护人——最理想的是一名律师。为了避免大放烟雾（atomization）和失去收集当事人主张的机会，同时为了避免将公众的价值观注入到纠纷的解决中，在那些有着广泛的社会维度的案件中不应当采用 ADR 机制，而是应当将之提交给法院，以获得一个适当的解决。

诸如此类的措施会破坏使 ADR 具有吸引力的那些优势——这些优势如经济、简单、迅速和灵活——吗？这样的措施会使 ADR 变成和司法一样昂贵、耗费时间、教条化且缺乏灵活性的程序吗？这些措施确实增加了成本，但是总而言之，花费这些成本似乎是值得的。在更多世俗的利益面前，法律面前平等的理想永远是一种受到危害的价值。与基本的公正目标想一致的 ADR 的持续发展将需要两个基本的调整：（1）有必要弄清楚哪些领域以及哪些类型的 ADR 中偏见的危险最大，并且有必要将这些冤屈提交给正式的法院进行裁决；（2）在那些存在偏见风险——但是这种风险会没有达到的领域，必须在 ADR 中设立诸多的制衡（checks）和手续（formalities），以便尽可能地降低这些风险……

弗兰克·桑德：纠纷处理的多样性

庞德研讨会：未来司法的视角 65，83－84（美国律师协会）

Frank E. A. Sander, Varieties of Dispute Processing The Pound Conference: Perspectives on Justice in the Future 65, 83－84 (American Bar Association)

……因此，我所拥护的乃是一种灵活且多样的纠纷解决过程的全景，根据我们提到的一些标准，这些纠纷解决过程将特定类型的案件分配给不同的过程来处理（或者诸多过程的并用）。令人信服地是，对于特定类型的案件来说，这样的分配或许在最开始就由立法机关完成了；这实际上就是马萨诸塞州立法机关在处理医疗事故案件方面的做法。或者一个人可以想像：在 2000 年的时候，法院不再是单纯的法院，而是一个纠纷解决中心，在那里苦主（the grievant）会被引向一个甄别案件的法官助理（screening clerk），然后这位助理会将他引向最适合他的案件类型的（纠纷处理）过程（或者过程的顺序）。这样一个中心的大厅内的房间目录也许是如下的样子：

筛选助手	房间 1
调解	房间 2

仲裁	房间 3
事实查明	房间 4
医疗事故筛选委员会	房间 5
高等法庭	房间 6
调查官员舞弊情况的官员	房间 7

……（一个关注的问题）是保留法院、将之作为能有效保护处于不利地位者之权利的最终机构的必要性问题。这是一个我认为与我所拥护的目标相一致的合理性关注（legitimate concern）。我并不是在主张这种观点，即那些提出了新颖的宪法性权利主张的案件应当转由调解或者仲裁来处理。相反，我的目标是保留法院，将之用作最适合它处理的那些活动，而且要避免法院被那些不需要它们的独特能力来处理的案件淹没掉或者弄瘫痪。

卡丽·门克尔-梅多：在一个对抗性文化中追求和解：
新增的革新措施或者"ADR 法"
Carrie Menkel-Meadow, Pusuing Settlement in An Adversary Culture:
A Tale of Innovation Co-opted Or "The Law of ADR"
19 Fla. St. U. L. Rev. 1 (1991)

在那个被公认已成为关于 ADR 之文献和支持性论述的分支中，我们看到两种根本不同的、为解决司法无力处理的案件而开展的诸多过程作正当化解释的观点——我称之为定量效率（quantitative-efficiency）的观点和定性正义（qualitative-justice）的观点。这些关于 ADR 之目的的不同概念在很大程度反映了在我们社会中之纠纷应如何解决这一问题上的不同意识形态和视角。尽管效率已经受到更为突出的关注，然而我认为在很晚近的历史上，"司法的质量"的支持者实际上出现得最早。在 20 世纪 60 年代，作为拥护对我们的各种社会机构更多民主参与的许多其他社会运动的一个部分，许多团体强烈要求纠纷解决应当更加充分地将纠纷中的参与者包括在内。这可以使个人能对发生在他们之间的纠纷作出自己的决定。因此，社区授权的一个典范、当事人参与以及接近司法（access to justice）受到那些关注实质正义和民主过程的人们的支持。这一"运动"导致了对"邻人司法中心"的投资和支持以及许多更为本土的社区纠纷解决中心的产生——这些中心中的许多是在以对司法日益增长的参与和接近为理由而得到正当化的。

其他的人和我一样认为，从我们的对抗制司法体系或者出现在其阴影之中的谈判协商中得出的诸多结果对于解决许多人类的问题来说都是不充分的。我们的法律体系造就了司法中诸多二元的胜诉-败诉结果。它也造就了谈判协商解决中诸多折中——"妥协"——的结果，这些结果也许并不能满足当事人潜在的需要或者利益。人类的问题变得程式化和简单化，因为为了陈述一个权利主张，他们必须采用特定的法律形式。进而言之，在提供结果方面法院"有限的救济想像力"限制了当事人能够发展出来的可能解决途径。我们中的一些人曾经认为替代形式的纠纷解决或者对旧有过程的概念化能够导向帕累托最优（Pareto-optimal）意义上的效率——使双方当事人都变得更好，而不使另一方的处境变得更糟糕。此外，这些过程本身会变得更好，因为它们会为当事人参与和对当事人目标的认可提供更大的机遇。因此，"质量"学派同时包含了程序正义和实质正义的主张。这里的一些观点已经受到了法哲学和人类学研究成果的支持，这些法哲学和人类学的成果研究了在回应不同的纷争功能时人类所发展出来的不同结构……

这里的关键问题在于不同的支持者是以相当不同理由来追求和解或者 ADR 的——更便宜和更迅速并不必然是同一回事。那些不同的理由导致了制度化形式非常不同的 ADR。对特定形式的革新背后之目的的困惑导致了重要的政策决定和法律裁决，这些决定和裁决表达了潜在于特定 ADR 形式的诸多不同价值。

部分由于 ADR 的制度化，其最早的支持者——包括人类学家罗拉·纳德（Laura Nader）——现在也反对 ADR 起来，这是因为它并不促进共产主义和自决目标。相反，正是在弱势团体已经取得某些法定权利的时候，ADR 却被用来限制这些团体对法院帮助的获得。* 事实上，一些批评者认为，在非正式性允许不受法定制约的权力和支配为所欲为的诸多情形下，ADR 将我们社会中的弱势团体——如妇女或者少数种族的人——置于不受正式规则和程序之保护的境地之中，这实际上伤害了这些人。按照其他批评者的观点来说，程序至上主义者（proceduralist）认为，通过将立法私人化、转变司法角色、改变重要的法律和政治权利及原则并且通过不给予当事人那些数百年来我们的民事和刑事司法规则所提供的诸多利益，各种形式的 ADR 改变了我们的法律体系……

由于 ADR 在以各种形式通过法院进行推进，支持者也提出了有关侵犯受陪审团听审之权利、正当程序、平等保护和权力分立的问题。这些观点中的大多数都失败了，而且很明显的是，由于存在一些特定的保护措施诸如非约束性结果、要求全面听审的权利以及有限惩罚，ADR 能够合乎宪法地在法院内开展。因此，在宪法的竞技场，关键的问题是如何建构特定的 ADR 项目。非约束性的和解措施实际上已经全部得到了维持，没有受到宪法性挑战的影响。约束性程序或者那

---

* 译者注：指弱势群体虽然获得了某些法定权利，但是 ADR 却限制了法院对弱势群体的这些权利的保护。

些使对过程的选择不堪重负的程序（比如成本或者转移费用的惩罚）可能有更多问题。宪法性挑战不太可能消除或者废除法院中的 ADR，尽管这些挑战在决定所运用之 ADR 的特定形式方面有所作用。

考虑和观察这一现象更为有趣，即对抗制下的律师事务所发展出来的无数法律请求（legal claims）现在都不得不谋求安宁与和解。随着法院内 ADR 运用的增多，许多案件开始向上诉法院渗透，以便在那里对这样一些问题提出挑战，如证据开示的权利、未能完全参与或者根据价值将 ADR 作为一种"二次机会"来运用。其他的挑战包括对质（confrontation）和交叉询问的权利、充分注意、司法干预或者偏见以及第三方中立者缺乏中立性这些问题。法院不久之后将不得不与操纵使用 ADR 的行为——这样行为如谋划一场简易陪审团审判或者仲裁只是为了听取另一方当事人的有利事实以便为反驳做准备，或者只是为了给案件产生一点迟延——作斗争。

随着支持者夺取了对 ADR 的控制，他们已经将之转换到另外一个斗争的竞技场。有趣的问题是：法院及 ADR 的支持者这种 ADR "夺取"行为的含义是什么呢？……

法院中和解活动的运用应当被理解为两种文化的冲突。就和解活动是通过对另一方当事人之观点的分析来力图促进合意性协议这一点来说，它要求某些与诉讼当事人通常所运用的那些不同的技巧和一种相当不同的思维模式。因此，问题是法庭上的法官和律师在试图将案件以和解方式来解决时是否能够学会重新定位他们的文化和行为，或者那些力图和解的人是否能够从对抗制的视角上继续这种做法。就我们无法识别每个范围的不同行为这一点来说，我们或许会发现两个过程的腐化变质。如果法律体系的目标之一在于详细地规定据以判定和解或者当事人可以背离（如果他们选择那样去做的话）的法定权利的话，那么让法官过多地参与调解行为就会危及法官参与事实认定和规则制定方面的能力。如果法院在其判决中不能确定充分的基准（baseline），我们就很难确定是否特定的和解是明智的或者是真正合意性的。存在这样的危险，即良好的和解实践可能会受到过分狂热的辩护或者过分渴望结束那些或许需要完全审判或一场公众听审的案件这种心理的破坏……

1. 如果过多的其他形式的纠纷处理在其范围之内进行的话，那么法院在多大程度上会失去其作为法院的合法性？如果"其他的"过程在公共机构范围内不被认为是合法的，那么他们将在法律上受到质疑和转化，因为他们不再是"替代性措施"，而是弱化了的（watered-down）法院审判的形式。这些弱化了的形式或许是对我们的法院旨在保护的诸多法定权利和规则的违反。法律理论家、执业律师和公民们能够改变我们对法院应该做什么这个问题所持的观点？

2. 某些案件类型应当从替代性的处理方式中排除掉吗？

3. 运用特定形式的替代性纠纷解决措施的目的是什么？积案的处理和未决案件的削减或许意味着要求完全不同的过程，而不只是寻求一种质量更好但可能更相当昂贵且耗费时间的解决途径。如果特定 ADR 机构的目标和目的现在能得到阐明的话，那么以过度抽象的目标为基础的未来问题就可以得到避免。

4. 什么形式的 ADR 应当制度化？并非所有的 ADR 措施都是相同的。在文献和讨论中，存在着一种将诸多相当不同的纠纷解决途径同质化（homogenize）的趋势。对每一种措施进行一番更为彻底和仔细的考虑或许能对这些措施的效用和合法性得出诸多不同的结论。例如，如果参加会议的司法官对审判中的证据也不具有绝对支配地位，那么强制的和解会议就会变得令人非常容易接受。同样，如果简易审判对于公众来说能和其他在公开法庭开展的活动一样容易接近（accessible），并且如果我们告诉陪审员他们在做什么的话，那么我们对简易审判的感觉会非常不同。这些区别会卷入到程序规则起草中所有的法律政策问题之中。每一个过程的规定占多大比重？在当事人能够选择不同过程的情况下或者在能够"命令"他们参与的情况下，规则应当达到何种明确程度？如何理解《联邦民事诉讼规则》第 16 条、第 39 条、第 68 条、第 83 条或者如何修改这些条文以反映和解政策上的变化？这些规则服务于什么价值观？根据这些规则，以什么标准来评价法律实践呢？

5. ADR 的政治是什么？ADR 服务于特定团体的利益吗？这并非一个容易回答的问题。许多人认为，"次要的"纠纷已经被从公共法律体系中抽出去了，而"主要的"纠纷则仍在继续接受传统法院体系的益处。大公司也在将他们的案件从法院体系中移出来。通过他们对 ADR 日益增多的运用，纠纷解决经济学变得更加微妙了。有些人也会被"强迫"离开，而其他人则选择离开。这对于 ADR 的报酬（payment）和资助（subsidies）意味着什么呢？"自由市场"的力量会决定 ADR 的命运吗？谁将控制有关 ADR 的决策——法官、律师、客户还是立法者？如果那些与体系有着最重大利害关系的人存在的话，那么将由谁为法院和规则改革提供动力和资源呢？在制度化决策的层面上，这些将由个别法官、国会还是美国联邦最高法院来决定呢？

6. 在这些特定的时代产生这些法律变革的文化力量是什么？自实施了特定的法律革新以来，我们周围更大的文化已经发生了变化吗？如果将当事人参与纠纷解决过程的尝试是在"参与性的"20 世纪 60 年代和 20 世纪 70 年代作出的话，那么 20 世纪 80 年代的公共服务私人化在 ADR 的运用方面要求进行其他考虑吗？对质量司法的讨论如何转换成了一种对数量和案件处理的讨论呢？

7. 不同形式的 ADR 实际上是在如何运作呢？这是一个评价的问题。我们必须根据所运用的过程和所获得的结果来更多地了解这些过程实际上是如何运作的以及当事人满意的那些更为普通的措施。

注释与问题

1. 调解、简易陪审团审判以及其他替代性纠纷解决过程在多大程度上有助于实现法律的执行、接受听审的权利、客户自治和控制、客户参与、调停以及效率？在哪些方面它们会比传统的审判做得更好——或者更糟呢？

2. 替代性措施如何满足公众或者社区的要求？

3. 成为一名调解人会有助于你消除一些成为一名律师事务所应关注之问题方面的疑虑吗？由于对于调解人的需求相对较小，作为一名律师，你或许希望考虑在日常法律实务中如何能运用一名调解人的诸多技巧？

4. 你的人格在多大程度上会或者应当影响你就 ADR 的诸多选择向你的客户提供建议的内容？

5. 作为《1990 年司法改革法》的一部分，《1990 年民事司法改革法》将司法案件管理的权威与一种命令——一种要求将替代性纠纷解决机制包含在联邦法院内的命令——结合在一起。通过引证这些问题，即证据开示、动议实践以及法院迅速结案的一般成本和障碍，该法号召每个地区法院制定一个减少民事司法费用和诉讼迟延的计划，同时也号召对根据该法而开展的诸多试验进行更深入的研究和评价。

实务练习二十五
根据地方性规则进行的替代性纠纷解决

这里是一个美国马萨诸塞地区法院关于替代性纠纷解决的一个地方性规则以及一封该地区的一个法官要求律师们邮寄给其客户们的信。这些显然是对《1990 年民事司法改革法》之要求的回应。假设同样的一个地方性规则事实上是支持克利夫兰城案的。你的客户已经受到与下面的一封相同的套用信函，并且你已经告诉他们你将与他们讨论这封信。（如果你的姓以 A 到 J 的字母开头，那么你代表该城市；如果你的姓以 K 到 Z 的字母开头，那么你代表原告）。在课堂上，你将会参加一个战略会议，这个会议讨论你就 ADR 应当向你的客户建议什么以及他们的案件中该信的选择。你的指导者是你的律师事务所中一个年长的律师。大多数人交替地使用"调解"和"和解"这两个术语。这种技巧运用了一个第三方来帮助诉讼当事人根据他们自己同意的条件达成对纠纷的解决。在仲裁中，一个第三方（或者一群人）通常在一场正式的听审中听取证据并且以与法官的做法并无二致的方式作出一个正式的决定。诉讼当事人可以同意——或者先前的合同会强迫——仲裁决定具有约束力，可以强制执行并具有请求排除（claim-preclusion）的作用。许多——如果不是大多数——仲裁员会说，他们正在将准据法适用于他们在听审和权衡证据之后认为是真实的那些事实之上。

地方性规则中对微型审判、简易陪审团审判以及早期中立评价（early neutral evalution）的描述以及法官的信都是相当直截了当的。

马萨诸塞地区地方性规则16.4——替代性纠纷解决

（1）司法官员（Judicial officer）应当鼓励纠纷通过和解或者其他替代性纠纷解决项目来解决。

（2）和解。在根据本规则所召开的每一次会议上，司法官都应当向当事人询问他们进行和解谈判的效果，探求促进这些谈判的方法并提供该情形下所能提供之一切帮助。帮助可以包括基于和解的目的而将案件提交给另一位司法官。在一个和解会议召开的任何时候，每一方当事人拥有和解权的代表都应当参加或者能够通过电话联系到他。

（3）其他替代性纠纷解决项目。

（A）司法官员的裁量权。根据与所有的律师一起对问题的探讨，司法官可以将合适的案件提交给替代性纠纷解决项目，这些项目是在该地区法院中已经被指定采用的项目或者司法官所能提供的项目。第（2）到第（4）分部分所描述的纠纷解决项目是例示性的，而不是惟一性的。

（B）微型审判。

（i）司法官员可以根据所有当事人的同意，通过书面的动议或者其公开法庭之上所发表并记录于法庭笔录之中的口头动议召开一场微型审判。

（ii）每一方当事人，无论是否有律师的帮助都应当在如下这些人面前陈述他的或者她的立场：

（a）每一方当事人所挑选的代表，或者

（b）一个公平的第三方，或者

（c）既有每一方当事人所挑选的代表也有一个公平的第三方。

（iii）一个公平的第三方可以就案件的是非曲直发表一个咨询意见。

（iv）除非当事人另有约定，该第三方的咨询意见没有约束力。

（v）该第三方的咨询意见是不可上诉的。

（vi）无论是一个第三方的咨询意见还是当事人的陈述在任何随后的程序中都不得作为证据加以采信，除非证据规则另有规定，规定可以采信。同样，微型审判的发生也不得作为可采信的证据。

（C）简易陪审团审判。

（i）司法官员可以召开一场简易陪审团审判：

（a）根据所有当事人的同意，通过书面的动议或者其公开法庭之上所发表并记录于法庭笔录之中的口头动议，或者

(b) 根据司法官员的这一确信，即一场简易陪审团审判是合适的，即使没有所有当事人的同意。

(ii) 陪审团应当有6名陪审员。除非当事人另有约定。

(iii) 陪审团可以就下面的问题发表咨询意见：

(a) 双方各自的责任，或者

(b) 双方的损害赔偿金，或者

(c) 既包括双方各自的责任也包括双方的损害赔偿金。除非当事人另有约定，咨询意见不具有约束力也不可上诉。

(iv) 无论是陪审团的咨询意见还是其裁定，或者当事人的陈述，在随后任何程序中都不得作为证据加以采信，除非证据规则另有规定，规定可以采信。同样，简易陪审团审判的发生也不得作为可采信的证据。

(D) 调解。

(i) 司法官员可以根据所有当事人的同意批准调解。

(ii) 所挑选的调解人可以是一个个人、个人团体或者机构。调解人应当根据当事人的约定来给付报酬。

(iii) 调解人应当——共同地或者单独地——会见每一方当事人和每一方当事人的律师。而且，为了帮助当事人解决僵局或者争议，他应当采取一切看上去合适的措施。

(iv) 如果调解不能导致纠纷的解决，那么当事人应当迅速将调解终止的情况告知司法官。

(v) 如果在当事人之间就任何问题达成了一项协议，那么调解人应当就该协议向司法官作出合适的报告，同时将当事人交付该司法官以待其发布一个法庭令状。

(vi) 根据《联邦证据规则》第408条，在调解中任何参与者、调解人所进行的任何有关纠纷主题的沟通（communication）或者任何其他人在调解中提交的沟通都是完全保密的沟通。任何除非在确立或者进行程序时才能发现或者获取的承认、代表、陈述或者其他保密的通讯都不得作为证据加以采信或者受证据开示的约束。

波士顿，02109
美国联邦马萨诸塞地区法院
威廉·G·扬
地区法官
日期：——————————————
亲爱的当事人：

你们的案件已经被裁定由美国地区法院的这个法庭来完成所有审前程序和审判。我向你们保证，我们的目标在于尽可能迅速的给你们的案件一个公平、毫无偏私且正义的审判。为达到这个目的，我在今天已经会见过你们的律师并且已经将你们的案件放在本法庭正在审理之案件的清单之上，案名为＿＿＿＿＿＿＿
＿＿＿＿＿＿＿＿＿＿。

正如你们可能领会到的那样，全面的（full-scale）审判是昂贵的，而且等待审判所花费的时间通常很漫长。因此，我想提请你们注意我们所提供的诸多其他项目，这些项目可能会令你们满意地解决你们之间的纠纷，同时费用不那么高，也没有那么多诉讼迟延。每一个这样的项目都是自愿性的，而且在你们的案件中实行任何这样的项目之前，案件的所有当事人必须达成一致意见。我按顺序列举了与本法院的审判非常相似的那些项目：

1. 在一名审裁官面前的审判。你们可以约定——在有陪审团或者没有陪审团的情况下——由一位美国审裁官来审理你们的案件。审裁官乃是由本法院的法官基于这一目的而任命的司法官。审判在这一法庭举行，而且如果申请了陪审团，那么案件将在一个联邦陪审团面前举行。这个项目的优势在于其速度——由审裁官审理的案件通常可以在数月内审结。而且，当事人通常可以与审裁官达成一致意见，决定案件的审理在特定日期举行。这一项服务不收费。

2. 在一名退休的上等法院法官面前的审判。你们可以约定在一个联邦陪审团面前由一名卓越的马萨诸塞州上等法院退休法官审理你们的案件。本上等法院（Superior Court）是"这个国家伟大的初审法院"，而且其法官是陪审团审判和马萨诸塞州法律问题方面的专家。至于在审裁官面前的审判，也具有同样的优势——一场迅速的审判并且有确定的审判日期。这一项目你要承担的费用是每个审判日250美元加上共同分担的、支付给法院案件记录员（case reporter）的每个审判日费用。审判将在本法庭内、在一个联邦陪审团面前举行。

3. 仲裁。你们可以约定将案件提交给一个熟练的中立仲裁员或者仲裁团，由他们来解决你们的案件。你们有机会参与对仲裁员的选定。这一项目的优势在于，它会确定迅速的仲裁听审时间，而且仲裁员应该在技术上对处理本案中提出的问题十分熟练。你和其他的当事人将分担聘请仲裁员以及执行仲裁项目的费用。

4. 简易陪审团审判。你们可以约定举行一场简易陪审团审判。这是一个在联邦陪审团面前的举行的咨询性一日诉讼程序（advisory one-day proceeding）。每一方当事人都有机会简短地陈述其立场而且根据法律被合理地收费，陪审团会作出一个不具有约束力的咨询性裁定。我将在同日与律师会面，以便讨论该案件的和解是否可能并且合适。为了更好地评价你的立场，获得简易陪审团的意见对于你和其他当事人都是有帮助的。这个项目没有费用。

5. 调解。你们可以约定自愿调解。如果你们同意，我将任命一个熟练、中立且经验丰富的调解人迅速地与所有当事人及他们的律师一起商讨，以确定本案是否可以达成一个使你们的基本关注点得到满足的和解。与前面的选择不同，调解决不将结果强加给当事人。相反，它力图达成协议。迅速的调解会使你总的诉讼成本最小化。

6. 早期中立评价。你们可以约定由一个对本案中所提出之问题非常熟练的中立律师来评价你们的案件。在你评价你的立场之时，这会对你有所帮助；在你决定是否和解、决心诉诸于审判或者运用这些其他选择中的一个或者数个时，这也会对你有所帮助。

你的律师对这些选择中的每一个都很熟悉，而且他能够就它们所能提供的优势具体地向你提出建议。如果当事人同意，你们也可以在本法院的支持下对这些选择进行诸多改变。

如果你希望得到这些要点中任何要点更深入的信息，或者如果所有的当事人同意采用其中任何一个或对其中任何一个进行改变，你们的律师可以随时与法庭代理书记官凯特·麦里克（Kate Myrick）或者卷宗管理书记官伊丽莎白·史密斯（Elizabeth Smith）协商。

第四节　创造性的司法替代措施：
管理性司法与法院发起的纠纷解决方案

作为对罗斯科·庞德（Roscoe Pound）院长于1909年首次提出的问题的回应，Simon Rifkind 在 1979 年评述说："人们对以下问题越来越感到忧虑，而这种忧虑是合理的：（1）从案件数量上说，法院的负担过重了——这种负担可能已经不是单纯地靠增加法官的数量所能减轻；（2）从案件质量上说，人们要求法院解决的问题已经不是法院的制度配备所能解决的，或者说法院的制度配备不如社会上其他机构。"（西蒙·里夫金德："我们对法院是否要求太多？"载于《庞德的讨论会：对未来司法的意见》）（Simon H. Rifkind, *Are We Asking Too Much of Our Courts?*, in The Pound Conference：Perspectives on Justice in the Future（West 1979）。

面对复杂而繁重的法院案件，许多法官开始尝试采用某些管理技术，例如运用他们作为法官的角色来推动案件和解，将案件导向调解或其他替代性的纠纷解决方案，雇用法院委任的助手以建立案件处理机制。有一位著名的律师曾经在不同案件背景下充当过几次法院委任的建立案件处理机制的书记官，他解释说：

"这实际上不是替代性的纠纷解决措施（ADR）。我所做的不是 ADR，而是 CJM——是为了应对困扰法院的案件复杂繁重的问题进行创造性的司法管理。"（肯尼思·范伯格："对德博拉·金斯勒的回应：一杯水半满，一杯水半空：在大规模人身伤害诉讼中替代性纠纷解决措施的运用"），(Kenneth R. Feinberg, Response to Deborah Hensler, A Glass Half Full, a Glass Half Empty: The Use of Alternative Dispute Resolution in Mass Personal Injury Litigation。73 Tex. L. Rev. 1647, (1995).

我们来看看关于案件管理的较早期的两篇文章中的观点，一篇的作者是案件管理的热衷者威廉姆·斯瓦泽尔（William W. Schwarzer）法官，另一篇是批评者朱迪斯·雷斯尼克（Judith Resnik）教授，他在一篇更长的很有影响力的文章《管理型的法官们》（Managerial Judges）中创造了"管理型裁判"[managerial judging]一词，97 Harv. L. Rev. 374（1982）]。在对将大量的单独诉讼整理归纳为一次性和解的机制进行司法监督时，他们的观点将得到怎样的运用？在第三部分，马莎·明诺（Martha Minow）教授描述了杰克·万斯庭（Jack Weinstein）法官在 Agent Orange 案件中对大规模侵权诉讼和解进行管理的做法并对其大部分表示赞同。

最后一部分是最近发布的一件法官判决理由的摘录，它提供了一些对大规模诉讼进行管理的技术与相关司法实践。在阅读本节时，你们可能会去重读联邦民事程序规则 16。

威廉姆·斯瓦泽尔：管理民事诉讼：初审法官的角色
William W. Schwarzer, Managing Civil Litigation: The Trial Judges's Role 61 Judicature, 400 (1978)

我在此关注更多的是法官在审前而不是在审判中的角色。大多数民事案件都是在审前结案的：在联邦法院系统，只有不到 10% 的案件最后进入审判庭。法官与当事人的大多数精力都花费在最后不会进入审判的诉讼上，为证据开示、动议与其他正式不正式的审前诉讼程序而奔忙。人们常常抱怨耗费的成本即使仅仅审判前也已经使诉讼变得很不经济。另外，审前程序中所做的工作往往决定了审判本身的内容与范围。因此，法官在审前阶段的作用是非常值得探讨的一个问题。

由于审前活动的质量对诉讼施加于法官与当事人的负担的轻重有很大的影响，而诉讼的程序安排仍有改善的余地，所以，不论我的建议是否会被法官们尝试，我还是建议法官们从民事诉讼一开始就介入并进行适当的、积极的管理活动。如果法官的这个角色能得到公正、博学、明智的发挥，将大大有助于实现以下这些目标：

1. 界定诉讼的主题，将审前活动限制在与主题有关的事项；
2. 控制审前的证据开示与其他活动，避免不必要的花费与负担；
3. 尽快达到纠纷的和解，或者努力找到尽可能迅速并经济地解决纠纷的方法；以及
4. 保证案件在审前得到很好的准备，并将审判严格限定在通过其他途径不能解决的事项上。

司法管理的权力

要使初审法官在自己的位置上发挥诉讼管理的功能，并不需要对司法体制进行改革，事实上很多法官已经这么做了。在联邦司法系统，《联邦民事诉讼规则》特别是《规则》第16条赋予法官在审前程序自愿介入的充足的权力与裁量范围。而且，美国联邦最高法院已经确认"每个法院根据自身、律师与当事人精力与时间上的经济控制诉讼事项安排的权力"。

法院固有的管理权力或《规则》第16条赋予它的管理权力都不是没有限制的。当事人不得被迫接受法院根据裁量作出的安排。但是，法院可根据《联邦民事诉讼规则》第1条确保"每一件诉讼公正、迅速、经济地结案"的规定，要求当事人遵守合理的审前程序。虽然，各个法院在如何划定这条界线方面不尽一致，但法院显然拥有要求案件在审前得到充分适当的准备的权力与经济、有效地安排审前活动的权力。

虽然在司法干预方面法院是有适度权力的，但司法干预这个概念与我们已接受的观念有冲突之处。首先……是关于法官在对抗制诉讼中的传统角色的观念：法官应该是被动的，不加干预地让律师主导诉讼，除非一方或另一方律师要求他介入。正如 David W. Peck 法官所说，律师和法官"倾向于认为他们代表着相反的两极，发挥不同的功能。律师活跃，法官沉思"。

弗兰克尔（Frankel）法官在他最近的卡多佐（Cardozo）讲座"真相的探寻——一个裁判者的观点"中认为：

> 我们的制度没有给初审法官在对事实真相探寻的对抗制战斗中进行有效或公正的干预留下多少空间。法官对案件的感观如临奥林匹斯山顶而一无所知。法官的干预在许多的案件中都是出于偏见或倾向性……

Marvin Frankel,（真相的探寻——一个裁判者的观点）*The Search for Truth - An Umpireal View*, 123 U. Pa. L. Rev. 1031, 1042（1975）。在该演讲的后面部分，他强调说：

> 法官的与无先见与无准备是我们的制度预设的公理……法官在审判前不用调查或探究证据……在没有调查文件的情况下，美国的初审法官是一个盲目、莽撞的侵入者，偶尔的光芒一闪只会带领他或误导他做出痉挛似的反复无常的行为。

同上。虽然这些观察者都是在讨论法官在审判中的角色而不是审前的角色，但他们的观点反映了一种将审前干预视为异端的态度。在某种程度上他们将无先见等同于无偏见，而且他们也没有考虑在多大的程度上即使是被动的法官也必须在寻找事实的战斗中进行必要的干预、制定规则，即使他们对案件事实一无所知、毫无准备。在每一次关于证据开示、补充的唇枪舌剑中，在决定合并诉讼、集团诉讼与审前救济之类的事项时，法官都必须作出决定，而这些决定（1）是在没有充分完整的审判记录的情况下作出的，（2）通过有利于一方、损害另一方，对寻找事实真相的过程有着直接的影响。同样，对审判时证据资格与检验范围的决定也必须基于法官对事实的当下估计与对审判应遵从的进程的判断。

干预的必要

当然，法官不应该成为寻找事实过程中的第三方。但是法官的无先见与无准备不意味着法官不需要对律师主导诉讼的过程进行直接的控制，无论是出于法官自愿还是应当事人的请求。他对诉讼过程的决定、即使是程序上的决定也显示了其价值判断，影响案件的结果，因此必须建立在法官在此过程中所能获得的关于案件的知识基础上。所以说，无论如何，要实现正义，一个有先见的、有准备的、能作出合理决定的法官似乎要比 Frankel 法官提出的"无先见的、无准备的，最好是如同矗立在诉讼对抗中的一尊冷漠的雕像"的法官要可靠……

确实，《联邦民事诉讼规则》对审前证据开示的改革是试图将司法干预降到最低。然而，这种观念虽然仍被广泛认同，却越来越让人们看到诉讼成本高得令人无法接受的事实。举例而言，在复杂诉讼中，法院已采纳《复杂诉讼指南》(Manual for Complex Litigation) 中对积极司法管理的规定，从案件处理一开始便进行司法干预。现在已到了考虑将这种做法在民事诉讼中普及的时机了。

目前法院的危机可能通过修改证据开示、集团诉讼等方面的规则或制定新的规则得以缓解。但是，规则的效用是与人们运用它时表现的智慧与坚定程度成正比的。由于每一案件在其事实、特点与需要方面都是独特的，所以普遍的规则并不意味着就不需要进行具体的司法管理。

无损于公正

有人可能认为法官自愿的干预有损于法官公正无偏的形象。因为干预的结果可以解释为通过损害一方利益让另一方得利，而干预是由法官自愿进行而不是应当事人请求进行的这一事实可能会引起人们对公正性的怀疑。但是，当法官在听取双方意见并加以斟酌后以合理、公平的方式作出决定时，这种怀疑是缺乏根据的。

进一步说，不能说一个让诉讼以高成本的方式进行、耗尽当事人精力、使得本来早就可以和解或至少得到有利于每一方的控制的案件久拖不决的被动的法官就能更好地实现正义。人们可能合理地发出这样的疑问，当事人在不受干预的情况下就总是能勤勉、经济而诚信地进行诉讼吗？就能避免诉讼中的摩擦障碍和拖延吗？就能避免当事人在诉讼进行中打与诉讼无关的小算盘吗？……

法官应当在其行为中表现出公正，但是他们不应该被完全合宜的行动也可能会招致怀疑的这种忧虑所困扰……

效率问题

最后，司法干预遇到了反对阵营中针锋相对的观点。首先，有一些批评者认为司法干预是优先考虑效率，将数量置于质量之上。他们指出，法官越来越屈从于计算机和关于生产率的统计数据，他们认为"缓慢得来的公正总要比迅速得到的不公正好"。

但是，当司法管理的目的是为了达到对法院和当事人双方都最优的资源配置时，这种观点是不成立的。如果通过司法干预能减轻证据开示的负担，那么法院显然直接为诉讼中的当事人、间接为其他悬而未决的案件中的当事人提供了更好的服务。

还有观点认为，司法干预是对法官有限时间的浪费，法官应该"将……（他们）在案件早期的时间投入降至最低"。已经有统计数据表明审前的会议导致了司法时间的净损失，但是很多法官并不赞同这种说法。花一个小时或不到一个小时审查案卷、和律师会面往往可以节省法官此后很多的时间，例如可以避免以后在证据开示中出现争端和动议、发现双方在事实和法律方面无争议的地方使带进审判的问题减少、让案件及早获得和解或减少审判所需的时间。

正如我们后面将谈到的，法官凭借其知识与经验，通过与当事人讨论案件并引导当事人双方展开对话，能够将双方的争端弱化、使其更容易得到解决。由于这种方式要比传统的"放任主义"方式使案件得到更快的处理，司法的质量由此而提高了，因为法官就能有更多的时间投入堆积在诉讼事件表上的其他案件。因此似乎可以说，法官越忙、案件负担越重，越有必要在民事案件中及早地进行司法干预，尤其当他的时间表上还排着需要优先考虑的刑事案件时……

现在已经是抛弃那种"无先见的、无准备的，最好是如同矗立在诉讼对抗中的一尊冷漠的雕像"的法官模式的时候了，我们也无须担心司法的正义会被司法干预所折损或法官因为太忙而不能明智地使用自己的时间。现在我们应为法官对民事诉讼管理的积极参与扫清道路。

干预的过程

司法干预的目的，在于推动"每一件诉讼公正、迅速、经济地结案"。它假设法官由于熟知案卷、适用的法律，凭借其判断和经验，通过与律师非正式地讨论案件，可以对诉讼的进程提供适度的引导。

可能在这个进程中最有用的一个设置就是在议事室里召开与双方律师的非正式会议,如果需要,也可让当事人出席。法庭由于其正式性,容易引发双方的敌对情绪,难以促成理智的对话,不具有进行司法干预所需要的灵活性与宽容性。

例如,证据开示的争端在议事室由法官调节的讨论中通常比在正式的动议中更容易得到成功的解决。同样,作出某个问题是否有争议、是否需要进入审判的决定也比较适合在议事室。和解会议自然也适合在议事室而不是在法庭召开。通过非正式的讨论,人们往往会发现双方的分歧并不像在传统的诉讼中所显示的那么大,因此下一步顺理成章地就是双方的和解谈判。

在诉讼中,法官应尽可能及早地促使律师界定事实与法律问题、开列适当的证据目录、制定审判前与审判中提出动议的计划。通过与法官在这些事项上的合作,律师的行为将比自己单独行动时更加理性。对干预的惟一期望——法官表现出来的知识或至少准备用于干预的知识——可能让双方的讼争得到缓和,将实际干预的需要降至最低。

在法官和律师间早期举行的会议上界定问题、使问题具体化,是非常重要的。《联邦民事诉讼规则》第8条要求起诉必须包括"对诉讼请求简单明了的陈述,表明起诉人有权获得救济"。但是实践中这个要求往往达不到。所以举行一个会议将有助于发现原告在哪个请求上坚持要得到救济、问题出在哪里。这样,争执的范围缩小了,证据开示被集中于本质的问题。双方一致的地方呈现出来了,有些问题在审前的动议中就能得到处理;法官可以提倡对其提出的动议应具有一定价值、并发现一方可能遗漏的问题。也可能发现一方试图提出的动议是无用的,从而为每一方节省时间和金钱。

情况讨论会(Status Conference)

召开控制证据开示的、强制性的情况讨论会,是司法干预的一个主要方面。它是根据对案件情况的讨论、按照具体案件的需要,制定本案证据开示的指导方针。这样的指导方针减少了此后在证据开示上出现的争议、不得已提出的琐碎的动议和保护令,将一方当事人运用证据开示为武器制造摩擦的企图消灭在萌芽阶段。

这一步骤也让法官能够向双方提出如何使用适当的证据开示技术的建议,由此可以避免经常因为使用错误的技术而导致的摩擦和争执,例如试图获得无谓的对方质问的答案或被迫制造本不存在的文件。最后,这一步骤也是一个安排双方所需信息的非正式交流的机会,消除了正式的证据开示中的一些成本与时间的拖延。对于关键信息的及早的非正式交流,往往可以带来案件的及早和解,避免各方承受此后的诉讼成本。

讨论会可在诉讼过程中不时地举行,这要看具体案件所需的司法管理的程度……

和解应成为每一个讨论会议程上需要考虑的议题。如果干预的结果是一事无成，它至少应该促进双方律师的交流，消除那些经常阻碍达成有意义的谈判的心理和策略上的路障。既然90%多的案件最终都是和解结案的，那么晚和解不如早和解，早和解对每个人都有好处。弄到最后去法庭上和解，既消耗了审前准备的不必要的成本，又增添了本来就已不堪讼累的法院和所有当事人的负担……

法官的做法

在参加和解会议时，法官不应该、也不需要在当事人头脑中造成他们的疑虑，怀疑是否能获得公正的审判。他应当决定，和解会议将由一位不审判该案的法官主持，或者，如果他自己参加了和解会议，那么审判将由另一位法官主持。但是，如果法官仅仅是提醒双方一个客观的观察者面对他们的证据和争论可能会作何反映，这不会危及法官的公正无偏的形象。

对案件和解的司法干预应当基于策略和理解，不能强迫。作为案件外第三者的法官，他的耳朵可能接收到一些可以通向和解之路的潜在信息。如果赢得了双方的信任和尊敬，一个有同情心的、博学的法官将处在更好的位置，可以与双方或与单独一方讨论本案中他的有利与不利之处，劝说他们达成和解，或提供给他们缩小争议的建议。进一步，如果这种会议程序开始为律师界广泛知晓，律师在明白法官对案件的期望之后，必然会主动地、及早地、更加严肃地开始双方的和解谈判。

而一个遵循传统法官角色的消极的法官，由于错过了充当双方和解的催化剂的机会，可能需要审判很多本来可以和解的案件，这样的做法对于社会正义的实现是没有任何好处的。

如果案件最后必须进入审判程序，司法干预也能保证案件在审判前得到充分的准备。而仅仅举行一次审前预备会议的做法是收效甚微的。审前活动的收益是直接与法官和律师投入的时间成正比的。

在审前预备会议中，法官通过审查案卷作好准备后，应要求双方界定争论的法律与事实问题、按出场顺序确认可能出席的证人、总结每一位证人的证言、确认并交换可能展示的物证并说明物证的根据。这个程序可以产生重大的有时甚至是惊人的效果：

1. 它能暴露出哪一方律师准备不足，如果该律师准备不足，法官可以在审判时避免他进行无谓的辩论游戏；

2. 它能让法官发现双方无争议的问题（这些问题可以通过双方的契约解决）、发现哪些证据是无价值的、不必要的；

3. 它能预先发现证据中存在的问题，避免这些问题出现在审判中、造成时

间浪费和被迫举行关于证据的旁庭会议;

4. 解决关于物证的根据和真实性的问题,进一步节省审判时间;而且

5. 它能表明某些问题可以在动议中决定。

司法干预到达预审阶段,意味着任何进入审判的案件在范围和内容上都已经过法官和律师的彻底讨论。经验已经表明,通过预审节省的审判时间远远超过预审所需的时间。但是,预审应当根据具体案件的需要具体安排,以避免当事人被迫接受不合适的预审程序安排,加重其负担。

最后,法官在这个程序中获得的教益将有助于他在案件的审判中表现得更出色、更有效率,可能降低判决被撤销的风险。

有意义的工作

让初审法官介入民事诉讼的管理,是缓解诉讼危机最直截了当的途径。当前法院的诉讼危机已不仅存在于标的大的、复杂的诉讼,一个打 2000 美元官司的当事人遇到的问题并不一定比大的集团诉讼遇到的问题少。而司法干预正可以保证纠纷能以适当的方式,尽可能公正、迅速、经济地得到解决……

朱迪斯·雷斯尼克:管理型法官与诉讼迟延:未被证实的假设
Judith Resnik, Mangerial Judges and Court Delay:
The Unproven Assumptions 23 Judge's Journal, 8 (1994)

越来越多的联邦法官开始把自己摆在管理者的位置上了。法官们不但在法庭上裁断当事人所提出的问题的意义,而且在议事室与当事人双方见面、鼓励双方和解,监督案件的准备工作。作为管理者,法官比过去早得多就了解了案情,并且与当事人就审前活动的进程、时间与范围进行磋商。

当法官成为了审前的管理者时,法官往往主动和诉讼双方接触。在联邦法院,根据联邦民事诉讼规则 16 最新的修正案,在起诉提起的 120 日内,法官必须发布安排诉讼进程的命令,将审前动议、起诉状的修改与证据开示等的时间安排定下来。几乎所有的案件都在第 16 条关于审前活动的规定管辖之内,有些法官已经根据该修正案的规定开始扮演审前监督者的角色。

管理性的会议通常都是非正式的,与高度制度化的法庭审判形成强烈的对照。审前会议通常在法院的议事室举行,参加者环桌而坐,法官可以穿着便装。这种非正式的法官—诉讼人的接触给法官提供了超出其传统视野的信息。会议的主题是广泛的,而法官对很多问题都加以关注。原本严格的证据规则,专门设计用来使决策者远离无关的、不可接触的信息,在案件管理这里已经不存在了。作为管理者,法官不再是一个倾听证人回忆的沉默的局外人,相反,他成为了故事的一部分。

审前监督也是相对私人化的……许多法官在议事室里举行审前活动；通常既没有书记员也没有公众参与。最后，在审前会议作出的决定在最终判决下来（如果有的话）之前基本上是不可审查的。

联邦法官开始承担这种管理者的角色，是有一些原因的。1938年创造的审前证据开示的权利，在实践中引起了诉讼双方的一些争议，而初审法官就承担了解决这种争议的任务，在这个过程中，法官成为了谈判者、调停人。一旦介入了审前证据开示，许多法官开始确信他们在诉讼发展其他阶段的参与也是有益的，于是对证据开示的监督成为司法对诉讼全程控制的导火索，法官成为诉讼全程的监督者。

一方面因为扮演新的监督者的角色，一方面因为不断加重的讼累，使许多法官开始关心起自己的工作量。为了减轻工作压力，法官求助于效率管理的专家们，他们建议将司法管理作为控制工作日程表的一个重要手段。在专家的指点下，法官们越来越倾向于快速结案，只要有可能就劝说诉讼双方和解以免上法庭。在过去的10年中，司法管理运动的热潮席卷全国。原本这只是一个试验，现在却成为几乎所有联邦法院审案的必经程序，并且在州法院也越来越普遍。

为了征服诉讼堆积的高山，很少有人去考虑依靠初审法官进行非正式的纠纷解决和案件管理是不是一个积极的举措，司法管理是否能完成为它设定的那些目标。事实上，几乎没有经验数据表明司法管理确实是有效的——不论是在和解案件还是经济、迅速、或公正地结案方面。

司法管理的支持者们也没有考虑到法官角色的转换带来的一系列影响。管理，是一种新的司法能动主义，是一种过去一再受到强烈批判的行为。司法管理可能教会法官重视他们的统计数字，比如结案的数量，却使他们不再关心审案的质量。进一步，由于管理性的司法相对于传统司法的透明度降低了，并且法官的决定在最后判决下来之前不可审查，所以它赋予初审法官更大的权力，同时，诉讼参与人用于抵抗这种权力滥用的程序性保护的权利便减弱了。总而言之，在我们将司法管理视为20世纪80年代法院改良的标志之前，让我们先对之作一番细致的研究。

有疑问的收益

管理性司法的拥护者们相信，他们的管理制度改善了司法资源的运用。他们认为，随着法官主导整个诉讼，法院的资源得到更好的配置，案件处理的速度加快了，拖延减少了，而法官决策的质量没有受到损害。没有人会反对更好地利用法院的资源，或反对更迅速、经济地解决纠纷。但是我要质疑，管理性的司法究竟在多大程度上达到了这些有价值的目标？依靠法官来实现这些目标是否明智？

管理性司法的拥护者通常以为管理在三个方面可以提高效率。他们声称案件管理减少了诉讼迟延、结案更多、降低了诉讼成本。但是，根据对最新的信息的研究显示，几乎没有证据能支持司法管理提高了联邦地区法院效率的说法。

拖延的减少。研究这个问题的第一步是确定什么叫拖延，然后才能知道在联邦地区法院是不是存在"拖延问题"。但这个定义是很难做的。在上诉法院，我们可以确定准备一份案情摘要"应该"花多少时间或作出上诉判决"应该"花多少时间。相反的是，在初审法院，我们很难确定为审判而准备一个案件"应该"花多少时间。各个案件中问题的多少与参与者的数量大不相同，个别案件在诉讼发展的不同进程中这些问题也会不一样。由于案件的复杂程度，初审法院所需要的审理期限的后推不仅仅是以日、星期计算（像在上诉法院那样），而且可以年月计算。至今为止，我们还没有一种坚实的理论以确定案件在初审法院花多少时间处理方为合适。

而且，在80年代的联邦地区法院，一个案件从起诉到结案的平均时间仅为8个月。对于经审判的案件，这个时间是20个月。我不能确信这些数据显示了联邦法院的"拖延"。由于注意到研究这个问题的困难在于命名上，许多研究"拖延"问题的人现在开始强调案件处理的"节奏"。但是这些研究者没办法解释为什么有的法院处理案件比别的法院快。

然而，如果我们假设有些民事诉讼的节奏被不正当地拖延了，我们仍然遇到那个问题，就是如何说明司法管理加快了案件处理的速度。即使我们发现有些进行司法管理的法院比一些没有进行司法管理的法院结案速度快，我们仍然很难确认导致这种差别的原因是什么。案件的起诉、撤销、和解、驳回都可能有很多原因，包括立法的变化、上诉法院的新决定、商业习惯的变动、寻求律师帮助的难易程度等等。虽然在理论上，研究时控制这些变量是可能的，研究者们仍然面临着缺乏关于案件为何结案的未经过滤的第一手信息……管理派的支持者们，只是凭借道听途说与个人直觉提出他们的见解。

案件处理数量的增加。我们不知道司法管理对减少案件拖延有什么影响，同样，我们也不知道司法管理对和解率有什么影响。司法管理的支持者们经常声称和解率提高是司法管理的结果，但是大多数的研究者们都认为法官积极的和解努力并不比其他情况下导致更高的案件处理率。

"案件处理越多越好"的看法，引发了一个很困难的价值评判问题。对法官决策的评价，应当从数量与质量两方面来考察。假设在同一时间内，有16桩案件，4名法官处理了其中12件，是以和解结案的，另外4名主持了另外4桩案件的审判，那么前者比后者"生产率"高吗？再来看如何评判"生产率"的问题，又假设，4桩庭审案件中的3桩10天之后和解了，而另外一桩案件的法官作出了判决，写了长达40页的判决理由，对一个新的法律问题提出观点并随后被最高法院确认，然后这个判决书得以影响成千上万的诉讼人，那么是谁的"生产率"高？评价司法的成就是很复杂的问题。我们不能将其他制度下建立起来的度量衡简单地搬到法庭。

降低成本。管理的拥护者认为，司法监督不仅节约了时间、处理了更多的案件，而且限制了诉讼一方将不公平的金钱压力施加于对手的能力，限制了律师收取过高费用的理由。支持者于是推断管理型法官降低了法院与诉讼人的成本。但是这种结论没有数据证明。相反，如果我们仅凭直觉，我们会发现司法监督避免诉讼双方对抗的成本与律师不当行为的观点实在难以自圆其说。首先，有些律师利用每一个机会与法官接触，讨论他的委托人的案子。这样，监督本身就提供了一个机会让诉讼双方制造摩擦，让律师增加收费时间。其次，律师的不当行为与律师富有挑战性但理性的陈述，二者的界线通常难以划分。第三，即使有法官的监督，律师仍可以隐藏他们的不当行为；这种程序上的创新只会迫使律师发展出新的掩人耳目的伎俩。

进一步说，司法管理本身就带来了成本。法官的时间是法院中一项最昂贵的资源。管理型法官不再将他们的精力集中于决定动议、指示陪审团、发表意见，而是与诉讼双方见面、制定诉讼计划、要求诉讼人遵循新的管理规则。管理型法官有更多的数据表格要填、更多的会议要参加、要制定更详细的当地法院的程序规则。即使把这些工作中的一部分交给一个行政班子，那么又要建立这样的行政班子并对其实行监督。虽然诉讼人和法官可以通过电话或书面文件的交流节约成本，但他们仍然需要大量的时间和金钱。进一步说，事实上很多案件其实无需司法干预就可以和解，而司法管理却要求法官去监督这些本来完全无需耗费司法资源的案子。

至此，关于司法管理是否能降低成本、如何降低成本，我们还是没有得出任何可靠的结论。在我们搜集到法官在司法管理上耗费的时间与当事人承受的成本的数据之前，我们就不能算出管理性司法的净成本，因此不知道我们是否节约了资源。而且，如果我们在这个等式中加入下面我们要讨论的成本——错误决策的增多与公众参与的丧失——我们的计算就变得更复杂了。

总之，我对司法管理提高法院的效率、降低成本的说法是抱怀疑态度的。没有数据证实他们说的大多数的结论，也不能用直觉来说明。况且，司法管理的拥护者们几乎从来没有考虑过、评价过司法管理对判决的本质的影响。

可能的风险

法官从裁判者到管理者的转变，大大地扩张了法官使用——或者滥用——他们权力的机会。在决定允许双方以多长时间准备案件时、在举行和解会议时、在如某些法官所做的与当事人举行单方面的会议时，没有任何对初审法官的监督，实际上也不会受到上诉法院的审查。法官可以创造审前程序的规则，而诉讼人不能违背。在面对联邦法院的一个个法官时，当事人必须慎之又慎，以免冒犯了那位从起诉到结案一直主持本案的法官。

司法管理不仅增强了法官的权力，而且能够挣脱传统上对权力运用的约束。法官在创造管理规则时，不需要将他们的想法形成书面的理由，不受外部的审查。许多决定是私下作出的，有些无记录可查；事实上，所有这些都超出了上诉法院审查的范围。

进一步说，并没有清晰的标准或规则引导法官如何作出对诉讼人的决定。什么样的司法管理才是"好的"、"熟练的"、"明智的"？对于这些，法官只能凭直觉判断。在非正式的审前阶段，法官极少受到制度约束。在审前管理中，法官所受的惟一约束便是自己对如何充当一名合格的司法管理者的个人信念……

对公正的威胁。司法管理的一个主要方式就是法官和律师间召开非正式的、私下的会议，讨论证据开示的步骤、探讨和解的可能方案——而这些会议是超出正式的法庭制度的约束的。巨大的风险正蕴藏于这个非正式中。法官在审前会议中接收的广泛的信息没有经过证据规则的过滤。有些信息是从单方面得到的，这个过程使另一方没有机会质疑信息的有效性。而且，法官在司法管理过程中经常与律师保持亲密接触。这样的接触可能让法官发展出对案件或对诉讼双方的直感——喜爱之情、密切关系或者敌意。司法管理可能成为生长法官个人偏见的沃土。

进一步说，具有监督职责的法官可能从他们管理的案件中获得利益。他们的个人威望建立在"有效"的管理上，而这种效率是按速度和处理案件的数量计算的。竞争与同行的压力，可能促使法官出于公正断案之外的原因而对当事人施加压力。公开的材料与律师界的传闻都已证实，有些法官已将效率与管理的目标置于是否公正的考虑之上。

不经审查的权力、非正式的接触、从案件处理中（或案件处理的总体数量中）获得利益，这些在传统的具有"正当程序"的法官模式中是找不到的。司法管理呈现的这些特征，损害了法官理性裁判者的形象，损害了我们对司法程序的信心、将大权交给法官的信心的基础……

案件的处理不再被视为终极的裁判，而是一种可以期望实现的目标。数量成为惟一重要的价值；案件处理的质量只是偶尔被提起，随即便被忽略……

结　　论

我主张，在我们一头扎进司法管理之前一定要先仔细地思量。我并不是说司法一定要固守先前的模式，也不是说更有效率的决策机制不值一提。我的意思是，在我们调整司法体制适应当前的社会需要时，我相信我们仍应保存司法的核心价值。

为了帮助法官保持公正无私的形象,我们应该设计一些规则,限制那些未经检验的信息流向法官。为了保证法官有思考斟酌的耐心,我们应该避免赋予他们过多的、分神的职责。为了让法官更加注重案件处理的质量——而不仅仅是数量,我们应要求法官公开处理案件,为他们的决定说明理由。总而言之,我们不能简单地接受新的管理论,我们应该仔细考虑法官究竟应扮演怎样的角色,然后制定规则让法官把他们的角色扮演好。

以下内容摘自食品名流公司案(In re Food Lion, Inc.)的判决理由,它表现了当前诉讼对司法管理的复杂性提出的挑战,以及上诉法院为确保诉讼人遵守法官对案件的司法管理而对地区法院予以授权。

以食品名流公司为案由的合并案件
In Re Food Lion, Inc. 151 F. 3d 1029
(Unpubl.), 4th Cir. June 4, 1998)

引用法官判词(Per Curiam):

在本案中,我们审查上诉人对地区法院的部分简易判决提起的上诉,该判决有利于雇主,而驳回了众多由雇主付薪、工作以小时计费的、按照《公平劳动标准法案》(Fair Labor Standards Act)要求得到超时报酬的雇员的合并诉讼请求。根据以下的理由,我们确认地区法院的判决。

I

从1991年开始,食品名流公司(简称"食品公司")的一些小的雇员团体和前雇员在食品公司拥有或经营食品杂货店的很多美国南方的州的联邦法院提起民事诉讼。在每一项诉讼中,原告都宣称要求获得根据《公平劳动标准法案》(简称"FLSA"),29 U. S. C. §201 et seq 可以得到的雇主未支付的超时劳动报酬和对雇主的罚金。这些小时工宣称他们为了完成按食品公司全公司的计划体系交给他们的任务而被迫"超时"工作,有一些管理人员的助手宣称他们同样应得到 FLSA 的超时劳动条款的保护,因为他们所做的工作实质上并非"管理性"的。

1992年6月13日,多地区诉讼司法小组(Judicial Panel on Multidistrict Litigation,简称"JPML"或"小组")发布裁定,将这些诉讼中的一宗来自南卡罗来纳联邦地区法院的诉讼(Scott)和另一宗来自北卡罗来纳西部管区联邦地区法院的诉讼(Ledford)移送至北卡罗来纳东部管区联邦地区法院,以便与那里尚未审结的另一宗诉讼(Mclawhon)进行"协调统一的审前程序",这3宗案件都归福克斯法官审理。小组在此后的5个月里又移送了6宗案件。最后,福克斯

(Fox)法官面临着11项单独的诉讼。

1992年10月，大约6万名于1989年10月16日后在北卡罗来纳州、南卡罗来钠州、佛罗里达州、佐治亚州、弗吉尼亚州、田纳西州的商店工作的食品公司的现雇员和前雇员收到了经法院批准的通知。这些雇员中大约有1000人（包括在那11起诉讼中已经具名的原告）通过返回"同意表"，选择加入诉讼，每一个返回同意表的雇员被指定了一个"法庭号码"。法院的书记官制作了一份档案，将这起合并诉讼命名为"以食品名流公司为案由的合并诉讼"（In re: Food Lion, Inc.），公平劳动标准法案"有效进度安排"诉讼，每一个选择加入的雇员被安排到每一单独案件的原告团体中。

在一系列的审前裁定中，福克斯法官通过即决判决驳回了大约一半的原告的诉讼请求。1994年3月22日，该地区法院向小组提出"退回建议"。1994年6月2日，小组将其中8件退回至原先移送案件的各个法院。

案件退回后，留在北卡罗来纳东部管区联邦地区法院的两件案件中有一件审结，而许多在合并的审前程序中诉讼请求被简易判决驳回的原告共同提起了上诉（Royster上诉）。大约在与此同时，一些在福克斯法官那里遭遇同样命运的原告，由于他们是在北卡罗来纳州另两个联邦地区法院提起诉讼的原告，故而申请并获得了联邦民事诉讼规则54（b）的证明，可以从各自的地区法院获得即时上诉。这2件上诉与Royster上诉合并，我们在1995年10月30日听取了口头辩论……

……【为了给被驳回的原告以上诉的机会，】我们首先陆续听审了当时搁置的来自3个北卡罗来纳地区法院的上诉。然后，我们指示小组将其在1994年6月20日前退回南卡罗来纳联邦地区法院、佛罗里达北部管区联邦地区法院、田纳西东部管区联邦地区法院的案件中那些被福克斯法官驳回的诉讼请求重新移送北卡罗来纳东部管区联邦地区法院。最后，我们裁定北卡罗来纳东部管区联邦地区法院在案件重新移送后，根据规则54（b）对所有这些诉讼请求作出最后判决，并允许原告根据规则54（b）的证明向本庭提起上诉。Id at 533.

1997年3月，在我们将案件发回重审与北卡罗来纳东部管区联邦地区法院作出最终判决后，原南卡罗来纳联邦地区法院的2宗案件中的71名原告和原佛罗里达北部管区联邦地区法院一宗案件中的8名原告提起上诉，根据本庭1997年4月22日发布的命令，将其与原Royster案的上诉人合并……

Ⅲ. 案件管理中的驳回

食品公司的小时工对地区法院在案件管理中作出驳回他们诉讼请求的裁定提起上诉。在集团诉讼中，审查地区法院在案件管理中作出驳回裁定的根据是其是否滥用了裁量权……至于像本案这样的多地区诉讼，我们已经有过指示："地区法院在多地区诉讼的协调管理方面需要有广泛的裁量权。"*In re Shown Denko K.*

K. L. Tryptophan Products Liability Litig. Ⅱ, 953 *F.* 2*d* 162, 165 (4th *Cir.* 1992).

A. 迟延的问题

北卡罗来纳东部管区联邦地区法院为那些希望加入"有效进度安排"诉讼的人设置了1993年1月4日为截止日期。3名愿意加入者Royster、Murchinson和Mattox超过了该截止日期几天时间，因此被驳回。上诉人Gorc、Losco、O'Neal和Seidl也没有按规定的截止日期提交同意表。

上诉人对此提出上诉的惟一理由是FLSA是救济性的法律，应该尽量满足雇员提出的诉讼请求。而地区法院拥有的安排诉讼进程、设立截止日期的权力阻碍了这部救济性的法律发挥其功能。不可否认，地区法院对自己设置的截止日期的态度是很明确的。1992年10月20日，地区法院在发出授权雇员选择加入诉讼的通知时，为那些选择加入者设置了1992年12月31日为截止日期（后来延伸至1993年1月4日）。法院声明，后来提交的同意表如果缺乏"特殊情况"的说明，将不被法院采纳，这些提交过期的同意表的人将不列入该集团诉讼。法院对此简单地说明道："12月31日前加入者有效。12月31日后加入者无效。仅此而已。"见1992年10月16日会议记录第37页。

几名上诉人（Losco, O'Neal, Seidl）后来提交了说明书，试图为其晚交的同意表说明"特殊情况"。Losco声称他是在有效的日期将同意表邮寄出去的；O'Neal声称他收到加入表时正值其父病重，故而他是在父亲病逝后邮寄同意表的；Seidl说明其时他正巧不在镇上，当他回镇后立即完成并将同意表邮寄出去。对于Losco赶在截止日——而不是在截止日之前——邮寄同意表的情况，我们已在另一案件中说明"不考虑邮寄条件下可能发生的情况的诉讼人应自己承担其后果"。Thompson v. E. I. DuPont de Nemours & Co., 76 F. 3d 530, 534 (4th Cir. 1996). 至于另两个迟延的同意表法院拒绝考虑其特殊情况，我们不能说是法院滥用了其裁量权。参见，例如，Hoffman – LaRouche, Inc. v. Sperling, 493 U. S. 165, 172 (1989)（裁定地区法院有权"为加速案件的处理而设立截止日期"）。上诉人宣称地区法院滥用其裁量权作出有偏见的驳回，我们认为根据上诉人说明的特殊情况，可以认为是在驳回的条件之内。见Rabb v. Amatex Corp., 769 F. 2d 996, 1000 (4th Cir. 1985).

B. 不完整的调查问卷

1993年5月，地区法院发出了经原告和被告认可的调查问卷，要求本案总共的大约1000名通知前和通知后的原告填写、确认并在1993年6月11日前邮寄至原告的律师。然后原告的律师须在1993年6月25日前将调查问卷交至食品公司的律师。法院使用调查问卷是为了简化对通知后的原告的证据开示程序、获得关于每一位原告诉讼请求的基本信息，以便找到可能的和解方案。法院在裁定中警告各位原告，不遵守上述期限将导致对其诉讼请求的有偏见的驳回。

许多原告错过了返回期限或者提交了不完整的问卷（例如缺乏适当的签名确认）或错误的问卷（例如，1993年4月，原告的律师让原告填写律师自用的调查表，而许多原告错误地将这个表邮寄出去了）。地区法院给予每一位未按期提交调查问卷或提交了错误的调查问卷的原告一个机会，在1993年8月2日之前说明理由。那些未说明正当理由者可以不被驳回。但是地区法院发现许多原告虽然提供了说明但理由都是行不通的，因此对他们发布了驳回的裁定。

3名上诉人Harvey，Bryant和Clark未能在1993年6月11日前将签名后的调查问卷交给其律师，也未能在1993年6月25日前完成并将其调查问卷交至食品公司。而且，Bryant和Clark也未按照法院的说明理由令准时提交经签名确认的适当的解释，对其为何迟交调查问卷作出说明。虽然这3名上诉人当时的个人情况可能解释为何迟交问卷，可以获得一定程度的同情；[1] 但我们在此审查的是地区法院是否滥用了其裁量权，我们不认为上诉人有权获得法律救济。考虑到该合并诉讼在程序开始时有大约1000个诉讼请求，本庭授予地区法院在处理审前事务和发布案件管理裁定方面较大的裁量权。地区法院驳回不遵守期限的上诉人的诉讼请求，是在其裁量权范围之内的。Rabb，同前，769 F. 2d at 1000（裁定不遵守法庭关于证据开示的裁定是驳回的正当理由）。

【上诉法院维护地区法院对那些不遵守案件管理期限的上诉人的诉讼请求的驳回。】

马莎·米诺：顺应时势的法官：
杰克·万斯庭法官，临时行政机构的创造者
Martha Minow：Judge for the Situation：Judge Jack Weinstein,
Creator of Temporary Administrative Agencies 97
Colum. L. Rev.）2010，2020 – 2026（1997）

……从功能上说，由法院管理的包含个人诉讼处理机制的和解程序，实际上等于未通过立法或行政授权而创造出临时的行政机构。即使不包括建立这样的诉讼处理机制，法院对复杂诉讼的监督仍然酷似行政机关的活动，尤其在当它授权审裁官或书记官举行发现事实的听证会、管理辩论双方与搜集专家意见时。这样的举措没有损害私人被告的利益但提供救济，建立起法官和双方的律师都满意的

---

〔1〕 Harvey声称他在收到法院调查问卷的时候正在旅行。他说虽然调查问卷按时到达他位于南卡罗来纳州的家，他妻子也按时将问卷寄给他，但是他没有收到。虽然如此，在他确实收到问卷后，在提交之前他仍然拖延了3个星期。Clark说问卷到达镇上的7天之内，他正在因公出差。Bryant说在问卷发出时他已经搬家，但问卷没有转寄到他的新家。

灵活的程序和制度以适用于特定的案件。有的时候，法院创造的程序实际上融进了事先设置好的行政程序，比如在破产案件中。另外一些时候，法院管理的程序的行政性质则表现在各方的反应中，比如政府部门、公共机构如学校及私人经常会派遣说客去影响法院的程序，就像一些行政机构促使一些爱护生命的组织如防治艾滋病行动委员会、自然资源保护委员会得到发展一样。因此，当今的司法，其内涵已包括了构建适合于特定情况的特定程序，以及为应对手头的案件而建立临时的行政机构。

……诉讼处理机制的创建、公开听证会的召开、对社区成员与专家意见的咨询，这些加起来便等于建立了一个临时性的、特定的行政程序。这些程序，参加诉讼的各方都必须遵守。法官与法官聘用的助手在这套简化的程序下工作，寻求尽快地满足诉讼当事人期望的方案。与美国的行政机关一样，法院发起的这套程序有时能很有效地解决问题，有时却被诉讼双方的争吵之声淹没。一般地说来，法院发起的这套诉讼处理程序在处理案件时往往从过错责任原则转向损害补偿原则，像行政机关处理黑肺病和工人的工伤事故赔偿一样。

虽然，这些司法创建的行政程序和立法创建的行政机构确实有一些相似之处，但是它们之间的区别也是很明显的。法院创建的行政体制与通常意义上的行政机构有两个很重要的区别：（1）它是基于法院的权力创建的，而不是立法或行政授权；（2）它的结构是临时的、可废除的，而传统意义上的行政机构是持久的、不易改动的、具有官僚政治本性的。第一点区别引发了《合众国宪法》第3条和权力分立原则要求对法院的权力予以详细审查的问题，甚至可能导致完全废除法院的这项权力；第二点区别对传统上的行政发起了模糊的挑战。我认为这两点都是对美国法律与政治的有价值的贡献。

1. 权力的分立。如果一个行政机构是由联邦的法院而不是立法或行政机关创立的，人们当然要探究这是否违反了权力分立原则，是否应限制法院的这项权力。法院是不是闯进了行政机关的领地，成为了执法者？是否僭越了立法机关设计制度与创建政府部门的权力？法官是任命的，他行使这样的权力是不是侵入了保留给民选官员的权力的地域？法官们是不是在作需要妥协与讨价还价的政治判决？选举的有效性是否保证民主的合法性？对这些问题的回答，不仅要看回答者的政治倾向，也要考虑关于民主政府构建的不同理论。但是，这里的关键是我们要看到在这个问题里蕴涵的不同政见。一个面对社会问题作出回应、创建行政程序的法官不可避免地会招来各种政治观点的评价，因为在此过程中他缺少了传统的司法程序的外衣遮掩。

万斯庭法官坦率地承认他支持在群体侵权案件中采用补偿原则而不是过错责任原则、对被告的责任采取成本分担原则，并予以详细阐述。同时，他对人们所争论的诉讼危机和案件难以进入审判的问题另有看法，认为这是对"群体案件在制度内解决"的做法的挑战。这完全是行政上的那套话语和概念。这也反映了他倾向于将损害的成本在大的社区内重新分配的观点，他对损害案件的反应不是传统的那一套。对于那些认为这种问题应该通过充满争吵与混乱的立法辩论来解决的人而言，这种法官的决定等于是不经审查的法令，超越了立法权，侵犯了民主原则。

对于万斯庭法官和其他运用司法资源去解决那些民选部门无所作为的社会问题的法官，有3个温和的辩护理由：其一，正是由于民选部门的无为，使法官面对着人们提出的合理诉求时不得不对这些社会问题作出回应。肯尼思 R. 范伯格曾经在群体侵权案件中任过书记官，在这方面一直是专家，他得出的结论是，国会在这些问题领域无论是程序上还是实质上都没有彻底的改革，"因此实践中法官必须运用他们所能运用的手段来解决问题"。法官在这些群体侵权案件中使用非传统的手段，如聘用特别书记官、要求社区的配合与实行积极的案件管理措施，都是正当的。因为，他们面对的都是始料未及的大量社会性问题与政治性问题。正如 万斯庭 法官深刻的评论所阐释的："僵化的、面对社区与社会的需求视若无睹、毫无反应的司法，相对于过分积极地解决各种问题的司法，更容易让公众对法律制度丧失信心"。

实际上，司法的行动可能引发其他部门的反应，从而推动权力分立框架下其他部门展开行动。万斯庭法官 对 Agent Orange 一案的和解就产生了这种效果。国会通过了一项法案，帮助受二氧（杂）芑污染的退伍军人，而管理退伍军人的行政当局也对其裁定另作解释，将这些退伍军人的需求包括在内。打开民选部门的僵局也许正是法院的使命之一，并且这种使命只能委派给法院，这个理由可以作为司法行动正当化的解释，否则法官的行动会被认为干预了立法权和行政权。于是，积极的法官便可以介入那些其他部门对之僵化无反应的问题之中去。

其二，司法行动和其他的判决形式一样，其效力是持续的，而不是间断的。当法官在某个侵权案件中选择严格责任原则作出判决时，和他运用对和解的监督达到同样的结果时，这两者代表的法官角色并没有明显的、实质的区别。当然，我们的这种辩解可能让更多的司法行动遭到批评，认为它们侵犯了立法权或行政权。而且，行政程序的成本可能还包括对政府收取费用而不仅仅是对私人，获取公共财政支出，为他们使用这笔财政支出向民选部门说明理由。实际上，所有的司法行动都需要占用或消耗公共的资金，从法官和书记员的工资到纸张和电脑桌的支出都需要钱。执行最简单的损害赔偿也需要人力处理各种表格，有时还需要行使财产上的留置权。在法官作出判决的任务和执行法律的任务之间并没有明显的界线。基于权力分立理论对司法行政程序的反对，引起了关于什么是合适的司法行为的争论；这场争论还没有结束，对于临时性行政程序的推行，也没有绝对的阻碍。

其三，展现权力部门之间的界限并坚持其界限的划分，对于促进理性的辩论是必需的：像万斯庭法官这样的首倡行为能激发公众的争论与分析，以加深对作为我们政府构建的基础的权力分立的理解。杰克·万斯庭的判案方式迅速激发了关于法律与正义之间关系的争论，如果没有他，这场争论看起来还很遥远。万斯庭的判案方式提醒了律师、法官和理论家们，法律规则——从最技术性的程序规则到最基本的宪法规则——都是人类设计的、用以实现正义的手段。在万斯庭法官那里，坚持"这没有先例"的论据是无用的；合法性与正当性，不仅要从是否符合先例来判断，也要从案件的实际结果来判断。因此，如果正义要求改造规则、改变先例，那么规则就应该被改造，先例就应该被改变。当然，这只是关于法律与正义之适当关系的许多针锋相对的观点中的一种。万斯庭法官审理的那些标志性的案件，为那些关于法律的本来很抽象的争论提供了丰富、真实的素材，用以检验是非。在这个意义上，他的判案即使是对那些认为他对法律离经叛道的人而言也是有益的。

2. 临时性的行政。——根据立法或行政授权建立的行政机构可能有关于其起讫日期的终点条款或日落条款，但是这在实践中是不常见的。相反，这样的行政机构一旦建立，就会持续存在下去，要使其精简就需要花很大的力气，遑论让它们关门。与此相对照的是，由法院建立的行政程序都有很明确的存在期限，即使它们可能持续存在几年的时间。一个诉讼请求的处理机制维持的时间要看基金是否继续存在，看诉讼请求是否仍在处理之中；通过书记官和治安官进行的司法监督维持的时间可能比人们希望的时间长，但是当指派给他们的任务完成、诉讼双方完成了其应尽的义务或成功地改变了其义务，或者当法官认为任务已经完成时，这个程序也只能结束。对于这些期限，虽然没有严格的标准，但它们确实终止了法院发起的行政行为。

……法院创造的反应灵活的行政行为，也许是可以替代庞大而迟钝的行政机关与私人市场机制的惟一选择。

实务练习二十六
对和解及司法案件管理的评论

你是一名上诉法院法官，现在，一名联邦地区法官提请你批准一项诉讼和解协议，该诉讼是超过600项单独诉讼的合并诉讼，涉及240多万参加过越南战争的老兵、他们的家属与子女，你必须考虑是否批准该和解协议，并说明理由。该案中，原告宣称美军在越南战场上使用一种名为 Agent Orange 的除草剂以使植物落叶，但是这种除草剂使得直接或间接受到污染的士兵发生各种疾病与外伤。他们起诉该化学品的制造商。考虑到当时的科学水平，要证明这种因果关系是非常困难的，但是这些原告们只要一有机会进入有陪审团参与的审判，他们的讲述都非常能打动陪审团。最后，纽约东部管区联邦地区法院法官杰克·万斯庭委任肯尼思·范伯格律师设计了一个分配方案，使该案达成和解协议。

以下是和解协议的基本条款，你据此提出上诉审意见：

（1）被告须支付1.8亿美元及从一个特定日期始的利息；所有共同被告相互间不承担责任，各被告与其母公司或子公司之间不承担共同责任；

（2）该和解基金首先用于支付发出通知与跟和解有关的各种管理措施的费用；

（3）所有各方均保留起诉美利坚合众国的权利；

（4）如果原告团体中"足够多"的原告不支持该和解协议，被告保留放弃该和解协议的权利；

（5）在和解生效后出生者也参加该和解基金的分配，而且他们保留提起新诉讼的权利；

（6）和解协议条款须经举行一个公开的"公平"听证会后生效，该听证会应通知到所有利益相关者参加，使他们有机会阐述自己对和解的意见；

（7）法庭委任的书记官在法官的帮助下树立指导方针，将和解基金的钱公平分配于各个原告及/或原告集体，如游说议员与研究的费用。

万斯庭法官附有一篇长达150页的对该案所有诉求的审查意见，但是这不但不能说明和解的理由，反而表明了双方观点的模糊与达成和解的利弊难定，使诉讼存在继续下去的可能。他也阐述了即使原告缺乏证据也应让原告获得某种程度的胜诉的观点。根据《联邦民事诉讼规则》的23（3），联邦法官在批准集团诉讼的和解方案时，应保护所有不知名的诉讼集团成员的利益。该规则规定："23（e）撤诉或和解。未经法庭许可，集团诉讼不得撤诉或和解，撤诉或和解的建议必须按法庭许可的方式送达该集团诉讼的每一个成员。"上诉法院法官审查地区法院按该规则作出的决定是否合法的标准，是其是否滥用了裁量权。那么Weinstein法官在批准该和解方案时是否滥用了裁量权？

根据你在阅读本章后获得的认识再来考虑这个问题。如果富勒、蔡斯、利伯曼、亨利费思、爱德华兹、伯恩斯坦、库姆、戴尔加多、桑德、门克尔——梅多、斯瓦泽尔或雷斯尼克是本案的法官，他们会怎么做？做这个练习时，不妨与其他同学组成小组，各同学代表一个或几个上述作者的立场，分别论述他们在处理本案时将采取的措施。

最后，从你作为一名法科学生、或一名有远见的律师、或一位普通公民的角度来考虑本案：万斯庭法官自接受本案始就一直在努力推动案件和解，虽然他知道先前的和解方案都失败了。通过任命一名颇有创见的书记官协助他、通过驳回将案件分开审理和延长时间以便证据开示的请求、通过在实体法规制下建立"试验性"规则使得双方对可能丧失的利益忧心忡忡、通过在开庭前4天的星期六早上将所有律师请到议事室让他们围绕和解方案展开不断的协商，他终于让该案达成了和解。最终，这个1.8亿的数字还是该法官自己敲定的。他的这些行为和我们期望的法官参与纠纷解决的方式相称吗？还是这表明了他的做法存在严重的问题呢？

欲了解万斯庭法官的能动主义和他在 Agent Orange 一案中超出常规、创造性地促进案件得以和解的历史，可以参见皮特·舒克"Agent Orange 一案的审理"（Peter H. Schuck 的 *Agent Orange on Trial*，Belknap 1986）一书中的精彩叙述。

第七章

选择适当的法院：对人管辖权，通知，审判地

第一节 概 述

在前几章中，我们已经探讨了各种救济的途经，除了这些具有法律意义的救济以外，提起诉讼的律师还必须考虑另外几个相关的问题，即如何选择适当的法院来审理案件。为了获得一个有利的且可执行的判决，法院必须对案件具有裁判权，这种裁判权力包括：（1）对被告享有对人管辖权（在某些案件中是针对被告的财产）；（2）对案件享有事项管辖权。除此之外，就诉讼而言，法院还必须是一个适当的审判地（venue），并且，关于待决的诉讼，法院必须给予被告以充分的通知。以上四项是诉讼的先决条件，缺乏这四项要素将成为驳回诉讼的根据，如果所登录的判决缺乏适当的对人管辖权、事项管辖权或者通知，那么都将成为上诉或者在一个间接的（单独的）程序中（如执行判决的诉讼）成功挑战原判决的理由。

对人管辖权［有时又被称为属地管辖权（territorial jurisdiction）］* 是在我们的联邦制度内对于主权政府行使司法权力的地理性限制。例如，在我们的案例中，假定在她丈夫死了之后，南希·卡彭特搬到了佛罗里达州，并决定在佛罗里达州法院对兰道·迪起诉。在这种情形下，就要求迪就一个发生在遥远的马萨诸塞州的案件提出抗辩，而我们也会对由佛罗里达州法院裁判一个与该州没有关系的诉讼提出疑问。因此，在对人管辖权原则的适用中，对于公正和司法权力的关

---

* 译者注：联邦宪法和程序法确立司法权（管辖权）制度的标准由对人的管辖权和对事项的管辖权构成，但其对人的管辖权却主要是以地域划分的，与国际私法上属地管辖权的概念比较接近，而与国际私法上的对人管辖权大相径庭。为了避免翻译造成与国际私法上的概念混淆，一般将美国管辖权制度中的 personal jurisdiction 译为对人管辖权，而不译为对人管辖权。

切起着非常重要的作用。在经过了相当长的时间之后，联邦最高法院对此形成了一个精心构建的宪法性考量方法，用以决定法院是否有权对不在其领域内的被告行使司法裁判权，并作出针对她或他的可执行的判决。

对人管辖权的概念是以被告为基准在州法院之间分配的司法权力，而事项管辖权则是以案件类型为基准在联邦法院与州法院之间分配的权力。在这方面，联邦法院具有有限的事项管辖权，宪法和制定法限制了他们的裁判权限仅及于某些特定类型的案件，即依据联邦法的案件（又称联邦问题案件），而州法院则具有一般事项管辖权（即他们可以听审并决定大多数类型的案件）；制定法一般明确规定何种案件应当提交给何种法院审理（如上等法院、房住法院（housing court）、遗嘱法院、土地法院等等。）

虽然对人管辖权和事项管辖权是两种完全不同的管辖权形式，但是学生们有时还是会将二者混淆，因为它们都涉及到地域这一构成因素。当被告居住在某州或者与该州具有某种其他联系时，提起的诉讼即涉及对该被告的对人管辖权，同时，针对异籍案件的事项管辖权也是依赖于与州的联系——当事人的州籍。因此，学生必须要考虑地理联系以外的事项，以免把这二者混淆。

一方面，基于对人管辖权和事项管辖权的原则确立了法院对被告和案件享有管辖权，另一方面，审判地的概念则进一步限制了诉讼的场所。在联邦系统内，审判地决定了提起案件的适当的司法区。例如，在纽约州的联邦初审法院被划分为东部、西部、南部和北部四个地区。《司法法》规定，应基于当事人的住所或者行为发生地将案件分配到不同的地区法院审理。相应地，关于州审判地的制定法也适用相同的标准。

涉及法院登录一个有效判决的最后一个先决条件是，对于被告的充分通知。获得通知和对诉讼提出抗辩的机会是正当程序的基本要求。

第二节 对于被告或其财产的管辖权

也许美国最著名的判例法演变是发生在对人管辖权领域中。自 1877 年在彭诺耶［Pennoyer v. Neff, 95 U. S. 714 (1877)］案的判决以来，最高法院一直试图确定合法传唤一个非居民被告所必须满足的要求，以便法院能够登录一个可执行的判决。该问题的复杂性来自于我们的联邦制度的内在特质，因为每个州都有其自己的主权范围，同时也是其司法权力的裁判范围，而 A 州法院登录的判决必须符合宪法确立的"完全信任与信用条款"才能在其他州得到执行，[1] 即 B 州必须认可该判决的有效性后，A 州法院的判决才能针对在 B 州内的被告或其财产得到执行。这样，关于纠纷的裁判权争议就不可避免地引发各主权实体之间的冲突。

尽管一般说来，各州关于被告的对人管辖权的权限划分是很清楚的，但问题在于，州法院的裁判范围如何能够涵盖对于非居民的管辖。在由彭诺耶（Pennoyer v. Neff）确立的关于管辖权的传统概念中，要求州法院对外州居民行使管辖权必须满足被告的身体出现（physical presence）或者其财产在州范围内的要求，但是在 1877 年以后，随着州际经济的扩展，这一标准被证明为属太过限制性的标准。

彭诺耶案原理的崩溃非常微妙，起先各州法院是借助于一个法律的虚拟（即"结构性的出现"）（Constructive Presence），但到了 1945 年，关于对人管辖权就出现了一个全新的分析框架，这就是由国际鞋业公司（International Shoe Co. v. Washington's）案所确立的"最低限度的接触"（minimum contact）标准。在游戏公平和州的权力这两个概念的指引下，形成了现代的管辖权框架。这是一个很复杂的框架，且有时是极为难懂的。该框架使我们进入了一个法律原理高度密集化的时代，而且其重心也发生了转变，即从程序性的规则转向了上诉判例法。

第三节　传统的对人管辖权概念

术语。在转向彭诺耶案之前，首先我们需要对对人管辖权的传统观点作一特定的界定。对人管辖权是法院登录一个针对被告作出的有约束力的判决的权力。这样的判决被称为对人（in personam）判决，由于该判决应被给予"完全信任与信用"，因此可以在任何州得到执行，或者在任何被告的财产所在的州得到执行。

对物（in rem）管辖权是法院对在其范围内的财产行使的权力。一个对物判决将影响到某人的财产利益。但是，与对人判决不同的是，对物判决并不能创设出被告对原告的金钱给付义务。最典型的对物管辖权是确定财产所有权资格。

准对物（quasi in rem）管辖权是前两种司法权的混合体。它的依据是被告的财产（动产或不动产）在法院所在州的范围内，因而允许法院登录一个关于

---

[1] 编者注：我们将看到，一项判决有权获得这样的普遍承认，其条件是，它是由一个对被告和案件均享有管辖权的法院作出的，并且该法院已向被告提供了适当的通知。

等同于该财产价值的金钱判决，该笔金钱来自于对该财产的出售。在准对物诉讼中不同于所谓的真正的对物诉讼，救济请求的提出与作为法院管辖权根据的财产无关。

第四类管辖权允许法院决定那些涉及诉讼人身份的案件，如关于婚姻的有效性或者对儿童的监护权等。例如，由于作为配偶一方的原告的住所地为法院所在的州，因此法院可以对离婚诉讼行使管辖权，也可以裁定终止婚姻关系，即使配偶另一方不在法院的司法裁判权限范围内。在关于给付扶养费的案件中，要求法院对作为被告的配偶具有对人权力。

彭诺耶诉内夫
Pennoyer v. Neff
95 U. S. 714 (1877)

大法官菲尔德（Field）制作最高法院意见书如下：

这是一宗为了恢复对一片土地的占有而提起的诉讼，这片据称价值1.5万美元的土地位于俄勒冈州。原告主张，根据1866年美国联邦依据1850年9月27日国会法案发给他的专有权（a patent）而获得对这一不动产的权利，这一法案通常被称为《俄勒冈州捐献法》。被告声称，该州的一家巡回法院作出了该原告败诉的赔偿判决并据此发出执行令，一位法警据此命令拍卖了这一财产，被告根据该法警的行为而获得了这项财产。该案的矛头指向了这一判决的有效性。

从卷宗来看，判决于1866年2月作出，在由J. H. 米切尔就律师服务费而提起的诉讼中作出了米切尔胜诉的判决，内夫胜诉金额为300美元——包括诉讼费用在内；在诉讼开始和判决作出的当时，该案被告（也就是本案原告）并不是被告所在州的居民，他没有亲自受到送达，也没有"出现"；在他缺席并且没有对起诉状作出答辩的情况下，在以公告形式形成的一项构成性的传票送达的情况下，作出了判决。

俄勒冈州法典规定，当诉讼是针对财产在本州的非居民提起而被告不在时可以进行这种送达。该法典还规定，当诉讼目的是为了扣押非居民的财产以获得金钱补偿或损害赔偿时也可以这么做。法典还宣称，自然人属于该州某法院管辖的条件是"其本人在法院出现，或在本州内找到了，或者是本州的居民，或者有财产在本州；在最后这种情况下，法院当时的管辖权范围仅仅及于该项财产。"解释这一条款意味着，在金钱赔偿或损害赔偿诉讼中，如果被告既未在法院出现，在该州也未找到，又不是该州的居民，却有财产在该州之内，则法院的管辖权仅及于这项财产，这一宣言体现了普通法的一般原则——如果不是统一原则的话。每个法院的权限都必须受到其所在州的地域限制。试图超越这种限制行使被认为是其他法院管辖权的行为，曾被本院认定为权力行使具有不合法性，并且仅仅因为这种滥用而受到过抵制。在这宗针对本案原告的案件中，根据一个判决而出售的本案系争财产没有查封（attached），也没有以任何符合该法院管辖权的方式提交裁判。它第一次与本案发生关联是由于一项的拍卖执行（a levy of execution）。因此，它并未根据任何司法权来处分财产，而是对个人的判决的执行，这一执行与财产无关，因为这一判决是针对一位既未经诉讼传票送达也未出现的非居民作出的。下级法院没有考虑到，对财产的扣押对于法院的管辖权或对于拍卖的有效性至关重要，而是认定，由于据以获得公告裁令的宣誓证言存在缺陷而致判决无效，而且这一宣誓证言也是证实公告确实发出的证据。

本院成员之间对于根据这些声称的缺陷所作出的裁定存在一些意见分歧……

因此，如果我们限于下级法院对于所提及的宣誓证词的缺陷所作的裁定，那我们就不能支持下级法院的判决。然而，该下级法院同时认定，而且本院也坚持认为，州法院作出的本案原告败诉的判决是无效的，因为他未经亲自受传票送达，也未在针对其提起的诉讼中出现过，而且系争财产本来也不属于本地债权人要求的对物诉讼，亦即通过以赔付被扣押财产为目的对物诉讼而获得赔偿。如果这些立场站得住脚，则应维持第二巡回法院就判决无效的裁定，即使我们不同意该院的判决理由。而这些立场之所以站得住脚是基于两则涉及独立的州对于人和财产管辖权的公法原则。诚然，各州并非在每个方面都是独立的，有几项原本属于它们的权利和权力现在赋予了宪法创立的政府。然而，除了受这一机制的限定和限制之外，它们拥有和行使独立的州的权限，我们所提到的公法原则也适用于他们。一个原则是，各州对于自己地域内的人和财产享有排他的管辖权和主权……另一公法原则是在这一原则之后提到的，即，任何州均不得对不在自己地域内的人或财产行使直接的管辖权。各州享有平等的尊严和权限，一州的独立意味着对其他各州权力的排除。因此，法学家确立了一项基本原则：一州的法律在其地域以外不能适用，除非受礼让的允许；同时由该州设立的法院无论在涉及人或财产的判决时均不得将自己的程序延伸到该地域范围之外。斯托里（Story）说，"任何超越这一限制的这一类权限设置都足以单独成为无效的理由，不能在任何其他法院拘束这些人或财产"。

然而，正如在一州签订的合同可以直接在另一州执行、财产可以由非居民持有一样，任何州行使其受承认的对自己地域之内的人和财产拥有的管辖权时，常常会影响到它没有管辖权的人和财产。对于一州以此方式行使管辖权而产生的对其他地域内的人和财产的影响，没有理由加以反对；然而，任何对于这些其他地域的人和财产直接行使权力，并意图将域外的权力行使纳入自己的法律，或者意图通过其法院执行一项域外管辖权，都会被认为侵蚀了人或财产所在州的独立，因而被当作霸权而受到抵制……

因此，各州通过法院可以将位于在其界限范围内而由非居民拥有的财产列入应本公民对之要求的赔偿的范围，行使这一管辖权没有违反财产所有人所在州的主权。各州均拥有对自己公民的保护权，而且当非居民与他们交易时，行使自己的权限来占有（hold）由这些非居民的财产以满足自己公民的诉讼请求是合法的、正当的、适当的。正是根据州对于位于自己界线之内的财产所享有的管辖权，州的法院才能够强加（inquire into）非居民对自己公民的义务，而这种强加只能在财产处理实施控制的程度上实施。如果非居民在该州没有财产，则该州法院就没有什么可实施管辖权了……

管辖权的获得有两种模式：其一，通过送达传票而对作为被告的人获得管辖权；或其二，通过对被告位于法院辖区内的财产采取的一种程度而获得。在后一种情况下，被告个人不受争议财产以外的判决的拘束，而且是否经过以扣押或衡平令状而启动的针对财产的诉讼至关重要。必须有一个实质性的对物诉讼……

如果未经向本人送达，仅仅根据公告程序——而在绝大多数案件中利害关系人从来没有见到过这一公告——而作出一项不利于非居民的单方的/依职权的、没有双方当事人参加的对人判决（judgments in personam），如果这种对人判决能够获得维持和执行，那么这种判决将会成为欺诈和压制的持续不断的工具，当形形色色的合同或侵权、不动产或虚假法律行为据以成立的交易证据消失——如果这种证据曾经存在过的话——的时候，即可如法炮制作出如此，并据此判决扣押财产。

当财产根据扣押或其他同类行为而置于法院控制之下时，将这一消息通知诉讼标的物（object）的当事人，此时以公告或其他授权的形式作为替代的送达方式可能是充分的。法律假定财产总是处于物主的占有之下——亲自占有或通过代理人占有，据此理论进而认为财产的扣押将会通知他，不仅财产处于法院的监护之下，而且因为他一定会探寻法律授权的就该财产扣押而作出的判决和变卖的任何诉讼程序。当诉讼客体是在该州触及（reach）和处理某项财产时，或者通过执行一个合同或与之有关的优先受偿权而在该财产上享有某种利益，或者在不同所有人之间分割这项财产，或者当公众是一方当事人时为了公共利益而对这项财产采取强制措施或分配，在这些时候进行公告送达也是充分的。换言之，这种送达可以满足所有那些实质上是对物诉讼的案件的需要。然而，当诉讼的整个客体就是确定被告作为人的权利和义务时，即，当诉讼仅仅是对人诉讼时，以这种形式对非居民进行的构成性送达在诉讼目的的意义上就是无效的。一州法院的程序不能伸入另一州而强制传唤居住在另一州的当事人离开本土去应诉。在法院所在州之内进行程序的公告或通知不能对应当出现的非居民创设更多义务。无论向他在该州之外送达的程序,还是在州内以公告送达的程序,在以确立他的个人责任为目的的诉讼中都同样是没有作用的(unavailing)。

下级法院并不否认州法院无权对非居民实施强加义务的司法程序:然而这一立场认为,当非居民在该州有财产时,财产通过扣押或其他同等行为而首先置于法院的控制之下,然后就可以通过判决来满足针对其所有人提出的要求;或者这种要求首先通过对人的诉讼而确立,然后在执行中对非居民的财产实施扣押和变卖。然而,对于这种立场的回答已如前述,法院插手和确定义务的司法权与它对于财产的管辖权是相同的,其在那方面的管辖权不能依赖于在其实施审判并形成判决之后才能确定的事实而建立。如果判决无效在先,那么它不会因为后来发现被告的财产而变得有效或取得对该财产的管辖权。判决如果在作出的时候是无效的,它就将永远无效;不能抱有找到财产判决就有效、找不到财产判决就无效的怀疑的立场。即使在非居民被告在诉讼开始时在该州拥有财产的情况下这种立场被认为是有说服力的,这种立场仍然使诉讼和判决的有效性依赖于在执行扣押之前被告是否已处分财产这样的问题。如果在扣押之前财产已经出售,那么,根据这种立场,判决就没有拘束力。这种原理将会在司法程序中引入一种新的不确定要件。法律的规定恰恰相反:任何判决的有效性均依赖于法院在其作出该判决之前的司法权,而不是依赖于后来可能发生的事实……

在未经向非居民本人送达传票或经其自愿出现而针对其作出的判决的强制力和效力问题已经成为美国联邦各法院及一些州法院经常考虑的主题,因为在一些州已经有了向不是作出判决的州去强制执行这种判决的尝试,其依据是宪法所要求的"各州均得以完全的诚实和信用对待其他州的公共行动、记录、及司法诉讼";而国会的法案也规定了鉴定这类行动、记录及诉讼的方法,并且宣称,在进行上述鉴定时,"联邦各法院必须给予的诚实和信用程度就像在该州已经或将要适用的法律的惯例一样"。早期判例认为,应当在其他州给予所有判决以作出判决的州的法律所赋予该判决的同等效力。然而这一观点后来演变为,只有当作出判决的法院享有对当事人和对事项的管辖权时,该判决才有这种资格,不排斥盘查作出判决的法院是否有管辖权,以及行使权力(authority)的州对于具体人和事项是否享有权利(right)……

当一项判决引起任何权利主张时,联邦法院没有义务给予这种性质的判决以效力。联邦法院与州法院之间的关系不是外国/州法院,它们是不同主权下的法院,行使着不同而独立的司法权,并有义务给予州法院以其他州有义务给予的同等的信任和信用。

由于联邦宪法采纳了第十四修正案,因而这类判决的有效性以及其在所在州的执行就可以直接受到质疑,理由是,一个对当事人没有管辖权而确定当事人个人权利和义务的司法法院不符合正当法律程序之要求。这些术语可能包含了可能影响到私人权利的一切可能的权力行使,因而定义这些术语的内涵十分困难,然而无论定义多么困难,其在适用于司法程序时的含义却是毫无疑义的,其含义是,根据那些在我们的法理体系中既已确立的规则和原则提供一个诉讼程序,以保护和实现私人权利。为了赋予这种诉讼以有效性,就必须有一个由自己宪法确认的胜任的法庭/法院——亦即法庭是依法设立的——来对案件的诉讼标的进行审判,如果所涉及的仅仅是确定被告本人的责任,则被告必须以在州内实施传票送达的方式或者以其自愿出现的方式被提交到法院的司法区之内。

除了在影响原告个人身份的案件或者在送达方式可以被认为已经事先经过同意的案件(随后详述)中之外,以公告方式替代送达程序——就像俄勒冈州的法律及其他州的类似法律所规定的那样——只有在下面情况下才是有效的:为了开始诉讼而进行的与针对某个人的程序相关;在该州的财产已提交法院控制之下,并接受该院以适于此目的进行的处分程序;或者诉求判决是作为一种找到这项财产或影响其中某种利益的方式,换言之,当诉讼在性质上属于对物诉讼时,公告方式才是有效的。正如库利在他的"论宪法限制"(Cooley, Treatise on Constitutional Limitations, 405)中所述,要想把非居民在一州的财产置于针对他的请求之下,"正当法律程序将要求在当事人能够亲自受任何判决拘束之前出现或亲自受送达"。

的确,在严格的意义上,对物诉讼是一种直接针对财产采取的诉讼,其客体是处分财产,没有提到个人请求人的权利,然而,在更广泛和更一般意义上,当直接客体是触及和处分当事人拥有的财产或在财产中的利益时,这些术语也适用于当事人之间的诉讼。比如由于扣押债务人的财产而启动的案件、或者因分配不动产、取消抵押权、或执行优先受偿权而启动的案件。当它们对于在州内财产发生影响时,它们实质上是对物诉讼,其意义在比我们提到的对物诉讼的术语更加宽泛……

根据以上观点,在俄勒冈州法院作出的针对本案原告——他当时不是该州居民——的对人判决没有任何效力,因此不能授权出售本案系争财产。

为了避免任何对本意见书中表达的观点的错误适用,请注意我们的意思并不是主张一州无权进行确定其公民与非居民之间身份的诉讼,这种诉讼即使没有对非居民送达传票或对其本人的通知在该州内也具有拘束力。各州所享有的确定其全体居民的民事身份和资格的管辖权涉及到规定对之产生影响的诉讼的条件的权限,这一管辖权可以在其领域内启动和执行。比如,各州享有绝对的权力来规定其自己的公民之间建立婚姻关系的条件和可以解除婚姻的理由。犯有该州法律规定的可以准予离婚的行为的一方当事人可能已经移居到一个不允许因此离婚的州，因此起诉的当事人如果在被告所在的州内起诉就会败诉，但如果在这种案件中不能适用于原告所在地法院，而且如果未经向被告方送达传票或向本人的通知就不能启动诉讼，则受害的公民就无法得到救济。

我们的意思也不是主张一州不可以要求非居民在其界域内进行合伙或联营，或者签订可在该域内实施的合同，指派一个代理人或代表人来接收因启动与这种合伙、联营或合同有关的诉讼而发生的送达，或者指定一个可以为这种送达和通知的地点，以及在不能采取上述措施时指定一个可以通过公共官员以此目的提供服务的地点，或者以其他规定的方式，我们并未主张根据上述这些送达所作出的判决在州内外对于非居民均不具有拘束力……我们也毫不怀疑一个州在设立以营利或慈善为目的设立的组织或其他机构时，可以规定一种能够调查其行为、能够强制其义务履行、可以撤销其资格的方法，这将要求对于他们的官员或成员的向本人送达。成为这些组织或机构的当事人将根据法律规定的条件享有利益。

在本案中没有这一类的特征，因此不必考虑关于执行非居民的合同的立法而引起的后果。这里的问题只涉及到一州作出的金钱判决的有效性问题，这项判决是在作为当事人的另一州的居民未受送达传票也未出现的情况下根据一个简单的合同而作出的对他不利的判决。

维持原判。

【亨特大法官的反对意见略。】

注释与问题

1. 关于彭诺耶案背后的奇妙故事以及形形色色的人物请参见：珀杜："罪恶、丑闻与实体性正当程序：对人管辖权与彭诺耶案件的再思考"［Wendy Collins Perdue, *Sin, Scandal, and Substantive Due Process: Personal Jurisdiction and Pennoyer Reconsidered*, 62 Wash. L. Rev. 479 (1987).］

2. 追踪导致最高法院作出彭诺耶案判决的诉讼过程。在前案米切尔诉内夫案中提出的请求是什么？请求是向哪个法院提交的？法院声称对被告享有管辖权的根据是什么？是对人管辖权还是对物管辖权？请在涉及内夫诉彭诺耶的初审法院诉讼过程时也回答相同的问题。

3. 重新勾勒彭诺耶案双方当事人在最高法院所陈述的论点的轮廓。

4. 俄勒冈州法典规定行使管辖权的依据是什么？最高法院在彭诺耶案中的判决是如何修正这些条件的？

5. 第十四修正案正当程序条款为什么设置了州法院可及范围的外部界线？在此语境下该条款所保护的价值是什么？为什么在最高法院关于对人管辖权的概念中地理疆界如此重要？珀杜教授在关于菲尔德大法官对正当程序条款的援引时写道：

菲尔德法官的最终最令人惊愕的一步是将第十四修正案的正当程序条款引入他的管辖权分析之中。这一步是不必要的，也是突兀的，原因在于：首先，无论当事人或下级法院均没有对此提出争议和辩论；其次，菲尔德已经断言联邦法院没有义务（因此也不会）强制执行俄勒冈州的先前判决；第三，由于另外的理由即第十四修正案在前案判决时尚不存在因而关于正当程序的讨论言之无物；最后，本案具体的正当程序判决理由（holding）——缺乏对人管辖权而作出的判决即使在作出判决的法院（地）也是不可执行的——至少在一些法院及注释者看来是相当新鲜的。

珀杜，同前，华盛顿法律评论第62卷，页499-500。

6. 正当程序和诚实信用条款在司法权问题上是如何共同起作用的？

7. 在彭诺耶案的最高法院判决中通知居于什么角色？内夫被通知过米切尔诉内夫案的系属（待决）状态吗？如果没有，为什么在前案中缺少这一通知本身并不构成宪法（正当程序）缺陷？

8. 彭诺耶诉内夫案的判决理由是什么？将这一判决理由与下级法院的判决理由进行比较，下级法院判决的结果是相同的——它认定法警将土地转移给彭诺耶的行为无效。

9. 如果在联邦最高法院的上述判决之后你正在米切尔诉里夫一案中代理米切尔，你会选择什么程序以保证对里夫适当的司法权力？

10. 何时及如何提出对人管辖权问题。里夫是如何开始对在米切尔诉里夫一案中对他的司法权提出程序上的质疑的？为什么这种方法被称为"附带攻击"？更典型的附带攻击发生在被告已知诉讼开始却故意不在法院出现的场合，以获得一个缺席判决，当原告随后在被告所在州根据该判决进行诉讼时对管辖权提出质疑（看一眼下面的 McGee v. International Life Insurance Co.）。这种方法的主要风险是，留给反对原始判决（一旦成为终局判决）的惟一根据是管辖权质疑，亦即被告不能在后来的强制执行诉讼中"就实质问题"进行防御。因此，附带攻击策略将被告的赌注全都押在管辖权问题上了。如果法院驳回了这一质疑，判决就会强制执行。在何种情形下这种冒险的策略会有意义？

假设里夫在案件尚在待决期间就已经知道了米切尔对他的诉讼，他还有哪些选择来质疑法院的权力？为联邦民事诉讼规则12（b）（2）找一个例子。里夫会不会在诉讼中出现并且成功地主张（在"直接攻击"中）法院对他没有管辖权？但"出现"不正是彭诺耶案中质疑法院对被告的管辖权的根据之一吗？"特别出庭"（special appearance）的制度设计又如何加剧了被告的困境？

如果里夫曾在诉讼中出现过，对指称事实提交了答辩，后来又提出缺少对人管辖权的防御，结果会怎样？找一个规则12（g）和（h）（1）的例子。这种弃权（waiver）规则使对人管辖权成为"脆弱的"防御（亦即容易丧失），其背后的政策取向是什么?

11. 思考一下卡彭特诉迪一案中终极公司的律师也可以在涉及对人管辖权的问题上进行程序选择。假设终极公司是从事新汉普郡全部业务的联营者,它不是马萨诸塞州法院地的居民因而可能会对管辖权提出质疑。律师可以在马萨诸塞州上等法院的诉讼中以提出规则12(b)(2)动议要求驳回诉讼的方式发起对管辖权的直接攻击(麻省已采用了联邦民事诉讼规则)。如果法院支持这一动议,案件即告终结(不过原告可以上诉)。如果动议被驳回,则终极公司可以就实质问题进行防御,同时坚持对管辖权的反对立场以应付上诉。当然律师必须在规定的时间内提出管辖权反对(见诉讼提示)否则就会永远地丧失机会。

终极公司还可以变换一种方式,它可以于脆不在麻省的诉讼中出现而获得一个缺席判决。原告必然随后在另一诉讼中诉求执行该判决,很可能是在终极公司所在州新汉普郡。由于终极公司在第一个案件中没有提出或放弃了管辖权异议,它只能在第二个案件中附带攻击缺席判决因缺少对人管辖权而无效。如果这一招失败——亦即新汉普郡法院的结论是麻省上等法院确实享有对终极公司的管辖权力,而且这一裁定在上诉中获得了支持——那么终极公司将丧失就实质性问题进行防御的权利。这就是存在于附带攻击策略中的风险。当风险不高的时候,或者没有什么合法的实质性问题可以提出的时候,这种策略可能发挥作用。它还可以为被告提供在本土法院诉讼的优势——在与非居民对阵时法官、陪审团、或法院的人会更同情自己。

12. 为什么当事人及其律师很在乎对人管辖权?到结束本章的时候,我们将已经读过了十几个关于当事人通过他们的律师极尽其能地在对人管辖权问题上拼杀鏖战的案例。正如在法院里的所有程序争议一样,这基本上都不是抽象的或哲学上的冲突,而是深深植根于竞争策略和实务关切。

原告在起诉时即已选择法院地,他们通常选择自己所在的州,因为方便、熟悉,也因为怀着在家门口的法院中诉讼的优势中捞点便宜。特别是当被告来自遥远的州时,不方便的增加可能转化为有利(于原告)的和解。法律选择问题,比如惩罚性损害赔偿能否获得或者适当的制定法时效,也可能导致更喜欢某一法院,当然某些法院地还被认为是倾向原告的或倾向被告的法院。

被告当然努力破坏原告通过选择法院地而获得的优势,这一问题会加在因缺少对被告的管辖权而驳回诉讼的动议之中。

13. 当你们读到的彭诺耶案之后的判例时,请考虑珀杜教育的评论:"菲尔德大法官在对人管辖权问题上的方法一直在对人管辖权的现代原理中居于主导地位。他在彭诺耶案中的意见不仅确立了将对人管辖权作为实体性自由利益问题来处理的基础,而且确立了地理疆界在保护这一利益方面的中心地位"。珀杜,同前，华盛顿法律评论第 62 卷，页 480。

14. 严格的彭诺耶案规则在以下两则判例即赫斯诉波罗斯基案和哈里斯诉鲍克案中允许对被告行使管辖权吗？你能否分辨出意见书中哪些部分为未来的扩大留下了某些空间？

赫斯诉波罗斯基
Hess v. Pawloski
274 U. S. 352（1927）

大法官巴特勒制作最高法院意见书：

本案是由被告提起的因过错而致人身伤害赔偿的诉讼。声明称，原告在马萨诸塞州的高速公路上过失而轻率地驾驶机动车，并因此翻车伤害了被告。原告是宾夕法尼亚州的居民。没有对他实施向本人送达，也没有对属于他的财产实施扣押。送达传票是根据《马萨诸塞州法律总汇》（General Laws）第 90 章及其 1923 年法典的修订条款 c. 431 第 2 节进行的，相关部分是如此规定的：

> 非居民由第 3 节和第 4 节所赋予的接收权利和特权，作为其据此运行机动车或者由一位非居民在上述章节规定之外的公共道路上运行机动车的证据，应当被视同于由这种非居民指定的收发室或在办公室的继任者作为其实际、合法的代理人，上述非居民由于在上述道路上运行机动车而可能卷入的事故或纠纷所产生的任何诉讼的所有法律程序或针对他的诉讼均可向该代理人送达，上述的接收和运行应当作为推定他已同意以下事实的证据（signification of his agreement），即，以这种方式送达的任何传票均如同对他本人送达一样产生法律强制力和具有有效性。完成这类传票送达必须向收发室或办公室的继任者留下这一程序及 2 美元收费的副本，并且这种送达必须是对上述非居民的充分送达：规定，这种送达的通知及传票的副本必须与原告向被告以挂号信邮寄同时（forthwith）发出，被告返回的送达回证及与之相符的原告的宣誓证词均须附在令状之后并与声明一起登记。案件系属的法院可以在必要时裁令继续为被告提供合理的机会以进行诉讼防御。

原告专门为了提出管辖权异议而出庭，在提出撤销诉讼的答辩状，动议根据传票的送达而驳回诉讼，声称，如果维持该诉讼，则会未经正当程序而剥夺他的财产权，构成违反第十四修正案。法院在撤销诉讼中否定了这一答辩，也驳回了动议。最高司法法院认定制定法在行使警察权力方面是有效的，维持了裁令……

问题在于，马萨诸塞州的制定法是否与第十四修正案正当程序条款相左。

一州法院的程序不能伸入另一州而强制传唤居住在另一州的当事人离开本土去应诉。向本州之外对非居民发出通知不足以赋予该州行使对该非居民为金钱赔偿而针对其提起诉讼的管辖权。（彭诺耶案，95 U. S. 741.）必须在州内对他实施实际送达或向其授权接受通知的某人送达。针对一位既未接受对传票的送达也未在诉讼中出现的非居民作出对人判决是无效的。作为自然人的非居民仅仅在一州内有商事交易并不默示同意受该州法院程序的拘束。一州排除外来联营者的权力是这种默示受到支持的根据，这种权力虽然不是绝对的，却是经过授权的。然而一州不能阻挠非居民作为个人在其州内做生意的权利。宪法特权与豁免条款（第2节第4条）保障一州公民"为贸易、农耕、求职、或其他目的在另一州通行或居住"的权利，并禁止州立法歧视其他州的公民。机动车是一种危险的机械，即使非常娴熟非常小心地运行，使用机动车也会对人和财产构成严格危险。在公共利益上，州可以制定和执行合理设计的规章，以促进使用其高速公路的所有各方——居民和非居民——小心谨慎。存在争议的措施要求非居民对其在州内从事的导致对之起诉的行为承担责任，也为请求人提供一种方便的方法，使请求人可以诉求强制执行其权利。根据这一制定法，默示同意仅限于非居民可能卷入其中的在高速公路上发生的事故或纠纷，要求他必须实际接收并有通知送达及传票副本的收据。而且制定法还规定在必要时继续为防御提供合理的时间和机会。这表明制定法对非居民没有敌意的歧视，而是倾向于把他们放在与居民同等位置上。在涉及这一事项上，字面上的平等和具体的平等是不可企求的，这不是一种义务。该州在规制其高速公路使用方面的权力延伸到非居民的使用也及于自己的居民。而且州还可以在机动车非居民在高速公路上运行之前要求他指定一位职员作为其代理人，由于使用高速公路而发生的诉讼传票可以向其代理人送达。* 见凯恩诉新泽西州案（Kane v. New Jersey, 242 U. S. 160），该案承认了州在非居民作出正式指定之前予以排斥的权力。拥有这种排斥的权力，州就可以宣称非居民使用调整公路视为已指定收发室作为可以接收传票送达的代理人。在涉及适用第十四修正案正当程序条款时，正式指定与默示指定之间并没有实质性差异。

维持原判决。

注释与问题

1. 赫斯案中对非居民机动车驾驶人行使管辖权的根据是什么？这一根据与彭诺耶规则一致吗？彭诺耶案判决中的哪了部分支持了这一根据？

2. 为什么联邦最高法院求助于如此具有争议的"对诉讼的默示同意"部分？"机动车是危险的机械"这一事实与对人管辖权问题之间有什么关联？

3. 注意马萨诸塞州制定法和联邦最高法院的决定都支持将通知问题作为单独的、与管辖权问题相分离的问题。在最初的彭诺耶案体制下，通知和管辖权作为确立对人管辖权的根据实际上是不可分离的，即必须在州内完成送达程序并同时向被告提供诉讼通知。随着这种变化，焦点从向被告送达转向了被告自己在州

---

* 译者注：原文在此将这句话连续重复了两遍，似为印刷错误。重复部分未译出。

内从事的行为（这一转变在国际鞋业案中最终完成），对被告的管辖权和向被告的通知开始分道扬镳。

哈里斯诉鲍克
Harris v. Balk
198 U. S. 215 (1905)

事实是这样的：本案原告*哈里斯在本案诉讼开始当时即 1896 年是卡罗林娜州北部的居民，此前欠被告鲍克的借款 180 美元，鲍克也是北卡罗林娜的居民，哈里斯于 1896 年间从鲍克那里借债之后口头承诺偿还，但没有关于义务的书面证据。就在当年，一位名叫雅各布·爱泼斯坦的 Baltimore 居民（在马里兰州）声称鲍克欠他 300 多美元。1896 年，哈里斯为了一笔买卖来到巴尔的摩，当他于 1896 年月月 6 日临时呆在这座城市时，爱泼斯坦提请巴尔的摩一家法院发出一项针对鲍克的外籍人或非居民扣押令状，扣押了鲍克从哈里斯那里享有的到期债权，巴尔的摩的法警将令状和一份在指定时间在法院出现的传票交到哈里斯手上。与扣押一起送交法警的还有针对鲍克的一份传票令状和一份简短的声明（如马里兰州制定法所规定的那样），由他张贴在法院的大门上，这也是马里兰州制定法所规定的。在送交扣押令状送达回证之前的那天，哈里斯离开了巴尔的摩，回到他的家乡北卡罗林娜。他没有对扣押程序提出抗辩——该程序扣押了哈里斯所欠鲍克的债务。他回家后于 1896 年 8 月 11 日制作了一份宣誓证词，承认他欠鲍克 180 美元，并声称那笔债务已经被巴尔的摩的爱泼斯坦扣押，哈里斯并且通过他律师在马里兰的诉讼中同意了一项判决，认可了针对他的 180 美元扣押正是他欠鲍克债务的数额。在扣押判决登记后，由于 180 美元在被扣押财产的人手中，于是哈里斯向爱泼斯坦的律师华伦支付了这笔判决的数额，这位律师住在北卡罗林娜。1896 年 8 月 11 日，鲍克在北卡罗林娜的一位法治法官面前启动了针对哈里斯的诉讼，追索哈里斯欠他的 180 美元。哈里斯通过提出对此案的答辩，诉求对马里兰州判决和他据此作出的赔付给予补偿，他申辩，那份判决对于本案被告（鲍克）是终结性的（conclusive），因为该判决在马里兰州是有效判决，因此有权按照完全诚实与信用的原则在北卡罗林娜法院中执行。这一申辩在初审法院未获准允，因此作出了哈里斯败诉的判决，确定他仍如数拖欠鲍克的债务，这一判决得到了北卡罗林娜最高法院的维持。判决的根据是，马里兰法院无权从哈里斯那里扣押他对鲍克的到期债务，因为哈里斯只不过是在该州临时逗

---

* 译者注：原文在提到"哈里斯诉鲍克"一案的原告或被告时，始终冠以"错误的原告"（plaintiff in error）或"错误的被告"（defendant in error），为避免歧义，均译为"本案原告"或"本案被告"。

留,而债务却是在北卡罗林娜州。

佩卡姆(Peckham)大法官在作出上述陈述后,代表最高法院制作了如下判决书:

北卡罗林娜州法院已经在本案中拒绝赋予马里兰判决以任何效力,而联邦问题是,它是否拒绝了联邦宪法所要求的给予这种判决的完全诚实与信用。如果马里兰法院有管辖权作出判决,那么判决就是有效的,因而有权在北卡罗林娜获得与其在马里兰州内的有效判决一样的完全诚实与信用。

被告辩称,马里兰法院没有管辖权作出他负有付款义务的判决,因为被扣押财产的人尽管当时在马里兰州,并且在那里亲自接受了对传票的送达,但他不是该州的居民,而只是偶然或临时在其疆土上,从被扣押财产的人哈里斯那里所扣押的到期债务属于本案的被告,这笔债务 situs 在北卡罗林娜,并未随哈里斯返回马里兰,也还没有成为鲍克的财产,因此马里兰州法院在扣押诉讼中对鲍克的任何财产均无管辖权,哈里斯同意作出判决是没有意义的。原告则针锋相对地坚持,尽管被扣押财产的人只是临时在马里兰,但该州的法律规定了这种性质的扣押,如果债务人即被扣押财产的人在该州可以找到,则法院可通过在该州的送达传票而取得管辖权;判决哈里斯欠鲍克债务是有效的判决,就如同鲍克自己已经在马里兰对哈里斯起诉追索这笔债务。既然他本来可以这么做,那么该判决就有权在北卡罗林娜的法院获得完全的诚实与信用……

我们认为原告的抗辩是正确的……

毋庸置疑,鲍克作为北卡罗林娜的公民,有权在马里兰州为获得债务清偿而起诉哈里斯。他作为北卡罗林娜的公民,也有权享受其他各州给予的特权和豁免,其中包括在其他州的法院提起诉讼的权利。马里兰州法律规定了在这种案件中实施债权扣押……

由此可见,鲍克本来可以在马里兰州起诉哈里斯以清偿其债权,尽管哈里斯在那儿的停留只是暂时的;而且马里兰市法律允许对主债务人的债务人实施财产扣押,因此如果在该州发现被实施财产扣押人的法院即可通过在该州内对他完成的传票送达而取得对他的管辖权,兹后的判决即为有效判决……

因而,在我们看来,在马里兰州的对哈里斯判决,亦即令他向鲍克支付他所欠的180美元的判决是一项有效判决,因为该法院通过在马里兰州内向被扣押财产的人本人送达而取得了对他的管辖权……

北卡罗林娜最高法院的判决必须撤销,并由此导致发回重审,作出不得与本院意见书相悖的进一步审理。

撤销原判。

哈兰大法官和戴大法官持反对意见。

注释与问题

1. 马里兰州法院对被告鲍克行使管辖权的根据是什么？这与彭诺耶案规则相符吗？彭诺耶案判决的哪一部分富于说服力地允许这种管辖权的行使？这种管辖权属于哪一类管辖权？

2. 通过扣押（seize）债务人而扣押（attachment）债务的方式作为取得管辖权的根据是不可靠的，为什么联邦最高法院会支持像这样不可靠的做法？

3. 鲍克对马里兰州法院的管辖权提出异议的程序立场（posture）是什么？这种立场是不是更像彭诺耶案或赫斯案的立场？

4. 通知在在联邦最高法院对哈里斯诉鲍克一案的分析居于怎样的地位？

第四节 对人管辖权的现代概念

在州际经济交往不断扩大的压力下，以彭诺耶案为基础确立的严格的框架被不断拓展，以容纳极力扩张的各州寻求向自己公民提供针对非居民个人和公司提出的诉讼请求的努力。1945年，美国最高法院最终撤销了对人管辖权的旧框架，与赫斯案中默示同意部分一起支持了修改后的对人管辖权原理，其结果就是以下这个里程碑式的判例。

国际鞋业公司诉华盛顿州，失业补贴与安置办公室
International Shoe Co. v. State of Washington, Office of Unemployment Compensation and Placement, 326 U. S. 310 (1945)

首席大法官斯通制作最高法院意见书：

需要决定的问题是：(1) 在第十四修正案正当程序条款的限制之内，上诉人作为特拉华州的企业在华盛顿州是否已经通过自己的行为而在该州法院的诉讼程序使它自己承担责任，据称这些法院为该州依据州制定法《华盛顿失业补贴法案》（《华盛顿制定法修订本》9998 - 103a 节至 9998 - 123a 节，1941 Supp.）设立的失业补贴基金会；(2) 该州设立那种捐款与第十四修正案正当程序条款是否一致。

受质疑的制定法设立了一个失业补贴综合体制，其成本由在业者作为义务向失业补贴基金会支付的捐款来支付。捐款按照每年可支付工资的特定百分比由每位雇主向其在州内就业的雇员提供。捐款及基金的评估和收集由答辩人负责。法案的 114 (c) 节（《华盛顿制定法修订本》9998 - 114c 节，1941 Supp.）授权答辩人基金会按照雇主名单向能够在州内找到的雇主本人发出评估的拖欠捐款的命令和通知，或者如果在州内找不到，则以挂号邮件向雇主的最后地址邮寄通

知。该节还授权基金会，如果在通知送达之后10天内没有支付捐款，则以扣划（distraint）方式收集评估的捐款。根据第14（e）和16（b）的规定，评估命令可以应雇主的申诉由失业办公室内部的复议小组（appeal tribunal）进行审查，其决定是根据16（i）的规定按照该州上等法院对法律问题的司法审查程序进行了，当事人与其他民事案件一样在州上等法院上诉的权力。

在本案中，多年来问题评估的通知都是向上诉人在华盛顿州雇请的一位代销员（sales solicitor）本人送达的，同时还用挂号信向上诉人在密苏里的路易斯大街的地址邮寄了一份通知。上诉人专门在失业办公室出席，并动议弃置这一评估的命令和通知，理由是对上诉人销售员的送达不是向上诉人的适当送达；上诉人不是华盛顿州的公司也没有在该州经营商务；在该州内没有可为送达的代理机构；上诉人没有该制定法意义上的雇主也没有这一意义上的雇用行为。

复议小组根据证据和事实对动议进行了听证，驳回了动议并裁决答辩人基金会有权追偿未支付的捐款。基金会维持了这一诉讼，上等法院（Superior Court）和最高法院也作出了维持决定。（154 P. 2d 801）上诉人在上述每个法院都纠缠制定法的适用违反了第十四修正案正当程序条款，将宪法禁止的负担强加于州际贸易。这一条款也用于向本院的上诉中，上诉人称为错误的制定法的适用违背第十四修正案正当程序条款和贸易条款。

由复议小组认定并由州上等法院和最高法院接受的事实不存在争议。上诉人是一家特拉华州的公司，其主营业地在密苏里的路易斯大街，经营鞋子及其相关配件的生产和销售。他在华盛顿以外的其他几个州都有营业地，他的产品通过华盛顿州以外的几个销售组织或分支机构进行州际发售。

上诉人在华盛顿没有办公室，也没有在此销售或购买产品。它在该州没有持股，也没有在州内商业界发售产品。在1937年至1940年期间，上诉人雇用了11至13名销售员由路易斯大街的销售经理直接监督，这一点现在尚有争议。这些销售员住在华盛顿，他们的主要活动限定于该州，他们由委任者根据销售数量给予补贴。任务每年总共达3.1万美元。上诉人向其销售员提供一系列样品，每一系列中包括一双鞋子的样品以展示给有意购买者。他们还偶尔在营业大楼里租用长期的样品屋以展览样品，或者为此目的临时租用宾馆或商业大楼，这种租金可以由上诉人报销。

销售员的权限限于展览样品和从有意购买者那里代收订单。销售员将这些订单转达给上诉人在路易斯大街的办公室外以决定接受或拒绝，如果接受则买家填写正式订单，货物从华盛顿外的各个点以FOB的交易条件走海运向该州内的买家送货。所有运入华盛顿的商品均在作为收货地点的承运地制作发货单，任何销售员均无权签订合同或收取货物。

663　　华盛顿最高法院的意见是，上诉人在州内的销售员固定地和成体系地代收订单导致了上诉人的产品流入该州，足以构成在该州做生意，使上诉人负有在该州法院中进行诉讼的责任。然而，这一意见同时认为，有充分的另外活动表明诉讼是在提起经常声明的规则内进行的，一家州外公司在该州内通过代理人进行代销活动，加上在那儿从事的一些另外活动，已足以使该公司有责任在该州的法院中诉讼，以强制履行因为这些活动而在此产生的义务。法院认定了一些另外活动，比如销售员在长达几年的时间内有时长期租用房屋展示样品，销售员待续多年在州内居住，使得上诉人在该州内向购买者定期运送大量商品。法院还认定，制定法的适用没有侵犯国会规制州际贸易的宪法权力，也没有向这些贸易强加受禁止的负担。

　　上诉人的主张是——在本院也重复了这一主张——制定法将违宪的负担加在州际贸易中，这种主张并不需要我们来分析……国会在行使贸易权力的时候可以授权各州以特定的方式规制州际贸易或对之施加负担，对此已不再有争议。

664　　上诉人还坚持认为，它在该州内的活动不足以促成他在那儿的"出现"，而没有这一点该州法院就没有管辖权，因而该州将上诉提交司法就拒绝了它的正当程序权利。它提到了那些据说是仅仅在一州内代收商品销售订单、不经该州接收或填写州际销售货物运单则不能将销售者置于该州管辖之下的判例。上诉人进而还论证，由于他没有在该州内"出现"，因而向他课以税赋或抽取其他金钱也拒绝了他的正当程序权利。因此他拒绝该州无论是向上诉人课税还是由于收取这笔税款而将他置于司法。

　　在历史上，法院作出对人判决的管辖权根据是他们事实上对被告的人（身）享有权力，因此他在法院的地域管辖权范围内出现即成为作出对他本人有拘束力的判决的前提条件。（彭诺耶案，95 U. S. 714, 733）然而，既然对被告的拘传令（capias ad respondendum）已让位于向本人送达传票或其他形式的通知，正当程序只是要求，如果一被告不在法院地领域内出现，则将其置于对人判决的拘束之下必须与之有某种最低限度的接触，以使诉讼不会违反"游戏公平和实质正义（fair play and substantial justice）的传统概念"。（Milliken v. Meyer, 311 U. S. 457, 463.）

　　既然公司的人格是虚拟的——尽管是一种意欲使之像真实事实那样的虚拟——显然就不能像个人那样，它的"出现"不可能仅仅按照其在州内的活动或由它授权代表它的人的活动来确定。当我们在正当程序要求的意义上说一家公司以课税或维护诉讼之目的而在一州的法院"出现"，指的是为了解决这一问题。因为"出现"这一术语仅仅是用来象征公司代表人在一州内从事的法院将认为足以充分满足正当程序要求的那些活动。那些要求可以通过该公司与法院地所有州的联系而获得满足，就像在我们联邦政府体系中要求公司对提交联邦法院解决的具体诉讼进行防御是合理的。"不方便的考量"与此相关，对于公司而言，它产生于远离他的"家"或主营业地进行审判。

在这个意义上，当公司在一州的活动不仅是持续的和制度性的，而且产生了对之诉讼的责任，那么它在州内"出现"是从来没有疑问的，即使不同意被诉或没有授权代理人接受传票的送达也一样。相反，普遍接受的观点是，公司代理人在一州的偶尔出现或者甚至他代理公司从事的单次行为或孤立的活动，不足以使之接受针对其与在该州的活动无关的诉因而提起的诉讼。在这种场合下要求公司远离自己的家或远离他从事了更多实质性活动的其他司法区去进行诉讼防御，被认为是对该公司施加了不符合正当程序要求的不合理负担。

曾经有一些案件，上诉人依赖于一个论点，即在一州内的某些类型的持续活动不足以支持要求该公司参加与那一活动无关的诉讼；也有一些情况，不认为公司在一州内进行的持续经营使他有责任参加就完全不同于那些活动产生的诉因而对他提起的诉讼。

最后，尽管公司代理人在一州的某些个别或偶然行为足以使之承担曾被认为只能授权该州当局来执行的义务或责任，但另一些这类行为却可能由于其自身的性质、类型和情节而被认为足以使这一公司承担参加诉讼的责任。不错，某些认定公司有责任参加诉讼的判决求助于法律拟制而获得支持，即，公司通过他授权代理人的行为而默示隐含了他在该州的"出现"，因而法律拟制为它已同意送达和诉讼。然而，更现实的说法可能是，这些授权的行为具有使这种拟制获得正当理由的性质。

显而易见的是，我们标记那些使公司有正当理由具有诉讼主体资格的行为与那些不具有这种性质的行为的界线的标准不能简单的机械化或定量化。这些检验标准正如一些人所提示的那样，不仅仅是公司通过其代理人在另一州的行为而适宜其诉讼的那些活动是较多一点还是较少一点。能否满足正当程序要求必须取决于与正当程序条款意欲保障的法律的公平和有序的管理相关的活动的性质。这一条款无意确定一州可以对与该州没有接触（contact）、连结（ties）或关联（relations）的个人或对公司作出对人判决。参见彭诺耶案，同前。

然而，在公司在一州内行使从事活动的特权的程度上，公司享有该州法律提供的收益和保护。行使这一特权可能产生义务，既然那些义务产生于州内的活动或与这些活动相关，那么在绝大多数情况下，要求公司在为了实施这些活动而发生的诉讼中应诉，就很难说有什么不适当。

按照这些标准，代表上诉人在华盛顿州从事的活动既不是不固定的也不是偶尔的，而是在几年之内制度性的和持续的。这些活动产生了大批量的州际商务，在此过程中上诉人接受了该州法律的便利和保护，包括为实现其权利而求助于法院的权利。这里的义务正是基于那些活动而产生，显然从事这些活动确立了与法院地州之前充分的接触或连结，那么根据我们的游戏公平和实质正义的传统概念，允许州执行上诉人已经在此发生的义务就是合理的和正义的。因此，我们不能说，维护现在在华盛顿州进行的诉讼牵涉到不合理或不适当的程序。

同样，我们不能得出结论认为在该州内向其活动构成了上诉人在此"出现"的代理人送达传票不是充分送达，也不能说这一诉讼与那些活动如此无关以至于使代理人成为传递通知的不适当的媒介。上诉人确立的与该州的接触程度已经达到了在此采用特定形式的替代送达能够使人确信通知会是真实，这就足以充分了。我们也不能说，通过挂号信向上诉人的主营业所办公室邮寄诉讼通知没有对于通知上诉人诉讼事宜进行合理地考量……

上诉人已经将自己置于接受就其销售员在华盛顿的活动产生的诉讼的责任之下，因而该州可以维持现有的对人诉讼以收取上诉人行使在该州内雇佣销售员的特权而被课取的税款……

维持原判。

杰克逊大法官未参与本案。

布莱克大法官制作了如下意见书：

……我相信，联邦宪法——没有任何假设（条件）或但书（例外）——赋予了每一个州收税的权力以及为了自己的公民起诉那些其代理人在该州做生意的公司而敞开法院大门的权力。我相信宪法将这项权力赋予了各州，因而我认为，根据本院"游戏公平"的观念附加于这项权力的行使就是一种（对这项权力的）司法剥夺，无论这一短语可能如何具有吸引力。我也不能将正当程序的意思延伸到可以授权本院以公司在其他地方诉讼更"方便"为理由而剥夺一州对自己州实施司法保护的权利（right）。

"游戏公平"、"正义"、"合理"这些字眼都具有强烈的情绪煽动力，然而那些撰写宪法原本或第十四修正案的人们并没有选用它们作为本院用于宣告经选举的立法代表通过的州或联邦法院法律无效的测量尺度。没有人——包括那些最担心民主政府的人们——曾经正式地主张过法院应当获得根据这类弹性标准宣告制定法无效的权力……因为适用这些自然法概念，亦即在"正义"、"合理"、"游戏公平"这类术语之下，使得法官成为这个国家法律的实践的最高裁判者。我相信，这种结果改变了我们宪法所规定的政府构架。我不能同意。

注释与问题

1. 思考国际鞋业公司在最高法院作出判决之前的多少期间是如何建构它的业务的？在密苏里以外没有办公室也没有物品清单。销售代表无权在他们工作的州签订合同——他们只是代收订单和将订单转回在路易斯大街的总部。产品以FOB的价格条件运至路易斯大街，这意味着实际上消费者在承运地点即占有了商品，因此就避免了在密苏里以外的疆域出现。在密苏里以外能够找到的惟一属于国际鞋业公司的东西是向潜在客户展示的样品鞋。

按照国际鞋业案判决关于行使管辖权的原理，你能够看出为什么该公司的业务要以这种方式建构吗？这种规避在其他州诉讼的策略出了什么差错？

2. 重新列出几条国际鞋业案当事人在最高法院面前提出的论点。

3. 最高法院提出的对被告行使管辖权的根据是什么？你如何清晰地表述新的对人管辖权原理？彭诺耶规则还剩下些什么？"出现"的概念发生了什么变化？

4. 根据首席大法官斯通的公式，连结非居民被告在法院地州活动的水准与原告对此活动的请求的关系的线索是什么？考虑下列图表：

活动的水准 与请求的关系	个别行为	中等级别	持续的，批量的，制度性的
	仅有关系的请求	仅有关系的请求	所有请求，无论是否有关系

最高法院将注意力放在这些变量上有什么政策考虑？

5. 首席大法官斯通将国际鞋业案的被告列入了图表中的哪一类？有必要决定该被告属于中等级别还是持续的、批量的、制度性的那一类吗？为什么？

6. 你会将赫斯案列入表中哪一栏？你能够在上表中为彭诺耶案和哈里斯案找到位置吗？或者由于那些案件中管辖权的行使不属于对人管辖权因而不在斯通大法官的分类之列？我们将在谢弗案［Shaffer v. Heitner, 433 U. S. 186 (1977)］中再次回到这个问题。

7. 如果针对该公司主张的请求产生于国际鞋业公司的卡车与一位华盛顿公民之间在加州发生的事故，华盛顿州的法院有管辖权吗？

8. 你能表述首席大法官斯通的对人管辖权理论中的收益与负担的说理吗？后面的判决将更加明晰地回到这一说理上来。

9. 在华盛顿州雇用11至13名销售代理完成每年总共3.1万美元的总任务被认为足以构成基于该州的失业补偿基金请求而对雇主诉讼的最低限度的接触。那么6个销售代理是否足够？3个呢？没有销售代理但从事了在州外的经营又会怎样？

注意最高法院的警告，即最低限度的接触分析法"不能简单地机械化和定量化"。是否符合正当程序标准"必须取决于与正当程序条款意欲保障的法律的公平和有序的管理相关的活动的性质"。

10. 某法院对涉及国际鞋业案的问题作出了如下提示：

> 这一法律规则已经在律师们的大脑里和术语中被简略为"最低限度的接触"，然而，最低限度的接触并不意味着"最低限度"或"微不足道"的接触。最低限度的接触要求外籍被告（与法院地之间）之间的接触至少有符合正当程序最低标准的足够的接触。

Leonard v. USA Petroleum Corp., 839 F. Supp. 882 (S. D. Tex. 1993).

11. 布莱克大法官是如何思考"游戏公平"和"合理"这样的术语作为衡量司法权力尺度的？他代之以什么标准？

12. 一位作者如此评论道：

> 黑体字法律的理念诱惑着我们。我们在这种法律中渴求一致性和确定性，就像我们对待生活中的许多理念一样。当然我们知道得还要多。我们知道法律原理经常是不确定的——是在具体案件中，完美的具有说服力的论证所支持的结论经常能够通过完美的有说服力的支持相反结论的论证来反驳。尽管如此，我们仍然探索规则、原则、标准、方法——探索任何能够将秩序置于原理的东西。这种追求与生俱来的挫败感，在争论以正当程序限制来评价州法院的对人管辖权时，要比任何其他时候更能生动地得到展示。

Richard K. Greenstein, *The Nature of Legal Argument:The Personal Jurisdiction Paradigm*, 38 Hastings. L. J. 855 (1987).

第五节 长臂制定法

国际鞋业案*确立了一个行使对人管辖权的宪法基础，非居民的活动应与法院地州具有最低联系。然而，这种宪法性权力本身并非自动行使的，法院必须首先由适当的立法授权其对管辖权作出评断（回顾彭诺耶案中的俄勒冈州法典和国际鞋业案中的华盛顿制定法14（c）节），只有这样最低限度的接触分析法才能用于确定是否允许在正当程序的限制内进行具体评断。

在国际鞋业案确立了最低限度的接触原则后的几年中，许多州都颁布了"长臂制定法"（long-arm statutes），以此授权其州法院对那些在州内从事列举

---

* 译者注：本章选择的一系列最高法院判例提供了美国管辖权规则逐步发展和完善的清晰脉络。为了中文读者对于本书所选择的判例之间连续发展过程的较为完整的概念，译者在翻译最高法院意见书所引证的先前判例时，改变了其他各章照录的原注英文资料出处的做法，而简单引证了有关判例的中文译名。有兴趣查阅所引判例原始出处的读者请见本章已翻译的相关判例。

的某些行为的非居民行使管辖权,其中典型是纽约州法的如下规定:

纽约州民事诉讼法典第 302 节(CPLR §302),因非居民的行为产生的对人管辖权

(a)作为管辖权根据的行为。对于产生于任何在本条所列举行为的诉因,法院可以对任何非居民或其执行人或管理人通过其本人或代理人行使对人管辖权:

1. 在本州内的从事的交易或者在任何地方签订的在本州提供物品或服务的合同;或

2. 在本州内实施的侵权行为,但产生于该行为的具有诽谤性质的诉因除外;或

3. 在下列情形下,在本州内实施的、本州未引起人身或财产伤害的侵权行为,但产生于该行为的具有诽谤性质的诉因除外:

(i)经常从事业务或代销,或从事任何其他持续的活动,或者从在本州进行的物品使用或消费或提供服务获取大量收入,或

(ii)预期或应当合理预期其行为从州际或者国际商事中产生在本州的结果并获得大量收入;或

4. 拥有、使用或占有位于州内的任何不动产。

请注意,长臂制定法授权的管辖权仅限于那些基于法条列举的行为而提出的请求。(参见首席大法官斯通在国际鞋业案中的宪法分析)例如,在克罗克案 [Crocker v. Hilton International Barbados, Ltd., 976 F. 2d 797 (1ˢᵗ Cir. 1992)] 中,原告主张,她遭到强奸是因为巴布多斯饭店的安全措施存在过失,马萨诸塞州的法院由于没有对人管辖权而支付了撤回起诉。原告认为马萨诸塞州法院享有管辖权的根据是,她通过一个在该州的旅行社预定了房间,而且该旅行社的母公司——希尔顿国际酒店——对在马萨诸塞州为巴布多斯饭店作过广告。法院认为,被告在该州从事长臂制定法意义上的交易还不充分,"需要回答的关键问题"在于,原告的请求是否由这些活动"引起",而法院对此认为答案是否定的。关于诉讼请求和被告活动之间的"关联"概念的讨论,参见 Lea Brilmayer, Related Contacts and Personal Jurisdiction, 101 Harv. L. Rev. 1444 (1988); Mary Twitchell, A Rejoinder to Professor Brilmayer, 101 Harv. L. Rev. 1465 (1988)。

关于诉讼通知,长臂管辖权制定法一般规定某种形式的替代送达(即不是送达到本人手中),如邮寄送达等。

依据制定法确定一法院是否可以对某非居民行使长臂管辖权要求进行两步审查:(1)制定法是否适用于该具体案件?(2)如果适用,是否超出了国际鞋业最低限度接触分析法的宪法限制?第一个问题是制定法的结构问题,第二个问题则涉及自 1945 年以来形成的大量判例法,下面将予详述。

某些州采取了开放式的制定法:"本州的法院可以基于任何与本州宪法和联

邦宪法不相抵触的根据行使管辖权。"（加利福尼亚州民事诉讼法§410.10条。）[1] 这样的规定通常与两步审查法（制定法的授权与宪法的适用）合二为一。

第六节 特殊管辖权与一般管辖权

长臂制定法并没有用对人管辖权取代传统的根据，即住所、在法院地州的公司、向在州内的被告送达、在法院的出现、以及同意。相反，它们通过补充在国际鞋业案中受到承认的那些授权而充实了这些根据，使之涵盖遗落在传统种类之外、在州内从事了致使原告提出请求的那些特定活动的非居民们。由长臂制定法授权的特殊管辖权与一般管辖权的区别在于，后者及于所有的请求，无论有关被告是否在法院地州。一般管辖权源自上述管辖权传统的根据，也源自惯例性的、持续的和批量的业务（国际鞋业案中的语言），对这种业务行使管辖权，即使所主张的请求不是产生于被告在法院地的任何活动，也不会对被告不公平。

司法权力的后一种根据的一个例子是帕金斯案［Perkins v. Benguet Consolidated Mining Co., 342 U.S. 437 (1952)］。最高法院在该案中判决，俄亥俄州法院有权应股东的诉讼请求而对一家菲律宾公司行使管辖权，即使请求本身不是由被告在俄亥俄的任何行为引起或与之有关。本案中，该菲律宾采矿公司由于日本军事占领菲律宾已经暂停经营，其董事长临时搬至俄亥俄州居住。这位董事长在他在俄亥俄州的办公室中保存了公司的文档，进行过通讯，提取过工资支票，保持了一个银行账户，并召开过公司领导会议——简言之，他从事了"持续的、系统的不必受限制的战时公司管理活动"，因此俄亥俄州法院应原告就股东分红这一与其在本州的活动"无关"的请求而对该公司行使管辖权不违反正当程序条款。在本章后段我们还将讨论一般管辖权。

代表这一范围另一端的判例是麦吉案［McGee v. International Life Insurance Co., 355 U.S. 220 (1957)］。在该案中，被告在法院地州加利福尼亚确实没有办公室或代理人，（如记录所载）除了被受益人起诉的一份保单（policy）之外也没有从事推销业务或开展任何保险业务，加州法院根据一项制定法而行使了特别管辖权，这项制定法规定在该州之内与该州居民签订保险合同者受诉于该州。原告获得了缺席判决，她诉求在被告所在的德州收回其保单收益。但德州法院拒绝执行该判决，认为因加州法院对该国际人寿保险公司没有管辖权，因而判决不

---

［1］ 尽管国际鞋业案涉及的是一个作为公司的被告，但我们将看到最低限度的接触分析法很快也适用于个人被告了。

符合完全信任与信用条款。最高法院在由布莱克大法官执笔的判决书中推翻了该决定,布莱克大法官提示了对非居民公司和个人管辖权范围正在扩大的"清晰可辨的趋势",布莱克大法官将此归结为

> 这些年来国家经济的根本转变。当今有很多商业交易都涉及两个或更多的州并涉及到分布在全国各地的当事人。随着这些不断增长的商业活动的全国化,通过越过州界的邮寄而从事的业务量也大幅增加。与此同时,现代交通和商业已经大大减少了被诉至其从事经济活动的州的当事人提出抗辩的负担。

同前,页222-223。

麦吉案的法院体现了对特殊管辖权的放宽,其结论是正当程序条款不排除加州法院作出对德州保险公司具有约束力的判决。

> 对于正当程序条款来说,本案中的诉讼是基于一个与该州具有很大关联的合同而提起的,这就足够充分了。该合同在加州发送,保险费也从那里寄出,被保险人死亡时是该州居民。不能否认的是,当受益人的保险商拒绝支付保险金时,加州在为其居民提供有效的救济方式方面有明显的利益。如果那些居民被迫遵守保险公司的要求,到遥远的外州去诉讼,那么他们将处于严重的劣势。特别是当请求数额很小或者不大时,作为个人的请求人经常付不起提起在域外诉讼的成本,因此实际上使公司获得判决免予(judgment-proof)。通常关键的证人——这里是保险公司关于自杀的抗辩——都在被保险人的当地才能找到。当然,如果在合同的签订地加州法院应诉,对于保险人也有不便,但这无论如何也不构成对其正当程序的权利的拒绝。无可争辩的是,答辩人没有适当的通知或充分的时间去准备防御或出庭。

同前,页222-224。

你能否在布莱克大法官在国际鞋业案中的反对意见中找到这种对人管辖权的路径?对人管辖权问题仅仅是技术性和程序性的吗?布莱克大法官对于正当程序原理的精辟论述中加入了什么社会政策考虑?麦吉案的判决是否表明,对人管辖权可能存在于小额或者中等收入的原告要起诉一家大作为公司的被告的情况,而不是相反的情形?

当你们阅读下面的判例时,请考虑布莱克大法官对于特别管辖权正在扩大的"清晰可辨的趋势"的评论。这种对法律趋势的预测就像在其他领域一样是有风险的。

第七节 联邦法院中的对人管辖权

对于民事诉讼法的学生而言,一个普遍感到困惑的问题是联邦法院中的对人管辖权。如果关注彭诺耶案和国际鞋业案中州的主权和州的疆界,同时关注宪法

第十四修正案正当程序限于州的权力这一事实，[1] 人们可能认为，联邦初审法院的对人管辖权不受到州的地理疆界的限制，但是这种观点是错误的。尽管宪法确实没有限制联邦法院对在全国范围内任何地方都可以找到的被告行使管辖权，但国会和联邦最高法院都不会松手给予联邦法院完全的对人管辖权。

控制联邦法院对人管辖权的工具是联邦民事诉讼规则4，该条表面上似乎只是关于传票送达的规定。然而查看规则4（k）（1）（A）就可以看出，该条有效地规定了联邦地区法院所在州的州法院的地域界线，亦即州的长臂制定法（受最低限度的接触标准的限制）。换言之，在俄亥俄州的联邦地区法院的管辖权由当地各初审法院的管辖范围确定，并与该州初审法院管辖范围相同。（如果联邦法院向原告提供了比州法院更"长"范围的管辖权，请思考可能由此导致的对"选购"法院地的激励。）

联邦法院和州法院的对人管辖权的同等性有一些著名的例外，请查阅联邦民事诉讼规则4（k）（1）（B）（亦即所谓的100公里扩张规则）和（C）（规定在联邦交叉诉讼人案件中可以在全国范围内送达，以便利在有竞争关系的请求人之间就一项财产或基金只进行一次诉讼）。而更为戏剧性的是规则4（k）（2）（由1993年修正案增加）在提起联邦请求的案件中将联邦权力延伸到宪法限制之内的最大范围。你能否想像有这样的情形，即该规则被适用来"确立对不属于任何州一般管辖权法院管辖的任何被告行使对人管辖权"？参考顾问委员会关于1993修正案的说明。

第八节 最低限度接触分析法

在国际鞋业案中的关于"最低限度的接触"检验标准的公式（就像早期阶段的大多数法律原理一样）为法院在面对现实生活时进行分析性的发挥留下了许多没有答案的问题和考虑空间。

在较早和最为重要的精品中，汉森案［Hanson v. Denkla, 357 U. S. 235 (1958)］是其中之一。在该案中，多拉·唐纳与在特拉华州的威明顿信托公司成立信托关系，确立威明顿信托公司作为受托人，而她则保留了直到她去世之前从信托中获得收益的权利，同时保留指定最终获得这项大笔财产受益人的权利。后来，唐纳搬到了佛罗里达州，她在那儿指定了她的3个女儿中的一个女儿的孩子们可在她去世时从该笔信托基金中获得40万美元。她去世时中佛罗里达州的居民。而另外两个女儿因为孩子没有得到财产而在佛罗里达州法院起诉，对信托

---

[1] 第五修正案包括了一个限制联邦权力的正当程序条款，但适当的地域疆界却是全国性的。

的处分提出异议。法院将特拉华州的受托人作为本案不可缺少的当事人对之行使了管辖权，并基于技术上的理由宣告信托无效，理由是唐纳在生前对信托财产保留了太大的控制权。然而，当佛罗里达州法院的判令要求在特拉华州针对该受信托人执行时，该州法院裁定该判决不符合完全信任与信用条款的要求，因为佛罗里达州法院对于特拉华州的受信托人没有对人管辖权，且信托财产位于特拉华州，因此佛罗里达州法院对于信托的财产也没有对物管辖权。联邦最高法院维持了该判决。认为：

（要求执行佛罗里达州法院判决的当事人）主张，本案构成了与佛罗里达的充分联系，从而使该州法院得以对这位非居民被告行使对人管辖权。其主要根据是麦吉案。在麦吉案中，本院阐释过对非居民行使对人管辖权的正在扩大的趋势。随着技术进步增加了州际商务的流量，对于非居民行使管辖权的需要也随之增加。与此同时，通讯和交通的发展使得在域外法院进行防御的麻烦大大减少。作为对这种变化的回应，对非居民行使对人管辖权的条件也从彭诺耶诉里夫案的严格规则（Pennoyer v. Neff, 95 U.S. 714）向国际鞋业案的弹性标准转化（International Shoe Co. v. Washington, 326 U.S. 310.）。然而，如果认为这种趋势意味着最终会解除对州法院的对人管辖权的所有限制，那就错了。那些限制要比给予豁免不方便或遥远的诉讼的保障还要多，这是对各州权力的地域限制的结果。无论在域外法院进行防御的负担有多么小，除非他与该州有"最低限度的接触"，否则都不能传唤他来应诉，这是对他行使对人管辖权的先决条件。

在本案的情境下，我们没有发现这种接触。被告信托公司在佛罗里达州没有办公室，也没有从事业务，信托财产也未曾在佛罗里达持有或管理，而且记录显示，被告公司在那里也没有招揽生意，无论是亲身还是通过邮件。

本案的诉因不是在法院地州所从事的行为或交易所引起的，这不同于麦吉诉国际人寿保险公司案。在麦吉案中，非居民被告与一位加利福尼亚州的居民签订了再保险协议，要约是在加州收到的，保险金从那里寄出，一直到被保险人死亡。请注意，当非居民的保险人拒绝支付他们在加州揽生意而产生的保险费时，加州法院在为其居民提供救济方面享有利益，因为诉讼是基于一个与该州具有大量联系的合同而产生的。但本案的情况不同，本案涉及到的一个有效合同的签订与法院地州之间没有联系，而且协议是由在内华达州的信托公司在内华达州履行的。佛罗里达与该协议之间的首次联系是在多年以后死者成为其居民时才发生。自唐纳夫人执行几笔信托管理开始可能还能与麦吉案中邮寄保险金之间有可比性，然而记录显示，受信托人在佛罗里达州执行的任何行为都没有像麦吉案中招揽生意那样与协议之间产生关系。因此，本案不能认为是履行了一项被告在佛罗里达州行使特权而产生的义务。

357 U.S. at 250-252.

最高法院继续强调，"主张与非居民被告之间有某种关系的人的单方行为不能满足与法院地州接触的要求。适用这一规则因被告行为的类型和性质而不同，但在每一具体案件中，必须存在按照被告意欲获得在法院地州从事某些活动的特权的主观意向而进行的某种行为，这一点是至关重要的"。357 U. S. at 250 - 252。这种将"意欲获得"作为最低限度的接触分析法的总体标准后来在许多案件中成为关键的限制，比如后面将要介绍的全球大众汽车公司案（World - Wide Volkswagen Corp. v. Woodson），同时参见 Leonard v. USA Petroleum Corp., 829 F. Supp. 882 (S. D. Tex. 1993)（该案原告是德州的居民，他主张自己根据一个口头合同而执行一项任务，因为他在德州时为被告在波多黎各的服务站找过一个买主，"正是被告自己的行为而非原告的行为确立了与一个州之间管辖上的最低限度的接触。要把被告置于德州的管辖权之下，就必须是被告自己曾经有过确立与该州有意义的接触的行为……（原告所有的行为描述都是按照他自己的行为"）。

你们是否被最高法院将汉森案与麦吉案加以区别的努力说服了？威明顿公司与佛罗里达州之间的关系真的比国际人寿保险公司与加州之间的联系要少吗？如果不是，如何能够解释在同一年作出的两案判决之间为何存在如此戏剧性的差异？或许部分理由蕴含在对佛罗里达州法院判决的执行之中。最高法院提到，那对信托处分关系提出异议并获得胜诉的两个女儿"每人已经（自己）从他们母亲的遗嘱中获得了超过 50 万美元的遗产"。

大法官布莱克所评论的对于对人管辖权的限制会日益放开的趋势发生了什么？下面的判例又反映了什么趋势？

大众汽车公司诉伍德森
Worldwide Volkswagen Corp. v. Woodson
444 U. S. 286（1980）

大法官怀特制作本院意见书：

提交我们解决的问题是，在一宗产品责任诉讼中俄克拉荷马州法院对一家作为非居民的汽车零售商及其批发商行使对人管辖权是否符合正当程序条款，本案被告与俄克拉荷马州之间的惟一联系就是在纽约向纽约的居民出售的一辆汽车在俄克拉荷马州发生了事故。

I

答辩人哈里和凯·罗宾逊于 1976 年在纽约州马塞纳从海滨大道大众汽车公司（下称海滨公司）购买了一辆新奥迪汽车。第二年罗宾逊与在纽约的一家人离开纽约州去他们在亚利桑那州的新家。他们在经过俄克拉荷马州时，另一辆小汽车与他们的奥迪车追尾，引起的火灾严重地烧伤了凯·罗宾逊的她的两个孩子。[1]

罗宾逊随后在俄克拉荷马州的克里克县地区法院提起诉讼，声称他们受伤是因为奥迪的汽油箱和燃料系统有缺陷所致。他们将汽车的制造商奥迪NSU汽车集团公司（下称奥迪公司）、汽车的进口商美国大众汽车公司（下称大众）、汽车的批发商亦即本案申诉人大众汽车公司（下称环球公司）、以及汽车的零售商亦即本案申诉人海滨公司作为共同被告。海滨公司和环球公司进行了特别出庭登录。[2] 声称俄克拉荷马州对他们行使管辖权将会违反第十四修正案正当程序条款对州的管辖权的限制。

提交地区法院的事实表明，环球公司在纽约州注册而且其商务办公室也在纽约。它按照其与大众之间的合同向纽约州、新泽西州及康涅狄格州的零售商批发机动车、配件及附件。海滨公司是这些零售商中的一家，也是在纽约注册而且营业地也在纽约。就记录显示的信息来看，海滨公司和环球公司是完全独立的公司，它们相互之间及其与大众及奥迪公司之间的关系只是合同关系。答辩人没有提出任何证明表明环球公司或海滨公司在俄克拉荷马州有过任何业务，也没有向该州或在该州拖运或出售过任何产品，在该州也没有代理人接收传票，甚至没有在估计可以触及俄克拉荷马州的任何媒体上做过广告。事实上，正如答辩人的律师在言辞辩论中所承认的那样，除了本案发生事故的这辆车之外，没有证据表明环球公司或海滨公司出售过的任何车辆进入过俄克拉荷马州。

尽管申诉人与俄克拉荷马州之间明显缺少接触，但地区法院仍然驳回了他们的宪法性请求，再次确认了在驳回申诉人申请复议的动议时的裁定。申诉人于是向俄克拉荷马州最高法院诉求一份禁止令以制止地区法院、答辩人查尔斯·伍德森行使对他们的对人管辖权。他们重申了他们的抗辩，即，由于他们与俄克拉荷马州之间没有"最低限度的接触"，因而地区法官的行为违反了他们根据正当程序条款享有的权利。

俄克拉荷马州最高法院拒绝了令状申请，认定根据俄克拉荷马州的"长臂"制定法即俄克拉荷马州制定法第12编1701.03（a）（4）节之规定［Okla.

---

[1] 在目前的诉讼中另一汽车的司机还没有找到。
[2] 沃克斯瓦更也在地区法院进行了特别出庭登录，但与海滨公司和环球公司不同的是，它没有向俄克拉荷马州最高法院申请复审，也不是在本院案件中的申诉人。沃克斯瓦更和奥迪公司都仍然是在俄克拉荷马州地区法院待决的案件中的被告。

Stat., Tit. 12, §1701.03（a）（4）（1971）],[1] 有权对申诉人行使对人管辖权。尽管该除指出，适当的途径是根据制定法和宪法双重标准来审查管辖权，但它的分析却没有区分这些问题，可能因为 1701.03（a）（4）节的规定已经被解释为管辖权的授权已在联邦宪法允许的限度之内了。本院的论理包含在下面这段文字中：

> 摆在我们面前的这个案件，申诉人出售和批发的产品由于其设计和目的都如此变动不定，以至于申诉人能够预见到它可能在俄克拉荷马州使用，对于批发商而言更是如此，他在纽约州、新泽西州和康涅狄格州享有批发这种汽车的排他的权利。在下级法院提交的证据表明，申诉人出售和批发的物品在俄克拉荷马州使用了，而我们相信，根据这一事实可以合理地推断，在汽车的零售价值已定的情况下，申诉人从这些不时在俄克拉荷马州使用的汽车中获取了大量收入。据此事实，我们认定，地区法院根据现有事实有正当理由得出结论认为，申诉人从在该州使用或消费的物品中获取了大量收入。

我们同意发出调卷令，以考虑一个与州法院管辖权有关的重要的宪法问题，并以解决俄克拉荷马州最高法院与至少 4 家其他最高法院之间的意见冲突。我们撤销原判。

II

第十四修正案正当程序条款将州法院的权力限定在作出对非居民被告的有效对人判决，违反正当程序作出的判决在作出判决的州是无效的，也无权在其他地方获得诚实与信用。［彭诺耶案，*Pennoyer v. Neff*，95 U. S. 714，732-733（1878）］。正当程序要求给予被告适当的诉讼通知，*Mullane v. Central Hanover Trust Co.*，339 U. S. 306，313-314（1950），并隶属于法院的司法管辖［*International Shoe Co. v. Washington*，326 U. S. 310（1945）］。本案的通知是不适当的，这一点无可争辩；惟一的问题是，2 位申诉人是否属于俄克拉荷马州法院管辖。

长期以来已经确立、尔今我们再次重申，一州的法院只有当被告与法院地州法院之间存在"最低限度的接触"时才可以行使对该非居民的对人管辖权（*International Shoe Co. v. Washington*，supra.，at 316）。反之，最低限度接触的概念可以认为表现了两个相互关联但又相互区别的功能。它保护被告不接受在遥

---

〔1〕 该条规定："法院可以对在本州从事行为或通过代理人从事行为的人行使对人管辖权，只要这个人的行为导致诉因或救济请求的产生……如果他在本州固定地做生意或招揽生意或从事任何其他这类行为，或者从在本州的货物使用或消费或服务中获取大量收入，则在本州以外的行为或疏忽的行为而在本州引起侵权损害也属于本州管辖……"该州最高法院驳回管辖权的根据是 1701.03（a）（3）节，该节授权对"由于在本州从事活动或疏忽而在本州引起侵权损害的"任何人行使管辖权。除侵权损害以外还有一些其他要求。

远的或不方便的法院地诉讼的负担；它用于保障州不会基于他们在联邦体系中的平等主权地位而通过其法院越过界限对被告实施管辖。

保护对不方便诉讼的抵制在"合理"或"公平"等术语中已经描述过。我们曾说过，被告与法院地州之间的接触程度必须达到维持该项诉讼"不会违反'关于游戏公平和实质正义'的传统概念"。*International Shoe Co. v. Washington*, supra., at 316, Milliken v. Meyer, 311 U.S. 457, 463 (1940). 被告与法院地之间的关系必须达到"要求该公司在提交该地法院的特定案件中进行防御……系为合理"的程度。326 U.S. at 317. 在这种对于合理性的强调中所蕴藏的是一种理解，即在适当的案件中根据其他一些相关因素考虑加诸被告的负担——这种负担始终是一种主要的担心——包括法院地州在提交司法的争议中的利益〔见 *McGee v. International Life Ins. Co.*, 355 U.S. 220, 223 (1957)〕；原告在获得方便和有效的救济方面的利益（见 *Kulko v. California Superior Court*〔436 U.S. 84, 92 (1978)〕），至少在该利益不能由于原告选择法院地的力量（power）而受到适当保护时必须如此考虑〔参见 *Shaffer v. Heitner*, 433 U.S. 186, 211, n. 37 (1977)〕；州际司法制度在获得最有效率的争议解决方面的利益；以及几个州在发展基础性实体社会政策方面共同享有的利益（见 *Kulko v. California Superior Court*, supra, 436 U.S. at 93, 98.）。

正当程序条款给州司法权设定的限制在其作为抵制不方便诉讼方面的作用而言近年来已经大大放宽了。正如我们在麦吉案〔*McGee v. International Life Ins. Co.*, 355 U.S. 220, 222-23 (1957)〕中所阐述的那样，这一趋势很大程度上可归结于美国经济的根本转变："当今有很多商业交易都涉及两个或更多的州并涉及到分布在全国各地的当事人。随着这些不断增长的商业活动的全国化，通过越过州界的邮寄而从事的业务量也大幅增加。与此同时，现代交通和商业已经大大减少了被诉至其从事经济活动的州的当事人提出抗辩的负担"。当然这种在麦吉案中指出的历史性发展在自该案以来的几十年之间仍然在加速进行着。

尽管如此，我们从来没有——也不能——接受这种命题，即认为州界的划分与司法权的目的之间没有关系，而是为了维持宪法所体现的州际联邦主义原则。宪法的缔造者们已经预见并期望各州的经济独立。在商事条款中，他们规定国家应当成为一个共同市场，一个各州消除了作为各自为阵的经济实体的壁垒的市场。然而，缔造者们也倾向于各州保护许多重要的主权，特别包括在其法院内进行审判的权力。各州的主权反过来又意味着对所有其他兄弟州主权的限制——这种限制在宪法的原始框架中和第十四修正案中都明确或隐含地进行了规定。

于是，即使摒弃"各法院的权限必须受到其所设立的州的地理疆界的限制"这种套话（*Pennoyer v. Neff*, supra, at 720.），我们也要强调，确认对被告的管辖权的合理性必须"在我们的联邦政府体制的语境下"进行评估（*International Shoe Co. v. Washington*, supra., at 317），同时强调，正当程序条款不仅保障公平，而且保障"有序的法律管理" (id., at 319.)。正如我们在汉森案[*Hanson v. Denckla*, 357 U. S. 235, 250－251 (1985)] 中所阐释的那样："随着技术进步增加了州际商务的流量，对于非居民行使管辖权的需要也随之增加。与此同时，通讯和交通的发展使得在域外法院进行防御的麻烦大大减少。作为对这种变化的回应，对非居民行使对人管辖权的条件也从彭诺耶诉里夫案的严格规则向国际鞋业案的弹性标准转化。然而，如果认为这种趋势意味着最终会解除对州法院的对人管辖权的所有限制，那就错了。那些限制要比给予豁免不方便或遥远的诉讼的保障还要多，这是对各州权力的地域限制的结果"。

因此，正当程序条款"无意确定一州可以对与该州没有接触、连结或关联的个人或对公司作出对人判决。"（*International Shoe Co. v. Washington*, 326 U. S. at 319.）即使被告从被迫在另一州法院诉讼只会遭受最少的不方便或不会遭受不方便，即使法院地州在对争议适用自己的法律方面享有利益，正当程序条款作为州际联邦主义的工具，都可能有时用于剥除（divest）该州作出有效判决的权力。（*Hanson v. Denckla*, supra, 357 U. S. at 251, 254.）

III

将这些原则适用于本案，我们发现本案诉讼记录完全没有州法院行使管辖权所必须的符合条件的任何情形。申诉人在俄克拉荷马州没有从事过任何活动，他们没有在那儿销售过产品或提供过服务，他们没有从俄克拉荷马州法律从获得过特权和收益。他们甚至没有在那里通过销售员或通过估计可幅辐射该州的广告来招徕生意。诉讼记录也没有显示他们向俄克拉荷马州的消费者或居民固定地批发或零售过汽车，或者通过其他方式向或试图向俄克拉荷马州的市场供应汽车。简言之，答辩人谋求将管辖权建立在一次孤立发生的事件以及由此引出的任何意外因素的基础上：惟一一辆奥迪汽车，在纽约州向纽约居民出售，恰巧在通过俄克拉荷马州的时候发生了一次事故。

然而论辩称，由于汽车就其设计和目的而言具有活动的特性，因而罗宾逊的奥迪车会有在俄克拉荷马州引起事故就是"可预见的"，不过"可预见性"这一单独的因素从未成为根据正当程序条款而行使对人管辖权的一个基准。在汉森案中（同前），内华达州信托公司后来会搬家到佛罗里达州居住并且在那儿行使强制令这也是可预见的，但我们认定，佛罗里达州不能对一位与该法院地州没有其他接触的内华达州的受信托人行使管辖权。在库尔可案中［*Kulko v. California Superior Court*, 436 U. S. 84 (1978)］，一位离婚妻子会从结婚登记地纽约州搬到加州并且小女儿会跟母亲住在一起肯定是"可预见的"，但我们却在子女抚养案件中认定，加州不能对这位妻子仍住在纽约州的丈夫行使管辖权。

如果可预见性是一种标准，那么当车胎在宾夕法尼亚州爆胎时那位加州的轮胎零售商就可以被迫在那儿进行诉讼防御［Erlanger Mills,Inc. v. Cohoes Fibre Mills，Inc.，239 F. 2d 502，507（4th Cir. 1956）］；那位威斯康星州的有缺陷汽车插口出售者就可以因为在新泽西州发生的损害而在遥远的法院去应诉［Reilly v. Phil Tolkan Pontiac,Inc，372 F. Supp. 1205（N. J. 1974）］；或者佛罗里达州的软饮料专卖商就能被传唤到阿拉斯加去对在那儿发生的伤害作出解释［Uppgren v. Executive Aviation Services,Inc.，304 F. Supp. 165，170-171（Minn. 1969）］。每一位动产出售商实际上都会指定动产作为他送达传票的代理人，那么他的诉讼责任将随着动产而移动。我们最近废除了哈里斯诉鲍克案中的陈旧规则［Harris v. Balk，198 U. S. 215（1905）］，即债务纠纷中的债权人的权益可以被对该债务人享有暂时管辖权的任何州所消灭或以其他方式受其影响［Shaffer v. Heitner，433 U. S. 186（1977）］。这条机械的规则规定，债权人参加准对物诉讼中的义务随其债务人的转移而转移，我们在阅读这条规则之后，不愿意在本案中再加一条类似的原则。

当然这并不是说可预见性是毫不相干的。但可预见性对于正当程序分析的关键不在于仅仅具有自己进入法院地州的可能性，相反，被告的行为及其与法院地州之间的关联才是他应当合理预见的进入该地法院受讼的可能性（Kulko v. California Superior Court，436 U. S. 97-98（1978）；Shaffer v. Heitner，433 U. S. at 216，217-219（1977）（斯蒂文斯大法官在判决中的反对意见）。正当程序条款通过保障"有序的法律管理"（International Shoe Co. v. Washington，supra.，at 319），给予法律制度一定程度的可预测性以使潜在被告得以构成他们的基本行为，并给予他们在该行为将要或将不要使他们承担诉讼责任时获得最低限度的保障。

当一家公司"意欲取得在法院地州从事行为的特权"时（Hanson v. Denckla, supra，357 U. S. at 253.）这清晰地表明它隶属于那里管辖，并且能够通过代理保险、向顾客收取可预期的费用、或者如果风险太大还可以切断它与州的联系，以此来减轻诉讼的不方便。因此，如果出售像奥迪或大众这种厂家或批发商的产品不仅仅是一次孤立的事件，而是源自厂家或批发商直接或间接地满足其他州内的市场需求之目的，那么如果它被诉称的缺陷商品在其中一个州对产品使用者或对他人造成的损害，则他隶属于该州管辖就没有什么不合理。如果该州对一家将产品发送到商业流水线（the stream of commerce），期冀法院地州的消费者购买，那么法院地州对之行使管辖权就没有超越正当程序条款的限制。［参见 Gray v. American Radiator & Standard Sanitary Corp.，22 Ill. 2d 432（1961）。］

然而，本案俄克拉荷马州没有这些或类似根据对环球公司或海滨公司行使管辖权。海滨公司的销售是在纽约马塞纳的环球公司市场上进行的，不过其更多的业务是在纽约、新泽西州及威斯康星州进行的。诉讼记录上没有证据表明环球公司发售的任何汽车被零售到这3个州之外并且海滨公司将它们发售到了俄克拉荷马州。然而，仅仅是"那些主张与非居民被告之间存在某种关系的单方行为并不能满足与法院地州接触的条件。*Hanson v. Denckla*，supra，at 253。

前面的论点还进行了另一种论辩，即申诉人从商品在俄克拉荷马州使用中获取大量收入这方面的事实也不能支持其行使管辖权。俄克拉荷马州作出了上述认定（585 P. 2d at 354－355），并推论由于申诉人出售的汽车中有一辆已经在俄克拉荷马州使用了，那么其他的汽车也可能在那里使用过。本案的事实本身看来比这一推论更具有说服力，我们就不必为了反驳该院的论理而对其事实认定提出疑问了。

这一论点似乎提出了这样一个问题：申诉人从（消费者）在纽约州购买汽车中获取了收入，而只有当汽车可以在像俄克拉荷马这种遥远的州使用时才有可能发生这种购买。答辩人评论道，汽车的目的就是出行，而申诉人所销售的汽车的出行是由大众在包括俄克拉荷马州在内的全国各地的广泛的网络来提供服务的。然而，被告从与法院地州的间接关系获得的经济收益如果不是产生于宪法所承认的与该州之间的接触，那么这种间接收益不能支持管辖权。*Kulko v. California Superior Court*，436 U. S. at 94－95（1978）。

因为我们认定申诉人与俄克拉荷马州之间没有"接触、连结和关联"（*International Shoe Co. v. Washington*，supra.，at 319），因而撤销俄克拉荷马州最高法院的判决。

布伦南大法官的反对意见：

……在本案中，我将发现法院地州在允许该诉讼进行方面享有利益，该诉讼与法院地之间有关联，被告与法院地之间有连结，防御的负担不是不合理的。因此，我将认定，要求本案被告在法院地州进行防御既非不公平也非不合理……

法院地州的利益以及它与诉讼之间的关联是很强的。引起诉讼的汽车事故在俄克拉荷马州发生，原告在提起诉讼时居住在俄克拉荷马州。特别重要的证人和证据都在俄克拉荷马州。见 *Shaffer v. Heitner*，433 U. S. at 208。该州在执行自己为保障其道路系统安全而设计的法律方面享有利益，至少审判在该州进行要比在其他州更有效率。

申诉人与法院地之间并非没有关联。尽管2位申诉人都在销售地区内出售汽车，但他们销售的汽车实际上已在俄克拉荷马州行驶，并在那里发生了事故。的确，如本院所提示的那样，2位申诉人的真诚意图是将自己的商业影响限制在限定区域内，并且都旨在接受在那些区域内的州的收益和法律保护。然而，这些意图显然是不切实际的希望，不能作为一种自动的宪法性屏障。

汽车既不是静态的物品，也不是设计用来在一个地方使用的物品。汽车就是用来四处行走的。在出售大量汽车的业内人士不能声称自己不知道汽车的活动性，也不能假装汽车在售出之后呆在一个地方。汽车行业的经营者至少可以预见汽车将会活动。444 U. S. at 295. 经营者实际上有意让购买者使用这些汽车行驶到那些他们并没有直接去"做生意"的遥远的各州。汽车的销售就是有意将汽车投放到州际贸易的商业流水线之中使之能够行驶到遥远的州。见 *Kulko v. California Superior Court*，436 U. S. at 94；*Hanson v. Denckla*，supra，235，253.

……本院承认，一州可以对"通过将产品送往到商业流水线，期冀法院地州的消费者购买"的方式而向该州"间接"发售商品的发售商行使管辖权，*Rush v. Savchuk*，444 U. S. at 297-298. 很难看出为什么宪法应当区分商品通过发售链条而抵达一遥远的州的情形与因为消费者使用商品（经营者明知消费者会将这些商品带到那些州）而抵达同一州的情形。两种情形之下销售者都是故意将商品投放商业流水线，而且那些商品都是可以预测会在法院地州使用的。

进而言之，汽车销售商也从本州以外的其他州获取的大量收益。汽车的很大部分价值在于四通八达的全国性的公路网络，这一网络的重要部分已由包括俄克拉荷马在内的各州投建和维护。这些州通过它们的公路项目以一种非常直接而重要的方式为申诉人的商业价值作出了贡献。此外，其他有关的经营者网络连同他们的服务部分都在全国各地，在包括俄克拉荷马在内的不同州的法律保护保护之下从事经营，为申诉人的消费者提供旅行的便利从而增加其商业价值。

因此，本院关于"申诉人与俄克拉荷马州之间没有'接触、连结和关联'"的结论（444 U. S. at 299.）是错误的。使俄克拉荷马州与诉讼发生关联的接触显然是存在的，这种接触对于申诉人受制于俄克拉荷马州的司法管辖的公平与合理具有足够的重要意义。

本案原告在他们与之有重要接触并与诉讼有重要接触的法院地提起了诉讼，我不相信被告会因为在本诉讼中进行防御而遭受任何"沉重的和不成比例的负担"。因此，我认定宪法不应当庇护被告在原告选择的法院地出庭和防御。

马歇尔大法官反对意见，布莱克曼大法官加入：

在长达30年的时间中，衡量宪法允许州法院管辖权所及范围的标准都是如此确立的："正当程序要求，如果一被告不在法院地领域内出现，则将其置于对人判决的拘束之下必须与之有某种最低限度的接触，以使诉讼不会违反'游戏公平和实质正义的传统概念'"。*International Shoe Co. v. Washington*，supra.，at

310, 316；引用 Milliken v. Meyer, 311 U. S. 457, 463（1940）。正当程序条款禁止对于"与该州没有接触、连结或关联"的被告行使管辖权（326 U. S. at 319.）也是显而易见的。然而，适用于评价"（被告）活动的品质和性质"（同前）的公平与实质正义的概念并非静止和勿须进一步定义的，宪法性标准易于陈述而难于适用也就不足为奇了。

这是一宗难度较大的案件，关于答辩人是否主张了"被告、法院地与诉讼之间的充分关系"[*Shaffer v. Heitner*，433 U. S. 186（1977）] 从而满足国际鞋业案中所确立的条件，存在着不同的且各有其合理性的想法。然而，我担心多数派形成的结果是采纳了"申诉人须具备与法院地相关联的行为"这一狭窄的观点。多数派确认，"答辩人谋求将管辖权建立在一次孤立发生的事件以及由此引出的任何意外因素的基础上：惟一的一辆奥迪汽车，在纽约州向纽约居民出售，恰巧在通过俄克拉荷马州的时候发生了一次事故"。（本案意见书，页566。）如果是这样，那我会欣然同意不存在对行使管辖权十分必要的最低限度接触。然而，确认管辖权的根据不是申诉人无法控制的个别人决定将一项动产带到遥远的州这样的偶然行为，而是被告自己在选择成为销售和提供汽车的全国乃至全球网络一部分时的有意的、有目的的行为。

申诉人出售的汽车的实用性来自于其活动性。在当今社会汽车独一无二的重要性已在大法官布莱克曼先生的反对意见中精辟地讨论过，无须赘述。申诉人明知他们的消费者购买汽车不只是为了短途旅行，而且也为了长途跋涉。实际上，他们所供应的全国服务网络是设计来鼓励这种旅行的。如果只能在纽约获得授权的服务，海滨公司就不大会销售那么多汽车。此外，地方经营者通常还从他们的服务经营中获取了收入的一大块，并从销售到其他州的汽车中获得进一步经济收益。显然，申诉人无意将他们将对其他州的影响减少到最小，相反，他们选择的做生意的方式是增加这种机会，因为这对于他们有经济上的好处。

可以肯定，申诉人不会事先知道这一辆汽车会驶入俄克拉荷马州，但他们一定预料到了他们所出售的汽车中有相当大一部分会走出纽约。海滨公司是人口第二大州的地方经营商，而环球公司则是奥迪在全国的7大发售商之一，他们知道自己出售的一辆汽车在俄克拉荷马州的44号州际道路上行驶，这一点也不奇怪，这是一条横跨大陆的繁忙的公路。特别是就发售商而言，它所出售的某些汽车会在各州的每一条道路上行驶的可能性构成一种真实的确定性。知道这一点应当提醒一位理性的商人关于产品的缺陷可能使自己在法院地州受诉的可能性——不是因为个别购买者不可预测的、离奇的、单边的行为，而是由于他们有预期目的的经营机动车辆的常规过程。

多数派将支持行使管辖权的论点定性为"仅仅是'可预见性'"是一种误

导。当作为经济实体的申诉人从纽约向外延伸时，他们知道会在其他州产生影响，并从引起这种影响的能力本身以及从在其他州的经营者和发售商的活动中获取经济上的好处。虽然他们没有从俄克拉荷马州进行直接的销售并获取收益，但他们主观上具有为了获取金钱而成为经济网络一部分的意图，这个网络包括了在俄克拉荷马州的交易。根据这种可能的行为，我认为可以说，申诉人"没有理由预期逃避俄克拉荷马州法院的管辖"。Shaffer v. Heitner, 433 U. S. at 216; Kulko v. California Superior Court, 436 U. S. 84, 97-98.

多数派显然承认，如果消费者在法院地州购买一产品，该州就可以对这个发售产品链条上的每一个人行使管辖权。我同意这一点。然而我不能同意的是，如果产品不是通过发售渠道而是以主观上所期望的消费者使用的渠道进入该州则该州就没有管辖权。我们已经承认了汽车在扩大我们的对人管辖权观念方面所起的作用〔见 Shaffer v. Heitner, 433 U. S. at 204; Hess v. Pawloski, 274 U. S. 352 (1927)〕。汽车不像其他大部分动产，它们可以从他们购买的远方找到进入各州的途径，因为它们的主人会带它们到那儿去，主观所期望的使用正是从一地旅行到另一地的路径。在这种案件中，将"商业流转"限制在从制造商到最终消费者的发售链条是极其造做的（artificial）。

对于多数派的一种关切我也有同感，即人们应当能够构建使自己受制于一个遥远的法院管辖的行为。然而这并非永远可能，有些活动本身的性质就可以将行为人无可逃避地置于异地法院管辖之下。这绝不是说所有销售汽车的人都应当到处去应诉，而是将汽车发售到多州市场（multistate market）的批发商和使自己成为全国性销售网络一部分的经销商能够公平地预期他们出售的汽车可能在遥远的州引起伤害，同时预期他们可能被传唤去那儿对一个由此引起的诉讼进行防御……

当然，如果被告与法院地之间没有可进行司法识别的接触，则宪法禁止对之行使管辖权。然而，正如多数派所承认的那样，如果这种接触出现了，则管辖权调查要求平衡各种不同利益和政策。Rush v. Savchuk, 444 U. S. at 332. 我相信，在本案中能够找到这种接触，而且，在考虑所有攸关的利益和政策之后我认为，要求申诉人在俄克拉荷马州进行诉讼防御没有超出宪法限制的范围。因此，我持反对意见。

大法官布莱克曼的反对意见：

我承认自己对于这个问题多少有点迷惑：为什么本案原告如此坚持将经营了卷入本案诉讼的倒霉奥迪汽车的区域批发商和零售商——也就是这里的申诉人——列名为被告。很显然，在本案中制造商和进口商属于俄克拉荷马州管辖并未在受到质疑，他们不应当免予审判（judgment-proof）。当然，它可以最终构成保险公司之间的一个抗辩,一旦开了头就不容易收场了。在已经有如此之多的评论之后,我就不再赘述了。

对于我而言,处理本案的一个关键因素是所考虑的手段的性质。一直有一种说法:我们是在车轮上的民族。我们在此所关切的是汽车及其游动性质。人们只需要调查一下我们国家的州际公路网络,或者亲自在这些公路上走一走,或者看一看那些不仅在那些公路上出现而且进入主要城区的各种汽车牌照,就会意识到任何汽车都可能走到远离发牌照的地方或远离汽车批发或零售的地方。高速公路上(市区也一样)每加仑的公里数和每罐油的旅程在当今生产商的广告中成为广为人知的声明。期望任何新汽车会在其销售者附近——就像家喻户晓的"小老太"1941电动汽车一样——简直是无视现实。就汽车的本意而言,出远门和在一定区域内的交通是一样的。

因此,在我看来,当事故在俄克拉荷马州发生时,支持俄克拉荷马州对本案这个纽约批发商和纽约零售商行使管辖权并非不合理,肯定也并非不合宪,而且也超越了国际鞋业案及其他的后继者所确立的原则的范畴。我看对他们行使管辖权并不比对生产商和进口商行使管辖权有什么更多的不公平,所有散居在我们各州的提供交通工具的商业都一样。在批发时和在零售时预测到奥迪会在俄克拉荷马州行使并不是很困难的事情……

注释与问题

1. 当环球大众被审判时,侵权法已经完成了确立在一州内对非居民侵权行为人基于由侵权行为引起的请求行使管辖权。比如,如果罗宾逊在俄克拉荷马州高速公路上与一辆由德克萨斯州公民驾驶的汽车相撞,则那个人本来能够在俄克拉荷马州就产生于该事故的请求提起诉讼的。罗宾逊提起的实际诉讼落入了一个灰色区域——原告们起诉的是发生在州外(奥迪的设计和生产)而仅仅在州内发生了(或诉称发生了)后果的事情。最高法院在环球大众汽车公司案中引证了一个有影响的判例,在该判例中,伊利诺斯州最高法院正是以这种后果理论为根据认定在州外的组件生产者有义务在该州应诉的。见格雷案(Gray v. American Radiator & Standard Sanitary Corp., 22 Ill. 2d 432 (1961).)被告巨型阀门公司在俄亥俄州生产了据称是有缺陷的安全阀,然后出售到美国散热公司,该公司将阀门安装到它自己在宾夕法尼亚州生产的热水器中,然后热水器卖给了伊利诺斯州的原告弗里斯·格雷并发生了爆炸。

被告与法院地州之间的联系是否更加稀疏而创造了对人管辖权,这在联邦最高法院产生了重大分歧,这种分歧体现在环球大众汽车公司案和阿萨赫案(Asahi Industry Co. v. Superior Court, infra.)中。

2. 你能否阐述最高法院在最低限度接触标准语境下对"可预见性"的定

义？考虑大法官怀特的解释："可预见性对于正当程序分析的关键不在于仅仅具有自己进入法院地州的可能性，相反，被告的行为及其与法院地州之间的关联才是他应当合理预见的进入该地法院受讼的可能性"。这是否意味着诉讼的可预见性与已经存在的最低接触标准并驾齐驱，并因此冲淡了作为独立概念的正当程序？换言之，最高法院不是说被告只有当它有最低接触时才能合理预见到诉讼的发生吗？你是否意识到这里有某种循环的动议？大法官布伦南在他反对意见中被省略的部分论证道：最高法院的分析是在"制造问题"。他解释道："被告直到我们已经宣告管辖权的法律是什么之前都不可能知道他的行为是否会使自己在另一州应诉"。444 U. S. 286, 311 n. 18 (1977).

持反对意见的大法官们在他们的分析中是如何定义可预见性的？对于环球大众汽车公司案中持反对意见者而言汽车的可移动性具有怎样的意义？罗宾逊实际上已经告诉了他们的销售者说他们会将奥迪汽车通过俄克拉荷马州去亚里桑那，那多数派的意见会不会有所不同？反对意见者可能对此信息进行如何处理？

4. 地理上的毗邻扮演什么角色？如果罗宾逊的事故是在距离出售汽车地点2小时之内的罗得岛发生的情况又将如何？难道环球公司不应当合理地预见它的汽车会去罗得岛吗？布伦南大法官将多数派的意见解读为"排除在一个像宾夕法尼亚州这样毗邻的州（肯定比像俄克拉荷马州这样的州要远）之内行使管辖权"。444 U. S. 306, n. 10 (1977).

5. 环球大众汽车公司案中的多数派承认，"如果该州对一家将产品送往到商业流水线，期冀法院地州的消费者购买，那么法院地州对之行使管辖权就不超越正当程序条款的限制"。最高法院的内部分歧似乎集中在"预期"的性质和范围上，这把我们又拉回到"可预见性"问题上。在下面的阿萨赫案（Asahi Industry Co. v. Suprerior Court, infra.）中，最高法院将会对"商业流转"的概念进行精辟阐述。

6. 最高法院的意见书明显抵制对正当程序进行一种使区域零售商或批发商去其产品偶尔到达的遥远的地方应诉的解释。为什么这会使已经被最高法院摒弃的哈里斯诉鲍克案阴魂不散？

7. 当这条"大鱼"即奥迪和大众不再对管辖权进行抗辩（可能因为他们从事了足以使之受属于一般管辖权的活动）并且肯定能够赔付任何判决（所判责任）时，罗宾逊如此坚持将环球公司和海滨公司列名为被告，你们是否和布莱克曼大法官一样对此感到"迷惑"？亚当斯教授在"环球大众诉伍德森案——故事的余韵"一文中揭示 [72 Neb. L. Rev. 1122 (1993)]，原告的律师相信州法院的陪审团会比联邦陪审团对他的客户更慷慨。（我们随后将探究移送程序。）要避免移送就必须具备案件的双方不是异籍当事人的条件；既然罗宾逊还是纽约的公民，因此将环球公司和海滨公司列名为被告就可以形成移送的障碍。在最高法院判决认定这些被告没有在俄克拉荷马州受诉的义务之后，这一案件实际上移送到了联邦地区法院并在那儿获得判决。陪审团作出了支持被告的裁判。

8. 布伦南大法官在环球大众汽车公司案中的反对意见以怎样的方式反映了由布莱克大法官在国际鞋业案和麦吉案中表达的对人管辖权的哲学？布伦南大法官在一段被省略的意见中评论道："一个正好从被告那里跨越州的边界的法院可能经常比在他自己所在州的遥远角落的法院对于被告更方便"。444 U. S. 286, 301 n. 1. 你如何比较多数派关于州法院权力的哲学？

9. 如果像怀特大法官代表联邦最高法院确认的那样，"正当程序条款作为州际联邦主义的工具，都可能有时用于剥除该州作出有效判决的权力，"即使被告会"遭受最少的不方便或不会遭受不方便"，被告如何才能（故意或疏忽地）放弃对人管辖权异议［见联邦民事诉讼规则 12（h）（1）］？注意，当事人不能放弃对没有事项管辖权的抗辩，而且甚至可以由法院依职权提出异议。［见联邦民事诉讼规则 12（h）（3）及顾问委员会的说明。］

10. 仅仅在环球大众汽车公司案（强调州的主权）两年之后，最高法院如此写道：

> 对人管辖权的条件承认和保护个人自由利益。它代表对司法权的限制不是作为一个主权事项，而是作为个人自由事项……不错，我们曾经陈明，对人管辖权的条件当适用于州法院时，反映了联邦主义的一个要素和州对于其他州的主权的性质。比如，在环球大众汽车公司案中［Worldwide Volkswagen Corp. v. Woodson, 444 U. S. 286 (1980)］，我们声明："一州的法院只有当被告与法院地州法院之间存在'最低限度的接触'时才可以行使对该非居民的对人管辖权。反之，最低限度接触的概念可以认为表现了两个相互关联但又相互区别的功能。它保护被告不接受在遥远的或不方便的法院地诉讼的负担；它用于保障州不会基于他们在联邦体系中的平等主权地位而通过其法院越过界限对被告实施管辖……"然而，在环球大众汽车公司案中所描述的对州的主权的限制必须被视为由正当程序条款所保障的个人自由利益的最终功能。该条款是对人管辖权条件的惟一渊源，而该条款本身并未提到联邦主义的关切。此外，如果联邦主义概念作为对法院主权的独立限制，那就不会有放弃对人管辖权条件的可能：个人行为不可能改变主权的权力，不过个人却能够将自己置于权力之下——否则他本来可以受到保护的。

> 由于对人管辖权条件首先代表着个人权利，因此这项权利如同其他权利一样是可以放弃的。

Insurance Corp. of Ireland, Ltd. v. Compagnie des Bauxites de Guinee, 456 U. S. 694 (1982). 对人管辖权的联邦主义/州主权的维度是否在环球大众汽车公司案中获得胜利之后不久就被放入了边道？

11. 环球大众汽车公司案似乎无条件地反对这种论点，即只有在一州导致结果或损害才是对行为人行使对人管辖权的充分根据。那么我们如何能够解释下面这则案例的结果？

考尔德诉琼斯
Calder v. Jones
465 U. S. 783（1994）

大法官伦奎斯特代表本院发表如下意见：

答辩人雪莉·琼斯向加利福尼亚州上等法院提起诉讼，诉称她受到一篇由佛罗里达州的几位申诉人撰写和编辑的文章诽谤。这篇文章在一家全国性的杂志和在加州一家期刊上发表。申诉人在佛罗里达州受到邮寄的传票送达，并且引起了特别出庭，代表其出庭者提出动议，要求根据缺乏对人管辖权而撤销送达传票。上等法院支持了这一动议，根据是第一修正案对于根据正当程序条款确认的适当管辖权的关切。加州上诉法院推翻了上等法院的决定，反对将第一修正案考虑放进管辖权的分析中。我们维持这一决定。

答辩人在加州居住和工作。她和她丈夫针对全国调查公司、它的地方发行公司、以及申诉人提起了诉讼，理由是诽谤、侵犯隐私、及故意精神伤害。该调查公司是一家佛罗里达公司，其主营业地在佛罗里达州。它每周发行一期全国性报纸，总发行量超过500万份。其中60万份——这几乎是第二大发行量州的一半）——销往加州。答辩人和她丈夫的请求是基于一份调查公司1979年10月9日发行的报纸上的文章。全国调查公司及其地方发行公司对于加州法院的管辖权没有提出异议。

申诉人索思是调查公司聘请的一名记者，他是佛罗里达州的居民，不过他经常因公出差到加州。索思撰写了受质疑的文章的初稿并在文章下面署名。他在佛罗里达州作了大部分调查，依靠向在加州的信息源打电话的方式获取包含在这篇文章中的信息。[1] 在发表前不久，索思给答辩人家里打电话，并向她丈夫朗读了那篇文章以获得他对此的明确看法。索思除了经常出差和打电话以外，与加州没有其他接触……

联邦宪法第十四修正案正当程序条款允许任何一个被告与之有"某种最低限度接触……以至于维持这一诉讼不会违背'公平游戏与实质正义的传统概

---

[1] 上等法院认定，索思为了与本文相关的事至少赴加州一次。索思对此认定表示强烈争议，声称一份没有争议的宣誓证词表明他从未为了调查这篇稿件去加州。既然我们没有依赖于对这次声称的旅行的认定，因而我们认为没有必要考虑这一抗议。

念'"的州对被告行使管辖权。在判断最低接触时，法院应当集中考虑"被告、法院地、及诉讼之间的相互关系"。在此原告成为被告在产生诉讼的被告活动的焦点。

诉称的诽谤故事涉及到加州一位居民的加州活动。它指责一位电视业成为加州中心的娱乐者的职业主义。【文章声称，答辩人严重醉酒使她无法履行自己的职业责任。】文章来源于加州的信息，而且在答辩者的精神折磨和对她的职业声誉的损害方面，首当其冲的伤害也在加州承受。总之，加州是有条有理和伤害的集中点，因此，根据佛罗里达州的行为在加州产生"后果"这一理由，加州对申诉人的管辖权是适当的。（环球大众汽车公司案）

申诉人争辩道，他们对于在加州期刊上的文章不负责任。他们声称，一位记者和一位编辑从雇主在遥远的州发行报纸的行为中没有经济上的利害关系，通常雇员也不能控制他们雇主的市场活动。他们能够"预见"的惟一事实是文章将会发行，而在加州产生后果也不足以确认管辖权。（环球大众汽车公司案，页295。）他们没有"实际上指定代表人接受送达"。（环球大众汽车公司案，页296。）申诉人将自己比喻为在佛罗里达州受雇的焊接工，在一架后来在加州爆炸的锅炉边工作。认定对生产者行使管辖权为适当的判例［如 Buckeye Boiler Co. v. Superior Court, 71 Cal. 2d 893（1969）；Gray v. American Radiator & Standard Sanitary Corp., 22 Ill. 2d 432（1961）］不应适用于那些对自己的雇主在遥远的州的买卖既不能控制也没有直接获取利益的焊接工。

申诉人的类比并不清爽。无论他们所假设的焊接工居于怎样的身份，申诉人都没有被指控为仅仅是无目的的过失，而是故意的、被诉称为侵权的行为是明确指向加州的。申诉人索思撰写、申诉人考尔德编辑了一篇他们明知可能对答辩人造成毁灭性影响的文章。并且他们知道那一伤害会被答辩人感知，答辩人就在那个州生活和工作，而全国调查公司在那个州有最大的发行量。在此情形下，申诉人必须"合理地预测被置于那里的法院管辖之下"，（环球大众汽车公司案，页297。）为他们在文章中的陈述的真实性作出答辩。在加州的个人伤害不必到佛罗里达州去寻求从那些在佛罗里达州却在知情的情况下引起在加州的损害的人们那里获得救济。

申诉人主张，他们与加州的接触不能根据他们雇主的行为来判决，这是正确的。另一方面，他们作为雇员的行为也不能从某种程度上将他们从管辖权中摘出来。每位被告与法院地州的接触必须单独评估。在本案中，申诉人都是在诉称的过错地故意指向加州居民的主要参与者，以此为根据对他们行使管辖权是适当的……

我们认定，加州由于申诉人在佛罗里达州的行为构成了引起对在加州的答辩人的损害而对申诉人行使管辖权是适当的。维持加利福尼亚州上诉法院的判决。

注释与问题

1. 为什么被告全国调查公司提交答辩而不（像考尔德和索思那样）提出对于对人管辖权的异议？（提示：在这个黄金州有大量调查思路。）

2. 注意最高法院区别于环球大众汽车公司案的努力：

> （考尔德案被告）都没有被指控为仅仅是无目的的过失，而是故意的、被诉称为侵权的行为是明确指向加州的。申诉人索思撰写、申诉人考尔德编辑了一篇他们明知可能对答辩人造成毁灭性影响的文章。并且他们知道那一伤害会被答辩人感知，答辩人就在那个州生活和工作，而全国调查公司在那个州有最大的发行量。在此情形下，申诉人必须"合理地预测被置于那里的法院管辖之下"，（环球大众汽车公司案，页297。）为他们在文章中的陈述的真实性作出答辩。

465 U. S. at 789 – 90。你被这些区分说服了吗？

3. 在基顿诉哈斯特勒案中〔*Keeton v. Hustler Magazine*, Inc., 465 U. S. 770 (1984)〕，也就是在判决考尔德案的当天，最高法院认定，每个月在新汉普郡销售几千份杂志即构成充分的有意接触，从而为法院在由纽约州居民提起的诽谤诉讼中对俄亥俄州公司作为被告行使管辖权提供正当理由。这赋予了原告享受新汉普郡更长的制定法时效的优势并因此诉求对该杂志在全国发行的损害赔偿，原告曾经针对哈斯特勒的诉讼在俄亥俄州法院由于该州的制定法时效已届满而被驳回。

即使《纽约每日新闻》只向在加州发行者发送了13次每日版和18次周日版，但第九巡回法院还是认定该州在由一位加州居民提起的诽谤案中对报纸及其专栏作者享有管辖权。见 Gordy v. Daily News, L. P., 95 F. 3d 829 (9th Cir. 1996)。尽管在加州发行的报纸如此之少，但最高法院仍然认定在该州居住的原告及专栏"在性质上显然会对作为个人的 Gordy 产生严重影响。对一个人的名誉损害会在他的居所被感知的预期是合理的"。95 F. 3d at 833.

4. 考尔德案和基顿案是否将大众汽车公司案对于以在法院地范围内引起损害为前提的管辖权（亦即"后果标准"）的异议限制在非故意侵权？或者最高法院是否为侵害名誉的行为创造了一个特别规则？第九巡回法院将考尔德案解读为：该案确立了"对人管辖权可以对以下行为行使：（1）故意行为；（2）明确以法院地州为目标的行为；（3）引起损害，并且被告明知可能导致的这种损害——首当其冲在法院地州遭受的〔Core – Vent Corp. v. Nobel Industries, 11 F. 3d 1482 (9th Cir. 1993)〕。下一则判例，即阿萨海金属工厂案（Asahi Metal Industry Co., Ltd. v. Superior Court）是否有助于我们将这些案件都列入视野之中？

5. 考尔德案允许对撰写故事的调查公司的编辑和记者起诉的理论是，他们俩都知道会在加州感觉到故事的主要影响，这就构成与法院地的有意识的联系。这种理论也能成为对一个故事的信息来源行使管辖权的正当理由吗？

第一巡回法院在休格尔诉麦克内尔案 [Hugel v. McNell, 886 F. 2d 1 (1st Cir. 1989), cert. denied 494 U. S. 1079 (1990)] 中对此作出了肯定回答。当信息来源导致一篇文章在《华盛顿邮报》上发表，迫使原告休格尔辞去他作为中央情报处执行副主任的职位时，麦克内尔主张，新汉普郡联邦地区法院对他们作出的缺席判决由于缺乏对人管辖权而无效，休格尔是作为一名商人和公务员在新汉普郡名声大噪的……麦克内尔能够合理预期他们将由于自己的行为而受属于新汉普郡某个法院管辖，因而确认对麦克内尔的对人管辖权能够符合正当程序的要求。

然而，比较一下全国房地产评估协会诉谢弗案 [National Association of Real Estate Appraisers, Inc. v. Schaeffer, 1989 WL 267762 (C. D. Cal. 1989)]，在该案中，一家罗得岛被告在从原告那里为它的庞物猫托贝斯申请并获得许可证书之后，将这一事件作为一个在该行业中获得许可证的宽松标准的例子公布了，因而被起诉诽谤和中伤。谢弗在罗得岛接到一位记者的电话，他答复了这些问题并应记者的请求寄给他一张托贝斯的照片。加州报告发表了这个故事，后来在全国引起广泛争论。地区法院支持了被告申请以缺乏对人管辖权为由驳回诉讼的动议，并得出结论认为，谢弗答复一个由不是律师的人从法院地州打来的电话不足以构成有意的最低接触。该法院将这一案件与考尔德案加以区别，根据是原告房地产评估协会是一家亚利桑那公司，其主营业地也在该州，因此它与考尔德案不同的是，考尔德案的被告知道雪莉·琼斯会在她的所在州加州遭到首当其冲的伤害，而本案的原告不是加州的居民，因而不能说被告在法院地以外的行为是可以估计在该州引起伤害的。

在曼德拉诉霍尔案 [Madara v. Hall, 916 F. 2d 1510 (11th Cir. 1990)] 中也同样认定没有管辖权，该案是由于一个采访电话引起的诽谤案，被告在纽约给在加州的杂志社记者打了一个电话。该案在制定法时效相当慷慨的佛罗里达州起诉，载有这个故事的杂志销售的数量不大。（被告还在佛罗里达州偶尔举办音乐会，他的录音带也在那里销售，但这些活动与诉称的诽谤性采访无关因而有成为管辖权的根据。）上诉法院的结论是，被告没有确立与佛罗里达州之间的有意的最低接触：

> 只是给记者打一个采访电话不足以导致霍尔预测自己会被牵入佛罗里达州法院的管辖。霍尔不是杂志的出版人，也没有控制杂志的出版和发行，因此他与基顿案中的被告的地位有质的差别……霍尔打那个采访电话并没有指定该杂志作为其

（接受）送达传票的代理人，而第三人亦即出版人则可能选择送这些杂志。
Id. at 1519.

阿萨海金属工厂诉加利福尼亚州上等法院
Asahi Metal Industry Co., Ltd. v. Superior Court of California, Solano County, 480 U. S. 102（1987）

大法官奥康纳宣读了本院判决并发表了关于第 I 部分的本院一致意见，和关于第 II-B 部分的本院意见——首席大法官、布伦南大法官、怀特大法官、马歇尔大法官、布莱克曼大法官、鲍威尔大法官和史蒂文斯大法官参加了这一部分，以及关于第 II-A 部分和第 III 部分的意见——这部分由首席大法官、鲍威尔大法官和斯卡利亚大法官参加：

本案提出的问题是，外籍被告仅仅意识到它生产、销售和发送到美国以外的组件会抵达处于商业流水线之中的法院地州是否构成被告与法院地州之间的"最低限度接触"以至于行使管辖权"不会违背'公平游戏与实质正义'的传统概念"。[International Shoe Co. v. Washington, 326 U. S. 310, 316（1945），quoting Milliken v. Meyer, 311 U. S. 457, 463（1940）.]

I

1978 年 9 月 23 日，在加州索拉诺县 80 号州际高速公路上，格雷·泽克的宏达摩托车失控，与一辆拖拉机相撞。泽克严重受伤，乘坐他摩托车的妻子路丝·安·莫雷诺死亡。1979 年 9 月，泽克在加州索拉诺县上等法院提起产品责任诉讼，诉称 1978 年事故是由于摩托车后胎突然泄气的爆炸导致的，并诉称摩托车胎、气门芯管及气门芯密封阀都有缺陷。泽克的起诉状列名了陈新橡胶厂（下称陈新），这是一家台湾生产气门芯密封阀的工厂。陈新反过来也提交了一份交叉起诉状，诉求从它的共同被告及申诉人阿萨海金属工厂（下称阿萨海）那里获得追偿。泽克针对陈新及其他被告提起的请求最终都和解和撤诉了，只剩下陈新针对阿萨海的追偿请求。

加州的长臂制定法授权"根据与本州宪法或联邦宪法一致的任何理由"行使管辖权［Cal. Civ. Proc. Code Ann. §410.10（West 1973）］。阿萨海动议宣布陈新的传票送达无效，论辩道，根据第十四修正案正当程序条款该州不能对它行使管辖权。

关于这一动议，阿萨海和陈新提交了下面的信息。阿萨海是一家日本公司，它在日本生产轮胎气门芯密封组件并销售给陈新及其他几家轮胎生产商，作为已完成的轮胎气门芯管上的配件。阿萨海是在台湾向陈新出售这一产品的，产品由阿萨海走海运经日本运至台湾。陈新从阿萨海那里购买并组装到自己的气门芯上的密封阀共有：1978年15万件；1979年50万件；1980年50万件；1981年10万件；1982年10万件。向陈新的销售额占阿萨海总收入的比率为1981年占0.44%，1981年占1.24%。陈新声称这部分销售额在美国有20%是销往加州的。陈新从其他供货商那里购买的密封阀也是如此，然后将组合好的气门芯向全世界销售。

1983年陈新的律师在索拉诺县的一家商店销售的气门芯上的密封阀进行了信息调查，宣称该商店有近115个车胎气门芯管，其中97件是在日本或台湾生产的，21件密封阀上标记着圈A，显然是阿萨海（Asahi）的商标。这家商店里有41件陈新以其他生产厂家的密封阀组装的其他气门芯。（Kenneth B. Shepard反对宣告送达无效动议的声明，答辩人补充法律理由书5－6。）陈新的一位承担购买组件任务的经理在宣誓证词中声称："'在与阿萨海讨论关于购买气门芯配件时，双方讨论过我们公司的气门芯向全世界特别是向美国销售的事实。我获得的信息是——并且我相信是——阿萨海完全意识到了向我公司及其他公司销售的气门芯组件会最终销向美国和加州。'"［39 Cal. 3d 35, 48, n. 4 (1985).］阿萨海的一位总裁却在宣誓证词中称阿萨海"从来没有估计到它向在台湾的陈新进行有限销售的气门芯密封阀会使自己被强行拉入加州的诉讼"。同前。诉讼记录中没有包含陈新与阿萨海之间的任何合同。（言辞辩论记录24）

上等法院基本上是根据上述信息驳回了请求宣告传票送达无效的动议，法院申明："阿萨海显然进行了国际范围的生意，他们就自己在国际范围内的产品质量缺陷产生的请求进行防御并非不合理"。［驳回请求请求宣告传票送达无效动议的裁定，Zurcher v. Dunlop Tire&Rubber Co., No. 76180 (Super. Ct., Solano County, Cal., Apr. 20, 1983)。］

加州最高法院撤销了由加州上诉法院发出的令状（39 Cal. 3d 35 (1985)）一则命令上等法院宣告传票送达无效的禁令状。该院的结论认为，"仅仅根据最终意识到自己的产品作为组件的产品将要作为销往包括加州在内全世界而要求阿萨海在加州答辩是不合理的，它没有在加州招徕生意或进行直接销售"。（同前，页48。）再者，"阿萨海对于加进了它的密封阀组件的产品是否销往加州既没有设计也无法控制"。（同前，页49。）尽管如此，该院认定对阿萨海行使管辖权符合正当程序条款，它断言阿萨海明知出售给陈新的一些密封阀会组合到销往加州的气门芯。法院考虑了阿萨海在将自己的组件投入商业流转网络方面的有意行为——也就是通过将组件发送给在台湾的陈新——与阿萨海对于一件组件会最终进入加州的明确意识结合在一起，足以形成州法院根据正当程序条款行使管辖权的根据。

我们同意发出调卷令状，并且现在撤销上述决定。

II

A

第十四修正案正当程序条款限定了州法院的对非居民被告行使对人管辖权的权力。确定行使对人管辖权是否符合正当程序的"宪法性标准是被告是否有意在法院地州确立'最低接触'"。（Burger King Corp. v. Rudzevicz, 471 U. S. 462, 474（1985），引证国际鞋业案, 326 U. S. at 316.）就在最近，我们刚刚重申了引证率很高的汉森案〔Hanson v. Denckla, 357 U. S. 235, 253（1958）〕中的论证，即，最低接触必须根据"通过被告有意使自己获得在法院地州进行活动的特权而表现出的某种行为而从该州法律获得利益和保护"。〔Burger King, 471 U. S. at 475（1985）.〕"当接触几乎是产生于被告自己创造与法院地州之间'实质上的联系'的行为时……管辖权即为适当"。〔同前，引证麦吉案〔McGee v. International Life Insurance Co., 355 U. S. 220, 223（1957）.〕

本院在大众汽车公司案中适用最低接触必须基于被告自己行为的原则〔World - Wide Volkswagen Corp. v. Woodson, 444 U. S. 286（1980）〕，反驳了以消费者将被告产品带入法院地州的单方行为构成对被告行使对人管辖权的宪法性根据的主张。在该案中曾有一种论点，即由于汽车零售商和批发商有意销售了汽车这种产品，因而他们能够预见自己会被迫接受他们的消费者可能驶入的遥远的州的管辖。本院反驳了将可预见性的概念作为以正当程序条款为据行使管辖权的根据（Id., at 295 - 296.）。然而，本院也声明了管辖权与对人管辖权并非完全无关，并得出结论认为，"如果该州对一家将产品送往到商业流水线，期冀法院地州的消费者购买，那么法院地州对之行使管辖权就不超越正当程序条款所规定的权限"。（Id., at 297 - 298. 引证省略。）最高法院论证道："当一家公司'有意使自己在法院地州范围内享受从事活动的特权〔Hanson v. Denckla, 357 U. S. 235, 253（1958）〕，这就清晰地表明它受制于那里的诉讼，并且可以通过代理保险、向顾客转移预期成本等行为来减轻不便诉讼的风险，或者如果风险太大，它还可以切断与该州的联系。因而，如果生产商或批发商出售产品……不只是孤立的事件，而是源自厂家或批发商直接或间接地满足其他州内的市场需求之目的，那么如果它被诉称的缺陷商品在其中一个州对产品使用者或对他人造成的损害，则他隶属于该州管辖就没有什么不合理。

在大众汽车公司案中，州法院求助于把管辖权建立在可预见的消费者单方行为的基础上，而不是基于被告的行为。自大众汽车公司案之后，下级法院遇到过大量案件，被告的行为都是通过将产品置入商业流水线进行的，而这条流水线最终将被告的产品流入了法院地州。一些法院对于正当程序条款的理解已如在大众汽车公司案中所阐释的那样，认为该条款允许根据被告只不过是将产品置于商业流水线的行为而对之行使对人管辖权,另一些法院则理解为,正当程序条款和以上引述的大众汽车公司案中的措辞是要求被告不仅仅是将产品置于商业流水线,更且要有意地指向法院地州。

加州最高法院在本案中的理由体现了前面对大众汽车公司案的阐释。加州最高法院认定,由于商业流水线将阿萨海销售给陈新的一些密封阀最终带入了加州,阿萨海意识到自己的密封阀会在加州销售,因此这已足以构成允许加州对阿萨海行使管辖权符合正当程序条款要求。加州最高法院的立场与一些法院的立场相同,即认为如果被告的产品进入仍在商业流水线上的法院地州,就足以为对人管辖权提供充分的宪法性依据。见 Been Dredging Corp. v. Dredge Technology Corp., 744 F. 2d 1081 (5th Cir. 1984); Hedrick v. Daiko Shoji Co., 715 F. 2d 1355 (9th Cir. 1983)。

然而,其他法院将正当程序条款理解为要求比被告意识到其产品通过商业流水线进入法院地州更多的条件才能成为该州对被告行使管辖权的根据。比如在本案中,州上诉法院就不像大众汽车公司案阐释的那样解读正当程序条款,允许"仅仅预见到产品会进入法院地州本身即确立了对批发商或零售商的管辖权"。……

我们现在认定,后一种立场与正当程序的要求一致。被告与法院地州之间的"实质性联系" (Burger King Corp. v. Rudzevicz, 471 U. S. at 475; McGee, 355 U. S. at 223.) 对于认定最低接触的必要性必须产生于被告故意指向法院地州的行为。[Burger King, supra, 471 U. S. at 476; Keeton v. Hustler Magazine, Inc., 465 U. S. 770, 774 (1984).] 将产品置于商业流水线,而不具备其他条件,则不是被告有意指向法院地州的行为。被告的其他行为必须有为法院地州市场提供产品或服务的动机或意图,比如为法院地州的市场设计产品、在法院地州做广告、建立给法院地州的消费者提供固定建议的渠道、或者通过已同意在法院地州作销售代理人的批发商将产品推向市场。然而,被告意识到商业流水线可能或者将会把产品带入法院地州不能将向商业流水线投放产品的行为转化为有意指向法院地州的行为。

假设答辩人所声称的阿萨海意识到其出售给陈新的一些密封阀会成为在加州销售的气门芯的组件这一主张成立,答辩人也还没有证明阿萨海的行为是有意利用加州市场。阿萨海没有在加州做生意,它在加州没有办公室、代理人、雇员或财产。它也没有在加州做广告或以其他方式招徕生意。它没有创造、控制或雇用批发系统将它的密封阀带到加州。没有证据表明阿萨海在预计到会在加州销售的情况下设计产品。根据这些事实,加州上等法院对阿萨海行使对人管辖权就超越了正当程序的限制。

B

正当程序条款的苛刻条件禁止州法院在将会违反"公平游戏与实质正义的传统概念"（International Shoe Co. v. Washington, 326 U. S. at 316; quoting Milliken v. Meyer, 311 U. S. at 463）的情形下对阿萨海行使对人管辖权。

我们过去解释过，在每一个案件中确定行使管辖权的合理性均取决于对几个因素的衡量。法院必须考虑加诸袄的负担、法院地州的利益、原告在获得救济方面的利益。在决定中还必须考虑"在获得争议的最有效率的解决方面州际司法体制的利益，以及各州在发展基础性实体社会政策方面共享的利益"。（World-Wide Volkswagen Corp. v. Woodson, 444 U. S. at 292.）

在本案中考虑这些因素清晰地揭示了确定对阿萨海行使管辖权的不合理性，即使不管它是否把货物置入了商业流水线。

当然本案加诸于阿萨海的负担也是十分沉重的。阿萨海曾被加州最高法院命令不仅远渡重洋，在阿萨海位于日本的总部与加州的索拉诺县上等法院之间穿梭，而且将它与陈新之间的争议提交外国司法制度解决。加在必须在域外法律制度中防御的当事人身上的独特负担必须在衡量越境行使长臂管辖权时作为重要的权衡因素。

当最低限度的接触已经成立之后，原告的利益和法院地在行使管辖权方面的利益通常会成为即使给外籍当事人增加严重负担也具有正当理由的因素。然而在本案中，原告和法院地的利益在加州对阿萨海的管辖权权衡中仅占很轻的分量。本案剩下的请求只是一家台湾公司即陈新对阿萨海所主张的追偿请求之中，这一追偿请求赖以产生的交易发生在台湾，阿萨海的元件也是由日本运至台湾。陈新也没有证明它在加州进行对阿萨海的追偿要比在台湾或日本更方便。

由于原告不是加州居民，加州在争议中的合法利益也就消失了。加州最高法院的论点是，该州在"通过保障外籍生产者符合本州安全标准而保护自己消费者"方面享有利益。然而该州最高法院对加州的定义过于宽泛了。陈新与阿萨海之间的争议只涉及到追偿而不涉及安全标准。此外，加州的法律应当调整的问题是日本公司是否应当根据一次在台湾进行的销售以及从日本向台湾的运输而向一家台湾公司追偿损失，在这一点上是模糊不堪的。作为一次涉及阿萨海的组件的事故的结果而卷入在加州法院的诉讼，这种可能性无疑创造了一次阻止生产不安全组件的额外机会，然而，只要那些在其最终产品中使用阿萨海组件并且将那些最终产品销向加州的人们适用于加州侵权法，那么相同的压力就会由购买这些组件的人们施加给阿萨海。

大众汽车公司还提醒法院考虑除法院地州以外的"各州"在有效率的司法解决争端和改进实体政策方面的利益。在本案中，这一建议要求法院考虑那些利益受到加州法院管辖权确认之影响的其他国家的程序政策和实体政策。在一家州法院确认对外籍被告的管辖权时所涉及的程序和实体政策因案而异。然而，在任何案件中，那些利益——包括在政府对外关系方面的联邦利益——都要受到对确认个案管辖权的合理性的质询，而不愿意发现在外籍被告身上的严重负担与原告或法院地州的微薄利益相提并论。"在将我们的对人管辖权的概念延伸到国际领域时，要保持非常的小心和谨慎"。（United States v. First National City Bank, 379 U. S. 378, 404 (1965)（哈兰法官的反对意见）。[见波恩："国际案件中的司法管辖权反思"[Born, Reflections on Judicial Jurisdiction in International Cases, 17Ga. J. Int'l & Comp. L. 1 (1987)]。

考虑到国际语境，那么加诸于外籍被告身上的负担沉重，而原告及法院地州的利益微薄，在此情形下，加州法院对阿萨海行使对人管辖权是不合理和不公平的。

III

由于本案的事实没有确立构成行使符合公平游戏和实质正义对人管辖权最低限度的联系，因此撤销加州最高法院的判决，本案发回进行与本意见不得相左的进一步审理。

此令。

布伦南大法官部分并存意见——另一部分并存于判决书之中，马歇尔大法官、布莱克曼大法官加入：

我不同意第 II – A 部分对商业流水线理论的解释，也不同意关于阿萨海没有"故意利用加州市场"的结论（本案意见书，页 1034）。但我同意本院在第 II – B 部分的结论，即，在本案中对阿萨海行使对人管辖权不会符合"公平游戏与实质正义"，(International Shoe Co. v. Washington, 326 U. S. at 320.) 在个别罕见的判例中，"'公平游戏与实质正义'概念中的最低要求……打败了管辖权的合理性，即使被告故意在法院地州从事活动"。[Burger King Corp. v. Rudzevicz, 471 U. S. 462, 474 (1985)]，这是那些罕见的判例之一。因此我加入本院意见书的第 I 部分和第 II – B 部分，而单独制作第 II – A 部分以解释我的不同意见。

第 II – A 部分声明，"被告意识到商业流水线可能或者将会把产品带入法院地州不能将向商业流水线投放产品的行为转化为有意指向法院地州的行为（本案意见书，页 1033）。根据这一观点，在认定符合正当程序条款而对被告行使管辖权之前，原告有义务证明存在指向法院地州的"另外的行为"。但我看不出进行这种证明的必要。商业流水线（stream）不只包括不可预测的暗流和漩涡，也包括产品从生产到批发到零售的固定的和已经预测的流水线（flow）。只要这个过程的参与者意识到最终的产品正在法院地州的市场上流转，那么在那儿诉讼的可能性就不会变成突然袭击。诉讼也不会给没有相应利益的人带来负担。在商业流水线获得好处的被告从在法院地州的最终商品零售中获得经济利益，也间接地从规制和便利商业活动的州法律中获得了利益。无论参与者在法院地州直接做生意还是从事直接指向该州的另外行为，这些利益都会增加。因此，大多数法院和法律注释者都认定，将产品置于商业流水线所产生的管辖权符合正当程序条款，而没有要求证明另外的行为。

第 II-A 对于显然是代表了各联邦上诉法院多数观点的支持代表了一种对大众汽车公司案分析的倒退。在大众汽车公司案中，"答辩人谋求将管辖权建立在一次孤立发生的事件以及由此引出的任何意外因素的基础上：惟一一辆奥迪汽车，在纽约州向纽约居民出售，恰巧在通过俄克拉荷马州的时候发生了一次事故"。（同前，页 295。）本案认定，当根据汽车内在的活动特性而在一定程度上可以预测时，在俄克拉荷马州发生事故的可能性不足以确立法院地州与零售者或批发者之间最低限度联系。（同前，页 295-296。）本院随后小心翼翼地解释道：

当然这并不是说可预见性是毫不相干的。但可预见性对于正当程序分析的关键不在于仅仅具有自己进入法院地州的可能性，相反，被告的行为及其与法院地州之间的关联才是他应当合理预见的进入该地法院受讼的可能性。

（同前，页 297。）本院论证，当一家公司可以合理地预见在特定法院地诉讼时，它就不能主张这种诉讼是不公正或不公平的，因为"它能够通过代理保险、向过关人收取可预期的费用、或者如果风险太大还可以切断它与州的联系，以此来减轻诉讼的不方便"。（同前）……

在本案中，加州最高法院认定的事实支持了它对于最低限度接触的认定。该院认定，"尽管阿萨海没有设计或控制将密封阀门带入加州的批发系统，但阿萨海意识到了这一系统的运作，而且它知道它会从在使用自己组件的产品在加州的销售中获得经济利益"。因此，我不能加入第 II-A 部分的决定，即认定阿萨海向一位它明知正在加州销售最终产品的生产者固定地和大范围地出售组件足以确立它与加州之间的最低限度接触。

史蒂文斯大法官部分并存意见——另一部分并存于判决书之中，怀特大法官、布莱克曼大法官加入：

加州最高法院的判决应当根据本院意见书第 II-B 部分所陈述的理由予以撤销。我加入第一部分和第 II-B 部分，但不加入第 II-A 部分，理由有二：首先，对于本院的判决而言这一部分是不必要的。在确定一州法院确定对人管辖权是否合宪时，对最低接触的审查并非总是必要的。见 Burger King Corp. v. Rudzevicz, 471 U. S. 462, 476-478 (1985)。第 II-B 部分在考虑了大众汽车公司案提出的因素之后，确立了在本案中加州对阿萨海行使管辖权将会"不合理和不公平"。这一认定本身就要求撤销原判，本案适于"内含在'公平游戏与实质正义'概念中的最低要求……可以击败管辖权的合理性，即使被告曾经有意在法院地州从事活动"。[Burger King Corp. v. Rudzevicz, 471 U. S. 462, 474 (1985) (引证国际鞋业案)]。因此，我认为没有理由在本案采用多元标准，阐述"有目的指向"或任何其他标准来作为被告行为与法院地州之间的联系以确立最低限度的接触。

其次，即使假设检验标准在此需要公式化，第 II-A 部分将它适用于本案也是错误的。多元标准似乎假设一个可以在"仅仅意识到"组件会进入法院地州与"有意利用"法院地的市场之间划一道摇摆不定的线条。阿萨海在与陈新交易的过程中曾颇有说服力地从事了一项比"将产品置于商业流水线更高量级的行为……"无论这一行为是否达到了有意利用的水准，都要求进行合宪性确定，这种确定受到组件的规模、价值、及危害性质的影响。在大多数情形下，我会倾向于得出结论认为，一个导致在长达几年时间内每年发售 10 万多件货物的常规的交易过程即会构成"有意利用"，即使向法院地州发售的物品是一种遍及全球市场的标准产品。

注释与问题

1. 列举阿萨海案件中有关管辖权问题的事实，以及阿萨海与加州之间联结的空隙。

2. 陈新和阿萨海提交的相互冲突的宣誓证词提出了什么问题？最高法院是如何处理在法院地州诉讼的可预见性问题的？阿萨海案给我们对于可预见性、故意利用及最低接触之间的交叉关系增加了什么信息？

3. 阿萨海案的实际判决理由是什么？回答这一问题显然要求对最高法院的意见书进行总结性的阅读，包括由奥康纳大法官制作的意见书及布伦南大法官（及其 3 位同事）和史蒂文斯大法官单独制作的意见书。将奥康纳大法官一组、布伦南大法官一组和史蒂文斯大法官一组的相同意见部分和不同意见部分延伸出去。尽管所有大法官都同意最后的结果——不能对阿萨海行使管辖权——但他们却殊途同归。

如果你因为缺乏统一性感到沮丧，你并不孤单。第五巡回法院如此表达了他们的这种感觉：

> 由于最高法院在阿萨海案中关于最低接触的四分五裂的观点没有给这个问题提供明确的指南，因而我们仍然坚持在大众汽车公司案中描述并在本巡回区适用的（非居民被告）标准，即通过商业流转网络而与德克萨斯州产生接触。
>
> Ruston Gas Turbines, Inc. v. Donaldson Company, Inc., 9 F. 3d 415, 420

(5th Cir. 1993)（引证省略）。上述"大众汽车公司案中描述的商业流转网络"标准是什么？

4. 你们可以回忆，最高法院在大众汽车公司案中说过，"如果一州对一家将产品送往商业流水线，期冀法院地州的消费者购买，那么法院地州对之行使管辖权就不超越正当程序条款的限制"。"商业流水线"理论在阿萨海案以后居于什么地位？奥康纳大法官提示的"另外行为"适合放在哪里？

5. 阿萨海案是否使一个生产商仅仅使用一个中间批发商而把自己从一州的诉讼中隔离出来，即使当它意识到自己的产品正在该州销售和使用？

6. "公平游戏"因素在判决中居于何种角色？比如，这些事实有什么重要性（1）被告阿萨海是一家外籍公司；（2）针对阿萨海的请求是一项由另一外籍公司主张的以追偿为目的的第三人请求（third-party claim）（原告泽克已和解并退出诉讼）；（3）销售密封阀配件发生在台湾而且物品是由日本托运的；如果密封阀生产商是一家俄亥俄州公司，其密封阀运往宾夕法尼亚州以供组装，而后轮胎在加州爆炸，那情形又当如何？

7. 阿萨海之后"公平游戏"要件与"最低接触"标准之间的关系如何？

8. 由阿萨海案提出的问题在商业界和最高法院都引起了争论。英国的美国商事法庭（the American Chamber of Commerce in the United Kingdom）在支持阿萨海时提供了一份法庭之友法律理由书，主张"美国法律的规则，即组件部分的外籍生产商在它可能意识到其外国消费者的产品可能进入的地域受属于美国任何法院管辖，将会大量增加美国生产者国际贸易的成本和不确定性，"而且会导致对自由贸易产生不利影响的报复措施。加州生产者协会（CMA）在它支持由加州行使管辖权的法庭之友法律理由书中反驳了这一观点，主张"下级法院的判决"保护了加州消费者免受多头的和昂贵的诉讼之苦，这些诉讼只有在同意行使管辖权时才成为必要，在加州做生意的生产商受制于难以数计的州法律、规则和规章的辖制，当他们面临使用有缺陷的外国或外州组件而导致的法院诉讼时，应当有权利寻求同样法律的庇护。CMA进一步主张，"撤销加州法院的判决理由可能危及加州消费者、商业界和生产厂家们的生命、安全和健康，因为它会增加个人或公司在寻求对责任承担的正当的和合法的解决时的成本，从而形成另一种障碍"。

实务练习二十七
在卡彭特案中适用长臂制定法

准备一次在你和在卡彭特诉迪一案中代理南希·卡彭特的其他合作律师以及合伙人之间的信息交换和策略会议，在该案中被告现在是兰德尔和皮特·迪、终极公司和洛厄尔市。但在事实上出现了如以下备忘录所述的一些变化。

备忘录

送：合作律师

自：卡罗尔·科布伦兹

回复：卡彭特诉迪案

正如你们所知，本案系属于麻省上等法院，已允许我们补正起诉状并追加终极公司作为一方当事人即被告。奥拓在新汉普郡注册，其主要和惟一的营业地在新汉普郡的纳舒厄。我们已知的关于终极公司的事实以及它与兰德尔·迪之间的关系仍旧不变。

终极公司在它的答辩状中提出了规则12（b）（2）驳回诉讼动议。我预计对这一动议会有一个法律理由陈述和听审，因此我希望大家立即着手此事。

我向终极公司发出了一份关于对人管辖权问题的单独讯问问卷，并获得了一些另外的信息。（我还可以有时间录取笔录证言。）终极公司的官员都住在新汉普郡的纳舒厄，只有副总裁威廉姆·Q·曼可尼住在麻省的劳伦斯，曼可尼每天按部就班地上下班，但有时在自己家里处理一些公司的事务。终极公司只在新汉普郡的报纸上和纳舒厄的两家电台做广告，它在这些媒体上最常用的广告词是"买终极吧，终极就在轮胎上。我们的轮胎带你舒适安全地徜徉在纳舒厄的大街上，穿过白色和绿色山脉，走向伯克希尔丘陵和阿勒格尼高原，领略波斯顿、纽约、芝加哥城市的繁华，观赏达科他北部草原的美景，还有内布拉斯加肥沃的牧场。我们的技术和价格将横扫整个新英格兰。我们是轮胎的终极。"一位终极公司的雇员也保留了一份个人网页，提到了他的雇主并讽刺公司的广告。

终极公司没有保留它向居住在纳舒厄以外或新汉普郡以外的人销售产品的比例，公司的经理和销售人员确实知道"很多来自麻省北部的人从我们公司买东西。猎人、运动员和汽车迷们特别喜欢我们的产品"。4年前，终极公司在波斯顿汽车展中设了一个货摊。

我知道当我在麻省的劳伦斯驾车时，我只能收听到终极公司做广告的两个电台中的一个，而终极公司做广告的一家纳舒厄报纸却在劳伦斯的各家报摊上都能找到。

我查阅了有关对人管辖权的新近判例法，却读到了某些关于最低接触的标准。我希望大家准备解释大众汽车案、考尔德案和阿萨海案的事实和判决理由，以及它们与本案的相关性——如果有的话，我自己弄不明白"置于商业流水线"和"以具体市场为目标"的问题，也不大明白公平游戏标准的位置。这一新标准适用于每一个案件吗？在会议开头确定适用这些判例之后，我希望我们能够集中讨论我所应当在本案中获得的进一步的事实信息，我们如何获得这一信息，以及我们应当如何建构我们的论点。的确，请大家准备好说明法律的备忘录是如何组织的。

我认为你们会需要麻省的长臂制定法,我把它附在后面。以本次会议的目的,暂不要着急收集任何专门解释麻省制定法的判例,那些收集工作将随后进行。

马萨诸塞州法律要览

法院对其他州和其他国家的人的管辖权

马萨诸塞州法律要览223A第3节(M. G. L. C. 223A§3.)可行使对人管辖权的交易或行为。

一个人直接或通过代理人从事行为,当普通法或衡平法上的诉因产生于此人的以下行为时,法院可对之行使对人管辖权:

(a)在本州进行任何商事交易;

(b)在本州以合同约定提供服务或物品;

(c)在本州由于某一行为或疏忽而导致侵权损害;

(d)如果他在本州固定地做生意或招徕生意,或从事任何其他持续的行为,或从物品的使用或消费或提供的服务中获取了大量收入,它在本州外从事的某一行为或疏忽而在本州导致侵权损害;

(e)在本州拥有、使用不动产或在不动产上有利益;

(f)根据合同在合同有效期间为在本州范围内的任何人、财产或风险投保;

(g)在引起请求离婚、扶养费、析产、子女亲权、子女抚养或子女监护等诉讼的个人关系或婚姻关系的一方当事人在本州保留居所,或者产生这些诉讼的行为授权(commission);或者

(h)本州一法院已对之行使过对人管辖权,并作出了扶养、监护、子女抚养或财产分割的裁令,无论后来这些初始当事人是否脱离本州,只要诉讼涉及对这一(些)裁令的修改,且搬迁的一方当事人居住在本州,或者如果诉讼涉及这些裁令的执行,无论搬迁的一方当事人现居何处。

当我们从侵权法的语境(陌生人之间的对垒)转移到商事语境下——双方当事人已经相互通过谈判和履行合同安排时(合同已经变更了),对人管辖权的权衡应当如何变化——如果有变化的话?思考下列判例。

伯格·金公司诉鲁泽威兹
Burger King Corp. v. Rudzewicz
471 U. S. 462(1985)

大法官布伦纳发表本院意见:

佛罗里达州的长臂制定法将管辖权延伸到"不履行合同要求其在本州履行的

行为从而构成在本州违反合同"的"任何人，无论是不是本州公民或居民"，只要诉因产生于所称的违约。(Fla. Stat. §48. 193（1）（g）（Supp. 1984）。佛罗里达州南部联邦地区法院以异籍诉讼审理了本案，在行使对一位密西根居民的对人管辖权时依据了这一条款，这位密西根居民被诉称没有在佛罗里达支付其与一家佛罗里达州公司之间的特许合同所要求的款式而构成违约。提交我们解决的问题是，这样行使长臂管辖权是否违背由第十四修正案正当程序条款所体现的"公平游戏与实质正义的传统概念"。(国际鞋业案)

I

A

伯格·金公司是一家佛罗里达公司，其主要办公地点在迈阿密，它是世界上拥有最多食客的餐业组织，在50个州和波多黎各岛以及其他8个国家均设有分部。伯格·金的80%业务是通过特许经营方式进行的，即公司保持"伯格·金体制"的风格——"综合性餐馆模式和统一的高品质食品销售的经营体系"。伯格·金的授予它的受特许者在20年以内使用它的商标和服务标志，并在此期间内向他们出租标准化的餐馆设备。此外，受特许者会获得有关"经营一家伯格·金餐馆的标准、特色、程序、及方法"的特有信息，还会收到市场调查和广告帮助，在餐馆管理方面的跟踪培训，以及会计、成本控制和库存控制指导。这个体系通过特许沾染伯格·金蜚声全国的名气并从消费其标准化的管理中获得收益，而使他们在障碍大大减少的状态下进入餐饮业。

作为这种收益的交换，受特许者要向伯格·金支付初始特许费4万美元，并支付每月的特许税、广告及促销费用，租用餐馆设备的费用从每月总销售额中扣除。受许可者还同意服从全国组织的实际上涉及他们经营方面的规则。伯格·金实施这些标准和严格规范是基于一种考虑，即"产品服务、外观和质量对于维护伯格·金的形象和因此的收益对于特许者和受特许者都是至关重要的"。

伯格·金通过一种两级管理结构来监控它的特许系统。有拘束力的合同规定，特许关系在迈阿密建立并受佛罗里达州法律调整，合同还要求支付所有要求的费用并向迈阿密总部转达所有相关通知。在进行解决主要问题的努力时由迈阿密总部制定政策并直接对受许可者一起工作。然而，对受许可者的每日监控则通过一个由10名地区官员构成的网络进行，这个网络再向迈阿密总部汇报。

本案诉讼产生于伯格·金终止一家特许，受特许人将它适当地描述为"商业伙伴之间的离婚诉讼"。被上诉人约翰·鲁泽威兹是密西根的公民和居民，他在一家底特律的会计事务所做高级合伙人。1978年，他接近了一位商场故交的儿子布赖恩·麦克沙拉。麦克沙拉建议他们共同向伯格·金申请在底特律地区的特许，并提议，如果鲁泽威兹投入资金，麦克沙拉就做餐馆经理，作为交换，他们二人平分利润。鲁泽威兹相信麦克沙拉的主观是一种颇有吸引力的投资而且是一次逃税的机会，于是就同意冒一次险。

1978年秋季，鲁泽威兹和麦克沙拉在密西根地区办事处联合申请了一份伯格·金的特许，他们的申请转送到伯格·金的迈阿密总部，总部于1979年2月跟他们签订了临时协议。在紧随其后的4个月内，协议同意鲁泽威兹和麦克沙拉在密西根的德雷顿经营一家已有的店。麦克沙拉在此期间在迈阿密参加了前面描述的管理课程，两位受特许者从伯格·金在的迈阿密达摩器具分店购买了价值16.5万美元的餐馆设备。然而，就在最后协议签订时，当事人对于场地开发费用、室内设计、每月租金的计算、以及受特许者能否向一家他们已组建的公司安排任务等问题发生了分歧。在处理这些争议期间，鲁泽威兹和麦克沙拉都与伯明翰地区办事处和迈阿密总部交涉过。[1] 鲁泽威兹和麦克沙拉带着某些疑虑，最终从迈阿密总部获得了有限承认，双方签订了最后协议，并于1979年6月开始经营。在签订最后协议时，鲁泽威兹个人单独承担了支付100万特许费而获得20年特许。1979年期间，德雷顿店似乎赢得了稳定的生意，但在随后的一年中开始走下坡路。鲁泽威兹和麦克沙拉很快就开始拖欠他们向迈阿密的月付。总部发出了拖欠月付的通知，在两个受特许人与伯明翰地区办事处及迈阿密总部之间进行了长时间的谈判。在迈阿密的几位伯格·金官员都以邮件和电话方式参加了这一期间的谈判但未能取得成效。[2] 总部终止了特许并命令鲁泽威兹和麦克沙拉撤销特许店。鲁泽威兹和麦克沙拉拒绝服从，继续占据和经营这家店作为伯格·金的餐馆。

B

伯格·金于1981年5月开始在佛罗里达州联邦地区法院启动本案诉讼，援引了该院根据美国法典第28编第1332（A）节规定的异籍管辖权以及该院根据美国法典第28编第1338（A）节对联邦商标争议实施的管辖权。[3] 伯格·金称，鲁泽威兹和麦克沙拉没有"在原告在佛罗里达州迈阿密的营业地"支付所要求的款项，违反了他们的特许义务，同时声称，他们在继续营业期间未经授权作为伯格·金的餐馆经营，构成假冒伯格·金的商标和服务标志的侵权，伯格·

---

[1] 不过，鲁泽威兹和麦克沙拉与伯明翰地区办事处定期进行交接（deal），在形成合同时他们直接与迈阿密总部直接沟通，另外，他们还获悉地区办事处的决策权限"非常小"，因此在寻找解决他们的纠纷时直接转向与总部交涉。

[2] 迈阿密的政策是，当受特许人开始遇到财经方面的困难时由总部与他们"直接交接"，只有在必要的时候才由地区办事处插手。比如在本案中，迈阿密办公室处理了所有债权问题，指示节省成本的措施，为受特许人债务的部分资金补给问题进行谈判，在尝试解决争议时直接与受特许人沟通，并负责所有终止（交易）事项。

[3] 根据联邦民事诉讼规则4给鲁泽威兹和麦克沙拉的传票和起诉状副本是在迈阿密送达的。

金诉求损害赔偿、禁令救济、诉讼费用和律师费。鲁泽威兹和麦克沙拉进入了特别出庭并辩称，由于他们是密西根的居民，同时由于伯格·金的请求不是"产生于"佛罗里达地区南部区域范围内，因而该地区法院对他们没有对人管辖权。该地区法院在一次听审之后驳回了他们的动议，认定根据佛罗里达州长臂制定法，"作为非居民的伯格·金受特许人在基于它的特许协议而产生的诉讼中受制于本院的对人管辖权。"鲁泽威兹和麦克沙拉于是提交了一份答辩状和一份反请求，诉求伯格·金因违反《密西根特许投资法》（Mich. Comp. Laws §445. 1501 et seq. (1979)）而承担的损害赔偿责任。

经过3天的法官审理之后，法庭再次得出结论认为，它享有"对本案的事项管辖权和对双方当事人的管辖权"。认定鲁泽威兹和麦克沙拉违反了他们与伯格·金的特许协议，并侵犯了伯格·金的商标和服务标志，法庭作出了被告败诉的判决，连带和分次支付违约赔偿228875美元。法庭还裁令他们"立即关闭伯格·金第775号餐馆不准继续营业，并立即向伯格·金交付该餐馆的钥匙和占有"。法庭还认定，两被告没有证明他们的反请求所必备的任何要件，因而支持了由他们向伯格·金支付诉讼费和律师费的请求。

鲁泽威兹向第十一巡回法院提起上诉。[1] 该巡回法院的一个合议庭撤销了判决，结论认为，地区法院不能根据佛罗里达州制定法第48. 193（1）（g）节［Fla. Stat. §48. 193 (1) (g) (Supp. 1984)］对鲁泽威兹行使对人管辖权，因为"德雷顿特许的情势和谈判导致鲁泽威兹被剥夺合理通知和对于在佛罗里达州进行特许诉讼的前景没有经济上的准备"。[Burger King Corp. v. MacShara, 724 F. 2d 1505, 1513 (1984).] 因此，合议庭多数的结论认为，"在这种情形下行使管辖权会违背作为正当程序基准的基本公平概念"。同前。

伯格·金根据美国法典第28编第1254（2）节就第十一巡回法院的判决向本院提起上诉，我们推迟了管辖，因为第十一巡回法院实际上是否认定佛罗里达州制定法第48. 193（1）（g）节［Fla. Stat. §48. 193 (1) (g) (Supp. 1984)］本身在适用于本案情形时不合宪，这一点尚不清楚，我们驳回上诉，将管辖权声明当作一次请求调卷令状的申诉（见美国法典第28编2103节），因而支持申诉，现在撤销原判。

II
A

正当程序条款保护个人自由权益不受制于自己没有与之确立有意义的"接

---

[1] 麦克沙拉对该判决没有上诉。此外，鲁泽威兹与伯格·金达成妥协，放弃了他就地区法院认定商标侵权和作出禁令救济提出上诉的权利，因此我们不必过问佛罗里达州长臂制定法关于侵权行为条款的规定可能合宪地扩张到州外商标侵权。参见 Calder v. Jones 案，页788-789（侵权的州外行为）。

触、连结或关联"的法院地的判决的拘束。（国际鞋业案，页319。）〔1〕正当程序条款通过要求给予个人以"关于特定行为可能使自己受制于一个域外主权管辖的公平警告"［Shaffer v. Heitner, 433 U. S. 186, 218 (1977)］,（史蒂文斯大法官在判决中的并存意见），"给予一定程度的对法律制度的可预见性使潜在的被告得以在关于他们的基本行为会不会使他们有责任受讼的问题上获得某种最低限度的确信以便选择自己的行为"。（大众汽车公司案，页297。）

当一法院地谋求对某个尚未同意在此诉讼的州外被告行使具体管辖权时，〔2〕如果该被告将他的行为"故意指向"法院地州的居民［Keeton v. Hustler Magazine, Inc., 465 U. S. 770, 774 (1984)］,"产生于那些行为或与之有关"的伤害导致诉讼［Helicopteros Nacionales de Colombia, S. A. v. Hall, 466 U. S. 408, 414 (1984)］,那么这一"公平警告"的要求即已满足。〔3〕于是，"如果一州对一家将产品送往商业流水线，期冀法院地州的消费者购买，"而且那些产品后来伤害了法院地的消费者，"那么法院地州对之行使管辖权就不超越正当程序条款的限制。"（大众汽车公司案，页297－298。）同样，一位出版商将杂志散发到商业流水线期待着法院地州的消费者购买，而那些杂志后来伤害了法院地的消费者，这位出版商在法院地因产生于所称诽谤故事的损害赔偿接受诉讼则是有理由的。Keeton v. Hustler Magazine, Inc., supra, see also Calder v. Jones, 465 U. S. 783 (1984)（针对作者和编辑提起的诉讼）。关于州际合同义务，我们已强调过，"超越了一州的范围并与另一州的公民建立了持续的关系和义务"的当事人因其行为结果而受制于另一州的规章和制裁。

我们阐释过法院地对于一位"有意将行为指向"法院地居民的非居民行使对人管辖权具有正当性的几个理由。一州通常在给自己的居民提供一个方便的法院以在其被州外行为者侵害时给予救济这方面具有"明显的利益"。同时，当个人"有意从他们的州际行为中获得利益"时［Kulko v. California Superior Court,

---

〔1〕 尽管这一保护用于限制州的权力，但它"必须视为其最终功能是保护正当程序条款所保留的个人自由利益"，而不是以"联邦主义关切"为功能。Insurance Corp. of Ireland v. Compagnie des Bauxietes de Guinee, 456 U. S. 694 (1982).

〔2〕 我们曾经阐述过，由于对人管辖权的要求是一种可以放弃的权利，因而有"大量的合法安排"是一方当事人可以作出"对于法院对人管辖权的明示或暗示的同意"。Insurance Corp. of Ireland v. Compagnie des Bauxietes de Guinee, 456 U. S. 703 (1982). 比如，特别是在商事诉讼的场合，当事人双方经常事先约定将他们的纠纷提交某一特定管辖权解决。见 National Equipment Rental, Ltd. v. Szukhent, 375 U. S. 311 (1964). 这种法院地选择条款通过"自由谈判"协议而获得，不会"不合理和不公正"［The Bremen v. Zapata Off-Shore Co., 407 U. S. 1, 15 (1972).］,其执行不会违反正当程序。

〔3〕"特别"管辖权是与"一般管辖权"相比较而言的，根据特别管辖权"一州在不是产生于被告与法院地的接触而产生的诉讼中对该被告行使对人管辖权。"［Helicopteros Nacionales de Colombia, S. A. v. Hall, 466 U. S. at 414, n. 9; Perkins v. Benguet Consolidated Mining Co., 342 U. S. 437 (1952).］

436 U. S. 84, 96（1978）］，允许他们逃避在其他州因直接产生于这些行为的后果而进行的诉讼是不公平的，正当程序条款不能用来作为规避已自愿构成的州际义务的地域上的避难所。而且由于"现代交通和通讯已使当事人在他从事经济活动的州参加诉讼和进行防御不再那么负担沉重，"因而让他承担在另一地法院参加就有关这一行为的争议进行的诉讼不会不公平。（麦吉案，页223。）

尽管基于这些考虑，但宪法基准仍然是被告是否有意在法院地州建立了"最低限度的接触"。（国际鞋业案，页316。）尽管一直有一种论点认为在另一州引起损害的可预见性应当足以在该州确立这种接触，但最高法院却前后一致地认定，这种可预见性不是成为行使对人管辖权的"充分标准"。（大众汽车公司案，页295。）但"对于正当程序分析至关重要的可预见性……是被告的行为及其与法院地州之间的联系应当达到他应当合理预测自己会在该地法院受诉的程度"。（同前，页297。）在界定潜在被告应当在何时"合理预测"州外诉讼时，最高法院经常引用汉森案中的一段论理［Hanson v. Denckla, 357 U. S. 235, 253 (1958).］。

> 主张与非居民被告之间有某种关系的人的单方行为不能满足与法院地州接触的要求。适用这一规则因被告行为的类型和性质而不同，但在每一具体案件中至关重要的是，必须存在按照被告意欲获得在法院地州从事某些活动的特权的主观意向而进行的某种行为，因此从该州的法律中获得好处和保护。

"有意利用"的条件保障一被告不会仅仅因为"随机的"、"凑巧的"、或"淡薄的"接触［Keeton v. Hustler Magazine, Inc., 465 U. S. 774 (1984)］；（大众汽车公司案，页299。）或者因为"另一方当事人或第三人的单方行为［Helicopteros Nacionales de Colombia, S. A. v. Hall, 466 U. S. 408, 414 (1984)］而被强行拉入一个管辖权之中。[1] 然而，当接触直接产生于被告自己所制造的与法院地州之间"实质联系"的行为时，管辖权就是适当的。（麦吉案，页223；另见 Kulko v. California Superior Court, supra, 436 U. S. at 94n.

---

〔1〕 最高法院适用这一原则认定，正当程序条款禁止对仅仅由于某个消费者决定在某法院地驾驶而使汽车批发商与法院地发生联系的州外汽车批发商行使对人管辖权（大众汽车公司案），或者对一位与法院地之间的惟一联系是他的前配偶决定在那儿居住而被诉求子女抚养费的离婚丈夫行使对人管辖权（Kulko v. California Superior Court, 435 U. S. 84 (1978)），或者对一位与法院地的惟一联系是因为财产赠与人决定在那儿行使（受赠）指定权的受信托人行使对人管辖权（汉森案，1958年）。在这些情况下，被告均没有"受制于法院地诉讼的明确的预告（notice）"，因而没有机会在那儿"减轻诉讼负担的风险"（大众汽车公司案）。

7。)[1] 因此，当被告"故意"在一州从事重要活动时（Keeton v. Hustler Magazine, Inc., 465 U. S. at 781），或者制造了他自己与法院地居民之间的"持续义务"时（Travelers Health Assn. v. Virginia, 339 U. S. at 648），他明显利用了在那里从事业务的特权，而且由于他的活动受到了法院地法律的"利益和保护"，因而要求他承担在该法院地的诉讼负担就没有什么不合理。

在此情形下的管辖权只可能因为被告没有亲身进入法院地州而避免。尽管在地理上的出现经常增加被告与一州的介入并强化对于在此诉讼的合理的可预见性，然而现代商业生活的一个不可避免的事实是大量的业务是仅仅通过邮件和电信沟通而跨越州境线的，因此可以不需要亲身出现在进行商事活动的州内。只要商事活动者的努力是"有意指向"另一州的居民，我们就一直反对将缺乏亲自接触作为否定对人管辖权的观念。（Keeton v. Hustler Magazine, Inc., supra, 465 U. S. at 774 - 775; Calder v. Jones, 465 U. S. at 778 - 790;麦吉案，页222 - 223。）

一旦判决被告有意在法院地州确立最低接触，那么这些接触就可以结合其他因素来加以考虑以决定行使对人管辖权是否符合"公平游戏与实体公正"。（国际鞋业案，页320。）因此"在适当案件中"法院可以衡量"强加给被告的负担"、"法院地州在审判争议方面的利益"、"原告在获得方便和有效的救济方面的利益"、"州际司法制度在获得争议的最有效率解决方面的利益"、以及"各州在发展实体社会政策方面共享的利益"。（大众汽车公司案，页292。）这些考虑有时用于确定对于证明最低接触少于所要求的条件的当事人行使管辖权的合理性。（比如参见 Keeton v. Hustler Magazine, Inc., supra, 465 U. S. at 780; Calder v. Jones, supra, 465 U. S. at 788 - 789;麦吉案，页223 - 224。）另一方面，当有意将其行为指向法院地居民的被告诉求击败管辖权时，他所提交的案件必须是能够强有力地表明某些其他的考虑将会使管辖权不合理。大多数这些考虑通常都可以通过对管辖权违宪性的不作认定的方法而予以容纳，比如，法院地法与另一州的"基本实体社会政策"发生冲突可以通过适用法院地的法律选择规则而予以包容。同样，声称在实体上不方便的被告可以诉求改变审判地。尽管如此，蕴含在"公平游戏与实质正义"概念中的最低要求可以击败管辖权的合理性，即使被告有意在法院地从事活动。[大众汽车公司案，页292;另见《冲

---

〔1〕 只要它制造一种与法院地之间的"实质性联系"，即使一次行为也能够支持管辖权。（麦吉案，页223。）然而，最高法院指出，如果与法院地有关的"某些一次性或偶然行为的性质和特征以及任务的具体情境"只制造了一种与法院地之间的"薄弱"联系，那么这种一次行为或偶然行为不足以确立管辖权。（国际鞋业案，页318;大众汽车公司案，页229。）这种区分产生于一种信念，即，在涉及这类"孤立"行为时（同前，页297。），对于在法院地诉讼的合理的可预见性已大大减小了。

突法（第二次）重述》第36－37节。］正如我们前面提到的那样，管辖权规则不能用于使诉讼"如此严重地困难和不便"以至于一方当事人不公平地处于一种与其对手相比"严重不利"的地位。［The Bremen v. Zapata Off－Shore Co., 407 U. S. 1, 18 (1972)；麦吉案，页223－224。］

B

1

将这些原则适用于手中的案件，我们相信有大量诉讼记录证据支持地区法院的结论，即基于诉称的鲁泽威兹违反特许协议而对在佛罗里达州的鲁泽威兹行使对人管辖权并不违背正当程序。以此为进路，我们阐述了下级法院之间关于接触是否以及在多大程度上能够构成正当程序分析意义上的"接触"这一问题的分歧。如果这一问题仅仅是一个人与州外一方当事人的接触能否自动确立在另一方当事人家乡法院地的充分的最低限度接触，我们相信清清楚楚的答案是：不能。本院很早以前就驳斥过关于可根据"机械的"标准（国际鞋业案，页319。）或者根据"概念化的……合同签订地或履行地的理论"行使对人管辖权的观念。我们强调，必须用"高度现实主义"的方法，认识到"合同"是"通常的却是一种直接的步骤，它服务于将先前的商事谈判与未来结果连结起来，而结果本身才是商事交易的真正目的"。正是这些因素——先前的谈判和已经考虑过的未来结果，加上合同条款和当事人的实际交易过程——才是在确定被告是否有意地在法院地确立最低限度接触时需要衡量的因素。

在本案中，没有亲身与佛罗里达州发生连结可以将归因于鲁泽威兹而不是麦克沙拉在迈阿密的短期培训课程。鲁泽威兹在佛罗里达州没有保留办事处，而且从诉讼记录来看，他从来也没有到过那儿。但这次特许争议却直接产生于"一个与该州有实质性联系的合同"。（麦吉案，页223。）鲁泽威兹远不是选择经营一个独立的地方企业，而是故意地"伸向密西根以外"并且为了获得长期的特许和将产生于与一家全国性组织的联系的多方面利益而与一家佛罗里达州公司进行谈判。他经同意进入了一个精心建构的预想会与在佛罗里达州的伯格·金保持持续的和广泛接触的20年的关系之中。按照鲁泽威兹对长期的自愿接受以及他从伯格·金的迈阿密总部业务往来的常规性，他与在佛罗里达州的公司的关系的"性质和特征"绝不能被视为"随机的"、"凑巧的"、或"淡薄的"。（汉森案，页253；Keeton v. Hustler Magazine, Inc., supra, 465 U. S. at 774；大众汽车公司案，页299。）鲁泽威兹拒绝在迈阿密支付合同要求的款项，在终止特许后继续使用伯格·金的商标和内部商业信息，导致了对佛罗里达本州公司的可预见的损害。基于这些理由，最少最少鲁泽威兹对这些损害负责是有充分理由的。

然而上诉法院结论是，监管是由伯格·金在伯明翰的地区办事处进行的，鲁泽威兹合理地相信"密西根办事处在任何意向和目的上都完全代表了伯格·金",因此他"没有理由预料伯格·金的诉讼会在密西根以外进行"。这一论证忽略了大量的记录证据所表明的鲁泽威兹最为确定地明白他将自己与一家主要以佛罗里达州为根据地的公司联结在一起。合同文件本身就强调伯格·金的经营是由迈阿密总部操作和监督的,所有有关通知和支付均必须送交那儿,并且协议是在迈阿密签订并由它那里履行。同时,当事人双方交易的实际过程一再确认决策权操持在迈阿密总部,迈阿密地区办事处主要是作为总部与受特许人之间的直接纽带。当围绕室内设计、场地开发费用、以及租金的计算、和未及时支付款项等问题发生分歧时,鲁泽威兹和麦克沙拉知道密西根办事处没有权力解决他们的争议而只能与迈阿密进行沟通。在这些争议的整个过程中,迈阿密总部和密西根的受特许人都以邮件和电话方式进行了持续的直接交流过程,而且正是阿密总部才作出了关键的谈判决定,本案诉讼正是由此决定而引起。

除此之外,各种特许文件中的条款都规定,所有纠纷均受佛罗里达州法律调整,我们相信上诉法院对于这些条款没有给予充分重视。比如特许协议声明:"本协议得在受佛罗里达州迈阿密 BKC 接受和执行时而生效;它得被认为在佛罗里达州制作和签订并得受佛罗里达州法律调整并根据该州法律进行解释。法律选择条款并不要求所有涉及本协议的诉讼均提交佛罗里达州解决"。上诉法院论证,法律选择与对人管辖权问题无关,它依赖于汉森案中的命题:"以法律选择为目的的重心并不必须赋予主权以行使管辖权的特权"。这一论证误解了所引证的命题。本院在汉森案和后面的判例中强调过法律选择分析有别于最低限度接触分析,前者的重点放在一次交易的所有要件,而不仅仅放在被告的行为上,而后者则把门槛仅仅放在被告的有意与法院地建立联系的行为上。我们的判例中绝没有任何信息暗示法律选择条款在考虑被告是否以管辖权为目的而"有意从一州法律中获得收益和保护"时应当忽视法律选择条款。尽管这一条款不能孤立地成为赋予管辖权的充分理由,但我们认为,当它与鲁泽威兹与伯格·金的迈阿密总部之间建立的 20 年相互依赖的关系相结合时,它就强化了鲁泽威兹与法院地州之间的有意联系因而强化了可能在那儿诉讼的合理的可预见性。鲁泽威兹通过签订合同明确规定佛罗里达州的法律将调整特许权争议而"有意利用佛罗里达州法律的收益和保护"。[1]

---

〔1〕 此外,"选择法律并不要求所有涉及本协议的诉讼均在佛罗里达州进行"的特许协议的声明通过消极地载明暗示这种诉讼可以在该州提起也合理地向鲁泽威兹表明了这一点。许可证还规定了某些争议受迈阿密仲裁的拘束,而鲁泽威兹在言辞辩论中承认了这一条款的有效性,(言辞辩论记录页37。)尽管该条款对本案没有约束,但它也能向受特许人清楚地表明他们正在与迈阿密总部直接进行交涉,而且伯明翰地区办事处不是"伯格·金所有意向和目的的代表"。

2

鲁泽威兹也没有指出可以被认为有说服力的排除上述考虑和确定佛罗里达州行使管辖权违宪性的其他因素。我们不能得出结论认为,佛罗里达州在认定鲁泽威兹对有关他已在该州签订的合同进行答辩这方面没有正当利益。Keeton v. Hustler Magazine, Inc., supra, 465 U. S. at 776;另见麦吉案,页223(该案阐述了州在"为自己的居民提供有效的救济手段"方面经常享有利益)。[1] 再者,尽管鲁泽威兹一直争辩,《密西根特许投资法》(Mich. Comp. Laws §445.1501 et seq. (1979) 调整这一特许关系的许多方面,但他还没有证明密西根的利益如何可能使得佛罗里达州的管辖权不合宪。[2] 最后,上诉法院确定佛罗里达州的诉讼"严重损害了鲁泽威兹传唤证人的能力,这些证人对于他的防御和反请求可能是至关重要的"。至于与法院地州有最低接触而在那儿诉讼的一方当事人所受的不便程度,这种考虑经常能通过改变法院地来包容。尽管本院曾经表明,不方面可以在某一点上变得如此重要以至于达到合宪性的分量,(麦吉案,页223。)但本案并不属于这种情况。

上诉法院还断定,当事人双方的交易涉及到"谈判权力的特别悬殊"和"突然袭击的要件",鲁泽威兹没有关于在佛罗里达州诉讼的可能性的"公平通知"。鲁泽威兹向地区法院多次表达了下述论点:伯格·金犯有错误陈述、欺诈和胁迫;在与他的交易中它的通知不充分;合同是一种诱饵。在经过3天的法官审判之后,地区法院认定,伯格·金没有进行不实陈述;鲁泽威兹和麦克沙拉"是有经验的老练的商人";他们在任何时间都没有受到过伯格·金的经济胁迫或处于劣势交易。联邦民事诉讼规则52(a)要求"事实认定除非明显错误否则不得撤销",鲁泽威兹或上诉法院都未指出记录证据会支持确定认定地区法院事实认定错误的"明确而确定的判决"。相反,鲁泽威兹在这些复杂的交易中始终有律师代理,而且正如约翰逊法官在下面的反对意见中所评论的那样,他自己就是一个富有经验的会计师"他与伯格·金就特许的期间和许可协议进行了长达5

---

[1] 鲁泽威兹声称,"当伯格·金是原告时,你们不会'把它纳入你们的框架'(have it your way),因为它提起的所有诉讼都是在迈阿密",(被上诉人法律理由书,页19。)它抗辩道,考虑到公司的规模和在全国任何地方进行诉讼的能力,佛罗里达州在提供方便的法院地方面享有的利益是可以忽略的。我们不能同意。已经有意从他与法院地的联系中获得商业利益的被告不能因为他的对手更具有经济实力而击败该地的管辖权。

[2] 鲁泽威兹没有表明地区法院对本案行使管辖权一点也不符合密西根的利益,相反,该院认定,伯格·金完全符合密西根法律,《密西根特许法案》中没有任何一条显示,密西根试图对影响自己居民的特许争议的解决行使排他的管辖权。在任何情况下,最低接触分析都假设,两个或更多的州都可能在一个争议的结果中有利益,而与"基本实体社会政策"发生潜在冲突的争议解决程序,(大众汽车公司案,页292。)通常能够通过法律选择规则而不是通过武断地排除一个法院地的方式予以容纳。(同前,注19。)

个月的谈判,他亲自承担了要求定期支付 100 多万美元的合同义务"。鲁泽威兹能够从迈阿密总部那里获得租金的减少和其他让步,而且在伯格·金具有弹性的术语范围内,鲁泽威兹可能决定利用与一家提供充分商业利益的全国性组织合作的优势来抵消损失。[1]

III

尽管有这些考虑,但上诉法院显然相信在本案中拒绝管辖权作为一种预防措施是必要的,理由是确认地区法院的判决会导致对"州外消费者行使管辖权以收取低额个人消费品的到期债务",还会"种下针对受特许人欠付小额债务作出缺席判决的种子"。724 F. 2d at 1511. 我们与上诉法院一样表示担心因此拒绝任何护身符式的管辖权公式;在确定对人管辖权是否符合"公平游戏与实质正义"时,"必须始终权衡每一个案件的事实"。Kulko v. California Superior Court, 436 U. S. at 92.[2] 州际交易的"性质和特征"有时可能如此"随机"、"凑巧"、或"淡薄",[3] 以至于不能公平地说潜在被告"应当合理预测被强行拉入另一管辖权"。(大众汽车公司案,页 297。)我们还强调,一个通过"欺诈、不当影响或过于悬殊的谈判实力"而获得的合同条件,以及会"导致诉讼如此严重困难和不方便以至于一方当事人以所有实践目的都会被他在法院期间剥夺"的合同,都不能作为管辖权的根据。The Bremen v. Zapata Off‐Shore Co., 407 U. S. at 12, 18. Cf. Fuentes v. Shevin, 407 U. S. 67, 94‐96 (1972); National Equipment Rental, Ltd. v. Szukhent, 375 U. S. 311, 329 (1964) (布莱克大法官反对意见);(管辖权规则不能用于针对小的消费者以"粉碎他们的防御")。正如正当程序条款允许在保证商事行为人不会有效地逃避他们自愿在其他州设定的义务结果而产生的判决〔麦吉案,页 223,另参见 United States v. Rumely, 345 U. S. 41, 44 (1953) (法院不必对"其他人能够看见和理解的"事务视而不见。)〕

然而就上述理由而言,本案没有表明存在这些危险。由于鲁泽威兹与伯格·金迈阿密总部建立了实质性和持续的关系,从合同文件中以及从交易过程中都得

---

〔1〕 我们并不是说在特许案件中管辖权结果总是相同的,某些特许可能在性质上主要是在州内的或者涉及不同的决策结构,以至于一项特征不应当合理地预测州外的诉讼。此外,注释法学家曾主张特许关系在其开始和运作中有时可能涉及不公平商业实践。见 H. Brown, Franchising Realities and Remedies 4‐5 (2d ed. 1978)。基于这些理由,我们反对伯格·金如下建议,即"参与州内特许关系的一项一般规则或至少一项推定"代表对特许者主营业地管辖权的同意。(上诉人法律理由书,页46。)

〔2〕 这一方法当然排除了一刀两断似的清晰的管辖权规则。但是任何对于"公平游戏和实体正义"的追问都必然要求决定"几个必须的以非白即黑的方式回答的问题"。灰色空间是居于主导性的,甚至在这些灰色区域内,还有无数的阴影。436、U. S. at 92。

〔3〕 汉森案,页 253; Keeton v. Hustler Magazine, Inc., supra, 465 U. S. at 774;大众汽车公司案,页299。

到了关于他可能在佛罗里达州受讼的公平通知,而且由于鲁泽威兹没有证明在该法院地的管辖权是如何具有根本上的不公平,因而我们得出结论认为,地区法院根据佛罗里达州制定法第 48.193（1）（g）节行使管辖权没有违背正当程序。因此撤销上诉法院的判决,案件发回根据本意见书进一步审理。

此令。

大法官鲍威尔未参与本案讨论和决定。

大法官史蒂文斯的反对意见,怀特大法官加入：

我的意见是,要求一位受特许人在这种案件中到特许人选择的法院地应诉有一个重要的不公平因素。无可争议的是,被上诉人在佛罗里达州没有营业地,也没有雇员,也没有获得许可在那儿做生意。被上诉人没有在密西根准备他的炸薯条和汉堡包,然后把这些食品送往佛罗里达州的商业流水线"期待消费者购买"。同前,页 2182。相反,被上诉人只在密西根做生意,他的生意、财产和所得税都在该州,而且他的产品也是在该州出售。

在整个商事关系中,被上诉人与上诉人的主要合同都是在密西根办事处进行的。尽管如此,对此表示异议的本院却似乎最终只不过依赖于包含在各种文件中的半生不熟的语言确定被上诉人"有意利用佛罗里达州法律的收益和保护"。这种表面化的分析,不仅在特许者与其受特许者之间,而且更重要的是在解决这种关系中有时不可避免的争议时,给不公平制造了一个潜在机会……

注释与问题

1. 鲁泽威兹与伯格·金之间签订的特许协议规定,"本协议得在受佛罗里达州迈阿密 BKC 接受和执行时而生效；它得被认为在佛罗里达州制作和签订并得受佛罗里达州法律调整并根据该州法律进行解释。法律选择条款并不要求所有涉及本协议的诉讼均提交佛罗里达州解决"。为什么这一条款本身不足以确立对鲁泽威兹的基于同意的管辖权？见最高法院意见书脚注 14 和 24。我们随后将讨论"法院地选择"条款。

2. 鲁泽威兹与佛罗里达州的联系是不是比大众汽车公司与俄克拉荷马州之间的联系更"有意/有目的？"他的汉堡包是否比大众汽车的奥迪更具有活动性？最高法院是如何区别于大众汽车公司案的？

3. 假设鲁泽威兹曾经有过一位由伯格·金派来的管理顾问以评估它在密西根的经营状况,他的顾问合同从迈阿密总部送至他在密西根的办事处,他签署并通过邮件返回。这一合同要求项目在 3 个月之内完成,伯格·金不满意他的工作成果,在佛罗里达州提起了一个违约诉讼,该州对该被告有管辖权吗？最高法院如何区分这一案件？

4. 假设鲁泽威兹从一份杂志上剪下一封邮件订单并将它送至在迈阿密的阳

光瘦身公司，该公司将减肥器材海运给在密西根的鲁泽威兹。如果鲁泽威兹没有支付这个账单，阳光公司能够在佛罗里达州起诉他吗？这一合同与鲁泽威兹与伯格·金签订的合同之间有何不同？

5. 假设鲁泽威兹受到减肥器材的伤害并决定提起对阳光公司的产品责任诉讼，密西根有管辖权吗？本案与注释4中的阳光公司诉鲁泽威兹有何差别？

6. 关于"公平游戏"因素和"最低接触"标准，伯格·金案件教会了我们什么？

7. 尽管伯格·金在本案中胜诉，最高法院仍然拒绝认定参与州内特许关系会构成同意在特许者的主营业地接受管辖。参见最高法院意见书注释28。伯格·金的律师把行使管辖权的根据建立在同意的理论基础上是不是很聪明？回顾一下自赫斯案到国际鞋业案以来法律的发展。你们认为最高法院坚定不移地在对人管辖权领域不采取任何一般规则是为什么？

实务练习二十八
对规则12（b）驳回诉讼动议的裁定

送：法官助理
自：麻省地区联邦地区法官
主题：关于肖诉东北法学院一案中12（b）（2）条动议的处理建议

诺里斯·肖是麻省公民，他提起了一个针对佛蒙特东北法学院及其员工阿尔伯特·格罗斯的异籍诉讼。肖在起诉状中提出了两点诉讼请求，一是对学校违反合同的赔偿，二是对格罗斯故意进行精神折磨的赔偿。

肖诉称在《波斯顿周日全球教育版》上读到关于东北法学院的一篇文章后，他对于在美丽的绿色山区（并且离本和杰里冰淇淋很近）学习法律的前景充满了兴趣，于是他写信给这所学校表达了这种兴趣。东北法学院回信并向肖在麻省的家中邮来了学校的目录和申请表。肖填写好申请表并寄回东北法学院，并于奏收到了该校邮寄来的接受函。肖寄去了1500美元备用金并注册为1996年秋季的法律本科生。

他在东北法学院学习的第二年，选修了格罗斯教授（佛蒙特永久居民）一门课程"极度复杂的诉讼"。尽管肖认为他掌握了这些资料，但他却没有及格，结果他被学校辞退了。（他的GPA一点也不引人注意，以至于F将他放在要求的最低分数线以下。）在试图通过学校的复议程序改分数没有成功之后，肖回到麻省并提起了本案诉讼。

原告诉称，他通常在课堂上不同意格罗斯教授的意见，因此格罗斯报复他而让他不及格。他主张教授故意施加精神损害，因而学校拒绝撤销这个分数构成了对学校与肖之间合同的违约。

被告东北法学院和格罗斯均提出动议，请求根据联邦民事诉讼规则12（b）（2）驳回诉讼。学校提交了一份宣誓证词，声称它惟一的业务地点是在佛蒙特，它在麻省从来没有办事处、通讯地址、或在麻省电话簿上有过电话，它也从来没有在那儿做过业务。宣誓证词的确承认东北法学院偶尔向麻省发布信息，以通知以前学法律的人和在校生关于该校的情况。格罗斯提交了一份宣誓证词，声称他从未涉足于麻省，与该州没有任何联系。

我需要你制作1份备忘录，建议我应当如何对这2份动议作出裁决。你会回忆起在实践练习二十七中附印的麻省长臂制定法。

第九节 基于被告财产出现而行使的管辖权

在上述实践练习的案件中，如果格罗斯教授在麻省的马撒葡萄园岛拥有一栋空房子，对格罗斯教授行使司法权力的问题有什么不同？如果格罗斯在这个家里批改肖的文章而给了他这个分数，对肖的请求可能会产生一个特别管辖权是有理由的。但是假如没有这种联系，回到彭诺耶案公式，房屋所有权也提出两个可能的管辖权根据。首先，肖能够努力在教授在家时送达传票——根据彭诺耶案机制，在法院地州送达构成亲自"出现"。在本节中我们将探究法院权利的现行制定法根据。

其次，肖可以引起查封房屋并主张准对物诉讼管辖权（ *quasi in rem jurisdiction* ）——在彭诺耶案机制下，格罗斯的财产出现制造了对他根据无关联侵权请求的管辖权，允许作出不超过财产价值的判决。（你们会想起这是在彭诺耶案中针对内夫以及在哈里斯案件中针对鲍克作出判决的根据。下面摘录的最高法院1977年判决剧烈地改变了这一类型的司法权力。

谢弗诉海特纳
Shaffer v. Heitner
433 U. S. 186（1977）

大法官马歇尔制作本院意见书：

本案的争议涉及特拉华州制定法合宪性问题，该制定法允许该州某一法院通过扣押（sequester）*被告碰巧置于特拉华州的任何财产而取得管辖权。上诉人争辩道，在本案适用的关于扣押的制定法违反了第十四修正案正当程序条款，因

---

* 译者注：本节所译"扣押"，除特别注明外，均指 sequester，即权利待决的扣押；seize 译为"（实施）扣押（的）行为"。详见第二章译注。

为它允许州法院不顾被告、诉讼与特拉华州之间缺乏充分接触而行使管辖权,同时因为它授权在未提供充分程序保障的情况下剥夺被告的财产。我们认定必须考虑的是第一个论点。

I

被上诉人海特纳不是特拉华州的居民,他持有格雷洪德公司的股票,这家公司的主营业地在菲尼克斯,受特拉华州法律调整。1974 年 5 月 22 日,他在特拉华新城堡郡衡平法院提起股票持有人派生诉讼,格雷洪德被列名为被告,它完全控股的分公司格雷洪德阵线公司[1]以及两家公司的 28 位现任或前任官员或领导。海特纳实质上诉称个人被告们致使格雷洪德及其分公司从事了导致公司在一场反托拉斯诉讼[2]中对实体损害赔偿承担责任并受到一次刑事藐视法庭罚款[3]的行为,已违反了他们对格雷洪德的义务。导致这些罚款的行为发生在俄勒冈。

海特纳在提交起诉状的同时提交了一份动议,请求根据《特拉华州法典注释汇编》第 10 编第 336 节[Del. Code Ann., Tit. 10, §366(1975)]之规定裁定扣押个人被告们在特拉华州的财产。[4]这一动议附上了一位律师声明个人被告不是特拉华州的居民的宣誓证词作为对动议的支持。这份宣誓证词指认了以下可供扣押的财产:

> 共同股份,3% 的第二次积累认购股份和被告格雷洪德作为一家特拉华公司的债权的股份,以及向所称个人被告发行的所称股份的所有买卖特权和认股证书及所有合同义务,所称被告中任何一名个人被告与所称公司之间根据任何书面协议、合同或其他法律载体所产生或增值的任何收益的所有权利、债务和债权。

所要求的扣押令在提交动议的当天签发。根据这一命令,扣押者对属于 19 名个人被告在格雷洪德公司的将近 82 万股共同股份实施"扣押"(seize)行为,[5]以及属于另外两名被告的买卖特权。这些扣押行为是通过"停止转移"命令或对格雷洪德的账面进行查封而实施的。就记录显示来看,没有任何认证(certificates)代表被扣押的财产本身(physically)在特拉华州出现。根据《特拉华州法典注释汇编》第八编第 169 节之规定,股票被认为是在特拉华,因而属于实施扣押的范围,这一规定使特拉华州成为特拉华公司所有股份持有权的所

---

[1] 格雷洪德阵线公司在加州注册,其主营业地在菲尼克斯。

[2] 格雷洪德在 Mt. Hood Stages, Inc. v. Greyhound Corp. 一案中败诉,承担了 13146090 美元的赔偿加律师费。1972 - 3 Trade Cas. P74, 824, aff'd, 555 F. 2d 687(9th Cir. 1977)。

[3] United States v. Greyhound Corp., 363 F. Supp. 525(N. D. Ill. 1973) and 370 F. Supp. 881(N. D. Ill.), aff'd, 508 F. 2d 529(7th Cir. 1974)。格雷洪德被罚款 10 万美元,格雷洪德阵线被罚款 50 万美元。

[4] 第 336 节规定:(略)

[5] 签发扣押令当天格雷洪德股票的收盘价格为 14 3/8 美元。纽约时报 1974 年 5 月 23 日第 62 页。因此扣押的股票价值约为 120 万美元。

在地。[1]

所有28名被告都收到了诉讼开始的通知，通知方式是直接向他们的最后确知地址邮寄认证函件或在一家纽卡斯尔地区的报纸上发布公告。财产被实施扣押的21名被告（下称上诉人）作出了回应，他们登录一次旨在动议宣告送达无效和撤销扣押命令的特别出庭。他们争辩，单方扣押程序不符合正当法律程序，被实施扣押的财产不能在特拉华扣押（attachment）。上诉人还主张，根据国际鞋业案规则，他们与特拉华之间没有能够支持该州行使管辖权的充分接触。

衡平法院驳回了这些论点，该院在意见书中强调特拉华州扣押程序的宗旨：

《特拉华州法典注释汇编》第10编第336节授权"扣押"的基本宗旨不是为保证占有本地债务人与债权人之间就谁有权得保留财产而进行的审判中的待决财产，相反，"扣押"是一种程序，用于迫使非居民被告本人出现以便对衡平法院所受理的针对他的诉讼作出答辩和防御，它的实施方式是本院指定扣押人去扣押和控制非居民位于本州的财产以待本院进一步命令。如果被告登录一次一般出庭，则被扣押财产通常就会被释放，除非原告提出特别申请请求继续扣押，而在这种情形下原告要承担提出证据责任和说服责任。

该院断定，对于财产扣押宗旨和时间长度的限定使本案不适用施奈达奇案、芬提斯案及米切尔案 [Sniadach v. Family Finance Corp., 395 U. S. 337 (1969), Fuentes v. Shevin, 407 U. S. 67, 96-97 (1972)] [Mitchell v. W. T. Grant Co., 416 U. S. 600 (1974)] 中所阐述的正当程序要求。该院还认定，根据《特拉华州法典注释汇编》第8编第169节实施扣押没有任何州法律或联邦宪法上的障碍。该院最后认定，特拉华州制定法关于股份所在地的规定为特拉华州法院行使准对物管辖权提供了充分根据。

在上诉中，特拉华最高法院维持了衡平法院的判决。最高法院的大多数意见致力于反驳上诉人的一个论点，即扣押程序不符合在施奈达奇案等一系列判例中确定的正当程序分析。该院反对这一论点的主要根据一部分是对衡平法院意见的赞同，即扣押程序的宗旨是迫使被告出现，这一宗旨与施奈达奇等判例无涉。该院还依赖于它认为是扣押程序的远古由来和对于本院在几个判例中对这一程序的支持，以及特拉华州在对特拉华公司不良管理的审判请求行使管辖权中的利益，还有该院在特拉华州制定法中发现的对被告的保障。

上诉人关于特拉华州法院对于审判这一诉讼没有管辖权的主张得到了较为仓促的处理。该院对于管辖权问题的分析包含在两个段落之中："在此争议的有一

---

[1] 第169节规定："基于权利、诉讼、诉讼保全扣押（attachment）、对第三人持有的债务财产的扣押（garnishment）、以及在本州行使的所有法院的司法权之目的——但不得以收税为目的——所有根据本州法律存在的公司的股份持有权所在地应当视为在本州，无论该公司是否根据本章规定进行组织"。

个重要的宪法性问题，但我们可以马上说我们不认为国际鞋业案规则是这些问题之一……理由当然是，根据336节产生的管辖权仍然是……根据股本在此出现而建立的准对物诉讼，而不是根据被告先前与法院地之间的接触。根据《特拉华州法典注释汇编》第8编第169节的规定，'所有根据本州法律存在的公司的股份持有权所在地应当视为在本州，'这一规定为管辖权提供了原始根据。特拉华州在此可以合宪地成立这些股份的所在地……在本案中也正是根据336节提供的基础而这样做的……"

我们撤销这一决定。

II

特拉华州法院指出，本案是作为准对物诉讼而提起的，以此反驳上诉人的管辖权异议。既然准对物诉讼管辖权在传统上是根据扣押在管辖权范围内出现的财产而取得的，而不是根据被告与该州之间的接触而取得，因而下面两级法院均认为上诉人所主张的缺乏与特拉华州之间的接触并不重要。这种分析假定由一个世纪之前彭诺耶案所确立的概念结构仍然站得住脚……

根据彭诺耶案，州的审判权限建立在对人或对财产的管辖权力基础上。这种基本概念体现在我们用于判决的词汇中。如果法院管辖权是根据其对被告"人"的权力，则诉讼和判决命名为"对人"，因而可以对被告施加人的义务而支持原告。如果管辖权是根据法院对于在其领土上的财产的权力，则诉讼称为"对物"或"准对物"，这种案件的判决效力仅限于支持管辖权的财产而不对财产所有人施加人的责任，因为他不在法院。在彭诺耶一案中，对物判决对财产进行了不利于所有人利益的处理，所有人仅仅该判决的"间接"影响。

彭诺耶案中的结论是，"每一法庭的权限都必须受到设立该法庭的州的地域限制，"从而严格地限定了可以对未居住在法院地州的被告实施对人管辖权的可能性。如果一名非居民被告不能在一州内找到，他就不能在那儿被诉。相反，既然财产所在的州被认为对该财产享有排他的主权。因而能够不管物主的所在地而进行对物诉讼。

彭诺耶案规则通过使非居民被告难以起诉而从总体上向他们倾斜。然而，这一优势由于作为居民的原告向法院提交了被告位于原告所在州的任何财产而满足了针对非居民被告的主张而减少……

在国际鞋业案中，被告、法院地及诉讼之间的关系成为考察对人管辖权的核心问题，州根据彭诺耶案规则的检验标准而享有的绝对主权并不是核心。这种偏离彭诺耶案的概念性措施的发展是为了增加州法院获得对非居民被告的对人管辖权的能力。

在调整对物管辖权的法律中发生的变化却不那么显著，但仍然有一种暗示：

彭诺耶案对人管辖权的翅膀折断了，该案判决却也没有毫发无损地作为对物管辖权的基础。一些论证杰出的下级法院意见书已经对这样的假设提出了质疑，即在一州出现的财产给予该州司法以审判财产的权利（right），不管作为其基础的争议和财产所有人与法院地之间的关系。注释法学家们压倒性多数也彭诺耶案的前提——"对"财产的诉讼不是对该财产所有人的诉讼，因此他们主张，调整一州行使对人管辖权的"公平游戏与实质正义的传统概念"也应当调整该州行使对于"人"在位于该州的财产的权利的管辖权。

尽管本院还没有直接提出这一主张，但我们曾经认定，除非作出过合理而适当的努力给予财产所有人实际的诉讼通知，否则财产不能受制于法院的判决。这一结论认识到，与彭诺耶案相反的是，不利的对物判决直接影响财产所有人，因为该判决剥夺了他在提交于法院的财产上的权利。同时，我们在马伦案中认定，第十四修正案权利不能取决于对诉讼进行对物或对人的区分，因为那是"一种标准如此难以捉摸和混乱不堪的区分，而且这种区分主要是由各州法院界定的，可能各州的区分互不相同"。

显然，州法院管辖权的法律不能再安全地站在彭诺耶案确立的基础上。我们认为，考虑公平与实质正义的标准是否应当被认定为既调整对人诉讼也调整对物诉讼的标准，这个时机已经成熟了。

III

将调整对人管辖权管辖权的"公平游戏与实质正义"的标准同样适用于对物管辖权，这种案件简单而直截了当。它的前提建立在一个共识之上，即"'对某物的司法管辖权'这个短语是一种在提到对人们在某物上的利益的管辖权时所使用的习惯性简略语"。（《冲突法（第二次）重述》第56节，1971年。以下称《重述》。）这种共识引致一个结论，即要给行使对物管辖权提供正当理由，管辖权的根据就必须足以提供行使"对于人们在一件东西上的利益的管辖权"的正当理由。[1] 确定是否对人们的利益行使管辖权是否符合正当程序条款的标准是在国际鞋业案中阐述的最低限度接触。

当然，这一论断并不忽略这一事实，即财产在一州的出现可能通过提供法院地州、被告及诉讼之间的接触而蕴藏着管辖权的存在。比如，当对财产本身的请求是原告与被告之间争议的根源时，财产所在州不享有管辖权的情况是不常见的。在这类案件中，被告对位于该州的财产的请求通常表明他预期从该州对他的利益的保护中获得收益。该州在确保在自己境内的财产的市场能力方面以及在为

---

[1] 的确，在对物诉讼案件中被告的潜在权能仅限于该财产的价值，但这种限定并不影响这一论断。将一个被告置于一州法院管辖权之下的公平性不取决于受讼请求的大小。

和平解决因拥有这项财产所产生的争议方面的强大利益也会支持其行使管辖权，同时还有重要的记录和证人将在该州找到的可能性（也会支持其行使管辖权）。在那些因为在未出现的物主的土地上遭受损害，而起诉的案件中，财产的出现也可以支持行使管辖权，在这类案件中，财产的所有权已经承认，但诉因却与产生于该所有权的权利和义务相关。[1]

因此，行使现在对物提起的许多类型的案件的管辖权都不受"确认州法院管辖权必须满足国际鞋业案标准"这一判决理由的影响。然而，对于像哈里斯诉鲍克一案这样典型的准对物诉讼和本案这种类型，接受建议的分析（Proposed analysis）将会导致重大变化。在这类案件中，现在作为州法院管辖权根据的财产完全与原告的诉因无关，因此尽管被告的财产在一州出现可能表明被告、（法院地）州、和诉讼之间存在其他纽带，但财产出现本身不支持州的管辖权。如果那些其他纽带不存在，就不能在该法院地提起这些现在认为州对之享有管辖权的那些案件。

既然接受国际鞋业案标准会对这类案件产生最大的影响，但我们审查了反对在与这些标准相关的案件中采纳这些标准的观点。不过我们在这样做之前要提示，这类案件也提出了对于喜欢以单一标准评估管辖权行使的观点的最清晰的阐释。因为在哈里斯案和本案中，财产所扮演的惟一角色是给将被告提交法院提供基础/根据。的确，特拉华州扣押程序的明确目的是迫使被告登录本人出庭。[2] 在这类案件中，如果直接确认对被告的对人管辖权违反宪法，似乎间接确认这种管辖权应当是同样不能允许的。

将财产出现作为管辖权的充分根据而审判州本来没有管辖权——如果适用国际鞋业案——的请求，其主要理路是，一个错误行为者"应当不能通过将其财产转移到一个他不受对人诉讼管辖的地方而逃避承担他的责任。"（《重述》66节。）然而，这一正当性辩解没有解释为什么承认管辖权应当不考虑财产在该州出现是不是因为试图逃避所有人的义务，也没有为审判其基础请求的管辖权提供支持。至多，它表明财产所在地州应当享有通过适当程序扣押该财产的管辖权。[3] 当诉讼能够按照国际鞋业案的标准而在法院地进行时，以此作为在法院地诉求的判决的保障。此外，对于这样一个设想，即一个债务人能够通过将其财产转移到他的债权人不能获得对他的对人管辖权的州而避免承担责任，我们无从

---

[1] 如果根据对物管辖权而不是根据长臂制定法而提起这样的诉讼，那就是准对物诉讼……

[2] 特拉华强调了这一目的，它拒绝允许就实质性问题进行任何防御，除非被告登录一次一般出庭从而获得完全对人诉讼的权能。

[3] 见 North Georgia Finishing, Inc. v. Di－Chem, Inc. 419 U. S. 601（1975）、米切尔案、芬提斯案、施奈达奇案。

得知这种设想有什么正当理由。总而言之，完全诚实与信用条款使得一州作出的可执行的对人判决可在所有其他各州生效。[1]

也许有意见表明，允许行使对物管辖权避免国际鞋业案标准中内在的不确定性，确保一个原告一个法院地。[2] 但我们相信，国际鞋业案的公平标准在绝大多数案件中能够很容易适用。同时，当一个特定的法院地根据国际鞋业案是否存在管辖权不甚清晰时，通过避开管辖权问题而简化诉讼可能牺牲"公平游戏与实质正义"，这个代价太高了。

于是，剩下的问题是考虑仅仅根据财产在一州出现而确定管辖权的漫长历史的重要性。关于属地权力对于管辖权的重要性和充分性的理论尽管已经强调过，但我们从来没有认为财产在一州出现不会自动地赋予对在该财产上有利益的所有人的管辖权。这一历史必须视为支持这个命题，即仅仅根据财产的出现而行使管辖权符合正当程序的要求，[参见 Ownbey v. Morgan, 256 U. S. 94（1921）]但这不是决定性的。"公平游戏与实质正义"很容易被那些不再具有正当性的古老形式的一成不变所违反，就像它被采纳那些不符合我们宪法遗产的基本价值的新程序所违反一样。虚构确认对财产的管辖权就是确认对财产所有人的管辖权会支持一个没有现代正当性的古老形式，它的持续接受只会允许行使对被告根本不公平的州法院管辖权。

我们因此得出结论：对州法院管辖权的所有确认都必须根据已在国际鞋业案及其后裔判例中提出的标准。[3]

IV

特拉华州法院在本案行使管辖权的根据仅仅是制定法所规定的上诉人财产在特拉华州出现。但该财产既不是本案件的诉讼标的，也不是与该财产有关的诉因。因此上诉人持有格雷洪德的股票不能提供足以支持特拉华州法院对上诉人行使管辖权的充分接触。如果存在管辖权，那么管辖权必须有其他根据。

上诉人海特纳没有主张上诉人曾涉足于特拉华州，也没有指认与他的诉讼有关的任何行为是在特拉华州发生的。不过，他辩称，上诉人作为一家具有特拉华性质的公司的领导和官员，足以提供与赋予其法院在股东派生诉讼中行使管辖权的州之间充分的"接触、连结和关联"，（国际鞋业案，页319。）这一论证主要

---

[1] 且一个有资格行使管辖权的法院确定被告为原告的债务人，则允许在一个被告有财产的州提起实现该债权的诉讼被认为没有什么不公平，无论该州是否有管辖权来决定债务作为本源事项是否存在。

[2] 本案没有提出因此我们也没有考虑这个问题，即，当原告可选择其他法院地时，被告的财产在一州出现能否成为管辖权的充分根据。

[3] 重新审查根据彭诺耶案和哈里斯案的理路决定的案件事实，以确定是否可以根据我们今天采纳的标准而维持管辖权，这种事实审查是无所收获的。就先前标准与今日标准不相符合的程度而言，先前的判决已被推翻。

根据是海特纳所主张的特拉华州在监督特拉华公司的管理方面的强大利益,并声称这一利益产生于特拉华州法律在设立公司和界定公司官员和领导对公司的义务方面的作用。被上诉人断言,为了保护这一利益,特拉华州的法院必须对于像上诉人这样的公司信托人(fiduciaries)享有管辖权。

这一论点的硬伤在于,上诉人发现如此强大的州的利益在特拉华州的制定法中并没有申明。特拉华州法律将管辖权的根据建立在上诉人的财产在本州出现的基础上,而不是上诉人作为公司信托人的身份。尽管本案使用的扣押程序可能在针对官员和领导的信托诉讼中使用得最为频繁,但授权的制定法却没有表示对这类诉讼的特别关注。扣押在针对非居民提起的任何诉讼中都能使用,而其适用于信托人只有当他们碰巧在一家特拉华公司中拥有利益时,或者当他们在特拉华州有财产时才可以。如果特拉华将它在保障对公司信托人的管辖权上的利益看得像海特纳所提示的那样强大,那我们会预期它已经颁布了一项为保护这一利益而设计的更清晰的制定法。

此外,即使海特纳对特拉华的利益之重要性的估量是可以接受的,他的论证也没有证明特拉华州是本案诉讼的公平的法院地。被上诉人已指认的利益可以支持适用特拉华法律来解决对于上诉人在公司中作为官员和领导的职能行为引起的争议,但我们已经反驳了一种论点,即,假如一州的法律能够适用于一个争议,那么该州的法院就必须对该争议的当事人享有管辖权。

"该州没有……管辖权,因为它不是争议的'重心',也不是诉讼的最方便位置。本案的问题是管辖权而不是法律选择,这一问题的解决要考虑(上诉人的)行为"。(汉森案)

被上诉人提示,上诉人通过接受作为一家特拉华公司官员或领导的职位而实施了汉森案所要求的行为。他指出,特拉华州法律为公司官员和领导提供了实体利益,这些收益至少部分地成为上诉人保留他们职位的一种激励。他说,当上诉人被指控滥用他们的权力时,要求上诉人反过来为了这些收益而在特拉华州答辩"绝对公平和正义"。

然而,正像海特纳第一个论点所述,这一论证路径的基础仅仅在于,特拉华州法律调整上诉人对格雷洪德的义务以及公司股票持有人义务具有适当性。它没有证明上诉人以一种将会把自己置于一家特拉华州法院管辖之下的方式"有意利用在法院地州从事行为的特权",(汉森案,页253。)上诉人与特拉华州简直就是毫无关系。同时,上诉人没有理由预期被扯进一家特拉华州法院。特拉华和其他一些州不一样,它的制定法没有把接受领导职位当成是同意接受该州管辖。它的"捉襟见肘的理由表明,任何在一家公司购买证券的人都构成'默示同意'受制于特拉华州就任何诉因行使的管辖权"。上诉人并没有被要求在格雷洪德获得利益以保住他们的职位，他们也没有通过获得那些利益而放弃他们只被提交那些曾经与之有过"最低限度接触"的州判决的权利。

特拉华州在本案中行使对上诉人的管辖权与宪法对州权力的限制是不相符的。特拉华最高法院的判决必须撤销。此令。

大法官伦奎斯特没有参与考虑和决定本案。

大法官鲍威尔的并存意见：

我同意国际鞋业案的原则应当扩大到调整一州法院对物管辖权的行使，就它像调整对人管辖权一样。我也同意，无论是制定法所规定的上诉人财产在特拉华州出现，还是上诉人作为一家特拉华公司的领导和官员，都不能提供充分接触以支持特拉华州的法院在本案中行使管辖权。

然而，我会根据以下理由而明确地撤销判决，即，当某些形式的财产所在地无争议地、恒常地位于某州之内时，拥有这些财产是否提供了必须的接触而将被告置于该州以该财产价值为限的管辖权之下。特别是在不动产案件中，保留普通法中的对物管辖权概念将富有说服力地避免国际鞋业案的一般标准的不确定性，而又不会以牺牲"公平游戏与实质正义的传统概念"为巨大代价。

在作出上述保留的前提下，我加入本院的意见书。

大法官史蒂文斯，在判决中的并存意见：

正当程序条款用于保护不受"没有通知"的判决的侵害。（国际鞋业案，页324。）（布莱克大法官的意见）在我们的整个历史中，可接受的对物和准对物管辖权行使都包括了一个提供合理保障特定请求的实际通知能够传达给被告的程序。因此，公告、通过挂号信通知、或者在域外向本人送达，都是任何作为在管辖权范围内对人送达的替代方式的完整组成部分。

我相信公平通知的要求还包括公平提示一个特定行为可能使一个人受属于一个域外主权。如果我到一个州，或者在该州获得不动产或开一家银行，我就能明知地推定存在着该州将在我的财产或我本人在那儿时对之行使管辖权的风险。我与该州的接触尽管是最低限度的，却产生了可预见的风险。

从一家根据外籍法律组织的公司购买股票的结果也许应当也相同，因为一个人的财产和利益因此在某种有限的程度上受制于该公司所在地州/国家的法律。作为国际性法律的事项，这种提示可能是可以接受的，因为一家域外投资要求投资者研究他的决定的派生信息通常不是那么适当。然而在国内市场上买证券却是完全不同的事情。

一个在公平市场上购买股票的人几乎不能预期他因此而受诉于一个远离自己住所而且与交易无关的法院地，作为实务事项，特拉华州关于扣押的制定法制造了一种没有通知而作出判决的不可接受的风险。特拉华不像其他49个州那样将公司注册地作为其股票所在地，即使持有人和股票监事人均在别处也一样。此外，特拉华州拒绝给予被告就诉讼的实质性问题进行防御的机会，除非他受制于法院没有限制的管辖权。因此，它迫使被告要么在本来不能行使管辖权的法院地接受其对人管辖权，要么丧失已被扣押的证券。如果特拉华州的程序受到支持，它就会实际上给每一位在全国市场上购买证券的人施加资讯的义务，因为除非购买者对他买股票的公司的注册地州和它的怪癖法律都十分确定时，他才可以设想未知的诉讼风险。因此我对于本院的结论表示同意，即根据提交给我们的诉讼记录，管辖权的存在没有充分根据，特拉华州的制定法具有一目了然的违宪性。

我并不完全清楚最高法院的意见如何可以在其他场合适用。我同意大法官鲍威尔先生的一点意见，即该意见书不应当解读为宣告准对物管辖权在涉及不动产时无效。我也不会把它解读为宣告其他长期接受的方法无效——那些方法以是以充分通知特定争议和本人在当地的活动可能使他受诉的事实而获得对人管辖权的。我对于形成这一意见不大肯定，我还担心这一意见会旨在决定一个比处理本案所必需的要多得多的东西，这种不确定和担心说服我仅仅同意判决部分。*

大法官布伦南，部分同意，部分反对：

我加入本院意见的第一至三部分意见。我完全同意在国际鞋业案中发展起来的最低接触分析代表着对于州法院行使管辖权的深谋远利的建构，它不只是给彭诺耶案判决以来形成的法律的和事实的虚构打了一个补丁。非常确切地说，考察最低限度的接触现在已具有如此凌驾一切的重要性，以至于我必须对本院意见书中的第4部分提出反对意见。

I

今日判决的第一至三部分的基本原理是，一州在谋求宣示对位于其境外的一个人的管辖权时，只能根据当事人、发生争议的交易、以及法院地州之间的最低限度接触。然而特拉华最高法院未能清晰地表明它的扣押制定法，亦即《特拉华州法典注释汇编》第10编第336节（1975年），没有以此为根据运作，而是严格体现了准对物管辖权，这种对管辖权的表述已不合宪：" 根据336节产生的管辖权仍然是……根据股本在此出现而建立的准对物诉讼，而不是根据被告先前与法院地之间的接触"。[Greyhound Corp. v. Heitner，361 A. 2d 225，229（1976）.]这一州法院的裁定明显与当事人的理解同出一辙，因为被上诉人从来

---

* 译者注：判决（书）（judgment）仅对个案作出处理结论，而意见（书）（opinion）中除包括判决之外，还包括对于判决理由（holding），判决理由对判决的根据（包括各种法律渊源及理论）所作的大量阐释又成为日后判例法发展的根据。史蒂文斯大法官在这里表示仅仅并存于最高法院判决书（judgment），而慎于将自己的意见并入最高法院的多数派意见书（opinion）中，实际上是谨慎地强调本案结论的个别性，能否成为普适的准则有待于今后的发展。

没有对是否存在最低限度的接触进行过诉答，或就这个主题进行过证据开示，特拉华州法院也没有对此进行过裁决。本院没有管这些事实，就在第四部分直接形成关于最低限度接触问题的结论，认定适用于上诉人的这一接触不存在。简而言之，本院在适当地和有说服力地决定特拉华州承认其有效的准对物制定法无效之后，马上就进入到认定一项最低限度接触的法律也不能合宪地适用于本案。

在我看来，不用再去找建议性意见的更纯粹的例子了……

我担心本院行为不恰当是基于两个其他的考虑。其一，不可避免地要考察最低限度接触，在很大程度上取决于法院地州与争议之间的细节所形成的适当的事实基础。由于原告-被上诉人和州法院都认为在这种情况下进行这种考察无关紧要，本院今天就不能从适当的事实记录中得出自己的结论。此外，本院的这种处理拒绝了被上诉人寻求就接触问题进行证据开示的机会。其二，必须记住，本院的裁定是宪法性的裁定，将必然影响到所有50个州的管辖权法律。这通常会建议在宪法性宣告中保持节制，当然它应当提醒本院小心避免将手伸向决定一个像本案这样还没有从州法院中产生的、成熟到可以按照联邦问题进行审查的程度的问题。

II

不过，由于本院就最低限度接触问题作出了裁定，我觉得必须表达我的观点。一方面证据通过证据开示而呈现才可能让我感到满意，从而相信在本案中的确缺乏最低限度的接触，另一方面我相信，作为一项一般规则，一州法院地对于审判股东派生诉讼享有管辖权，只要这一诉讼的核心是具有该州特性的公司中的领导和官员的行为和政策。因此，我不像本院意见那样禁止特拉华州行使对上诉人的管辖权，只要该州说服我它的这种行为是以最低限度接触为基础。

已经完美解决的一个问题是，像本案这样的派生诉讼通常主要不是涉及被列名的原告的利益，而主要是公司及其所有人亦即股票持有人的利益。"这样一位原告提交法院的诉因不是他本人的而是公司的……这样的原告在诘问不诚实的管理人时经常可能代表一个重要的公众（群体）和股票持有人的利益"。

以此观之，这个特许（公司成立）的州通常在保障为涉及可能有多方被告信托人的诉讼请求提供方便的法院地方面，以及在主张该州关于其本州公司管理的实体政策方面都享有强有力的利益。我相信我们的判例公平地确立了，在估量一州可否合宪地主张对特定诉因的管辖权时，该州的有效实体利益是十分重要的考虑。

在本案的情形下，特拉华州至少可以指出三个相互关联的公共政策是通过其主张管辖权而得以发展的。首先，该州在为据称是信托不端行为的受害者的其本地公司提供救济方面享有实体利益，即使管理决定是在其他州做出的。这项在为自己自己的居民提供救济方面的州的一般利益之重要性能够在一些判例中找到先前的表述，那些判例超出了当时占上风的正当程序框架而授权州法院管辖在一州内伤害他人的非居民汽车司机。（赫斯案，页352。）更近的判例引导各州谋求并取得对在州外实施侵权行为而在州内发生后果的非居民的管辖权。［比如格雷案，Gray v. American Radiator & Standard Sanitary Corp., 22 Ill. 2d 432 (1961)］。其次，一些州法院在诉因的中心在法院地州拥有明显的规范利益（保险规范）的一个地方时，曾合宪地扩大解释将它们的管辖权（比如麦吉案，页220。）最后，一个像特拉华这样的州在为管理和监督完全根据该州法律创设的实体的事务提供方便的法院地方面享有已受承认的利益。比如，即使在我们作出国际鞋业案判决之后，纽约州仍允许其法院对那些根据该州法律设立的信托的非居民受益人行使完全的管辖权，尽管那些受益人本人不像本案上诉人这样，他们没有进入纽约的任何公司。［Mullance v. Central Hanover Bank & Trust Co., 339 U. S. 306, 313 (1950).］当然，我不是在说特拉华州的种种利益为它接受对任何触及其本州公司事务的交易的管辖权提供了正当理由，但一宗诉称一家由该州设立并且其权力和义务均由该州法律界定的公司滥用基本管理权的派生诉讼基本上牵连着该法院地的公共政策……

因此，我进行最低限度接触分析的方法不同于本院，对我而言至关重要的是上诉人自愿把自己与特拉华州联系在一起，通过与该州一家本州公司建立长期而脆弱的联系而"援用该州法律的好处和保护"。他们因此选择了运用完全产生于该州规则和规章的权力（power）并承担同样产生的责任，并获得了特拉华州法律规定其公司官员可获得的收益的资格。也许司法效率之类的另一端问题明显支持选择另一法院地，但在摆在我们眼前的诉讼记录中并没有显示出来，当然，我们关心的只是"最低限度"的接触，而不是"最大限度"的接触。因此我相信，坚持认为上诉人在一个有资格的法院地特拉华州诉讼不是不公平的，特拉华州可能创设了证明是直接适用于上诉人与该州之间的信托关系的重要的公共政策。

注释与问题

1. 谢弗案的判决理由（holding）是什么？你如何陈述其判决理由的最宽版本？最窄的版本呢？

2. 在本案判决之后，前面实践练习中的格罗斯教授在家度假是否提供了一个对他行使管辖权的根据？在谢弗案之后，对物案件和准对物案件如果依然存在，那么幸存下来的是什么？

3. 鲍威尔大法官和史蒂文斯大法官在单独意见书中对最高法院的意见书提出了什么不同看法？比如，他们会如何处理格罗斯在家休假作为法院对他的权力的一个根据？这些不同意见给后面的案件提供了什么暗示？

4. 布伦南大法官批评最高法院作出了"建议性的意见"的根据是什么？即便事实如此，那么最高法院提供"建议"（advice）错在哪里？

5. 清楚地说明布伦南大法官的主张，即，特拉华州的法院在进行违背国际鞋业案正当程序标准的衡量之后，的确享有对被告的合宪权力。这是否预示着在10年之后的阿萨海案和伯格·金案件中"公平因素"将扮演重要角色？

6. 如果特拉华州有了一部像加州那样的长臂制定法（"本州的法院得以不与本州宪法和联邦宪法相冲突的任何根据行使管辖权"。加州民事诉讼法典第410.10节），本案会不会出现不同结果？最高法院在处理特拉华对谢弗等上诉人提出的问题时，关注的是行使管辖权的宪法根据还是制定法根据？

作为对谢弗案的回应，特拉华州颁布了《特拉华州制定法》第10编第3114节：（暂略）

特拉华最高法院在 Armstrong v. Pomerance, 423 A. 2d 174（1980）一案中维护了上述制定法，裁定，本州在监督那些对特拉华州的公司股票持有人负有信托义务的行为方面享有实体利益。该院论证道，这种利益的分量远远大于被告接受这些法院管辖而承受的负担（被告已经通过接受领导职位而自愿地把自己与这种公司联系在了一起）。对此联邦最高法院会同意吗？

7. 注意，最高法院对于一州扣押位于自己境内财产作为在他州作出的判决或执行这种判决之保障的权力与审理作为判决基础的请求的管辖权力进行了区分。见最高法院的脚注36和相应的正文文字。这种区分是否比对人管辖权与对物管辖权的区分更有意义？

8. 联邦民事诉讼规则1993年增补的规定将（诉讼保全）扣押管辖权的使用限制在这种情形：当"证明经以本规则授权的传票送达任何方式进行合理的努力仍不能在提起诉讼的地区取得对被告的对人管辖权时"。联邦民事诉讼规则4（n）（2）。这一改变有意义吗？为什么？

9. 马歇尔大法官代表最高法院制作的意义书中认定，"州法院行使的所有管辖权均必须根据国际鞋业案及其后裔判例中提出的标准进行衡量"。（433 U. S. at 212）下面的判例是否向你们证明，这种宽泛的司法宣告具有危险性？

第十节　仅根据在法院地州向本人送达而行使的管辖权

伯纳姆诉加利福尼亚州上等法院
Beurnham v. Superior Court of California
495 U. S. 604（1990）

大法官斯卡利亚宣布本院判决并制作意见书，首席大法官和肯尼迪大法官加入意见书，怀特大法官加入意见书的第 I、II – A、II – B 和 II – C 部分。

本案所提出的问题是，第十四修正案正当程序条款是否否定了加里福尼亚州的法院对一位非居民行使的管辖权，这位非居民临时在该州时亲自接受了送达，而诉讼与他在该州的活动无关。

I

申诉人丹尼斯·伯纳姆于 1976 年在弗吉尼亚西部嫁给了弗朗斯·伯纳姆。1977 年这对夫妇搬到了新泽西，在那儿生下了他们的两个孩子。1987 年 7 月伯纳姆决定分开。他们商定由想搬到加州的伯纳姆夫人监护两个孩子。就在伯纳姆夫人在同月离开家去加州之前，她和申诉人同意她将以"不可调和的差异"为由提起离婚诉讼。

1987 年 10 月，申诉人在新泽西州法院以"遗弃"为由提起离婚诉讼。但申诉人没有取得签发针对他妻子的传票，也没有尝试向她送达传唤文件。伯纳姆夫人在要求申诉人坚持他们先前的协议提起以"不可调和的差异"为由提起离婚诉讼未能成功之后，于 1988 年 1 月上旬在加州法院提起了离婚诉讼。

1 月下旬，申诉人到加州南部出差，然后去北部看望在旧金山海湾地区的孩子们，他的妻子住在那里。他把大孩子带回旧金山呆了几个星期。当他于 1988 年 1 月 24 日送孩子回伯纳姆夫人的家时，他接到了一家加州法院的传票和一份伯纳姆夫人的离婚起诉状。他随后回到了新泽西。

那年之后，申诉人在加州上等法院有一次特别出庭，动议宣布传唤文件送达无效，理由是法院对他没有对人管辖权，因为他与加州之间的接触仅仅是为了出差和看望孩子而进行的一次短暂旅行。上等法院驳回了这一动议，加州上诉法院驳回了强制令救济（mandamus relief），反驳了申诉人的如下抗辩，即正当程序条款禁止加州法院对他主张管辖权，因为他与该州之间缺乏"最低限度接触"。该院认定，"被告在法院地州出现并亲自接受传唤文件送达"是"根据对人管辖权而行使的有效管辖"。我们同意发出调卷令。

II

A

一个没有管辖权的法院的判决是无效的,这个命题可以一直追溯到《英国编年史》(the English Year Books),并被劳德·柯克在判例集(Case of the Marshalsea, 10 Coke Rep. 68b, 77a, 77Eng. Rep. 1027, 1041 (K. B. 1612). 中列入法律。在传统上,这一命题体现在"非法官的人面前"(before a person not a judge)这个短语中,意即,系争的诉讼程序因为没有合法的司法权限因而实际上不是一次司法程序,所以不能产生一个判决。早在第十四修正案采纳以前,美国的法院对于那些违反这一普通法原则的判决即已宣告其无效或拒绝承认。我们在彭诺耶案中宣告,一个没有对人管辖权的法院的判决违反也违反了第十四修正案正当程序条款。

为了确定行使对人管辖权是否违反正当程序,我们长期依赖于美国法院在划分每州权限的地理限制时在所遵循的传统原则。那一标准首先是在彭诺耶案中宣布的,在那个案件中我们声明,正当程序"含义是,根据那些在我们的法理体系中既已确立的规则和原则提供一个诉讼程序,以保护和实现私人权利"。包括"已完全确立的关于独立的州对于人和财产的管辖权的公共法律原则"。我们在国际鞋业案中对于这一标准的表述已成为经典,即一州主张对人管辖权如果不违反"公平游戏与实质正义的传统概念"即满足了正当程序条款。自国际鞋业案以来,我们一直只要求决定这些"传统概念"是否允许各州以一种背离19世纪以来适用的管辖权规则的方式对缺席被告行使管辖权。我们认定,这种背离是允许的,但只有在诉讼产生于缺席被告与该州的接触时才允许。* 比如见直升飞机案。我们今天必须决定的问题是,当被告在向他送达传唤文件当时本人出现在该州时,在这些案件中正当程序是否要求诉讼与被告跟该州的接触之间有相同的关联。

B

在美国传统上关于对人管辖权的已有原则中,最确定的是一州的法院对本人出现在该州的非居民享有管辖权。这一原则的最早观点是,任何一个州均有权力将能够在其境内发现的任何个人强行拉入它的法院,而且只要通过适当向其送达传唤文件的方式而取得对他的管辖权,该州就能够保留针对他作出判决的司法权,无论他的来访多么短暂。这一观点在英国普通法实践中已有先例,那些判例常常允许对于产生于该国之外的案件当非居民被告在英国露面时进行"暂时"

---

* 译者注:这里的注释引证了在直升飞机案、帕金斯案、国际鞋业案中对于最低限度接触的解释。因为这些判例在本书中几乎均已全文摘录,这里略去不译。

诉讼（transitory actions）。斯托里大法官相信这项渊源于罗马的原则在英国传统上有其牢固的根据："通过普通法，对人诉讼——暂时的——可以在能够找到被告方当事人的任何地方提起，"因为"每一个国家都可以……对所有在它版图上所有的人正确地行使管辖权"。

最近学者提出，英国传统不像斯托里想像的那样清楚〔Hazard, A General Theroy of State - Court Jurisdiction, 1965 S. Ct. Rev. 241, 253 - 260; Ehrenzweig, The Transient Rule of Personal Jurisdiction: The "Power" Myth and Forum Conveniens, 65 Yale L. J. 289 (1956).〕。不过，无论是不是准确，以同时代或接近同时代的判决来判断，人们一定会得出结论，在一个就现在的目的而言为十分关键的时间，美国各法院与斯托里的理解是相同的：这个时间就是 1868 年，第十四修正案被采纳的那年……

在 19 世纪和 20 世纪早叶，许多州法院的判决都认定，根据向亲自出现的被告进行向其本人的送达足以获得管辖权，不管该被告是在该州短暂停留还是诉因与他在那里的活动有关……同时，大多数州都有制定法或普通法规则免除了对一些个人的传唤文件送达，包括那些被强迫或欺诈手段带进该州的个人，或那些在该州的无关的司法诉讼程序中作为一方当事人或证人的个人。这些例外明显建立在一个前提之下，即传唤文件的送达赋予管辖权。特别引人注目的是，就我们能够确定的范围而言，自那个时期以来（或者就那个事项而言，直到 1978 年之前）没有一宗美国判例认定过——或者仅仅提过——在州内对一个人本人送达不能充分地赋予对人管辖权。

此外，这一美国管辖权实践不仅仅是古老，而且它仍然存续着……我们不知道有任何一个州或联邦制定法或者任何一个以州法律为根据的司法判决废除了将州内送达作为管辖权根据。许多最近的判例都重申了这一根据。

C

尽管存在这个难以对付的判例体系，但申诉人还是抗辩说，在我们适用国际鞋业案标准的那些判决中，非居民被告如果缺少与法院地州之间的"持续的和制度性的"接触，就只能在涉及产生于或有关他与法院地接触的事项上受制于判决。这一论点是对我们的判例彻头彻尾的误解。

19 世纪的绝大多数法院的观点是，一法院不能对一位从示在法院地接受过向本人送达的非居民行使对人管辖权。彭诺耶案。它因为申明第十四修正案禁止这样行使管辖权的原则而名声大噪，它实际上只是提出了那句格言并根据"完整确立的公共法律原则"判决了那个案子（该案涉及一个在第十四修正案获得批准的 2 年多以前提交审查的）。那些原则体现在正当程序条款中，要求（我们说）当诉讼"只涉及决定被告个人的人的能力时，他必须通过州内送达传唤文件的方式在（该法院的）管辖权范围内提起"。我们在一系列后来的判例中援引了那个规则，以之作为正当程序或"基本法理原则"事项。

然而，后面的几年就看到了彭诺耶案规则被日渐削弱。在19世纪晚期和20世纪早期，交通和通讯技术的日新月异以及州际商务活动的迅猛增长导致了对非居民个人和公司的"州管辖权的严格限制不可避免地宽松起来"。（汉森案，布莱克大法官的反对意见。）比如各州要求非居民公司指定一位能够接受传唤文件送达的州内代理人，以此作为在它们境内从事商事交易的条件，并规定因在该州引起伤害的非居民机动车辆驾驶员而在州内进行"替代送达"。我们最初根据正当程序条款支持了这些法律，理由是它们符合彭诺耶案的生硬要求，即要么"同意"（见赫斯案），要么"出现"。然而，许多人评论认为，同意和出现只是虚构的。我们在国际鞋业案中的意见没有理睬那些虚构，使这些判决背后的根据得到了明确阐述：正当程序不一定要求各州坚持彭诺耶案中提出的对管辖权的不变通的地域限制。对于没有在法院地出现也未同意（管辖）的被告行使管辖权的有效性取决于与法院地有关的"（他的）活动的性质和特征"是否使这一管辖符合"公平交易与实质正义的传统概念"。后来的判例又从国际鞋业案标准中抽出一条一般规则，即一州在产生于非居民被告在该州活动的诉讼中免于在法院地之内向本人送达。正如国际鞋业案所示，被告的与诉讼相关的"最低限度接触"可能替代本人的出现而成为管辖权的根据："在历史上，法院作出对人判决的管辖权根据是他们事实上对被告的人（身）享有权力，因此他在法院的地域管辖权范围内出现即成为作出对他本人有拘束力的判决的前提条件。（彭诺耶案，95 U. S. 714, 733）然而，既然对被告的拘传令（capias ad respondendum）已让位于向本人送达传票或其他形式的通知，正当程序只是要求，如果一被告不在法院地领域内出现，则将其置于对人判决的拘束之下必须与之有某种最低限度的接触，以使诉讼不会违反'游戏公平和实质正义的传统概念'"。

然而，今天案件中申诉人诉求确立的不同命题是：被告在法院地的出现对于新的、非传统的管辖权行使的生效而言不仅是不必要的，而且其本身也不再足以确立管辖权。无论国际鞋业案还是据之产生的以后判例中都没有为这样的命题提供任何支持。这一命题没有如实反映基本逻辑和我们的正当程序法理。需要支持的新的程序与需要维持的传统程序之间的界线是基本的，正好如我们一个世纪以前所评论的那样：

> 一个法律的程序如果能够证明这一程序已为英国和本国已确立的惯例所认可，而不是被禁止，则必须被认为是正当法律程序……在实质上，它一直是这片土地上的历史久远的法律……因此是正当法律程序。然而认定这样一种特征对于正当法律程序至关重要则会否定法律的除年代以外的其他特质，并将它禁锢在不能进步和发

展的范围内，那将会践踏我们的法理，使之成为属于米提亚人*和波斯人不可变动的法律。

这一事项简单地说就是根据亲身出现这惟一的条件行使管辖权是否构成正当程序，因为这是我们法律体系中的一个传统，是定义正当程序标准的"公平游戏与实质正义的传统概念"。这一标准被归类于"本人出现"而得到发展，狂妄地说，现在它可以反过来把枪口对准管辖权的基准了。

D

申诉人最有力的主张——不过我们最后给予了反驳——依赖于我们在谢弗案中的判决。在谢弗案中，一家特拉华法院听审了一个股票持有人针对公司领导人提出的派生诉讼，这家法院通过扣押被告在州外持有的该公司的股票而行使准对物管辖权，理由是特拉华的扣押程序只是一种机制，用以迫使缺席的被告在诉讼出现以确定他们的人的权利和义务，我们的结论是，我们根据国际鞋业案而形成的关于对缺席被告行使管辖权的一般规则应当适用，特拉华不能听审该案，因为被告与该州的惟一联系（在那儿拥有财产）与该诉讼无关。

申诉人辩称，谢弗案断定除非诉讼产生于一个个人在一州的行为则该州对其不享有管辖权，这种说法走得太远了。谢弗案就像国际鞋业案一样涉及对缺席被告的管辖权，并且只支持了这样一个命题：当替代本人出现的"最低限度接触"系由拥有财产而构成时，这种接触与其他的最低限度接触一样，必须与诉讼相关。我们在谢弗案中申明，"州法院行使所有的管辖权均必须根据在国际鞋业案及其后继判例中提出的标准加以衡量"。申诉人扩展了这一声明的语境。当我们把这两句与前面的句子放在一起解读时，这一声明的意见就变得清晰了：

> 虚构确认对财产的管辖权就是确认对财产所有人的管辖权会支持一个没有现代正当性的古老形式，它的持续接受只会允许行使对被告根本不公平的州法院管辖权。

我们因此得出结论：对州法院管辖权的所有确认都必须根据已在国际鞋业案及其后裔判例中提出的标准。

同前。换言之，谢弗案不是说行使对人管辖权的所有根据（包括假设在州内送达）都必须同等对待并受国际鞋业案中的"最低限度接触"分析调整，而是说准对物管辖权这个虚构的"古老形式"和对人管辖权实际上都是一个，它们是相同的事物，必须同等对待——这引致一个结论：准对物管辖权，比如根据"拥有财产"的接触并且是通过在州内对本人的送达而定义的接触所产生的对人管辖权形式必须满足国际鞋业案提出的与诉讼相关的要求。谢弗案的判决理由把

---

* 译者注：伊朗高原西北部的奴隶制古国。

针对缺席的非居民缺席的所有诉讼都放在相同的合宪性这个立足点上，它并没有推出这样一个结论，即被告本人出现必须与没有出现同样对待。正如我们长期以来表明的那样，我们的传统一直给予两类被告以完全不同的对待，把谢弗案解读为随意削弱这种差异是不合情理的。国际鞋业案把它的"最低限度接触"要求限定在被告"没有在法院地区域出现"的情形，谢弗案一点也没有把这一要求扩大到限定的情形之外。

然而，一方面我们今天的判决理由与谢弗案并不矛盾，另一方面，我们解决正当程序问题的方法有所不同。我们还没有对举足轻重的州内送达规则是否称心和是否公平进行独立的考察，把这一判断留待可以修订的立法去考虑吧；就我们的目的而言，它的有效性在于它的血统和门第，就像"公平游戏与实质正义的传统概念"这个短语一样清清楚楚。谢弗案没有进行这样的独立考察，就主张"'公平游戏与实质正义的传统概念'可能很容易被那些不再具有正当性的古老形式的一成不变所违反，就像它被采纳那些不符合我们宪法遗产的基本价值的新程序所违反一样"。当"古老形式的一成不变"被非常少数的州所坚持时这样的主张也许可以维护，然而，当一项管辖权原则既被传统所支持又在现实在仍然受欢迎，那就不可想像我们能够求助于什么样的标准才能判断它"不再具有正当性"。当我们没有办法消除对谢弗案或其他判例的判决理由的怀疑时，今天我们就只能再次重申我们的尊重时间的方法。对于新的程序——迄今为止还是未知数——正当程序条款要求加以分析以确定是否违反了"公平游戏与实质正义的传统概念"。然而一项人事管辖权的原理可以追溯到采纳第十四修正案的那一天并且仍然毫无疑问地被普遍认为符合这一标准。

III

这里对布伦南大法官在判决中的并存意见做出一点回应。这份并存意见坚持认为，我们应当适用"正当程序的同时代概念"来决定加州行使管辖权的合宪性。但我们今天的分析与这一前提是一致的，至少如果我们赋予它以我们的先例所允许的意义时是这样的。可适用于对人管辖权的"正当程序的同时代概念"是按照国际鞋业案所确立的标准维护"公平游戏与实质正义的传统概念"。用并存意见中的话说，如果一州法院坚持美国国内普遍适用并始终适用的管辖权规则，则符合那个概念。

然而，并存意见所建议的"正当程序的同时代概念"提出了更多的要求：它衡量州法院管辖权不仅要以我国的传统原理为背景，包括现行的州法院实践，而且要以每位大法官对什么是公平和正义的主观评价为背景。这个富有魅力的标准的权威在我们任何一个对人管辖权的判例中还没有找到。它确实是与"公平游戏与实质正义的传统概念"的公然决裂，它们将被改造成为"我们对于公平游戏与实质正义的概念"。

当并存意见试图解释为什么本案中的管辖权行使不符合它的"延续美国传统加上内在公平"的标准时，这一方法的主观性——因而不适当性——就暴露无遗了。布伦南大法官列举了伯纳姆从加州获得的"收益"，即在他在加州的那几天中，"他的健康和安全受到该州警察、消防和应急医疗服务的保障；他在该州的马路和水路上免费行走；他可能还享受了该州经济的成果"。这些收益在3天中的价值给我们的印象是，作为一个抽象的事物，它们远远不足以公平地确立加州对伯纳姆先生在10年婚姻存续期间的整个世界中所获得的物资以及对孩子的监护权发号施令的权力。我们敢说一次合同交易拿这些收益去交换那项权力肯定经不起统一商法典的"显失公平"条款的衡量。布伦南大法官所提到了其他的"公平"因素更没有说服力。据称，如果伯纳姆被允许在加州法院作为原告出现，但不是被迫作为被告出现在加州法院，就会制造一种"不对等"；当今这样出行如此容易，现代程序的设计如此方便，在加州法院出庭并不是很大的困难。然而这种主张的问题在于，它将为对每一个人行使管辖权提供正当理由，无论他是否曾到过加州。使伯纳姆先生脱离他的其余世界的惟一"公平"因素是上面提到的"3天"收益——而且那些收益还没有使他脱离那些同时在这个黄金州享受了3天的其他人（他们品尝着它的经济成果，利用着它的马路和警察服务），其他那些人却足够幸运，没有在他们逗留期间（仅仅因为品尝成果）接受传唤文件的送达从而受制于加州法院的一般管辖权。换言之，即使人们同意布伦南关于公平交易的概念，我们一直在讨论的"收益"也会解释为什么"在伯纳姆收到送达又回到新泽西而对他行使一般管辖权是公平的"，与证明"伯纳姆没有收到送达又回到新泽西而对他行使一般管辖权是公平的"的代价是一样的，而我们知道后者不是符合"正当程序的同时代概念"的。

我们必须认识到，布伦南大法官提到的一个因素，就是二者都区别于根据州内送达而行使的管辖权，而且二者都具有完全的说服力，亦即，自愿地在某州出现的被告对于他会在那里受诉有一种"合理的预期"。布伦南大法官通过把它归入"合理预期"的公式使之看起来像是一个"公平"的因素，然而在实际上，那只是作为"公平"的传统伪装。能够指称伯纳姆先生对受诉有合理预期的惟一理由是，这个联邦的各州都通过在一个人暂时出现在它们的领土上时向其送达传唤文件而行使对人的审判管辖权（adjudicatory jurisdiction），而且始终行使对人的审判管辖权。任何进入加州的人都应当了解那个延续下来的传统，而那个传统使得自愿进入加州的伯纳姆先生在那儿接受离婚诉讼具有公平性——至少在他除自己以外没有别人可指责的意义上来说是公平的。布伦南大法官的长篇大论是一个循环圈，将他置于穷途末路（leave him at the end of the day），使他依赖于他恰恰努力避免的因素：延续的传统的存在是不够的，公平也必须考虑；在这里公平之所以存在是因为存在一个延续的传统。

　　布伦南大法官的并存意见不愿意承认本院的大法官们可能会受到延续的美国传统的拘束——如果一个程序是公平的，也不愿意包含这种否认的逻辑结果，或者甚至不愿意把这种结果（逻辑的或其他的）弄明白。布伦南大法官说，"基于这些理由（比如，因为以上列举的合理性的因素），根据被告自愿在法院地出现而对其行使对人管辖权作为一个规则会满足正当程序的要求"。对于"规则"这个词的使用传达了一种确定的感觉，即他正在确立一项人们可以依赖的法律原则——然而，他当然没有做到。既然布伦南大法官关于合宪性的惟一标准是"公平"，那么"作为一项规则"就只不过是代表他的估计，他估计他在本案中讨论的关于"公平"的所有要素通常都是存在的。但假如这些要素不存在呢？比如假设处于伯纳姆先生情形下的一个被告享受的不是价值3天的加州"收益"，而是15分钟呢？或者假设伯纳姆先生没有到加州出差，而仅仅是去探望孩子，那我们拆除这些"收益"中的一项——"享受该州的经济成果"呢？或者假设伯纳姆先生证明他已穷困潦倒而不能利用现代交通和通讯的便利——这一点在布伦南大法官是相关的因素。或者假设加州法院没有布伦南大法官提到的减少州外诉讼负担的"各种程序设计"呢？人们还可以做其他假设，与缺少布伦南大法官讨论的因素无关，但与"公平"的最终标准所潜藏的因素的存在有关。比如，如果伯纳姆是在探望一个生病的孩子怎么办？或者一下快要死的孩子呢？参见 Kulko v. Superior Court of California, City and County of San Francisco, 436 U. S. 84, 93 (1978)。但没有理由把他们置于我们美国实践的核心，使它们接受关于管辖权根据的"合理性"的考察，迄今为止一直被认为是合理性的基准的，就是本人出现。

　　我们与布伦南大法官的分歧与是否要在"促进我们法律制度"方面"再迈进一步"无关，而与变化是否被美国人民当作进步而予以接受或者是否被本院当作进步而作出判决有关。我们今天所说的任何内容都不排除各州限制或完全废除以州内送达作为管辖权的根据。也没有任何内容排除压倒性多数的州这么做——其结果是本院所适用的"传统的公平概念"可能发生变化。然而，各州已经以压倒性多数拒绝采纳这种限制或放弃，显然是没有认为这是一种进步。[1]问题在于，除了大法官们个人对于公平的看法——这种看法与过去和现在的实践都存在冲突——而没有任何授权来支持，本院是否能够强迫各州以"正当程序"要求为理由而改变。我们认为本院不能这么做……

因为正当程序条款不禁止加州法院根据州内送达传唤文件的事实而对申诉人行使管辖权，因此维持原判决。

怀特大法官，部分并存于意见书，部分并存于判决：

我加入斯卡利亚大法官意见书的第Ⅰ、Ⅱ-A、Ⅱ-B和Ⅱ-C部分，并同意维持原判的判决。允许通过在法院地州向本人送达而对非居民取得管辖权，而不需要更多的条件，在整个国家一直而且仍然受到如此广泛的接受，以至于我不可能以它拒绝了第十四修正案所保障的正当法律程序为理由而把它砸碎——无论是在其表面上还是把它适用于本案。尽管最高法院根据这一修正案有权审查哪怕是传统上被接受的程序并宣布它们无效，比如谢弗案，然而无论本案还是其他地方都没有证明这一规则作为一个一般假设，在如此多的情形下可以如此武断和缺少常识，以至于在每一个案件中都应当认定违反了正当程序。进而言之，在证明这一点以前——而这着实困难——个案中主张该规则适用于特定非居民时会不公平时并不必要——招待，至少当在法院地州的出现是有意为之的情况下应当如此，而实际情况也几乎总是如此。否则初审法院和上诉法院就会有没完没了的、具体事实具体分析的诉讼，包括本案。在本案中，加州向本人的送达已经足够了，不需要其他要件，我同意应当维持原判。

布伦南大法官在判决中的并存意见，马歇尔大法官、布莱克曼大法官和奥康纳大法官加入：

我同意斯卡利亚大法官关于第十四修正案正当程序条款原则上允许一州法院在被告自愿出现在法院地州时接受传唤文件的送达而对之行使管辖权。[2]然而我没有看出决定这项管辖权规则有什么必要，这项规则"'已经是这片土地上一成不变的法律了，'"它在"血统"上自动地与正当程序相一致。尽管我同意，

---

〔1〕 我发现布伦南大法官的观点作为本院判决的一个根据实难接受，他认为"大量宪法性原则存在的理由是用来保护州外人，比如第4条"特权与豁免条款及商事条款"授权本院把拒绝所有50个州"限制和废除已变得过时的管辖权根据"的做法打上"不公平"——因此不合宪——的标记。（同前）"正当程序"（在此存在争议的宪法文本）并不意味着"正当"随着本院的多数派的感觉而转移，而是美国社会已经在传统上认为"正当"的程序，美国社会是一个自我利益的社会，它在自我利益的州的法律中表达了它的判断。一种堪称专断的观点认为，宪法通过"特权与豁免条款及商事条款"的某种投影把本院确立为这个社会强烈捍卫其传统的精神障碍。

〔2〕 我用"暂时管辖权"指仅仅以一个人在亲身出现在法院地州时被送达传唤文件为前提产生的管辖权。（译者注：transient jurisdiction 是否应译为临时管辖权译为暂时管辖权是否合适？或者应当译为"瞬时管辖权"更为准确？由于无章可循，译者的选择仅具有符号意义。）

在确立一项管辖权规则是否符合正当程序要求时历史是一个重要因素，但我不能同意只有这一个因素，以至于所有的传统管辖权规则本身都是永远合宪的。我与斯卡利亚大法官不同的是，我愿意承担"对……这个压倒性州内送达规则的公平性进行独立的考察"。

I

我相信斯卡利亚大法官今天的意见——仅仅依赖于历史由来——是我们在国际鞋业案和谢弗案的判决中已经排除过的。在国际鞋业案中，我们认定，一州法院主张对人管辖权如果符合"公平游戏与实质正义的传统概念"，则不违反正当程序条款。[1] 我们在谢弗案中声明，"所有主张州法院管辖权者均必须根据在国际鞋业案及其后继判例中提出的标准衡量"。（谢弗案，页212。）谢弗案的关键见解是所有管辖权规则，即使是古代规则，都必须满足正当程序的同时代概念。我们不再同意把我们的管辖权分析限制在宣告"管辖权的基础是对人（身）的权力"，"每州对自己领土上的人和财产均拥有排他的管辖权和主权"。彭诺耶案，页722。我们一方面承认"历史必须被认为支持这样的命题，即管辖权的惟一根据中满足正当程序要求的财产的出现"，另一方面我们又认定这一因素不可能是"决定性的"。谢弗案，页211-212。我们承认，"'公平游戏与实质正义的传统概念'可能很容易被那些不再具有正当性的古老形式的一成不变所违反，就像它被采纳那些不符合我们宪法遗产的基本价值的新程序所违反一样"。我同意这种方法并仍旧相信"在国际鞋业案中发展起来的最低接触分析代表着对于州法院行使管辖权的深谋远虑的建构，它不只是给彭诺耶案判决以来形成的法律的和事实的虚构打了一个补丁"。（同上，页219。）（布伦南大法官部分并存部分反对意见。）

一方面我们在谢弗案中的判决理由可以限制在准对物管辖权，另一方面我们的分析模式又不是这样。的确，我们在谢弗案中希望重新审查准对物规则的恰当性——直到那个时候为止美国法院作为义务接受了这一规则至少100年了——我们的做法证明我们不相信在决定是否符合正当程序时司法实践的"血统"（由来）是处分性的（dispositive）。后来我们把谢弗案定格为"废除了哈里斯案中的陈旧规则，即债务纠纷中的债权人的权益可以被对该债务人享有暂时管辖权的任何州所消灭或以其他方式受其影响。[大众汽车公司案；同时见 Rush v. Savchuk, 444 U. S. 320, 325-326 (1980)。] 如果我们在谢弗案中能够废除一种

---

〔1〕 我们在国际鞋业案中提到"公平游戏与实质正义的传统概念"时，仅仅是指那些概念的确是传统的，而不是像斯卡利亚大法官意见书中所提示的那样，（见前述）它们的特定内容只是由传统本身确定的。我们承认，同时代社会概念在我们的分析中起一定作用。[例如见国际鞋业案，页317（"在我们的联邦政府体制中考虑合理性"。)]

"没有现代正当性的古老形式",那我们就还可以如法炮制。下级法院、法律注释学家、以及美国法律协会都已解释过,国际鞋业案和谢弗案意味着任何主张州法院管辖权者,即使是根据一个像暂时管辖权这样的"传统"规则主张的管辖权,都必须符合正当程序的同时代概念。不管斯卡利亚大法官今天的意见书如何巧言善辩,都不符合我们在谢弗案中的决定。

II

传统虽然其单独而言并不是决定性的,但它当然与暂时管辖权规则是否符合正当程序有关。[1] 在过去的实践在今天自动具有合理性的意识上传统没有保持沉默,按照这个标准,暂时管辖权的正当性由于其历史"血统"是一个存在剧烈争论的事项,因而这一规则也产生了问题。这一规则对于普通法而言是陌生的,"在一个就现在的目的而言为十分关键的时间,即1868年,第十四修正案被采纳的那年……"这一规则也只是十分微弱地植入了当时的美国法理。因为在19世纪的大部分时间里,美国法院都没有一致承认暂时管辖权的概念,并且似乎暂时规则直到我们在彭诺耶案案(1878年)之后一段时间内也没有被广泛接受。

相反,我发现历史背景有关是因为无论暂时管辖权的边缘如何模糊,美国的法院宣告这一规则已经有也许一个世纪了(最初是在附带意见中,后来在判决理由中),这个事实提供了明确的通知,即如今一个自愿在特定的州出现的被告要"接受法院地的诉讼管辖"。(大众汽车公司案,页297。)不管斯托里大法官对这一规则起源的解释是不是神话,我们现在的共同理解是这一管辖权经常是一种地理上的功能,这一理解被一个世纪的司法实践所强化。瞬间规则与合理预期是一致的,而且有权获得一种强有力的推定——它符合正当程序。"如果我到另一州……我就明知地推定会存在该州将在我的财产或我本人在那儿时对之行使管辖权的风险。我与该州的接触尽管是最低限度的,却产生了可预见的风险"……

暂时被告访问法院地州实际上"利用了"该州提供的重要收益。他的健康和安全受到该州警察、消防和应急医疗服务的保障;他在该州的马路和水路上免费行走;他可能还享受了该州经济的成果。此外第4条"特权与豁免条款"禁

---

[1] 我不认为"正当程序的同时代概念"只不过是适用于"每个大法官对什么是公平和正义的主观评价",相反,我们始于III的那些判决和我们已发展起来的确定一项管辖权规则是否符合"公平游戏与实质正义的传统概念"的具体因素引导着这种考察。例如见阿萨海案(指出了"几个因素",包括"被告的负担、法院地州的利益、原告在获得救济方面的利益")。这一分析不可以是"机械的或定量的,"(国际鞋业案)它既不是非曲直"没有立场"或依赖于个人奇想的。我们使用这种方法的经历证明它是我们在资格/权限(competent)范围内运作良好的方法。

止一州政府拒绝他接受该州法律的保护和进入该州法院的权利而歧视暂时被告。仅仅受不方便法院地原理的制约，州外原告也可以在州法院可以为本州公民所利用的所有情况下利用这些法院。没有暂时管辖权，就会产生不对等：暂时当事人在作为原告时就会获得法院地州法院权力的全部好处，而当他们作为被告时则保留着豁免于这一权力的权利。

加在暂时被告身上的潜在负担是十分轻微的。"现代交通和通讯已经使得当事人在其住所地以外的州起诉和防御不那么麻烦了。"被告过去已经至少在法院地旅行过一次——他在那儿接受了传唤文件的送达这一事实就是证据——这表明在该法院地诉讼可能并不是需要禁止的不方便。最后，的确产生的任何负担也可以通过各种程序设计而弥补。[1] 基于这些理由，根据被告自愿在法院地出现而对其行使对人管辖权作为一个规则会满足正当程序的要求。[2]

在本案中，申诉人在自愿地而且明知地进入加州时被送达了传唤文件，这是无可争议的。因此我同意判决。

史蒂文斯大法官，在判决中的并存意见：

正如我在自己的单独制作意见书时所解释的那样，我没有加入最高法院在谢弗案中的意见书，因为我担心它不必要地扩大了范围。同样的担心阻止了我加入斯卡利亚大法官或布伦南大法官任何一方在本案中的意见。对于我而言，指出斯卡利亚大法官所认证的历史证据和一致性、布伦南大法官所认证的关于公平的考

---

〔1〕 比如，在联邦制度中，暂时被告可以通过动议因未陈述请求而驳回诉讼的动议或者动议作出即决判决从而避免延长虚假诉讼的期限。联邦民事诉讼规则12（b）（6）及规则56。他可以使用相对便利的证据开示方法，比如通过电话录取口头笔录证言（规则30（b）（7）、根据书面问题制作笔录证言（规则31）、讯问笔录（规则33）、以及要求承认（规则36），同时享受骚扰诉讼规则的保护（规则26（c）），还可能获得诉讼费用和律师费以补偿所花费的工作时间（规则37（a）（4）和（b）－（d））。此外，法院地的变更也是可能的（美国法典第28编第1404节）。在州法院，许多与此相同的程序保护就像不方便法院地原理一样都是可以获得的，诉讼还可以根据不方便法院地原理予以驳回。见"联邦法院的权力、方便及对人管辖权的排除"。[Abrams, Power, Convienience, and the Elimination of Personal Jurisdiction in the Federal Courts, 58 Ind. L. J. 1, 23-25 (1982).]

〔2〕 大法官斯卡利亚的意见书坚持认为，把暂时管辖权视为一种合同交易，那么根据同时代的公平概念这一规则是"显失公平"的。然而，这一意见书同时坚持，由于这一规则的历史"血统"（由来），它"就是合理性的基准"。这揭示了大法官斯卡利亚的信仰，即传统本身就完全是决定性的，没有什么对不公平的证明可以使一项传统的管辖权实践无效。我既不同意这种信仰，也不同意斯卡利亚大法官对于暂时管辖权交易的公平性的评价。而且我要请注意的是，大法官斯卡利亚的意见书中的两个结论产生了同一个没有吸引力的结果。斯卡利亚大法官提示，当一项管辖权规则成为实质上不公平的或者甚至成为"显失公平"时（或如果这样），本院没有权力改变它。他希望依赖于一个一个的州限制或废除已经过时的管辖权的根据。这种依赖是错误的，因为各州极少有动力去限制像暂时管辖权这样的规则，这些规则使它们自己的公民更容易起诉州外的被告。州外人不会在州的选举中投票，也不会在州政府中说得上话。因此我们不应当设想各州会受到"公平概念"的推动而抑止像本案系争的这类管辖权。斯卡利亚大法官今天的意见书在说理时严重忽略了大量宪法性原则存在的理由是用来保护州外人的，比如第4条"特权与豁免条款及商事条款"。

虑、以及怀特大法官所陈示的常识即已为足，所有的意见结合起来证明这是一件非常容易的案件。因此，我同意原判决应当维持。

注释与问题

1. 记住在伯纳姆案中的争论涉及到在法院地内对本人送达本身是否足以确立对非居民的管辖权。在这种情况下，传唤文件的送达服务于创造司法权力和提供诉讼通知双重目的。

2. 马歇尔大法官在谢弗案中的意见书中评论道，正当程序"很容易被那些不再具有正当性的古老形式的一成不变所违反，就像它被采纳那些不符合我们宪法遗产的基本价值的新程序所违反一样"。对比一下斯卡利亚大法官在伯纳姆案件中（在支持暂时管辖权时）实际上将传统与正当程序划上的等号。支持各方立场的论点各是什么？人们应当如何在法律的可预见性和确定性与灵活性和可调适性之间作出权衡？注意怀特大法官对于分析州内送达的一种方法的批评，指责那将会导致"没完没了的、具体事实具体分析的诉讼"。这种指责是否确切地描述了"最低限度接触/基本公平"方法的运作？

3. 大法官们在伯纳姆案中和在阿萨海案中一样，在判决结果上意见一致，但在引致结果的路径上存在分歧。伯纳姆案实际上的判决理由是什么？在前面的实践练习中，在麻省对格罗斯教授送达能否确立对他的有效管辖权？我们是否需要了解更多的关于他与该州的关系（亦即他享有了什么好处）？

4. 在经常被引证的格雷斯案中［Grace v. MacArthur, 170 F. Supp. 442 (E. D. Ark. 1959)］，被告作为一名田纳西州公民对于根据一位联邦法警的宣誓证词而对他行使管辖权提出质疑，这位法警作出说他亲自在Braniff航空公司的BA337航班上将文件送达给了被告，这是一个自田纳西州的孟菲斯直飞德克萨斯州的达拉斯的航班，送达的时间是"所称飞机在阿肯色东部地区和阿肯色的派恩布拉夫——也就是所说的这个地区——的正上方"。法院没有提出国际鞋业案的问题，支持了以这一暂时送达为根据的管辖权。你看出为什么有人把这取名为"贴标签"的管辖权吗？伯纳姆案之后会不会也有法院形成同样的结果？

5. 在 Xuncax v. Gramajo, 886 F. Supp. 162 (D. Mass. 1995) 一案中，危地马拉9个脱离国籍者针对该国前国防部长根据《美国法典》第28编第1350节《受折磨受害人保护法案》提出损害赔偿案，原告请求赔偿他们自己和他们在军方手上的家人所遭受的损害。Gramajo 在他出席哈佛大学肯尼迪政府学院授学位仪式时接到了传唤文件的送达。在 Gramajo 回到危地马拉并拒绝在该案出庭之后，法院作出了赔偿4700万美元的缺席判决。

在早期诉讼中，第二巡回法院曾认定在这类案件中，无论任何时候在美国境内发现所诉称的施加折磨者并完成了送达，联邦法院即享有管辖权。在 Filartiga

v. Pena–Irala, 630 F. 2d 876 (1980) 一案中，被告在布鲁克林海军大院等待回巴拉圭时被送达了一张传票和起诉状，原告诉称，警察总长因为原告的政治活动而将他的儿子绑架到此并折磨致死。另见 Kadic v. Karadzic, 70 F. 3d 232 (2d Cir. 1995) 一案，在该案中，法院在被告波斯尼亚领导人在曼哈顿赴联合国时向他送达了传唤文件，并据此而认定他在由诉称是他的暴行的受害者提起的诉讼中应接受对人管辖权。根据法院的描述，传唤文件的送达人是在 Karadzic 下榻的宾馆大厅接近他的，但当他们表明自己的身份并试图从两英尺远的地方将起诉状递交给他时，他的保镖夺过去把这些文件扔在了地板上。70 F. 3d, at 246. 法院驳回了 Karadzic 的主张——他在这座城市是为了联合国的事务，因此他享受送达豁免。

在这些案件中，根据《外国人侵权制定法》（系《1789 年第一司法法》的一部分，收入美国法典第 28 编第 1350 节）的规定都存在事项管辖权（将在下一章讨论）。该制定法规定，对于由外国人提起的诉称违反"国家的法律或美国条约"而从事的侵权行为，（联邦）地区法院享有民事诉讼管辖权。

6. 州内送达对作为公司的被告起作用吗？在 Wenche Siemer v. Learjet Acquisition Corp., 966 F. 2d 179 (5th Cir. 1992) 一案中，法院认定在德克萨斯州对指定 Learjet 公司的代理人送达不能满足正当程序的要求从而允许在德州诉讼。诉讼据以发生的空难发生在埃及，在从希腊到沙特阿拉伯的航线上；死者和原告方生还者都是希腊或其他欧洲国家的居民；飞机曾经以希腊为基地并由一家希腊公司经营；飞机不是在德州设计、制造或提供服务；从来也不是德州居民所有。法院驳回了原告的主张，即，仅仅根据在州内向被告公司的代理人送达即可取得管辖权，法院认定原告方依赖于伯纳姆案"令人疑惑"："伯纳姆案不涉及公司，也没有决定涉及公司的管辖权问题"。966 F. 2d, at 182. 在这一裁定中，法院引证了斯卡利亚大法官在伯纳姆案注脚 1 中的评论："公司从来没有如此舒服地主要根据对被告本人的事实上的势力（power）而产生司法上的控制（judisdictional regime）"。因此，第五巡回法院认定，对公司的司法权力必须要么根据宪法允许的两个根据之一，亦即对涉及州内活动的请求行使的特别行为管辖权，要么根据在法院地从事的连续的和制度性的行为，这一行为的连续性和规模性达到一种赋予对无关请求以一般管辖权的程度。

7. 对于平衡本人出现等同于司法权力的规则有什么限制？如果一被告因上当而进入该州或者在该州为另一件事作为证人作证，情形又当如何？一般承认，当非居民在法院地州作为证人、当事人或律师出庭时，或者因为被告因上当、强迫和诈欺手段而在法院地之内，则可以豁免受传唤文件送达。见 Fleming James, Jr., Geoffrey Hazard, & John Leubsdorf, Civil Procedure 79, 83 (4th ed. 1992).

在 Voice Systems Marketing Co. v. Appropriate Technology Corp., 153 F. R. D. 117 (E. D. Mich. 1994) 一案中，被告动议因送达不充分而驳回诉讼，法院首先认定，原告佯称要被告纠正错误以确保出售给原告的产品安全而诱导被告的总裁自加州到了密西根，但实际上却是向他送达违约诉讼的传唤文件，法院以此认定为基础支持了被告的动议。

第十一节 一般管辖权

尽管最高法院关于对人管辖权问题的大部分考虑都主要集中在特殊管辖权，但首席大法官斯通在国际鞋业案中描述了另一形式的司法权，也就是一般管辖权：这项管辖权适用于作为公司的被告持续地和实质性地在法院地（从事活动），以至于为管辖那些与这些活动无关的请求具有了正当理由。这是基于一州的权力对于自己的每一个居民所享有的一般管辖权而产生的对等规则，即，一居民可以根据在该州的依据或居所而就任何请求——即使是产生于发生在另一州的请求——提起诉讼。见 Jack H. Friedenthal, Mary Kay Kane, & Arthur R. Miller, *Civil Procedure* §3. 6 (3d ed. 1999)。*

一般认为，当作为公司的被告的总部或主营业地在法院地州时，该州对之享有一般管辖权，就像在以上的帕金斯案中讨论过的情况一样（至少在二战期间是这样）。那么，如果没有达到那种程度的活动，一般管辖权能否行使？下面的判例教给了我们什么？

哥伦比亚直升飞机公司诉霍尔
Helicopteros Nacionales De Colombia v. Hall
466 U. S. 408 (1984)

布伦南大法官制作本院意见书：

我们在本案中同意发出调卷令，以决定德克萨斯州最高法院的裁定是否正确，该案产生于与一家外籍公司在德州的活动无关的诉因，德州最高法院裁定它与德州的接触足以允许一家德州法院对该案主张管辖权。

I

申诉人哥伦比亚直升飞机公司是一家哥伦比亚公司，主要营业地在该国的波哥大市，它从事的业务是为南非的石油和建筑公司提供直升飞机运输。1976 年 2

---

* 因此被告不在该州因此无法送达传唤文件时，该州可以针对公司的户籍 (a domiciliary) 作出对人判决。这保障了总会有一个被告可以被诉的法院地。

月 26 日，一架哥伦比亚直升飞机公司拥有的直升飞机在秘鲁发生空难。在事故中死亡的有 4 名美国公民。答辩人是生还者和 4 位死者的代表。

在空难发生时，答辩人中的死者受雇于秘鲁的一家财团康索西欧，并且正在秘鲁的一条石油管道上工作。康索西欧是一家名为威廉姆斯 – 塞德科 – 洪（下称洪）的联营企业的别称（the alter ego），这家联营企业的总部在德州的休斯顿。康索西欧的组合使联营者进入与秘鲁国有石油公司即秘鲁石油公司的一项合同。康索西欧为秘鲁石油公司建设一条从秘鲁内地向西进入太平洋的石油管道。秘鲁法律容许（forbade）由任何非秘鲁企业建设石油管道。

康索西欧/洪需要直升飞机将人员、物资、设备运出运进建筑地区。1974 年，哥伦比亚直升飞机公司的首席行政官弗朗西斯科·雷斯德波应康索西欧/洪的要求，飞往美国并在休斯顿与他的 3 位联营伙伴商谈。在那次会晤中讨论到了价格、可行性、工作条件、燃料、给养、住房等等。雷斯德波表示，哥伦比亚直升飞机公司可以在 15 天内将第一架直升飞机投入工作。康索西欧/WSH 的代表决定接受雷斯德波提议的合同。1974 年 11 月 11 日协议正式在秘鲁签订，而哥伦比亚直升飞机公司在此之前已开始履行了。[1] 合同用西班牙文写在政府的官方信笺上，规定所有当事人均必须居住在秘鲁的利马。合同还声明产生于该合同的争议提交秘鲁法院管辖。并且规定，康索西欧/洪方的支付要在哥伦比亚直升飞机公司在纽约的美国账户上进行。

除了在休斯顿与雷斯德波和康索西欧/洪的代表之间的谈判会晤之外，哥伦比亚直升飞机公司与德州还有其他接触。1970 – 1979 年期间，它从沃思堡的贝尔直升飞机公司购买了价值超过 400 万美元的飞机（占它飞行器的近 80%）、配件和附件。在那个时期，哥伦比亚直升飞机公司把飞行员送往沃思堡培训并把飞行器运往南非，还送管理和维修人员到沃思堡的贝尔直升飞机公司去"熟悉车间"和技术咨询。哥伦比亚直升飞机公司在它的纽约市和帕纳马市银行账号上接收了康索西欧/洪从休斯顿第一城市国家银行账户上汇出的超过 500 万美元的汇款。

除此之外，哥伦比亚直升飞机公司与德州之间没有其他商务接触。哥伦比亚直升飞机公司从来没有授权在德州做生意，也从来没有在该州内设代理人接受传唤文件送达。它从来没有在德州从事过直升飞机营运或在出售过任何抵达德州的产品，从未在德州招徕生意，从未在德州签订过合同，从未雇用过那里的人员，也从未在德州进行过雇员招聘。哥伦比亚直升飞机公司也从未在德州拥有过不动产或个人财产，从未在那儿保留或设立过办公室或办事处。哥伦比亚直升飞机公

---

〔1〕 答辩人明白合同是在 PPP 而不是在美国履行。

司没有保持过在德州的记录，也没有在该州购买过股票。任何一位答辩人或死者均未在德州有住所，[1] 但所有死者均在休斯顿受雇于康索西欧/洪而在秘鲁石油公司输油管道项目上工作。

答辩人在德州的哈里斯郡地区法院提起过错致死诉讼，被告是康索西欧/洪、贝尔直升飞机公司、和哥伦比亚直升飞机公司。哥伦比亚直升飞机公司进行了特别出庭登记（file）并动议以缺乏对它的对人管辖权而驳回诉讼。这一动议被驳回了。在一次扎实的陪审团审判之后，法官根据陪审团作出的支持答辩人1141200美元的裁判（verdict）而作出了不利于哥伦比亚直升飞机公司的判决（judgment）。

在休斯顿的德州第一区民事上诉法院撤销了地区法院的判决，认定该地区法院对哥伦比亚直升飞机公司没有对人管辖权。德州最高法院在3名大法官表示反对意见的情况下最初维持上诉法院的判决，然而在7个月之后，该院根据重新审理的动议，撤销了它的先前意见，再一次在3位大法官反对的情况下撤销了中级法院的判决。在裁定德州法院是否享有对人管辖权时，德州最高法院最初认定，只要第十四修正案正当程序条款允许，则该州的长臂制定法就能够延伸到（本案管辖权）。[2] 因此剩下需要法院决定的问题就只是德州法院主张对哥伦比亚直升飞机公司的对人管辖权是否符合正当程序条款了。

II

第十四修正案正当程序条款用于限制一州在对非居民行使对人管辖权方面的权力。彭诺耶案，页714。当非居民公司与法院地之间有"某种接触"以至于达到坚持诉讼不会违背"公平游戏与实质正义的传统概念"的程序时，该法院对之主张对人管辖权即满足了正当程序要求。（国际鞋业案，页310。）本院曾说过，当一个争议与被告与法院地州之间的接触有关或者"产生于"这种接触时，"被告、法院地、与诉讼之间的关系"是对人管辖权的至关重要的根据。（谢弗案，页186。）[3]

---

[1] 答辩人在德州没有住所或与德州没有其他接触其本身并不能击败基于其他理由而产生适当的管辖权。Keeton v. Hustler Magazine, Inc., 465 U.S. 770, 780 (1984); Calder v. Jones, 465 U.S. 783 (1984). 我们提到答辩人没有接触仅仅为了表明在答辩人与哥伦比亚直升飞机公司之间关系的性质中没有什么因素可能增加哥伦比亚直升飞机公司与德州之间的接触。答辩人所遭受的伤害不是发生在德州，而且所称的任何HHH方面的过失也都不是发生在德州。

[2] 该州的长臂制定法在德克萨斯州《民事诉讼制定法注释法汇编》第2031b条。（略）

[3] 据说，当一州在产生于被告与法院地之间接触或与之相关的诉讼中对被告行使对人管辖权时，该州就是在行使对被告的"特别管辖权"。Von Mehren & Trautman, *Jurisdiction to Adjudicate*: A Suggested Analysis, 79 Harv. L. Rev. 1121, 1144–1164 (1966).

即使当诉因并非产生于外籍公司*在法院地州的活动或与之无关，[2] 只要一州与外籍公司之间存在充分的接触，该州将该公司置于其管辖权之下也不会违反正当程序。（帕金斯案，页437。）在帕金斯案中，本院处理了州法院已经对一家外籍的作为公司的被告行使了管辖权的一种情况。在日本占领菲律宾期间，一家菲律宾煤矿公司的总裁和总经理在俄亥俄州保留了一个办事处，他们在那里代表公司进行活动。他在这个办事务保存了公司档案并召开了领导会议，处理过与公司业务有关的信函，还从两家俄亥俄州的活动银行账户上提取过工资，监督过处理在菲律宾公司财产的重组政策。总而言之，这家外籍公司通过其总裁"已经在俄亥俄州从事了连续的、制度性的然而有限的、构成其总业务一部分的活动"。俄亥俄州法院对这家菲律宾公司行使一般管辖权是"合理的和公正的"。

本案的所有当事人都承认，答辩人针对哥伦比亚直升飞机公司的请求既不"产生于"哥伦比亚直升飞机公司在德州的活动，也与这些活动无关。[3] 因此我们必须探讨的是哥伦比亚直升飞机公司与德州之间接触的性质，以确定他们是否构成帕金斯案中存在的那种连续的和制度性的一般商务接触。我们认定没有构成这种接触。

无可争议的是，哥伦比亚直升飞机公司在德州没有营业场所，也没有在该州取得营业执照。哥伦比亚直升飞机公司与德州的接触基本上就是送它的首席行政官去休斯顿参加一次商务洽谈会，把它一次从休斯顿银行提出的款额打进它在纽约的账户，从贝尔直升飞机公司购买了大量飞机和设备及培训设施，向在沃思的贝尔公司基地送过人员去接受培训。

---

* 译者注：在美国这样的联邦制国家，foreign 概念在国际私法和州际私法中的含义几乎是相同的——只要不是本州的，无论是本州以外的州（states），还是本州以外的国家（states/countries/nations），都称之为 foreign，所以在原文表达中不必根据具体语境来区分"外国"或"外州"。译者一般将 foreign 统译"外籍"，以避免由于中文的区分表达导致的繁琐。

[2] 当一州在不是产生于被告与法院地之间接触或与之相关的诉讼中对被告行使对人管辖权时，该州行使的对被告的管辖权就被称为"一般管辖权"。Brilmayer, How Contacts Count: *Due Process Limitations on State Court Jurisdiction*, 1980 S. Ct. Rev. 77, 80–81; Von Mehren & Trautman, 79 Harv. L. Rev. 1121, 1136–1144 (1966)。

[3] 由于当事人没有主张诉因与哥伦比亚直升飞机公司与德州之间存在任何关系，因而我们与反对意见暗示的方法相反，我们认为关于这一问题没有"观点"（view）。反对意见表示，我们区别产生于被告与法院地之间接触的争议与产生于这些接触的争议是错误的。这一批评令人有些困惑，因为反对意见接着声称，就确定行使管辖权的合宪有效性这个目的而言，实际上不应当存在这种区别。我们对于这种区别的有效性或结果未加评论，因为本案还没有提出这一问题。答辩人没有主张说他们的诉因究竟是产生于还是有关于哥伦比亚直升飞机公司与德州的接触。在对此问题没有提出任何法律理由的情况下，我们拒绝就这些问题得出结论：(1)"产生于"或"有关于"这两个术语是否描述诉因与被告与法院地之间接触的不同关联；(2) 诉因与被告与法院地之间接触的何种关联对于确定关联是否存在是必要的。对于以下问题我们也未触及：如果两种关系是不同的，那么在一种诉因"有关于"却非"产生于"被告与法院地之间的接触时，法院地行使对人管辖权是否应当作为行使特别管辖权来分析。

哥伦比亚直升飞机公司的主要为了谈判与康索西欧/洪之间的运输设施合同而去休斯顿的一趟旅行不能被描述为或被认为是一次具有帕金斯案所描述的那种"连续的和惯例性的"性质的接触,(另见国际鞋业案,页320。)因此不能支持德州法院对哥伦比亚直升飞机公司行使对人管辖权。同样,哥伦比亚直升飞机公司接受康索西欧/WSH从德州提取的支票在确定哥伦比亚直升飞机公司是否与德州之间有充分接触这个目的上是无足轻重的。没有迹象表明,哥伦比亚直升飞机公司曾要求过支票必须从德州银行提取,或者表明哥伦比亚直升飞机公司与康索西欧/洪之间就可提取支票的银行必须在什么地方或什么身份进行过商谈。常识和日常经验表明,在没有特别情况的时候,支票从哪家银行提取通常对于受支付人几乎没有影响,而是一个留待提款人自由决定的事情。这种另一方当事人或第三人的单方活动在确定被告与法院地州之间的接触是否充分以为行使管辖权提供正当理由方面不是一个适当考虑的因素。见 Kulko v. California Superior Court, 435 U.S. 84, 93 (1978)(在任何一个州,双亲的一方根据分居协议对孩子行使监护权时,双亲的另一方不得在其选择度过监护时期的任何一州对其提起诉讼);(汉森案,页253。)(由那些主张与非居民被告之间有某种关系的人从事的单方行为不能满足与法院地州接触的要求。)

德州最高法院在认定接触的充分性以支持行使管辖权时集中讨论了采购行为和有关的培训之旅。我们不同意这种评价……采购行为和有关的培训之旅单独作为一个因素均不是成为一州行使管辖权的充分根据……

III

我们认定,哥伦比亚直升飞机公司与德州的接触不足以满足第十四修正案正当程序条款的要求。[1] 因此,我们撤销德克萨斯州最高法院的判决。

布伦南大法官反对意见:

……我相信本案的申诉人哥伦比亚直升飞机公司与德克萨斯州之间存在无可争议的接触,而且这种接触足够重要,与诉因之间有充分的关联,因而该州基于答辩人提起的过错致死诉讼而行使对哥伦比亚直升飞机公司的对人管辖权是公平的和合理的。既然哥伦比亚直升飞机公司有意地接受了该法院地的好处和义务,既然诉因与哥伦比亚直升飞机公司与法院地的接触之间有直接的关系,在德州维护这一诉讼就"没有违反'公平游戏与实质正义的传统概念'"。(国际鞋业案,

---

〔1〕答辩人未采用传统的最低限度接触分析,而建议本院认定德州根据"必要的共同诉讼管辖权"(jurisdiction by necessity)的原理而享有对人管辖权。(谢弗案,页211,注37。)但我们的结论是,答辩人未履行他们的证明责任,表明不能在一个法院地一并诉讼所有三方被告。比如从诉讼记录上看,能否在秘鲁或哥伦比亚针对三方被告提起诉讼,这一点并不清楚。在没有更全面的记录的情况下,我们拒绝考虑采纳必要的共同诉讼管辖权原理——这是对既存法律的潜在而影响深远的修改。

页316。）这一传统概念是根据正当程序条款进行管辖权分析的基石。因此我反对。

……申诉人哥伦比亚直升飞机公司与德州之间的接触……与答辩人提起的原始诉讼中所主张的诉因之间存在着重要关联。因此，在我看来，德州法院主张对哥伦比亚直升飞机公司行使特别管辖权是公平而合理的。

本院宣称，本案没有表明德州法院有特别管辖权，因而从提交给我们考虑的实际事实的现实性来看必须撤销该法院的判决。[1] 同时，本院还拒绝考虑与诉因"有关"的接触与"产生"诉因的接触之间的差别，我相信答辩人提起的过错致死的请求与哥伦比亚直升飞机公司与法院地没有争议的接触之间有关联。以此为根据，我的结论是正当程序条款允许德州法院对这个特别的诉讼行使特别管辖权。

由答辩人提起的过错致死诉讼是以发生在秘鲁的那次致命的空难事故为前提的。哥伦比亚直升飞机公司作为本案共同被告，加入以雇用死者的联营公司为被告的诉讼，是因为它提供了交通工具，包括卷入这次空难的特定飞机和飞行员。特别是答辩人霍尔在她的初始起诉状中主张，"哥伦比亚直升飞机公司对于它自己通过它雇用的飞行员而发生的过失……承担法律责任"。据此观之，哥伦比亚直升飞机公司与德州之间的接触是直接的并且与答辩人提起的请求相关。发生在德州的谈判产生了哥伦比亚直升飞机公司同意提供运输服务的合同，而这次运输服务恰恰是发生空难的那一次。此外，卷入空难的那架直升飞机是哥伦比亚直升飞机公司在德州购买的，被诉称对引起这次空难有过失的飞行员实际上是在德州训练的。因此，这个案件并不简单地是一州根据与法院地完全无关的接触而对非居民被告主张管辖权，而是哥伦比亚直升飞机公司与法院地之间的接触与答辩人霍在初始起诉状中声称的过失直接有关。[2] 由于哥伦比亚直升飞机公司应当能够预期自己会因为直接与这些接触有关的请求而在德州法院受诉，因此允许行使

---

〔1〕 本院认为，答辩人已经承认他们的请求与哥伦比亚直升飞机在德州内的行为无关，对此我也不同意。尽管他们在最高法院的和口头辩论中有一部分可以形成不存在这种关系的推定，但其他部分却恰恰相反地表明："如果总顾问（the Solicitor General）（代表美国作为法庭之友出庭）担心的是一个支持本案答辩人的判决理由会导致外籍公司购买产品的抑制——他们可能害怕受到根据无关诉因而行使的管辖权，那么这种担心是没有根据的。

"答辩人的理由不是依赖于在一州内购买物资而作出裁定，购买行为加上为操作和维修所购买的机械而进行的偶尔的培训构成了证明对无关诉因行使管辖权之必要的连接、接触和关联。无论如何，定期的购买和培训加上其他与法院地之间的连接、接触和关联可以形成管辖权的根据"。答辩人法律理由书13-14。因此应当承认，答辩人在本院的立场的确是不够清晰的，我相信它宁可提出，因哥伦比亚直升飞机公司与德州之间的接触事实上与诉因有关因而德州享有特别管辖权。

〔2〕 陪审团特别认定，"飞行员未保持对直升飞机的适当控制"，"直升飞机飞进了树丛大雾中，从而破坏了飞行员的视线"，"这种飞行是过失的"，"这种过失……是空难的近因。"根据这些认定，哥伦比亚直升飞机公司被裁令支付答辩人100万美元的损害赔偿。

管辖权是公平的和合理的。

尽管接触与诉因之间存在着这种实质性关系，但最高法院还是拒绝考虑德州法院是否可以行使对该案的管辖权。显然，这反映了一种对于提交审查的问题的狭窄的解释。可能本院的意见可以解读为，它暗示着德州法院的特别管辖权不适用于本案，因为诉因在形式上不是"产生于"哥伦比亚直升飞机公司与法院地之间的接触。然而我认为，这一规则对于德州可以行使自己的司法权力的根据施加一种不正当的限制。

将法院地的特别管辖权限制在那些诉因正式地/在形式上（formal）产生于被告与该州之间接触的案件中，将使根据正当程序条款形成的宪法性标准受制于每个州的不可预测的实体法或起诉要求。比如本案针对哥伦比亚直升飞机公司提交的起诉状声称以飞行员的错误作为过失的根据，尽管飞行员是在德州接受培训的，本院却仍然认为德州法院不能对本案行使管辖权，因为诉因"不是产生于"那次训练，与那次训练也"没有关系"。然而，如果作为准据法的实体法规定有过失的飞行员训练是飞行员错误之诉因的一个必备要件，或者如果答辩人只是简单地增加一项主张，声称在为哥伦比亚直升飞机公司飞行员提供的训练中存在过失，那本院可能会承认可以适用德州法院的特别管辖权。

我们对于正当程序条款的解释从来没有像这样依赖于准据实体法或州的形式诉答要求。至少在国际鞋业案中，确定一法院地是否可以合宪法地主张对非居民被告的管辖权时的焦点是放在对被告的公平性和合理性。在这个范围上，一州的特别管辖权应当在诉因产生于被告与法院地之间的接触或与之相关的任何时候均可适用。一个被告在与之有重要接触的法院地因直接有关的诉因而接受诉讼，这是再恰当不过的公平与合理了。因为哥伦比亚直升飞机公司与德州之间的接触符合这一标准，因而我宁可维持德克萨斯州最高法院的判决。

注释与问题

1. 一般管辖权的检验标准是什么？哥伦比亚直升飞机公司与德州的接触接近于帕金斯案中的被告煤矿公司活动的水平吗？布伦南大法官尽管持反对意见，却也承认"本院在这一问题上的判决理由既不似是而非也不是不可预期的。"

2. 在尼科尔案 [Nichols v. G. D. Seale & Co. , 991 F. 2d 1195 (4th Cir. 1993)] 中，被告与马里兰州之间有大量的接触，比本案哥伦比亚直升飞机公司与德州之间的接触还要多，但最后认定没有达到马里兰行使管辖权的程度。原告提起的产品责任诉讼直接针对被告的避孕器，原告诉称，尽管请求产生于别的地方而且原告自己是非居民，但被告在马里兰州雇用了21名市场代表（还有公司的汽车、样品及促销材料），产生了每年900－1300万美元的销售额（占它的总销售额近2%），从而使它受制于该州的诉讼。第四巡回法院不同意这种主张，评论道:"由于特别管辖权已极大地扩展了,现在原告可以普遍地在那些产生请求的法院地提出该请求。结果,一些关于一般管辖权的过失概念被大无必要地提出来了,那些过时概念的作用基本上是为了保障原告能够获得一个可以起诉的法院地。这种过于宽泛地建构一般管辖权应当受到原则性地批判。" 991 F. 2d at 1200.

比较尼科尔(Nichols)案和肯纳森案(Kenerson v. Stevenson, 604 F. Supp. 792 (D. Me. 1985)。在肯纳森案中,一家新罕布什尔州医院被认定在一家医疗事故诉讼中受制于缅因的一般管辖权,因为它曾在缅因招徕患者,并在那儿授予医生资格,还将患者转移到缅因的医院。诉讼产生于原告在新罕布什尔州一家医院的治疗,因此救济请求与被告与缅因之间的接触之间没有任何关系,但法院认定存在连续的和制度性的接触,因为该院有7%的在档病人以及7-13%的档外病人都是缅因居民,因为该院是包括缅因在内的区域性医疗体系中的一部分,还因为该院固定地接收来自该州为其居民的治疗而进行的报销(reimbursement)。法院承认医院是一家"重要的地方性经济实体",但法院得出结论认为,"就这些接触的实质性而言,当产生治疗的请求延伸到缅因居民时,它无法合理地预期自己不会基于这种连续的和制度性的业务活动而被拽进在缅因的法院。" 604 F. Supp. 792-796. Hughes v. K-Ross Building Supply Center, Inc., 624 F. Supp. 1136 (D. Me. 1986)(法院根据与非居民被告在法院地的活动无关的请求对之享有一般管辖权,被告的活动是在过去的6年内向缅因运输了价值600万美元的货物,并保存着一份它送货的20多个缅因商家消费者名单,还每6个星期将销售代表送到该州。)

这些判例之间相互一致吗?

3. 一家公司与法院地的接触在产生请求的时候、提交起诉状的时候,或者任何时候——包括在提交起诉状之后——应当是可以衡量的吗?这一问题还没有解决的时候,联邦地区法官Stearns(在一宗原告诉称根据所称侵权行为发生两年之后发生的接触而行使一般管辖权的案件中)评论道:"可预见性的程度以正当程序逻辑作为试金石,它可以在侵权行为发生的那一天测试出一般管辖权。"汉纳案[Noonan v. Colour Library Books, Ltd., 947 F. Supp. 564, 571 (D. Mass. 1996).]。

4. 哥伦比亚直升飞机公司案给我们关于特别管辖权的理解增加了什么?你如何叙述布伦南大法官与多数派意见之间的分歧?"产生于"被告与法院地的接触的请求与"与之相关"的请求之间有何区别?哪一个标准更宽?

5. 组织一个关于本案哥伦比亚直升飞机公司应当受制于特别管辖权的论点。是否原告至少会向最高法院提出这样的论点?见布伦南大法官的脚注3。

第七章　选择适当的法院：对人管辖权，通知，审判地 659

6. 一些法院废除了一般管辖权与特别管辖权之间的严格分界。比如马里兰州最高法院曾指出，在那些适用一般管辖权或特别管辖权不那么清楚的案件中，"适当的方法是在两个极端之间的连线上找出案件接近的点并适用相应的标准，要意识到，当接触与诉因之间的关联减少时，所要求的接触的量就要增加"。Camelback Ski Corp. v. Behning, 539 A. 2d 1107, 1111 (1988).

7. 哥伦比亚直升飞机公司案于1984年作出判决。1987年在阿萨海案中的判决是否表示，如果哥伦比亚直升飞机公司案发生在今天，最高法院可以通过另一方法达到同样结果？

第十二节　同　意

行使审判权的传统根据之一是同意。被告当然可以在法院出现而接受管辖。彭诺耶案允许各州要求在该州从事某些行为的非居民同意指定一位代理人接受因这些活动而产生的诉讼传票的送达。在彭诺耶案案之后的一些年里，各法院甚至求助于虚构默示同意来为其对非居民行使管辖权提供正当理由。(比如参考赫斯案)

我们还看到，没有及时提出缺乏对人管辖权防御的被告即放弃异议——实际上是一种非自愿同意的方式。参见联邦民事诉讼规则12（h）（1）。同样，当被告未遵守寻求与管辖权有关的信息的证据开示裁令时，管辖权的认定可以流动（can flow）作为法院根据联邦民事诉讼规则给予的制裁。[See Insurance Corporation of Ireland, Ltd. v. Compagnie des Bauxites de Guinee, 456 U. S. 694 (1982).]

通过法院地选择条款的运作，对管辖权的同意可以在争议发生之前产生，如以下判例所示。

狂欢旅游公司诉舒特夫妇
Carnival Cruise Lines, Inc. v. Shute
499 U. S. 585 (1991)

大法官布伦南代表最高法院制作如下意见书：

在这宗海事案件中，我们考虑的是，联邦第九巡回法院拒绝执行一个法院地选择条款是否正确，这一条款包含在申诉人发给答辩人尤拉拉和拉塞尔·舒特的船票中。

I

舒特夫妇通过一家华盛顿阿灵顿的旅行社购买了一张申诉人的游轮"热带"

号上的"七日游"客票。答辩人向旅行社支付了票款,由其转交申诉人在佛罗里达州迈阿密的总部。申诉人随后准备了船票并发给了在华盛顿州的答辩人。每张票面上的左下角均包含了这样的提示:"接受最后几页重要的合同条件!请阅读合同——在最后1、2、3页。"(上诉状,页15。)每张船票的"合同第1页"都载明以下内容:

> 乘客合同票的条款和条件:
>
> ……3. (a) 船票上列名为乘客的的人接受本船票得认为接受和同意本乘客合同票的所有条款和条件。
>
> ……8. 乘客和承运人双方同意,根据本合同产生的或与本合同有关的或发生在本合同中的所有纠纷和事项如果提起诉讼,均得在位于美国佛罗里达州的一家法院诉讼,排除任何其他州或其他国家的法院管辖。

所引的最后一段正是本案争议的法院地选择条款。

II

答辩人在加州洛杉矶登上"热带"号轮。船舶驶往墨西哥巴亚尔塔港,然后返回洛杉矶。当船舶行至梅西肯海湾附近的国际水域时,答辩人尤拉拉受伤了,她在一次前去导游介绍的船上厨房时滑倒在甲板的垫上。答辩人在华盛顿西部地区联邦地区法院提起了针对申诉人的诉讼,诉称舒特夫人受伤是由于狂欢旅游公司及其雇员的过失。

申诉人动议作出即决判决,辩称在答辩人的船票上的法院地条款要求舒特在佛罗里达州的一家法院提起他们针对申诉人的诉讼。申诉人又换了一种说法,辩称由于申诉人与华盛顿州之间的接触是非实质性的,因而地区法院缺乏对申诉人的对人管辖权。地区法院支持了这一动议,认定申诉人与华盛顿州的接触不足以支持合宪地行使对人管辖权。

上诉法院撤销了这一裁定……断定法院地条款不应当获得执行,因为不是自由谈判而形成的。作为对拒绝执行这一条款的"独立的正当理由"(independent justification),上诉法院指出,在记录中有证据表明"舒特夫妇在身体和经济上都不能在佛罗里达州提起本案诉讼,"执行这一条款会剥夺他们亲临法院的权利……

在评价本案中系争的法院地条款的合理性时,作为一个入门的事项,我们不采纳上诉法院的决定,该院决定在一张船票形式的合同上未经谈判的法院地选择条款从来都是不可执行的,因为它不是谈判的标的。基于几个理由,在一张这样的格式合同中包含一项合理的法院地条款是允许的:首先,一家旅游公司在限制它可能被起诉的法院地方面享有特殊利益。由于游船一般从许多不同地方载运旅客,一次差错就能把旅游公司强行拉入不同法院地的诉讼中并非没有可能。其次，一条事先确定争议解决法院地的条款在关于产生于合同的诉讼必须在哪儿提起和防御的问题上产生消除混乱的积极效果，节省了当事人在审前动议决定正确的法院地的时间和费用，也节约了法院致力于决定这些动议的司法资源。最后，它的理由站得住脚，购买含有本案系争法院地选择条款的船票的乘客从减少的票价中获得收益，这个票价反映了狂欢旅游公司通过限定它可能受诉的法院地而享受的费用节约。

我们也不接受上诉法院支持其结论的"独立的正当理由"，即，……因为"在记录中有证据表明舒特夫妇在身体和经济上都不能在佛罗里达州提起本案诉讼，"因而不应当执行这一条款。……地区法院在因缺乏对人管辖权而驳回该案时，并没有认定舒特夫妇在佛罗里达州起诉存在身体和经济上的障碍……在本案中，佛罗里达不是一个"遥远的域外法院地"，本案——既然事故发生在墨西哥海湾附近的水域——争议也不是重要的地方性争议，从而包含着在华盛顿州解决较之在佛罗里达州更多的内在因素。我们断定，他们没有满足要求以不方便为根据而弃置（合同）条款的"沉重的证明负担"。

特别需要强调的是，包含在格式乘客合同中的法院地选择条款受制于司法的仔细审查以确定其基本公平性。本案没有迹象表明申诉人将佛罗里达州设定为纠纷可能提交其解决的法院地是一种抑制乘客诉求正当请求权的手段。这种恶意动机的任何信号都可以被这样两个事实覆盖：申诉人的主营业地在佛罗里达，而且它的旅游航线从佛罗里达的港口出发又回到那里的港口。同样，也没有证据表明，申诉人是通过欺诈或夸大其词获得答辩人签订法院地条款的。最后，答辩人已经承认，他们已经获得了关于法院地条款的通知，因而可以认为他们能够保留选择权拒绝这一合同而取得豁免。因此，在眼前的案件中，我们的结论是，上诉法院拒绝执行法院地条款是错误的。

撤销上诉法院的判决。此令。

大法官史蒂文斯的反对意见，马歇尔法官加入：

本院用一个事实陈述作为它的法律分析的引语，这个事实意指购买狂欢旅游公司客票者收到了完全而公平的通知，通知他们在印刷好的船票背后存在法院地选择条款。即使这种暗示是准确无误的，我也不同意本院的分析。但既然本院已有了引语，我就开门见山地提出自己的反对意见吧——只有那些最恶意的乘客才有可能意识到这个法院地选择条款。好了，我已经把有关文本的副本附加在这个意见书里了，用了一种看上去实际上已在船票上的字号。细心的读者将会在25段中的第8段找到法院地选择条款。

当然，许多乘客就像本案的答辩人一样，在他们实际买船票之前是不会有机会读到第8页的，他们在这个时候就已经接受了在第16（a）段提出的条件，即

"对于……完全或部分不是由乘客使用的船票承运人没有责任给予任何退款"。我不知道这一条款是否可以合法地执行,我认为一般乘客都会接受在他们受伤时向佛罗里达州提起诉讼的风险,而不是在最后一分钟取消——而且没有退款——已经计划好的度假。狂欢旅游公司通过将这种选择强加于它的乘客而降低它的诉讼成本从而减少它的责任保险费,我认为这不足以使这一条款具有合理性。

即使乘客在他们承受旅游的成本之前即已收到关于法院地选择条款的事先通知,我也仍然认为这一条款是不可执行的……这些条款是典型的承运人与乘客之间谈判力量悬殊的产物,它们损害了在阻止过失行为方面的强大的公共利益……

传统合同法规定了法院可以执行书面合同条款的一般规则,而乘客船票上的法院地选择条款涉及到传统合同法的两个标准的交叉。根据第一个标准,法院在传统上以高度审视的标准审查附属合同条款、* 由具有强大的谈判力量的一方当事人对力量弱小的当事人基于"要么接受要么走开"(take-or-leave)条件签订的格式合同。一些注释法学家提出过这样的疑问:根据传统的合同理论,附属合同是否能够成为执行的正当理由,因为附属方当事人一般是在不明知和不自愿地同意全部条款的情况下签订这些合同的。

普通法认识到格式合同的标准化已成为所有商事协议的重要的一部分,因而采取了不那么极端的立场,而将附属合同的条款置于关于合理性的审视之下……

狂欢旅游公司卖给答辩人的船票上的条款肯定减少或弱化了他们对于发生在墨西哥西海岸的滑倒事故的赔偿能力——这一事故是在狂欢旅游公司启航并返航于加州洛杉矶的船舶上发生的。肯定地说,在西海岸一家法院收集证人——无论是其他乘客还是船上工作人员——要比在离事故现场几千英里的一家佛罗里达州的法院费用低而且更方便……

在这些情况下,旨在"减少、弱化或规避"乘客参加审判的权利的条款受到普遍禁止,这种禁止肯定应当适用于本案乘客船票上的明显不合理的条款……

我尊敬地反对。

注释与问题

1. 狂欢旅游公司案恰如其分地阐述了对人管辖权问题的策略上的重要性。第九巡回法院的结论是,"舒特夫妇在身体和经济上都不能在佛罗里达州提起本案诉讼",条款的执行会剥夺他们出庭的权利。琳达·马莱尼克斯在激烈批评最高法院的判决时写道:"作为实务事项,这些(法院地选择)条款致使无心的原告丧失正当的法律请求,因为原告通常都没有能力在一个遥远的、不方便的法院

---

* 译者注:contracts of adhesion 不是指合同的附加条款,而是指在交易双方力量悬殊的格式合同中弱小的一方实际上处于几乎没有独立选择余地的附属地位。

地打一场官司"。[Linda Mullenix, Another Easy Case, Some More Bad Law: Carnival Cruise Lines and Contractual Personal Jurisdiction, 27 Tex. Intl. L. J. 323 (1992).]

国会实际上推翻了狂欢旅游公司案,1992 年修订的海商制定法规定,交通工具的乘客享有有制定法上的权利将因人身伤害引起的诉讼提交原告选择的任何法院,而且车船票上的法院地选择条款不能限制这一权利。见迈克尔·斯特利:"国会法案'推翻'了最高法院(意见)","注意:制定法对狂欢旅游公司案的修改"。 [Michael F. Sturley, Congressional Action "Overruling" the Supreme Court, 24 J. Mar. L. & Com. 399 (1993); Statutory Revision to Carnival Cruise Lines, Inc. v. Shute, 6 U. S. F. Mar. L. J. 259 (1993).]

2. 为什么最高法院在这些情况下以如此明显漠不关心的态度"出卖"(sell out)消费者?狂欢旅游公司案是否简单地反映了最高法院支持商家的偏见?或者该案也许反映了一种维护司法权力的根据不必受格外复杂的正当程序分析?

3. 最高法院是否会执行以相同方式嵌入合同的这种免责条款(宣称对旅游中遭受的任何伤害不负责任)?为什么?如果不执行,法院地选择条款对于像舒特夫妇这样缺乏必要财力去遥远的法院地诉讼的乘客不会形成同样的情形吗?

4. 在什么情况下狂欢旅游公司案的多数派会拒绝执行法院地选择条款?

5. 当法院地选择条款迫使一位消费者在远处的法院地防御时情况有什么不同?如果狂欢旅游公司因为舒特夫妇为旅游而支付的支票不能兑付而在佛罗里达州起诉他们,情况又将如何?

6. 你会看你的最近的长途电话账单的背面吗?下面的内容出现在来自 Sprint 通讯公司的每月声明:"根据 K. S. A. 60 - 308(b)(11),作为商业消费者,你可能因为你与 Sprint 之间就你的电话服务有关的纠纷而受制于堪萨斯的司法管辖。这是因为你已经安排了或者持续地接受了在堪萨斯州安排、经营或监督的电话服务"。这是法院地选择条款吗?它可以执行吗?请解释。

7. 当我们在第九章讨论 Stewart Organization, Inc. v. Ricoh Corp. 487 U. S. 22 [1988]]一案时,我们将回到法院条款的可执行性问题。

实务练习二十九
在数字时代考虑对人管辖权

送:助理律师
自:合伙人
主题:关于计算机公司诉新科技公司一案的建议
我们的客户新科技公司(以下称新科技)是一家软件开始公司,它就位于我们本地——洛杉矶,它接受了一份向在俄亥俄州的联邦地区法院提交的起诉状的送达。原告计算机服务公司（CompuServe Inc.）诉称，新科技在最近在新科技的互连网上提供自己的"轻松浏览器"时侵犯了它的商号并从事了不公平竞争。

我的印象是，在俄亥俄州的法院对我们的客户行使管辖权是有问题的。新科技与该州之间的惟一纽带是电子，俄亥俄是它计算机服务公司的总部所在地和经营基地。新科技是计算机服务公司的分公司，它从加州通过调制解调器和电话线进入这个系统并支付使用费。新科技反过来被允许将自己的产品通过它的网站投放市场，提供给计算机公司的用户。我问过新科技的人，他们核对了他们的记录，他们在两年多时间内在俄亥俄州向用户的总销售额不到1000美元（这占他们总销售额中的微不足道的一部分；以此方式在俄亥俄州的销售涉及到引起本案争议的浏览器。）新科技在俄亥俄州没有办事处，除通过互联网以外也没有在那儿做过广告，也没有新科技的人涉足过该州。

我有点担心的一件事是，作为基础的计算机服务公司用户协议声明，该协议在该州签订和履行并受该州法律调整。分公司在被允许进入计算机服务公司的网站之前必须在他们的计算机中紧挨这些条款和条件的地方打上"同意"字样。但那并不像是一个法院地选择条款，对吗？即使是这样，它能够对新科技如此执行吗？

774　　　在我们花费时间收集关于计算机网络管辖权（cyber-jurisdiction）的判例法之前，我希望你们从考虑提出规则12（b）（2）动议的可能性入手。（不管怎么说，你们在时间上从法学院走向国际鞋业案资料的距离要比我近得多。）我等待你们的尽快光临（请通过备忘录）。

我已经查阅了俄亥俄州的长臂制定法。它允许俄亥俄州的法院应产生于非居民在俄亥俄州的任何交易的请求而对非居民行使对人管辖权。[Ohio Rev. Code Ann. § 2307. 382 (A) (Anderson 1995). (See CompuServe, Inc. v. Patterson, 89 F. 3d 1257 (6th Cir. 1996).]

第十三节　通　知

在彭诺耶案的机制下，诉讼通知受"出现"概念的支配，它同时伴随着通常引起管辖权的行为，也就是在该州内对本人送达。然而，当审判权的根据与"出现"相分离时，通知被告就必须通过其他方式完成。比如，记得在赫斯案中，非驾驶员制定法要求通知以挂号信发到被告住所。下面的判例定义了充分通知的宪法性参数。

马伦诉中央汉诺威银行与信托公司
Mullane v. Central Hanover Bank & Trust Co.
339 U. S. 306（1950）

杰克逊大法官制作本院意见书：

　　本案争议的问题是，根据《纽约银行法》、《公债法》C. 2 设立的共同信托基金的托管人（trustee）就账目的司法确认（judicial settlement）给予给受益人通知在宪法意义上是否充分。原告在初审中提出异议认为，制定法规定的通知违反了第十四修正案的要求，未经正当法律程序而剥夺了账目受益人（beneficiry）的津贴费，纽约最高法院*考虑并驳回了这一异议。本案上诉至本院⋯⋯

　　共同信托基金立法用于解决适于州的诉讼解决的问题。增加基金的管理费用使得公司的托管人不想要小额信托管理。为了让中等数额的捐赠人（donor）和遗嘱人（testator）不会被公司的受托人（fiduciary）拒绝服务，哥伦比亚特区和除纽约州以外的其他 30 个州已允许将房地产小额信托合伙为一个基金来经营，以进行投资管理。收入、资金获得、集体信托的损失与开支等，都合股的信托按照其在基金中的比例分摊。基于这一方案，风险的分担和管理费用的节约可以扩大那些资金独立核算的人们不能获得的优势。

　　制定法授权设立这样的共同信托基金的根据是由纽约银行法 100 - C 节（C. 687, L. 1937 规定，c. 602, L. 1943 和 c. 158, L. 1944 修订）。根据这一法案，信托公司可以经州银行业委员会同意，在规定的限额内设立共同基金，向其中投资受信托人的数量不限的房地产、信托或其他基金。参股的每一份信托都在共同信托基金中按比例分红，但排他性的管理和控制是在公司中由托管人掌握的，参与基金的任何受托人或受益人均不得被认为对参股或投资在此共同基金中的财产享有所有权。信托公司必须将基金财产与自己的财产分开，并且在其受托的资格范围内不得与公司自己进行交易或联合经营。条款用于在设立基金之后 12 - 15 个月清算账目，并兹后每 3 年清算一次。每一次进行这样的账目司法确认的判决，对于在共同基金中或在任何参股的财产、信托或基金中享有任何利益的每一个体所提出的每一事项而言，都是有拘束力和结论性的。

　　1946 年 1 月，中心汉诺威银行与信托公司根据这些条款设立了一项共同信

---

　　* 译者注：the New York Court of Appeals，中级上诉法院称为 the Appellate Division of the Supreme Court。这是因为美国在 20 世纪 70 年代以前，多数州均采用初审法院和上诉法院两级结构，州上诉法院也就是最高法院；后来在两级法院之间插入一级上诉法院而成为三级司法结构，中级上诉法院分担了原上诉法院亦即州最高法院的职能，因而纽约称中级法院为最高法院的"分庭"。

托基金，并于 1947 年 3 月申请公证法院（the Surrogate's Court）*确认其作为共同托管人的第一笔账目。在清查 113 笔信托账目的总额期间，参与共同信托基金的有将近一半为生存者的账目而另一半为遗产，总资金接近 300 万美元。这一记录未显示受益人的数目和居住地，但收益人为数不少，并且其中一些人明显不住在纽约州。

向受益人发出的关于这一具体申请的惟一通知是在一家地方报纸上的公告，这勉强符合纽约银行法 100 - C（2）节规定的最低程序要求："申请人在提起这类（请求对账目进行司法确认的）申请之后，得由接受申请的法院向全体申诉人发出通知，并得不少于在一家报纸上连续 4 周、每周一次地，向申诉中所提到的所有在此共同信托基金中和在不动产、信托或基金中享有利益的人，发布由法院签署的通知或者不列举姓名/名称的一般性引述，在通知或引述中可以用起诉状中描述这些受益人的方式，不必写明任何财产、信托或基金的死者或捐赠人的住址"。因此，所要求和所发出的惟一通知就是通过报纸发布的公告，公告上仅仅载明信托公司名称和地址、共同信托基金设立的日期、以及所有参股的财产、信托或基金的清单。

然而，在共同基金代表参股财产进行第一次投资时，信托公司根据 100 - C（9）节之规定，以邮件的方式通知了它当时知道姓名和住址的每一个成年的和心智健全的人，以及那些"有权在从其收入中享有利益的人……或者……如果这些财产、信托或基金的本金可以分配而在发出通知当时将有权分配事件的人"。该通知中还包括一份制定法中有关发送该通知和对共同信托基金账目进行司法确认的条款。

在提交请求进行账目的司法确认之申请时，上诉人应法院根据 100 - C（12）节作出的裁定，为已知或未知信息而未出面、因而已经或可能在兹后从共同信托基金中获得任何利益的每一个人，都指定了具体的监管人或律师。被上诉人沃恩被指定代表本金中的相同利益。没有其他人出面代表在任何利润中或在本金中享有利益的任何人。

上诉人特别出现提出异议，声称通知和制定法关于通知受益人的条款不足以赋予十四修正案所要求的程序保障，因此法院没有管辖权作出终局的和有拘束力的判决。公证法院处理并驳回了上诉人的异议，其理由是，所要求和所发出的通知均为充分的，因此作出了接受账目的判决，中级上诉法院维持了这一判决。

---

* 译者注：the Surrogate's Court 是美国许多州的限权法院中的一类，在各州的名称不一，但主要职能大同小异，主要是确认某些法律事项为主要职能，类似于我国公证机构，但公证过程要求符合权限法院为当事人提供的最基本程序保障。

这一判决的效果是确定了"关于共同基金管理的所有问题"。我们的理解是，受益人若无此判决则可能对信托公司——无论其作为共同基金的托管人或作为任何个体信托的托管人——基于信托公司在账目覆盖期间对共同信托基金的不适当管理而享有的每一权利，都会被该判决封存和完全终结。

我们在出口处迎面碰上了对该州权力的挑战——州法院是否有权利审判不住在纽约州的受益人。抗辩提到，这一诉讼是对人诉讼，判决影响的既不是物的名份也不是物的占有，而仅仅是对受益人因其托管人过失或违反信托而诉求的人的权利。因此，根据彭诺耶案（Pennoyer v. Neff, 95 U. S. 714）的原理，该公证法院对于未完成对人送达程序的非居民没有管辖权。

对物诉讼与对人诉讼之间的差异是古代和传统上的程序术语，似乎在一套与我们现在不同的实体法上的确存在差异。法律上的承认和无形财产形式在经济上重要性的增加已经颠覆了古代简单化的财产法及其差异的划分，新的诉讼形式混合了古老的诉讼分类。美国的法院有时将某些诉讼归类于对物诉讼是因为不需要对人送达诉讼文书，而另一些时候认为不需要对人送达又是因为案件是对物诉讼。

确定受托人账目的司法诉讼有时被归入对物诉讼，更确切地说是准对物诉讼，或者再模糊一点就是"具有对物诉讼的性质"。眼前的问题是，纽约州的法院是如何将本案归类的，本案兼而具有同时又缺少对物诉讼和对人诉讼的某些特征。然而无论如何，我们认为联邦宪法第十四修正案的要求都不取决于某种分类，因为分类的标准在一般意义上是难以捉摸和易于混淆的，基本上取决于各州法院的定义，而州与州之间的分类标准又不尽一致。我们没有毁损对物诉讼与对人诉讼的差异在许多法律分支中或对于其他问题的价值及其背后的理由，但我们没有把本案中该州求助于一种构成性送达的权力建立在该州的法院或本院对于这一历史性对立概念的基础之上。有一点评论即已为足，即，各州无论在技术上如何定义其选择的程序，假定它的程序提供了出面并接受听审的完全机会的话，那么它在规定终结按照其法律存在并在其法院管辖之下的信用的方式上所享有的利益，无疑都符合并植根于该州在决定所有请求人（居民或非居民）利益的权利方面所遵从的惯例。

与州在解散托管人方面享有权力的问题相当不同的是，它必须给予受益人申辩的机会。许多争议都是关于正当程序条款含混、抽象的词句激发的，然而这些词句的最低限度要求是，通过司法程序剥夺生命自由或财产必须经过符合案件性质的适当通知和听审机会。

本案无论以哪种分类方式都剥夺了或者可以剥夺受益人的财产。它可能剥夺了受益人迫使托管人就过失或非法损害其利益作出答复的权利。还有，由于在诉讼中将费用和开支判给了一个以受益人的名字但未经他们知道的人，而这个人可能从事劳而无功或无所补偿的抗辩从而使他们的利益在诉讼中也受到损害。肯定地说，这是一次可能剥夺他们财产权利的诉讼，因此通知和听审都必须达到正当程序的标准。

在司法区内向本人送达书面通知，是在任何类型诉讼中均为充分的通知的典型形式。然而只有当州外的个体的利益或请求能够以某种方式获得确认时，才可以考虑满足该州在将受托人的任何问题提交终局性确认时的利益。

我们必须作为州的利益相对利益来平衡的是寻求受第十四修正案保护的个人的利益。这一利益在我们的判决理由中已有定义："正当法律程序的基本前提是受听审的权利"。除非一个人被通知了待决事项并可以自行选择出庭或者不出庭、默许或者申辩，否则这一受听审的权利是不现实或没有价值的。

在具体案件中，在这些利益中寻求平衡时，或者决定何时可以运用构成性通知或必须符合什么检验标准时，本院从未受制于一种公式。向本人送达并非在所有情形下都被视为对于居民的不可或缺的正当程序要件，更多地时候也不是对于非居民的必备要件。我们从未就这一问题发出过已经确立的规则，也没有对提交给我们的案例作出过一份有支配力的或者哪怕是清晰无疑的先例。然而，许多书中都有一些一般原则。

在任何符合终局特征的诉讼中，有所有情形下，正当程序的基本要求都是通知必须合理地估量能够告知与待决诉讼有利害关系的当事人，并给他们一次表达异议的机会。通知必须具有合理传递所要求信息的性质，必须为利害关系人出庭留足合理的时间。然而，如果考虑到案件的具体特征和实用性而合理地满足了这些条件，则宪法要求即已满足……

然而，当通知对于一个人而言已经到期时，仅仅是一种姿态的程序就不是正当程序。通知所采用的方式必须是一个人希望获得的、能够起到实际上通知受通知者的、能够合理采用来完成送达的方式。所采用的任何方法如果本身能够合理地肯定通知到受影响各方，或者条件所限不能合理地允许以此方式通知，都可以成为具体通知方法的合理性和由此决定的宪法有效性的辩护理由，在所选择的方式中，将通知带回家可能并不比其他可行和制度性的通知方法更少实质意义。

像本案这样，假装认为仅仅公告就成为一种使利害关系当事人获悉自己权利已提交法院的事实的可靠方法，是徒劳无益的。关切诉讼建立在通过地方报纸公告的结构性送达的基础之上，而就通知的适当性问题提出质疑，在提交本院的大量案件中并非偶然。就算在一张嵌在报纸黑色版面上的小小广告可以引起当地居民的注意，如果他的家在报纸通常发行范围之外，那么他永远也不会看到这一消息的几率就大大增加了。如果像本案这样，所要求的通知甚至不列举那些设想可以引起其注意的人们的名字/名称，则获得实际通知的机会就更少了。在以实际获得通知的可能性为根据来权衡通知的充分性时，我们不能装模作样。

本案中的公告也没有采取过吸引当事人注意到诉讼的步骤来强化其效果。在传统上，如果另一诉讼本身已有合理预期传递过警告，公告是作为该"另一诉讼"的补充通知而被接受的。拥有有形财产的所有人通过这些方式获悉对其所有权或财产权利的采取的任何直接触及的方式。因此，扣押一条船、查封一件动产、或将不动产转移登记，都可以合理的预期会及时引起所有人的注意。当该州基于某种理由扣押所有人置于其内的财产时，公告或邮寄就提供了一种附加的告知。一州可以放任这样一种假定，亦即将有形财产留在该州的人即为遗弃了该项财产，就该项财产提起的诉讼没有剥夺此人的任何东西，或者假定他有义务留下某位照管者并令其了解财产受损情况……

当然，本案中的财产并没有发生上述遗弃。同时这些受益人的确有一位作为州内居民的受托人来照管他们在这项财产上的利益。然而正是他们的照管者却在账目上成为了他们的对手。他们的托管人被解除了将财产受损情况通知他们的义务，更不能指望其他人来通知他们了。甚至也没有要求或明显预期特定的监管人与监护人和客户联系，当然，如果这一义务仅仅是从托管人那里转移给了监管人，就会不经济，而且成本会增加。

在另一个集团诉讼案件中，没有给予更充分警告的合理可能的或现实的方式，本院毫不犹豫地支持了将公告作为一种习惯性的替代方式。因此承认，在当事人失踪或不明了的案件中，运用直接的甚至可能没有效果的告知方式成为这种情形所允许的全部，因此在形成终局性判决终结其权利时不会遇到宪法性障碍。

上诉人所代表的那些受益人明显在这一类型之列，他们的利益或下落未能受到适当而勤勉的确定。对于他们而言，制定法所规定的通知是充分的。然而，不同寻常的是，公告永远也不会进入如此不明了的当事人的视野。

我们也不认为该州向那些只存在推测的或未来的利益的受益人省却更确定的通知有什么不合理，尽管他们能够通过调查而发现，但在适当的商事过程中不会知道共同托管人的情况。根据勤勉的标准，在另一种情形下，无论如何都会要求作点调查，但以本案诉讼的特性和所涉利益的性质来看，我们认为不必要。我们认识到，对大量受益人的身份进行经常性的调查、而其中许多人在共同基金中的利益朝生暮死，这种调查有操作上的困难并且成本高昂；我们不怀疑这种不具操作性的、范围广泛的调查不是以正当程序的名义所要求的。即使在现在有收入的受益人和假定的遗产继承人之间保持不时通报信息，只是为了说明随时可能发生变化的受益人的更庞大的数量，其开支将给这一方案施加严重的负担，而且可能会消解它的优势。这些都是实际问题，在这些问题上我们应当不轻易去骚扰各州在权限内的判决。

因此，我们推翻了上诉人代表那些托管人不知其利益或地址的任何受益人对公告送达提出的宪法性质疑。

然而，对于那些已知居住地的现有受益人，公告送达就站在了一个困难的边缘上。必要性的例外并未使规则荡然无存，亦即对于有操作性的通知的限定必须是合理地估量能够送达给利害关系当事人。当那些受影响的当事人的名字和邮址就在手边时，求助于可能劣于邮寄的方法来告知他们案件待审的事实，其理由就不复存在了。

托管人在它的账簿上有上诉人所代表的那些有收入的受益人的名字和地址，我们没有发现任何人可维持的理由来省却向他们亲自通知账目的勤勉努力，至少可以定期邮到他们记录上的地址。当然，几个月乃至几年以前事先向他们寄一份制定法条款并不能回应这一目的。托管人向他们汇出他们的收入，我们认为，他们可以合理地预期，他们的汇款附言可以通知他们本人，正在采取影响他们利益的步骤。

我们勿须掂量这些争辩，即，要求对大量不明了的居民或非居民受益人进行亲自送达引述内容，由于迟延（如果不是开支）的原因，会严重妨碍基金的适当管理。当然，即使对争议事项没有管辖权，亲自送达也服务于实际的和向本人通知之目的，不过无论如何它可能也缺乏强制的力量。然而在此情形下并没有要求这样的送达。这种信托类型预设的是一大堆小额利益。个体的利益不是单列的，而是与集团利益一致的。在这项基金整体中的每一个体的权利和托管人的忠诚都由许多其他受益人共享。因此通知合理地肯定达到多数有利益的异议人，可能就能保障全部个体的收益。我们认为，在这种情形下，通知也许不能实际送达到每一个受益人的合理冒险是有正当理由的。"不时有常规性判例被推翻，但合宪性法律却像其他人类的发明一样，不得不趋利避害，在绝大多数情况下，正义无疑是实现了"。

制定法规定的向已知受益人的通知是不充分的，不是由于它实际上没有送达到每一个体，而是因为在这种情形下它不能合理地估量送达那些本来可以通过方便的其他方式轻而易举地通知的那些人。然而，在共同信托基金设立时信托公司已经能够向已知受益人发出邮寄通知，这一事实具有说服力，在清算账目时邮寄通知不会给这一方案施加严重负担。

在某些情形下，法律在诉讼中要求防范措施要比商业界以自己的目的所接受的措施更多。在少数情况下（如果有这种情况的话），则要求较少。当然，在确定非亲自送达的广播通知的合理性时，指导性的意见是询问这一通知是否会令一位精明的商人满意、以计算其利益却要通过向他通讯录中的其他人传递信息才能找到这一利益。我们认为这种通知不会令商人满意。公告可能在理论上说是在全世界都可以找来看的，但在我们的日常生活中，设想每一个体受益人都在或能够检查所有公告以寻找是否有什么东西影响了自己的利益，可以收藏起来，那真是太过分了。我们过去在涉及公告通知时曾经指示，"认真谨慎不应当用来让虚假拒绝公平游戏，公平游戏只能通过紧紧地与事实粘合在一起时才能保证"。

我们认定，纽约银行法100-C（12）节所要求的司法确定账目的通知，作为剥夺已知当事人（他们的下落也是实体财产权利的下落）的司法根据，不符合第十四修正案的要求。据此，推翻判决，案件发回进行不与本意见相左的进一步审理。

撤销原判。

道格拉斯大法官未参与考虑或判决本案。

博登大法官的反对意见：

这些共同信托只有当创设参与信托的手段允许参与共同基金时才能获得。是否向受益人发出进一步通知应属于该州的裁量范围。联邦宪法在此未提出要求。

注释与问题

1. 马伦案是如何依赖于彭诺耶案的？另一方面，马伦案是如何参与谢弗案对彭诺耶案的批判的？你能否看出为什么它被视为关键性的判例吗？

2. 根据杰克逊大法官的意见，对非居民受益人行使管辖权的根据是什么？请阅读以下内容：

有一点评论即已为足，即，各州无论在技术上如何定义其选择的程序，假定它的程序提供了出面并接受听审的完全机会的话，那么它在规定终结按照其法律存在并在其法院管辖之下的信用的方式上所享有的利益，无疑都符合并植根于该州在决定所有请求人（居民或非居民）利益的权利方面所遵从的惯例。

3. 最高法院为什么会设定如此弹性的宪法性标准，比如，"有所有情形下，正当程序的基本要求都是通知必须合理地估量能够告知与待决诉讼有利害关系的当事人，并给他们一次表达异议的机会"。这种检验标准能够不会导致对通知的不充分性没完没了的诉讼吗？替代的标准是什么？

4. 自马伦案以来，判例已将通过邮寄通知作为对于那些通过合理的勤勉努力可以找到地址的被告送达的最低宪法要求。见 Walker v. City of Hutchinson, 352 U. S. 112（1956）（在该案中，土地所有人的姓名为该市政府所知，在报纸上公告送达即为藐视法庭诉讼的不充分通知）；Greene v. Lindsey, 456 U. S. 444（1982）（在公共住宅的大门上张贴驱逐诉讼的通知违反了正当程序，因为证据表明通知曾经常被撕走。）Mennonite Board of Missions v. Adams, 462 U. S. 791（1983）（公告和张贴通知不足以通知在待决的在公共记录上指认的受抵押人。）

5. 联邦民事程序规则第 4 条调整在联邦诉讼中的通知。送达被告的要求在 1983 年和 1993 年两次修改之后变得十分宽松。通读规则 4（d）中"放弃受送达权"程序。被告放弃受送达权的激励因素是什么？如果说规则 4（d）允许"通过邮寄送达"是否准确？请阅读顾问委员会对 1993 年修正案的说明，特别是对第（d）款的说明。

第十四节　审判地与不方便法院

除了对人管辖权的限制（以及下章所讨论的标的管辖权）以外，关于审判地的要求给原告对法院的选择施加了更多的限制。州的审判地规则确认了在一州内提起诉讼的县法院，* 而联邦的审判地条件则将案件分布到各特定的司法区。审判地像一个地理上的过滤器，把案件分往与当事人或导致诉讼产生的事件相联系的不同地区。基本的概念是将该案分配到要么离当事人最近要么离证人或证据最近的地方。

阅读《美国法典》第 28 编第 1391 节。联邦审判地制定法设定了不同的审判地规则，这些规则取决于法院对案件的事项管辖权是基于异籍还是基于联邦问题（见第八章）。在两类案件中，任何被告居住的州（如果全部被告均住在同一州）或者事件的实质部分所发生的州的所在司法区即为适当的审判地。如果上述因素均未产生适当的审判区（比如当被告来自不同的州，且引发诉讼请求的事件发生在某外国/州），那么这样的异籍案件可以在对任何被告享有对人管辖权的地区提起，见第 1391（a）节，而一个联邦问题的案件可以在"能够找到"任何被告的地区提起诉讼（这被认为仅次于对人管辖权），见第 1391（b）节，而作为公司的被告被认为是住在任一对他具有对人管辖权的地区，见第 1391（c）。一般认为，作为公司的被告的居住地为对它享有对人管辖权的任何地区。

与对人管辖权一样，对审判地的异议必须及时提出，否则即被视为放弃，见联邦民事诉讼规则 12（1）。与对人管辖权不同的是，适当的审判地并不是有效判决的宪法性条件，因而不能以附带攻击的方式提出异议。

如果案件在不存在适当审判地的某地区提起，那么法院可以将案件移送至

---

* 比如可适用于卡彭特案的麻省关于法院地的制定法规定"暂时诉讼"应当在作为居民的被告居住地或经常营业地县起诉。如果一方当事人是公司，则可在"公司可能起诉或被诉的"任何县起诉。与"暂时诉讼"不同的是，"地方诉讼"（local actios）是涉及不动产的诉讼，必须在不动产所在地县起诉。如果南希·卡彭特、兰德尔和皮特·迪、终极公司、洛厄尔市、以及麦克吉尔修理部都位于该州不同的县，那么对于所有这些初审当事人均为适当的法院地在哪儿？

"其本来能够提起诉讼"的地区,亦即符合对人管辖权、事项管辖权和审判地等全部条件的地区,以此替代驳回起诉的处理。见《美国法典》第28编第1404节。

派珀飞行器公司诉雷诺
Piper Aircaft Co. v. Reyno
454 U. S. 235（1981）

大法官马歇尔制作本院意见书:

这些案件产生于一次发生在苏格兰的空难。被答辩人代表死于这次空难的几位苏格兰公民对申诉人提起了过错致死诉讼,该案最终移送至宾夕法尼亚中部联邦地区法院。申诉人动议根据不方便审判地规则驳回诉讼。地区法院指出,苏格兰也享有管辖权,因而支持了他们的动议。第三巡回法院撤销了这一判决,其根据——至少部分根据——是,当原告所选择的审判地的法律比另一审判地的法律对原告更有利时,则自动阻止驳回起诉。我们的结论是,法律上不利之变化的可能性本身不应当阻止驳回起诉,我们同时断定,地区法院没有滥用其自由裁量权,以此为前提,我们撤销了下级判决。

I
A

1976年7月,一架小型商业飞机在苏格兰高地坠毁,当时它正从布莱克浦区飞往珀斯郡。飞行员和5名乘客当即死亡。死者以及他们的继承人都是苏格兰主体或居民。没有事故的目击者。飞机在坠毁的当时处于苏格兰导航系统的控制之下。

这架飞机是派珀飞行器公司在宾州制造的,其螺旋桨是由申诉人哈策尔螺旋桨公司(下称哈策尔)在俄亥俄州制造的。飞机在坠毁当时注册于英国,并且由空中航行与贸易公司(下称空中航行)拥有和维护,由麦克唐纳飞行公司经营(下称麦克唐纳)——这是一家苏格兰的航空器出租服务公司。空中航行和麦克唐纳都是在英国组建的。飞机的残骸现在英格兰 Fansborough 机场。

英国贸易部在这次事故之后不久对其进行了调查。初步报告表明,飞机或螺旋桨的机械故障要对这次事故负责。该报告应哈策尔的要求提交3人复审委员会复审,在经过全部利害关系人参加的历时9天的对抗性听审之后,复审委员会认定,没有证据表明设备有故障,并指出飞行员的错误可能导致了事故的发生。飞行员仅仅在3个月以前刚刚获得商业飞行许可证,当他飞过高地时,飞机的高度比他的公司操作规程所要求的最低高度要低得多。

1977年7月,加州一家遗嘱法庭(a probate court)指定答辩人盖纳尔·雷诺作为5名乘客财产管理人。雷诺与死者或者死者的遗属之间没有任何亲属关系，也不认识其中的任何人。她是提起这本案诉讼的律师的法律秘书。她在接受指定的几天之后，即在加州上等法院针对派珀公司和哈策尔启动了一个单独的过错致死诉讼，主张二被告存在过失和承担严格责任。空中航行、麦克唐纳及飞行员的财产均不是该案当事人。* 由雷诺代理财产的5位乘客的遗属在英国提起了针对空中航行、麦克唐纳及飞行员财产的单独诉讼。雷诺坦率地承认，针对派珀公司和哈策尔的诉讼在美国提起是因为美国法律对于责任、诉讼资格、以及损害赔偿的规定要比苏格兰法律更有助于支持她的立场。苏格兰法律不承认侵权损害赔偿中的严格责任，而且只承认死者家属才能提起过错致死诉讼，亲属提起诉讼也只能基于"生活支持（赡养、抚养或扶养）及社会关系的损失"。

该案应申诉人的动议移送至加州中部联邦地区法院。派珀公司随后动议根据美国法典第28编第1404（a）节将案件移送至宾州中部联邦地区法院。[1] 哈策尔动议基于缺乏对人管辖权而驳回诉讼，或者换一种方式——将案件移送。[2] 1977年12月，地区法院拒绝承认对哈策尔的送达，将案件移送至宾州中部地区。答辩人随后以适当的方式对哈策尔实施了送达。

B

1978年5月，在案件移送之后，哈策尔和派珀公司都动议以不方便审判地为由驳回诉讼。地区法院于1979年10月支持了这些动议，其根据是本院在海湾石油公司诉吉尔伯特案[Gulf Oil Corp. v. Gilbert, 330 U. S. 501 (1947)]以及与之匹配的科斯特诉鲁伯曼案[Koster v. Lumberment's, Mut. Cas. Co., 330 U. S. 518 (1947)]中提出的平衡标准。本院在这些判决中声明，原告对审判地的选择应当尽少受到干预。然而，当另一审判地享有管辖权来听审该案，并且当所选择的审判地审理案件会"由于原告方面的方便……形成……对被告的压制和折磨时"，或者当"基于对法院自身管理方面或法律方面问题的考虑而使得所选择的审判地并不适当时"，法院可以行使其站得住脚的裁量权而驳回诉讼。（科斯特案，上引，页524。）为了指导初审法院行使裁量权，本院提供了一个影响当事人之方便的"私人利益因素"一览表和一个影响法院之方便的"公共利

---

* 译者注：在了解本书前面介绍的对物诉讼和以财产所在地作为管辖权根据之一的美国制度后，读者对于这里将财产或产业作为与人并列的"当事人"应当不会再大惊小怪了。

〔1〕美国法典第28编第1404（a）节规定，"地区法院可基于当事人和证人之方便、正义/司法的利益而将任何民事案件移送至该案本来可以起诉的其他地区或分庭。

〔2〕地区法院的结论是，它不能对HHH行使符合正当程序要求的对人管辖权，但它决定不驳回HHH的起诉，因为该公司有责任在宾州接受诉讼文件。

益因素"一览表。(吉尔伯特案,上引,页508-509。)[1]

地区法院在描述了我们在吉尔伯特案和科斯特案中的判决之后,分析了本案的事实。它开宗明义地评论道,在苏格兰的确存在另一个管辖权,派珀公司和哈策尔已同意提交苏格兰的法院管辖,放弃任何制定法时效抗辩。该院承认,原告对法院地的选择通常值得给予相当大程度的尊重。但它指出,雷诺"是由于美国产品责任法的规则更宽松而在美国寻找法院地的外国公民和居民的代表","当原告不是美国的公民和居民时,特别是当外国公民谋求从为了保护美国公民和居民而提供的更为宽松的侵权法中获得好处时,法院的态度就不那么热情了"。

地区法院随后审查了有关当事人私人利益的几个因素,并确定这些因素强烈地指向由苏格兰作为适当的法院地。尽管涉及飞机和螺旋桨的设计、制造、检验的证据都在美国,但与苏格兰之间的联系就会是"绝对优势"。真正有利益关系的当事人都是苏格兰公民,都是死者。那些能够就有关飞机的维护、飞行员的训练、以及事故的调查有关的事实作证的目击者都在英国,而这些都是对防御至关重要的事实。此外,损害赔偿的所有证人也都在苏格兰。熟悉苏格兰的地形、易于找到遇难的残骸,都会有助于案件审理。

地区法院论述的理由是,由于关键证人和证据都在强制程序可及范围之外,并且由于被告不能引入潜在的苏格兰第三人被告参加诉讼,因而"让派珀公司和哈策尔在本法院地接受审判是不公平的"。生还者已在苏格兰对飞行员麦克唐纳和空中航行提起了诉讼。"如果整个案件都提交同一陪审团使之从所有相关证人那里获得有关证词,将对于所有的当事人都是更加公平的"。尽管该院承认,如果审判在美国举行,派珀公司和哈策尔就能提交对苏格兰被告的补充或连带诉讼,它相信这存在一个判决冲突的重大风险。[2]

地区法院的结论是,有关公共利益也强烈地指向驳回诉讼。该院确定,如果该案在宾夕法尼亚州中部地区审判,则宾州的法律将适用于派珀公司,而苏格兰的法律将适用于哈策尔,结果"在本院将给陪审团造成无可避免地复杂和困惑"。该院还指出,由于不熟悉苏格兰法律因而不得不依赖于来自该国的法律专

---

[1] 涉及诉讼当事人私人利益的因素包括:"相对容易找到证据资源能够强制不愿意出证者出庭;愿意出的当事人及证人的费用;如果勘查财产为诉讼的恰当措施,则要考虑勘查的可能性;其他使审判方便、快捷、低廉的实践因素。公共因素包括,分流法院积案的管理上的难度;地方在管辖本地争议方面的利益;在使异籍纠纷提交适用对案件有控制力的法律方面的利益;避免不必要的法律冲突利益;以及在不相关的法院强加公民以陪审团义务的不公平性。"

[2] 地区法院解释,如果申诉人根据这里的严格责任被认定应承担责任,然后又被要求在苏格兰的保证诉讼中证明有过失,则可能产生不一致的判决结果。此外,即使所适用的责任标准相同,也会存在一种危险,即不同的陪审团会认定不同的事实从而产生不一致的结果。

家。还有，审判成本将大大增加，审理时间将大大延长；宾州中部地区与争议仅有一点点联系却要它的公民来承担陪审团的义务也是不公平的；苏格兰却在诉讼结果中享有实质性好处。

答辩人提出了与驳回诉讼的动议恰恰相反的争辩：由于苏格兰法律是不利的，因而驳回诉讼将是不公平的。地区法院明显驳回了这一主张，其理由是，驳回诉讼可能导致法律适用的不利变更，这种可能性不能作为重要的权衡条件，外国法中的任何不足都是"由外国法院去处理的事情"。

C

在上诉中，第三巡回法院撤销了判决并发回重审。撤销原判的判决似乎根据两个理由。首先，该院认定，地区法院在分析吉尔伯特案时滥用了它的自由裁量权；其次，该院认定，当可为替代的另一法院地对于原告较为不利时，驳回诉讼永远是不适当的……

我们同意发出调卷令，以考虑他们提出的关于不方便法院地原理的适当适用问题。

II

上诉法院认定，原告仅仅需要证明将适用于替代法院地的实体法较之适用于本法院地的实体法对原告更为不利，就可以击败对方当事人根据不方便法院地原理提出的驳回起诉的动议，这一认定是错误的。实体法可能发生变化通常不应当成为不方便法院地考量的结论性甚至实质性权衡因素……

吉尔伯特案认为，不方便法院地考量的中心焦点是方便，由此默示地承认，驳回诉讼不能仅仅因为法律上的不利变化的可能性而受到阻碍。根据吉尔伯特案，当原告所选择的法院的审判给被告或法院施加沉重的负担时，或者当原告不能提出支持其选择的特定理由时，驳回诉讼一般总是适当的。[1] 然而，如果给予法律上不利变化的可能性以实体上的权衡，那么即使在所选择的法院地明显不方便时驳回诉讼也可受到阻碍。

上诉法院的判决在另一个方面也不符合本院早期关于不方便法院地的判例。那些判例一再强调了保留弹性的必要性。在吉尔伯特案中，本院拒绝识别/指认那些"既可以为许可救济或可以为拒绝救济提供正当理由"的特定情形。同样，本院在科斯特案中反驳了这样一种论点：当审判将会涉及对外国公司的内部事务进行调查时，驳回起诉总是适当的。"那只是可能证明方便的因素之一，而不是

---

〔1〕 换言之，吉尔伯特案认为，当原告选择一个特别的法院不是因为该法院方便，而仅仅是为了妨碍被告从有利的法律获得优势时，则可以支持驳回起诉。这正是该上诉法院的裁决要阻止驳回起诉的情形。

惟一因素。"在威廉姆斯案中［Williams v. Green Bay & Western R. Co., 326 U. S. 549（1946）］，我们声明，我们不会划定一条生硬的规则来规制自由裁量权，"每个案件都会根据其具体事实发生伸缩"。如果要把核心重点放在一个因素上，那么不方便法院地原理就会丧失太多的灵活性，而这种弹性却使这一原理富于价值。

实际上，如果给予法律变化可能性以结论性或实质性的衡量，则不方便法院地原理实际上就会变得没有用处。管辖权和审判地的要求常常是很容易满足的。结果许多原告都能在几个法院地中进行挑选。这些原告平常会选择那些法律选择规则最有利于自己的法院地。因此，如果在不方便法院地考量时将实体法发生不利变化的可能性作为衡量的一个因素，则驳回起诉极少有适当的……

上诉法院的方法不仅不符合不方便法院地原理，而且会造成大量操作上的问题。如果法律变化的可能性作为实质性的法码，则决定根据不方便法院地提出驳回起诉的动议就会变得相当困难。法律选择分析法就会变得极其重要，各法院会经常被要求解释外国/州法律。首先，如果案件由被选择的法院审判，则初审法院就会不得不决定适用什么法律，然后不得不根据将要在每一个法院地适用的法律来比较可得到的权利、救济和程序。只有当该法院断定可替代的法院要比所选择的法院所适用的法律对于原告更有利时，驳回起诉才是适当的。然而，不方便法院地原理的设计目的一部分是为了帮助法院避免在比较法律时变得复杂化。正如我们在吉尔伯特案中所述，当法院将被要求"在法律冲突问题中或者对于法院本身即为陌生的法律中绞尽脑汁"时，公共利益因素指向驳回起诉。

支持上诉法院的判决还会导致其他实务上的问题。至少在外方原告将美国生产者列为被告时，法院不能因为驳回起诉可能导致法律的不利变更而根据不方便法院地原理来决定驳回起诉。美国法院已经对外方原告极具吸引力了，如此以来将会变得更具吸引力。诉讼向美国流动将会增加和进一步恶化已经拥挤不堪的法院。

上诉法院的判决至少部分地依据一个分类，亦即以不方便法院地为根据的驳回起诉与根据第1404（a）节在联邦法院之间的案件移送之间的差异。本院在万·杜森案［Van Dusen v. Barrack, 376 U. S. 612（1964）］中裁定，根据第1404（a）节的案件移送不应当导致准据法的变化。联邦第三巡回法院在早期意见书的附带意见中解释了万·杜森案，下级法院依赖于这一解释认定，该原则也适用于根据不方便法院地理由作出的驳回起诉。然而，根据第1404（a）节的移送不同于根据不方便法院地理由的驳回起诉。

国会出台第1404（a）节规定允许在联邦法院之间变更审判地。尽管该制定法条款文本与不方便法院地原理是一致的，但它的宗旨是作为一条修订条款，而不是对普通法的法典化。地区法院在根据第1404（a）节进行移送时要比他们不得不根据不方便法院地驳回起诉时享有更多的自由裁量权。

万·杜森案中的说理明显不适用于根据不方便法院地驳回起诉。该案没有讨论普通法原理，而是集中讨论了第1404（a）节的结构和适用。柏拉克（Barrack）在强调制定法的救济目的时总结道，国会不可能有将移送与法律变化放在一起的意图。制定法的意图在于作为"联邦管家"的措施，允许在统一的联邦系统之间变更审判地。本院担心，如果审判地的变更与法律变更相伴而行，那么选购法院地的当事人将会从宽松的移送标准中获得不公平的好处。这一规则不一定保障制定法的正当和高效运行。

我们不认为法律不利变更的可能性永远不应当成为不方便法院地考量时的相关考虑因素。当然，如果由可替代的法院地提供的救济如此明显的不适当或不能令人满意，以至于那根本就不是救济，那么法律的不利变更可能会获得实质性权衡，地区法院可以得出结论认为，驳回起诉不会产生正义的利益。然而，在本案中由苏格兰法院提供的救济不属于这一类型。尽管死者的亲属也许不能依赖严格责任理论，尽管他们的潜在损害赔偿可能会判得少一点，但他们没有面临被剥夺任何救济或者被不公平对待的危险。

III

上诉法院反驳地区法院的吉尔伯特案分析法也是错误的。上诉法院声称，应当更多考虑原告对法院地的选择，并批评地区法院对于私人利益和公共利益的分析。然而，地区法院的判决关于尊重原告对法院地的正当选择的决定是适当的。此外，我们不认为地区法院在权衡私人利益和公共利益时滥用了自由裁量权。

A

地区法院认同，在支持原告对法院地的选择时通常存在一种强烈的预设，只有当私人利益和公共利益因素明显指向在另一个替代法院地审判时，才能战胜这种预设。但它认为，当原告或有利益关系的真正当事人是外国人时，这一预设的适用效力较低。

地区法院对居民或公民原告与外国原告进行区别是有完全正当理由的。在科斯特案中，本院指出，当原告选择了本地法院时，原告对法院地的选择有权获得更多尊重。如果已经选择了本地法院，则可以合理地认为这一选择是方便的。然而，当原告是外国人时，这种假定的合理性就要大打折扣了。由于不方便法院地考量的中心目的是确保审判是方便的，因而外国原告的选择就不那么值得尊重了。

B

方便法院地的确定审判的法院享有裁量权。只有当裁量权明显滥用时才可以推翻；如果法院考虑了所有相关的公共利益和私人利益因素，如果它对于这些因素的平衡是合理的，它的判决就值得给予相当高程度的尊重……但是，在审查地区法院对公共利益和私人利益的分析时，上诉法院似乎忽略了这一规则，而将它自己的判决取代了地区法院的判决。

1

地区法院在分析私人利益因素时声称，与苏格兰的联系是"占绝对优势的"。这一特征可能有点被夸大了。特别是在获得证据的相当轻易的问题上，私人利益指向两个方向。正如答辩人所强调的那样，涉及到飞机和螺旋桨的设计、制造和检测的记录都在美国。如果在这里审判，她会相当容易获得有关她的严格责任和过失理论/理由的证据资源。但地区法院在断定如果在苏格兰审判会面临较少证据方面的问题时表现得有些不合理。相关证据中有很大部分都在英国……

地区法院断定，不能引入潜在的第三人被告参加诉讼明显地支持在苏格兰审判，这一结论是正确的。将飞行员的房地产、空中航行和麦克唐纳合并在同一案件中审理，对于代表申诉人方面的防御是关键性的。如果派珀公司和哈策尔能够证明事故不是由于设计缺陷造成的，而是由于飞行员的过失、飞行的所有人或者租赁公司所致，他们就会被免除全部责任。当然，如果哈策尔和派珀公司在经美国法院的审判后被认定负有责任，他们就能将诉讼替换为针对在苏格兰的这些当事人提起的补充或连带诉讼。然而，在一次审判中解决所有这些请求却要方便得多。上诉法院反驳了这一论点。迫使申诉人依赖于补充或连带诉讼会是"麻烦的"，而不是"不公平的"。但是认定原告对法院地的选择是麻烦的，已足够支持根据不方便法院地驳回起诉了。

2

地区法院对有关公共利益因素的审查也是合理的。该院根据法律选择分析得出结论认为，如果本案在宾州中部地区审判，则派珀公司要适用宾州的法律，而哈策尔却要适用苏格兰的法律。该院声称，审判涉及到两个系列的法律会把陪审团弄糊涂。该院还指出，它自己就缺乏对苏格兰法律的了解。显然这些都根据吉尔伯特案作出的适当考虑；我们在吉尔伯特案中明确认定，对于适用外国法的需要明确指向驳回起诉。此外，所有其他公共利益因素都支持在苏格兰审判。

苏格兰在本案中有重大利益。事故是在它的领空发生的。所有死者都是苏格兰人。除了派珀公司和哈策尔之外，所有潜在原告和被告都是苏格兰人或英格兰人。正如我们在吉尔伯特案中所述，"使得地方化的争议在本地进行的诉讼中存在一个地方利益"。答辩人论证，美国公民在确保美国生产者生产缺陷产品受到抑止这一方面享有利益，如果派珀公司和哈策尔在美国诉讼，则可以获得额外的抑止，在美国诉讼他们会受到根据严格责任和根据过失责任提起的双重诉讼。然而，如果在美国诉讼则会增加抑制，这可能是不重要的。美国在本次事故中的利益明显不足以为大量浪费司法时间和资源提供正当理由，如果诉讼在美国举行，这些浪费就是不可避免的。

IV

上诉法院认定法律不利变更的可能性阻止根据不方便法院地驳回诉讼是错误的。它反驳地区法院的吉尔伯特案分析法也是错误的。地区法院认为由于有利益关系的真正当事人是外国人因而支持答辩人法院地选择的预设只具有最低的适用效力，这一决定是适当的。它判决私人人利益指向在苏格兰审判，这一行为也无不合理。它作出的公共利益也支持在苏格兰审判的决定也没有什么不合理。因此，撤销上诉法院的判决。

（怀特大法官部分并存、部分反对的意见书，史蒂文斯大法官由布伦南大法官加入的反对意见书，在此均予省略。）

注释与问题

1. 解释被告派珀公司和哈策尔的策略和程序上的动机。本案是如何从加州的法院（最初起诉的法院）到达位于宾州的联邦地区法院的？

2. 你能否解释根据1404节变更审判地、根据14-6节移送案件、与根据不方便法院地驳回起诉之前的差别？

3. 既然暂时出现作为对人管辖权的有效根据具有有效性，那么不方便法院地就给予法院一个最后一道安全机制，以避免在一个法院地的诉讼明显对被告不方便和/或距离主人和证据过于遥远。比如在 Macleod v. Macleod [383 A. 2d 39 (1978)] 一案中，原告是弗吉尼亚州居民，起诉被告也就是她的前夫违反了他们在法国居住期间获得的法国离婚判决（这对夫妇是在纽约市结婚的）。（美国）缅因州对她的前夫行使管辖权根据（和惟一与该州的联系）是当他在该州出席他父母的金婚仪式时对他送达了传唤文书（该被告是 CIA 的雇员，住在国外并经常迁徙）。缅因州最高司法法院维持了对该案的驳回："本案涉及一个非居民原告根据不在缅因州产生的暂时诉因起诉非居民被告。基于这些事实，无论是否存在标的管辖权和对人管辖权，初审法院都可以正确地考虑行使自由裁量权拒绝对该案行使管辖权"。但该院指出，原告对法院地的选择原则上应当受到控制，同时如果对于有一个替代法院地没有把握，则在任何情况下都不能根据不方便法院地驳回起诉。下级法院于是修改了裁定，被告在弗吉尼亚接受送达成为驳回起诉的条件，弗吉尼亚是原告的居所地，而被告仍保留了那里的驾照。

4. 在一家化学公司被印度伯泊尔毒气泄露巨灾事故的受伤者在纽约诉上法庭之后，联邦第二上诉法院维持了基于不方便法院地作出的驳回起诉裁定，条件是被告同意在受印度管辖，放弃了制定法时效防御。见 In Re Union Carbide Cor-

poration Gas Plant Disaster, 809 F. 2d 195 (2nd Cir. 1984):

> 包含事故原因和责任的绝大多数证人和书证都在印度,而不是在美国,并且印度法院要比美国法院更容易获得。这些记录几乎完全是用印度语制作的,印度法院勿须翻译即可理解。大部分证人都不讲英语,而讲印度语,印度法院能够听懂而美国法院不能。尽管在美国的证人不能都传唤去印度出庭,但在数量上比较他们是极少数,而大多数都是作为当事人一方的UCC的雇员,他们出庭的交通费加起来,比如果当事人想要成百上千的印度证人去美国要低廉多。最后,KEENAN法官适当地得出结论:印度法院站在一个指挥和监督观察伯泊尔工厂的较好的位置上,该厂在事故之后已经关闭。这一观察能够有助于一个法院决定责任问题。

809 F. 2d 201.

5. 某些州有一个不方便法院地的立法公式,写入了他们的长臂制定法。例如参见麻省的制定法。"当法院认定在实体正义的利益上该案应当在另一法院地听审时,本院可以根据可能是正当的一切条件中止或驳回该诉讼的全部或一部分"。

6. 当一个法院裁定根据第1404节或第1406节提出的转移审判地的动议时,法院地选择条款的提出是法院权衡的一个重要(虽然不是结论性)的因素。

7. 一般地讲,你认为自彭诺耶案到现在管辖权制度的进化具有何种特点?你是否受到鼓励认为——至少在这个领域——我们的司法制度从自己的错误中收取了教训并建立它的连续性?为什么?

第八章

选择适当的法院：事项管辖权与移送

第一节 关于事项管辖权的概述

正如我们在前几章概述中所述，事项管辖权是有效的和可执行的判决所必备的三个宪法性条件之一，另外两个是对人管辖权和通知。事项管辖权问题，或者说法院听审某一特定类型案件的权限，将我们的注意力集中于在联邦法院和州法院之间的选择上。当且仅当案件在有限的联邦事项管辖权范围之内——主要是异籍当事人案件和那些请求源于联邦法律的案件——时，原告可以在联邦法院提起诉讼，否则不得选择在联邦法院诉讼。我们将看到，已向州法院起诉的案件如果属于联邦事项管辖权范围时，被告也可以行使其选择权，这种案件通常可以由被告"移送"（remove）到联邦法院。参见《美国法典》第28编第1441节。

我们强调联邦法院和州法院在相当大的范围内共享权力，或者就像经常所描述的那样，它们之间存在着竞合管辖权（concurrent jurisdiction）。换言之，即异籍当事人问题和联邦问题一般既可以在联邦法院诉讼，也可以在州法院诉讼。（在某些案件中，诸如专利、著作权和破产案件，联邦法院享有排他管辖权）。但是，非异籍案件、非联邦问题案件只能在州法院审理。就像下图中所示，州法院通常可以听审大圈和小圈中的案件，而联邦法院则仅限于听审小圈中的案件。

图解待补充。小圈中内容为异籍问题和联邦问题——指向联邦法院；大圈中内容为非异籍问题、非联邦问题——指向州法院。图解题为"竞合事项管辖权"。

在对人管辖权问题上，宪法和制定法都对联邦事项权限进行了限制。第3条第2节设定了联邦司法权力的宪法参数，将其延伸到（这对于我们的目的而言是最为重要的）"依据本宪法、联邦法律和已签订条约产生"的案件，以及"在不同州的公民之间"的案件。由国会来设立下级联邦法院并落实授予司法权力，国会是在《美国法典》第 28 编第 1331 节和第 1332 节中作出这项规定的。注意，前面的制定法条款授予联邦法院听审"产生于联邦宪法、法律或条约的所有民事诉讼"，似乎将宪法性授权的全部范围及于"联邦问题"案件。* 后面的条款是否在"异籍"案件中起到了同样的作用？在争议的条件上有什么要求？你认为为什么国会要对联邦管辖权作出这样的进一步限制？

现行事项管辖权

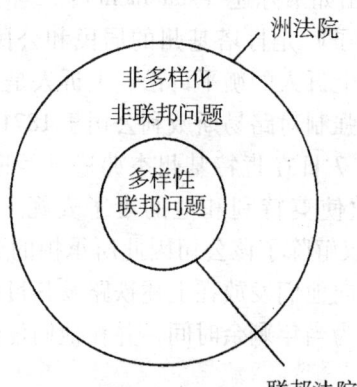

州法院
非多样化
非联邦问题
多样性
联邦问题
联邦法院

在实务中，选择联邦法院或州法院通常是作为策略性问题考虑的。在民权案件中的原告可能更倾向于在联邦法官而不是在州法官面前诉讼，前者在这类案件上通常更有经验。见 Burt Neuborne, The Myth of Parity, 90 Harv. L. Rev. 1105 (1977)。同样，在产品责任案件中，原告因为可以获得更多的证据开示而更愿意在联邦法院而非州法院诉讼。不过，律师之间关于是在联邦法院诉讼还是州法院诉讼的辩论却一般集中于法律原理。

虽然很多的注释者都把联邦法院和州法院之间的平行诉讼制度看作是一个机能不良的累赘，但罗伯特·克沃（Robert Cover）教授却洞悉了这一制度对于诉讼当事人和司法制度的明显益处。参见 Robert Cover, The Use of Jurisdictional Redundancy: Interest, Ideology and Innovation, 22 Wm. & Mary L. Rev. 639 (1981)。

---

* 但是国会直到 1875 年才授予下级法院对于联邦问题的管辖权。"在我们共和国的早期，国会将解释和适用联邦法律的任务留给了州一审法院"。参见 Merrell Dow Pharmaceuticals, Inc. v. Thompson, 478 U. S. 804, 826 (1986)（布伦纳大法官的反对意见）。

第二节　联邦问题管辖权

路易斯威利和纳斯威利铁路公司诉莫特利
Louisville & Nashville Railroad Company v. Mottley
211 U. S. 149（1908）

莫迪（Moody）大法官作出如下陈述（statement）：

被上诉人（丈夫和妻子）是肯塔基州的居民和公民，在肯塔基西部地区的联邦巡回法院中提起针对上诉人的衡平诉讼，上诉人是一个铁路公司，也是该州的法人。该诉讼的客体是强制对路易斯威利公司于1871年10月2日订立的合同为特定履行。1871年9月7日在肯特基州杰弗逊县兰道夫站该铁路公司的铁路上发生火车相撞事故，致使莫特利和他的妻子安妮·莫特利受伤，但他们于1871年10月2日签订协议解除了该公司因此所承担的全部损害赔偿或请求，该公司基于这一考虑，同意向他们发放在上述铁路及其目前存在或将会存在的支线上的免费通行证，有效期为当年剩余时间，并在他们任何一方的有生之年，每年续签免费通行证。

原告在衡平起诉状（bill）中称，他作为乘客于1871年9月由于被告的过失而遭受伤害，并考虑到合同中明确表示的在他们有生之年获得交通便利的协议，解除了他们各自的损害赔偿请求。自合同订立后，被告在1907年1月1日以前履行了该合同，但在当天拒绝续签他们的通行票。因此该起诉状称，被告拒绝更新通行票的理由仅仅是1906年6月29日国会法案的一部分，该法案禁止给予这样的免费通行证或免费交通。起诉状还称，首先，所提到的国会法案并未禁止在本案的情形下给予免费通行证；其次，如果要将该法律解释为禁止这种通行，则该法律与第五修正案相悖，因为它未经法律的正当程序剥夺了原告的财产。被告对于原告的起诉状提出拒审动议（demur）。巡回法院的法官驳回了拒审动议，并作出判决，满足了原告在起诉状中所寻求的救济，被告为此直接上诉至本院。大法官莫迪在作出以上陈述后，代表本院制作了下述意见书：

对于衡平答辩状的异议提出的两个法律问题在此提交给了上诉法院。第一，国会于1906年6月29日颁布的法案禁止任何形式的给予免费通行或者因旅客交通而收取任何不同形式的补偿，这一规定是否使履行像本案这样的合同成为违法，即，乘客出于善意，在这一法案通过以前，为了满足针对铁路的有效诉因，已经接受了这样的合同；第二，如果将制定法解释为导致此种合同违法，那么该制定法是否违反了第五修正案的规定。但我们认为，在本案中，考虑上述任何一个问题都是不必要的,因为我们认为下级法院对于本案诉因没有管辖权。没有一方当事人提出管辖权问题,然而本院的职责是审查巡回法院是否超越了由制定法定义和限制的管辖权。

在本案中,不存在当事人异籍,也没有显示有任何管辖根据,惟一的根据是该案"产生于联邦宪法或法律……的诉讼"。对于制定法中所使用的这些文字的解释已有定论,即,根据联邦宪法和法律引起的诉讼只有当原告对于其诉因的声明表明其根据这些法律或宪法产生时才能成立。原告主张对其诉因有某些已经预见的防御,并声称这一防御由于联邦宪法的某些条款而没有效力,这是不够的。尽管这些声明表明,在诉讼过程中很可能会产生一个根据宪法产生的问题,但他们没有表明该诉讼,即原告的初始诉因,是根据宪法而产生。在田纳西案中(Tennesse v. Union & Planter's Bank, 152 U. S. 454),原告作为田纳西州政府,在联邦巡回法院起诉,要求根据州法从被告处收回据称已到期的税金。原告声称被告因其章程而主张税收豁免,但是此种税收是无效的,因为它违反了联邦宪法关于禁止任何州颁布损害合同义务的法律之规定。这一诉因被认为超出了联邦巡回法院的管辖权范围,本院在由格雷大法官(Gray)制作的意见书中说,"一方当事人提出对方将要或可以根据联邦宪法或法律确立一项请求,不能使诉讼成为根据联邦宪法或者法律产生的案件"。同样,在波斯顿案中(Boston & M. Consol, Copper & S. Min. Co. v. Montana Ore Purchasing Co. 188 U. S. 632),原告在联邦巡回法院起诉,要求移交铜矿,并要求法院发出禁令禁止其存续。原告为了表明管辖权的存在,声称被告将会确立联邦某些法律的防御。这一诉因被认定超出了巡回法院的管辖权范围,本院由佩卡姆(Peckman)大法官声明:

> 为了证明原告(complainant)的诉因而提出被告可能确立的任何防御事项,并试图对该防御作出回应,从而表明可以或可能会在案件审理过程中产生联邦问题,这种行为是完全没有必要且不适当的。在被告有机会进行答辩或提出自己的防御之前就主张这种防御并随后对之作出应答,是不符合任何众所周知的诉答规则的,也是不适当的。
>
> 合理的和正当的规则是,原告在一审中提出的起诉状应当限于陈述自己的诉因,而将答辩留给被告,由被告在答辩状中提出他的防御究竟是什么,如果有任何不仅止于对起诉人诉因的否认,则由被告对此防御承担证明责任。
>
> 根据这一规则,本案原告在主张或者证明其诉因方面,不会提出一个单一的联邦问题,对诉因的陈述也不会表明这一诉因系根据联邦宪法或法律产生的。
>
> 仅有的可以主张联邦问题存在的方式是,在原告关于被告将作出何种防御的声明。在此情形下,本案属于田纳西案所确立的管辖权原则的范围。田纳西案自出现以来已经被多次引证和证明过了。

关于联邦问题管辖权的解释,本院最初是在梅特卡夫(Metcalf v. Watertown,

128 U. S. 286）案中已作出声明，然后在上述多次案件中重申和适用。该规则的适用决定性禁止巡回法院对本案行使管辖权。

据此裁令，撤销原判决，案件发回巡回法院根据指示作出因缺乏管辖权而驳回本案诉讼的判决。

注释与问题

1. 最高法院在莫特利案中指出，尽管没有任何一方当事人提出事项管辖权问题，但是下级法院有责任自行提出该问题。那么在对人管辖权方面也是如此吗？请解释。请查看联邦民事诉讼规则12（h），并对第（1）项和第（3）项进行比较。二者存在差异的原因是什么？

2. 你能明确说明所谓诉讼"产生于"联邦宪法或者法律的含义是什么吗？为什么说莫特利案件阐述了一个"良好制作的起诉状"规则（a "well – pleaded complaint" rule）？

3. 莫特利案的结果是解释宪法第3条第2款或者《美国法典》第28编第1331节的措辞的结果吗？请解释。如果都不是，为什么最高法院关于联邦问题采纳了一个比宪法和制定法的要求更为严格的观点？换言之，在像莫特利案这样的案件中，联邦法争议在什么地方可能主导诉讼程序，为什么仅仅因为联邦法渊源使原告不能有"良好诉答的起诉状"，就可以排除联邦管辖权？

4. 查理斯·艾伦·怀特（Charles Alan Wright）教授认为：

> 莫特利判例设定了一个规则，即在答辩中提出联邦问题不足以产生联邦管辖权。如果联邦问题初始管辖权的根据是在联邦法院中有适用联邦法的专家，并且关于联邦法主张在联邦法院将获得更为周全的对待，那么只要存在某种联邦问题，无论起诉状中是否提出，联邦法院可能都会对案件享有管辖权。现在该规则的表述则恰恰相反，它源自一种概念性的准则，即除非初始诉答状足以启动法院管辖权，否则该法院无权对该案要求作出答辩文状或者采取其他行为。

参见 Charles Alan Wright, Law of Federal Courts 109 (5th ed. 1994)。

5. 尽管最高法院明知"良好制作的起诉状"规则"可能产生可怕的结果"，但它还是得出结论认为，这一规则一般情况下"作为一个快速的拇指规则很管用"，并一直在适用这一规则。Franchise Tax Board v. Construction Laborers Vacation Trust, 463 U. S. 1, 11 (1983); Terrell Dow Pharmaceuticals Inc. v. Thompson, 478 U. S. 804 (1986). 在移送管辖权的语境中，该规则也起作用，因为只有当诉讼最初能够在联邦法院提起时，被告才可以要求移送案件。参见 Oklahoma Tax Conmmission v. Graham, 489 U. S. 838 (1989)（在该案中，可能存在的审判主权豁免抗辩并没有将州税收请求转变为联邦问题）。

6. 你将如何重新起草第1331节来推翻莫特利案判例，并把联邦司法权扩大到其宪法底线？

7. 如果在莫特利案中，假定莫特利与铁路公司的诉讼角色倒过来，会发生什么结果？假如铁路公司已抓住了启动诉讼的权利，并在联邦法院提起一个宣告判决诉讼（美国法典第 28 编第 2201 和 2202 节），主张国会在 1906 年 6 月 29 日通过的法案使莫特利的免费通行证无效，并进而诉求确定这与第五修正案的正当程序条款并不矛盾，那么该起诉状是否属于产生于宪法和美国法律的起诉状？"良好制作的起诉状"规则这么容易规避吗？

法院必须意识到，允许根据联邦法律产生防御的那一方当事人预计未来诉讼并因此获得联邦管辖权具有危险性。例如参见 Franchise Tax Board v. Construction Laborers Vacation Trust, 463 U. S. 1, 11（1983）；Skelly Oil. Co. v. PhillipsPetroleum Co., 339 U. S. 667（1950）。"像本案这样，在地区法院管辖权范围内仅仅因为富有技巧的诉告文状预计一个以联邦法律为根据的防御，并提起宣告性救济诉讼，无论联邦司法制度的实际功能如何，都会改变国会关于管辖权的立法趋向，并扭曲宣告性判决法案的有限的程序宗旨。339 U. S., at 673 - 674。

8. 根据联邦法提出的反请求并不比根据莫特利规则作出的防御更有利。不能因为被告的答辩文状提出了一个根据联邦法律的反请求而创设联邦管辖权。参见 Rath Packing Co. v. Becker, 530 F. 2d. 1295, 1303（9ᵗʰ Cir. 1975）。

9. 现在根据第 1331 节提出的问题是，是否存在基于一个联邦法和州法之融合的请求而产生的管辖权。例如，在梅里尔·道公司案中〔Merrell Dow Pharmaceuticals Inc. v. Thompson, 478U. S. 804（1986）〕，原告声称因被告毒品污染给其造成出生缺陷而要求获得损害赔偿。起诉状中主张的是依据州法的过失责任和产品责任，同时也主张被告的行为违反了联邦食品、药品和化妆品法，不过这些法案没有产生独立的私权诉讼，其本身也没有构成过失。梅里尔将该案由州法院移送到联邦法院，主张该案一部分是基于联邦法请求而提起的。最高法院最后裁定，案件的移送是不适当的，因为"起诉状声明违反联邦制定法是作为州的诉因的一个构成要件提出的，当国会已经确定不应当存在私权利，不因违反这些法律而产生联邦诉因时，这种起诉状中的声明就没有主张一项"根据联邦宪法、法律或者条约产生的"请求。

10. 史蒂文大法官试图概括联邦问题管辖权的范围，他在梅里尔·道案中写道：

> 关于这一概念并没有一个惟一的、精确的定义；"根据……而产生"的表述掩盖了在涉及联邦与州的权限之间的相互关系以及联邦司法制度合理安排问题上的混乱状况。然而，这些问题已经清楚多了。在这一管辖权授权范围内的大多数案件都已涵盖在霍姆斯大法官的陈述中，即"诉讼根据创设诉因的法律而产生"。因此，大多数根据联邦法院的一般联邦问题管辖权而在提起的案件都是那些联邦法创设了

诉因的案件。

Merrell Dow Pharmaceuticals, Inc. v. Thompson, 478 U. S. 804, 808 (1986).

11. 美国法典第 28 编第 1343（a）(3) 节授权联邦法院对声称被剥夺了为联邦宪法或法律所确保的权利的民权案件行使联邦管辖权。既然这类问题与第 1331 节发生重叠，那为什么对这类案件授予特别的联邦问题管辖权被认为是必要的？（提示：直至 1980 年之前，第 1331（a）(3) 节一直要求争议金额达到 1 万美元。）

第三节　异籍管辖权

尽管美国的缔造者授予联邦法院听审产生于联邦法案件的权力是可以理解的，但是关于异籍管辖权的规定就难以解释了（不管怎么说，它将州法请求放在联邦法院去解决）。毫无疑问，其主要动因是担心州法院可能会在那些针对法院地居民起诉的案件中不能给予非居民公平对待。然而，这并没有解释根据宪法第 3 条和《美国法典》第 28 编第 1332 节（最初于 1789 年颁布）而获得联邦法院对居民原告起诉非居民被告的管辖权。[1] 在当代，害怕地方偏见并不是那么举足轻重。

关于异籍管辖权的根据，一直是一个有疑问的问题，有疑问的根据可以部分地解释包含这一权力的立法和司法努力，也可以部分解释国会在最近试图取消它的想法。对于这类案件的管辖权国会始终设定了争讼金额限制，最初是 500 美元，现在为 7.5 万美元。最高法院在其一个早期判例——斯特劳布里奇案 [Strawbridge v. Curtiss, 7 U. S. (3 Cranch) 267 (1806)] 中又对此设定了另一个重要限制，即要求"完全异籍"，也就是说，每一个原告都必须与每一个被告分属不同的州。如果交互诉讼的任何两个当事人之间具有共同的州籍，则异籍管辖权不成立。至关重要的是，斯特劳布里奇案被解读为对 1332 节的解释而不是对宪法第 3 条的解释，这意味着国会可以自由地修改完全异籍的条件。参见 State Farm Fire & Casualty Co. v. Tashire, 386 U. S. 523 (1967)（支持了《美国法典》第 28 编第 1335 节关于联邦引入诉讼的制定法，这一制定法规定联邦管辖权应基于最低异籍，亦即只要求任意两个对立的请求人之间存在异籍，而不考虑其他当事人的州籍）。

---

[1] 我们将在下面看到，被告只有当"任何被告均不是受理案件的该州的公民时才可以将案件从州法院移送至联邦法院"。《美国法典》第 28 编第 1441（b）节。

一、州籍

以确定异籍为目的的自然人的州籍是依据住所（domicile）的概念确定的。住所被定义为某人的"真实、固定、永久的家和主要栖息地，是该人无论何时离开均有回来的意图之地……"参见 Mas v. Perry, 489 F. 2d 1396, 1399 (5th Cir. 1974)。因此，现有住地本身是不够的，必须有持续的确定性。住所的改变只能通过（1）在其他州设定居所，并且（2）有意图留在那里。一个一再发生的问题是，未成年人在另一州上学时是否保留他们父母的住所。比较案邓拉普案（Dunlap v. Wells, 741 F. 2d 165 (8th Cir. 1984)和戈登案（Gordon v. Steele, 376 F. Supp. 575 (W. D. Pa. 1974)，在邓拉普案中，8 岁的弱智男孩没有成为德克萨斯州的公民，虽然他的阿拉斯加籍父母把他放在一家德州的特护家庭，并为他指定了一个当地的监护人；在戈登案中，一个脱离监护的大学生信在学校的宿舍里而成为爱达荷州公民，尽管她保留了自己在宾夕法尼亚州的驾照，并且回到那里度假。

第 1332 节又是如何对待在外国/州的住所问题呢？在一个产生于电影《克莉奥佩特拉》的合同纠纷中，制片厂针对理查德·伯顿（一英国国民）和伊丽莎白·泰勒（一个住在国外的美国国民）提出给付 2500 万美元的损害赔偿请求，见 Twentieth Century – Fox Film Corporation v. Taylor and Burton, 239 F. Supp. 913 (S. D. N. Y. 1965)。针对是否应基于当事人之间的异籍而将案件从州法院移送至联邦法院的问题，文菲尔德法官（Weinfield）认为，在泰勒和 20 世纪福克斯公司（一个特拉华州公司）之间不存在异籍，因为泰勒不是第 1332 节所指的任何州的公民。伯顿却被作为与原告异籍对待，因为他是"外籍公民"。见《美国法典》第 28 编第 1332（a）（2）节。

从异籍的角度考虑，公司是其注册州和其主要营业地州的公民。见《美国法典》第 28 编第 1332（c）节。与自然人不同的是，如果公司注册地所在州与其总部所在州不一致，则该公司可以是多个州的公民。关于用以确定一公司"主要营业地"的不同标准（主要是神经中枢标准和经营地标准），请见建筑公司案 [Industrial Tectonics, Inc. v. Aero Alloy, 912 F. 2d 1090 (9th Cir. 1990)]。

最后，异籍必须在提交起诉状时即已存在，而且管辖权不因随后当事人州籍的变化而改变。参见 Mas v. Perry, 489 F. 2d, at 1399。

二、争议金额

争议金额由善意的原告所提出的请求数额确定，以缺乏管辖权为由驳回诉讼的标准较高："必须在法律上确定请求的确少于管辖权数额已构成驳回诉讼的正当理由"。见 St. Paul Mercury Indemnity Co. v. Red Cab Co., 303 U. S. 283

(1938). Sellers v. O'Connell, 701 F. 2d 575（6th Cir. 1983）（由于原告仅仅有权获得9875美元的补偿金而驳回起诉）。联邦管辖权不会因最终作出的判决少于管辖最低争议额而丧失。见 Mas v. Perry, 489 F. 2d, 上引, 页1400。请考虑适用一个规则，该规则将要求在对一个低于制定法最低限额的案件进行审判后已作出判决的任何时候，均会因缺乏管辖权驳回诉讼。

然而，根据第1332（b）节的规定，联邦法官并非无权以其他方式惩罚一个提出低于最低限额诉求的原告。[见第1332（b）节。]

就像联邦管辖权问题上的"良好制作的起诉状"规则一样，这里的目的也是在诉讼的早期即确定争议金额，而且一旦"贴上了"管辖权，后面的任何事件就不会再剥夺法院的管辖权。你能够看出这一方法具有多少效率和确定性方面的利益吗？如果事项管辖权随着案件的实体问题的解决而发生随机变化，将会给制度带来什么影响？

为了确定其争议金额，原告必须在起诉状中累加其针对被告提出的全部请求（有关的和无关的请求，参见联邦民事诉讼规则18）。然而，原告根据联邦民事诉讼规则20而合并在一起，或者根据联邦民事诉讼规则23提起的集团诉讼，不能将他们针对一被告的请求累加起来以达到管辖权的最低限额。Snyder v. Harris, 394 U. S. 332 (1969); Zahn v. International Paper Co., 414 U. S. 291 (1973). 关于以下将要讨论的美国法典第28编第1367节是否改变了反对原告进行累加的规则，在下级法院中着认识分歧。参见 Richard D. Freer, Toward a Principled Statutory Approach to Supplemental Jurisdiction in Diversity of Citizenship Cases, 74 Ind. L. J. 5, 18 – 21 (1999)。

第四节 补充管辖权

尽管联邦法院只拥有有限的事项管辖权，但是，还有一小部分补充管辖权受到承认，用以涵盖那些不属于联邦问题也不属于异籍案件类型、却与联邦法院所享有的管辖权存在内在关系的请求。阅读以下案例时，请考虑这种"延伸"管辖权背后的理由。

美国矿工工会诉吉布斯
United Mine Workers of America v. Gibbs
383 U. S. 715 (1966)

布伦南大法官代表最高法院制作如下意见书：

答辩人保罗·吉布斯在针对申诉人美国矿工工会（下称矿工工会）的诉讼

中被判获得赔偿和惩罚性损害赔偿,答辩人声称申诉人违反了劳动关系法案第303条(1947年,制定法汇编61卷第158页,后经修订)和田纳西州普通法。该案产生于美国矿工和南部劳动工会之间就其代表南部的阿巴拉契亚煤矿工人而发生的争议。1960年春季,田纳西联合煤矿公司(非本案的当事人)在关闭它在田纳西南部煤矿时,解雇了矿工工会第5881分部在田纳西南部煤矿工作的100个矿工。然后在夏季,联合煤矿的一个全资子公司——格伦迪公司——为了使用南部劳动工会的成员,开采一个属于联合煤矿公司财产的位于临近格瑞河的新煤矿,雇佣答辩人作为该煤矿的监工。作为这一计划安排的一部分,格伦迪公司还给了答辩人一个将该矿采出的煤拖到最近的铁路装运点的合同。

1960年8月15日,5881工会分部的成员们全副武装地强行阻止了对该矿的开采,对答辩人实施了威胁,并殴打了一个对方工会的组织者。这些会员们相信联合公司已经答应他们在新的煤矿工作,他们坚持,如果这里需要有人工作,那么就应该由他们来做。此事发生之时,并没有矿工国际工会的代表在场。乔治·吉尔伯特是包括第5881分部工会在内的地区的代表,当工会成员发现格伦迪的计划时,他正远在肯特基的米德尔斯伯勒出席一次执委会会议。他直到8月16日才返回该地区。一致的证词均证明,他第一次知道暴力冲突是在会议上,明确并从他的国际工会上级那里带回了明确指示,要求建立限定的警戒线,以避免发生进一步暴力事件,并且保证罢工不会蔓延到邻近的矿区。此后没有在该矿区发生过暴力事件,警戒线已经持续设立了9个月,在这期间也没有开采矿井的进一步行为。

答辩人失去了作为总监的工作,也从未履行过他的拖货合同。答辩人作证说,作为这一事件的结果,他很快丢掉了其他的运输合同和他在附近地区持有的矿业许可证,因此他诉求的损害赔偿不是针对第5881号分工会或它的成员,而仅仅是针对申诉人即国际工会。诉讼在田纳西东部联邦地区法院提起,该案的管辖权的前提是声明存在第303条规定的次级联合抵制(secondary boycotts)。州法请求是根据系属管辖权原理产生管辖权的基础,该请求主张被告"针对他和格伦迪从事了非法的共谋和非法的恶意、恣意和有意的干预其雇佣合同和拖货合同的抵制行为。"

……陪审团裁判,矿工工会违反了第303条和州法律。根据雇佣合同,吉布斯被判获得6万美元的赔偿;根据拖运合同,他被判获得14500美元的赔偿;同时陪审团还判他获得10万美元惩罚性赔偿。初审法院基于当事人提出的动议,以损害赔偿未能证明为由撤销了涉及拖运合同的损害赔偿,并判决,工会给予格伦迪的压力而解雇被答辩人作为监工的职位,仅构成一个与作为答辩人雇员的格伦迪之间的主要纠纷,因此不认为其属于根据第303条提起的请求。然而,干预雇佣关系被认为是一项州法请求，判令复职是根据州法律请求来支撑的。联邦第6上诉法院维持了该判决。我们准予发出调卷令，并推翻了该判决。

I

最高法院在赫恩案（Hurn v. Oursler, 289 U. S. 238）中判决，如果州法请求构成了一个单独的但是平行的救济根据，这一救济在根据联邦法提出的实体请求中也诉求过，那么该州法请求也适于由联邦法院决定。最高法院对比了"一个主张有两个不同根据支持同一诉因、但只提出了联邦问题的案件，和一个主张有两个单独而不同的诉因、但只有其中一个诉因在性质上属于联邦问题的案件，并通过这种对比将允许或不允许对州法律请求行使联邦司法权力加以区分。在前一类案件中，所主张的联邦问题在实体上并不一般地缺乏管辖权，那么即使联邦根据不成立，联邦法院可以保留该案并按照非联邦根据对之作出处理；在后一种案件中，则不能根据非联邦诉因作出这种处理"。那么这里的问题就是，本案属于何种情形。

赫恩案于1933年判决，这是在统一普通法与衡平法的联邦民事诉讼规则颁布之前，当时关于"诉因"含义是一个争议激烈的主题；这一术语的意思可能是"基于一个目的的一个事情和不同于另一事物的某种事情"……

随着联邦民事程序规则的采纳和诉讼形式的统一（规则2），许多围绕"诉因"的争议都偃旗息鼓了，但以诉因为基石的赫恩案标准仍然是造成大量混乱的根源。根据联邦规则，刺激符合当事人公平的最大范围容纳案件，强烈鼓励请求、当事人和救济的合并。[1]但是由于赫恩问题涉及到管辖权和诉讼便利问题，因此在那些州请求和联邦请求"非常少，以至于不同名称不能将同一类情形区分开来"的案件中，人们倾向于限制赫恩案标准的适用。

这种限制的方法是不必要的小气。无论任何时候只要存在一项"产生于联邦宪法法律和根据授权签订或将要签订的条约"的请求，在管辖权力的意义上，系属管辖权总是存在的，而且这些请求和州请求之间的关系允许法院得出这一结论，即提交法院的整个案件应当构成一个整合的"案件"。[2]联邦请求必须在实体上足以赋予该法院以事项管辖权。Levering & Garrigues Co. v. Morrin, 289 U. S. 103. 州请求和联邦请求必须产生于一个有效事实的共同内核。但是，如果不考虑其与联邦性质或州性质之间的关系，那么原告的请求就是他通常希望在一个

---

〔1〕 见联邦民事程序规则2、18－20、42。

〔2〕 关于合并州请求和联邦请求是否构成一个符合管辖权目的的"案件"的问题，要区别于经常发生同样困难的另一问题，即是否提交了任何一个"案件"（可能有时根本不存在一个"案件"），不过一项救济请求是否符合一件"产生于联邦法律"的案件的条件，这个问题与联邦请求和州请求是否构成符合待决管辖权目的的一个"案件"往往同时出现。

司法程序中得到解决而提出的全部问题，于是，假如一个案件在实质上/很大程度上属于联邦问题，那么联邦法院就享有司法权力来审理整个案件。[1]

　　这项权力并不需要在任何一宗认定存在这项权力的案件中都要行使。系属管辖权是一个自由裁量的原理，而不是原告的权利，这已成为共识。其正当性根据在于对司法经济、便利和对当事人的公平所作的考虑，如果不存在这些因素，那么联邦法院就应慎于行使对州请求的管辖权，即使他们可以适用州法律来处理这些纠纷。Erie R. Co. v. Tompkins, 304 U. S. 64. 避免不必要的关于州法的判决，既是为了礼让，也是为了当事人能够更好地解读准据法从而在当事人之间实现正义。[2] 可以肯定，如果该联邦请求在审判前被驳回，那么即使在管辖权的意义上不是非实体性的，州请求也应当被驳回。同样，如果看起来是州请求在实质上占主导——无论是关于证明的条件、争议提出的范围、或者所寻求的救济的综合性——则联邦请求都可以被无不利影响地驳回，然后交由州法院解决。另一方面，有一些情形是州请求非常接近于联邦政策问题，以至于要求行使系属管辖权的理由特别强烈，比如在本案中，可允许提出的州法请求的范围涉及联邦优先购买权原理，而这种相互关系却没有创制出制定法上的联邦问题管辖权，见 Louisville & N. R. Co. v. Mottley, 211 U. S. 149, 其存在与行使裁量权有关。最后，可能有一些独立于管辖权考虑的理由，比如陪审团在处理不同救济的法律理由上可能存在迷惑，那就将使得将州请求和联邦请求分开来分别审判具有正当根据，参见联邦民事诉讼规则42（b）。果如此，则一般应当排除联邦管辖权。

　　关于权力问题通常是由诉答状来解决的。但是系属管辖权是否得到了适当行使，却被认为是在整个诉讼过程中都可以决定的问题。审前程序，或者甚至审判程序本身，都可以揭示一个州法律请求是否具有实质性主导意义，或者是否可能引起陪审团的迷惑，这些情况可能是在诉答阶段无法预料的。尽管在此情形下考虑已经完成的诉讼过程是当然适当的，但驳回州法请求可能即使在那时仍是具有实质意义的。比如，可能看起来原告已充分意识到他的证据的性质以及他的请求的相应重要性；承认联邦法院在决定州法律请求上的幅度并不包含必须容忍当事人强加给它一个只有一项州法律请求的案件。一旦显示某个州法请求构成了案件的真正实体，而联邦请求仅是附属性的请求，那么就可以公平地驳回该案。

---

　　[1] Armstrong Paint and Varnish Works v. Nu‒Enamel Corp., 305 U. S. 315. 解释：平行州与联邦救济的问题。71 Harv. L. Rev. 513, 514 (19580. 联邦民事程序规则一般不扩大联邦法院的管辖权，他们体现了"我们判决的整个倾向是要求原告将他的整个案件放入一次审判"。Baltimore S. S. Co. v. Phillips, supra, 他们是在这一范围内强调待决管辖权的根据的。

　　[2] 有些人认为这一考虑是反对行使待决管辖权的主要论据。Magruder 法官在其经常被引证的 Strachman v. Palmer, 177F. 2d 427 (C. A. 1st Cir. 1949) 一案中指出："联邦法院不应当把手伸得太长，去决定可能更适于留待州法院诉讼解决的争议"。

我们不想说，本案中地区法院在对州法请求作出判决的过程中超越了自由裁量权。我们可以在判决的意义上假定，地区法院在认定针对格伦迪中止雇佣合同的请求超出了第303条的范围时是正确的。即便如此，根据与格伦迪有关的拖运合同和其他煤矿经营者而对格伦迪提出的次级的第303条请求才是实体上的。尽管第303条将赔偿限定于根据这些次级压力产生的损害赔偿，并且州法允许同时给予补偿性赔偿和惩罚性赔偿，并允许对于次级压力行为和基本行为均给予这样的赔偿，产生于有效事实相同内核的州请求和联邦请求可以获得相互替代的救济。事实上，给予陪审团的裁判单上仅授权陪审团作出一项损害赔偿，结果就无法给予联邦请求和州请求以分别赔偿。

的确，第303条请求最终并没有获得认可，并且惟一给予答辩人的赔偿是基于州请求作出的。但我们不能肯定地说，在联邦问题如此不相关或者其地位如此微不足道，以至于在审判中实际上只有州请求得到了审判。尽管地区法院将申诉人次级行为引起的第303条请求以未能证明为由以予驳回（申诉人的二手活动包括试图诱使煤矿经营者而非格伦迪停止和答辩人做生意），但法院把与格伦迪有关的第303条请求都已提交给了陪审团，正是根据申诉人作出指示裁判和不顾陪审团裁判的判决之动议，针对这些请求作出的判决才被撤销。地区法官已考虑了关于拖运合同的被证明有责任的请求，并认定这一请求由于缺少损害事实的证据而败诉。尽管将州法请求和联邦法请求合并存在着存在某些使得陪审团产生迷惑的风险——特别是在适用国际工会介入的证据时存在不同标准——但这种迷惑的可能性可以通过采用特别裁判（special verdict）的形式来减少，地区法院正是这么做的。再者，是否属于允许联邦法院对州请求进行审理的范围，这一问题已经由先买权原理加以限定，这一原理提供了一个行使系属管辖权的特别理由；联邦法院在适用先买权原则时是特别适当的实体。因此我们的结论是，尽管地区法院可能本来可以行使其站得住脚的自由裁量权驳回州请求，但具体情形表明，拒绝这么做并没有错误。[1]

本院维持撤销根据州法律作出的关于合谋的裁决，因为吉布斯没有满足必要的证明责任要求。

（哈兰大法官的并存意见省略）

注释与问题

1. 最高法院是从何处认定在宪法第3条存在"系属管辖权"的宪法授权

---

〔1〕 这篇意见书表达方式很有特色，在许多地方，作者为了不那么过激地表达立场，有意让读者煞费心思地去猜、去找作者究竟持什么立场。比如这里最需要明确立场的"结论"原文是：We thus conclude that although it may be that the District Court might, in its sound discretion, have dismissed the state claim, the circumstances show no error in refusing to do so.

的？在吉布斯案件判决时是否存在制定法授权？下面将讨论的美国法典第1367节最近更是过时了。

2. 最高法院支持系属管辖权的实用主义的和司法效率的理由是什么？请考虑处于吉布斯案情形的原告——他相信他的损害无论根据联邦法律还是州法律都可提起诉讼。如果不承认系属管辖权（也不符合异籍条件），他在选择适用法院时应当作出怎么的决定？如果这样一个原告希望在联邦法院审理其联邦请求，却（因为缺乏管辖权）被迫在州法院提交相关的州请求，会不会因此存在事实和证据完全相同的两个案件却产生不一致的结果的风险？

3. 根据吉布斯案件，行使系属管辖权的标准是什么？如果满足了该标准，联邦法院是否必须行使系属管辖权？如果不是，那么根据什么情形，联邦法院可以拒绝对那些与联邦请求产生于同一事实内核的州请求行使管辖权？

4. 如果在吉布斯案中，扩大联邦法院对州法律请求的司法权的正当理由是州法律请求附着于联邦请求之上，那么联邦法院怎么能够即使在联邦请求败诉之后还能够处理州请求？这是否意味着，原告仅仅主张某些联邦请求——无论这些请求怎样琐屑——都能使案件成为系属诉讼？对此，布伦南大法官是怎么说的？

在 Maguire v. Marquette Univerity, 814 F. 2d, 1213 (7th Cir. 1987) 一案中，原告根据1964年民权法案第7编提起诉讼，声称由于她的性别而被剥夺了担任天主教学校神学系教师的任命。在证据开示程序之后，她补正了起诉状，追加了一个系属请求，声称被告违反了威斯康星学术自由，并声称她未被任命是因为她支持堕胎的立场。被告请求对其根据第7条提出的诉由（count）作出即决判决的动议获得了支持，理由是，原告已经表明她被拒绝的动因是她公开发表的观点违背天主教的原则，那么她自己的承认已确认了被告对性别歧视的否定。地区法院进行到判决的程序并驳回了其州法请求。在上诉中，第七上诉法院认定地区法院就关于学术自由的请求的作出的判决中存在错误。援引了吉布斯案。该法院裁判，"当联邦请求在审理之前被驳回时，地区法院应当放弃对任何系属州法律请求的管辖权，除非存在某些独立的联邦管辖权根据"。Maguire, 814 F. 2d at 1218.

5. 就像系属管辖权将联邦法院的权限越过联邦请求而伸展到对产生于同一事实的州请求一样，"辅助管辖权"（ancillary jurisdiction）也将联邦法院的权限扩大到了异籍诉讼，以下案例将阐释这一点。

欧文设备与建筑公司诉科罗格
Owen Equipment and Erection Company v. Kroger
437 U. S. 365（1978）

斯图尔特大法官代表最高法院制作如下意见书：

在一个基于当事人州籍差异的联邦管辖权案件中，当原告针对一位第三人被告提出请求却没有对该请求的独立的联邦管辖权根据时，原告能否提出这种主张？联邦第八上诉法院在本案中认定，这一请求属于联邦法院的辅助管辖权。我们准予调卷令，因为这一判决与其他上诉法院的最近几个判决相冲突。

I

1972 年 1 月 18 日，詹姆斯·科罗格在从一个铁质起重机旁边经过时，因该起重机的底部过于靠近一个高压线而触电致死。答辩人（死者的遗孀和死者的财产管理人）为此在内布拉斯加联邦地区法院针对俄马哈公共供电区（下称俄马哈）提起了一个过错致死诉讼。起诉状中声称由于被告的过失建筑、维护和经营高压电线导致其丈夫科罗格死亡。联邦管辖权是基于当事人异籍而确立的，因为答辩人是一个爱荷华公民，俄马哈是一个内布拉斯加州公司。

随后，俄马哈根据联邦民事诉讼（chird party complaint）规则 14（a），提交了一份针对申诉人欧文设备与建筑公司的第三人起诉状，声称起重机为欧文拥有和经营，欧文的过失是导致科罗格死亡的近因。[1] 俄马哈后来动议对答辩人针对自己的起诉作出即决判决。当这一动议还在待决状态时，答辩人被允许修正起诉状，将欧文追加为被告。地区法院在一份不报告的意见书中同意了俄马哈的即决判决动议，于是本案在答辩人和申诉人之间进入到审判阶段。

答辩人在补正后的起诉状中声称，欧文是一个内布拉斯加州的公司，其注册地和主营业地均在内布拉斯加州。欧文在其答辩状中承认它是一个按照内布拉斯加州法律组建和存在的公司，但否认了其他主张。然而，在审判进行到了第 3 天，经披露显示，该申诉人的主营业地在爱荷华，而不是内布拉斯加州，[2] 因此申诉人和答辩人都是爱荷华州公民。[3] 申诉人于是动议基于缺乏管辖权驳回起诉。地区法院根据这一动议撤销了判决，陪审团重新作出裁判（returned a ver-

---

〔1〕根据规则 14（a），第三人被告不能仅仅因为他可能对原告有责任而参加诉讼。当本案中第三人起诉状只声称欧文的过失导致了科罗格死亡时，所称的欧文对俄马哈的现任的根据就没有地方表述了，俄马哈显然是依赖于州普通法上共同侵权人责任分担的权利。申诉人从未对第三人如此安排起诉状的适当性提出过质疑。

〔2〕这个问题明显是个地理问题。与密苏里河分界有关。

〔3〕根据美国法典第 28 编第 1332（c）节规定，"在异籍管辖权的意义上，公司应当被认为具有其注册地和主要营业地所在的任何州的州籍"。

dict）支持了答辩人。在庭审后发出的不报告意见书中，地区法院驳回了申诉人要求驳回起诉的动议。

这一判决在获得上诉法院维持。上诉法院认为，根据本院在矿工诉吉布斯案中的判决，地区法院享有管辖权，依其自由裁量权审判答辩人针对申诉人提出的请求，因为该请求产生于"同时导致答辩人对俄马哈的请求和俄马哈对欧文的请求的'有效事实'的内核"。上诉法院进而认定，地区法院即使在已同意作出即决判决之后仍将诉讼进行到判决，其自由裁量权的行使也是适当的，由于申诉人向答辩人隐瞒了它的爱荷华州籍。要求全员合议庭进行重新审判的请求被另一合议庭（a divided court）驳回了。*

II

既然双方当事人都是爱荷华州公民，对于答辩人针对申诉人提起的州法侵权诉讼并没有独立的联邦管辖权，这一点没有争议。尽管联邦民事程序规则 14（a）允许原告针对一个第三人被告提出请求，但其宗旨并没有说这一请求是否要求独立的联邦管辖权根据。实际上，这一问题有待确定，因为联邦民事程序规则没有创设也没有撤回联邦管辖权，这是不言自明的。见规则 82。

为了维持地区法院的判决，上诉法院依据了辅助管辖权原理，它相信这一原理的标尺已经由本院在矿工工会诉吉布斯案的判决理由中确立。本案与矿工工会案不同之处在于，矿工工会案涉及系属管辖权，它要解决的是原告在同一诉讼中针对同一被告提出的联邦法请求和州法请求，但在本案中却没有什么请求是基于实体的联邦法确立的，而是依据州的法律针对两被告提出的侵权请求。尽管如此，上诉法院在鉴别本案与吉布斯案之间的差异时仍然是正确的，它提出了两个具体的具有普遍性的问题：在何种情形下联邦法院可以听审和决定产生于同一州公民之间的州法律请求？但我们认为上诉法院没有准确理解吉布斯案原理的适用范围。

吉布斯案件中的原告声称，被告工会违反了田纳西州的普通法，也违反了关于禁止次级抵制的联邦法律。本院认定，尽管当事人不是异籍当事人，但地区法院仍然适当地对系属的州法请求行使了管辖权。其至关重要的判决理由是如此陈述的：

> 无论任何时候只要存在一项"产生于联邦宪法法律和根据授权签订或将要签订的条约"的请求，在管辖权力的意义上，系属管辖权总是存在的，而且这些请求和州请求之间的关系允许法院得出这一结论，即提交法院的整个案件应当构成一

---

* 译者注：在美国中级上诉法院，一般为七位法官，分两组即两个合议庭。通常分别独立审判上诉案件。如果当事人不服合议庭判决，则可申请由全体法官进行满席审判，称为 retrial 即重新审理，满席审判者称全员合议庭。

个整合的"案件"。联邦请求必须在实体上足以赋予该法院以事项管辖权。州请求和联邦请求必须产生于一个有效事实的共同内核。但是，如果不考虑其与联邦性质或州性质之间的关系，那么原告的请求就是他通常希望在一个司法程序中得到解决而提出的全部问题，于是，假如一个案件在实质上/很大程度上属于联邦问题，那么联邦法院就享有司法权力来审理整个案件。

显而易见，吉布斯案对联邦司法权力的行使设定了宪法界限，但即使本院认为本案中的地区法院拥有决定答辩人针对申诉人的诉讼的宪法权力，也不会得出上诉法院判决是正确的结论。[1] 在确定一个联邦法院对于某一特定争议具有管辖权时，宪法权力仅是必须跨越的第一道门槛。因为联邦法院的管辖权不仅是由宪法第3条限定的，而且还决定于国会的法律。

宪法和制定法可能限定了联邦法院对非联邦请求[2]的管辖权，这在两个最近的本院判决中已得到清楚的阐释，即阿尔丁杰案（Aldinger v. Howard, 427 U. S. 18）和赞诉国际造纸公司案（Zahn v. International Paper Co., 414 U. S. 291）。在阿尔丁杰案中，本院认定，联邦地区法院缺乏对一项针对某县的州法律请求的管辖权，即使该请求被声称系属于一个针对县官员的第1983节案件之中。在赞诉国际造纸公司案中本院认定，在一个根据联邦民事程序规则23（b）(3)提起的异籍集团诉讼中，原告集团中的每一个成员的请求都必须独立地满足美国法典第28编第1332（a）节所规定的最低管辖标的额，并反驳了一种观点，即认为那些涉及1万美元或少于这一数额的请求作为那些涉案数额较大的请求的辅助而可以获得联邦管辖权。在每个案件中，尽管事实是联邦请求和非联邦请求产生于"有效事实的共同内核"，但本院都认定，制定法赋予联邦法院对联邦请求的管辖权，并未允许对非联邦请求行使管辖权。[3]

这阿尔丁杰案和赞诉国际造纸公司案都很清楚地说明了，在吉布斯案标准中，产生于"有效事实的共同内核"的联邦请求和非联邦请求，并不终结追问一个联邦法院是否有权审理与联邦请求并行的非联邦请求。除了这一宪法最低限度外，还必须审查主张非联邦请求的立场，并调查赋予对联邦请求行使管辖权的制定法，以确定是否"国会已明示或者暗示否定"对特定非联邦请求行使管辖权。Aldinger v. Howard, 427 U. S. 18.

---

〔1〕 吉布斯案中联邦管辖权的根据是联邦法问题的存在。本案中的上诉法院认为，当这一管辖权以异籍为根据时，"有效事实的共同内核"标准也可以决定宪法允许联邦法院行使管辖权的范围之外的案件。我们可以假定而不决定上诉法院在这一点上是正确的。

〔2〕 在使用这一意见书时，"非联邦请求"的意思是指不存在独立的联邦管辖权根据的请求。相反，"联邦请求"的意思则是指存在独立的联邦管辖权根据的请求。

〔3〕 在案中，我们推翻了案，因为该案认定政治上的分权是不可能成为美国法典第42编第1983节提起的诉讼。

III

在本案涉及的相关制定法中，《美国法典》第 28 编第 1332（a）（1）节授权联邦法院对于"争议金额超出 1 万美元的民事案件……和分属不同州籍的当事人之间的案件"行使管辖权。这一制定法及其后继者一直坚持要求完全的异籍。也就是说，除非每个被告都与原告具有不同的州籍，否则不存在异籍管辖权。多年来，国会一直在重审或修正授予异籍管辖权的制定法，而完全异籍的规则却毫发无损。无论异籍管辖权的初衷究竟是什么，这种持续保持的历史已清楚地证明了国会的旨意，即，当任何原告是任何被告所在州的公民时，就不可能存在异籍管辖权。

因此，本案答辩人原本就不可能在联邦法院提起以欧文和俄马哈为共同被告的诉讼，因为爱荷马州的公民分别站在诉讼的两方。当她补正起诉状之后，结果也仍然是一样。假如她一开始就起诉欧文，完全异籍也是不成立的。在任何一种情形下，用制定法的直白措辞来说，"争议事项"都不可能"在不同州的公民之间"。

联邦法院是管辖权受限的法院，这是一个基本原理。对联邦管辖权的限制无论是由宪法还是国会施加的，都不能不加考虑，也不能规避。然而，根据本案上诉法院的理由，原告通过权宜之计，只起诉那些有异籍关系的被告，然后等待他们引入非异籍被告参加诉讼，原告就可以挫败制定法对完全异籍的要求。[1] 如果像上诉法院所认为的那样，一个"有共同内核的有效事实"是异籍案件中行使辅助管辖权的惟一要件，那么就没有原则性的理由来解释，为什么本案中的答辩人不能将她针对欧文的诉因合并到她的初始起诉状中，作为她针对俄马哈请求的附加请求。国会对完全异籍的要求就这样被完全规避了。

不错，正如上诉法院所述，在涉及参加之诉的情形下，对非联邦请求行使辅助管辖权经常受到支持。然而在决定对非联邦请求是否存在管辖权时，主张非联邦请求的具体语境才是问题的关键。本案的请求是在一种完全不同于被认为属于联邦法院享有辅助管辖权的案件的情形下提出的。

首先，本案中的非联邦请求不是一个简单地辅助于联邦请求的请求，其意义不同于由被告引入而参加诉讼的第三人被告总是包含的那些意义。第三人起诉状

---

[1] 这不是一种不可能的假设，因为像本案这样的侵权诉讼的被告肯定会力图引入任何一个共同侵权者参加诉讼来限制他自己的责任。一些注释家曾经提示，滥用第三人诉讼实践的可能性可以在美国法典第 28 编第 1359 节的规定中作出处理，该规定禁止试图串通创设联邦管辖权。今天的不同意见也表达了这一观点。然而，关于原告有选择性地只起诉那些与之有异籍关系的侵权者并不必须以串通为要件，在考虑列名被告引入共同侵权人参加诉讼的愿望时也不必考虑他们是否有共谋。完全异籍的条件是在对这类事件进行提炼后作出的要求。

至少一部分取决于主诉讼的解决，因此它与初始起诉状之间的关系，不仅包括了事实上的相同性，而且包括了逻辑上的依赖性。但是，答辩人针对申诉人的请求则是完全与其针对俄马哈的请求分开的，因为申诉人对她的责任完全不取决于俄马哈是否也具有责任。所以，本案中的非联邦请求远非一个辅助性的和依赖性的请求，而是一个新的、独立的请求。

第二，本案非联邦请求是由原告主张的，她自愿选择了在一个联邦法院基于州法请求提起诉讼。而典型的辅助管辖权却是由防御方当事人，或者是由除非能够在正在联邦法院进行的诉讼中主张这些请求否则即会丧失权利的另一方，按照自己的意愿强行拉入法院的。如果在像本案这样的情形下，辅助管辖权没有包含所有他可能提出的所有请求，原告没有什么可抱怨的，因为正是他自己选择了在联邦法院而非州法院诉讼，因此他必须接受这一选择的限制。

可以合理地假设，国会在一般性地要求完全异籍方面，并没有对联邦法院的管辖权实施如此不可变通的限制，以至于他们不能保护法律权利或者不能有效地解决一个完全的、逻辑上相互交织的诉讼。这些实务方面的需要是辅助管辖权原理的根据。但是，对诉讼人的便利或对于司法经济的考虑都不能足以在异籍案件中将辅助管辖权延伸到原告针对同州籍被告的诉因。国会已经确立了一个基本规则，即根据《美国法典》第28编第1332节的异籍管辖权的存在前提是：只有当事人完全异籍。"制定法的政策要求对其进行更加严格的解释"。允许完全异籍的要求被像本案这样规避，简直是对国会命令的蔑视。

因此，撤销上诉法院的判决。

此令。

怀特大法官的反对意见，布伦南大法官加入：

本院今天声明，"可以合理地假设，国会在一般性地要求完全异籍方面，并没有对联邦法院的管辖权实施如此不可变通的限制，以至于他们不能……有效地解决一个完全的、逻辑上相互交织的诉讼"。尽管承认了这一点，但多数意见仍然认为，在异籍诉讼中联邦法院没有权力管辖一项由原告针对第三人被告主张的请求——无论其与已经在法院提起的诉讼事项是多么相互交织——除非对该请求存在一个独立的管辖权根据。由于无论是在宪法第3条还是任何制定法中，我都没看到对于这样的要求存在什么支持性的理由，因此我反对最高法院这种"不必要的小气"的分析方法。

本案原告科罗格夫人选择了在联邦法院提起她针对俄马哈的诉讼。对于联邦法院对这一请求的权力，因为起诉时科罗格夫人是爱荷华州的公民，俄马哈是内布拉斯加州的公民，争议金额也超过了1万美元，因此根据美国法典第28编第1332（a）节之规定是有管辖权的。联邦民事程序规则14（a）也允许俄马哈引入申诉人欧文公司参加诉讼。尽管俄马哈针对欧文的请求不是产生于联邦问题，尽管据称欧文是一家与俄马哈同籍的公司，但各方当事人和法院显然在当时都相信地区法院的辅助管辖权涵盖了这一请求。随后科罗格夫人主张了一项针对欧文的请求，每个人在当时都相信，这两方当事人是不同州的公民。由于后来昭然的事实表明科罗格与欧文实际上都是爱荷华州的公民，因此最高法院认为地区法院对于该请求没有管辖权。

在矿工案中我们认定，只要一项请求已经声明该请求在实体上足以赋予联邦地区法院以事项管辖权，则法院即有司法权力来考虑一项非联邦请求是否与联邦请求产生于"有效事实的共同内核"。尽管那个案件的具体事实是关注系属于联邦问题的一项州请求，但本院的措辞和论理却足够宽泛，它包含了当下的事实情形："如果不考虑其与联邦性质或州性质之间的关系，那么原告的请求就是他通常希望在一个司法程序中得到解决而提出的全部问题，于是，假如一个案件在实质上属于联邦问题，那么联邦法院就享有司法权力来审理整个案件"。在本案中，科罗格夫人针对欧文提出的请求与她针对俄马哈的请求产生于一个事实的共同内核，这是必不可少的，因为原告要主张对第三人被告的请求，按照联邦民事程序规则 14（a）的规定，就要求该请求"与原告针对第三人被告的请求的标的产生于同一次交易或同一事件……"此外，科罗格夫人针对俄马哈请求的实体性要无可置疑。因此，考虑到宪法第 3 条，地区法院有权处理科罗格夫人对欧文的请求。

然而多数意见正确地指出，这一分析不能到此为止。阿尔丁杰案（Aldinger v. Howard, 427 U. S. 18）案教训提醒我们，联邦法院的管辖权力可以由国会来限制，也可以由宪法来限制。在阿尔丁杰案中，尽管原告针对县政府的州请求与她针对该县财政局的 1983 节（联邦）请求联系十分紧密，但地区法院却没有对州请求行使系属管辖权，因为根据本院当时的先例，法院认为国会已专门确定不赋予联邦法院管辖针对市政和县政府的民权请求的权力。因此本院拒绝允许"联邦法院根据宪法第 3 条的原则性措辞形成一项管辖权原理而使他们得以绕过这一排斥性规定……

在本案中，最高法院所能够发现的、仅有的关于国会明确意图就是本院在包含在异籍管辖权制定法第 1332（a）节中找到的意图，即"地区法院得在所有的民事案件中行使初审管辖权，只要争议事实超过 1 万美元……并且发生在异籍当事人之间……"由于这一制定法已经被解释为要求任一原告与任一被告之间具有完全异籍关系，Strawbridge v. Curtiss, 3 Cranch 267（1806），因此最高法院认定地区法院对科罗格夫人对欧文的请求不具有辅助管辖权。在作出这一认定时，最高法院在对辅助管辖权原理进行实质性限制时，不必要地扩大了完全异籍要件当然，完全异籍要件可以被理解为具有如下意思，即在一个异籍案件中，地区法院可以仅裁判那些州籍不同的当事人之间的案件。因此，被告为了引入第三人被告参加诉讼，就不得不具有不同州籍；对于各被告之间的交叉请求以及第三人被告对原告的请求而言，要求也是如此。即使多数派拒绝如此宽泛地解读完全异籍的要求，他们也承认，在涉及参加之诉、交叉请求和反请求的情形下，行使对非联邦请求的辅助管辖权看来是可以支持的。既然本院有了承认了在这些语境下行使辅助管辖权的意愿，而没有去理会第 1332（a）节的要求，那我就看不出本院拒绝支持地区法院在本案中行使辅助管辖权的正当理由在哪里。

特别重要的是，对第三人被告提出请求的原告不是在谋求向该案中增加一个新的当事人。比如在本案中，欧文已经被俄马哈告上了法庭，科罗格夫人谋求对欧文提出请求产生于已在提交法院的同一次交易……

由于在本案中，科罗格夫人仅仅是谋求针对一个已经成为案件当事人的某人提出请求，因此对司法经济、便利和公平对待当事人公平的考虑——这些都是吉布斯案件所依赖的因素——支持对于本案中存在辅助管辖权的认可。摆在法院面前的是科罗格先生死亡原因的整个问题，科罗格夫人最初申辩说俄马哈要对之负责；俄马哈转过来申辩说欧文的过失才是科罗格先生死亡的近因。尽管事实是欧文的过失问题已经提交地区法院了，但多数却要求科罗格夫人在州法院提起一个单独的诉讼，以主张这一请求。即使爱荷华州的时效制定法还允许她提起这一诉讼，对于司法经济的考虑也肯定不支持这样的重复诉讼。[1]

然而，多数派意见却完全撇开了对方便、司法经济和公平的考虑，因为它的结论是，承认对原告针对第三人被告的请求行使管辖权会使原告得以规避完全异籍的要求并因此"蔑视国会的命令"。然而，由于本案中的原告并不是自己将第三人引入诉讼，所以也就不存在刻意规避异籍要求的情节，也没有与被告共谋的情节。对于存在这类共谋的案件——本案绝对没有这种共谋——，法院可以根据美国法典第 28 编第 1359 节予以驳回。[2] 在没有这种共谋的情形下，原告提出那些他可以根据联邦民事程序规则 14（a）适当地对第三人被告提出的请求，法

---

〔1〕诚然，在庭审之前俄马哈即被作为诉讼的当事人被驳回了，而且就像我们在吉布斯案中所指出的那样，这种在审前驳回联邦请求的决定一般会要求同时也驳回非联邦请求。然而，鉴于本案的具体情况——特别是欧文的实际主要营业地直至庭审 3 天之后才披露——公平对待当事人的原则要求我得出结论认为，地区法院在保留对科罗格夫人对欧文的请求的管辖权时没有滥用裁量权。当然，根据本院的处理，联邦请求是否已经审判并不重要了，因为在任何情形下法院对于原告针对第三人被告提出的非联邦请求都没有管辖权。

〔2〕第 1359 节规定，"在任何当事人通过安排或其他方式已经不适当地或合谋地提出民事诉讼或进行合并以启动一地区法院管辖权时，该地区法院对该案不得享有管辖权"。

院就没有理由采取一种绝对禁止对这种请求行使管辖权。在这种情形下的原告对被告提起诉讼，只是没有绝对确信被告会决定或能够引入一个特定的第三人被告。既然原告对于被告引入第三方当事人参加诉讼的决定无法控制，那么，他最初联邦法院起诉时本来就无法起诉该当事人的这一事实就无关紧要了。此外，某些案件中的原告可能能够预见导致参加之诉的事件的链条，但这一事实在我看来不足以成为宣告一地区法院没有权力对原告针对第三人被告的请求行使辅助管辖权的充分理由。[1]

因此，多数派意见的担心导致他们得出一个结论，即在本案的情形下不应当承认辅助管辖权，这一担心应当进行具体案件具体分析以符合案件的具体情况，而不应当按照它所采取的绝对规则得出结论……

我宁可认定，在异籍案件中，无论从宪法还是制定法的角度看，对于所有产生于与原告针对被告的初始的、管辖权成立的请求之间有着共同的核心事实的各方当事人之间的所有请求，地区法院都享有管辖权。因而，我反对最高法院对于本案的处理。

注释与问题

1. 根据辅助管辖权的原理，一直以来都认为联邦地区法院能够对针对第三人被告提起的参加之诉行使管辖权，即使该方当事人的增加挫败所有原告与所有被告之间完全异籍的要求。因此，在针对一个被诉称向受伤原告销售了危险汽车的汽车经销商提起的产品责任诉讼中，该经销商可以根据规则14引入汽车生产商参加诉讼，主张"请求转移"（亦即生产商对原告针对初始被告提出的全部或部分请求"负有或可能负有责任"），即使该第三人被告与被告或原告之间具有同一州籍。如果初始请求败诉，则参加之诉请求也随之败诉，从这个意义上说，参加之诉请求依赖于初始请求。[2]

这种管辖权延伸的理路在于，既然参加之诉只是主请求的辅助，由于州请求进入诉讼仅是对于主请求的辅助，也就是所谓的贴边诉讼（side action），那么强大的政策理由就支持允许其与主案件一路走，这些政策包括避免多重诉讼损害司法效率和避免产生不一致结果的风险。辅助管辖权一般也适用于强制反请求（联邦民事诉讼规则13（a））、交叉请求（规则第13（g））、以及作为权利事项的介入诉讼（规则第24（a））。

2. 最高法院在科罗格案中是如何区分原告针对欧文公司的请求与已确立

---

〔1〕 这里重述了吉布斯案的分析。

〔2〕 编者注：如果卡彭特诉迪案在联邦地区法院进行，其根据是南希·卡彭特与兰德尔·迪之间的州籍不同，那么，即使终极公司是一家麻省实体，与南希·卡彭特州籍相同，迪也可以将终极汽车公司引入参加之诉。

的法院对于俄马哈针对欧文的第三人请求的管辖权的？在这条分界线背后的政策性理路是什么？反对意见对于这条分界线必须说些什么？你从哲学的视角在关于联邦权力的观点中找到了什么更有力的东西？从实用主义的视角呢？

3. 依据最高法院的逻辑，如果针对俄马哈的初始请求没有在即决判决中驳回，那么案件的结果会有什么不同吗？为什么相同或不同？

4. 系属管辖权允许联邦法院对一个针对已在法院对联邦请求作出答辩的当事人的相关的[1]非联邦请求行使管辖权。辅助管辖权允许联邦法院对一个针对尚未进入诉讼、但已由被告根据一项辅助请求引入诉讼的当事人的提出的相关请求行使管辖权。下面的判例处理的是一种混合了系属当事人管辖权的情形时。

芬利诉美国
Finley v. United States
490 U. S. 545（1989）

斯卡利亚大法官代表最高法院制作如下意见书：

1983年11月11日夜晚，一驾载着申诉人丈夫和她两个孩子的双引擎飞机在抵达加利福尼亚州圣地亚哥机场过程中撞上了电力传输管线，事故中无人生还。申诉人在州法院提起侵权诉讼，声称圣地亚哥煤气与电力公司承担设置上存在过失和不适当地照明运输线路，同时主张，圣地亚哥市政在维护机场跑道灯方面存在过失，这一过失导致路灯不能在发生事故的当晚照明。后来她发现联邦航空管理局（FAA）才是对于负责该跑道灯的机构，于是申诉人在加利福尼亚南部联邦地区法院针对美国政府提起了本案。起诉状所根据的管辖权是联邦侵权法案（FTCA），《美国法典》第28编第1346（b）节，起诉状称，FAA在经营和维护跑道灯以及在实施航空运输控制方面均存在过失。几乎在一年后，她动议补正联邦起诉状，以包括其针对最初在州法院起诉的被告提出的请求——该请求中不存在独立的联邦管辖权根据。地区法院准予了申诉人的动议，并根据矿工诉吉布斯案件主张了对该请求的系属管辖权，地区法院认定，"司法经济和效率的考虑"显然都支持将案件一并审理，并且断定，这些请求产生于"有效事实的相同内核"。地区法院根据《美国法典》第28编第1292（b）节的规定，准予当事人向第9联邦上诉法院提起中间上诉。该上诉法院简易地推翻了地区法院的决定……根据联邦侵权法案驳回了系属当事人管辖权。我们准予发出调卷令，以解决在巡回法院之间就联邦侵权法案是否允许对额外的当事人行使系属管辖权的问题产生的意见分歧。

---

[1] 编者注："相关的"在此的意思系指产生于同一事实。

联邦侵权法案规定，地区法院……对于因联邦雇员在其雇佣范围内实施的某些侵权行为而针对美国政府提起的民事诉讼，得享有排他的管辖权。参见《美国法典》第28编第1346（b）节。申诉人请求将其针对该市政府和该实体的请求附加到她依据联邦侵权法案提起的对美国的诉讼之中，不过这样将要求地区法院将权限延伸到缺乏独立的管辖权根据（例如异籍）而追加的当事人。

1807年，大法官马歇尔代表本院写道，"由法律文本创设的法院及其管辖权均由法律文本来定义，不能超越这一管辖权"。基本的法律仍然是，"关于本庭下面的所有联邦法院，有两件事情对于创设管辖权至关重要，无论是对于初审管辖权还是上诉管辖权。必须要宪法已经赋予该法院行使这项管辖权的资格；必须要国会的某一法案配置了这项管辖权"。

尽管有这项原则，但在迄今为止的一系列判例中，我们在未对关于管辖权的制定法进行具体调查的情况下，一再认定联邦法院享有"系属"请求管辖权——亦即对于就其他事项向该法院适用地提起诉讼的当事人之间的非联邦请求行使管辖权。如矿工诉吉布斯案，该案支持了这项存在争议的原则，认定"无论任何时候只要存在一项'产生于联邦宪法法律和根据授权签订或将要签订的条约'的请求，在管辖权力的意义上，系属管辖权总是存在的，而且这些请求和州请求之间的关系允许法院得出这一结论，即提交法院的整个案件应当构成一个整合的'案件'"。吉布斯案说，当联邦请求和非联邦请求产生于"有效事实的同一内核"并且原告"通常会期望在同一司法程序中审判它们"时，二者即存在这一前提性关系。申诉人抗辩说，本案中也适用同一准则，从而引致一个结果，即她针对圣地亚哥煤气与电力公司及圣地亚哥市政府提出的州法律请求可以与她针对联邦政府提出的联邦侵权法案请求合并审理。

分析表明，申诉人的案件基本不同于吉布斯案，因为它引出了一个所为系属当事人管辖权问题，亦即对那些没有列名于任何可独立地被联邦法院受理的请求之中的当事人行使的管辖权。我们可以假定——而不做决定——系属当事人管辖权的宪法准则可以比照系属请求管辖权的宪法准则，并假定申诉人的州法律请求能够符合这一标准。然而，我们的判例却显示，当事人的追加与仅仅追加请求不同，我们不会认为全部宪法性权力都得到了国会的授权，也不会宽泛地解读关于管辖权的制定法。在赞诉国际造纸公司案中（Zahn v. International Paper Co., 414 U. S. 291），我们拒绝允许一位诉求低于管辖权最低限额1万元的异籍诉讼的原告将他的请求附加在适宜行使管辖权的其他原告的异籍请求之中——尽管如果把全部请求加在一起就会构成一个符合吉布斯案标准的单一"案件"，见欧文案。我们作出如此判决的理由是，"地区法院的管辖权是由制定法定义的，"而没有如此多地提到吉布斯案。

822　　两年之后，吉布斯案不可转移为系属当事人请求又得到明确肯定。在阿尔丁杰案中（Aldinger v. Howard, 427 U. S. 1），原告针对个人被告提出了美国法典42编第1983节所规定的联邦请求，并谋求将这些请求附加到一项针对县政府的有关州请求之中〔根据本院在 Monroe v. Pape, 364 U. S. 167（1961）一案中的判决，不能针对县政府提出 第1983节请求。〕[1] 我们还专门对适用吉布斯案分析模式的做法表示了反对，认定二者存在"重要的法律差异"。我们说，"联邦法院……是在国会划定的标记内行使有限权力的法院，追加一个全新的当事人会将标尺划进这个已经完满确立的原则中去"。"解决系属当事人的请求的管辖权问题……需要小心地注意相关制定法的措辞"。我们在阿尔丁杰案中认定，诉讼据以提起的关于管辖权的制定法，即美国法典第28编第1343节，赋予地区法院对"法律授权启动的"某些类型的民事诉讼行使管辖权，并不意味着包括"法律授权"对于针对已被制定法从相同联邦诉讼中分离出来的当事人提起的州法律请求行使管辖权。该县政府已经"被排除在第1983节责任以外，因此应当参考的是第1343（3）节对管辖权的授权"。

　　我们重申在欧文设备公司诉科罗格案中的系属当事人管辖权分析方法，该案就像赞诉国际造纸公司案案一样，涉及到关于异籍的制定法，即美国法典第28编第1332（a）（1）节，但它侧重于规定"不同州籍公民之间"诉讼的条件，而不是关于"超过1万美元总额或数额"的条件。我们认定，1332（a）（1）节所授予的在原告和异籍被告之间就"争议事项"而产生的管辖权，不能被解读为授予针对一个不同的、非异籍被告的系属管辖权，即使这项涉及其他被告的请求能够满足吉布斯案标准。我们说过，"吉布斯案没有终结追问一个联邦法院是否有权力将非联邦请求与联邦请求一起听审。除了这一宪法最低限度之外，还必须审查主张非联邦请求的情状（posture），并调查授予对联邦请求实施管辖权的具体制定法"。

823　　在本案中（如同在阿尔丁杰案和赞案中一样），"情状"或"语境"的最为重要的要素是，追加的请求涉及到追加的当事人，而这些当事人没有独立的管辖权根据存在。在一个范围狭窄的集团诉讼中，一个联邦法院可以对这样一个"辅助"请求行使管辖权……我们从未仅仅以满足了吉布斯案的标准为根据得出过这种结果。我们的根据也要比本案申诉人能够依赖的根据更多一点。在科罗格案中，申诉人追加的请求与初始起诉状之间的关系是一种"仅有事实上的同一性"的关系，这一关系没有结果，因为"无论诉讼方便或司法经济的考虑都不

---

〔1〕 Monroe v. Pape 一案后来被 Monell v. New York City Dept. of Social Services, 436 U. S. 658（1978）一案推翻。

足以为扩展辅助管辖权原理提供正当理由"。诚然，本案的情况与科罗格案不同，谋求提起追加请求的当事人在选择联邦法院而不是州法院时没有多少选择余地，因为联邦侵权法案只允许在联邦法院起诉联邦政府。然而，这一理由还不够……

第二个因素在科罗格案中有所触及，那就是存在争议的关于管辖权的制定法文本可能没有确立申诉人的案件的情形。联邦侵权法案，第1346（b）授权对"根据针对联邦政府的请求而产生的民事案件"行使管辖权。制定法的措辞可能使人们预期，提出一项针对联邦政府的请求仅仅构成一个最低限度的管辖权条件，而不是构成一个对联邦侵权法案诉讼的容许范围的定义。正如制定法的条款"不同州籍的公民之间"已经被认定为仅仅指的是不同州的公民，而不包括任何其他人，所以在此我们断定，"针对联邦政府"的意思是针对联邦政府，而不是针对任何其他人。"正当考虑州政府的权利性的独立……要求联邦法院审慎地将自己的管辖权限制在制定法已经定义的准确界线内"。制定法在此对管辖权的定义是，除联邦政府外没有触及其他被告……

由于联邦侵权法案只允许在联邦法院起诉联邦政府，因而我们认定，相关请求的当事人不能在此诉讼意味着合并诉讼的效率和方便有时不得不让位于在州法院和联邦法院分别诉讼……现行制定法不允许有其他结果……

基于上述理由，我们维持上诉法院的判决。

布伦南大法官，反对意见：

……本案中国会倾向于由联邦法院审理某些类型的请求，使得联邦法院成为惟一可能审理那些可以作为一个整体来听审的宪法案件的场所，明知的结果应当是允许其行使系属当事人管辖权……因此我表示反对。

史蒂文斯大法官的反对意见，布伦南大法官和马歇尔大法官加入：

本院的判决理由没有忠实于我们的先例，它不经意地忽略了我们最优秀的法官们积累的智慧。我们在16年前评论说，"［自矿工诉吉布斯案以后］各联邦上诉法院通过无数的判决书已经认同，当在法院提起的整个案件只构成一个如在吉布斯案件中所定义的宪法案件时，在涉及系属当事人的系属请求中就存在管辖权力"。我将首先解释为什么受到联邦法官们普遍采纳的立场是正确的，然后对本院今天宣布的意见书存在的主要缺陷作出评论……

在吉布斯案件判决之后不久，全国的联邦法官就普遍认可，该案的理由适用于那些必须基于一个系属的、非联邦请求而追加当事人为以使之获得完整救济的案件……

因此，我认为，授权联邦法院听审"根据针对美国政府的请求的民事案件"的管辖权，可以因此产生联邦法院听审针对系属当事人的州法请求的授权。事实是，这样的请求应处于排他的联邦管辖权范围内——没有任何证据表明国会反对在联邦侵权法案案件中行使系属当事人管辖权——这一事实为本案适用吉布斯案提供了提供了完全充分的正当理由……

系属管辖权原理一部分依赖于承认迫使一个联邦原告分别在联邦法院和州法院诉讼他的案件，妨害了联邦法院给予全面救济的能力，并且"为反对适用联邦法院的根本偏见提供了可乘之机，这种偏见是由于如果选择联邦法院则要求不必要的重复诉讼而产生的不良后果"。"如果承认系属管辖权，则这些法院就是在实施国会的决定，为原告提供联邦审判地，来就他们管辖权充分的请求进行诉讼"。在下述情形下更是如此，即，由于授权行使排他联邦管辖权，"所有请求均在一个联邦法院一并审判"。在这种情况下，国会隐晦地表达了它的宗旨，即联邦权利要在联邦法院诉讼，有理由相信，国会无意使联邦实体权利由于在两个审判地进行诉讼从而增加效率和方便方面的成本而被废弃。当根据当事人异籍而启用联邦管辖权、而州法律请求却可以在州法院诉讼时，我们看不到这样的特殊的联邦利益。参见欧文设备公司诉科罗格案……

我怀着尊敬地表示反对。

《美国法典》第 28 编第 1367 节的注释

为了回应芬利案，国会通过了一项新的"补充管辖权"制定法，即《美国法典》第 28 编第 1367 节。

第 1367 节. 补充管辖权

(a) 除了本节 (b) 和 (c) 所规定或者由其他联邦制定法明确规定的情况外，在地区法院享有初始管辖权的任何民事案件中，对于与该初始管辖权内的诉讼请求相关的、构成根据联邦宪法第 3 条提起的同一案件或争议一部分的所有其他请求，地区法院均得享有补充管辖权。

(b) 在地区法院享有初始管辖权的任何民事案件中，如果是仅仅根据本编 1332 节成立管辖权的案件，对于由原告针对根据联邦民事程序规则 14、19、20 或 24 之规定而成为当事人的人提出的请求，或者对于被主张根据规则 19 及这类条款作为共同原告参加诉讼的人的请求，如果对这些请求行使补充管辖权将与 1332 节对管辖权条件的要求相悖，则由地区法院不得根据本节 (a) 之规定行使补充管辖权。

(c) 对于本节 (a) 所规定的请求，如果有下列情形之一，地区法院可以拒绝行使补充管辖权：

(1) 请求产生于一项新的或复杂的州法律问题，

(2) 请求在实质上构成地区法院享有初始管辖权的请求的主体，

(3) 地区法院已经驳回了其享有初始管辖权的所有请求，或者

(4) 在例外情形下，存在必须拒绝管辖的其他理由。

(d) 根据本节 (a) 之规定主张的任何请求，或者根据本节 (a) 之规定主张的请求被驳回的当时或之后自愿撤诉的同一诉讼中的其他任何请求，其时效期间均得在该请求正在系属之中另加撤诉后 30 日以内，除非州法律规定了更长的时效期间。

(e) 本节中所使用的"州"包括哥伦比亚、波罗黎各岛、以及联邦拥有的其他疆土。

以下是专家自第 1367 节立法史的节选。

第 101－734 号国会报告
1990 美国法典第 6873 号制定法与行政新闻

……系属管辖权和辅助管辖权原理（doctrines of pendent and ancillary jurisdiction），在本节中与合并称为补充管辖权（supplemental jurisdiction），是在联邦法院没有无独立管辖权根据时，赋予其对与该地区法院享有初始管辖权的诉讼请求相关的、构成根据联邦宪法第 3 条提起的同一案件或争议一部分的其他请求行使审判权的权限。

补充管辖权使得联邦法院和诉讼人能够利用联邦诉讼规则在合并请求和当事人方面的优势，在一个单一的而非复杂诉讼中经济地处理相关的事项，这些相关事项通常产生于同一交易、事件或者同一系列的交易或事件。同时，地区法院行使补充管辖权，使联邦法院成为一个解决整个争议的场所，已有效实现了国会在管辖权的制定法中赋予原告在联邦法院诉讼其在初始联邦管辖权范围内的请求的意图。

然而，最近在芬利诉美国的案件中，最高法院对于联邦法院审理某些在补充管辖权范围内的请求提出了重大的怀疑。在芬利案中，最高法院认定，在一个针对联邦政府提起的联邦侵权法案请求的案件中，地区法院不能对原告针对追加的、非异籍的被告提出的相关请求行使管辖权。最高法院的原理是，"当事人的追加与仅仅追加请求不同，我们不会认为全部宪法性权力都得到了国会的授权，也不会宽泛地解读关于管辖权的制定法"。这一原理有一种危险，可能废弃过去已被接受的补充管辖权的形式。比如，一些下级法院已经将芬利案解释为禁止在过去没有争议的情形下行使补充管辖权。

因此，立法机构需要给联邦法院提供制定法的授权以使其能够听审补充管辖权请求。事实上，最高法院已经要求国会将芬利案所注释的补充管辖权法典化，"关于管辖权的范围无论我们说什么……都会被国会当然地改变。极为重要的是，国会可以根据一条可以清楚解释的规则的背景来立法，使这种背景有助于让人明白它所采用的措辞的效果"。本节将授权在类似芬利案件中行使管辖权，并可以恢复芬利案以前对补充管辖权其他形式的授权和限制。在联邦问题案件中，它广泛地授权地区法院对于附加的请求行使补充管辖权，包括涉及追加当事人的合并请求。在异籍案件中，地区法院可以行使补充管辖权，除非不符合与关于异籍的制定法对管辖权的要求。在两种案件中，地区法院根据现行法的规定，均享有裁量权在适当情形中拒绝行使补充管辖权。

当一个补充请求任何时候与地区法院享有初始管辖权的请求之间成为同一宪法案件或者纠纷的一部分时，第1367（a）节原则性地授权地区法院该补充请求行使管辖权。在规定对涉及追加的当事人的请求的补充管辖权时，该节明白无误地填补了在芬利案中指出的制定法中的空白。

在一个地区法院仅仅依据美国法典第28编第1332节关于一般异籍规定才能行使管辖权的案件中，第1367（b）节禁止地区法院在特定的情形下行使补充管辖权。但只符合异籍条件的案件中，如果行使补充管辖权鼓励原告规避美国法典第28编第1332节对管辖权条件的要求，比如原告可能运用权宜之计在起诉时只列上那些符合第1332节要求的共同被告，尔后再追加针对那些根据补充管辖权已参加诉讼的其他被告的请求，如果有可能出现这种情况，则地区法院不能听审原告的补充请求。根据判例法，如果追加共同诉讼人或诉讼参加人不符合第1332节的要求，本节也禁止这种追加……

最高法院已认可，即使地区法院有权听审某个补充请求，该院也可依据一些合法因素拒绝听审该请求，第1367（c）节将最高法院已经认可的这些合法性因素加以法典化。第（c）(1)－(3)款将与现行法有关的已被承认的因素进行了法典化。第（c）(4)款则承认，地区法院拒绝行使补充管辖权偶尔也存在其他被迫的理由，该款没有排除法院考虑例外情形的可能性。根据现行法律，第（c）节要求地区法院在行使裁量权时要进行具体案件具体分析……

第1367（d）节规定了根据本节主张的任何请求或者根据本节主张的请求被驳回的当时或之后自愿撤诉的同一诉讼中的其他任何请求的时效期间。其目的在于，如果州法律没有规定当补充请求系属于联邦法院时中断计算时效期间，则这一规定可以避免丧失诉讼时效。在原告可能想自愿撤销其他请求的诉讼，以便在联邦法院驳回其补充请求时向州法院寻求对整个案件的完整诉讼，第1367（d）的规定消除了此时可能出现的时效中断的真空期间。

注释与问题

1. 第101-734号国会报告指出，"（a）节将最高法院在矿工工会诉吉布斯案中首次阐释的补充管辖权的范围法典化"，"（b）节的纯粹效果是对欧文案中的主要法理作出补充"。你能辨别出哪些措辞实现了这一效果吗？哪些措辞推翻了芬利案判决？你如何起草第1367节才能使之更清楚地陈述其预设目标？

2. 戴维·D·西戈尔（David D Siegel）在对1988修正案的注释文本中评论道，由于系属管辖权和辅助管辖权被放进了"单一的'补充管辖权'标题之下，可能就不再需要在二者之间划定界限了"。但是，第1367（a）与（b）节之间是否仍然存在某种差异？

3. 第1367节的措辞中提到了请求"构成根据联邦宪法第3条提起的同一案件或争议一部分"的相关请求，将吉布斯案中的产生于"有效事实的同一内核"的联邦请求和非联邦请求的概念加以法典化。第101－734号国会报告是否有助于我们理解这一宽泛的概念？请考虑马丁·雷迪希教授提供的一个例子：

> 假设一次交通事故，引起了司机之间打架。司机A起诉司机B，诉称由于司机B的过失导致了事故；司机B反诉司机A，诉称司机A的拳脚相加导致事故之后的打架。在纯粹文字或概念的层面上，这两个事件的特征可以归结为，要么是同一事件的一部分，要么不是。法院从证据发生交叉方面来界定这些术语，它们可能会拒绝将这些事故认定为同一事件的一部分，因为似乎没有什么交叉。然而，如果法院在逻辑关系的更宽泛的概念上界定这一术语，则很有可能认定两次事件实际上是同一次事件的一部分。

Martin Redish, *Reassessing the Allocation of Judicial Business Between State and Federal Courts：Federal Jurisdiction and the "Martian Chronicle"*, 78 Va. L. Rev. 1769, 1822－1823（1992）。按照第1367节所蕴含的政策，哪一种方法更有意义？定义"同一请求"或者"同一交易"的问题当然是我们十分熟悉的，请回顾本书第三章关于合并的论述，并与第十章终局性原理结合起来。

实务练习三十
在克里夫兰市案件中对事项管辖权提出质疑

复习克里夫兰市案中的起诉状。假定原告的案件通过了所有的审前异议并已进入审判。举证结束后交给了陪审团判决，并正在评议之中。克里夫兰市的律师现在已经出过庭，并以缺乏事项管辖权为由请求撤销依据制定法提出的民事服务欺诈的争点。

法官同意立即听审该动议，并要求首先从听审动议方当事人开始。请首字母为A至M的同学代理被告，其他人代理原告，请就该动议听审进行模拟。

实务练习三十一
卡彭特案件中对事项管辖权的质疑

审查一下卡彭特案件中补正的起诉状和第三人的起诉状。但是，假定南希·卡彭特住在新罕布什尔，她的诉讼在位于马萨诸塞州的联邦地区法院提起，她起诉了迪和终极公司，两被告均为马萨诸塞州公民；终极公司引入了麦克吉尔（他也是一个马萨诸塞州公民）和其所有人戴尔·麦克吉尔（系新罕布什尔州公民)。南希没有补正她的起诉状,既没有对修车部也没有对麦克吉尔提起诉讼。后两个当事人现在提出动议,要求以法院缺乏事项管辖权为由驳回诉讼,或者,根据联邦民事诉讼规则42(b),分离诉讼参加人以进行审判。

法官准备对该动议进行听审,并要求首先听审动议方当事人的意见。请就该动议听审进行模拟。

第五节 移　　送

大家都记得,联邦法院和州法院在其管辖权限上具有相当大程度的重叠。(参见本章第一节的图表。)在联邦问题和异籍案件中(假设本节后面的案件争议金额达到了要求),原告对于选择联邦法院或州法院具有初始选择权。然而,如果原告选择在州法院诉讼,这类案件中的被告通常会根据《美国法典》第28编第1441节的规定将该事项移送到联邦法院(我们说"通常",是因为被告将案件移送到联邦法院的权利与原告向联邦法院起诉的初始选择权并不完全同延(coextensive)。请阅读第1441节,特别是第1441(b)节第二句。)为什么国会在被告谋求在其本地法院诉讼的异籍案件中要抑制联邦法院选择权?

阅读以下案件时,请考虑导致原告向州法院起诉和被告将案件移送至联邦法院的策略。你能够识别出律师业务中的"错误"吗?作为一种政策事项,我们能够允许在州法院和联邦法院之间进行多大程度的"选购法院地"(forum shopping)?

伯内特诉伯明翰教育委员会
Burnett v. Birmingham Board of Education
861 F. Supp. 1036(N. D. Ala. 1994)

地区法官阿克(Acker):

本案是被告根据《美国法典》第23编第1331和1343节,将上述授权的案件从杰弗逊县巡回法院移送到本院的,其理由是本案提出的是《美国法典》第42编第1983节所规定的联邦问题,原告及时提交了一个要求发退的动议,援引《美国法典》第28编第1441(c)节,主张因为州法在整个"事项"中占支配地位,因此应当将案件退回州法院审理。

艾玛·伯内特等原告是被告伯明翰教育委员会的雇员。原告在州法院提起的起诉状由一个要求法院发布职务执行命令书(writ of mandamus)的申诉状构成,他们要求强制被告和其负责人(即另一被告)克里夫兰·哈蒙兹博士向原告支付符合他们所声称的工作级别的报酬。这是一个典型的州法请求。然后他们又增加了一个根据州法提出的违约请求。接着，他们提出了一个反请求，主张他们被剥夺了受阿拉巴马州宪法和联邦宪法保障的正当程序，联邦宪法的保障是由美国法典第42编第1983节这一制定法作为工具而获得实施的。战线划定在了《美国法典》第28编第1441（c）节是否允许根据这些程序性事实将案件退回。

原告的动议没有对未送达的移送通知中包含一份传票。按照美国法典第28编第1446（a）节的规定，缺少这一"传唤文件"，是一个明显的程序缺陷，并且如果原告在美国法典第22编第1447（c）节的规定的30日期限内提出质疑，那么这一缺陷是致命的。然而，对这一缺陷的质疑已经被放弃了。

原告依赖于是本院的两个判例是可以理解的，即马丁案［Martin v. Drummond Coal Co., Inc., 756 F. Supp. 524（N. D. Ala. 1991）］、霍兰案［Holland v. World Omni Leasing, Inc., 764, F. Supp. 524（N. D. Ala. 1991）］。马丁案是在《美国法典》第28编第1441（c）节1990年联邦法院研究委员会补充法案颁布以后，第一个将其适用于将州法律请求占支配地位的联邦问题移送至联邦法院的判例。接踵而至的霍兰案只是将马丁案更一步精湛化。被告花了大量时间和精力试图解释为什么他们的案件与马丁案和霍兰案不同。被告既没有请求法院践行马丁案和霍兰案，也没有发现在本案中州法律并不占支配地位。相反，被告只是努力说服本院不能适用第1441节，以及本院无权行使只有适用第1441节才能行使的自由裁量权。被告将全部赌注都压在一点上，即，本院与马丁案和霍兰案不同，因为在马丁案和霍兰案中惟一可援引的制定法是第1331节，而本案的移送却可以同时依据第1331节和第1343（a）（3）和（4）节。为了唤起记忆，这里重述第1441（C）节的规定：

> 任何时候当本编第1331节赋予的管辖权范围内的单独的和独立的请求或诉因与另外一个或一些不可移送的请求或诉因合并时，整个案件均可移送，地区法院可以决定其中的全部争议或者裁量决定将州法律占支配地位的所有事项退回州法院审理。

同样，为了唤起记忆，这里重述第1331节规定："地区法院对于所有产生于联邦宪法、法律或者条约的民事案件具有初始管辖权"。被告所着重强调而不及其余的是一个事实，即他们在移送通知中不仅援引了第1331节，而且援引了第1343（a）（3）和（4）节，这两款规定：

> 地区法院对法律授权的由任何人启动的任何民事诉讼得享有初始管辖权：……
> （3）救济根据任何州的各种普通法、制定法、规章、条例、惯例和习惯而被剥夺的权利、特权或豁免权，只要它们受到为在联邦管辖权范围内的任何公民或其他人提供平等权利的联邦宪法或国会任何法案所保障。
> （4）补偿损害赔偿，或保障可衡平的或其他救济，只要它们是根据任何国会法案提供的民权保护所产生的救济，包括选举权。

被告争辩的核心是，如果仅仅根据第1331节而移送案件，则惟一可以适用的是第1441（C）节，因此在本案中第1441（c）节不能适用，因为这一移送是基于关于管辖权的其他制定法即第1343节——或第1331节——而确定的。法院对被告这一辩论的回答是，首先，惟一的且最佳的答案是，被告在事实上已援引了第1331节，并且这种援引是适当的，从而把自己明白无误地归入了第1441（C）节的范围。用第1441（C）节的措辞就是，"管辖权已由第1331节赋予（本院）。"原告对第十四修正案和第1983节的援引中包含了主张产生于联邦宪法和制定法的民事诉因的重要因素。即使第1343（a）（3）和/或（4）节已将初始管辖权充分地授予了本院，也不能改变这一事实。借用一个司空见惯的命题——关于移送的制定法总是被向着反对移送的方向解释——第1441（C）节不能被解释为承认一个所有各州判例的例外，这些判例在涉及关于哪个州享有并行管辖权的问题上都只包括一个援引美国法典第42编第1983节的请求。当原告依赖于美国法典第42编第1983节时，可以根据第1343（a）（3）和/或（4）节获得联邦法院的初始管辖权，但根据第1331节进入联邦法院也是正当的，正如被告依赖于两个规定所证实的那样。被告没有为其所依赖的命题提出任何权威性的支持。在这一方面的最近判例是行政职员案［Administaff, Inc. v. Kaster, 799 F. Supp. 685 (W. D. Tex. 1992)］，在该案中，地区法院就像在本案中一样，是根据第1331节和第1343节两个条款来考虑一个移送案件的，该案已经移送。也许是因为行政职员案被退回不是根据第1441（C）节，而是根据"当州法律请求在涉及系属管辖权的诉讼中占据支配地位时，退回（州法院）是适当的"这个一般原则，本院在该案中没有根据第1331节和第1343节两个条款来表述判决意见，因此本院在该案中没有提供什么真正可以借鉴的意见。幸运的是，本院要裁定的不是一个根据第1441（a）节要求移送案件的动议，而是仅仅需要援引第1343（a）节来支持存在初始联邦管辖权。对这样一个假定的情形说上几句是一个有趣的附带意见，但本院抵制了就非争议问题发表自己思想的诱惑……

在已经考虑过这一问题的几个司法区中有一个明显倾向是……，修正后的第1441（C）节现在允许退回整个案件，包括在"州法律占支配地位"的联邦请求……

在经过了口头辩论后，被告最后在书面备忘录中重点论证，第1441（C）节"无意适用于已附加了系属的州法请求的联邦问题请求，也不适用于根据《美国法典》第28编第1441（a）和（b）节被适当移送的联邦问题请求，"或者换言之，即第1441（C）节"只提到了移送不在系属的法院管辖权范围内的、'完全无关的'州法请求"……眼前的案件更象是一个附加在州请求之上的联邦请求，而不是相反。本院没有发现存在州请求和联邦请求所依据的有效事实的共同内核。州法请求不是系属于联邦请求，而是占支配地位的请求……

作出单独裁定,准予原告要求退回案件的动议。

注释与问题

1. 移送是存在于联邦权力与州权力交界处的另一个民事程序问题。当发生在异籍当事人之间或者产生于联邦请求的案件从州法院移送到联邦法院时,显然联邦法院具有听审该案件的宪法授权,本院对于原告向其提起的诉讼本来就有初始管辖权。包括相关州法请求的联邦请求案件还可以由联邦法院根据其补充管辖权来受理,因此也可以根据州法院的移送而听审该案。然而,第 1441(c) 节授予联邦法院"决定其中所有争议",包括"否则不可移送的请求",其宪法授权在哪里?(也许要超出补充管辖权的范围去考虑。)有些注释家对于这一条款的合宪性提出了疑问。一般性地参见 Joan Steinman, Supplemental Jurisdiction in 1441Removed Cases: An Unsurveyed Frontier of Congress's Handiwork, 35 Ariz. L. Rev. 305 (1993), Edward Harntett, A New Trick from an Old and Abused Dog: 1441 (c) lives and Now Permits the Remand of Federal Question Cases, 63 Fordham L. Rev. 1099 (1995)。当一案件根据第 1441(a) 节规定适当地移送,因此它本来一开始就能够在联邦法院提起时,为什么要授权联邦法官将"州法律占支配地位的所有事项"都退回州法院?

2. 在更加实务的层面上,如果提出的不可移送的请求完全挫败了移送,那么原告可以(根据一般比较宽松的合并审理的州的规则)仅仅通过合并这种请求而轻易地阻止被告进入联邦法院。第 1441(c) 节的宗旨部分在于,通过至少给予联邦法院"决定其中全部争议"的权限而保护被告进入联邦法院。

3. 修改后的第 1441(c) 节和关于补充管辖权的新规定即第 1367 节,是同一部制定法《1990 司法促进法案》的一部分。你认为国会为什么要让两个规定并行?请注意第 1367(c)(2) 节与第 1441(c) 节允许联邦法院"当州法律请求占据实质性的支配地位时"拒绝补充管辖权在措辞上的相同性。

4. 第 1441(a) 节与第 1367 节联合颁行不是已经允许移送所有那些主张补充管辖权的联邦问题案件了吗?如果是这样,那么再加进第 1441(c) 节有什么作用呢?

5. 伯内特案件给那些想把他们客户的案件留在州法院审理的原告律师以什么启示?

第六节 复 习

用以下问题对测试一下第七章和第八章相关内容的掌握。

第一题

（建议时间1.5小时）

洁净真空吸尘器公司就以下问题已向你提出咨询：

今年5月1日，洁净公司在其位于密苏里州路易斯大街的总部被送达了一张传票和起诉状。起诉状写道：

纽约南部区联邦地区法院

原告：简·怀特克罗夫特和约翰·怀特克罗夫 　　民事案号：
诉 　　　　　　　　　　　　　　　　　　　　　 起诉状
被告：洁净真空吸尘器公司

1. 原告是夫妻，他们是康涅狄格州的居民。被告是在特拉华州注册的公司，其主要营业地在密苏里州。争议金额超过了7.5万美元。

2. 1999年4月15日，原告在纽约州怀特普莱恩斯打折商店购买了一台洁净公司的500S型吸尘器。

3. 购买这台吸尘器16天以后，原告约翰·怀特克罗夫正在给他和简·怀特克罗夫特共有的房间做尘清洁时，机器突然释放大量电火花，把机器烧坏了。

4. 约翰·怀特克罗夫特因此被烧伤，遭受了永久性和致残性伤害。两位原告的家被大火烧毁，他们所有的个人物品都化为灰烬。

5. 原告主张，着火是由于被告的过失所致，洁净公司的500S型吸尘器在制造方面存在缺陷，事后又不计后果地未将这一危险告知消费者。

为此，原告祈求判决被告赔偿600万美元，以及利息和诉讼成本，并判予其他适当的救济。

纽约州10022
纽约市第三大街1001号
原告方律师
克里斯廷·韦伯

洁净公司的法律顾问告知你，该公司对此诉讼十分紧张，特别是对索取的高昂赔偿金。该公司拥有良好的安全记录，但他们承认，对于500S型吸尘器已有其他的问题反映，他们已收到几封其他消费者的信函，反映这一款机器的电路有问题，不过还未曾有人遭受怀特克罗夫夫妇所声称的损害。这几位消费者也威胁说要起诉。

尽管如此，洁净公司还是维护自己的产品。技术人员相信事故很可能是因为消费者将机器插在了未接地源的两厢插座上，而不是按照说明书所建议的那样插在接地源的三厢插座上。

洁净公司一直是根据"三思检测研究所"（位于路易斯大街）的结论来使他

们的产品质量取信于人的。洁净公司与这一研究所的关系已有多年，他们的每一产品在投放市场之前都会经过一系列严格的检测。三思研究所在检测500S型吸尘器后向洁净公司确认了产品的安全性和可靠性。如果产品存在缺陷，那就是三思研究所未检测出来。

公司的法律顾问对于洁净公司的产品在纽约销售感到十分惊异，因为洁净公司目前只向中西部的零售商批发产品。（大约15年以前，该公司刚刚开业时，它的确向纽约、新泽西、康涅狄格等州出售过产品，但事实证明，这种销售由于交通成本昂贵而无利可图，后来这种生意就停止了。）看来，洁净公司供货的某个中西部零售商向外拓展了业务范围，而"一流打折"全国销售链获取了该零售商的存货，这解释了为什么500S型吸尘器会在纽约州的怀特普莱恩斯打折商店出售。洁净公司在几个州的国内杂志上做广告，这些杂志在纽约销路很广，读者很多，但洁净公司没有直接向美国东部的任何地方输送过自己的产品。

洁净公司已获悉简·怀特克罗夫在两年前已成为位于密苏里路易斯大街的华盛顿大学的博士研究生，她在华盛顿大学附近租了一间公寓，她上学期间住在这所公寓里，其余时间和她丈夫住在康涅狄格州写她的学位论文。

最后，公司的法律顾问还告诉你，事故之后怀特克罗夫夫妇对洁净公司进行了恶意的舆论攻击，出席电视台对话栏目和新闻节目，将该公司描绘为不顾公众安全的妄为者形象。这严重地损害了洁净公司的声誉和商业利益。

基于你所获得的信息，你的助手给你提供了如下所述的纽约州的长臂管辖权制定法：

302节．对于直接或通过其代理人从事以下行为并构成诉因者，法院得行使对人管辖权：

（a）在本州进行商事交易；

（b）在本州签订提供服务或物品的合同；

（c）在本州由于某一行为或疏忽而引起侵权损害；

（d）如果在本州某人惯例性地从事或招揽生意，或者从事任何其他持续性活动，或者从充分利用或消费或提供的服务中获得大量收益，其在本州之外的某一行为或疏忽在本州引起侵权损害；

（e）在本州有利益、使用或拥有不动产。

1. 请为公司法律顾问准备一份备忘录，讨论洁净公司应当如何回应起诉状。考虑所有程序上的异议和防御，包括管辖权方面的异议和防御。讨论每一种情况时，请概述应当提出具体方式（例如诉答状或动议）、所援引联邦民事程序规则中的具体规则、在法庭上就异议获得胜诉的可能性。你可能需要去调查一些事实，以完成你的分析和解释如何利用已有信息，请在上述讨论中包含一份列举这些事实的清单。（45分钟完成）

2. 请为公司法律顾问准备一份备忘录，讨论洁净公司可以作出的合并诉讼的选择。洁净公司应当考虑追加哪些请求和/或当事人？讨论每一种情况时，请概述应当提出具体方式（例如诉答状或动议）以及所援引联邦民事程序规则中的具体规则。请讨论每一种选择所涉及的管辖权方面的问题（如果存在的话）。

3. 现在假定你在怀特克罗夫提起诉讼之前已接受过怀特克罗夫的咨询。你还跟那些对500S型吸尘器表示不满的其他几位消费者接触过，他们也想针对该公司提出他们自己的请求。这些消费者中多数都因为该产品的电路功能不佳而遭受过财产损失；其中一些人遭受过轻微的人身伤害。将所有这些人都合并到一个诉讼中的可能性有多大？请讨论共同诉讼人的选择，注明所援引的联邦民事程序规则中的具体规则。简略地指认你所担心的管辖权问题。(15分钟)

第九章

联邦法律和州法律之间的选择
——伊利诉汤普金斯案问题

我们在第八章知道,如果符合下述条件则联邦法院对民事诉讼案件享有管辖权:(1)诉讼引起美国法典第28编第1331节规定的"联邦问题";或(2)根据美国法典第28编第1331节,法院基于当事人州籍不同而享有管辖权。在前一种情况下,法院适用"联邦问题"所隐含的联邦实体法。例如,在一个根据1968年民权法案(美国法典第42编第3601节及以下)宣称在住房租赁中存在歧视的诉讼中,法院将适用联邦制定法以及解释联邦制定法的联邦判例法。

但是,在当事人异籍的案件(diversity cases)中,在联邦法院适用哪一个法律并不是一目了然的。比如,一个发生在美国不同州的公民之间的人身伤害侵权案,如果由地区法院听审,法院将适用联邦的还是州的过失责任法?并且,如果应当适用的是州的过失责任法,那么法院应当适用甲方所在地的州法律、乙方所在地的州法律、还是法院所在地的法律?

法律选择的问题起因于:尽管一个法院对某个案件拥有管辖权,但它并不必然有权适用它自己的法律去解决该案件。加利福尼亚州对一个侵权案拥有管辖权可能仅仅是因为如果在该州起诉,令状可以有效送达被告。如果双方当事人都不是加州居民,该案件又发生在别处,适用加州的过失法还会是公平而合理的吗?如果原告因为加州的过失法对他更有利而"选购"(shopped)加州的法院,那么情况会怎样?

法律选择问题是二维的。"纵向"法律选择问题是在联邦法和州法之间的选择;"横向"法律选择问题是指当州的法律被认为应当得到适用时,适用哪个州的法律?后一个问题在有关法律冲突的章节里涉及,而不打算在这里详加探讨。我们关注的将是纵向法律选择问题,它隐含了平行法律系统运作中的基本问题和联邦主义的概念中的基本问题。

研究下面的案例：哈利·汤普金斯（Harry Tompkins），一个宾夕法尼亚州的居民、同时也是它的公民，当他正在沿着埃里铁路公司（在宾夕法尼亚州）拥有所有权的铁路走时，被一列经过的货运车的一扇开着的门击倒，伤势严重。埃里铁路公司是一个纽约公司，因此，哈利·汤普金斯既可以在宾夕法尼亚州的法院起诉，也可以在纽约州的法院起诉。然而，两个州的冲突法原则都规定：适用事故发生地的法律。因此在任何一个州打官司都不得不适用宾夕法尼亚州的法律。但是，宾夕法尼亚州的判例法把汤普金斯看作侵权者，并因而认定铁路公司负有较少的注意义务（也就是，只限于玩忽职守或恶意行为）。如果汤普金斯只能证明铁路公司是疏忽大意，他将不能依据宾夕法尼亚州的法律获得赔偿。不过，汤普金斯和铁路公司之间州籍的差异，给了汤普金斯的律师以回旋余地，从而把官司打到了联邦法院，并有机会争辩说宾夕法尼亚州的法律不适用于本案件。这一问题是下述里程碑式的案例所关注的焦点。

埃里铁路公司诉汤普金斯
Erie Reailroad Co. v. Tompkins
304U. S. 64（1938）

大法官布兰代斯（Brandeis）阐述了本院的意见：

需要解决的问题是：现在是否应当推翻斯威夫特诉泰森（Swift v. Tyson）案中那个一再遭到质疑的原理。

一个漆黑的晚上，宾夕法尼亚州的公民汤普金斯在该州的休斯镇（Hughestown）沿着埃里铁路公司的铁道右侧行走时，被该公司一列经过的货运车撞伤。他声称事故发生是因为列车操作或运营上的过失；他正确地走在允许的地基上——因为他是走在一条经常使用的、被许多人千遍万遍踏过的小径上，而这条小径有一小段是沿着铁道的。并且，他说，他好像是被某个运动着的、突出的车门所击倒。为了实现他的主张，他向南纽约的联邦法院提起诉讼，后者之所以拥有管辖权是因为该公司属于纽约州。被告否认应负责任。该案由一个陪审团审理。

埃里铁路公司坚持认为他对汤普金斯的责任无非是对一个侵入者（trespasser）的责任。它争辩说，和在其他情况下一样，它对汤普金斯的义务及相应的责任应当根据宾夕法尼亚州的法律决定；而就像宾夕法尼亚州最高法院宣称的，根据宾夕法尼亚州的法律，使用沿着铁道的、可通行的小径的人被认为是入侵者，即便那是一条纵向的顺着铁道的路，而不是横向穿过铁道的路；铁路公司不应当在因为它的疏忽而未发现入侵者的情况下，就对造成的伤害负责，除非它是出于恶意或故意。汤普金斯否认宾夕法尼亚州法院的判决确立过任何一个这样的规则；并且争辩说，既然不存在关于这个问题的州制定法，铁路公司的义务和责任应当作为一个普遍性的法律问题而由联邦法院判决。

初审法官不同意裁定准据法排除了赔偿。陪审团裁判赔偿3万美元；以陪审团判决为基础的法官判决得到上诉法院的维持——上诉法院认为，宾夕法尼亚州的法律是否与此相冲突无关宏旨，因为这不是一个地方性的法律问题，而是一个普遍性的法律问题；而"对于普遍性的法律问题，联邦法院有权在没有地方制定法时，行使自由裁量权以确定法律是什么；并且毫无疑问，铁路公司因其员工给他人造成伤害的责任问题是个普遍性的法律问题……如果公众在相当长时期内公开且普遍地使用铁路通行权（穿行权）而没有遭到异议，则铁路公司在运营中，应当对行走在这种许可通行的小道上的人负有照顾义务……一个同样得到公认的法则是：当一个行人行走在可通行的铁路旁边的小道上时，如果他被列车一侧突出的物体击倒，那么陪审团可以认定铁道公司对该行人存在过失"。

埃里铁路公司曾辩称，就像在其他情况下一样，根据1789年9月24日《联邦司法法》第34节c.20，(28 U.S.C. §725)，应该适用宾夕法尼亚州的法律——它规定：

> 除联邦宪法、条约或美国联邦制定法另有要求或规定之外，在审理普通法案件时，相关的几个州的法律应当被联邦法院当作判决依据。

基于这样的重要性问题——即联邦法院是否有权不理会被提出来的、宾夕法尼亚州的普通法规范，我们同意发出调卷令。

首先，斯威夫特诉泰森一案16 Pet. 1，18认为，联邦法院基于异籍而行使管辖权时，就一般管辖权而言，没有必要像州最高法院宣称的那样适用州的不成文法；它们有权行使自由裁量权决定州的普通法是什么——或者说州的普通法应当是什么；并且就像大法官斯托里（Story）所说：

> 对于第34节的真正解释限制了法院对严格属于地方性的州法律的适用，也就是说，限制适用州的实体法；限制适用地方法院所采用的、对州实体法的解释；限制诸如"不动产的权利与资格"这种具有永久地域性的事物上的权利与资格，以及其他在性质特征上具有不可移动性和州内性的事物上的权利与资格。我们从未认定：第34节曾经适用于、或曾经企图适用于更具一般性的问题，却完全不依赖于地方制定法或内容确定并反复使用的地方惯例—例如对日常合同或其他书面文本的解释；特别是在通用性的商法问题上——在那里，州法院被要求去履行与我们相同的职能，也就是根据一般推理和法律类比，确认合同或书面文书的真实涵义是什么，或者确认规范该案件的商法原则所提供的合理规则是什么。

在马森诉美国（*Mason v. United States*，260 U.S. 545，559）一案中，当法庭将第34节适用于衡平法案件时，说："而成文法，只不过是对即使没有成文法也本应存在的规则的宣告"。联邦法院认为，从广义上的"基本法律"来说，它拥有宣布判决规则的权力——毫无疑问，国会无权通过颁布法律来规范它。尽管有第34节，但人们对解释的可靠性仍然是疑虑重重，对依据它所引进的规则是否合理仍然心怀戒惧。但是有个可敬的学者——他查阅了原始文件——新近做了一个研究表明，法院对它所做的解释是错误的；制定第34节的目的只是为了明确：除了那些由某个联邦法律管辖的案件之外，在所有情况中，联邦法院在对异籍案件行使管辖权时，应当把州法律当作它们的判决规则来适用，而不论是不成文的还是成文的。[1]

在布莱克和怀特出租车公司诉布郎和耶洛出租车公司（Black & White Taxicab Co. v. Brown & Yellow Taxicab Co., 276 U. S. 518 [12]）一案的判决之后，该原理遭到广泛的批判。在此案中，布郎和耶洛出租车公司是肯塔基州人所有的一个肯塔基公司，而路易斯维勒和纳什维勒铁路公司也是肯塔基公司。两者希望让前者在肯塔基的鲍林格林（Bowling Green）和火车站获得垄断的客运、货运经营权；但是布莱克和怀特出租车公司作为一个与之竞争的肯塔基公司就应当被阻止涉足该项特权。由于知道根据肯塔基的普通法，这种独占经营的合同是非法的，于是安排布郎和耶洛出租车公司按照田纳西州的法律重组公司，使得与铁路公司的合同可以在那里履行。本案是由这个田纳西州的公司提交到西田纳西的联邦法院的，起诉要求禁止布莱克和怀特出租车公司参与竞争；地区法院发出的禁令得到上诉法院的维持；并且本院引证了大量适用斯威夫特案的原理作出的判决，支持了该判决。

第二，适用斯威夫特案原理的实践已经暴露了它在政治和社会方面的弱点；其预期收益没有增加。州法院在普通法问题上的固执己见妨碍了法律统一；而无法找到通用法与地方法之间令人满意的界限的状况，又形成了一个不确定的迷障。

另一方面，这个原理的负面影响却已经沉渣泛起。授予联邦法院异籍管辖权是为了防止令人担忧的、各州对非居民的歧视。斯威夫特案引致了严重的非居民对居民的歧视。它使得依据不成文的"通用法"（general law）而享有的权利随着选择通过州的还是联邦的法院来实施而变化，并且赋予非居民选择应当确定这一权利的法院的特权。因此，它使得法律的平等保护无法实现。我们努力推进美国全境的法律统一，它却在实施州法律中阻止这种统一。

这种歧视结果在实际上变得影响深远。这部分地起产生于那种宽泛的管辖范围——即联邦法院对所谓的"通用法"行使自由裁量权。除了纯粹商法的问题，"通用法"被认为适用于在州内缔结和履行的合同义务，在州内运营的承运人在

---

[1] Charles Warren, New light on the History of the Federal Judiciary Act of 1789, 37 Harv. L. Rev. 49, 51-52, 81-88, 108 (1923).

多大程度上可以为他自己或他的员工的疏忽大意规定免责;在州内对当地居民或财产入侵的责任——甚至在责任问题取决于州授予的财产权范围的时候也是如此;以及警告性的或惩罚性的赔偿权。更有甚者,解释地方事务、矿藏让与乃至不动产制度的地方判决也不予理会。

这种歧视还部分地根源于主体的宽泛性——他们被认为有权通过借助于联邦法院管辖当事人州籍不同的案件的权力,为自己取得适用联邦规则的机会。通过这种管辖权,希望排除适用本州法律、变成他州公民的自然人可能获得联邦规则的适用。而且,甚至不用改变居民身份,某州的所属公司可以根据另一州的法律重组从而获得适用联邦规则,就像上述出租车公司案。

斯威夫特案所附带的不公正和混乱已经成为人们一而再提出的、要求废除或限制联邦法院异籍管辖权的理由。其他的制定法救济措施也已经被提了出来。如果它只涉及立法解释问题,我们可能并不打算抛弃这么一个广泛适用了将近整整一个世纪的判例;关键在于适用它所带来的违宪性已经越来越明显,迫使我们别无选择。

第三,除了联邦宪法或国会法案管辖的事务之外,在任何案件中适用的都应当是州法律。而是否应当由州立法机关或州最高法院的判决来宣布州法律并不是联邦的事务。不存在联邦的通用普通法。如果州适用的实体性普通法是商法或者是侵权法的一部分,国会无权宣告其性质上应该是地方性的还是"通用性"的。而且联邦宪法也没有授予联邦法院这一权力的条款。就像巴尔的摩和俄亥俄诉勃(Baltimore & [l3] Ohio R. Co. v. Baugh, 149 U. S. 368, 401)一案中,法官菲尔德(Field)先生在反对法庭忽视了关于同事责任(fellow servant liability)的俄亥俄普通法时所陈述的:

> 我很清楚被称为这个国家的通用法是什么——它通常无非是提出法律原则的法官在提出该原则的时候,认为针对某一个特定问题应该是通用法的东西——总是在法庭的司法意见中提出,用以解决州的冲突法。我认为博学的法官们已经变得习以为常了:当州法律与他们的观点矛盾时,就反复阐述这个原理,把它作为清除州法律的权宜之计。而且我承认,受那些威名赫赫的法官权威的影响和支配,我自己本人就在许多案件中毫不犹豫地、心安理得地复述同样的原理,但是现在我认为再重复它就错了。尽管有许多显赫的名字可以引用于支持该原理、尽管对该原理的使用已经司空见惯,但是美国联邦宪法却一直反对反复适用它。联邦宪法承认了各州保留的自治与独立—它们在立法上的独立和司法部门的独立。由联邦来监控各州的立法或司法活动是决不允许的,除非是宪法特别批准或授权给联邦的事务。除了这种许可,对两者中任何一个的干预,都是对州权力的侵夺;并且在那个意义上说,是对各州的独立性的剥夺。

斯威夫特诉泰森案宣称的规则中所蕴含的谬论,被大法官霍姆斯先生一针见血地指出来了：该原理所依赖的假设是，存在"一个先验的法律体系，这个体系处于任何特定的州之外，但又在州内有约束力，除非并且直到它被制定法变更为止"，联邦法官有权力运用他们的判断力确定普通法规范是什么；而且在联邦法院上，"当事人有权对通用法的问题作出独立的判断"：

> 但是，从法律是由法院阐述的意义上说，今天不存在背后没有某种确定的权威作后盾的法律。普通法，只要它是由某个州实施，就不论是不是叫做普通法，都不属于一般的普通法，而是州权力下的州法律，而不管它是在英格兰还是别的什么地方……权威，惟一的权威，就是州，如果是这样，那么州所采取的立场以及它自己的立场［不管是州立法机关还是它的最高法院］就应当是最终决定性的立场。

因此，就像大法官霍姆斯先生所言，斯威夫特案的原理，"是联邦法院对权力的违宪设定，无论是时间的流逝还是一长串令人尊敬的人物的支持都不能令我们在改正它的时候有所犹豫"。我们在推翻这一原理时，并不需要认定1789年的联邦司法法第34节或其他国会法案违宪。我们只需要宣布，适用这个原理，该法院和下级法院就侵犯了我们看来被联邦宪法保留给各州的权利。

第四，被告主张，根据宾夕法尼亚州最高法院在法契缔诉宾夕法尼亚铁路公司（*Falchetti v. Pennsylvania R. Co.*，307 Pa. 203）一案中宣布的法律，它对原告所负的惟一义务就是不得故意或恶意伤害他。原告否认这是宾夕法尼亚州的法律。为了论证他们各自的观点，各方当事人讨论和引用了宾夕法尼亚州最高法院的许多判例。巡回法院的判决认为责任问题属于一个通用法问题，并在此基础上拒绝对州法律问题作出裁定。正如我们理解的，这是错误的，撤销判决并发回重审，进一步的审判不得与我们的意见相左。撤销判决。

大法官卡多佐（Cardozo）没有参与讨论及判决此案。

大法官里德（Reed）并存意见：

我同意本案的结论，反对斯威夫特案的原理，支持按照多数人的观点推导结论，但不同意这样做所依赖的联邦法院"求助的路径（course persued）"的违宪性。

所谓的"斯威夫特案的原理"，按照我的理解，就是说，1789年9月24日的联邦司法法第34节第一行的"法律"这个词，它的含义并没有包括"地方法院的判决"。大法官斯托里先生在判决该观点时，说：

> 无疑，地方法院有权对这种问题作出判决，并且将受到审慎的关注和尊敬。但是，它们不能提供实体性规则或最终的权威，以约束和支配我们的判决。

为了裁判我们现在面对的这个案件和"否决"斯威夫特案的原理，只需要说，"法律"这个词的含义中包含了地方法院的判决。正如多数派观点在参考沃伦（Warren）先生的研究以及先前引用的大法官霍姆斯先生的观点后表明的，本院现在的观点是："法律"（laws）包括了"判决"（decisions），不需要更进一步宣告"求助的路径"违宪，而只需要说它是错误的。

多数派意见所指的"违宪"路径显然就是斯威夫特案的裁决，该裁决认为国会疏于立法从而留给法院根据自己的需要而解释通用法的自由空间。我完全不相信的是，如果没有联邦制定法的规制，联邦法院是否就会被迫按照州的判决行事？我们有充分理由怀疑1789年是否有什么事情促使首届国会去立法。该法院以前的判决观点并没有以它为依据。很明显，大法官霍姆斯并不认为存在需要推翻斯威夫特案的"违宪性"，因为他在多数派所引用的观点中曾说，"我认为斯威夫特案无可指责，……但是我将不允许它进入新的领域适用"。（Black & White Taxicab Co. v. Brown & Yellow Taxicab Co., 276 U.S. 518, 353.）如果这个观点致使该法院认为，国会无权宣布支配联邦法院的实体规则是什么，那么其结论似乎也大成问题。虽然程序法和实体法之间的界限有点模棱两可，但没有人怀疑联邦的程序权。司法条例和宪法的"必要且合理"条款已经完全授权进行立法，就像司法法的这个第34节。

对该法院来说，在成文解释中遵循先例是个有用的规则，而不是冷酷无情的命令。它似乎倾向于推翻既有的、国会法案的解释，而不是在本案的特定情形下解释宪法。没有必要进一步探讨该观点中寥寥数语的措辞有多大的合理性范围。只要现在引起注意并表达了我本人不敢苟同的立场就行了。

大法官巴特勒（Butler）和大法官麦克雷诺兹（McReynolds）大法官持反对意见，争辩说应当继续遵从斯威夫特案这个久经考验的先例。

注释与问题

1. 斯威夫特案布兰代斯大法官对于斯威夫特案允许联邦法院将"联邦通用普通法"应用于汤普金斯这样的案件进行了批判，其中穿插了一些辞藻华丽的修辞手法。你又如何鉴别和准确无误地说出反驳斯威夫特案的政策论据？制定法论据呢？宪法论据呢？

2. 布兰代斯所称的、斯威夫特案的"有害后果"是什么？这些"有害后果"又是如何被法院所讨论的布莱克和怀特出租车公司案所证实的？

想像一下这样的场景：汤普金斯在那个可怕的事故中，是和朋友在一起行走的，朋友也受了同样的重伤。两人都来到你的律师事务所咨询他们如何做才能从埃里铁路公司获得赔偿。如果这个朋友是纽约州的居民，把他和处于斯威夫特案管辖之下的汤普金斯相比，你预测他获得赔偿的机会有多大？你会如何向一个门外汉解释这种异常现象？你能理解为什么布兰代斯说斯威夫特案"导致法律的平等保护变得不可能"吗？

3. 在斯威夫特案中，斯托里法官怎么能把1789年的司法法第34节解释为，如果州"法律"是以判例法的形式与成文法相冲突,联邦法院可以忽视它们?这和词汇语句的普通含义相吻合吗?如果不一样,那是什么促使斯威夫特案的审理法院这么明显地偏离"法律"的通常含义呢?

4. 布兰代斯依据什么宪法条款作出结论说,斯威夫特案表明"联邦法院行使了一个违宪的权力"?

5. 为什么里德法官要单独制作意见书?布朗教授(George D. Brown)评论道:"埃里铁路公司案的含混不清体现在好几个方面,并且非常明显。如果判决以制定法为基础,就没必要以宪法性部分作为附带判决意见。甚至即使是以宪法为基础,因为法院没有直接引用任何宪法条款,并且有一些明显是宪法性分析的内容放在以其他理由为根据的部分,所以混淆了这个问题。我们能在这个观点中找到可启用的正当程序原则、平等保护原则、分权原则和联邦主义原则。"[George D. Brown, The Ideologies of Forum Shopping——Why Doesn't a Conservative Court Protect Defendants? 71 U. N. C. L. Rev. 649, 657 (1993)].

6. 里德法官所做的两个区分在埃里铁路公司案之后的时期扮演了重要角色。首先他认为,国会完全有权宣布能管辖联邦分歧案件的实体法,即使联邦法官没有这样的权力。其次,也是更重要的,里德法官从我们在下面要谈到的案件的角度,区分了"实体的"和"程序的"法律,并且评论说,两者的界限可能"模糊不清",但是"没人怀疑联邦在程序法上的权力"。

关于里德法官对"联邦在程序法上的权力"的评论,值得注意的是,埃里铁路公司案的判决和联邦民事诉讼规则的采用都是发生在 1838 年。在联邦民事诉讼规则之前,联邦地区法院被《统一法案》要求遵从所在地的州法院的程序,这就使它们没有自己的、全国统一的程序法,也使联邦法院的许多执业者认为是个令人称奇的混乱。1934 年,国会通过的《规则授权法案》[1] 使得关于联邦立法程序的动议尘埃落定——它授权最高法院"制定一般规则、传唤文书的形式、令状、诉答状、动议以及地区法院和上诉法院的操作与程序……"该法案规定:"这种规则不得删减、扩大或修改任何实体权利……"正如凯恩教授(Mary Kay Kane)所评论的:"在平衡州法院和联邦法院之间的权力——即需要用实体法和程序法之间的那条摇摆不定的界线(有时几乎是无影无踪)来控制的权力——上,1938 年开创了一个新纪元"。[Mary Kay Kane, *The Golden Wedding Years: Erie Railroad Company v. Tompkins and the Federal Rules*, 63 Notre Dame L. Rev. 671, 673 (1988)]

7. 在埃里铁路公司诉汤普金斯(Erie Railroad Co. v. Tompkins)一案之

---

〔1〕 现行版本是在《美国法典》第 28 编第 1072 节。

后，具有挑战性的工作是把各种问题归类：是程序性的还是实体性的。当你们阅读下面的案例时，把你们关于什么是"程序法"或"实体法"的直觉同法院的推理和结论进行比较。

8. 对平行法律选择的注解。在埃里铁路公司案中，平行法律选择问题就是：是选择适用宾夕法尼亚州的法律还是纽约州的法律。在当时占主导地位的法律原则的支配下，法院一般适用事故发生地州的法律。见 William M. Richman & William L. Reynodls, *Understanding Conflict of Laws* 170 – 172 (2d ed. 1993). 1971年采用的第二版《冲突法重述》，体现了一种更为灵活的步骤：使用未决问题的"最重要关系"来权衡一系列因素，设计这些因素是为了鉴别"州的法律"。（同前，195 – 198 页）尽管如此，各州仍有自己的冲突法原则。

这就产生了另一个平行法律选择问题：当联邦法院审理当事人异籍的案件时，应当适用哪个州的冲突法原理判决案件，又该适用哪个州的实体法？在克拉克松公司诉斯坦特电器制造公司 [Klaxon Co. v. Stentor Electric Mfg. Co., 313 U. S. 487 (1941)] 一案中，法院判决说，联邦法院应当适用它所在地的州的冲突法规则。"否则，在州法院和联邦法院两个平等物分庭抗礼时，当事人州籍不同的麻烦会一直困扰司法的公正"。(313 U. S. at 496) 因此，在克拉克松公司案中，违约诉讼被提交到特拉华州的联邦地区法院，该法院必须适用特拉华州的法院期望在这样的诉讼中适用的州法律。

佳仑缔信托公司诉约克
Guaranty Trust Co. v. York
326 U. S. 99 （1945）

法兰克福特（Frankfurter）大法官阐述了本院的意见：

……【佳仑缔信托公司作为受托人，同意了一项买空计划（buy – out plan），在该计划中，泛斯维灵根公司（Van Sweringen Corporation）的票据持有人只得到了他们票据的面值的一半。】这个诉讼案件作为代表被拒绝承兑的票据持有人的一种诉讼，因为当事人的州籍不同而被单独提交到联邦法院；它以所称的佳仑缔违反信托为基础，因为佳仑缔同意了交易出价却未能保护持有人的利益，并且在提出交易开价时未能披露其自身利益。申诉人建议作出即决判决，得到许可［因为该诉讼已过时效］。在上诉中，巡回法院的一位法官反对，……他认为，在一个以衡平法诉讼的方式起诉到联邦地区法院的案件中，如果由联邦法院审理，即使联邦管辖权的惟一基础是当事人异籍，该法院也不需要适用州的时效制定法尽管该时效制定法统治着在州法院审理的同类案件。联邦法院处理的诉讼所涉及之问题的重要性，使我们把案件拿到这里来……我们惟一要做的就是坚持联邦法院在这样的诉讼中不必受地方法律的约束。

当联邦法院裁决一个基于联邦法律的诉讼时，我们姑且不谈在处理它所产生的问题时的相关考虑。我们只涉及某个州为之创设权利和义务的事务，以及为了主张这些权利义务，如果当事人的州籍不同，则国会使联邦法院成为另一个可利用的法院。

我们的出发点必须是联邦管辖权的政策，它在埃里铁路公司诉汤普金斯案中得到了体现。为了推翻斯威夫特案，埃里铁路公司案并没有简单地推翻一个声名赫赫的判例，它推翻的是看待法律的一条特定的路径，在这条路径的不合理性被完全暴露出来之前它曾长期支配着司法程序。法律被认为"无处不在地充满着"理性，判决只是它的证据而不是决定性的内容。因此，联邦法院认为它们自己有权确认什么理性，以及相应地、什么法律需要完全独立于权威宣布的州法律，甚至当作为救济之基础的法律权利是由州的机关而不是由联邦机关所创设，并且案件进入联邦法院仅仅是因为根据美国联邦宪法第3条第2款，该案件发生在"不同州的公民之间"也不例外。

这种企图从支配州法院的规则——即管辖由州创设的权利的规则——中挣脱出来的欲望深深置根于占主导的自然法方面的思想，以至于联邦法院几乎是在不知不觉中肢解了有关的解释，哪怕国会明文要求它们在打算实施州法律的时候就应当如实地适用州法律。（参见1789年司法法第34节。）这一问题已经由下述阐释清楚地进行了归纳："在斯威夫特案统治联邦法院判决的期间，法官们在通用法问题上不受州法院权威束缚的自由裁量思想，弥漫着整个法院，甚至包括不受州制定法或地方制定法的束缚。"

……因为被认为存在"一个独立于任何州之外的先验法律体系，但是它又在州内有约束力，除非并且直至制定法对它进行了变更"。州法院的判决不是"法律"，而仅仅是某人的观点——无疑应当得到尊重的观点——它们恰好涉及到了这种无处不在的法律的内容。联邦法院天经地义地承担着为他们揭示这一法律体系的内容的任务。这一观念又被"统一的联邦法律体系"这样的迷人前景所激励。联邦法院让这种一致的判决、不受各州法律差异性约束的思想流行起来，特别是在寻求衡平救济的案件中，因为衡平原理往往基于它们的普适性而使用，这时不再要求对法律可实施性的渊源进行严密的分析……

因此，这个案件就归结为一个具体问题：当该诉讼因为制定法上的时效终止而不能在州法院获得救济时，联邦衡平法院能否因为它是异籍案件而予以认可？由州法律创设的请求权因根据州法律因时限届满而排除法律干预（outlawry），究竟是一个"实体权利"问题，因而应当得到联邦衡平法院的尊重——该联邦法院的管辖权是基于存在一项州创设的权利的事实而产生？还是一个"仅仅具有救济性"的制定法，因而联邦法院可不予理睬？

"实体"问题和"程序"问题已经在许多著作中讨论得太多了，虽然这些著作对整个法律领域的界定有着大相径庭的划分。不过"实体法"和"程序法"当然同样都是许多问题的关键。不管"实体法"还是"程序法"，都不是代表同样的常量。每一个都意味着不同的变量、依赖于运用它的特定问题。并且不同的问题最多只是间接地关联着，因为这些术语通常运用于引起这些不同思考的情况中，就像那些针对事后立法问题、减少契约义务、在州法院实施联邦权利的用语以及大量的冲突法方面的措辞一样。

这里，我们研究的是来自某一个州而不是来自美国联邦的赔偿权。由于原告恰好是非本地居民，当这种权利既可以在联邦法院也可以在州法院行使时，行使权利的形式和模式可能有时自然就不一样，因为这两个法律系统并不是一致的。但是当联邦法院基于当事人异籍而单独对州设权利进行判决时，从上述目的来看，在实际效果上只是另一个州法院而已。如果赔偿权无法在州得到实现，联邦法院也无力提供救济；而且联邦法院也不能实质性地影响由州提供的、对权利的实施。

所以，从某种意义上说，这个问题并非指时效制定法是否属于"程序性"问题。问题在于：是否这一制定法只涉及方式和手段——州认可的赔偿权凭借它们而得以实施；或者说，是否这种制定法时效构成实体问题、从一个方面单独涉及我们的问题，也就是说，它是否实质性地影响到诉讼结果，以至于联邦法院排除适用州法律？——而如果同样的当事人在州法院提出同样的诉讼请求的话，该州的法律应当起作用。

因此，在不涉及我们面临的特定问题而使用那些术语时，时效制定法被州法院方面定性为"实体法"或"程序法"是无关紧要的。埃里铁路公司案没有试图阐释科学的法律术语。它只是表述了一个政策，该政策入木三分地触及到了州法院和联邦法院之间在司法权上的合理分配问题。从本质上说，本判决的意图只是要确保：在联邦法院仅仅基于当事人州籍不同而获得管辖权的所有案件中，联邦法院的诉讼判决应当在实质上是一致的，就如同是在州法院审判那样——只要是依法律规则判决案件。在埃里铁路公司案中，政策的要义在于，同样的事务、同样的诉讼事实，由一个非居民的诉讼人在联邦法院而不是州法院起诉，同样的起跑线就不得形成实质上不一样的结果。因此，先不谈抽象的"实体法"和"程序法"，我们认为在不同的案件中，联邦法院必须遵从举证责任方面的州法律（*Cities Service Co. v. Dunlap*，308 U. S. 208）、冲突法方面的州法律（*Klaxon Co. v. Stentor Co*.，313 U. S. 487）、共同过失方面的州法律（*Palmer v. Hoffman*，318 U. S. 109，117；以及 *Sampson v. Channell*，110 F. 2d

754.）。运用埃里铁路公司案时，已密切注意防止联邦法院在各种案件中无视州法律。一个对联邦主义如此重要的政策，必须使它不为分析上或术语上的细节所困扰。

再清楚不过了：一个完全能阻止提交到州法院的诉讼获得赔偿的制定法，根本性地而不仅仅是形式上或无足轻重地涉及到了州创设的权利。它在结果上如此密切地影响到胜不胜诉，因此联邦法院在行使异籍管辖权的案件中应当服从州法律……如果一个时效法的诉求（plea）会阻止在州法院获得赔偿，那么联邦法院就不应提供救济。

……为了从衡平的立场上制造一个埃里铁路公司案的例外，联邦法院应当拒绝考虑政策——该政策在历经艰辛之后才达至该判决。奥古斯塔斯·汉德（Augustus N. Hand）法官因此在下面总结了对那些攻击埃里铁路公司案的观点的严厉反击：

> 我的观点是，无论什么时候，联邦法院认为采用它们可能导致不公平从而无视州的时效制定法，这样的实践都是有害的。这种程序会促使选择联邦法院而不是州法院，目的是利用法律之间的差异谋利。批评斯威夫特案的主要依据是：案件诉讼人借助于联邦法院异籍管辖权而在联邦法院诉讼提起，从而获得更有利的判决。
>
> 143 F. 2d 503，529，531.

设计异籍管辖权的基础是为了保证非居民诉讼人不至于担忧潜在的地方偏见。按照马歇尔所言，宪法的设计者们，心怀"忧惧"，惟恐外来诉讼者受制于州法院的地方偏见，或者，考虑到至少不能"放任外来诉讼者产生这种担心和忧虑的可能"。（Bank of the United States v. Deveaux，5 Cranch 61，87）因此国会为非本州诉讼者提供了另一个法庭，而不是另一个法律体系。在同一个州运行两套法律系统显然是与法治背道而驰的。当然，诉讼一方当事人恰巧在州外居住的话，不应当构成对其他与案件同等相关但居住在本地的当事人的歧视。由联邦法院根据异籍管辖权而实施（这一点不能说得太频繁）的实体权利，它的渊源是州法律。不论州权力机关在什么时候宣布该法律——可能是通过它的立法机关也可能是通过它的最高法院——这种法律应当管辖在它基础上产生的诉讼，而不论实施它的法庭是州法院还是联邦法院、求助救济时面对的是普通法还是衡平法……

撤销判决，案件发回进行不得与本意见相左的继续审理。

此令。

【鲁特莱基（Rutledge）大法官的反对意见从略】

注释与问题

1. 你将如何综合考虑埃里铁路公司案和约克（York）案？——换个说法，在约克案之后，在异籍当事人案件中，决定是将州法律还是联邦法律适用到具体的问题上的标准是什么？为了进行法律选择，时效制定法问题是如何变成"实体法"的？"实体法"又是如何变成"最终决定者"的？

2. 约克案所理解的埃里铁路公司案的意图是："确保在联邦法院异籍管辖权的所有案件中，联邦法院的判决应当实质上是一样的，就如同是在州法院审判那样——只要是由法律规则支配诉讼结果"。从字面上看，它的意思不就是说，新近采用的《联邦民事诉讼规则》实际上只是一份契约书，而州的程序规则将继续支配联邦管辖的、当事人州籍不同的案件？难道在约克案之后，显而易见的是前述的 1938 年的两件事——埃里铁路公司案的判决和《联邦民事诉讼规则》的采用——现在已经互相撞车了？

3. 是什么使得联邦法院的地位（当然，是宪法第 3 条所确立的）如此跌份——沦落到一个像克拉克法官（Charles E. Clark，《联邦民事诉讼规则》的起草负责人）所评论的，联邦法官成为"表演口技的傀儡"、州法律的传声筒的地位？参见 Daniel J. Meador, *Transformation of the American Judiciary*, 46 Ala. L Rev 763, 765（1995）.

不言而喻，法院被"在同一个州的、互相冲突的两套法律体系的运作"所困扰，"显然与法治南辕北辙"。汤普金斯将不得运用比所假设的、来自纽约的朋友更有利的侵权赔偿法来起诉——他虽然也被货车撞伤，但与埃里铁路公司的州籍并无不同。约克案的判决尝试当然解决了这个问题；但是，约克案之后的难题是：或许药方比疾病更有害于司法系统的运作？联邦法院在实践中接踵而至、对该判决尝试盲目跟风。见拉根案〔*Ragan v. Merchants Transfer & Warehouse Co.*, 337 U. S. 530（1949）〕（实践中，根据《联邦民事诉讼规则》，联邦法院审判一个原告因时效规定而提起的诉讼，被州制定法转换成只是向被告收取文书送达费）；*Cohen v. Beneficial Industrial Loan Corp.*, 337 U. S. 541（1949）（在被告胜诉的股东派生诉讼中，州法律要求原告向其寄送证券，以补偿包括律师费在内的费用，并要求联邦法院拒绝受理相关的异籍诉讼——虽然《联邦民事诉讼规则》没有要求这种证券）；*Bernhardt v. Polygraphic Co. of America*, 350 U. S. 198（1956）（在异籍诉讼中，由于州法律认定仲裁协议可撤销，联邦法院无法执行包含在雇佣合同中的仲裁协议）。

4. 这就留待最高法院的两位伟大法官的聪明才智去重申联邦法院的独立性。请看下面的伯德案和汉纳案。

伯德诉蓝山乡村电器股份合作有限公司
Byrd v. Blue Ridge Rural Electric Cooperative, inc.
356 U. S. 525 (1958)

布伦南大法官陈述了本院意见：

　　本案被提交到南卡罗莱纳西区的地区法院，管辖权的依据是当事人州籍差异。《美国法典》第28编第1332节。申诉人即一个北卡罗莱纳州的居民，起诉被告即一个南卡罗莱纳的公司，要求被告对据称是由于其过失而造成的损害予以赔偿。一审中，法官根据陪审团判决已经判决他胜诉。第4联邦上诉法院推翻原判，作出了对被告有利的判决。我们同意了调卷令，随后重新辩论。

　　被告在南卡罗莱纳乡村地区从事向用户出卖电力的商业。原告受雇于一个建筑承包人的一个建筑工程队，作为架线员。该建筑承包人，即 R. H. Bouligny, Inc.，与被告签定合同，以总额334300美元建筑一条约24英里的新电力线，恢复与大约88英里外的已有高容电力线的联系，并建两个新的子工作站和一个断电站。原告在把电线连接到一个新的子工作站时受伤。

　　被告的一个有力的辩护理由是，根据《南卡罗莱纳工人赔偿法》，原告——因为他的雇主签约参与的工作同时也由被告自己的建筑队和维护人员在参与——具有被告的法定雇员的身份，因此不能依法起诉被告，因为必须接受法定的赔偿，作为对他的伤害的惟一补偿。对这一辩护我们面临两个问题：（1）是否上诉法院在作出支持被告的判决时，未发回重审以便给予原告进一步提出证据的机会？及（2）是否原告尽管在州法院管辖下，仍有权要求由陪审团对被告提出的事实进行审判？

　　【在确信依照工人赔偿法的含义，有必要重新给原告机会以便确定伯德是否属于"雇员"之后，该法院提出第二个问题。】

　　提出的第二个问题，那就是发回重审后，事实问题究竟是由法官还是陪审团判决。被告以南卡罗莱纳最高法院在亚当诉戴维森－帕克森公司（*Adams v. Davison - Paxon Co .*, 230 S. C. 532）案的判决为基础，主张豁免问题只能由法官而不是陪审团决定。该案是一个起诉到州法院的过失诉讼，是由一个商店的一个独立承包人，即一个经营商店女帽专柜的承包人的雇员对商店所有者的起诉。初审法官拒绝了商店所有者要求根据第72－111条直接判决、阻止原告的诉讼行为的提议。陪审团的判决是支持原告。南卡罗莱纳最高法院撤销了该判决，认为应当是法官而不是陪审团在事实基础上认定该所有者是不是法律上的雇主。商店所有者赢得了他的辩护。该法院把它的观点建立在判决—涉及对工业委员会进行司法审查的判决—的基础上，并说：

因此，法庭应当在这个案件中解决证据中的冲突，并裁定是否……[独立承包人]正在从事商店部门上诉人的一部分"贸易、商业或职业"的事实，以及因此是否……[雇员的]补偿只能依据《工人赔偿法》。

被告主张，这一州法院判决对本案有约束力，并且在根据第72-111条的规定、决定被告的豁免的事实争议问题上"剥夺了陪审团的正常功能"。这就是说，否认联邦法院应当受埃里铁路公司案的约束、遵从州法院的立场从而保证州创设的豁免的统一实施。

首先，埃里铁路公司案判决说，在联邦法院异籍案件中，必须尊重州法院对由州创设的权利、义务的界定。因此，我们首先必须审查亚当诉戴维森－帕克森公司案的规则，以确认它是否和这些权利义务相关联、是否是以联邦法院实施它时必须采用的那种方式相关联的。《工人赔偿法》在南卡罗莱纳由工业委员会进行实施。南卡罗莱纳法院认为，在根据第72-111条对工业委员会的行为进行司法审查时，受伤工人的请求权是否归工业委员会管辖的问题，是需要由法院来判决的法律问题——这就使得法院自己"找出事实"的工作与该管辖权相关联。南卡罗莱纳最高法院在亚当诉戴维森－帕克森公司案中，没有解释为什么虽然其他所有事实、即原告的起诉缘由及被告答辩的事实都由陪审团判决，而在根据第72-111条对支持辩护的事实问题的审查上，陪审团却被取代。引用于支持其观点的判决是……只涉及确定对工业委员会的行为进行司法审查的范围和方法。一个州当然可以按照它认为的合理性分配司法机构的职能。但是，所依据的判决没有解释为什么在过失诉讼中选择法官而不选择陪审团来确定纯粹属于支持抗辩的事实。这只不过反映了一个政策："管辖权的事实"最终只能交由司法审查来决定。结论水到渠成地变为：亚当案的观点以实际考虑—也就是这个问题因此就被从工业委员会提交到南卡罗莱纳法院面前——为基础，并且法院也习惯于在没有陪审团辅助下决定关于豁免的事实问题。没有任何迹象表明这一规则是成文法所创设的特定法律关系之不可分离的组成部分。因此，这个要件似乎只不过是实施豁免的一个形式和模式（*Guaranty Trust Co. v. York*，326 U.S. 99，108），而不是一个涉及对当事人的权利和义务进行界定的规则。这里的情形因此不同于戴思诉阿克龙（*Dice v. Akron, C. & Y. R. Co.*，342 U.S. 359）一案的情形—在戴思案中，该法院认为陪审团的审判权是《联邦雇主责任法》所创设的诉讼的实质部分；在一个处于《联邦雇主责任法》管辖之下的诉讼中，俄亥俄州的法院不能实施俄亥俄州关于欺诈让渡问题由法官而不是陪审团决定的规则。

但是第二，遵循埃里铁路公司案的案件显示了一个更为宽泛的政策，以至于在州的规则能实质性地起作用的问题上，如果联邦法院不应用特定的地方规则，可能致使诉讼在联邦法院进行会产生一个结果、在州法院审判则又会产生另一个结果的时候，联邦法院应当尽可能地——在没有其他需要考虑的事项的情况下——符合州的规则，甚至在形式和模式上符合。（例如，*Guaranty Trust Co. v. York*, *Supra*; *Bernhardt v. Polygraphic Co.*, 350 U. S. 198）。毋庸置疑，对案件进行审理的法庭的性质，对实施一系列构成诉因或辩护理由的权利可能非常重要，并且对统一实现权利意义非凡。情况很可能是，在人身伤害的那一刻，案件结果就已经被由法官还是陪审团决定豁免问题的事实所实质性地确定分晓了。因此，如果"结果"是惟一要考虑的事务，那么，说联邦法院应当遵从州的实践可能就会使案件引起强烈反响。

但是，这里也存在表示支持的相反的考虑因素。联邦法院是一个独立的系统，它把法律适用于那些正确地启用其管辖权的诉讼人。该系统的本质特征是它的方式：在那里进行民事普通诉讼时，它把审判功能分配给法官和陪审团，并且，在宪法第七修正案的影响下——如果不是命令下的话[1]——把有争议的事实问题的裁判权交给陪审团。统一实施州设的权利与义务的政策（参见案例：*Guaranty Trust Co. v. York*, *Supra*），无法在每一个案件中都完全遵守州的规则[2]——因为与权利义务无关——这就瓦解了在法官和陪审团之间分配职能的联邦制度。（*Herron v. Southern Pacific Co.*, 283 U. S. 91.）因此，这里的追问是：是否联邦法院的政策、即支持由陪审团来裁判有争议的事实问题的政策，在更长远的目标利益下——也就是诉讼结果不应当在联邦法院审判时是一个样子，在州法院又是另一个样子——应当向州的规则让步。

我们认为，在本案的情况下，联邦法院不应当遵从州的规则。无可否认，存在着强烈的联邦政策，反对让州的规则破坏联邦法院的法官-陪审团关系。在赫伦诉南太平洋公司案（*Herron v. Southern Pacific Co.*, *Supra*）中，一个人身伤害过失诉讼被提交到亚利桑那州的地区法院，受理的依据是州籍不同；当它被表明是一个原告具有共同过失的法律问题时，初审法官作出了支持被告的判决。联邦法院法官拒绝受亚利桑那州宪法条款的约束—该宪法条款规定，陪审团是共同过失问题的惟一裁判者。此法院维持初审法官的判决，认为"州法律不能更改联邦法院的根本性质及职能"，因为它的职能"在任何意义上说都不是地方事务，不论是根据《统一法》还是《'判决规则'法案》，干预该职能合理行使的州制定法对联邦法院都没有拘束力"。或许更为清楚的是，考虑到第7修正案的

---

〔1〕 我们的结论使得没有必要考虑——而且我们估计也没人考虑——宪法性问题，即受第 7 修正案保护的联邦法院陪审团的权利是否包括立法豁免的事实问题——如果它被提出的话，就像这里、就像一个普通法的过失诉讼中的抗辩。

〔2〕 在 Sibbach v. Wilson & Co., 312 U. S. 1 中认为，《联邦民事诉讼规则》第 35 条应当优先于与之抵触的州的规则。

影响，分配给陪审团的职能"是联邦宪法为程序规定的一个基本因素"。应当承认的是，赫伦案是在埃里铁路公司案之前判决的，但即使在斯威夫特案居于统治地位、允许联邦法院在受理异籍案件时不理会州的判例法期间，也从未认为可以对州的成文法和宪法条款视若未见。而赫伦案认为州的成文法和宪法条款不得破坏或更改联邦法院的根本性质或职能。

第三，我们已经讨论过这样的问题：豁免问题是由法官还是陪审团判决将实质性地影响诉讼的结果。但是很显然，目前我们在这里不能确定会产生不同的结果。比较佳伦信托公司案（Guaranty Trust Co. v. York, Supra）；或者甚至更可能是事实的，比较 Bernhardt v. Polygraphic Co., supra. 案。这里有一些因素可能降低那种可能性。联邦系统的法官有权拒绝听从许多州的法官对证据价值和证人可信度的评判；有权自由决定同意进行一个新的审判，如果摆到他面前的判决有违证据价值的话。我们并不认为不同结果的可能性会那么大，以至于要求由陪审团裁判有争议之事实问题的联邦实践应向州的规则让步，以满足判决统一的需要。〔1〕

上诉法院没有考虑被告的其他上诉理由，因为这个理由被用于决定案件。因此我们把案件发回上诉法院要求对其他问题进行判决，并指示说，如果这些问题的判决并非不必要，上诉法院应发回地区法院并指示其对这些问题作出新的裁判。

撤销判决，发回重审。

惠特克（Whittaker）大法官、弗兰克福特（Frankfurter）大法官和哈兰（Harlan）大法官的赞成或反对意见从略。一些对法院的分析观点还坚持约克案的结论，这反映在下述对惠特克法官的摘录中：

> 因此，根据南卡罗莱纳工人赔偿法，问题似乎解决了；该州的最高法院的判决解释说，在类似的案件中是否存在排它的管辖权的问题，取决于本州的工业委员会或本州的一般管辖权法院—而这又是由法院判决而不是陪审团判决的问题。联邦地区法院，在这种州籍不同的案件中，必须遵照南卡罗莱纳的实体法审判，就如同如果由南卡罗莱纳法院审判时，会适用那些法律一样。（Erie R. Co. v. Tompkins, 304 U. S. 64）。坐落在南卡罗莱纳的联邦地区法院在审理案件时，与"在州法院、在同样的出发点"审理同样的案件相比，不应从法律上得出一个有实质性差别的结果。（Guaranty Trust Co. v. York, 326 U. S. 99, 109）.

---

〔1〕 斯托纳诉纽约人寿保险公司案（Stoner v. New York Life Ins. Co., 311 U. S. 464）并不是反例。该案认为联邦法院应当遵从州的规则——即对州创设的权利是否足以引发陪审团问题的证据进行界定。但是州的规则无权阻止联邦法官控制陪审团的权力，就像亚利桑那州的宪法条款的效力被赫伦案所否决一样。在这方面的南卡罗莱纳州规则影响了陪审团的职能，就像亚利桑那州的条款影响了法官的职能：该规则完全取代了陪审团，而不考虑支持陪审团找寻豁免的充足证据。

注释与问题

1. 在伯德案中,为什么第 7 修正案不简单地回答陪审团审判的问题?参见法院的脚注 10。

2. 伯德案在多大程度上"挽救"了联邦实践和程序?勃伦纳法官的挽救努力有什么局限性?

3. 你会如何阐述法院所采用的、决定是由联邦还是州的实践来控制的分析?需要平衡的是什么利益?约克案的判决尝试恰好是什么?

4. 你会如何比较伯德案的诉讼判决受法律选择问题的影响程度与约克案所受的影响程度?勃伦纳法官是如何运用该差别的?

5. 由法官或者由陪审团来决定是否伯德属于该公司的"雇员",这两者之间的选择有什么战略意义?你能理解为什么当事人认为这个问题值得一直上诉到联邦最高法院吗?

联邦法院在第二阶段上的"挽救(rescue)"如下。

汉纳诉普卢默
Hanna v. Plumer
380 U. S. 460 (1965)

大法官沃伦(Warren)阐述了法院的立场:

需要裁处的问题是:在美国地区法院基于当事人之间州籍不同而获得管辖权的一个民事诉讼中,文书的送达应当按照州的法律规定的方式还是联邦民事诉讼规则 4(d)(1) 规定的方式执行。

在 1963 年 2 月 6 日,原告、一个俄亥俄州的公民,向马萨诸塞地区的地区法院递交了起诉状,对一起来自于南卡罗莱纳(South Carolina)的交通事故造成的人身伤害索取超过 1 万美元的赔偿,据称这是由于一个叫路易斯?普卢默?奥斯古德(Louise Plumer Osgood)的马萨诸塞公民的过失引起的。奥斯古德在原告递交起诉状时已经死亡。被告即奥斯古德夫人的执行者、也是马萨诸塞州的公民,被指定为辩护人。2 月 8 日,文书送达是采取将传票和起诉状副本在被告住所交给其妻子的方式执行—毫无疑问,符合 4(d)(1) 条规定的方式:[1]

传票和起诉状应当一起送达。原告应当提供必须向其送达这些文书的人员。送达应当:

(1) 除了婴幼儿和无行为能力者,应当向向本人送达:把传票和起诉状副本

---

〔1〕 编者注:法院对该规则的探讨现在位于 Fed. R. Civ. P. 4(e)(2)。

交给他本人，或者在其他年龄和智力适当的同住人员在场的情况下，把副本留在他住处或经常居住地……

答辩人在 2 月 26 日提交了他的答辩，声称除了其他因素外，该诉讼甚至就不应继续审理，因为它已经触犯和违反了《马萨诸塞州基本法律》（第三次修订）的条款即第 197 章第 9 条。该条规定：

除了本章的规定外，在履行信托的合同签订后的 1 年内，不应当要求执行人或管理人对一个由死者的债权人提起的诉讼进行答辩；或对上述期间内发生的这种诉讼进行答辩——除非在该期间届满之前，这种诉讼的令状已经亲手送达相应的执行人或管理人，或者该送达已经被他接受；或者记载不动产名称、债权人名称和地址、索赔数额及起诉法院的通知已经被依法在遗嘱登记中归档……

《马萨诸塞州基本法律年刊》，C，197§9（1958）。1963 年 10 月 17 日，地区法院同意答辩人要求即决判决的提议，引用 Ragan v. Merchants Transfer Co.，337 U. S. 530 和 Guaranty Trust Co. v. York，326 U. S. 99 来支持其结论——即是否送达应由第 9 条来衡量；法院认为，申诉人没有遵守它。在上诉中，申诉人承认没有遵守第 9 条，但是争辩说，在当事人州籍不同的诉讼中，能够生效的是《联邦民事诉讼规则》的 4（d）（1）规定的文书送达方式。第一联邦上诉法院发现新近［对第 9 条］的修改表明了一个明确的立法意图：那就是要求在 1 年内通知个人。[1] 因此得出结论说，州法律与联邦规则的冲突是实体法而不是程序法方面的问题，并一致维持原判。（331 F. 2d 157.）由于下述判决威胁到联邦程序统一性的目标，我们同意了调卷令。

我们的结论是，采用《规则》第 4（d）（1）条——它是设计于规制当事人州籍不同的案件中的文书送达的[2]——既没有超越体现在《授权法案》中的国会强制性规范，也没有侵越国会的权力范围，因此该规则是标准，地区法院对是

---

［1］ 第 9 条有一部分是时效立法，它规定执行人没必要"对诉讼……一个从信托合同缔结之时起超过一年才发生的诉讼进行答辩……"。这一部分的立法是为了加快不动产的确定性，Spaulding v. McConnell，307 Mass. 144, 146（1940）；Doyle v. Moylan，141 F. Supp. 95（D. Mass. 1956），与本案无关，因为该案明显是在规定的时间内发生的（被告提合同是在 1962 年 3 月 1 日；原告起诉是在 1963 年 2 月 6 日；文书的送达——它的恰当与否尚有分歧——是在 1963 年 2 月 8 日）331F. 2d at 159。比较：约克案 Guaranty Trust Co. v. York（同上）和拉根案（Ragan v. Merchants Transfer Co（同上））。第 9 条也规定了送达的方式。一般地，文书的送达必须"亲手交付"，但是有两个替代方式：执行人接受送达，或者递交一个请求权通知，它的内容由立法规定、由合适的法院规定。该立法的这一部分——在这里被涉及到——就像法院在下面提到的，是为了保证执行人能够实际收到索赔的通知。Parker v. Rich，297 Mass. 111, 113–114（1937）。实际通知当然也是 4（d）（1）规则的目标；但是，联邦规则表明这一目标可以用一个比第 9 条描述的更为简洁的方式实现。在本案中，这一目标似乎实现了；虽然被告在地区法院提出的书面陈述宣称他从未亲手得到文书，也没有接受送达，但也并未说没有得到实际通知。

［2］"这些规则管辖美国地区法院所有民事性的诉讼程序，而不论是普通法诉讼还是衡平法诉讼，但是规则 81 条另有规定除外……"Fed. R. Civ. P. 1. 本案不属于《规则》81 条规定的任何一种例外。

否送达的衡量应当说已经违反了它。所以，我们推翻了上诉法院的判决。

《授权法案》[28 U. S. C. §2072 (1958 ed.)] 在相关部分规定：

> 联邦最高法院有权通过一般规则规定民事诉讼中的文书形式、令状、答辩、动议，以及美国地区法院的操作与程序。
>
> 这种规则不得删减、扩大或修改任何实体权利，并应保留陪审团审判的权利
>
> ……

按照解释《授权法案》之范围的案例，《规则》4（d）（1）显然符合要求。设定通知被告的方式——告诉他、受理了一个起诉他的诉讼——这关系到地区法院的操作与程序。这种尝试必须是：一个规则是否确实规定了程序——即实施实体法认可的权利和义务、救济和矫正对它们的漠视或侵害的司法过程。（Sibbach v. Wilson & Co., 312 U. S. 1, 14.）

在密西西比公用公司诉墨菲里案（Mississippi Pub. Corp. v. Murphree, 326 U. S. 438）中，该法院坚持《规则》4（f）——它允许在地区法院所在地的州内的任何地方送达传票（并且不限于该地区）：

> 我们认为规则4（f）与《授权法案》是一致的……毫无疑问，大多数对操作及程序规则的变更可能并且确实经常影响诉讼人的权利。国会禁止任何对诉讼人实体权利的变更，这明显不是针对这种偶然影响的，这就有必要注意所采用的、对诉讼人规定的新规则——依照操作及程序的规则，该诉讼人被带到有权决定他们的权利的法院。（Sibbach v. Wilson & Co., 312 U. S. 1, 11－14.）实施规则4（f）将导致申诉人的权利从属于北密西西比地区法院的判决——这一事实将不容置疑地影响那些权利。但它不会导致删减、扩大或修改判决的规则——通过它，法院将裁决其权利。
>
> （同前，445—446页。）

因此，如果没有州程序的冲突，规则4（f）（1）无疑将起作用。但是，答辩人关注于相反的马萨诸塞州的规则，要求法院注意另外一系列的案例、一系列——就像联邦规则一样——在1938年产生的案例。推翻斯威夫特案的埃里铁路公司案认为，审判当事人州籍不同案件的联邦法院在裁决实体法的时候，应当受州的判例约束，就像受州的制定法约束一样。埃里铁路公司案的宽泛规则因此被等同于《授权法案》：联邦法院应当实施州的实体法和联邦的程序法。但是，就如同随后的案例使得程序法与实体法之间的差别尖锐起来那样，埃里铁路公司案之后的一系列案件与解释《授权法案》的界限发生严重分歧。佳仑缔信托公司案清楚地表明：埃里铁路公司案一类的问题并没有因为求助于任何习惯性的或常识上的实体－程序之间的区分就迎刃而解：

> 因此，该问题并非是指时效制定法是否在某个角度被认为是程序法的问题。问题是……它是否实质上影响了诉讼的结果，以至于联邦法院无视州的法律？——本来，如果在州法院审判同样的诉讼请求的话，该法律是将起作用的。

(326 U. S. at 109) 答辩人，主要依据约克案和拉根案，认为埃里铁路公司案的原理是用于制衡《联邦民事诉讼规则》的：尽管有规则4（d）（1）的明确要求，埃里铁路公司案及追随其后的案件主张适用马萨诸塞的规则。归纳其要点，论点就是：（1）埃里铁路公司案，就像约克案所总结的，不管什么时候，只要联邦法律的适用会改变案件结果，就要求联邦法院适用州法律。（2）在本案中，如果采用马萨诸塞的送达要求，判决将会是答辩人直接获胜。反过来，如果认为规则4（d）（1）可适用，诉讼将继续进行，并且可能原告胜诉。（3）因此，埃里铁路公司案要求适用马萨诸塞的规则。这个三段论有着迷人的简洁性，但有诸多理由说它是无效的。

首先，值得怀疑的是，即使联邦规则没有清楚地规定在当事人州籍不同的案件中需要亲手送达，埃里铁路公司案的规则也早该要求地区法院遵从马萨诸塞的程序。"后果决定论"的分析从来就没有被指望可以成为护身符。(*Byrd v. Blue Ridge Cooperative* , 356 U. S. 525, 537) 实际上，约克案自己传递的信息是：州法律和联邦法律之间的选择不应当求助于任何"酸碱试纸"式的自动辨别标准，而应当参照埃里铁路公司案判决中所包含的政策。(*Guaranty Trust Co. v. York*, supra , at 108 – 112)

埃里铁路公司案的规则部分地根源于它意识到：如果同样的诉讼因为是由联邦法院审判而在性质和结果上存在实质性不同，则是不公平的。当事人州籍不同的案件的管辖权交给联邦法院，是为了避免担心在州的法院审判时，非本地公民会受到歧视。斯威夫特案引起了严重的、非本地公民对本地公民的歧视。它使得根据不成文的"通用法"而享有的权利随着求助于州法院还是联邦法院而变化；选择法院—该法院对其权利具有决定性——的权利被授予非本地公民。因此，该原理造成法律无法平等保护。(*Erie R. Co. v. Tompkins*, supra , at 74 – 75.)

该判决从某种角度看也是选择法院——它是为了适应斯威夫特案的规则而产生的——的反映。(304 U. S. at 73 – 74) 约克案的判决尝试是企图实现这些政策，这也被事实所证实：该观点设定了根据州的诉讼和联邦诉讼之间的实体变量而进行研究的框架。(326 U. S. at 109)。不太重要的或者说琐屑的变量不但不太可能引起那种让埃里铁路公司案的法院感到头疼的平等保护问题，而且也不可能影响法院的选择。因此如果不参考埃里铁路公司案规则的双重目的——阻止选择法院却又要避免司法不公的话,"结果决定论"的尝试就无法理解。[1]

马萨诸塞的规则可以适用和不能适用这两种结论之间的差别,在下面这样的意义上当然就属于"后果决定论":如果我们认为州的规则应当适用,答辩人将获胜;反之,如果我们认为规则4(d)(1)应起作用,则诉讼将继续进行。但从这个意义上说,每一个程序性变量都是"后果决定者"。例如,当原告已经向联邦法院提起诉讼后,不能随后坚持要求享有在州法院规定的时限内向其递交起诉状的权利,即使实施联邦法院的时间表将会——如果他继续坚持他只须遵守州的时间限制——最终作出他败诉的判决。在这里也是如此。就算联邦规则和州规则之间的选择在这一点上将对诉讼结果产生显著的影响,两种规则之间的差别——如果有,并且与选择法院有关联的话——也将是罕见的。申诉人在选择法院时,并未被告知,如果适用州的规则将完全得不到赔偿;更正确的是,坚持州的规则将只是导致改变文书送达的方式。[2] 而且,很难论证说,允许向被告的妻子送达、代替亲手交给被告本人的做法,就以某种足以在实质上产生埃里铁路公司案的观点所显示的那种平等保护问题的方式,改变了实施州设权利的模式。

但是,在答辩人的三段论中,有一个更为基本的漏洞:不正确地假定埃里铁路公司案的规则是对《联邦民事诉讼规则》的合法性及其可适用性的恰当测试。埃里铁路公司案的规则从未被用于否决联邦规则的效力。确实,有的案件中,尽管有证据认为那种情况是由某个联邦规则起作用的,该法院却仍认定州的规则可适用。但是每一个这样的案件的观点都并不是认为埃里铁路公司案要求的是用与之不一致的州的规则取代联邦规则,而是认为联邦规则的适用范围不是像败诉方理解的那么宽,因此,联邦规则没有包含所争议的问题,埃里铁路公司案的判决认为应适用州的法律……(当然,这里的冲突是无可避免的;规则4(d)(1)认为——含蓄地、但是明白无误地认为——亲手交付在联邦法院并不是必要条件。)同时,在判决联邦规则之效力的案件中,我们并没有运用约克案或其他总

---

〔1〕 上诉法院似乎是根据第9条对州的"重要性"而设计其调查的。为了支持它的观点——即第9条提供了某种被州认为对其公民至关重要的利益——该法院解释说象第9条这样的东西早就在马萨诸塞的律法书中,第9条已经被修改过好多次了,并且制定第9条就是为了确保执行人实际能收到通知。参见前述注解1。这三种言论之间明显缺乏联系并不奇怪,因为上诉法院自己是针对哪一种问题并不清楚。一个人不可能在问"对什么而言很重要"之前就目的明确地问:它有多重要?埃里铁路公司案及其后续案例已经明确无误地表明:当联邦法院审判一个当事人州籍不同的案件时,要面临是否适用州法律的问题。州法律的重要性确实有关系,但是只有下述情况才需要提出这样的问题:适用这些法律是否会使诉讼的性质和结果有如此之大的差别、以至于不适用它将不公正地歧视法院所在地的州的公民?或者是否适用这些规则将严重影响诉讼当事人一方或双方的命运、以至于不适用它将很可能促使原告选择联邦法院?

〔2〕 严肃地讲,我们不能抱有那样的想法:一个从事不动产诉讼的人将导致选择联邦法院,因为相信遵守规则4(d)(1)比遵守第9条更不那么可能使执行人得到实际通知,并因此更可能造成缺席判决。规则4(d)(1)在实际通知方面的规定非常良好,就如同在本案中一样。见:注解1,同前。

结埃里铁路公司案的规则，而是至今继续根据西巴齐案（Sibbach. E. G., Schlagenhauf v. Holder, 379 U. S. 104）阐明的区别来判决关于《授权法案》的范围和特定联邦规则的违宪性问题。

案例分别朝两个方向发展并非不经意的。"实体法"与"程序法"之间的分界线随着法律环境而变化。每个案件都隐含着不同的变量——这些变量又倚赖于使用这些变量的特定的问题。　[Guaranty Trust Co. v. York, supra, at 108; Cook, The Logical and Legal Bases of the Conflict of Laws, pp. 154~183 (1942)]。确实，《授权法案》和埃里铁路公司案的规则都认为，粗略地讲，联邦法院应当适用州的"实体法"和联邦的"程序法"，但从中并不能必然推出各个判决尝试是一致的。因为制定它们是用于规范极为不同的判决。当联邦的某个规则管辖一种情况时，法院面对的问题完全是非典型性的、相对来说没有规则指导的埃里铁路公司案：法院已经被要求适用联邦规则，只有在顾问委员会、本院和国会明显判断错误—即有争议的规则既未侵犯《授权法案》的用语也未超越宪法限制—的情况下，才能拒绝适用联邦规则。

埃里铁路公司案提醒我们：国会和联邦法院都不能借着为联邦法院的判决制定规则的幌子，制定没有得到美国联邦宪法第一条或其他条款包含的联邦授权所支持的规则；在这些领域，必须由州的法律支配，因为不可能有其他法律。不过埃里铁路公司案的判决观点——它与联邦规则无关，处理的是一个从非常传统意义上说（是否铁路公司对作为侵入者或被允许者的汤普金斯负有照顾义务）属于"实体法"的问题——肯定既没有明确说出也没有含蓄表明像规则 4 (d) (1) 那样的措施属于违宪。因为规定联邦法院系统的宪法条款（被"必要且合理条款"所强化）包含有为那些法院制定操作与诉讼的规则的国会权力，它因此包括有权规制那些虽然属于实体法与程序法之间不确定的领域、但是通过理性能够将之划归其中之一的事务。约克案以及追随它的案件都未曾认为，它们制定的规则、即用于处理没有联邦规则可适用的案件的规则，与埃里铁路公司案对国会的限制有同样的适用范围。虽然本院以前从来没有遇到一个案件、一个可适用的联邦规则直接与相关的州法律相冲突的案件，但是上诉法院遇到这样的冲突时，恰当而清醒地看到了我们的判决的隐含意思。

联邦规则的创制目的之一是：通过根除地方规则，实现联邦法院的统一。在实施法律程序方面，这一点尤其正确—在该领域，联邦法院一直以来就行使着强有力的、天经地义的权力，完全撇开了国会在规则中明文授予它的权力。埃里铁路公司案之原理的目的，即使被约克案和拉根案所扩展，当存在肯定的相反考虑和存在由宪法权威支持的国会强制性（规则）的时候，也从未用"后果决定论"和"统一关系论"这样的帽子来蒙仕联邦法院。［*Lumbermen's Mutual Casualty*

Co. v. Wright，322 F. 2d 759，764（5th Cir. 1963）］。埃里铁路公司案及其后续案例并未怀疑国会早已得到认可的权力—为联邦法院制定常规程式规则——尽管其中有些规则将不可避免地与州的相应规则不同。因为原告恰好不是当地居民，如果这一权利在联邦法院能够得到实施，就像在州法院一样，则实施该权利的形式和模式可能有时不言而喻地会有所不同，因为这两个司法系统并不同一。（*Guaranty Trust Co. v. York*，supra，at 108；*Cohen v. Beneficial Loan Corp．*，337 U. S. 541, 555.）因此，一个法院，虽然在采用联邦规则时与包含在《授权法案》及宪法中的标准相冲突，但没必要让自己完全盲目到其规则使得联邦诉讼的性质与结果偏离该案件在州法院审判时的道路（*Sibbach v. Wilson & Co.*，supra，at 13－14），不应忘记的是，埃里铁路公司案的规则和约克案所表明的方针，完全是创制于实现另一个目标。那种认为只要《联邦民事诉讼规则》改变了实施州设权利的模式，就必须停止生效的观点，属于要么淘空宪法在联邦程序上的授权、要么篡夺国会在《授权法案》中行使该权力的努力。规则4（d）（1）是有效的，应当适用于本案。撤销原判。

哈兰大法官的并存意见：

　　无可置疑的事实是，直到今天，埃里铁路公司案及后来遵从它的案例未能阐明一个可行的原理，以解决当事人州籍不同的案件的法律选择问题。我尊重该法院在用当今的观点弄清有关状况上所作的努力。但是，我认为它在做这件工作时，错误理解了埃里铁路公司案的宪法前提，并且没能恰当处理好该法院所依赖的那些以往的判例。

　　埃里铁路公司案不仅仅是一个忧心忡忡于"选择法院及避免司法不公"的观点—虽然可以肯定，这些是判决的重要因素。我始终认为，判决是我们联邦主义的现代基石之一，它表达了深刻地触及到州与联邦系统之间分配司法权的政策。埃里铁路公司案的判决承认，在规范公民的基本活动方面，不应当有两套互相冲突的法律体系，因为这种管理者的可选择性必然导致在规划日常事务中更为严重的不确定性。[1]而且它认为，联邦宪法体系预设了一个在州与联邦立法程序之间的立法权分配；如果联邦司法系统能够超越国会在这方面的立法权限，制定影响州务的实体法，那么这种立法权分配就被削弱了。因此，在当事人州籍不同的案件中，埃里铁路公司案的判决指令说：在规范基本私人活动方面，具有优先性的应当是州的法律。

　　一些过去的判决只有简短的阐述，这种过分简单化的处理往往造成不幸的后果。法院非常正确地指出，佳仑缔案（*Guaranty Trust v. York*, 326 U. S. 99）

---

〔1〕因为涉及本案的规则是平行的，而非冲突的，这一原理在此并不发挥作用。

的"后果决定论"判决,如果从字面理解,显得太过头了,因为任何规则,不管是多么明白无误的程序性规则,如果不遵守它的话,都能影响诉讼结果。但是,从约克案的"后果"判决回到埃里铁路公司案那毫无雕饰的法院选择理论,类似的过分简略同样让法院深受其害,因为一个简略的法院选择规则被证明也过头了。诉讼人选择联邦法院常常只是为了获得他们认为能从《联邦民事诉讼规则》中得到的好处,或者为了使案件能由他们认为更有利的法官审判。就我的看法而言,在决定是适用州的规则还是联邦规则、适用"实体法"还是"程序法"时,正确的方法是牢牢坚持基本原则——考察规则的选择是否将实质性地影响那些有关个人行为的、我们的宪法体系留给州的规则去管辖的基本判断。如果是这样,那么埃里铁路公司案和宪法都要求由州的规则优先—即使联邦规则与之相冲突也在所不惜。

实际上,法院通过在规定联邦法院系统的宪法中找到实体立法权的授权(比较 *Swift . Tyson*,16 Pet. 1),以及借助于它、构筑起一个不容侵犯的联邦法律规则体系,即使没有真正覆盖这个基本原则,也摧残了它。"关于联邦法院系统的宪法条款……拥有国会权力……可以针对那些尽管处于实体法和程序法之间的不确定地带、但可以通过理性将之划归其中之一的事务制定规范。"只要一个理智的人能够将合理采用的联邦规则界定为"程序性的",法院——除非我错误地理解了它—将适用它,而不管它如何严重地挫伤了规范公民的基本行为及事务的州的规章。既然顾问委员会、裁判官会议以及该法院的成员都是理性的人,他们相信,联邦规则的完整性是绝对的信条。反之,纯粹的结果和法院选择尝试可能错得太离谱以至于不尊重州的规则。我认为,该法院的"有争议的程序性、因此也是宪法性的"尝试在其他方面走得太快、太远了。

下面的法院依据本院在拉根案(*Ragan v. Merchants Transfer Co .*,337 U. S. 530)和科恩案(*Cohen v. Beneficial Loan Corp .*,337 U. S. 541)的判决为基础。比起本院对那些案例的关注,它们更加值得我们注意,特别是拉根案—如果它仍属于好的判例,我的看法是,需要对其上诉法院的判决大力鼓吹。而且,对这两个案例的讨论将有助于阐明我所提倡的"州籍不同"的主题。

在拉根案中,堪萨斯州的一个时效制定法规定:当文书送达被告时,诉讼就被认为开始了。尽管联邦规则 3 规定,诉讼因原告递交起诉状而开始,法院仍然认为,根据堪萨斯的时效制定法起见,当事人州籍不同的侵权案,只有在文书送达被告时才开始。这一立场的结果是,虽然原告在州规定的时效期间向联邦递交了他的起诉状,但由于联邦执行官没有在时效届满之前向被告发出传票,他的起诉被阻断了。我认为该判决是错误的。实施联邦规则最多意味着,潜在的堪萨斯的侵权被告推迟了几天知道自己在时效期间被他人起诉。选择联邦规则将不会对引起侵权的个人活动的开始阶段产生影响，对侵权之后的行为也只有最小的影响。在这种情况下，应当优先考虑联邦系统在诉讼中按照它自己的规则办事。

科恩案认为，联邦法院审理州籍不同的案件时，必须适用州的制定法——即作为提起诉讼的条件，要求小股东在股东派生诉讼中必须寄送证券，以保证支付防御费用。这样的制定法不是"判决的决定因素"；有没有它原告都能胜诉。法院因此根据这种制定法可能影响原告选择法院为理由进行阐述，但是就像已经指出的，简单的法院选择尝试太糟糕了。在我看来，科恩案的真实观点是，认为该制定法的意图是限制小股东进行"缠讼"，所以设计它并且希望它对个人的前期活动产生实质性影响。在科恩案出现的期间，任何一个坐在审判席上的人都会很感激该制定法所体现的强硬的州的政策。我想，认为联邦规则23不是意图处理这个问题的观点是完全合法的。但是即使联邦规则就是企图这么做，并为此规定一个不那么有效的对缠讼的推迟，我认为州的规则仍然应该效力优先。那就是我认为该法院的观点与我的不同之处。因为法院把推翻前例的权力归于联邦规则，以至于它很难考虑一个州的规则可以适用但又与联邦规则冲突的案件，尽管州的规则反映了政策上的考虑法院而该政策性考虑，根据埃里铁路公司案，属于联邦立法权的范围。

它继续把前述内容应用到当前的案件。马萨诸塞的规则规定，执行人无须对诉讼答辩，除非在他缔结合同后的一年之内，文书亲手交给了他，或者诉讼通知递交给了适格的遗嘱检验登记处。该立法的意图明显是允许执行人处分他管理的不动产，而不用担心要他本人承担随后出现的责任。如果马萨诸塞的联邦地区法院适用《联邦民事证据规则》的4（d）（1）而不是马萨诸塞的送达规则，那么它对不动产处分的迅捷与可靠有什么影响？就我看来，这样的影响不是根本性的。它只不过意味着执行人将在他自己的房间里、在联邦法院上还是在遗嘱检验登记处检查他是否能够没有后患地处分不动产。因为这并不足以表明它对州的政策法院也是马萨诸塞的规则试图服务的对象法院的要点产生了任何真正的伤害。我赞成法院的判决。

注释与问题

1. 当大法官沃伦用下面的话——"由于下述判决威胁到联邦程序统一性这个目标，我们同意了调卷令"。——结束他的第二部分时，他当时对该判决是怎么产生出来的作过什么预示吗？

2. 你如何比较在汉纳案中诉讼结果受法律选择问题之影响的程度与在埃里案、约克案、伯德案中的后果决定论？在这些案件中，原告在法院选择中的相对风险怎么样？大法官沃伦是如何通过这些比较来论证他在汉纳案中的判决的合理性的？

3. 汉纳案之后，决定在当事人州籍不同的案件中是否适用与州实践相冲突的《联邦民事证据规则》时，其尝试做法是什么？

4. 从政治科学观的角度，你能理解为什么最高法院更愿意把权力交给包括在《联邦民事证据规则》中、并有精巧的《授权法案》过程为后盾的联邦实践，而不是交给只代表下级联邦法院法官判决的实践吗？

5. 哈兰大法官争辩说，根据法院的尝试，"联邦规则的统一性是绝对的"和"在一个案件中，与联邦规则相冲突的州的规则还可以使用，那是难以想像的——即使根据埃里案，州的规则反映了处于州的立法权范围内的政策上的考虑"，那么他的话对吗？当你阅读后来的一个遵循它的案件——沃尔克案（Walker v. ARMCO Steel Corp.）时，想想哈兰大法官的预测。

6. 在法律选择问题上，哈兰大法官使用的替代尝试是什么？他的"前期行为"标准可行吗？或者说，会不会太含混？

7. 最高法院在根据《联邦民事证据规则》对合法性问题进行裁决时——这是它自己按照《授权法案》而采用的——有互相冲突的利益吗？布莱克法官（Black）和道格拉斯法官（Douglas）不同意采用1963年《联邦民事证据规则》的修改建议稿，认为责任方面的草案应改为："把职能转归司法会议将解除我们的尴尬地位：即不得不对我们曾经批准的规则的违宪性进行裁决，偏偏在此时条件下该规则应当被宣布为无效"。[374 U. S. 865, 869~870 (1963)]。怀特法官（White）在1993年加入了这一观点，并说："在我担任法官和服务于民事规则顾问委员会时，我在诉讼中做了自己份内的事，但是审判实践是个动态的职业，一个人离开这个职业越久，他（她）就越不太可能认为可以预测给立法委员会配备的活跃的专家所做的细致工作、预测司法会议批准的工作"。[146 F. R. D. 501, 504 (1993)]。

8. 伯班克教授（Stephen Burbank）详尽无遗地研究了1934年《授权法案》的历史，结论是：它体现在汉纳案中的、效力优先的解释——也就是说，认为第二句话即规定所采用的规则"既不能删减、扩充，也不能修改任何诉讼人的实体权利"的意图是保护州的法律—是错误的。恰恰相反，该条款"的意图是在作为立法者的联邦最高法院与国会之间分配权力，并因此限制立法权的转让授予"。……"对州法律的保护被认为可能是它的一个结果，但不是《授权法案》所确立的［程序法/实体法］分配体系的主要目的"。[Stephen Burbank, The Rules Enabling Act of 1934, 130 U. Pa. L. Rev. 1015 (1982)]。如果伯班克是对的，《授权法案》是在联邦政府的不同部门之间分配，而不是在联邦政府与州之间分配，那么汉纳案所采用的分析意味着什么？

沃克诉阿姆科钢铁公司
Walker v. Armco Steel Corp.
446 U. S. 740（1980）

马歇尔大法官陈述了本院的意见：

　　本案提出的问题是：受理异籍诉讼的联邦法院在以中断（tolling）州制定法时效为目的诉讼而确定诉讼何时开始时，应当遵从州的法律，还是适用《联邦民事诉讼规则》第3条。

I

　　据起诉状称，1975年8月2日在俄克拉荷马州的俄克拉荷马城，申诉人即一个木匠，当他正在把雪菲尔德钉子（Sheffield nail）钉进水泥墙时受伤。答辩人是钉子的制造商。申诉人认为，钉子本身有缺陷，导致其头部碎裂并射进他的右眼，造成他终身残疾。该钉子的缺陷据称是答辩人在设计和制造时的疏忽大意所致。

　　申诉人是俄克拉荷马州的居民，而答辩人是外州居民，其主要营业所在地在别的州。因为存在州籍不同的问题，申诉人起诉到俄克拉荷马州西区的美国地区法院。起诉状是在1977年8月19日递交的。虽然传票在同一天发出，但直到1977年12月1日才送达答辩人的法定接收机构。[1] 1978年1月5日，答辩人提交一份要求不予受理起诉的提议，理由是该诉讼已经超过了俄克拉荷马州的时效规定。虽然申诉人已经在2年的法定时效期间递交了起诉状 [Okla. Stat., Tit. 12, §95（1971）]，根据其时效制定法，州法律认为在传票送达被告之前，诉讼并没有"开始" [Okla. Stat., Tit. 12, §97（1971）]。但是，如果申诉人在时效期间内递交起诉状，并且如果原告在60天内向被告送达，那么即使该送达是在时效期间之外，诉讼也被认为开始了。在本案中，送达是在60天期间早已届满之后才进行，所以无效。申诉人在对要求不予受理起诉的提议进行简要答辩时，承认如果在州法院，案件将受阻；但他争辩说，《联邦民事诉讼规则》第3条适用于所有在联邦法院进行的诉讼，包括被州的时效制定法认为已过时效期限的案件。

　　地区法院驳回诉讼，理由是违反俄克拉荷马州的时效法律。该法院总结说，俄克拉荷马的制定法汇编第12编第97节（1971）是"俄克拉荷马时效制定法

---

〔1〕有关记录没有表明发生迟延的原因。该过程的记录从字面上表明，美国的执行官承认在1977年12月1日收到传票，该送达当日生效。在口头辩论中，原告律师称，传票是在原告递交起诉状的大约90天后、在律师事务所的"一个资料柜的无名文件夹"中找到的。律师承认，传票直到1977年12月1日才交给执行官。弄不懂的是，为什么传票会在资料柜里。

的主要部分",因此根据拉根案,应当适用的是州的法律。法院不同意认为汉纳案已经隐含地推翻了拉根案的观点。

美国第十巡回法院维持原判。[592 F. 2d 1133 (1979)]该法院的结论是,俄克拉荷马制定法汇 97 条(Okla. Stat., Tit. 12, §97 (1971))与《规则》第 3 条(592 F. 2d, at 1135)"直接冲突"。但是,俄克拉荷马州的该法律与拉根案所涉及的法律"无法区分",该法院感到"有义务"遵守拉根案 592 F. 2d, at 1136。

由于上诉法院之间存在意见冲突,因此我们同意了调卷令。我们现在维持原判。

II

对不同的情况应当适用州的还是联邦的法律的问题,已经困扰本院多年了,因为那些情况是在诉讼中产生,以州的法律为基础,又依据联邦法院对州籍不同的案件的管辖权而被提到联邦法院面前。在里程碑式的埃里案判决中,我们推翻了斯威夫特案形成的规则,即认为联邦法院行使不同州籍案件的管辖权时,没必要在"一般管辖权"的问题上适用州的不成文法。法院解释说,"授予异籍管辖权,是为了防止担心州的法院歧视那些非本州公民"。斯威夫特案的原理,已经导致了令人不快的、偏袒非本州公民的结果,以及阻止州法律实施及法院选择的统一性。相反,我们确立的规则是:"[除非]是联邦宪法或国会法案管辖的事务,否则在任何异籍案件中都应当实施州的法律"。

在佳伦缔案中,我们集中于"那个具体问题:当因为超过制定法时效,无法在州的法院获得赔偿时,联邦衡平法院是否可以基于当事人异籍而受理该案"。该法院认为,埃里案的原理既适用于衡平诉讼,也适用于普通法诉讼。在解释埃里案时,我们注意到,"[在]本质上,该判决的意图是要确保,在任何联邦法院基于州籍不同而行使管辖权的案件中,联邦法院对诉讼的判决应当在实质上是一样的,就像它如果由某个州的法院审判时那样——只要是由法律规则决定案件的结果"。我们的结论是,应当适用州的时效法律。"再明白不过的是,一部制定法,如果会完全阻止根据第 1983 节起诉到州的法院的案件获得赔偿,那么它与州设权利就有着至关重要的、而不仅仅是形式上的或可以忽视的联系。在结果上,它如此密切地影响到赔偿或不赔偿,因此联邦法院在州籍不同的案件中也应当遵守州法律"。

约克案的判决逻辑地推导出我们在拉根案中的判决理由。在拉根案中,原告根据《联邦民事诉讼规则》第 3 条,于 1945 年 9 月 4 日向联邦法院递交了起诉状。引起诉讼的事件发生在 1943 年 10 月 1 日。向被告送达是在 1945 年 10 月 28 日。堪萨斯提供的可适用的制定法时效是 2 年期限。堪萨斯的补充制定法规定:

"对每一个被告来说,在传票送达他之际,一个诉讼就应当被认为在[时效法律]的含义上开始了……如果当事人一方诚实地、恰当地并且积极地试图完成送达,那么这种启动诉讼的努力应当被认为相当于在本条款的含义上启动了该诉讼;但是这种努力之后的 60 天之内,必须公告或者送达传票"。 [Kan. Gen. Stat. §60~308 (1935)]。被告提议进行即决判决,理由是堪萨斯的时效制定法阻止了该诉讼的发生,因为送达既没有在 2 年期间也没有在 60 天之内完成。认为就算此案已经起诉到了堪萨斯州法院,它也应当终结。但是,地区法院认为该制定法时效因为原告递交起诉状而中止。上诉法院撤销该判决,因为"在法律规定的期间送达传票的要求是该州制定法时效的主要组成部分"(Ragan, 337 U. S. at 532)。

我们维持此判决,依据是埃里案和约克案。"我们不能给予[该诉因]在联邦法院比在州法院更长的时效,除非它能补充点什么。我们不能那样做,违背埃里案"。(337 U. S. at 533-534)我们不同意那种认为《联邦民事诉讼规则》第 3 条管辖那些为了取消州的时效法律而在联邦法院起诉的案件的论点。相反,我们认为应当适用送达的州制定法,因为它是州的时效制定法的主要组成部分,并且根据约克案,制定法时效是关于诉因的州法律的组成部分。

但是,拉根案不是我们在这个疑难领域的最后宣言。1965 年,我们判决汉纳案时(Hanna v. Plumer, 380 U. S. 460)认为,在联邦法院基于当事人州籍不同而获得管辖权的民事诉讼中,是由《联邦民事诉讼规则》的 4(d)(1)而不是州的法律来规定送达方式。马萨诸塞州的法律要求亲手送给不动产的执行人或者管理人,而《规则》第 4 条允许有某个"年龄和智力适格"的人在场的情况下把传票及起诉书副本留在被告住处。该法院解释说,如果没有相冲突的州的程序,联邦规则无疑将得到适用。我们曾说过,在阅读埃里案和约克案的"后果决定论"尝试时,应当参考埃里案的"双重目的":"不提倡选择法院和避免不公平的法律实施"。我们的判断是,州的对本人送达规则与联邦规则之间的选择"就算和选择法院有什么关联,那也很罕见",因为申诉人"不会遭遇那种情况,即如果适用州的规则,将完全阻断赔偿;更可能的是,遵守州的规则只是将导致改变送达方式"。(同前,页 469,脚注从略。)这一因素有助于将该案件与约克案及拉根案相区别。

但是汉纳案的法院指出了该案被告论点中"一个更基本的错误"。该法院得出结论说,埃里案的原理完全不是对《联邦民事诉讼规则》之中某个规则的合法性及可适用性的恰当检验标准:

> 埃里案的规则从未用于否定联邦规则的效力。事实是,在有些案件中,尽管有人争辩说其应当实施某个联邦规则,该法院还是认为应当适用州的规则。但是,每

一个这样的案件的观点都不是因为埃里案要求用不一致的州规则取代联邦规则，而是联邦规则的范围没有败诉方所主张的那么宽；因此，由于没有用于规范发生争议的问题的联邦规则，埃里案要求适用州的法律。

（380 U. S. at 470）。该法院引用拉根案作为此命题的一个例子，（380 U. S. at 470, n. 12.）。该法院解释说，在联邦规则明确可以适用的情况下，例如汉纳案，所测试的就是是否该规则处于《授权法案》（28 U. S. C. §2072）的范围之内，如果是，那么是否处于宪法性条款诸如"必要且合理条款"（Art. I. 380 U. S. at 470-472）的授权范围之内。

III

目前的案件与拉根案没有区别。两个案件的案情都要求不适用时效法律，实际上，本案所提的俄克拉荷马制定法先例来源于拉根案中的堪萨斯制定法先例。这里，就像在拉根案中那样，起诉状基于异籍管辖权在制定法规定的2年时效内向联邦法院提交，但直到2年时效届满并超过60天送达期间之后仍未送达。2个案子，如果在州法院起诉都无疑将败诉，并且在2个案子中，州的送达制定法都被比我们更熟悉州法律的下级法院认为属于时效制定法的主要组成部分。因此，正如上诉法院在下述中所主张的，目前的案件被时效制定法所终止，除非拉根案不再是个有效的判例。

申诉人争辩说，拉根案的分析及结论已经被汉纳案推翻。申诉人的立场是：俄克拉荷马制定法汇编第12编第97节（1971年）直接与联邦规则相冲突。根据汉纳案，申诉人论证说，关键问题在于：是否《规则》第3条处于《授权法案》的范围之内；如果是，那么是否处于国会的宪法性权力之内。按照申诉人的观点，应当适用联邦规则，除非它违反了上述2个法律限制之一。这个论点忽视了"遵循先例"的效力及我们审慎地加在汉纳案上的特别限制。

我们在开始的时候就解释说，"遵循先例"的原理在本案中大大不利于申诉人。申诉人试图让我们推翻我们在拉根案中的判决。当然，"遵循先例"并没有要求永远对先例顶礼膜拜，但是，它忠告我们在掀翻前例的时候要慎之又慎。在本案中，申诉人提出用于推翻拉根案的理由也同样是我们在拉根案中得出的那几条，它们并没有瓦解拉根案的合法性。按照我们的法律，那个在实际上要求我们重新考虑不是一个而是两个先例的人，负有提供主要证据以证明我们的判决为什么要这么更改的责任。申诉人在这里并没有履行该责任。该法院在汉纳案中，有很好的理由区别而不是推翻拉根案。运用汉纳案的分析是以联邦规则与州的规则"直接冲突"为前提的。就汉纳案本身而言，《规则》第4（d）（1）条和州的亲手交付要件之间的"冲突"是"不可避免的"。第一个问题因此必然是：是否联邦规则的范围在实际上足够宽，以涵盖法院面对的问题。只有该问题的回答是肯定的，汉纳案的分析才能适用。[1]

正如已经解释的，我们在汉纳案中承认，目前的案件是一个例子——"联邦规则的范围没有败诉方主张的那么宽，因此，由于没有能够适用于有争议的问题的联邦规则，埃里案要求实施州法律"。《规则》第3条只是表明，"民事诉讼通过向法院递交起诉状而启动"。没有迹象表明该规则是要弃置州的时效立法，更不是因为州的这种时效立法就要取代其时限规则。就我们看来，在当事人州籍不同的案件中，《规则》第3条只管辖这样的日期——联邦规则的各种时效要件从哪一天起算——而不是影响州的时效立法。

与《规则》第3条相比，俄克拉荷马的立法是该州对实体判决所作的陈述——即对被告的实际送达、并因此由被告所进行的实际通知，都是若干政策不可分离的组成部分，时效立法也为这些政策服务。时效立法确定一个截止日期，在那之后，被告可以合法地安享太平；它还认为，在一定的时间期限之后，还要求被告努力去为一个早期的请求拼凑辩护是不公平的。实际送达的要件促进了该立法的上述两个功能。就是本案及拉根案中的这些政策方面，使得送达要件成为时效立法的"重要"组成部分。据此，送达规则必须被认为是时效立法的主要组成部分。《规则》第3条并未取代这种体现在州法律中的政策决定。《规则》第3条和俄克拉荷马制定法汇编12编第97条（1971）因此可以和平共存、各自管辖所属领域而无冲突。

既然在联邦规则与州法律之间没有直接冲突，汉纳案的分析就不适用。相反，埃里案和拉根案的政策支配着这样的事务：是否在没有联邦规则直接管辖的问题上，州的送达要件——它们是州的时效立法的重要组成部分——应当对一个以州的法律为基础、但基于当事人州籍不同而在联邦法院起诉的案件起支配作用。在州籍不同的诉讼中，如果没有与之冲突的联邦规则，则适用州的送达要件——其理由在埃里案和拉根案中作了很好的解释，这里无须赘言。虽然在本案中，未能适用州的送达法律本身可能没有造成任何法院选择问题，[2] 但结果可能是对法律的"不公平实施"——这么解释就足够了。（汉纳案，380 U. S.，at 468）实在没有理由解释为什么在缺乏相应的联邦规则时，一个以州法律为基础的案件——毫无疑问，它如果在州法院进行时，将受阻于州的时效立法——仅仅因为恰好当事人的州籍不同就可以通过联邦法院而继续进行。隐含在州籍不同的案件管辖权背后的政策并没有证明州法院原告与联邦法院原告之间的差别，并且埃里

---

〔1〕 这并不意味着应当狭义解释《联邦民事诉讼规则》以避免与州法律的"直接冲突"。联邦规则应当被赋予通常的含义。如果通常含义解释后还与州法律相冲突，则适用汉纳案的分析。

〔2〕 没有任何迹象表明，当原告向联邦法院起诉时，他有什么理由相信可以不遵守俄克拉荷马州的送达要件，或者可以选择到联邦法院起诉以避开那些送达要件。

案及其后续案件也没有允许这种差别。

维持上诉法院判决。

注释与问题

1. 沃克案为沃伦大法官在汉纳案中所阐述的"联邦程序统一性目标"做了些什么？伯德/汉纳案的挽救行动遗留下了什么？

2. 综述埃里案以来直至沃克案的一系列案例。在州籍不同的案件中，你将如何叙述联邦/州的法律选择的不同（及其原理）？请分为下列三种情况：（1）州法律直接与《联邦民事诉讼规则》相冲突；（2）州法律不直接与《联邦民事诉讼规则》相冲突（就是汉纳案所谓的"相对无控制的埃里案选择"）；（3）州法律与联邦实践相冲突——该实践反映了（就像在伯德案中）联邦诉讼的一个"基本特征"。埃里案判决的未决事宜是什么？如果情况相同，埃里案在今天还会作出相同的判决吗？

3. 在Stewart Organization, Inc. v. Ricoh Corp. 一案中［487 U. S. 22 (1988)］，法院把汉纳案对《联邦民事诉讼规则》的分析扩展到联邦成文法与州实践之间的冲突上。在阿拉巴马联邦地区法院进行的一个州籍不同的案件中，被告根据《美国法典》第28编第1404节（a）款提出了一个提议，要求把该诉讼移交到纽约南区，目的是启用代理合同所包含的法院选择条款——依据它，诉讼应当在纽约城进行。该地区法院根据阿拉巴马的州法律拒绝了那个提议，因为阿拉巴马的州法律不承认这种条款。第十一上诉法院推翻了该判决，认为管辖地是个联邦程序问题，并且根据联邦法律的原则，法院选择条款可以适用。参见第七章。

美国联邦最高法院表示支持，认为由于在直接与州法律相冲突的情况下（它赋予地区法院的法官以自由裁量权，权衡各种便利及公平因素，包括是否存在法院选择条款），第1404节（a）款也属于有效实施的联邦立法（也就是说，它管辖实践和程序问题），所以它必然在这样的纠纷中有效，而且没必要评价选择所导致的"后果决定"的影响（就像"无控制的"埃里案出现的情况一样）。

斯卡利亚法官（Scalia）提出异议，认为本案的冲突与沃克案的冲突类似，联邦规则的范围还没有宽到可以包括这样的纠纷。在联邦和州的实践没有直接冲突的情况下，斯卡利亚法官求助于后果尝试，并得出结论：用第1404节取代反对实行法院选择条款的阿拉巴马规则，将鼓励法院选择和造成司法不公，这两种恶果是埃里案致力于避免的。斯卡利亚法官的评论——"对重要的法律问题的判决不应当引发州籍不同的祸胎"——使我们转了一个圈，又回到埃里案和约克案。你认为斯卡利亚法官将如何界定"重要"这个词？

实务练习三十二
分析卡彭特案中的纵向法律选择问题

假设——就像在前面的实践练习中那样——在卡彭特案中，当事人的州籍不同，因此该案既可以在联邦法院又可以在州法院进行。权衡两者的利弊时，我们发现，马萨诸塞立法机关最近采用了一个"侵权法改革"立法，规定其中在原告寻求从州法院对被告课以惩罚性赔偿的情况下，他必须：（1）特地要求提供惩罚性赔偿所依据的事实和条件，而不能依据传闻和观念就提出上述主张；及（2）如果惩罚性赔偿的主张最终失败，则支付被告的费用及其合理的律师费。立法史表明，惩罚性赔偿的诉讼请求常常是毫无意义的，往往造成实质上延长了案件审判的时间耗费，从而把诉讼制度变成一个赌场：在那里，有的原告大发横财而一些被告倾家荡产。

我们的一个同事曾建议，如果我们向联邦地区法院起诉，我们将不受州的侵权法改革立法的约束。请筹划一个集体讨论会，对法院选择进行战略决策。下面的案例会提供什么指导？

加斯珀尼诉人文科学中心[*]
Gasperini v. Center For Humanities, inc.
518 U. S. 415（1996）

大法官金斯伯格制作本院意见书如下：

根据纽约州的法律，上诉法院有权审查陪审团裁判的幅度，并且在陪审团支持的数额"严重背离应当获得的合理赔偿"时有权裁令进行重新审判。（N. Y. Civ. Prac. Law and Rules（CPLR）§5501（c）（McKinney 1995）。根据调整联邦法院诉讼程序的第七修正案——该修正案不调整州法院的程序——，"陪审团审判的权利应当保留，由陪审团审理的任何事实，均不得由任何联邦法院以其他方式再次审查。"（联邦宪法第七修正案）。我们所面临的问题是，在根据纽约法律提起诉讼而以异籍为由提交联邦法院审理的案件中，这些条款是否相互兼容。我们认为，如果联邦初审法官适用纽约州规则（CPLR）§5501（c）之规定，并由联邦上诉法院对初审法院的裁定对其进行仅限于是否"滥用裁量权"的审查，那么纽约法律关于过度的或不充分的判予赔偿的规定应当对本案有效，这与第7修正案并不冲突。

I

上诉人威廉·加斯珀尼是 CBS 新闻和基督教科学监测的记者，他于 1984 年

---

[*] 译者注：这一判例由傅郁林翻译。

报道了中美洲事件。他在无线电媒体和印刷媒体营生，偶尔出售自己的摄影作品。他在中美洲的 7 年间拍摄了 5000 多幅幻灯片，其中包括生动的战争场面、政界领导、以及日常生活风景。1990 年，加斯珀尼同意将其彩色幻灯片的原始资料提供给人文科学中心（下称中心），用于制作教学录相《中美洲的冲突》。加斯珀尼选择了 300 多幅幻灯片，中心从中制作了 110 个影像。中心同意将原始资料返还加斯珀尼，但是到投影作品完成之后却找不到这些资料了。

加斯珀尼在纽约南部联邦地区法院开始诉讼，援引了该院根据美国法典第 28 编第 1332 节产生的异籍管辖权。[1] 他主张了几个州法律请求，包括违约、侵占和过失。中心承认对丢失幻灯片有责任，并承认该损害赔偿事项由陪审团审判。

在初审中，加斯珀尼的专家证人作证说，一件丢失的幻灯片按照向社会发表摄影作品的"行业标准"价值 1500 美元。这一行业标准代表了一件商业摄影作品在超过作品版权保护期之前一直可以获取的平均许可费用，也就是说，在加斯珀尼案件中，是他的寿命加上 50 年。据加斯珀尼估算，他自 1984 年至 1993 年期间从这些作品中获得的费用总额为 1 万美元。他还作证说，他本想出一本书，其中包括他在中美洲摄制的最好的作品。

经过 3 天审理之后，陪审团裁判加斯珀尼获得 45 万美元的赔偿。陪审团宣告这一数额为"每件 1500 美元，按 300 件计"。中心根据联邦民事程序规则 59 动议重新审判，其攻击这一裁判的理由是多方面的，其中包括过度赔偿。地区法院在未加任何评论的情况下驳回了这一动议。

联邦第二巡回法院撤销了根据陪审团裁判登记的判决。巡回法院牢记作为调整这一争议准据法是纽约法律，尽量适用 Rules（CPLR）§5501（c）之规定，该条指示，当陪审团作出一项详列细目的裁判时——就像本案这样——，如果陪审团严重背离了应当判予的合理赔偿，则纽约中级上诉法院"得确定判予的赔偿是否过度或不充分"……第二巡回法院经调查对该中级上诉法院审查丢失幻灯片赔偿数额的判决，得出结论认为，仅仅以关于行业标准的证言作为裁判的正当理由是不充分的，在其他应当考虑的因素中，幻灯片标的物的独一无二特性和照片的水准是主要因素。

第二巡回法院在纽约中级上诉法院裁决的引导下，认定 45 万美元的裁判严重背离了应当判予的合理赔偿。第二巡回法院承认加斯珀尼的某些幻灯片是独一无二的，特别是那些抓拍的战争场面，加斯珀尼是惟一在现场的摄影者。但其中一些作品都是在当地的其他职业摄影记者都可以拍到的普通风景或事件。第二巡

---

[1] 申诉人 WG 是加州公民，被告亦即答辩人"中心"的注册地和主要营业地都在纽约。

回法院在"将每一种值得怀疑的利益都判给加斯珀尼"之后断定,不到50幅幻灯片能够1500美元。该院在没有证据表明这些照片基于其花费努力和代价所产生的重要收益价值,也没有证据表明其出书的计划的情况下,进一步确定,50幅以外的每件作品超过100美元的损害赔偿都是过度的。第二巡回法院承认,上诉法院减少(陪审团的判予)是困难的,因为上诉法官仅仅只能从冷冰冰的书面诉讼记录来审查证据。尽管如此,第二巡回法院还是撤销了45万美元的陪审团裁判并裁令重新审判,除非加斯珀尼同意接受10万美元的赔偿。

本案提出了一个重要问题,即联邦法院在根据州法律提起的损害赔偿诉讼中,以什么标准来衡量当事人所主张的陪审团过分判予。所以我们同意发出调卷令。

II

1986年以前,在纽约地区的州法院和联邦法院普遍援引由法官创制的同一公式来回应针对陪审团裁判的过度问题提出的质疑:除非数额畸高以至于"震撼了法庭的良心",否则不要触动一项判予。见 Consorti, 72 F. 3d at 1012 - 1013(collecting cases.)第二巡回法院描述道:

> 在纽约地区确定(陪审团判予的)过分性和减少(陪审团裁判数额)的适当性的标准是有些模糊的。1986年以前,纽约州法律制定了一个与联邦法院相同的标准(见 Matthews v. CTI Container Transport Int'l Inc., 871 F. 2d 270, 278 (2d Cir. 1989)案),授权只有当陪审团的裁判如此过分以至于"震撼了法庭的良心"时才能减少。

Id. at 1012. See also D. Siegel, Practice Commentaries C5501:10, reprinted in 7B McKinney's Consolidated Laws of New York Ann., p. 25 (1995).("变更陪审团裁判的惯例性标准是裁判数额如此巨大或微小以至于震撼了法庭的良心")。无论在州法院还是联邦法院,初审法官在一审中作出关于过分性的评估时,上诉法官通常都会尊重初审法院的判决。例如见 McAllister v. Adam Packing Corp., 66 App. Div. 2d 975, 976 (3d Dept. 1978) ("初审法庭就陪审团裁判的充分性作出的判定只有当上诉法院能够说初审法院不合理地行使裁量权时才能触动");Martell v. Boardwalk Enterprises, Inc., 748 F. 2d 740, 750 (2d Cir. 1984).("初审法庭拒绝撤销或减少陪审团的判予只有在滥用裁量权时才能被推翻")。

1986年,纽约州将法官对陪审团判予的额度进行审查的标准法典化,CPLR §5501(c)规定:

> 在审查一项金钱判决时……当该判决被主张过度或不充分地判予因而应当重新审判时,如果陪审团判予的数额严重背离应当判予的合理赔偿,则上诉法院得确定

该裁判过度或不充分。

III

像本案这种情况，亦即诉求救济的请求由纽约州法律调整，那么纽约州法律是否也提供联邦法院审查陪审团裁决幅度的标准？中心的回答是肯定的。它主张，"严重背离"的标准是实体标准，联邦上诉法院在审理异籍案件中必须适用。第二巡回法院表示赞同。加斯珀尼则强调，纽约中级上诉法院所适用的CPLR§5501（c）具有程序条款的特征，这是配置赔偿事项作出判决的权限，不是就可赔偿的数额作出的硬性规定。加斯珀尼认为，按照正确的理解，CPLR§5501（c）对中级上诉法院的指示不能由联邦上诉法院赋予效力，除非联邦上诉法院违反第七修正案关于重新审查的规定。

正如当事人双方所争辩，CPLR§5501（c）条款受到在埃里铁路案中受到认可，并且沿着埃里铁路案的发展脉络，这一条款既是"实体的"又是"程序的"：CPLR§5501（c）中的"严重背离"标准调整的是原告如何能够获得判予；CPLR§5501（c）中的"程序性"则将作出判决的权力赋予了纽约州中级上诉法院。CPLR§5501（c）在各联邦上诉法院这一级的平行适用超出了联邦系统对初审和上诉法院职能的划分范围，第七修正案加重了这种职能配置的分量。因此，决定性的问题是联邦法院能否在不改变民事案件的审理和判决的联邦体制的前提下赋予攻击CPLR§5501（c）的实体性判决以效力。

A

联邦异籍管辖权为州设权利的管辖权提供了一个可选择的法院地，但不能随之产生实体法规则。正如埃里铁路案对《判决规则法案》的解读："除了由联邦宪法或国会制定的法律所调整的事项之外，联邦法院在审理异籍案件适用州的实体法和联邦的程序法"。

区别一项法律在埃里铁路案的意义上究竟是"实体法"还是"程序法"，有时颇具挑战性。[1] 在托拉斯案中埃里案的早期解释 [Guaranty Trust Co. v. York, 326 U. S. 99（1945）]，提出了一个"结果决定论"的标准："它是否因

---

〔1〕 关于联邦民事程序规则所涵盖的事项，特征问题通常是没有问题的：如果所指的规则与《授权法案规则》、《美国法典》第28编第2072节、及宪法相一致，问题就解决了，无论州法律是否与联邦规则相抵触，都适用联邦法律。See Hanna v. Plumer, 380 U. S. 460（1965）；Burlington Northern R. Co. v. Woods, 480 U. S. 1, 4-5（1987）。然而，联邦法院在解释联邦规则时会敏感地关注州的重大利益和规章政策。例如 Walker v. Armco Steel Corp., 446 U. S. 740, 750-752（1980）U. S. 740, 750-752（1980）（维持了拉根案的判决，在该案中，在一个为了中断州的制定法时效而在联邦法院启动的诉讼中，州法律而不是联邦民事程序规则第3条起了决定作用，最高法院作出了评论，并因此认定不存在"直接冲突"）；S. A. Healy Co. v. Milwaukee Metropolitan Sewerage Dist., 60 F. 3d 305, 310-312（7th Cir. 1995）（州法律关于原告提出的和解要约的规定与联邦规则68是吻合的，后者仅限于被告提出的要约）。

为联邦法院不考虑一项州法律而严重地影响诉讼结果——这项州法律在由相同的当事人在州法院就同一请求进行的诉讼中本来会适用的。"326 U. S. 109。在托拉斯案中，最高法院在裁定将州的制定法时效适用于联邦法院审理的一个衡平诉讼时说，"联邦法院行使这项管辖权仅仅是因为当事人州籍不同，在联邦法院的诉讼结果应当在实体上是相同的，只要以法律规则决定诉讼结果，就如同它在州法院获得的结果一样"。Ragan v. Merchants Transfer & Warehouse Co. , 337 U. S. 530，533（1949）。后来的一个界标性的判例（该案符合托拉斯案的条件）解释道："结果决定论标准不必机械地适用于扫清所有差异，而必须根据埃里案的双重目的规则：抑制选购法院和避免法律的不平等操作"。（汉纳案。）

根据这些判决的信息，我们提出一个问题，即纽约在 CPLR §5501（c）中法典化的"严重背离"的标准是否在以下意义上对结果有影响：如果适用这一标准是否重要地影响到未能适用这一标准的一方或双方当事人的运气，将会不公平地损害法院地州公民的利益，或可能导致原告选择联邦法院？上引，页468，注9。

我们从当事人没有争议的一点开始。加斯珀尼承认，关于损害赔偿的制定法会适用在埃里案的意义上的实体法。见申诉人的应答理由书2，同时见言辞辩论记录4-5页和25页；Consorti, 72 F. 3d, at 1011。尽管 CPLR §5501（c）还没有分类，但它旨在提供一种分类控制。

纽约的立法在 CPLR §5501（c）中规定了一种新的标准，这种标准要求法院的审查比普通法"震撼良心"的标准更苛刻。更严格的比较性衡量表现在 CPLR §5501（c）适用了"严重背离"标准。立法为了鼓励可预测性，要求复审法院在推翻根据 CPLR §5501（c）作出的陪审团裁判时要陈述理由，包括它所考虑的相关因素。见 CPLR §5522（b）。有结论认为，CPLR §5501（c）不同于制定法帽子（statutory cap）主要在于可补偿的最高额不是由制定法提出来的，而是由判例法决定的，（Brief for City of New York as Amicus Curiae 11.）我们认为这一结论是恰当的。总而言之，§5501（c）包括了一项程序性指示，但该州的目标明显是实体性的。参见 S. A. Healy Co. v. Milwaukee Metropolitan Sewerage Dist. , 60 F. 3d 305, 310-312（7th Cir. 1995）。因此表明，如果联邦法院忽略了纽约州标准的变化，而坚持适用"震撼良心"的标准来审查对于纽约州法律所调整的请求的赔偿支持额，则会出现州与联邦（金钱判决）之间的"实质性/巨大"差异。（汉纳案，380U. S. at 467-468.）因此我们同意第二巡回法院的观点，即纽约对于过度赔偿的控制隐含着我们在埃里铁路案中所称的"双重目标"。正如埃里案原则排除联邦法院给予一项州设请求以"超过其在州法院提出的请求寿命的救济"。Ragan v. Merchants Transfer & Warehouse Co. , 337 U. S.

533-534（1949）……

对第七修正案重新审查条款的讨论省略。

C

……在伯德案中，最高法院面临过非此即彼的选择：由法官就像在州法院那样进行审理，或者由陪审团根据联邦实践进行审理。我们眼下的案件不需要作出如此选择，因为州和联邦的主要利益都能够容纳。第二巡回法院正确地认识到，当纽约实体法调整一项诉求救济的请求时，由纽约州的法律和判决来指导可允许的损害赔偿。见 66 F. 3d, at 430; Consorti, 72 F. 3d, at 1011. 然而该院没有考虑联邦法院系统的特征，使我们不得不再次重申："联邦系统的初审法院和上诉法院在审查陪审团裁判的数额时的适当角色是……联邦法事项。"Donovan v. Penn Shipping Co., 429 U. S. 648（1977）（引用判词）；另见 Browning-Ferris, 492 U. S. at 279（地区法院的角色是判定陪审团的裁判是否在州法律限定的范围内……相应地上诉法院应当根据滥用裁量权的标准审查地区法院的判定）。

纽约州的占绝对优势的利益可以在不打破联邦系统得到尊重，只要承认联邦地区法院有资格行使控制职能，比如该院可以适用州的"严重背离"标准以保持与纽约州根据 CPLR §5501（c）形成的判例法之间的一致性。基于这一考虑，我们要求"严重背离"标准作为适用于在纽约州的初审法院同时也是上诉法院的指导标准。上引，页 425。

在联邦系统范围内，实践上的论证与第七修正案对地区法院（而不是对上诉法院）的限制联合在一起，上诉法院主要负责对适用 CPLR §5501（c）的"严重背离"控制。初审法官拥有"在活生生的法庭上考虑证据的独一无二的机会"，（Taylor v. Washington Terminal Co., 409 F. 2d 145, 148 (D. C. Cir. 1969) 而上诉法院只能看见"冷冰冰的书面诉讼记录"。66 F. 3d, at 431。

地区法院适用"严重背离"标准，当上诉请求对不充分或过度进行审查时，地区法院所适用的标准就要受到各巡回法院根据现行标准进行的上诉审查，现行标准就是滥用自由裁量权。见怀特和米勒的《联邦实践与程序》，2820 节；另见摩尔的《联邦实务》6A。根据埃里案的原理，联邦上诉法院必须受州法律所提供的损害赔偿控制标准指导，然而正如第二巡回法院自己所言："如果我们推翻了，那它必须是因为滥用了裁量权……问题的性质恰恰在于倡导节制……我们必须使每一次对初审法官的怀疑都有所裨益。Dagnello, 289 F. 2d, at 806。

IV

没有迹象表明地区法院检查了陪审团作出的违反纽约州有关判例的裁判要求多于"行业标准"的证词以支持陪审团作出的这一被提交审查的裁判数额。正如上诉法院所认识到的那样，66 F. 3d, at 429. 照片的独一无二和原告可以用照片赚到的钱——过去及合理投资所赚的钱——才是支持判予的相关因素。见 Blackman v. Michael Friedman Publishing Group, Inc., 189 App. Div. 2d 571。因此，我们撤销联邦上诉法院的判决，指示该院将案件发回地区法院重审，以使初审法官在根据重新审判的动议重新作出裁定时，可以检验陪审团的裁判是否违背了 CPLR §5501（c）的"严重背离"标准。

（省略斯蒂文斯大法官和斯卡利亚大法官分别制作的反对意见，以及首席大法官瑞奎斯特和大法官托马斯加入后者的意见。）

第十章

终局性与排除规则

第一节 终局性概述

假设乔和萨莉卷入一场车祸,于是萨莉提起对乔的诉讼,主张由于他的过失导致这场车祸,请求其赔偿被损坏的左前灯。她把该案进行到底,获得了一个终局判决(无论胜诉或败诉)。萨莉后来又就同一次事故提起第二次诉讼,再次主张乔的过失导致事故,而这一次她请求赔偿的是右车灯或她的汽车。那么,有没有哪一个纠纷解决机制能够允许这样的诉讼?

在美国制度中,既判力(res judicata)原理,又称请求排除(claim preclusion),禁止萨莉就已经成为与同一当事人之间诉讼标的(subject of litigation)的同一次事故提起继后诉讼。再次诉讼除了明显的无效率和资源浪费外,对于受侵扰的被告而言也是不公平的,而且会使原告得以多次旋转赌盘以寻找到能够给予其救济的陪审团。

如果萨莉提起了针对乔的诉讼,要求其赔偿车祸所造成的损害赔偿,但是未包括一项针对他的未清偿债务——这笔债务与本次事故无关,这种情况怎么办?她必须将这两项请求合并到同一次诉讼中吗?或者,她可以选择将这些请求分别起诉?我们希望萨莉的意见是合并两项请求(当然,她的确依据联邦程序规则18作出了如此选择);但是我们不能为了维护制度或保护被告不受侵扰性诉讼侵害而强制她这么做。这里所考虑的是两个案件涉及不同事件和交易,审判中提交的证据不要太杂。事故请求和债务请求并非"同一请求",因而允许分别诉讼。

那么显然,既判力或请求排除原则的实际运作取决于我们对"请求"的定义——定义越宽泛则强制性合并的内容越多。大家可以想像几种可能突破定义边界的实际情形,比如,如果乔是借助于那笔尚未清偿给萨莉的债务购买了那辆涉案汽车怎么办？如果乔和萨莉坐在各自的汽车里在一个交叉路口为了那笔未偿还的债务而争吵怎么办？

还需要注意的是，对于律师而言，终局性原理在两个方面的运作至关重要。其一，在准备该案时，原告的律师必须确定在起诉状中已包含所有可能被认为是针对被告的相同请求之一部分的全部事项，要么就得冒在未来被排除提起该事项的风险。其二，一旦该案的终局判决作出，相同的当事人之间继后诉讼可能要求确定第二个案件是不是因事项被"分割"为两个诉讼而产生的，该事项构成相同请求的一部分，故在第一个案件中就应当提出。正如我们将要看到的那样，不管原告胜诉或败诉，请求排除都会照样起作用，如果第二个诉讼被认为是从同一请求中派生出来的，那么这一诉讼肯定是被禁止的。

现在假设 A 和 B 之间履行了一个合同，该合同要求 B 在 10 年中每逢 6 月从 A 的土地上清除木料。B 履行合同 2 年之后被 A 起诉，诉称他在第 3 年未清除木料。B 以质疑合同的有效性作为防御，案件审判的结果是，陪审团的裁判和法官的判决均支持原告。随后，A 因 B 未在第 7 年清除木料而起诉 B。假设这代表着与第一个案件不同的请求因为它产生于对多年合同的另一次违反，因而第二次案件不被请求排除规则所排除，那么我们要看到另一个原理上场了，即争点排除（issue preclusion）或间接禁反言（collateral estoppel）。一旦一个争点已经在对立的当事人之间审判过，那该争点就不能在相同的当事人之间的另一次诉讼中再次起诉。请求排除完全阻止了案件二的诉讼，而争点排除则用来仅仅封锁过去已经诉讼和解决过的争点。

非常有影响的美国律师协会的《（第二次）判决重述》是这样概括终局性原理的：

美国法律协会：（第二次）判决重述

American Law Instutute, Restatement (second) of Judgments

第 17 节 前次审判的效力——一般规则

生效的和终局的对人判决（personal judgment），除在上诉或其他直接复审中者以外，在下列范围内在当事人之间具有终结性：

（1）如果判决原告胜诉，则请求消灭并混合于判决之中，一项新的请求根据该判决而产生；

（2）如果判决被告胜诉，则请求消灭，该判决阻碍（bar）就同一请求提起继后诉讼（subsequent action）；

（3）在原被告之间就相同或不同请求而发生的继后诉讼中，对于曾实际诉讼并作出过判决的任何争议而言，如果该争议的确定对于判决具有重要性，则无论判决支持原告或支持被告，该判决均具有终结性（conclusive）。

注　释

1. 混同（Merger）（第 1 节）。当作出一项原告胜诉的生效和终局性的对人判决时，请求通常混同于该判决。意即这项请求无论是否有效都已消灭，取而代之的是赋予据以执行的新权利的判决。

2. 阻碍（Bar）（第 2 节）。当作出一项被告胜诉的生效和终局性的对人判决时，该判决通常成为根据该请求而提起的继后诉讼的障碍。有时有一个"判决不容推翻"（estoppel by judgment）的术语，但在关于该主题的重述中未使用该术语。如果原请求有效，则它已被判决所消灭；如果原请求无效，则判决的效力对于确定其无效性而言是终结性的。

3. 争点排除（Inssue preclusion）（第 3 节）。生效和终局性的对人判决无论支持原告或被告，都已发生效力，亦即产生排除争点的效力。在双方当事人之间的继后诉讼中，如果提交前次诉讼的争议业经实际诉讼并已确定，并且如果该确定对于判决而言至关重要，那么判决对于已提交前次诉讼的争议而言原则上是终结性的。如果继后诉讼依据的是另一项请求，那么判决的这一效力有时被指称为间接禁反言。

4. 错误判决（Erroneous judgment）。本节所述的一般规则适用于生效和终局判决，即使该判决是错误判决并属于撤销范围也不例外。如果判决是错误的，则败诉方当事人的补救是在原审程序中把它弃置（set aside）或撤销（reversed），这种补救可以是动议重新审判（a new trial）或者向作出判决的法院谋求其他救济，或者通过上诉或由上诉法院进行的对判决的其他复审程序。

强调终局性原理的黑体字母的法律和政策容易理解，"既判力和间接禁反言使当事人免于承受多次诉讼的成本和讼累、节省司法资产、维护判决的一致性、促进对司法的威信"。［Allen v. McCurry, 449 U. S. 90, 94 (1980).］和通常一样，挑战者正在将这一原则适用于那些诉讼结果是公平和公正的情形。

请求终局性和争点排除原理不能与"遵从先例"（stare decisis）原则相混淆，遵从先例原则是指法院通常要在解决法律问题时与跟从过去的先例。遵从先例"是在司法机构内部基本自律的原则"，用于确保法律不会随意改变，并且用于"使社会可以预测根本性的原则是由法律而不是由个人的癖性建立的"。［Patterson v. McLean Credit Union, 491 U. S. 164, 172 (1989).］然而，先例并非神圣不可改变，当事人肯定负有推动废除已有判例的责任。比如在我们的萨利诉乔一案中，该辖区的确定性法律是以自害过失（contributory negligence）作为赔偿的完全阻碍，除非萨莉的律师成功地主张偏离先例，否则该法律就具有拘束力。

第二节 请求排除（既判力）
——"要么现在就说，要么永远闭嘴"

联邦程序规则8（c）要求把既判力作为一项确定性的抗辩来主张（你能解释是为什么吗?）。为了阻碍一项原告的请求，必须同时表明三个要素：
(1) 已进行到对实质性问题作出终局和生效判决程度的前次诉讼；
(2) 现在的诉讼是基于与前次诉讼相同的请求而提出的；
(3) 两个诉讼的当事人相同或者有"相互关系"（in privity）。

一、构成"同一请求"的要件是什么?

操作请求排除的定义单位是"请求"的含义。以下"判决重述（第二次）"解释了当今以交易来定义的基本原理。

美国法律协会，（第二次）判决重述

第24节 混同或阻碍宗旨下的"请求"的维度——关于"分割"的一般规则

(1) 当案件获得生效和终局判决、根据混同或阻碍的规则消灭了原告的请求时，消灭的请求包括原告从被告那里获得救济的与交易的全部或任何部分、或者关联性交易的整个系列（series）有关的所有权利。

(2) 从实证来看，一项"交易"的事实构成和"系列"的事实构成取决于对如下因素的考量，即，事实在时间、空间、原因或动机上是否有关联，，它们是否形成一个方便的审判单位，以及作为一个单位的处理是否与当事人预期或事务性理解或惯例相一致。

注　释

1. 关于请求的交易的观点的理路/基本原理。在定义请求范围包括原告针对被告的产生于相关交易（或相关交易系列）的所有权利时，本节回应了联邦民事诉讼规则和其他程序制度中所体现的现代程序理念。

"请求"，在既判力的语境中，从不比它所涉及的交易更宽泛。然而，在民事程序还保留着格式诉讼的印迹而普通法和衡平法存在着分野的时期，各法院喜欢以赔偿的单一理由来合并请求，因此，原告在一次交易中可能产生的请求与实体法上的理由一样多，而实体法上的理由则是原告向被告寻求赔偿的根据。于

是，原告在依据一个理由提起的一次诉讼中败诉后，还可以保留依据另一理由提起另一次诉讼的权利，即使两次诉讼的根据都是被告的形成同一次生活状态的同一行为或相关联的行为。在那些早期时代，也有人坚持一种观点，即依据实体法来确定一项主要的权利，如果表明被告侵害了原告所提出的许多项主要权利，则原告拥有同样数量的请求，即使这些请求都产生于单一的事件。困难在于，如何知道哪些权利是主要权利以及是何种程度上的主要权利，而且主要权利和相应请求可能因此而十分狭窄。因此，一些法院认为，在一次人身伤害的诉讼中，原告胜诉或败诉的判决都不排除原告为了追偿由于被告的同一次过错行为而造成的财产损害而提起的诉讼——这种观点源于一种理念，即免受身体伤害的权利不同于财产权利。另一种关于请求的观点借助于证据，当支持第二次诉讼的证据与需要支持第一次诉讼的证据相同时，第二次诉讼即被排除。有时这被当作检验请求是否一致的标准，有时被当成一种积极的而非消极的标准，即在某些情况下，尽管第二次诉讼的证据资料与第一次诉讼不同，第二次诉讼也可能被排除。即便如此，请求也不等同于交易本身。

现在的趋向是把请求放在事实的维度上去看待，并把它与交易连接在一起，而不管原告能够获得的实体理由有多少，也不管他从这些理由中能够获得多少种救济形式，更不管支持这些理由或权利所需要的证据如何不同。交易是不可分割的诉讼单位或统一体（entity）。

……现代程序制度……允许在诉讼中提出与交易相关的所有资料，而不人为地限定于任何单一的实体理由或救济种类，也不理会历史的诉讼形式或普通法与衡平法分野……普通法上的既判力现在反映了一种期望，即被赋予提出"整体争议"资格的当事人实际上就必须这么做。

2. 交易（Transaction）：经验主义标准的适用。"交易或关联交易系列"的表述不能像数学那样精确定义，它是把凭经验确定的标准适用于案件的事实。这一标准的要义在于，以被告的利益和法院结束案件为一端、以原告在证明其正当请求方面的利益为另一端，在两端之间努力维持一种平衡。

应当强调，交易的概念在这里是一种广义上的使用，它由制定法和调整民事程序中诉答阶段或其他方面的规则来解释。因此，不要把自由交流中的寓意经常与该术语的正式表述混淆在一起。

一般说来，这一表述涵盖了有效事实的自然组合或共同核心。决定事实是否交织得如此紧密以至于共同构成一个请求的相关因素是它们在时间、空间、起因或动机上的关联性，以及它们是否能放在一起形成一个符合方便审判之目的的单位。尽管没有哪一个因素是决定性的，然而，与便利诉讼之间的关系使得一个追问恰如其分，即，第二次诉讼中的证人或证据在多大程度上能够与第一次诉讼中所使用的证人或证据发生叠合？如果存在大幅度的交叉，那么第二次诉讼通常应当被排除。但是反之则不然，即使没有大面积的交叉，如果第二次诉讼是基于同一次交易或同一系列交易而产生，则第二次诉讼仍然会被排除。

3. 尽管有不同的损害、不同的实体理由、不同的救济措施或种类，交易仍可能是一次。一次交易通常在一个人针对另一个人时只产生一个请求。当一个人通过一次行为取走了属于另一个的许多家畜时，就某些物品的价值作出的判决即已穷尽了请求，并排除受损害的当事人保留就余数提起另一次诉讼的机会。在更加复杂的案件中，一个案件引起同一个人的多个损害或侵害了多个不同的利益，但交易仍然只有一个，基于该行为作出的判决通常也阻止了这个人提起另一次诉讼以获得未在第一次诉讼中提出诉讼请求的损害的机会……

多个不同的法律理由可能适用于给定的情节从而使某一行为人承担责任，但并不产生多个交易并因此产生多个请求，同样，尽管几个法律理由依赖于该事实的不同方面、或者可以强调该事实的不同要点、或者可以要求采取不同的责任方式或不同的救济种类，却不能产生多个交易并因此产生多个请求。

在下列案例中考虑一下"请求"的定义。

汽车运输公司诉福特汽车公司
Car Carriers, Inc., v. Ford Motor Company
789 F. 2d 589 (7ᵗʰ Cir. 1989)

巡回法官里珀尔（Ripple）：

在本案中，我们被要求决定本案诉讼是否根据既判力原理而受前次诉讼的阻碍。基于下述理由，我们认为，本诉讼受前次诉讼的阻碍，因此维持了地区法院的判决。

1982年，汽车运输公司和6家有关企业提起了对福特公司（下称福特）和路卡运输有限公司（下称路卡）的诉讼，在起诉状中6个诉由（count）中的诉由一（count I）控诉福特和路卡合谋违反法案，即美国法典第1节。剩下的5个诉由提出了系属的州法律请求。

地区法院驳回了整个诉讼。法院认定，因为原告未"遭受反托拉斯法设置补偿的那种损害"，因而原告缺乏反托拉斯法请求。同时，既然法院认定这一缺陷是"不可补救的"（noncurable），因而反托拉斯请求被有损害地驳回了。地区法院只驳回了起诉状中联邦请求的部分，拒绝对剩下的州法律请求行使系属管辖权（pendent jurisdiction），并无损害地驳回了这些请求。在上诉中，本院合议庭全面地维持了地区法院的决定。

汽车运输公司及有关企业不服其在联邦法院没有成效的诉讼旅程，于1983

年 10 月 25 日提起了本案的诉讼。1983 年起诉状由 24 个诉由构成：诉由 1 至 6 主张被告违反了《诈骗性影响和贿赂组织法案》（RICO）（the Racketeer Inflenced and Corrupt Orgianizations Act，18 U. S. C§1961）；诉由 24 主张被告违反了州际贸易法案（the Interstate Commerce Act，18 U. S. C§11902 – – 11904）；其余的 17 个诉由主张被告违反了伊利诺斯州法律。

地区法院再一次驳回了整个诉讼。法院认为，联邦请求是产生于曾用于支持 1982 年起诉状中的反托拉斯请求时主张过的同一个"基本事实情境"，因此受到既判力原理的阻碍。由于与本案无关的原因，这次驳回诉讼是无损害的驳回。州法律请求由于不系属于（not pendent to）任何有效的联邦请求，因而再一次被无损害地驳回。

I

在论及汽车运输公司的实体请求之前，从导致 1982 年诉讼（即该事件的最初诉讼）的事件本身入手会有所帮助。正如 1982 年起诉状所述，自 1968 年到 1981 年，汽车运输公司从福特的工厂及其在在芝加哥地区的军需站运输一批福特的新汽车。作为汽车运输公司运输公司，同时受伊利诺斯州和州际贸易委员会的调整，因此汽车运输公司的费率（Car Carriers' rate）要受两个机构的同意。起诉状主张，无论福特通过正式地向这两个机构反对任何费率的增长，还是通过简单地终止运输，都有力量控制这些费率。

按照汽车运输公司的意思，福特和它的那个受本案控诉的合谋者早在 1975 年就签订了合同，并且仍然在进行联合，其目的是在提供拖运汽车的运输（haul – away）的生意中限制贸易。正如本院在前面所解释的那样，汽车运输公司控诉福特采取了如下方法以实现其目的：

首先，他们要求被选择作为清除目标的运输公司（即所谓"耙子运输公司"）在新的牵引拖车设备上进行实质性/大幅度投资，作为回报，福特愿意许诺提供额外的运输量并"完全同意为了补偿这些受益而必须增加的关税率"。然而，在这些"耙子"运输公司完成投资后，福特随后就阻止他们获得为了营利性运作而必需增加的费率。

其次，福特在其他运输公司的支持下，"干预和阻止这些耙子拖运公司及他们的附属公司以转让生意和资产作为生意上的关照，或者阻止耙子运输公司与其他运输公司联营或合并"。最后，福特还明目张胆地终止了它与这些耙子公司的生意，使它喜欢的运输公司得以"以极其低廉的价格或少于公平的市场价值的价格获取（耙子公司）的生意和资产作为生意关照"。

汽车运输公司进一步提出，它自己就是循着所描述的这个模式走向灭亡的：1975 年，福特指示……汽车运输公司……将自己的资产和生意出卖给第二个福特运输者，然而，当汽车运输公司与 E&L 运输公司为转让事宜而进入谈判时，……福特诱使 E&L 运输公司的母公司否认一封表明这一意向的已签署的信函，以此方式"不合理地进行干预和阻止"。1977 年和 1978 年，福特诱使汽车运输公司购买价值 600 万美元的新的牵引拖车设备，许诺汽车运输公司"将会在额外的运输生意和更高的税率中获得这些设备成本的补偿"。然而，1975 年至 1981 年期间，福特通过让汽车运输公司自己"拒绝允许适当公开关税率或其他补偿"和"拒绝允许适当的暂时费率调整"等方式，使汽车运输公司在芝加哥的营运没有利润。

1979 年，福特阻止汽车运输公司获得汽车运输有限公司（Automobile Transport, Inc.）（ATI）的已发行股票（outstanding stock），该公司是当时福特在韦恩、密希干和其他地区的运输者。福特的这一行为"阻止了一次运输者的联合，而这种联合会产生非常有价值的回程生意，并为 ATI、汽车运输公司和福特带来重要的营运效率并降低成本"。这一年之后，福特剔除了 ATI，并在"煞有介事的事先获悉信息的竞标"（sham and knowingly predatory bids）的基础上将 ATI 的大部分生意给了路卡公司和 E&L。

1981 年，福特为芝加哥的拖拉服务向汽车运输公司和其他福特运输者招标。当年 10 月，福特终止了汽车运输公司，并在路卡"煞有介事的事先获悉信息的竞标"的基础上把芝加哥地区的合同给了路卡。然而，当福特和路卡坚持"轻易取胜和其他附加条件的条款……以及汽车运输公司提出的对付福特、路卡和联合运输公司的无法接受的解除合同的条件时"，这一用心遭到挫败。路卡最终由福特提供地盘在福特工厂的旁边建立了自己的终端设施（terminal facility）。

在本案中，上诉人提出两个问题请求我们复审。第一，请求我们驳回地区法院在适用既判力原理时所适用的标准，因为这一标准具有事实取向性（fact-oriented），而既判力原理支持的是另一种分析方法，即区分诉因的根据是每个请求所声明的应当获得救济的权利、义务和损害；第二，假如我们接受地区法院的方法，那么上诉人就要求我们解除他们的既判力责任，因为他们的有些请求是基于已经在 1982 年起诉状之前就已存在的——这一点是已被承认——事实提出的，但他们却是直到针对 1982 年起诉状作出判决之后才得知这些事实。

II

地区法院认定，1983 年起诉状中提出的联邦请求产生于 1982 年起诉状中所述的同一事实，因此基于既判力原理的阻碍而驳回了这些请求。上诉人并非不同意地区法院关于产生两次起诉状的同一个有效事实（operative fact）的共同内核的认定，但上诉人的意图在于，通过说服我们采纳对事实的另一种组合，以确定既判力原理是否适用，从而推翻地区法院的判决。按照这种另一标准，当"对涉及第二次诉讼的权利、义务和损害表明与第一次诉讼中提出的争议有实质性差异"时，既判力原理就不会阻碍第二次诉讼。（原告理由书第 28 页）我们基于将在下一节中解释的理由，拒绝采纳上诉人所建议的组合。

设置既判力原理的目的是保障司法判决的终局性。"它不仅仅是一个实务或者蕴藏在技术中的程序的问题，它是一种基础性和关乎根本正义的原则，一种关乎'公共政策和私人安宁'的原则，这种原则不应由法院自以为是地理解和执行……"［Hart Steel Co. v. Railroad Supply Co. 244 U. S. 294, 299 (1917)］它"鼓励对司法判决的信赖，禁止给当事人造成讼累，使法院得以解脱以解决其他纠纷"。正如我们最近在亚历山大诉芝加哥一案件［Alexander v. Chicago, 773 F. 2d 850 (7th Cir. 1985)］中所述的那样，"它的执行对于维护社会秩序至关重要，因为如果……法庭的判决没有终结性，维护人身权和财产权就不需要借助法院的帮助"。（同前，页 853。）

A

"根据既判力原理，'对实质问题的终局判决阻碍当事人或他们的相互关系人（privies）根据同一诉因提起进一步的请求'"。在确定诉因的范围时，本巡回法院适用了"同一交易"的标准（the "same transaction" test）。（见亚历山大案，773 F. 2d 854.）根据这一标准，一项诉因由"一个有效事实的单一内核"构成，产生一项救济。（见亚历山大案，773 F. 2d 854）一旦交易引起了损害，那么产生于这次交易的所有请求都必须在一次诉讼中提出，否则就丧失了这项请求权。因此，"仅仅在法律理由上的变更不会创造新的诉因"。（见亚历山大案，773 F. 2d 854.）故前一次诉讼行为不仅对于那些在前次诉讼已经提出并已判决的争议而言是一种阻碍，而且对于那些本来能够在那次诉讼中提出的争议而言也是如此。［Federated Department Stores, Inc. v. Moitie, 452 U. S. 394 U. S. 394, 398 (1981).］

正如法律注释者所指出的那样，这一方法与由联邦程序规则所确立的一般诉讼制度是一致的。见 Fed. R. Civ. P. 15, 18. 因此，为了进一步实现这一规则的宗旨，在对既判力原理进行定义时留下充分的幅度是适当的，以此鼓励当事人一次性提出他们有关全部有关请求。我们还引用了联邦规则关于强制性反请求的定义，即强制性反请求是那些"产生于促使原告起诉的同一交易或事件的请求"。见 Fed. R. Civ. P. 13 (a). 这一规则通过强制被告在同一诉讼中提出他们的请求，鼓励对产生于同一事实背景的全部请求获得同时和终局性的解决。因而，如果联邦规则将这一义务强加于被告，那么我们相信，把既判力原理以实现相同目标的方式进行解释是适当的，这一目标也把相同的义务强加给了原告。

上诉人主张，把"同一交易"的标准作为定义"诉因"的主要标准并非普遍性的标准。上诉人认为，本案更适当的标准应当是通过寻找所提出的每一个请求的权利、义务和损害的差异来仔细分析救济的理由（RICO, Interstate Commerce Act, Sherman Act）。

我们并不否认，（判例常常所依赖的）措辞表明，既判力分析法可以包含对已经主张的权利、义务和损害进行比较，但是我们相信，这些措辞必须审慎地解读，以免损害既判力的基本政策，即，"诉讼总得有个了结；那些已经对一项争议提出过争辩的人应当受这一争辩结果的拘束，事项一旦接受判决，则应当被认为是当事人之间纠纷永远地获得了解决"。Baldwin v. Iowa State Traveling Men's Association, 283 U. S. 522 (1931)."同一交易"标准成为"当今全国范围内普遍适用的政策倾向，这一点没有例外"。Hagee v. City of Evanston, 729 F. 2d 510, 513 n. 5 (7th Cir. 1984). 这一倾向远远比任何替代的公式更坚定，它保护着与此原则有关的基本政策。在我们看来，这些有关政策与本案上诉人所建议的"权利——义务"方法相对立。的确，即使在哈珀塑料案（Harper Plastics）中——该案是上诉人的重要依据——法院也明确地提出了警告，即败诉方当事人应当不能"在提出未经前次诉讼裁判的赔偿理由的语言中隐藏同一诉因，以此方式来动摇既判力原理"。657, F. 2d, 945. 因此，"权利——义务"方法不应当用来取代"同一交易"的标准，除非在迫不得已的情形下并且清楚地证明这种取代不会侵蚀既判力的政策，而本案上诉人绝对没有做到这一点。

B

现在我们回过来讨论"交易"标准是否适用于本案的事实。我们必须确定汽车运输公司的所提出的 RICO 和州际贸易请求是否在前次诉讼中已经提出过，换言之，我们必须确定这些请求是不是导致前面的谢尔曼法案请求产生的那个诉因的一部分。【既判力的三个基本要求是：（1）当事人或其"相互关系"人相同；（2）诉因相同；（3）对实质问题的终局判决。】

在本案的上诉中，没有任何一方当事人就"终局判决"要素提出争辩，也没有任何一方对于两次诉讼的当事人是相同的提出异议。N & W 是第二次诉讼中的一方新被告（见上述注释3），这一被告未参加关于既判力的动议，即使两案中署名的原告并不相同，在第二次诉讼中增加的原告也"不否认他们与1982年诉讼中的原告之间的"相互关系"。583F. Supp. at 223. 因此，这个惟一有待确定的问题与两次诉讼所涉及的诉因有关。

地区法院在对1982年和1983年起诉状中主张相同的诉因作出结论时，首先根据对系属管辖权原理的分析。正如美国煤矿工人案［United Mine Workers. v. Gibbs, 383 U. S. 715 (1966)］中所宣布的那样，如果州和联邦请求产生于同一有效事实的共同内核，则联邦法院可以对州法律请求行使系属管辖权。在本案中，所主张的系属请求与 1982 年起诉状中所提出的州法律请求具有实质上的同一性。于是，按照地区法院的理由，上诉人已经承认根据谢尔曼法案、RICO 及州际贸易法案提出的请求产生于一个有效事实的共同内核，因此，地区法院得出结论认为适用既判力原理是适当的，因为 1983 年起诉状中提出的 RICO 和贸易法案请求与 1982 年起诉状中提出的谢尔曼法案请求产生于同一组事实。

初审法院的立场经过了大量精辟的论证，然而，我们不想仅仅以此为根据。仅仅主张州请求未决并系于联邦诉讼之中尚不能创设系属管辖权。地区法院在驳回 1982 年起诉状中的联邦请求和 1983 年起诉状中的联邦请求时，也驳回了州请求，而没有确定这些请求是否被当作系属请求适当地提出来了。因此，既然地区法院的判决并未表明系属管辖权是否适当地使联邦请求度过这一关，我们就必须为我们的判决找到更加坚实的根据。

地区法院还特别认定，RICO 和谢尔曼法案要点产生于相同的核心事实，以此作为其判决的根据。该法院声明："就像现在的 RICO 请求一样，上一次的反托拉斯请求主张福特诱使汽车运输者作出它不能兑现补偿的投资；就像上一次的反托拉斯请求一样，现在的 RICO 请求主张汽车运输者的终止是由于'煞有介事的事先获悉信息的竞标'，而福特和路卡拒绝在汽车运输者终止时购买他们的资产。"我们对此表示赞同。RICO 和谢尔曼法案请求产生于有效事实的同一内核，是相同诉因的组成部分。

地区法院没有专门提出州际贸易请求，即 1983 年起诉状中的诉由 24，但仍然简要地审查了这一要点，并明确指出，这一诉由也是同一诉因的一部分。第 504 段——即该诉由的第一段——在相关部分进行了如下陈述：

> 诉由 24 请求从福特和路卡那里获得损害赔偿，作为两被告单独和联合地违反美国法典第 11902 节，11903（a）和（b）节，11904（a）（3）和（b）节的结果，在这一事件中，两被告以各种直接和间接的方式，在自 1981 年 7 月至 1983 年 6 月期间，连续不断地教唆、给予、许可、同意、接受、和提供折扣、让与、和歧视，这一行为用于在取代在芝加哥的汽车运输者，把路卡当作福特的拖运公司，并通过路卡无成本地生意来确保路卡改善福特自己在芝加哥的不动产。福特和路卡的违法表现在一系列行为之中，如，福特要求取代芝加哥 CCI 公司的招标，路卡对这一要求的回应，福特随后把路卡安置在芝加哥、而在其他地方却控诉 1981 年 10 月的运输的有效性。

这一主张与 1982 年起诉状中的核心事实同出一辙，因此地区法院驳回这一要点没有错误。【我们注意到诉由 24 中所主张的行为在时间上延伸到了 1982 年起诉状中所主张的行为之外，但我们认为，这种细琐的差异并不重要。在本案中，时间上的交叉和两次起诉状产生于同一有效事实的共同内核，这已经足够充分了。在诉由 24 提出的第一次判决后发生的事件之范围内，我们认为，对 1983

年起诉状作出无损害的驳回就特别允许了这一请求得以在今后提起。】

总之，我们认为，地区法院适用"同一交易"标准驳回汽车运输公司的所有的联邦请求是适当的。

III

作为上诉的第二个理由，汽车运输公司请求我们解除（lift）既判力对于它某些请求的阻碍，因为汽车运输公司直到1982年起诉状被驳回之后才发现支持这些请求的事实。汽车公司大体主张，既然既判力不阻碍依据在最初判决后发生的事实提起的诉讼，〔参见 Lawlor v. National Screen Service Corp. 349 U. S. 896 322（1955）〕——可以推定这是因为原告在提起第一次诉讼时不知道这些事实——与此相似，既判力不应当阻碍根据原告在起诉时并不知道的前次判决的事实提出的请求。我们认为这一抗辩完全没有实际价值。

正如我们在上面第二部分中的结论那样，上诉人的所有请求都是同一诉因的一部分，它们都产生于同一有效事实的同一个内核。既然所有的请求都产生于同一个事实背景，而上诉人对此已有充分的信息从而根据一项请求提出诉讼，那么他们也有充分的信息去根据其他几项请求提起诉讼。当某一当事人提起诉讼时，法院有权认为他们已经做好了他的法律上和事实上的家庭作业。允许上诉人再次享用司法时间和精力，而令那些连一次听审机会都没有得到的其他当事人在他的后面排队，会破坏由既判力原理所保护的基本政策。

IV

在处理1983年起诉状时，地区法院适当地分析了其前案判决的既判力效力。此外，我们还注意到，既然诉由一和诉由二由于受既判力的阻碍而被适当地驳回了，那么驳回由此派生的所有针对被上诉人诺福克及西部铁路公司（Norfolk & Western Railway Company）的诉讼也是适当的。因此，我们维持地区法院的判决。

注释与问题

1. 原告——上诉人汽车运输公司首先主张，既判力原理不应当受制于由"同一请求"构成的交易分析法，而应当受到以权利、义务和损害为基础的较狭窄的限定。某些辖区采纳后一种方法产生的结论是，对财产损害和人身伤害的分别请求可以产生于同一事件，因为请求财产损害赔偿的权利区别于人身伤害赔偿的权利。（见《（第二次）判决重述》§24，注释C和举例说明1。）为什么你认为这些辖区只是少数并且仍在减少？

2. 原告——上诉人的第二个主张是，既判力不应当适用，因为他们在第二次诉讼中所依据的一些事实是在第一次判决作出之前未被知晓的。法院将这一主张当作"完全没有实际价值"的主张而驳回了这一抗辩。那么，终局性原理是否允许以"新发现的事实"作为例外？

3. 联邦规则 13（a）与请求排除之间是什么关系？如果没有强制性反请求规则，既判力原理在一般意义上也能取得同样结果吗？

4. 在希科克诉希科克一案中［Heacock v. Heacock, 402 Mass. 21 (1988)］，卡拉·希科克（Carla Heacock）向上等法院（Superior Court）*针对其前夫格雷格（Gregg）提起诉讼，诉称在他们婚姻存续期间，他粗暴地对她施加暴力虐待，引起损伤性的癫痫症，请求赔偿她的人身伤害损失。格雷格提交了驳回诉讼的动议，辩称侵权诉讼受到先前在治安法院（the Probate Court）的离婚诉讼及判决的阻碍，以不可恢复的身体衰弱为理由提出的离婚已经在听审后获得支持，在那次听审中，卡拉已经将虐待和伤害的证据和其他证据一并提交给了法庭。

初审法院的法官"根据争点排除、间接禁反言、既判力、或能够最恰当地适用于该情形的这三个原则之一"，驳回了卡拉的侵权诉讼。（402 Mass. at 23）你能够帮助这位法官吗？把你的分析与高级法院（the Supreme Judicial Court）关于卡拉上诉案的意见书进行比较：

> 1. 请求排除。请求排除的原理使一项生效的终局判决对于当事人及其"相互关系"人有终结性效力，从而阻碍针对已经或应当在该诉讼中提出的所有事项提起进一步的诉讼。即使请求者准备在第二次诉讼中提出不同证据或不同的法律理由以支持其请求或者寻求不同的救济，这一原则也同样适用。这一原理是强调反对分割诉因之规则这一政策考虑，其"基础是一种理念，即，被排除的当事人已经在第一次诉讼中获得了激励和机会去处理全部事项"。如此一来，请求排除的原理就只适用于两次诉讼以同一个请求为基础的情况。
>
> 侵权诉讼所依据的请求与请求离婚的诉讼所依据的请求并不相同。侵权诉讼的目的在于补偿由于法律错误而造成的损害；而离婚诉讼的目的在于将当事人之间的婚姻关系作出了断，并且在适当的时候，确定双方当事人各自与抚养和扶养有关的权利和义务，并分割婚姻财产。尽管法官在判决支持抚养费和扶养费以及分割婚姻财产时，必须把当事人在婚姻存续期间的行为与其他情况一并考虑，但是包含在这一判决中的目的不能涵盖受到人身伤害的一方当事人的损害赔偿。判决支持扶养费的目的在于为不能独立的一方配偶提供经济支持，判决支持婚姻财产分割的目的在于承认和平等地补偿当事人双方各自对婚姻伙伴关系的贡献。原告在离婚诉讼中不能获得侵权损害的赔偿，因为治安法院没有司法权来听审侵权赔偿诉讼并支持其损

---

* 译者注：在美国许多州（如马萨诸塞州），初审法院被称为Superior Court，此处译为"上等法院"，以区别于"高级法院"。上等法院是相对于包括小额法院、治安法院在内的"下等法院"而言的，上等法院受理对下等法院判决的上诉。下文中的the Probate Court 译为"治安法院"，是因为该法院受理的案件大都与治安事务或涉及公序良俗有关，包括少年犯罪、家庭暴力、离婚、监护及遗嘱登记等等案件。

害赔偿[1]。这一政策考虑为请求排除的原则不牵连于本案的情况提供了正当性依据，维持这项侵权请求不会将被告和法院置于那种请求排除规则所防止的零碎诉讼的局面，因此，在原理上或政策考虑上，本案都有理由受理侵权诉讼。

2. 争点排除。被告要想在争点排除这一理由上站得住脚，就必须确立一个论点，即寻求排除的事实争议实际上已经在双方当事人之间的前次诉讼中起诉过并且已经得到过确定，并且其确定对于前次诉讼的判决至关重要。由于法官在支持扶养费和分割婚姻财产时必须考虑大量因素，而主持 Heacock 离婚案件的法官并没有认定事实来支持他的判决，因而我们不能说，这位法官一定解决了由于被告对原告的暴力虐待所产生的一切争议。因此，争点排除原理对于本案不适用。

Id. 402 Mass. at 23 - 25.

二、构成对实质问题终局和生效判决的要件是什么？

下面需要考虑的是《重述》对"就实质问题的判决"和"终局判决"概念的解释。另见联邦规则 41（b）。

美国法律协会，（第二次）判决重述

第 20 节 被告胜诉的判决——阻碍原则的例外

（1）被告胜诉的人身伤害判决尽管是生效的和终局的，但不阻碍原告就同一请求提出另一次诉讼；

（a）当驳回诉讼的判决是由于没有管辖权、或审判地不当、或当事人未参加共同诉讼或参加共同诉讼错误（nonjoinder or misjoinder）；或者

（b）当原告同意或选择不起诉（nonsuit）（或自愿撤诉）或者法院指示原告作出无损害的不起诉（be non suited）（或者以其他方式驳回诉讼）；或者

（c）当根据制定法或法院规则，该判决不成为就同一请求提起另一次诉讼的阻碍，或者除非法院特别申明否则不成为阻碍，而该案没有法院的特别申明……

举例说明

1. A 因为一次人身伤害事件而起诉 B，诉讼因为审判地不当而被驳回，其理由是受案的地区不是法律所规定的被告住所地。尽管 A 就同一请求向另一地区提起诉讼的权利没有受到阻碍，但是争点排除的规则却可以适用于确定原诉讼的法院地是否适当这一问题。

---

[1] 编者注：由于显而易见的理由，请求排除的原理不适用于这种情况，即"原告在第一次诉讼中由于受到受讼法院事项管辖权的限制或受到一次诉讼中不能处理多个理由或要求多项救济或补偿方式的限制，未能依据案件的某一理由或者寻求某种救济或某种补偿方式，原告因此而在第二次诉讼中希望依据该理由或寻求这种救济"。

2. A 根据当事人异籍管辖权的规则向联邦法院提起一宗针对 B 的诉讼，该诉讼因为所主张的异籍事实并不存在而被驳回。A 就同一请求向另一法院——有管辖权的法院——起诉的权利不受到本案的阻碍。

三、当事人相同或有"相互关系"

冈萨雷斯诉浅滩中心公司
Gonzalez v. Banco Central Corp.
27 F. 3d 751（1st Cir. 1994）

巡回法官塞利亚：

本案的上诉提出了一个关于既判力规则适用于非当事人的难题。我们的结论是，上诉人不能被合法地排除适用阻碍规则，因此推翻了地区法院驳回诉讼的裁定，将本案发回地区法院进一步审理。

Ⅰ. 背 景

1970 年代，一家房地产集团开发商把一些未开发的土地份额出售给近 3000 名买主，这些买主多半都住在 Puerto Rico。但是这些地产证明是佛罗里达的沼泽地，不能开发，这与推销者们吹得天花乱坠的情况大相径庭。

1982 年，一群叽叽喳喳的上当的买主（我们应当称之为"罗德里斯的原告们"）在波多黎各联邦地区法院启动了民事诉讼，被告是卖主、为此项目提供资金的银行和几位有关的个人。这些罗德里斯的原告们主张，被告违反了州际土地买卖信息完全披露法案（ILSFDA）（15 U. S. C. §1703）、1934 年《担保交易法案》（15 U. S. C. §78j，10b - 5 条以下；17 C. F. R. §240. 10b - 5）、以及《诈骗性影响和贿赂组织法案（RICO）》（18 U. S. C. §§1961 - 1964）。原告方中的有些人坚持形成一个"日出诉讼集团"，该集团成员支付了费用，用于帮助支付诉讼成本和交换信息，这些信息被证明有时是用于追求诉讼之目的。

在经过长达几年的证据开示和对诉告文状的大量补充之后，罗德里斯的原告们已达 152 人之多，他们请求将诉讼转化为集团诉讼。1987 年 4 月，地区法院既不同意原告转化集团诉讼的请求，也不允许其他的原告再参与该诉讼。几乎在兹后的一瞬间功夫，有几个未能成功地加入罗德里斯组的活跃的原告提起了本案的诉讼，新的请求者联盟（我们称之为"冈萨雷斯的原告们"）的代理人与代理罗德里斯的原告的代理人是同一组律师代理。他们起诉的是相同的被告，他们提交的起诉状完全就像是对罗德里斯的原告们的起诉状的一种补充（而这是不允许的）……

尽管罗德里斯的原告们有充分的证据证明诈骗事实的存在，但他们在审前程序中的一系列错误中一步一步地浪费了这些证据，最终败诉，Fuste 法官在忍耐了7个星期的陪审团审判之后,指示陪审团根据有效的请求(survive claims)作出了被告胜诉的裁判,本庭在上诉中支持了Fuste法官的这一裁决。Rodriguez v. Banco Central Corp., 990 F. 2d 7, 14 (1st Cir. 1993).

埋葬了罗德里斯原告们的诉讼之后,冈萨雷斯的诉讼就重新成为注目的焦点(本案系属于Laffitte法官)。此时,冈萨雷斯的原告正在竭力推行某些请求以取代那些罗德里斯案中推行并败诉的请求,比如根据ILSFDA、规则10-b和RICO(主要是关于担保欺诈)产生的请求,和某些附加的被罗德里斯的原告们忽略或放弃的请求,例如RICO请求(主要是关于邮件欺诈)、依据州法律产生的对欺诈的请求、以及违反合同的请求。

在廓清冈萨雷斯原告的诉讼与罗德里斯原告的诉讼之间的背景关系之后,Laffitte法官完全依据既判力规则,以不发表备忘录意见的方式驳回了该案诉讼。冈萨雷斯的原告们对此提起了上诉。

Ⅱ.分 析

尽管上诉人不是前次诉讼的当事人,但本案在适用既判力规则作为他们请求的阻碍时依据的是"相互关系"人的理由。既判力原理的是否适用提出了一个法律问题,法律问题恰恰是我们在上诉审查中行使全面审查权的问题……

联邦法院所采纳的关于既判力的公式是,"对案件实质性问题的终局判决排除当事人及其""相互关系"人就已经或者应当在该案中提出的争议再次起诉"。Allen v. McCurry, 449 U. S. 90, 94 (1980). 因此,既判力的要素是:(1)就前次诉讼中的实质问题的终局判决;(2)前次诉讼与继后诉讼之间诉因的充分同一性;以及(3)两次诉讼的当事人之间的充分同一性。

在本案中,第一个要素是三者之间最没有争议的,上诉人承认,前次诉讼(罗德里斯案)已经以就实质问题作出终局判决的方式结案。因此,我们将集中精力解决关于剩下的两个标准的问题。

诉因的同一性 (Indenticality of Causes of Action)

联邦法院为了确定前次诉讼与继后诉讼之间诉讼标的是否具有充分同一性,发展出一个交易的方法。按照这种方法的识别,一次诉讼中的生效和终局判决"在导致这次诉讼的一次交易或一系列连续交易的所有或任何部分"都区别于后来的请求。

要理解"交易"的分析方法,必须赞同这样一种观点,即,一次交易或一系列交易能够产生多个请求——经常的情况也正是如此。换言之,"一个单一的诉因能够根据联邦制定法、州制定法和普通法,以多种请求的方式来表述"。如果两项请求——前次诉讼中提出的请求和继后诉讼中提出的请求——产生于有效事实的共同内核,则应当认定必要的同一性是存在的。同前。并参见J. Moore,

1B Federal Practice II0. 410〔1〕at 350（2d ed. 1993）（解释说"诉因或请求……受制于要求的救济所产生的伤害，而不受制于法律理由）。其理由是，先前案件省略对请求的特别声明没有很严重的后果，如果交易是相同的，而识别标准的其他要素也获得满足，那么既判力原理就会阻碍所有请求，无论在前次诉讼中是否或能否提出声明。这是定义下面所讨论的伤害之关键。

这个定义过程并非纯粹机械的训练。"什么事实要件构成'交易'，什么要件构成'系列'，应当进行经验主义的确定"。它需要考虑形形色色的相关因素，包括但不仅限于诸如"事实是否在时间、空间、原因、或动机是相关联，它们是否形成方便的审判单位，以及当作一个审判单位来处理是否与当事人的预期相一致……"这样的事情。

如果按照这一准则，我们相信，本案前次诉讼与继后诉讼之间的充分的同一性足以满足所要求的标准。本案上诉人的请求与前次诉讼所主张的请求无一例外地都产生于同一系列交易。尽管单个的销售合同不同，但它们都产生于被告联盟这一伙人所进行的一组行为；同样，每一个买主以不同的价格获得一份不同的土地，但是所有这些份额都是同一次开发行为中的一部分，而且都是以相同的浮夸广告的方式出售。至少，两组请求在时间、原因和地理上有着非常近切的关系。

进而言之，如果两组请求合并，则会形成非常完整的单位。同类土地销售合同构成本案请求的基础，而这些合同正是罗德里斯的原告们根据ILSFDA加以攻击并请求将其归类于以RICO请求为目的的"担保"的合同。可以肯定，本案上诉人在程序的铺设方面比他们的先行者更为机灵，因而集成了一个花样更为繁多的法律理由，然而，他们的请求——包括那些取代罗德里斯的原告的请求和那些没有取代的请求——都与那些导致前次诉讼之诉因的同一系列相互联系的交易脱不了干系。简言之，两组请求尽管身着不同的法律外衣，却都产生于有效事实的同一个内核，这已经足够了。

当事人的同一性（Identicality of Parties）

当我们得出结论认为地区法院的分析通过了对识别标准三要素中的前两个要素之后，我们转向适用既判力原理的第三个重要要件：前次诉讼与继后诉讼的当事人之间表现出的充分同一性。两次诉讼显示当事人的精确的同一性，除少数情形之外，这一要素几乎总是难以准确量度。

非当事人的排除。让我们稍加回顾，以找到一种透视的感觉。我们意识到，最高法院的一则信条被解读为，既判力规则作为法律事项在涉及非当事人时不能运用。See Montana v. United States, 440 U. S. 147, 154（1979）（"对非当事人的排除……受间接禁反言规则而不是既判力规则的调整，因为适用后者的前提条件是诉因的同一性，而非当事人被他人代表所主张的诉因从定义上说有别于他后来以自己的权利寻求诉讼的诉因"。）然而，我们认为，蒙大拿法院的做法并不具有很大的普遍性，它把主要兴趣放在厘清有关的间接禁反言原则上，意在与使用既判力原则有关的场合从类型上剔除"相互关系人"——"相互关系人"是一个尊重时间（time-honored）的概念，它在涉及当事人地位的问题上将形式与实质区分开来。

这一结论不仅受到广受尊重的先例的确定无疑的支持，而且受实务中的考量的支持。无论蒙大拿的信条是什么，包括本院在内的几个法院，仍在情形适当时将既判力规则适用于非当事人。例如参见 Aunyx, 978 F. 2d at 7-8（适用既判力规则排除通过变更公司的身份而再行诉讼）；In re Air Crash at Dallas/Fort Worth Airport, 861 F. 2d 814, 816-18（5th. Cir. 1988）（适用既判力规则阻碍死者的女儿再行诉讼）；同时参见（第二次）判决重述§§40, 41（认可将请求排除在特定/具体情形下适用于非当事人）。与此一脉相承的是，法院仍然常规地把既判力公式当着一种阻碍当事人或者他们的"相互关系人"再次提起请求的原理。

还有一种非常有力的实践考虑对于反对盲目坚持蒙大拿信条的做法也颇有说服力。既判力原理服务于许多令人想往的目标，其中包括终局性和效率。逻辑表明，只有当排除的效力偶尔也及于那些在技术上不是原诉讼的当事人的人们时，这一原则才可以实现其目标。更加技术化的原则显而易见是一种圈套，让当事人的身份导致既判力不起作用，这会给无数种花样翻新的假象打开方便之门，这些花样包括分割请求、代人诉讼（suit by proxy）以及法院选购（forum-shopping）。*

最后，把蒙大拿法院的信条解读为从类型上剔除对既判力原理的适用，而不管当事人在任何时候存在的技术差异，这种解读有悖于古老的"相互关系人"的概念——这一概念的历史自编入法律辞典以来一直常规地适用于各种各样的情形中。我们不愿意认为，最高法院意欲通过审慎的观察而剥夺任何有意义的讨论或解释，从既判力的法理上扭曲这一概念。作为一种规则，各上诉法院都没有按照这种神谕（Delphic）的模式操作。

我们认为这个由先例、政策和实践合成的规则是不可违逆的，因此我们认为，根据联邦法律，既判力有时可以用来阻碍由那些在技术上不是（产生排除

---

* 译者注：forum-shopping 与 judge-shopping 是同类概念，即选择那些奉行符合自己立场和利益的信条的法院行使管辖权，以规避持相反政策的法院管辖。这是律师们利用选择管辖权的机会，利用法院之间或法官之间司法意见不一致的法律间隙。

效力的）原诉讼当事人的人们提起的诉讼。不过我们同意，这是一个普通法的阳光照射不到的角落，并告诫地区法院在将既判力适用于非当事人时要审慎小心、如履薄冰。[1]

相互关系人（Privity）

把既判力规则扩大到非当事人而又不会侵犯重要的宪法权利的最为人熟知的机制是相互关系人的概念，这一概念为既判力原理仅仅阻碍原诉讼的当事人提起再次诉讼请求之规则的例外情形设置了一个可行的框架。尽管相互关系人可能难以捉摸，但本案并不要求我们在它的四周建筑围墙。这里的既判力抗辩不是根据某些奇异的（exotic）原理精萃，而是依据普遍接受的原则，即相互关系人如何操作才会产生非当事人排除的问题。被告反复申辩的理论基础是，如果非当事人实质性地控制着一方当事人参与原诉讼，或者反过来，允许一方当事人参与原诉讼以发挥实际上是他的代表人（representative）的作用，则他们之间存在着"相互关系"（因而潜在地导致非当事人排除）。[2] 我们接受被告的理由中的主要内容，但是在把初审记录作为一个整体进行仔细审视之后，我们得出结论：这里不存在任何一种相互关系人的痕迹。

实质性控制（Substantial Control）

既判力原理建构在一个原则的基础之上，即，对于请求排除的适用而言，当事人首先必须拥有全面和公平的机会来提出他的请求。如果非当事人以行使对列名于案件的当事人行使控制权的方式由他人代理/代表参加了原诉讼，或者有机会施加这种控制，那么非当事人就有效地享受了他出庭的权利，在以请求排除为目的进行归类时把他归入当事人的法律属性是就适当的。

实质性控制的含义就是这一术语字面所包含的意思，它的内涵是在案件的控诉和抗辩中获得了重要程度的有效控制，在俗语中可能称之为发出开枪指令的权力或势力——无论是否行使。第二次判决重述§39，注释c，页384。（指出，在争点排除的意义上，控制是一种"在涉及提交法律理由和证据的问题上作出有效选择"的权利，也是"对获得复审的机会实行的一种控制"）。

正如格言所说，千言万语不如一张图画。沿着这种脉络，我们假想或许通过例子能够对实质性控制的概念作出比语言结构更好的解释。比如，在那些承担被保险人的抗辩的保险人的责任案件中就能够找到实质性控制的例子。[例如参见

---

〔1〕 非当事人排除的风险是真实存在的。一个广为人知的例子是基于对此概念过于扩大的状况，参见 Meza v. General Battery Corp., 908 F. 2d 1262, 1266（5th Cir. 1990）[赞同这一概念，但指出这一理想之中蕴藏着正当程序的关怀，在原则上，每个当事人都有权亲自出庭。]

〔2〕 有一个别名"实际代表"（virtual representation）经常用于描述这种事实上的代理行为，它与"代理人的代表"（representation by proxy）标签下的代理行为同出一辙。

Iacaponi v. New Amsterdam Cas. Co., 379 F. 2d 311, 312 (3d Cir. 1967), cert. Denied, 389 U. S. 1054 (1968)], 理赔人 (indemnitor) 参加了以受偿人 (indemnitee) 为被告的诉讼的抗辩 [例如参见 Bros, Inc. v. W. E. Grace Mfg. Co., 261 F. 2d 428, 430 - 31 (5th Cir. 1958)], 紧密型联营企业 (close corporation) 的企业主被认为在针对公司提出的诉讼中实施控制 (例如参见 Kreager v. General Elec. Co., 497 F. 2d 468, 471 - 72 (2d Cir.), cert, denied, 419 U. S. 1041 (1974)。相反，法院拒绝仅仅因为以下情况而认定存在实质性控制，比如，非当事人聘请了代理过当事人参与过原诉讼的律师 [例如 Freeman v. Lester Coggins Trucking, Inc., 771 F. 2d 860, 864 (5th Cir. 1985); Ramey v. Rockefeller, 384 F. Supp. 780, 785 (E. D. N. Y. 1972)], 或者非当事人在前次诉讼中提供过财政支持而做如此认定 [见 Rumford Chem., 215 U. S. at 159 - 60; General Foods Corp. v. Massachusetts Dep't of Pub. Health, 648 F. 2d 784, 787 - 88 (1st Cir. 1981)], 或者非当事人作为证人在前次诉讼中作证 [见 Benson & Ford, Inc. v. Wanda Petroleum Co. 833 F. 2d 1172, 1174 - 75 (5th Cir. 1987); Ponderosa Devel, Corp. v. Bjordahl, 787 F. 2d 533, 536 - 37 (10th Cir. 1986)], 或者非当事人促成了证人或证据的获取 [See Carl Zeiss Stiftung v. V. E. B. Carl Xeiss, Jena, 193 F. Supp. 892, 921 (S. D. N. Y. 1968), modified, 433 F. 2d 686 (2d Cir. 1970), cert. denied, 403 U. S. 905 (1971)], 或者为非当事人提供律师的帮助 (See Cofax Corp. v. Minn. MiningωMfg. Co. 79 F. Supp. 842, 844 (S. D. N. Y. 1974).)。

最后，构成实质性控制并没有界线鲜明的标准，需要具体案件具体分析，而且事实的情状几乎总是千差万别的。因此，受诉法院必须对具体情形进行总体考虑，才能确定关于非当事人在前次诉讼中作为一个决策者的潜在的或实际的介入所产生的合理影响的判断是否具有正当性。非当事人的参与可能是公开的，也可能是不公开的，证据可能是直接的，也可能是情境化的——只要证据从整体上表明非当事人对当事人在前次诉讼中的行为拥有有效控制，而这种衡量是根据实践经验而不是纯粹从理论上或仅仅以自己的立场作出的。证明的说服责任由主张存在控制（或行使控制的权利）并达到适用非当事人排除程度的那一方当事人承担。

在适用这一标准时没有一般性的方法，可以说，冈萨雷斯的原告们在涉及前诉讼的问题上实质性地控制了罗德里斯的原告们。地区法院在判决中仅仅提到了一点，即两个诉讼提交起诉状的时间如此接近、当事人的诉讼代理人如此相同、有计划地使用于证据开示的材料如此巧合，此时本案已笼罩在非当事人排除规则阴影之中了。在我们看来，这些事实尚不足以表明冈萨雷斯的原告们对于罗德里斯的原告们的诉讼过程实施了任何有意义的控制，他们也没有权利或机会要求施加这种控制。

同时，初审记录中包括的许多其他证据显示没有实质性的控制，编排这些证据无关宏旨，然而，我们注意到一个显眼的信息：罗德里斯的原告们寻求过补充他们的起诉状以使那些在该案开始5年之后才变为冈萨雷斯原告的人们加入诉讼，这一信息强有力地表明，上诉人在诉讼的前5年没有参与。没有在罗德里斯诉讼的早期参加诉讼这一事实具有特别的证明力，因为许多关键性和策略性的决定正是在这一期间作出的，这导致一些特别有希望的诉因（包括邮件欺诈和州法律请求）实际上已在此期间丧失了。显然上诉人没有机会分享这一决策过程。

实际代表（Virtual Representation）

被告还试图通过运用实际代表证明"相互关系人"的存在从而适用既判力规则。被告下面的叙述要求我们先从实际代表的理论入手，这种漫无边际的讨论已经有些超出了法律或事实所允许的范围。

实际代表尽管植根于18世纪的不动产法律，但近来已经成为非当事人排除的一般工具。See Robert G. Bone, Rethinking the Day in Court Ideal and Nonparty Preclusion, 67 N. Y. U. L. Rev. 193, 206-219（1992）．最近的法理发展使之具有一种特征，即它的最初范围已随着实际适用中的突然减少而缩小。对导致这种集散的原因的最容易的解释是正当程序分析，这种分析肯定会在把理论植入实践的任何努力中起指导作用。

第一次骑上"实际代表"这匹战马冲进位于既判力前线的战场的那些法院使用了接近魔术（near-magical）的财产权来喂养他们的骏马。他们建议，当事人与非当事人之间只要在利益上一致，就能适用这一理论从而排除非当事人。See, eg., Aerojet-General Corp. v. Askew, 511 F. 2d 710, 719（5th Cir.）（认为根据联邦法律，"如果诉讼的一方当事人与某个人的利益联系得如此紧密，以至于达到成为这个人的实际代表人的程度时，这个人即使不是当事人，也可以受判决的拘束"。）cert. Denied, 423 U. S. 908（1975）．尽管如此横扫一切，但各法院很快就认识到，实际代表既不是古老的灰色梦魇，却也不应当是天马行空（Pegasus）。他们发现，实际代表仅仅根据利益一致性并进而把理论展开而成为非大量案件适用当事人排除规则的正当理由，会威胁到作为正当程序平衡支点的核心原则。See Martin v. Wilks, 490 U. S. 755, 761-62（1989）．基于这个理由，当代的判例法把实际代表的理论用一根很短的系链拉紧，严格限定其适用范围。See Benson & Ford, 833 F. 2d at 1175（赞成实际代表的理论必须维持在严格的限定之下）；Pollard v. Cockrell, 578 F. 2d 1002, 1008-09（5th Cir. 1978）（明确限定 Aerojet 案的判决理由）。

目前，利益的一致性依然作为射击实际代表的必要条件，但已不是充分条件，还必须具备其他理由。See General Foods, 648 F. 2d at 789. （认为当事人与非当事人之间的"利益的一致性""不能使非当事人受判决拘束"）；Griffin v. Burns, 570 F. 2d 1065, 1071 (1st Cir. 1978) （解释"仅仅利益的同一性和某种程度的代表"不能构成实际代表）；Petit v. City of Chicago, 766 F. Supp. 607, 612 (N. D. Ill. 1991.) （认为"仅仅是利益的一致性……不足以产生对"相互关系"人的认定"）；See also See Benson & Ford, 833 F. 2d at 1174－76 （拒绝在涉及一项反托拉斯请求时适用非当事人排除规则，产生这项反托拉斯请求的事实与作为该案原告的非当事人在前次诉讼中作证的事实，而且两次诉讼的律师也相同）。

我们说当事人主张实际代表并因此请求排除一宗非当事人的诉讼，必须提出比利益一致性更多的理由，只是在说这一问题的性质，而不是说解决这些问题。许多诸如"什么是'更多'？"和"多多少？"这样的问题，似乎还没有可以归类的答案。无怪乎各法院以这个原则处理的案件，从整体来看，都拒绝在一种限定"均码"的原则中进行原理性的合理解释。See Colby v. J. C. Penney Co., 811 F. 2d 1119, 1125 (7th Cir. 1987) （注释说"这些案例中没有产生出统一的款式"；Ethnic Employees of Library of Congress v. Boorstin, 751 F. 2d 1405, 1411 n. 8 (D. C. Cir. 1985) （说明实际代表原则是一项"范围高度不确定"的规则）；See also Bone, supra. 67 N. Y. U. L. Rev. at 220 （承认缺少清晰的基准体系）。总而言之，实际代表最好被理解为一种衡平的理论，而不是一项轮廓清晰、边界分明、仅凭事实即可断定的硬梆梆的规则。这样，某当事人作为某非当事人实际代表的地位必须按照具体案件具体分析的原则来确定。see Bonilla Romero, 836 F. 2d at 43.

尽管需要坚持个性化的解释，但是仍有一根红线把形形色色的案件穿在一起：实际代表有一个明确的衡平维度。因此无论是否存在利益的一致性，实际代表都不用于阻碍非当事人起诉，除非非当事人接受过关于前次诉讼的实际的或符合构成要件的通知（actual or constructual notice），[1] 而相对平衡的法码是向支持排除的一端倾斜的。例如，法院在非当事人已经实际地或默示地同意受前次诉讼结果的约束的情形下适用过这一原则See e. g., Boyd v. Jamaica Plain Co－op Bank, 386 N. E. 2d 775, 778－81 (Mass. App. Ct. 1979)；See also Benson &

---

[1] 通知是一个非常重要的因素。作为Aerojet案的可能的例外，511 F. 2d 710, 710 (5th Cir.) （该案是自从被第五巡回法院狭义解释该规则之后的一个案件），律师没有向我们引证任何这样的判例，即法院在非当事人未接受关于前次诉讼的及时的通知（实际的或符合构成要件的），即根据实际代表的理论排除非当事人。

Ford，833 F. 2d at 1176，（认定"默示同意"为适用实际代表规则的案件的一个特征）；或者，第一次诉讼中的当事人对提起产生于同一争议的继后诉讼的非当事人负有责任，法院在存在这种关系的情形下也适用过这一原则 Pollard，578 F. 2d at 1008；See also In re Medomak Canning Co.，922 F. 2d 895，900 – 01（1st Cir. 1990）（认为破产案件中的债权人由受托人所代表，因为受托人与债权人之间存在一种信托关系）；或者，在当事人与非当事人之间存在特定家庭关系的情形下，See，e. g.，Eubanks v. FEIC，977 F. 2d 166，170（5th Cir. 1992）（认为妻子受丈夫在前次诉讼中的破产结果的拘束）；Stone v. Williams，970 F. 2d 1043，1058 – 61（2d Cir. 1992）（死者的儿子受前次诉讼中关于继承判决的拘束），cert. denied，124 L. Ed. 2d 243，或者，法院觉察到默契的策划不公平地利用技术上的非当事人地位以获得多次占用诉讼资源的机会，See，e. g.，Petit，766 F. Supp. at 611 – 13；Crane v. Comm'r of Dep't of Agric.，602 F. Supp. 280，286 – 88（D. Me. 1985）；Bone，supra，at 222。所有上述情形中都暗含了实际通知或构成性通知的存在。

我们已经考虑过而且否定了另一种可能的共同特征。一些法院建议，代表的充分性也是适用实际代表原则排除非当事人的一个条件。See，e. g.，Clark v. Amoco Prods. Co.，794 F. 2d 967，973 – 74（5th Cir. 1986）（认为实际代表与关于"相互关系"一致性的普通法理论十分相似……只有在利益被充分代表的情况下才实际存在）；Delta Air Lines，Inc. v. McCoy Restaurants，Inc.，708 F. 2d 582，587（11th Cir. 1983）（因为非当事人未被"充分代表"而认定没有实际代表关系。）然而，适当的观点是，代表的充分性本身不是适用实际代表原则的一项独立的和硬性的条件，[1] 尽管它是要求法院在试图维持衡平时应当考量的一个因素。

根据这些判例，似乎不能令人信服地说冈萨雷斯的原告们已经被罗德里斯的原告们实际地代表了，不管两组原告之间是否具有利益的一致性。在此，衡平的忠告非常强烈地反对运用实际代表的理论。首先，没有证据显示冈萨雷斯的原告们被及时地告知过第一次诉讼；其次，当事人独立性是一个无可回避的事实，罗德里斯的原告们对冈萨雷斯的原告们不承担法律上的责任，也没有以任何其他方式对其负责，对当事人独立性的衡量也强烈地反对认定实际代表；第三，两组原

---

〔1〕 相反的观点会与一般原则格格不入（fly in the teeth of the general rule），在民事诉讼中，律师的过错通常是由客户承受。See，e. g.，Link v. Wabash R. R. 370 U. S. 626，633 – 36，8 L. Ed. 2d 734，82 S. Ct. 1386（1961）；Thibeault v. Spuare D Co.，960 F. 2d 239，242（1st Cir. 1992）. 适用实际代表的原则框架是当事人与非当事人享有一致利益而要求告知进行权衡和衡平考虑，我们不明白，为什么在这一原则框架中，非当事人应当基于这种考虑而与当事人区别对待。

告之间缺少特定的亲密关系（他们大部分是被无道的牧羊人拴在同一个羊圈里伺机逃跑的互不相干的羔羊），对这一因素的考量也反对认定实际代表；第四，冈萨雷斯的原告们从未同意——无论默示地或构成性地——受前次诉讼判决的拘束，这一事实也十分重要，特别是因为他们实际上发动了继后诉讼，而前次诉讼仍在系属之中；最后，上诉人寻求加入罗德里斯的诉讼远非以不公平地获得司法资源为目的而酝酿的默契策略，而且这一努力由于被告的反对以及地区法院和被告的并肩阻击而遭到挫败。

当然，假如考虑到实际代表的裁量性特征，我们就不会仅仅因为一个案件不能恰如其分地套用某一规则的模具或者正巧反映了某种既定的事实模式，就得出结论认为该案超出了某一规则的范围。然而，在这里，事件本身的关联性决定，把实际代表规则引入本案是不适当的。地区法院在拒绝认可该案为集团诉讼之后，又禁止上诉人参加原诉讼，到后来又阻止他们提起他们自己的诉讼，这种两头夹击的做法将上诉人置于一种进退维谷的境地。如果没有集团诉讼，及符合集团诉讼特征的所有保障，比如见规则23我们不能认为正当程序条款与这种典型相容。在任何情况下，像本案这样剥夺这些原告们亲自出庭权利的现象都是违反我们关于正义和公平的集体意识。因此，我们认为，实际代表理论不能为排除上诉人实现他们的诉讼镀上一层合法的光泽。

Ⅲ. 结　论

我们勿须走得更远。因为上诉人既不是原诉讼的当事人，也不是在原诉讼原告的"相互关系"人，地区法院根据既判力原理驳回他们的诉讼是错误的。撤销原判，案件发回进一步审理。诉讼费用判予上诉人（Costs to appellants）。

注释与问题

我们遇到过非当事人何时受过去判决拘束的问题。回顾一下我们的第一个案例，美国诉霍尔（United States v. Hall）。塞利亚法官在冈萨雷斯案中的分析与威兹德姆法官在霍尔案中的分析是否一致？塞利亚法官是如何定义相互关系人的？这一定义是否适用于霍尔先生？我们会在最后一章中再回到这个问题上来，因为它是在围绕集团诉讼的争议中的核心问题。参见第十一章。

四、问题回顾

1. 假定克里夫兰市一案中的原告败诉，市政府曾经在评价上诉人的消防员资格时做过一种选择，但它后来变更了它的程序选择，包括形成新的身体灵敏度的测试，这一新的测试，就像原来的一样，只是检测知觉的能力而不是耐力。同一组原告能够诉市政、主张新的测试非法歧视妇女吗？或者她们会受到请求排除吗？

2. 假如在克里夫兰市一案中败诉的3名女性消防员是美籍非洲人，在巴巴拉·佐尔诉克里夫兰市政府之后，这些妇女能够提起针对市政府的继后诉讼、主张消防员测试是对美籍非洲人的歧视吗？

3. 现在让我们转向卡彭特诉迪一案的事实。假设在提起诉讼之前，南希·卡彭特的律师获悉卡彭特夫人已经在小额诉讼法庭起诉了迪，主张它对她的丈夫之死负责，在一次庭审之后（这次庭审当事人都亲自出庭）获得 2000 美元的赔偿（这是该法庭能够支持的最大限额）。提议向麻省上等法院（拥有一般管辖权的法院）提起诉讼意味着什么？

4. 假如南希·卡彭特依据警察的失职而在上等法院提起针对洛厄尔市政府的诉讼，警察在迪正运行他的吉普车时本来应当阻止他，并警告他运输工具非法地更改过，或者应采取过其他行动，以防止它在危险的状态中运行。初审法院根据被告的 12（b）（6）动议驳回了这一诉讼，法院的依据是由上等法院的一个旧案判决，该判决认为，市政府对于其职员的过失不负责任。该案没有上诉，终局判决市政府胜诉。一周后，上等法院在一个与之无关的案件中更改了先前的判例，宣告一项新的规则，市政对于其机构和雇员的过失承担责任。南希·卡彭特能利用这一新的发展吗？为什么？既然导致卡彭特败诉的判决是根据一项被废除的法律原则作出的，那么为什么正义不要求卡彭特再获得一次司法救济呢？当你解读 Federated Department Stores v. Motie 一案时，请记住这些问题。

第三节 争点排除（间接禁反言）

大卫·P·霍尔特诉珍妮弗·霍尔特
David P. Hoult v. Jennifer Hoult
157 F. 3d（1st Cir. 1998）

巡回法官鲍汀（Boudin）：

1988 年 7 月，珍妮弗·霍尔特在她 27 岁的时候，向地区法院针对她父亲大卫·霍尔特提起诉讼，诉称他对她实施强暴和殴打、故意施加精神折磨、违反监护（fiduciary）义务。为了支持这一请求，她还声称，父亲自她 4 岁开始直至 16 岁，对她实施性虐待、强奸和胁迫。

制定法的限制提出了一个明显的障碍。珍妮弗·霍尔特努力逾越这一障碍，她证明，她所诉称的虐待致使她对这些事件的记忆受到抑制，直到她在 1985 年 10 月的治疗期间开始再度体验那些记忆。See M. G. L. 260 § 4C. 关于记忆的受抑制的主张在初审时已经心理学家雷内·布兰特博士（Dr. Renee Brandt）的笔录证言所支持，雷内·布兰特博士是作为关于由损伤性虐待所产生的抑制问题的专家证人出庭的。

1993年6月,地区法院进行了为期8天的陪审审判,珍妮弗·霍尔特在审判中始终作证,对她所声称的她的父亲的虐待行为进行了广泛而详细的描述,除其他形式的虐待外,她还证实了5次情节特别的强奸,这些证言得到她过去的治疗医生和布兰特博士证言的支持。在抗辩中,大卫·霍尔特为他自己作证,苍白无力地否认这些主张,但未提供其他证人。

1993年7月1日,陪审团作出了支持珍妮弗·霍尔特的判决,并裁判支付50万美元的损害赔偿。这一裁判是依据一项由陪审团单独认定接受制定法时效的抗辩而作出的;结果陪审团认定,珍妮弗·霍尔特关于虐待的记忆直到这些记忆在时效期间内重新恢复之前一直受到抑制。大卫·霍尔特就判他败诉的判决和驳回其重新审判的动议的裁决提起上诉,但两项上诉均由于缺少控诉而最终被驳回。

后来,珍妮弗·霍尔特给几位职业协会写信,复述了她对她父亲的强奸控告。大卫·霍尔特于是向地区法院提起了针对珍妮弗·霍尔特的本案诉讼,诉称她对他的强奸指控是对他的诽谤。珍妮弗·霍尔特动议驳回其诉讼,其根据是陪审团已经在她前面的暴力诉讼中已经认定了大卫·霍尔特对她的强奸,大卫·霍尔特由于受间接禁反言的阻碍而不能对此认定再次起诉。

起初,地区法院拒绝了驳回诉讼的动议,说,在初审中举出的证据本来能够导致陪审团因大卫·霍尔特曾"以一种不构成强奸的方式"对珍妮弗·霍尔特实施性虐待而判令其承担责任,或者,陪审团本来能够根据珍妮弗·霍尔特的证言——大卫·霍尔特甚至还"以杀死她作威胁、拿着刀在房间里追赶她、以性爱的方式猥亵她、在其他情况下还使用暴力和强制",对她实施性虐待——而判令承担责任。

珍妮弗·霍尔特在提请法院重新考虑的动议时主张,陪审团关于抑制的事实的认定必不可少地依据了布兰特博士的专家意见,而不是制定法的限定的抗辩,专家意见认为抑制的形成需要性虐待的"重复行为";而惟一重复的性虐待行为(珍妮弗·霍尔特主张)就是她所描述的5次分别的强奸行为。地区法院接受了这一主张,准允了珍妮弗·霍尔特驳回诉讼的动议,大卫·霍尔特对此提起上诉。

对于间接禁反言的法律原理完全没有争议,我们对此仅作简要阐述。问题在于这一原理是否适用于本案……除了某些例外,关于"争点排除"的一般原理是:当一项事实或法律争议实际上业经诉讼并且业经生效的和终局的判决确定,而且这一确定对于判决至关重要时,这一确定在当事人之间的继后诉讼中即具有终结性,无论其针对的同一请求还是不同请求。 (第二次)判决重述§27

（1982）。任何一方对这一公式都没有争议。

　　大卫·霍尔特……说，没有证据证明陪审团曾经确定过大卫·霍尔特犯有所声称的强奸行为，地区法官在最初拒绝驳回诉讼的裁定中也是这么说的。当珍妮弗·霍尔特这一方援引间接禁反言规则以确立陪审团在原诉讼中做过这一决定时，证明负担在珍妮弗·霍尔特一方。See Commercial Associates v. Tilcon Gammino, Inc., 998 F. 2d 1092, 1098（1st Cir. 1993）。

　　应当承认，陪审团没有明确认定发生过强奸，然而，"即使一项争议没有明确决定，也可能（在适用禁反言的意义上）被'实际上'决定过，因为它可能构成了——逻辑地或实际地——形成判决的必不可少的元素（component）"。Dennis v. Rhode Island Hospital Trust National Bank, 744 F. 2d 893, 899（1st Cir. 1984）。第二个案件的法院的可以审查前案判决的全部记录，以确定"一个理性（rational）的陪审团是否本来就应当对一项争议作出过判决，而不是像（动议方当事人）谋求确认的那样未予考虑"。Ashe v. Swenson, 397 U. S. 436（1970）。

　　陪审团在前一次诉讼中是否确实认定过或者应当认定过强奸问题是一个事实问题。然而，当某一问题能够仅仅通过查阅先前审理的文字记录即可回答时，上诉法院倾向于对地区法院的裁决进行全面审查。难度更大的前提性问题是，陪审团对于争议事实的认定应当清晰到什么程度。经常被法院引用的洛德·柯克（Lord Coke）的格言是，"禁反言必须'对于任何目的而言都是确定的'"。Russell v. Place, 94 U. S.（4 Otto）606, 610, 24 L. Ed. 214（1876）。

　　这一要求比普遍适用于民事事项中的"比没有更可能"（more likely than not）的标准要高，不过这是只能意会的标准。告诉当事人系属案件中的一项重要事实无法证明或抗辩是重要的一步，一直以来，法院只有在确定争议在前一案件（通常是涉及相同的双方当事人的案件）中已经决定过才愿意走出这一步……法院在面对前一案件中作出的一般判决时，普遍会问，一项认定对于判决而言是否"必不可少"，而这一问题主要通过看看指示和结果而获得答案。然而，如果一项认定在引致事实认定者作出判决的道路上居于中心地位，那么这项认定就是"必不可少"的，即使"能够以另一种不同的、更加快捷的途径获得"这一结果。Commercial Associates v. Tilcon Gammino, Inc., 998 F. 2d 1092, 1097（1st Cir. 1993）。在决定陪审团是否确实是作出过或者主要依赖于一项未予明确表达的认定时，适当的做法是——正如 Dennis 一案所述的那样，不仅要考虑什么是"逻辑地""作出判决的必不可少的元素"，而且要考虑什么是"实际地""作出判决的必不可少的元素"。Dennis, 744 F. 2d at 899.

　　在此，在珍妮弗·霍尔特案件中居于核心地位的是强奸指控。她的律师在公开的声明中说，珍妮弗·霍尔特不得不带着她父亲的"强奸、折磨和性虐待的记忆"以及她父亲曾经与她的"性交"而生活着。防御律师则答辩说，珍妮弗·霍尔特不可能像她曾经声称的那样"被她的父亲强奸3000次"，而且他许诺会提出证据证明，不可能有如此多次的强奸发生而不被家庭其他成员察觉。

珍妮弗·霍尔特于是特别地就5次强奸作证，并说明还有其他类似的强奸发生，她记不清细节了，她在一次由被告律师进行的交叉询问中说：

> 根据我关于他攻击我的具体记忆和根据我的感觉，以及我生活中的整体记忆，我知道他的强暴就是家常便饭，他的强奸——甚至更狭窄的定义（仅仅是性交）——都是他强暴我的一种固定的方式。

在最后的陈述中，被告的律师首先发言，他开门见山地说：

> 珍妮弗特别地主张，她的父亲对她实施了性虐待。珍妮弗还更加专门地强调声明，她的父亲强奸了她，现在我要提醒各位注意，就像我在开始的陈述中提出的那样，珍妮弗把强奸描述成为强制的会阴交媾。

珍妮弗·霍尔特的律师在反诘中说道："这不是涉及拥抱和亲吻的事情，她是在主张他强奸了她。他强奸了她。那不是在不适当地拥抱和亲吻。"

进一步的考虑是在制定法限制问题上 Dr. Brandt 的证词和陪审团的认定，地区法院强调了这一点。布兰特博士作证说，重复的性虐待能够导致抑制对虐待的记忆，而珍妮弗·霍尔特的症兆与这种综合症状"相互关联"。在认定适用制定法限制时，惟一似乎令人信服的解释是陪审团将珍妮弗·霍尔特的证词作为强奸接受了，这些是她作证证明的重复虐待的突出的和具体的行为。

从理论上说，陪审团应当能够得出结论说，珍妮弗·霍尔特已经编造了或设想了强奸的事实，也应当可以认定抑制记忆的事实并且因为不适当的爱抚（fondlings）和威胁或者暴力行为而作出给予50万美元赔偿的判决。然而，这是对审判作出的一个完全不实际的估计，在这次审判中，强奸是中心的和关键性的争议，而爱抚只是强奸的表象，与强奸相联系的是暴力（无论是强奸的一部分，还是迫使保持沉默）。在我们看来，陪审团必须决定是否发生过强奸。

本案打着诽谤诉讼的晃子，谋求重新审判相同当事人之间的在先前强暴诉讼中的核心事实。那个争议——最后在两个对立的当事人之间确实对抗过——已经由陪审团在第一次审判中解决了。无论陪审团的判决正确或者错误，它关于已经发生的事件的决定现在都不再留待再次诉讼米解决。

维持原判。

注释与问题

1. 霍尔特案说明，在前次判决是（陪审团的）总体裁判时（通常情况正是如此）适用争点排除原理可能产生的难题。鲍汀法官是如何重构陪审团已在作出前次裁判时已经决定的事项的？

2. 读一读联邦规则49，这一条款授权裁量性地运用具体裁判以及与总体裁判相应的法庭询问。这种对总体裁判的变通有什么优点和缺点？参见马克·布罗丁：“诉讼过程中的准确、效率和释明义务——作出事实裁判的案件"[Mark S. Brodin, Accuracy, Efficiency, and Accountability in the Litigation Process——The Case for the Fact Verdict, 59 U. Conn. Rev. 15 (1990)]。

3. 用排除争点是否剥夺了大卫·霍尔特的"正当法律程序"？

帕克雷恩·霍谢瑞有限责任公司诉肖尔

Parklane Hosiery Co., Inc. v. Shore
439 U. S. 322 (1979)

大法官斯图尔特制作最高法院意见书：

本案提出的问题是，一方当事人在衡平诉讼中已经获得就事实争议作出的不利于本方的判决，在由一个新的当事人针对他提起的继后诉讼中，是否可以被间接禁反言排除在陪审团面前就同一争点再次诉讼。

答辩人向一家联邦地区法院提起了这一针对申诉人的股份持有人集团诉讼。起诉状声称，申诉人帕克雷恩·霍谢瑞有限责任公司（下称帕克雷恩公司）和它的13名官员、领导及股份持有人曾经发出一个重大虚假和具有误导性的与一次兼并有关的代理人声明（proxy statement）。据起诉状所述，该代理人声明违反了《1934年证券交易法案》(the Securities Exchange Act of 1934) 14 (a) 节、10 (b) 节、20 (c) 节的规定及其补充条款《法规大全》第48卷 (48 Stat.) 895条、891条和899条，美国法典第15编第78n (a) 节、第78j (b) 节和第78t (a) 节，以及由"证券与交易委员会"（下称证交会）颁布的各种规范和规章。起诉状诉求损害赔偿、撤销兼并、补偿成本。

在本案进入审判之前，证交会在向联邦地区法院提起的针对同一被告的诉讼中主张，帕克雷恩公司发出的代理人声明，特别是在答辩人起诉状中主张的那些方面，是重大虚假和误导性的，请求给予禁令性救济。在为时4天的庭审之后，地区法院认定，帕克雷恩公司发出的代理人声明在主张的那些方面具有重大虚假和误导性，并据此作出宣告性判决。第二巡回法院维持了这一判决。在本案中的答辩人随后动议作出不利于申诉人的部分即决判决，声称申诉人受间接禁反言的阻碍，不能将再次就这一争点进行诉讼，这一争点已经在由证交会提起的诉讼中解决过并作出了不利于自己的判决。[1] 地区法院驳回了这一动议，其根据是如此适用间接禁反言会拒绝申诉人依据第七修正案享有的陪审团审判的权利。第二巡回法院撤销了这一判决，认定，在没有陪审团的审判中，一次全面和公平的机会诉讼之后受到就事实争点作出的不利判决的当事人，受制于间接禁反言而不能获得陪审团对这些相同事实的继后审判。该上诉法院的结论是，"第七修正案只是在事实方面保留陪审团审判的权利，一旦这些争议已经在前次诉讼中被全面而公平地裁决过，就没有什么留待陪审团审判了，无论有没有陪审团都一样"。因为巡回法院之间存在着意见冲突，所以我们同意发出调卷令。

I

必须考虑的前提性问题是，除了根据第七修正案享有的陪审团审判的权利这一问题之外，按照间接禁反言的一般法律，是否排除申诉人就那些已在其与另一方当事人之间的先前衡平诉讼中获得不利于本方的解决的事实再次诉讼。特别是我们必须确定，某诉讼当事人不是前一判决中的一方当事人，是否可以"攻击性地"（offensively）用该判决来阻止被告就已在前次诉讼中解决的问题再次诉讼。[2]

A

间接禁反言就像与之相关的既判力原理[3]一样，在保护当事人方面有着双重目的，一是使之免受与同一当事人或他的相互关系人之间就同一争点重复诉讼的负担，二是通过避免不必要的诉讼而促进司法经济。（见布朗德尔案，Blonder-Tongue Laboratories, Inc. v. University of Illinois Foundation, 402 U. S. 313, 328-329.）然而，直到前不久，间接禁反言还受到当事人对等性（mutuality of parties）原理的限制。根据对等性原理，除非双方当事人均受该判决的拘束，否则任何一方当事人都不能使用前一判决作为禁止推翻的事实（estoppel）来对抗另一方。允许一方当事人使用他自己不受其拘束的先前判决有些不公平。[4] 根

---

〔1〕 在根据代理人规则提起的诉讼中的私人原告仅仅证明代理人的引诱具有重大虚假和误导性没有权利获得救济。原告还必证他受到了损害（injured）并证明损害赔偿（damages）。Mills v. Electric Auto-Lite Co., 396 U. S. 375, 386-390. 由于 SEC 诉讼限于确定代理人声明中是否包括重大虚假和误导性信息，因而答辩人承认他会继续证明在私人诉讼中构成表面事实案件（prima facie case）的其他要素，没有对在那些余留的争点上申诉人的陪审团审判权利提出抗辩。

〔2〕 在这种语境下，当原告谋求阻止被告提交该被告已在先前与他人的诉讼中不成功地争讼过的某一争点再次提交争讼的时候，就使用攻击性间接禁反言。

〔3〕 根据既判力原理，在前次诉讼中就实质性问题作出的判决阻止涉及相同当事人或他们的利害关系人根据相同诉因提起第二次诉讼。另一方面，根据间接禁反言原理，第二次诉讼是根据不同的诉因，前次诉讼的判决排除实际上诉讼过并为第一次诉讼结果所必须的争点。

〔4〕 一项判决拘束不是前案一方当事人或利害关系人因而从未有过受听审机会的诉讼当事人是违反正当程序的。Blonder-Tongue Laboratories, Inc. v. University of Illinois Foundation, 402 U. S. 313, 329; Hansberry v. Lee, 311 U. S. 32, 40.

据这一前提，对等性要求为已经在前次案件中败诉的一方当事人提供了与新的当事人就相同争点再次诉讼的机会。

对等性的要求不承认从未就一个争点进行过诉讼的当事人与完全（fully）诉讼过并已败诉的当事人之间在地位上的差异，使它几乎自出笼之始就遭到批评。本院在见布朗德尔案（Blonder-Tongue Laboratories, Inc. v. University of Illinois Foundation, supra）中认同了这种批评的效力，废除了对等性条件，至少在那些联邦法院在前次案件中已宣告专利无效后专利所有人诉求就专利的有效性再次诉讼的那些案件中废除了这一条件。然而，摆在本院面前的"更宽泛的问题"是，"就同一争议给予一方当事人的司法解决多于一次全面而公平的机会是否站得住脚。402 U. S., at 328. 本院鲜明地表明了对这一问题的否定回答：

> 在任何诉讼案件中，当被告因对等性原则而被迫就原告已经在前次诉讼中全面诉讼过并且败诉的请求中的实质性问题提出全面防御时，就存在一种值得质疑的资源配置错误。从某种程度上说，第二次诉讼中的被告如果无可辩驳地声称，原告在先前诉讼中全面而公平地、却失败地就同一请求进行过诉讼，被告的时间和金钱的投入由其他用途——生产或其他——转向对已决争议的再次诉讼，被告可能不会因为提出这种主张而获胜。再假定该争点在第一次诉讼中已被正确地解决，那么有理由关注原告的资源配置。只要提供一个不相关的被告就允许对同一争点重复诉讼，将会支持对游戏桌的氛围的反映，或对"下级法院缺少规矩和公正不倚（disinterestedness）、缺乏有价值或有智慧的程序规则基础"的反映。Kerotest Mfg. Co. v. C-O-Two Co., 342 U. S. 180, 185（1952）. 尽管法官、当事人、或对抗制都不是在所有案件中都表现得无懈可击，但最重要的保障是确定被声称受禁反言规则禁止的当事人是否有过完全和公平的机会进行诉讼的条件。Id., at 329. n. 10.

B

布朗德尔案涉及到防御性地使用间接禁反言——禁止原告提出原告已在前次诉讼过并已失败的请求来对抗另一被告。这里的案件与之不同，它涉及到攻击性地使用禁反言——原告谋求阻止被告再次提交被告在前次诉讼过并已失败的争议以对抗另一原告。在攻击性和防御性使用的两种情形下，受禁反言阻碍的当事人都已在前次案件中诉讼过并已败诉。尽管如此，对两种情况进行不同处理仍有几个理由：

首先，攻击性地使用禁反言不能像防御性使用这一规则那样促进司法经济。使用防御性禁反言排除原告再次就相同争点进行诉讼仅仅是通过"转换对抗性"（switching adversaries）的方式进行的（Bernhard v. Bank of America Nat. Trust ω Savings Assn., 19 Cal. 2d at 813 n. 12.），因此使用防御性禁反言给予原告一种强烈的激励使其尽最大可能参与所有潜在被告的前次诉讼中去。攻击性地使用禁反言则恰恰制造一种相反的激励。既然被告一旦败诉则原告就能够依赖于先前判决来对抗被告，而原告又不会受该判决的拘束，那么原告就有无数个动机采取坐山观虎斗的态度，寄希望于由另一原告提起的诉讼产生有利的判决，从而坐收渔翁之利。因此使用攻击性禁反言可能增加而不是减少诉讼总额，因为潜在原告们不参加第一次诉讼对自己有百利而无一害。

反对使用攻击性禁反言的第二个理由是这会对被告不公平。如果第一次诉讼中的被告诉求小额损害赔偿或名誉损害赔偿，那么他可能很少有动机作出充分的防御，特别是如果未来的诉讼是不可预见的时候更是如此。假如被当作禁反言的根据所依赖的那个判决本身与有利于被告的一个或多个先前判决不一致，那么允许使用攻击性禁反言对于这些被告就不公平。[1] 在另一种情形下适用攻击性使用禁反言也可能产生不公平，就是第二次诉讼给被告提供了在第一次诉讼中无法获得的、本来会产生不同结果的程序上的机会。[2]

C

我们有过结论，联邦法院处理这些问题的适宜方式是不排除攻击性禁反言的适用，但在决定何时应当适用时赋予初审法院广泛的自由裁量权。一般规则应当是，在原告能够轻易地参与前次诉讼的那些案件中，或者基于上面已讨论过的任何理由或其他理由，适用攻击性禁反言会产生对被告不公平时，初审法官不应当允许适用攻击性禁反言。

然而，本案没有显示有什么情况可以成为不允许适用攻击性禁反言的正当理由。既然答辩人可能无法参加到由证交会提起的禁令诉讼之中，即使他希望如此也枉然，因而在此适用攻击性禁反言不会让本来能够参与前次诉讼却未参加的私人原告占便宜。同样，本案在适用攻击性禁反言方面也不会对于申诉人有什么不公平。首先，根据证交会针对申诉人提起的起诉状中的严正声明，以及通常对一项成功的政府判决之后即会提起私人诉讼的可预见性，申诉人的任何一种动因都会刺激他对证交会的诉讼提出全面而积极的诉讼。[3] 其次，证交会案件的判决

---

[1] 在柯里（Currie）教授为人熟知的例子中，一次铁路事故伤害了50名乘客，他们全都提起了针对铁路的单独诉讼。在铁路赢了前面25案件时，一位原告在第26个诉讼中胜诉。柯里教授论证说，攻击性在使用禁反言不应当被用来使第27至50的案件中的原告自动地获得赔偿。Currie, Mutuality of Estoppel: Limits of the Bernhard doctrine, 9 Stan. L. Rev. 281, 304 (1957).

[2] 比如，如果第一次诉讼中的被告被迫在一种不方便的管辖地进行防御，因而不能进行全方位的证据开示或传唤证人，那么使用攻击性禁反言可能是没有保障的。可获得的程序之间的差异可能有时为适用禁反言提供正当理由，这些情况包括允许一项先前判决在后面的诉讼中即使在相同当事人之间产生禁反言效力，或者防御性禁反言被用来对抗已经诉讼过并已败诉的原告，然而，由于主张禁反言来对抗的被告一般不会有选择第一次诉讼地点的机会，因而不公平的问题在攻击性禁反言的场合变得尤其尖锐。

[3] 在申诉人有任何机会提出证据和传唤证人的4天初审之后，地区法院认定支持了证交会。申诉人随后向第二巡回法院上诉，该院维持了对它不利的判决。再者，申诉人已经知道了由答辩人提起的诉讼，因为这一诉讼已经在证交会诉讼之前就开始了。

没有与任何先前的判决不一致。最后，申诉人不会在答辩人的诉讼中获得其在第一次诉讼中没有获得从而导致不同结果的某种程序机会。[1]

因此，我们认定，没有任何一种考量会为拒绝允许在本案中适用攻击性禁反言提供正当理由。既然申诉人已受到过一次把主张放在证交会案件中提交诉讼的"全面而公平"的机会，因而关于禁反言的现行法律引致一个不可避免的结论：申诉人受到间接禁反言的阻止，不能就代理人陈述是否有重大虚假和误导性的问题进行再次诉讼。

II

剩下的问题是，不管关于间接禁反言的法律是什么，在本案中适用防御性禁反言是否侵犯申诉人第七修正案确定的陪审团审判的权利。[2]

A

"推行第七修正案是为了保障1791年开始存在的陪审团审判的权利"。（Curtis v. Loether, 415 U. S. 189, 193.）在普通法上，当事人没有权利获得陪审团来决定先前已经由衡平法官判决过的问题。

认同衡平法判决不能在继后普通法诉讼中具有间接禁反言效力，是本院在比肯电影院一案（Beacon Theatres, Inc. v. Westover, 359 U. S. 500）中作出判决的前提……

B

在历史上和本院近来的判例法中都可以找到强有力的依据，表明衡平判决在继后普通法诉讼中具有间接禁反言的效力。尽管如此，但本案中申诉人仍然主张，适用间接禁反言侵犯了他们根据第七修正享有的陪审团审判的权利。申诉人辩称，既然修正案的范围必须根据普通法来确定，这一范围在1971年即已存在，既然普通法允许间接禁反言仅仅当存在当事人对等性时才能适用，因而当缺少这种对等性时，适用间接禁反言就不具有合宪性。

然而，申诉人没有进一步提出具有说服力的理由，为什么第七修正案的含义应当取决于是否存在当事人的对等性。在衡平诉讼中由于不利事实认定而败诉的一方当事人也同样被剥夺了陪审团审判的权利，无论是针对相同的当事人还是新的当事人，再次将这些事实争议提交审理都受到禁反言规则的禁止。在二者中的

---

〔1〕 的确，如果证交会诉讼从未提出过涉及代理人陈述是否有重大虚假和误导的问题，申诉人在当前的诉讼中的确有权就此问题获得陪审团审判的权利，这一问题在意见书的第二部分中讨论。然而，有或没有陪审团作为事实认定者，则基本上是中性色彩的，这不象抵御在不方便法院地进行的第一次诉讼那样必不可少。

〔2〕 第七修正案规定："在普通法诉讼中，当争议价值超过20美元时，得保留陪审团审判的权利……"

任何一种案件中，被主张受禁反言规则禁止的那一方当事人都已经在前次案件中诉讼过这些事实问题并且已经使事实决定对自己不利。在任何一种案件中，都已没有什么再让陪审团行使事实认定职能，因为普通的事实争议已经在先前的诉讼中解决了。

对于第七修正案从未有过像申诉人主张的那样生硬的解释，相反，自1791年以来形成的许多程序措施都排除了民事陪审的历史性主导地位，这些措施从未被认为与第七修正案相悖。见 Calloway v. United States, 319 U. S. 372, 388－393（受法官指示的陪审团判决不违反第七修正案）；Casoline Products Co. v. Champlin Refining Co., 283 U. S. 494, 497－498（重新审判限于损害赔偿问题不违反第七修正案，即使普通法上没有部分撤销陪审团审判的实践）；Fidelity & Deposit Co. v. United States, 187 U. S. 315, 319－321（即决判决不违反第七修正案）。

卡洛维案（Calloway）具有特别的指导性。在该案中，当事人获得了一个不利于自己的受指示的陪审团裁判，主张这一程序违反了第七修正案。本院在驳回这一主张时说：

> 修正案并没有把联邦法院束缚在根据1791年普通法确定的陪审团审判中的具体程序细节上，而是把他们约束在当时盛行的普通法制度诉答规则或证据的具体规则上。当时盛行的"普通法规则"，包括那些由法院用于在事实问题上规制陪审团作用的程序，并未凝结为固定的和一成不变的制度……
>
> 我们认为更符合逻辑、历史和本院的先例都支持的结论是，修正案的设计目标是在那些最根本的要素上维护基本的陪审团审判制度，而不是一大堆程序形式和细节，甚至因此在普通法裁判之间有如此广泛的差异。319 U. S., at 390, 392（注释省略）。

就像在其他程序领域定义陪审团职能范围的法律一样，间接禁反言的法律自1791年以来开始演进。根据卡洛维案的基本原理，这些发展并不仅仅因为其在1791年时不存在而与第七修正案相悖。因此，正如我们已经认定的那样，如果间接禁反言的法律禁止申诉人将那些在证交会诉讼中决定过的不利于他们的事实争议再次提交审理，那么第七修正案中的任何信息都没有给出不同的指示，即使是因为在1791年间接禁反言产生的时候还没有对等性的问题。

维持上诉法院的判决。

大法官伦奎斯特，反对意见：

我承认，本案由联邦司法机构作出的对申诉人的陪审团审判要求的处理难以令人产生义愤（to be outraged about），义愤是一种在涉及证券欺诈诉讼中的公司/被告时几乎不可能产生的情绪，本案也不例外。然而，申诉人所受到的不公平的处理方式的令人恼火的感觉没有因本院对本案争议的冷静分析而消解，这种恼人的感觉产生于上诉法院根据本案诉讼各打五十大板（Heads I win, tails you lose）的理论给予答辩人的许可。也许，如果这个国家今天采纳一部新宪法，那么保障民事案件在联邦法院中适用陪审团审判的权利的第七修正案不会被包括在它的条款之中。然而，对于这种效力表现出的任何情绪都不能妨碍或淡化我们执行第七修正案的义务，这一义务包含在1791年《权利法案》之中并且还没有以宪法废除其条款的惟一方式加以废除。

普通法上的民事案件由陪审团审判的权利对于我们的历史和法理都是根本性的，然而，今天本院把这一被布莱克斯通（Blackstone）赞美为"英国法律的光荣"的有价值的权利降低为仅仅是一种"中性色彩的"（neutral）的因素，并以程序改革的名义否定了大量案件中的被告适用陪审团审判的权利，在这些案件的被告在迄今为止一直享受陪审团的审判。35年前，大法官布莱克（Black）先生哀叹"150年来渐渐的司法侵蚀过程缓缓地削减了第七修正案基本保障中的主要部分"。Calloway v. United States, 319 U. S. 372, 397 (1943)（反对意见）遗憾的是，本案的决定继续着这种侵蚀过程。〔1〕

第七修正案规定：

> 在普通法上的诉讼，争议价值超过20美元者，得保留陪审团审判的权利，经陪审团审判的事实不得在美国的任何法院接受其他方式的再次审查，除非根据普通法的规则……

也许200多年的岁月已经抹去了人们对历史事件的记忆，陪审团审判的权利曾经被殖民者如此崇敬地掌握着，以至于在英国人手中当这项权利被剥夺成为导致与英国人分裂的重要的不满之一。殖民管理者广泛使用以减弱殖民者的陪审团审判权利的副海军上将法院（vice-admiralty courts）被列入《独立宣言》公开谴责的英国人具体的恶行之中。战争爆发后，13个新成立的州都把保留民事陪审团制度放在优先突出的位置，其中10个州明确地在他们的州宪法中保障了陪审团审判的权利，另外3个州则以制定法或普通法实践的方式加以承认。的确"由陪审团审判的权利可能是惟一被第一批美国各州宪法一致保障的权利"。L. Levy, Legacy of Suppression: Freedom of Speech and Press in Early American History 281 (1960)……

我们国家的缔造者把陪审团审判的权利看成是抵制专制和腐败的壁垒，是一个非常珍贵的安全保障，珍贵得不能留给对主权的幻想，或者再加上一点，珍贵得不能留给对司法者的幻想。那些热情倡导陪审团审判权利的人们没有这么做，

---

〔1〕 因为我相信，在这个具体案件中适用攻击性间接禁反言是不适当的，我没有必要决定我是否赞成它在被告的陪审团审判权利未受损害的情况下的适用。

因为他们认为陪审团是一种应当继续的熟悉的程序设计，对陪审团审判制度的关注产生了《独立宣言》和第七修正案的好几个段落，这种关注不是因为相信使用陪审团会导致更有效的司法行政管理而受到的鼓动，由外行陪审团而不是由君主的法官审判在创始人而言的重要性是因为陪审团代表外行的普通感觉，即"在我们本性中的情绪因素"，从而保障法律的管理符合社会的愿望和感觉。O. Holmes, Collected Legal Papers 237（1920）。那些喜欢陪审团的人相信，陪审团会达到一种法官不能或不会达到的结果。正是基于第七修正案所体现的这些价值，才应当，但显然没有，进入本院对本案的决定……

以现行原则判断，我认为本案申诉人依据第七修正案享有的陪审团审判的权利被拒绝了，这是很清楚的。无论答辩人还是本院都不怀疑，在1791年即已存在的普通法上，申诉人有权在私人诉讼中获得由陪审团来决定代理人的陈述是否如所声称的那样构成虚假和误导，理由是在1791年的普通法上，间接禁反言只允许在第一次诉讼的双方当事人与继后诉讼的双方当事人相同或有"相互关系"。直到1971年，对等性原理才被本院在某些有限的情形下废除。Blonder - Tongue Laboratories, Inc. v. University of Illinois Foundation, 402 U. S. 313. 然而间接禁反言原理在法官造法中的发展，无论怎样有益，也应当符合第七修正案，而不能把被告在1791年已经享有的陪审团审判的权利压缩在任何现实的模子之内。在当前的案件中，求助于间接禁反言原理只不过压缩了陪审团审判权利：它完全排除了这项权利因而与第七修正案相抵触。

即使接受多数派的立场，亦即在本案中没有违反修正案，我仍然不愿意在本案中制裁对间接禁反言的适用。本院今天认定：

> 一般规则应当是，在原告能够轻易地参与前次诉讼的那些案件中，或者基于上面已讨论过的任何理由或其他理由，适用攻击性禁反言会产生对被告不公平时，初审法官不应当允许适用攻击性禁反言。

Ante, at 331. 在我看来，在被谋划求适用禁反言的一方当事人还没有获得机会将其案件的事实提交陪审团决定之前适用攻击性间接禁反言是"不公平"的。既然在本案中申诉人没有获得在证交会诉讼中接受陪审团审判的权利，我不会禁止他们将那些在证交会诉讼中决定的争议重新提交给私人诉讼中的陪审团审理。我相信有几个因素的作用支持这一结果。

首先，在本案中使用攻击性禁反言与支持陪审团诉讼的强硬政策相抵触，即使如多数派所主张的那样不发生冲突，这样做也违反了第七修正案……

其次，我认为在第二次诉讼中陪审团审判的机会容易导致与第一次在法庭面前进行的诉讼的不同结果，因而禁止申诉人把这些问题重新提交陪审团审理是不公平的，这是《（第二次）判决重述》中采纳的立场，它不赞成当被告在第二次诉讼中有获得在第一次诉讼中未能获得的陪审团审判的机会时适用间接禁反言。本院接受这样的命题，即，"当被告在第一次诉讼中未能获得的陪审团审判而能够导致不同结果、在第二次诉讼中有获得陪审团审判机会时"，适用攻击性间接禁反言是不公平的。两次诉讼中证据开示机会的差异被引为允许攻击性禁反言会导致不公平的例证，然而在本院看来，申诉人在现在的诉讼中本来有权利获得陪审团不是这样的"程序（机会）"，因为"有或没有陪审团作为事实认定者，则基本上是中性色彩的，这不像抵御在不方便诉讼地进行的第一次诉讼那样必不可少"。

前面简要讨论了民事陪审团审判保障在我国的发展，由此可以明显看出，那些起草《独立宣言》和在宪法起草期间如此热情地争论宪法草案的人们会吃惊地知道有或没有陪审团只是"中性色彩的"，而能否获得证据开示，这个宪法没有提及的设置，却是有约束力的。这恰恰是因为缔造者们相信，他们可能在他们同簇（peers）的陪审团手中获得不同于在主权下的法官们（the sovereign's judges）的怜悯下的判决，这被第七修正案采纳了。我怀疑在20世纪70年代在陪审团面前诉讼的任何人听到法庭的审判与陪审团的审判之间没有差别的假设时不会感到惊奇。本院无法引证任何权威来支持这奇怪的主张。民事陪审团的价值长期以来存在着争论，但我怀疑是否有过陪审团被仅仅当作"中性色彩的"因素而受到非难的情况。

与多数派的假设相反的是，陪审团会作出不同的判决，而且我们的案件已经承认——至少在今天以前还承认——这一事实。因此，在科克罗夫诉巴廷案中（Colgrove v. Battin, 413 U. S., at 517），我们申明，"民事案件中的陪审团审判的宗旨……是确保公平地、衡平地解决事实争议，Gasoline Products Co. v. Champlin Co., 283 U. S. 494, 498（1931）……在伯德案中（Byrd v. Blue Ridge Rural Electrical Cooperative, supra, at 537.），本院承认，"裁判争议的法庭的性质可能在实现构成诉因或防御的权利分配时十分重要……非常可能在眼下的人身伤害案件中，豁免问题是由法官还是陪审团决定会极大地影响结果"。陪审员们把他们的常识和社会价值带进案件，他们"没有经验正好是一笔财富，因为它在每一次审判中保持一种新的视角，避免了司空见惯蒙住了法官的眼睛"。H. Kalven & H. Zeisel, The American Jury 8（1966）。

对今天决定的最后讽刺是，它对于重要地节省无论是当事人还是司法机构的资源方面的潜在意义最值得怀疑。事情就是这样，我绝对看不到任何理由如此随便地挫伤支持陪审团对争议的事实问题的决定这一重要的联邦政策。本案是一个由本院的判决来实现最小的节省的恰当例子。正如本院承认的那样，即使申诉人被禁反言规则排除再次就代理人是否重大虚假和误导进行诉讼，他们仍然有权由陪审团来决定答辩人是否存在被声称的错误声明和损害赔偿数额——如果有损害的话——这对于答辩人而言没有什么两样。因此，在本案中无论如何都一定要组成陪审团。不在陪审团面前审判代理人是否有重大虚假和误导，借此节省的时间看来没有什么实质性。很可能今天的判决将产生一种结果：强迫被告同意在代理人执行行为上达成和解或同意裁定，以保留他们在私人诉讼中的陪审团审判的权利。在那种情况下，本院就不需要什么有说服力的理由，就会轻而易举地把一个权力俱乐部加入连国会都不愿意提供的行政机构的兵工厂。

注释与问题

1. 对等性原理（由帕克雷恩案宣告废除其效力）如何区别于正当程序保障避免适用对未曾在先前的案件中有过一次全面而公平的机会的原告适用禁反言？斯图尔特大法官与最高法院之间在关于攻击性使用间接禁反言问题上的这一分歧隐含着什么？

2. 防御性间接禁反言与攻击性间接禁反言在操作上有什么差异？斯图尔特大法官与最高法院分别为攻击性间接禁反言设定了不同的限制，这一差异隐含着什么？

3. 柯里教授的"为人熟知的例子"，见最高法院意见注释14，如果根据帕克雷恩案的分析会被如何解决？

4. 假如伦奎斯特大法官富于雄辩地援引第七修正案，最高法院没有把终局性原理拔高到凌驾于陪审团审判权这一宪法权利之上吗？可能有什么正当理由为这一结果辩护？

第四节 终局性的反向权衡

是否有些情形抵消性的政策考虑与终局性原理形成抗衡吗？如果前一案件中的决定建立在现在才认识到的对法律的错误解读基础上怎么办？形成正确结果的利益是否胜过使争议一锤定音（rest once and for all）的利益？下面的案例解释了终局性的优先地位。

连锁店诉莫伊汰
Federated Department Stores, Inc. v. Moitie
452 U. S. 394 (1981)

大法官伦奎斯特制作最高法院意见书：

本案提出的惟一问题是，第九巡回法院是否有效地开创了一个既判力的例外。该院认为，当同类案件中的其他原告针对共同被告成功地上诉而推翻了不利于他们的判决时,既判力不禁止就未上诉的不利判决进行再次审理。我们不同意第九巡回法院的观点并撤销其判决。

I

1976年,美国政府针对申诉人提起反托拉斯诉讼,申诉人是多种经营连锁店的所有人。美国政府主张,这些商店协议固定在加利福尼亚州北部销售的妇女服饰的零售价,违反了美国法典第15编第1节《谢尔曼法案》第1节的规定。私人原告随即提起了7个平行的民事诉讼,代表一群提出申请的零售商诉求3倍损害赔偿,其中包括在州法院的答辩人莫伊汰的损失("莫伊汰案之一")和在加州北部地区联邦地区法院的答辩人布朗的损失("布朗案之一")。这些起诉状几乎都是逐字逐句地照抄政府的起诉状,不过"莫伊汰案之一"的起诉状只提到了州法律。所有这些最初向联邦地区法院提起的诉讼都由同一位联邦法官审理,"莫伊汰案之一"案件根据当事人异籍管辖权规则和联邦问题管辖权规则也移送到那里。地区法院驳回了所有这些诉讼,其理由"完全是"因为原告们没有声明对于他们的"生意或财产"造成《克莱顿法案》第4节(§ of the Clayton Act,15 U. S. U. §15)意义上的"损害"。

5个案件的原告向第九巡回法院提起了对该判决的上诉,但代理莫伊汰和布朗的同一律师选择了不上诉,而是将这两个案件再次提交州法院("莫伊汰案之二"和"布朗案之二")。尽管起诉状只想提起州法律请求,但他们却提出了与前案的起诉状相同的主张,包括政府的主张。申诉人将这些新的诉讼移送到加州北部地区联邦地区法院并动议根据既判力原理驳回诉讼。地区法院在1977年7月8日的判决中首次驳回了答辩人提出的退回州法院审理(remand)的动议。* 它认定,起诉状尽管富于技巧地用州法律来表达,但"在许多方面与前案起诉状是同一个",因此移送到联邦法院是适当的,因为它们提出的是"实质上是联邦法"请求。该院于是得出结论:因为"莫伊汰案之二"和"布朗案之二"涉及到与"莫伊汰案之一"和"布朗案之一""相同的当事人、相同的诉称违法行为、相同的时间段",因而既判力原理要求驳回这两个诉讼。这一次,莫伊汰和布朗提起了上诉。

在这两个上诉案件未决期间,本院1979年6月11日对赖特案(Reiter v. SonotoneCorp.,442 U. S. 330)作出判决,认定零售商们的"生意或财产"会遭受《克莱顿法案》第4节中所指的"损害"。1979年6月25日,第9巡回法

---

* 译者注:这里的原文是"……the District Court first denied respondents' motion to remand."译者remand(发回重审)在此处的用法感到疑惑,因为remand在民事程序中的含义是指"发回(重审)",而地区法院在联邦系统只能处理被上级法院发回重审的案件,因而这里"发回"的动议应当是指动议将由州法院移送而来的案件退回州法院审理。

院撤销了与"莫伊汝案之一"和"布朗案之一"一起判决并提起上诉的5个案件，将案件发回依据赖特案作出进一步审理。"莫伊汝案之二"和"布朗案之二"最终抵达第九巡回法院时，该院撤销了地区法院驳回案件的决定。[1] 尽管该院承认"严格适用既判力原理会排除我们对于已作为判例的决定（instant decision）的审查，但它拒绝将这一原理适用于本案事实。它评论说，其他5个当事人……已经成功地就不利于他们的判决提起了上诉。然后声称，"未上诉的当事人在其地位与提起上诉的当事人紧密地交织在一起时，他们可以从撤销原判中受益"。并得出结论认为，"因为已驳回的案件依赖于一个已经有效推翻的案件"，因而既判力必须让位于"公共政策"和"简化司法"。我们发出调卷令，重新考虑上诉法院别出心裁的既判力原理的例外。

II

既判力原理在本院已有的判例法中已有长足的发展，在此没有太多可增加的内容。对于一个案件的实质性问题的终局判决排除当事人或他们的相互关系人就那些已经提交或本来能够提交于该案的争点再次诉讼。一项关于实质性问题的终局的、未上诉的判决，即使可能发生了错误或者建立在一项后来被另一判例推翻的法律原则的基础上，其既判力后果也不会被这样的事实所改变。正如本院在巴尔提摩案［Baltimore S. S. Co. v. Phillips, 274 U. S. 316, 325（1927）］中所阐释的那样，法院在第一个诉讼中作出的一项"错误结论"不会剥夺被告在第二个案件中"根据既判力进行抗辩的权利……仅仅因为对法律观点错误而撤销的判决不受附带攻击，但只能通过直接复审而纠正，并且不能通过针对同一诉因的另一次诉讼而纠正"。我们认为，"放任相反的观点会制造不确定因素和混乱，损害判决的终结性，而这恰恰是既判力原理的宗旨所力图避免的后果"。Reed v. Allen, 286 U. S. 191, 201（1932）. 在本案中，上诉法院承认，"既判力原理的严格适用"要求驳回"布朗案之二"。该院据此认为，既判力的"技术性要件"既已满足，亦即"布朗案之一"是对实质性问题的终局判决，并且已包括了与"布朗案之二"相同的请求和相同的当事人。[2] 然而，法院拒绝驳回

---

〔1〕上诉法院还确认了地区法院的结论，即"布朗案之二"移送到地区法院是适当的，因为所提出的请求"在本质上是联邦"请求。我们至少同意，某些请求具有联邦性质而足以支持移送。正如一篇文章写道，各法院"不允许原告利用精巧的诉答而封杀被告走向联邦法庭的权利……移送法院偶尔会努力确定请求请求是否是联邦请求，而不管原告的定性。" 14 C. Wright, A. Miller, & E. Cooper, Federal Practice and Procedure §3722, pp. 564-566（1976）（引证判例）（脚注省略）。地区法院将这一既定原则适用于本案事实，在"广泛审查和分析两次布朗案的起诉状后"，认定——上诉法院也明确同意——答辩人试图通过"精巧地"把他们"实质上的联邦法律请求"的案件作为州法律请求以规避管辖权的转移。我们在此对于事实认定没有异议。

〔2〕因未陈述依据联邦民事规则12（b）（6）而提出的请求而驳回诉讼是一项"就实质性问题的判决"。Angel v. Bullington, 330 U. S. 183, 190（1974）；Bell v. Hood, 327 U. S. 678（1946）.

"布朗案之二",因为在它看来,禁止答辩人就一项与已获胜诉的上诉人的请求之间"如此紧密地交织着"的请求提起再次诉讼是不公平的。我们认为,这种不遵循先例而背离既判力原则的做法是毫无根据的。下级法院的判决是我们过去的判例法所禁止的。

……本案甚至展示了比过去的判例更引人注目的适用既判力原理的理由。已获判决的独立的当事人在本案的答辩人的案件中没有利益,本案也不是由受到相互关联案件影响的同一当事人提起的撤销诉讼,而答辩人却谋求从一项撤销针对其他独立当事人的判决的上诉中发一笔横财。更有甚者,……本案答辩人在推进他们的上诉时做出了一个精心计算的选择。另见 Ackermann v. United States, 340 U. S. 193, 198 (1950) [判决理由是,当申诉人作出一项"自由的、经过计算的、精心安排的不上诉的选择时,申诉人无权依据联邦民事诉讼规则 60 (b) 获得救济。] 上诉法院的意见还部分地依据了在它看来是"简单的正义" (simple justice) 之原理。但我们并未看出适用已广为接受的既判力原则会导致严重的不公正。当一个经过多年发展的复杂的法律体系公正不倚地适用时,即可实现"简单的正义"。既判力原理服务于至关重要的公正利益,不是任何法官个人可以在个案中依职权决定的衡平事项。"没有普通法或衡平法原则制裁联邦法院拒绝有益的既判力原则"。上诉法院依据于"公共政策"同样也是适用不当。本院长期以来都承认,"公共政策要求诉讼必须有个了结,要求那些曾经就一个争点提出过对抗的人必须受这一对抗结果的拘束,要求事项一旦获得审判就必须永远被当作在当事人之间已经解决来考虑"。我们曾强调过,"既判力原理不仅仅是一个承继于比我们自己更为久远的技术时代的实践问题或者程序问题,而是一项基础性的和实质正义的规则,是一项'公共政策和私人和平'的规则,这项规则应当受到法院的由衷关切和强制实施……"本院在半个世纪以前使用的措辞在当今拥挤不堪的案卷中甚至更为醒目:

> 答辩人发现自己陷入了自己制造的困境之中……如果谨记一句格言,州的利益要求诉讼必须有一个了结——这句格言与公共政策的常识是一致的,就不能指望我们,为了他的单个救济,去推翻普遍的、已经建构良好的既判力原理,因为无视这些抵制延长争斗的有益的原理而违背先例所导致的损害,要大于给予某些案件的个人损害再次救济所产生的收益。

Reed v. Allen, 286 U. S., at 198 - 199. 答辩人没有在防御上诉法院的判决方面作出重要的努力。他们没有要求维持下级法院的决定,而是断言,"同意发出调卷令状是一种浪费,应当拒绝"。他们主张"应当撤销地区法院以既判力为由驳回诉讼的决定,并指令地区法院同意答辩人提出的退回加利福尼亚州法院审理的动议"。在他们看来,"布朗案之一"不能被认为对其州请求有既判力,因为"布朗案之一"仅仅提出的联邦法请求，而"布朗案之二"才提出了在"布朗案之一"中未提出的另外的州请求，比如不公平竞争、欺诈和恢复原状。

本院不必涉及那个问题。仅仅是"布朗案之一"对答辩人的联邦法请求有既判力这一点就足够让我们作出判决了。为此，撤销上诉法院的判决，案件发回以根据本意见书作出重新审理。此令。

大法官布莱克曼的并存意见，大法官马歇尔加入：

本人同意该案的结果，同时单独陈述本人的两点意见：

首先，有一些案件存在着既判力原理必须让位于上诉法院所提到的"对公共政策和简单正义的高于一切的考虑"的可能性，我不会对这种可能性关闭大门……答辩人并没有"落入程序复杂化的陷阱"。相反，他们作出了不上诉的老谋深算的战术性决定。在本案中制造一个原理的例外也不能援引公共政策，相反，在这类复杂的多边诉讼中有一种严格适用既判力的特别需要，以抑制"放弃"（机会）的诉讼。最后，本案也不是"上诉的当事人与未上诉的当事人的权利如此相互交织或相互依赖，以至于当判决的一部分被撤销时必须撤销整个判决"的那类案件。

其次，作为对照，我不断然地认为"布朗案之一"对于答辩人的州法律请求有既判力。上诉法院和地区法院一样认定，那些州法律请求被联邦请求所蒙蔽；既然答辩人没有对那一判决提出交叉申诉，那么他们关于本案应当发回州法院重审的主张就应当受到既判力的阻碍。更为重要的是，即使州请求和联邦请求存在差异，答辩人也没有声明"布朗案之一"中的州请求妨碍了他们在"布朗案之二"中的主张。驳回"布朗案之一"诉讼不仅对答辩人已实际提出的请求产生既判力，而且对于他们未能提出的所有请求都产生既判力。既然没有理由相信，这一诉讼从一开始地区法院就会拒绝行使对州请求的未决管辖权，那么如果答辩人想要保留那些请求就有义务提出那些请求。由于他们没有这样做，因而我认定那些请求受到阻止。

大法官布伦南的反对意见：

本院今天在急切地纠正第九巡回法院的决定时，不同意制定法对于联邦法院司法权的限制，而在这个过程中混淆而不是澄清了长期确立的既判力原则。我以尊重的态度表示反对。

I

答辩人弗洛伊德·R·布朗针对加利福尼亚州法院的申诉人提起了本案集团诉讼（"布朗案之二"）。起诉状中声明四项州法律诉因：（1）欺诈（fraud）和诈欺（deceit），（2）不公平商业实践，（3）民事合谋，及（4）恢复原状。原告起诉状，页11-14。它主张每位集团成员获得"不少于600美元"的损害赔偿、警戒性和惩罚性赔偿、自损害以来的利息、律师费及诉讼费用，以及其他救济。所有四项诉因都依据加利福尼亚州的制定法和普通法；没有任何诉因是根据联邦法律形成的。

尽管如此，申诉人还是将诉讼移送到了加州东部地区的联邦地区法院，答辩人布朗在那里提交了退回加州法院审理的动议，根据是他的诉讼没有提出《美国法典》第28编第1441（b）节意义上的联邦问题。答辩人的动议被地区法院驳回了，地区法院声称，"原告自始至终未曾实质性地声明被告违反了反托拉斯法律"。该院论证道，原告们"（富于技巧的）诉告文状"并不能"将他们的联邦法请求实质性地转变为州法律请求"，认定移送答辩人的起诉状是适当的，"因为（它）涉及不必满足最低争议标的额标准而能够一开始就提交联邦地区法院的联邦问题。"该院于是驳回了诉讼，认定，根据既判力原理，"布朗案之二"受到在联邦法院中的涉及"相同当事人、相同的进攻主张、以及相同时间期间"的前案（"布朗案之一"）的不利判决的阻碍。（前引）

上诉法院维持了地区法院不退回（州法院审理）的决定，声称"下级法院正确地认定，提交的请求在性质上是联邦请求。"然而，上诉法院撤销了地区法院驳回诉讼的裁定，将案件发回重审。

II

关于授权以联邦问题[1]为根据将案件从州法院移送至联邦法院的规定，可以在美国法典第28编第1441（b）节找到：

> 地区法院享有原始管辖权的、以美国联邦宪法、条约或法律而产生的请求权为根据的任何民事诉讼，无论当事人的州籍或住所如何，均为可移送的诉讼。

是否可移送，只取决于原告诉求的性质，只有当"联邦宪法或法律创设的一项权利或豁免权（构成）原告诉因的一个要件而且是重要的要件"时，诉讼才是可移送的。根据州法律提起的诉讼不能仅仅因为提出一项联邦权利或豁免权作为一种防御而被移送。Tennessee v. Union & Planters' Bank, 152 U. S. 454（1894）.

一个重要的推论是，"提出诉讼的当事人是通过在其起诉状中声明而决定他将依赖什么法律从而确定他是否根据联邦法律……'提起诉讼'的主人"。当原告的请求既可能是根据联邦法律也可能是根据州法律提出时，原告通常有权自由

---

〔1〕 正如地区法院承认的那样，布朗之二案不能以异籍为根据而移送，因为争议的标的额未超过1万美元。然而，该院正确地指出，如果它本来可以作为原始诉讼向联邦法院中起诉而不碰到任何最低争议标的额的问题，那么该案就可以不考虑争议标的额而移送。根据美国法典第15编第15节Clayton法案提起的诉讼可以向联邦法院提起，而不考虑争议标的额。另见美国法典第28编第1331节（1976年编，补充IV），并注意以下第1331节（自颁布之日起废除联邦问题待决案件的最低争议标的额标准）。

决定忽略联邦问题而将其请求仅仅以州法律为依据。

这一推论在联邦主义原则中已充分确立。只要各州还保留着在国会现行立法而未穷尽的主题领域内立法的权限，只要各州法院仍保留着受到优先选择的解释和执行州法律的权限，原告就必须能够获得允许根据州法律在州法院进行诉讼。如果被告仅仅因为原告没有声明与州请求产生于同一（组）事实的联邦请求，就能把该州请求权移送到联邦法院，就会违反州的自治……

这一诉讼涉及到联邦法律还没有取代州法律的反托拉斯法领域，因此，答辩人布朗享有选择权，他可以选择根据联邦法律或州法律或两种法律来进行诉讼。从起诉状中显而易见，该案的提起完全没有提及联邦法律，而是小心翼翼地限定于4个加州法律诉因，因此，根据联邦管辖权原则，答辩人的诉讼不应当移送至联邦法院。

然而，本院今天根据"至少某些请求具有充分的联邦性质以支持移送"而维持了对本案的移送。我不理解本院这句话的含义。哪些请求在性质上是联邦请求？为什么这些请求在性质上是联邦请求？在我看来，它们全部是仅仅依据加州法律提出的，可以肯定，它们没有一个旨在主张一项根据联邦反托拉斯法律的请求，仅仅是原告本可以选择根据克莱顿法案向联邦法院提起诉讼这一事实肯定不足以将他们所主张的请求移送到联邦法院。

本院依赖于一项它称之为地区法院作出并经上诉法院同意的"事实认定"，即"答辩人曾试图以'富于技巧的'将他们的'本质上是联邦法请求'装扮为州法律请求以避免移送管辖权。"（同前）然而，这一行为最多不过构成答辩人决定根据州法律而不根据联邦法律进行诉讼之决定的恶劣（pejorative）性质。答辩人的诉求无论是否"富于技巧"，都不是根据任何联邦权利或豁免权提出的，因而就不是可移送的……

即使假定本院和下级联邦法院有管辖权决定本案，我也不同意本院对于既判力问题的处理。本院在达成对管辖权的假定意见之后，便令人费解地从决定本案中抽身隐退了。本院认定它"没有必要"涉及"布朗案之一"对答辩人的"州法律请求"的既判力效力问题，说"仅仅是'布朗案之一'对答辩人的联邦法请求有既判力这一点就足够让我们作出判决了"。（同前）然而，答辩人提出的只是州法律请求，没有提出任何联邦法律请求。因此，如果本院没有判决处置答辩人的州法律请求，就等于什么也没有判决。而且，本院在这样做的时候还引入了一种可能性——这是我们过去的决定所排除的——不清晰的赔偿理由可能逃脱无条件的驳回诉讼的命运。

我和布莱克曼大法官一样，宁可认定驳回布朗案之一不仅对实际诉讼过的每一事项都产生既判力，而且对于本来可以提出的每一个赔偿根据或理由也产生既判力。对于实体的联邦反托拉斯请求的实质问题的无条件驳回排除根据州法律的理由提出的相同请求的再次诉讼。本院没有承认这一基本原则可能制造过去没有过的疑惑和混乱,可能激励当事人将分解他们的诉因——将州的诉因从联邦诉因中分解出来——期冀可以在法院中获得第二次机会。

因此我怀着尊敬地表示反对,我主张撤销上诉法院的判决,指示将案件发回地区法院重审,要求地区法院将案件退回州法院审理。

注释与问题

1. 注意联邦最高法院对终局性与公正的衡平:

> 但我们并未看出适用已广为接受的既判力原则会导致严重的不公正。当一个经过多年发展的复杂的法律体系公正不倚地适用时,即可实现"简单的公正"。既判力原理服务于至关重要的公正利益,不是任何法官个人可以在个案中依职权决定的衡平事项。"没有普通法或衡平法原则制裁联邦法院拒绝有益的既判力原则。"上诉法院依据于"公共政策"同样也是适用不当。本院长期以来都承认,"公共政策要求诉讼必须有个了结,要求那些曾经就一个争点提出过争辩的人必须受这一争辩的结果的拘束,要求事项一旦获得审判就必须永远被当作在当事人之间已经解决来考虑"。我们曾强调过,"既判力原理不仅仅是一个承继于比我们自己更为久远的技术时代的实践问题或者程序问题,而是一项基础性的和实质正义的规则,一项'公共政策和私人和平'的规则,这项规则应当受到法院的由衷关切和强制实施……"

当你们阅读本书最后一个判例马丁诉威尔克斯案(Martin v. Wilks)时,请考虑联邦最高法院(又是通过伦奎斯特大法官)为什么要给予终局性的利益与莫伊汰案中同样的绝对尊重。这两个案件之间能够协调一致吗?

2. 按照已确立的概念,请求排除对于曾经提出过或本来能够提出的所有具有交易相关性的请求都发生作用,你能否运用这一概念,使莫伊汰案中最高法院的意思——"布朗案之一"仅仅对联邦法请求产生既判力——与之协调一致?大法官布莱克曼、马歇尔、布伦南的分析是否更贴近该原则?

3. 争点排除与莫伊汰案中的可移送问题之间是什么关系?联邦最高法院的结论认为,由于"布朗案之二"的请求具有联邦性质,因而移送是适当的,同时又表明"布朗案之二"的州法律请求可能不受"布朗案之一"的排除,这两个结论之间会不会自相矛盾?

4. 在门多萨案中[United States v. Mendoza, 464 U. S. 154 (1984)],大法官伦奎斯特开创了一个使用争点排除拒绝政府作为一方当事人的例外。政府与莫伊汰和布朗一样,对一项不利于它的判决未提起上诉,这是一项由联邦地区法院作出的裁决,即,当二战菲律宾退伍老兵的州籍归化程序被耽搁时,他们的正当程序权利即受到了侵害。门多萨提起一项诉讼提出了同一问题,第九巡回法院认定，政府受禁反言阻碍不能就此再次诉讼。联邦最高不同意这一认定：

> 在这类案件中，允许没有相互间接禁反言的规则阻止政府诉讼，将会僵化（freezing）就一个具体的法律争点作出的第一次终局判决，从而实质性地妨碍重要的法律问题的发展。仅仅允许作出一个终局判决将会剥夺本院从允许几个上诉法院在本院发出调卷令之前探索难题中获得的收益。

显然，某些政策性关切可以超越通常严格适用的排除原理的价值。

5. 正如下一则判例所示，排除规则穿过各种线索而运作——州法院和联邦法院；民事案件和刑事案件。在州法院中的 A 与 B 之间已解决的争点通常排除 A 与 B 之间在联邦法院就同一争点再次诉讼，反之亦然；针对刑事案件中的被告提出的已获得解决的争点通常排除在民事案件中对同一当事人再次诉讼（然而，这里没有"反之亦然"，因为在民事诉讼中"优势证据"的证明负担大大低于刑事案件中的"排除任何合理怀疑"的标准）。

6. 下列判例中的反对意见，在一次州的刑事追诉之后提起联邦民权诉讼的情境下，援引了怎样的政策关切，使之超越通常严格适用的排除原理的价值？

艾伦诉麦考利
Allen. v. McCurry
449 U. S. 90（1980）

大法官斯图尔特制作最高法院意见书：

……1977 年 4 月，几名秘密警察根据线人提供的关于麦考利正在经营卡洛因的情报，来到他位于路易斯大街（St. Louis, Mo.）的住所试图交易。两名警察亦即申诉人艾伦和雅各布什米耶敲击前门，其他警察则躲在附近。麦考利开门时，这两名警察要求购买一些海洛因"帽子"（heroin "caps"）。麦考利回身进屋，很快回来，冲艾伦和雅各布什米耶开枪并把他们打成重伤。麦考利在与其他警察及增援警察进行一场枪战之后撤回到自己的房子里，当警察要求他投降时，他再次出现了。几名警察于是在没有许可证的情况下冲进了房子，想搜查里面的其他人。一名警察扣押了普通视野范围内的毒品和其他违禁品，以及他在衣橱抽屉和走廊的自动轮胎中找到的违禁品。

麦考利被指控占有海洛因和以故意杀人为动机的暴力袭击罪。在审前封锁听证会（the pretrial suppression hearing）中，初审法官排除了从衣橱抽屉和轮胎中扣押的证据，但拒绝封锁在普通视野范围内找到的证据。麦考利被判决海洛因和暴力袭击两项罪名成立。

麦考利随后提起了针对申诉人艾伦和雅各布什米耶和其他不知姓名的警察个人、以及路易斯大街政府及其警察局的第 1983 节诉讼，要求赔偿 100 万美元损失。起诉状声称合谋违反了麦考利的第四修正案权利、违宪搜查和查封他的房子、不知名的警察在他被逮捕和被反剪双手之后殴打他。申诉人动议作出即决判决。地区法院显然理解了起诉状的要义是声称的违宪搜查和查封，同意作出即决判决，认定间接禁反言原理阻碍麦考利就已经在州法院作出了不利于他的判决的搜查和查封问题再次诉讼。

上诉法院撤销了该判决，将案件发回初审法院重审。上诉法院认为，当一件1983节诉讼提出的争点在州的刑事审判中作出过不利于联邦原告的决定时，间接禁反言并不一般性地适用于第1983节诉讼案件。但该院指出，判例法阻碍麦考利获得联邦人身保护令救济，法院还动用了"联邦法院在保护民权方面的特殊角色"，断定第1983节诉讼是麦考利为了自己的宪法请求而向联邦法院寻求救济的惟一路径，指令初审法院允许他进行不受间接禁反言妨碍的审判。

II

联邦法院一直传统地坚持既判力和间接禁反言的有关原理。根据既判力，就一宗诉讼的实质性问题的终局判决排除当事人或其他相互关系人就已经或能够在那次诉讼中提出的争议再次诉讼。根据间接禁反言，一旦法院作为其判决之必须而决定了一个事实或法律争议，则该决定可以排除这一争议在涉及第一次诉讼的当事人根据不同诉因提起的诉讼中再次诉讼。正像本院和其他法院经常承认的那样，既判力和间接禁反言将当事人从多次诉讼的成本和烦扰中解救出来，节省司法资源，并通过避免不一致决定而激励对司法判决的依赖。

近年来，本院一再特别重申了间接禁反言的益处，认定将这一原理之下的政策适用于过去在普通法中未获得承认的情形。为此，本院取消了在适用间接禁反言阻止就在联邦法院的诉讼中已判决的争点再次诉讼时的对等性条件，允许不是联邦案件中一方当事人的诉讼当事人，在针对在前次诉讼已决争点上败诉的当事人提起的新的诉讼中，进攻性地使用间接禁反言。Parklane Hosiery Co. v. Shore, 439 U. S. 322. 然而，本院的一个受到一再认同的普遍限制是，当不利于某当事人的先前判决没有一次就先前案件的争议进行诉讼的"全面和公平的机会"时，间接禁反言的概念不适用。

各联邦法院一般也同意尊重州法院决定过的争点产生排除效力。因此既判力和间接禁反言不仅减少了不必要的诉讼，增进了对司法判决的信赖，而且也促进了州法院与联邦法院之间的礼让和团结，这一点一直被认为是联邦体制的防波堤。的确，尽管联邦法院在评估其他联邦法院决定的排除效力时可以指望普通法和支持既判力和间接禁反言的政策，但国会曾经专门要求所有的联邦法院必须给予州法院判决以排除效力，无论何时产生判决的州的法院如此行事：

（任何州的任何法院的）司法诉讼程序在美国联邦及其领土和领域内的每一个

法院都享有同样完全的诚实和信用，就像它们依据法律或惯例在该州的法院中享有的一样……

美国法典第 28 编第 1738 节。我们正是在此背景下审查 1983 节与间接禁反言之间的关系以及上诉法院对本案的判决的。

III

本院从未直接决定过既判力和间接禁反言规则是否一般性地适用于 1983 节诉讼。但在普雷色案中（Preiser v. Rodriguez, 411 U. S. 475, 497），本院以默许其他联邦法院观点的方式指出，既判力原则完全适用于依据该制定提起的民权诉讼。自普雷色案以后，各上诉法院实际上达成了一致意见，即 1983 节并未为适用既判力和间接禁反言提供类型化的障碍，这些联邦上诉法院的决定在认为 1983 节与排除规则之间具有兼容性时很少解释或引证，但这一制定法及其立法史本身已清楚地支持了这些法院的决定……

此外，1983 节的立法史没有以任何清晰的方式表明国会有意废除或限制传统的排除原理。该法案的主要目标是清除"三 K 党"的腐蚀性影响及其在南部各州的政府和法律执行机构中的同情者，See Monroe v. Pape, 365 U. S. 167, 174. 当然，争议表明，在这一立法颁布背后的强烈动机是国会对于州法院曾经在保护联邦权利方面存在的缺陷的担心，Mitchum v. Foster, 407 U. S. 225, 241 - 242；Monroe v. Pape, supra, at 180 n. 13. 然而，在立法史作为一个整体的语境下，国会的这一关切仅仅为一种论点提供了最多是模棱两可的支持，即在那些州法院已经认可了主张宪法请求并已提供公平程序加以确定的案件中，国会意图废除第 1738 节或间接禁反言和既判力的普通法规则。既然隐含废除的观点没有市场（Radzanower v. Touche Ross & Co., 426 U. S. 148, 154），那么比这更清晰的支持就要求认定 1738 节和传统的排除规则不适用于第 1983 节诉讼。

按照本院对立法史的理解，国会意识到，它在颁布第 1938 节时改变了州法院与联邦法院司法权之间的平衡关系。（见 Mitchum v. Foster, 同前，页 241。）然而，国会在进行这项工作时是加强了联邦法院的权力，而不是从州法院中削减权力。讨论中几处提到关于现行的州法院对于联邦问题的司法权，而且大量信息表明，州法院将保留他们业已确立的司法权，结果使他们能够在当时政治热情低落时表现出对联邦权利的一种新的敏感……

在某种程度上，第 42 届国会的确意图改变州法院与联邦法院在对联邦问题行使权力方面的平衡关系，它以一种与排除原理完全一致的方式来实现这种意图。本院在门罗诉佩普案中（Monroe v. Pape）（同前）重温第 1983 节的立法史之后作出推断，国会的意图是在三种情况下给予联邦救济：州的实体法从表面上即可看出其违宪性；州的程序法不足以使一项宪法性请求获得完全诉讼；州的程序法尽管在理论上是充分的，但在实践上是不充分的。（同前，页176。）这种对于1983节的理解可能为既判力和间接禁反言的例外提供良好的支持，这一例外产生于州法律未向宪法性请求的诉讼提供公平程序时，或州法院甚至未能认可当事人作为其请求根据的宪法原则时。然而，这一例外的重要性与业已存在的对排除规则的重要的一般限制一样：当在先前的法院决定中居于不利地位的当事人没有就第一次法院决定的请求或争点获得一次完全而公平的诉讼机会时，间接禁反言不适用。然而，本院在门罗诉佩普案中关于第1983节的观点并没有支持这样的论点，即认为国会意欲允许就联邦问题在州法院进行过一次完全而公平的听审之后，仅仅因为州法院的决定可能错误而允许再次诉讼……

找到一个在联邦地区法院进行联邦请求诉讼的普适性权利的惟一可以想像的根据……几乎不是法律根据，而是一种对州法院作出对宪法问题的正确决定之能力的普遍不信任……

本案的上诉法院认定……间接禁反言原理不适用于1983节诉讼是错误的。因此，撤销判决，案件发回上诉法院进行符合本意见的审理。

此令。

由大法官布莱克曼制作、由大法官布伦南和马歇尔加入的反对意见：

本院在这一民权案件中所关切的法律原则远远超越了答辩人在密苏里州法院就拥有海洛因和暴力袭击而进行的刑事判决这一丑陋的事实本身。

本院今天认定，间接禁反言的概念以完全的效力适用于依据美国法典第42编第1983节提起的本案诉讼。在我看来，本院在如此裁决时忽略了立法史的显而易见的重要意思，忽视了作为其执行基础的重要的联邦政策。它表现出对于第1983节救济与排除规则之间重要差异、对于导致自由选择一个不可靠的法庭的刑事被告的压力的迟钝知觉。我毫不怀疑在第1983节诉讼中给予排除规则以如此效力的适当性。在许多案件中，否认既判力或间接禁反言之效力不能服务于任何目标并且会损害联邦法院与州法院之间的关系，然而，本院在今天这一特定案件中的分析却是我不能接受的。它造成了对第1983节原告的不公正，同时它使得宪法权利的一致保护更为困难——这是立法意图的核心考虑。因此，我不同意……

在本案中，当州的初审法院认定警察们在搜查一名刑事被告的房屋时的行为一部分违反了被告的第四修正案权利而一部分在具体情境下具有正当性之后，这些警察谋求阻止该刑事被告就他们上述行为的合宪性再次诉讼。我怀疑（doubt）这些警察——现在是第1983节诉讼的被告——能够被认为与州政府之间在其作为追诉者的角色时存在"相互关系"。因此，只有"争点排除"是关键（only "issue preclusion" is at stake）。以下因素说服我断定，本案答辩人不应当被排除在联邦法院主张他的请求。首先,当第 1983 节条款通过之时,尚不存在非当事人的能力作为一个实践事项援引间接禁反言原理的情况。除非存在"对等性",否则一个人不能在新的诉因中排除对手将争点再次提交诉讼,尽管该争点已经在先前的诉讼程序中获得终结性决定。此外,"诉因"和"争点"的定义十分狭窄,结果显然是对后来民事诉讼有影响的刑事诉讼不能产生任何排除效力。因此,第 42 届国会不可能预见或赞成一个在州法院受审和判决的刑事被告会被排除提出针对警察的产生于拘留行为的宪法性请求。

再者,在州的刑事审判中决定究竟排除还是承认证据的程序绝不是 1983 节诉讼的对应物(equivalent)。在后一种程序中寻求的救济是完全不同的。刑事被告在提起民事诉讼时没有谋求间接地挑战对他的刑事判决。他最多能够获得损害赔偿。相比之下,证据的排除可能避免刑事上的有罪判决。初审法院在决定是否排除有关证据时面对非制度性的压力,这种压力可能使它为第四修正案权利提供一个不同于损害赔偿请求的民事诉讼所形成的框架(shape)。同时,是否排除证据的问题对于刑事审判的目标而言只是辅助性的,它用于确定被告有罪或无罪,而初审法院至少在潜意识中必须将更重的法码放在可能的损害这一端,在由于排除相关证据引起的探明真实过程这一端则相对较轻。

州的刑事被告不能被认为已经"自愿"选择了在州法院进行其第四修正案请求。他承受着被判有罪的风险的压力而不能提出所有可能的防御。他对于正在经历的就任何争点进行的诉讼是否明智心里没底,因为有一种可能性就是他可能被认定已经放弃就该争点提起上诉的权利。这种州的程序"精心设计的边道"在这些情形下鼓励强制适用间接禁反言肯定不是一种首选目标。认定在刑事审判中提出其第四修正案请求的刑事被告"自由地和无保留地将其联邦请求提交州法院解决"就是拒绝其现实性。刑事被告在州法院上是不自愿的当事人,州政府的全部警力(force)都与他对阵。强迫他在要么进行一次可能的防御要么进行一次联邦法院对他的宪法性民事请求进行的听审之间作出选择是不公平的。

我愿意维持上诉法院的判决。

注释与问题

1. 在艾伦诉麦考利一案 5 年之后,联邦最高法院再次触及排除原理是否应当受到为了给民权请求提供一次联邦法院的审判而暂时中止。埃塞尔 D. 米格拉博士在教育委员会不履行先前与她续签合同时许诺由她继续担任小学教育主管的约定时,向州法院提起了针对教育委员会的违约诉讼。她胜诉了,判予她官复原职并获得补偿性赔偿。她随后在联邦法院提起了第 1983 节诉讼,诉称她没有续职是对她作为学校所在地区反隔离主义的倡议者的报复,因而剥夺了她受宪法第一、第十五、第十四修正案保护的权利。地区法院作出了支持被告的即决判决,依据既判力驳回了起诉。最高法院在米格拉诉沃伦地区教育委员会案中［Migra v. Warren City School District Board of Education, 465 U. S. 75 (1984)］维持了这一判决，写道：

> 本院在艾伦案中预留了一种可能性……州法院判决的排除效力在涉及1983节诉讼当事人本来能够在先前的州法院诉讼中提出但未提出的联邦问题时可能有所不同。这是在本案中所要解决的核心问题。申诉人在州法院中没有就其1983节请求进行诉讼，她声称州法院的判决不应当仅仅因为她的联邦请求本来能够在州法院的诉讼中提出而排除她在联邦法院进行诉讼。因此，申诉人要求本院解释1783节与1983节之间的相互影响，她所要求的解释方式是，仅仅当争议实际上已在州法院进行过诉讼的时候，才在1983节诉讼中给予州法院的判决以排除效力。
>
> 很难看出作为1983节基础的政策性关切能够为区别对待州法院判决的争点排除和请求排除效力提供正当理由。关于州法院的判决在1983节诉讼中的排除效力应当小于在其他联邦诉讼中的效力的论点，其根据是国会明确表达的对于州法院作为联邦权利保护者的欠缺。艾伦案认同1983节的颁布一部分是由于这种关切的驱动，然而艾伦案在判决理由中指出，1983节没有为已经在州的刑事诉讼中确定的争点再次提交诉讼开辟道路。可以为限制州法院的判决在1983节诉讼中的排除效力提供正当理由的任何对于州法院的不信任，都会同样被认为可适用于实际上已在州法院决定过的争点，也同样适用于那些本来可以提出的争点。我们已经反驳了艾伦案提出的州法院判决在1983节诉讼中没有争点排除效力的观点，我们还必须反驳在本案中提出的1983节规定阻止在申诉人的州法院程序中的判决在本案中制造请求排除障碍的观点。
>
> 申诉人的意见是，给予州法院判决以完全的争点排除效力而非请求排除效力将使当事人得以在州法院提起州请求而在联邦法院提起联邦请求，从而在两个法院之间的玩弄法术中占便宜。尽管这一点从原告的立场出发似乎颇有吸引力，但这并不是由1738节所确立的制度。该立法体现的观点是，给予州法院判决以完全的信任和信用，其重要性大于保障各个法庭的联邦和州请求。这反映了多种关切，包括礼让的概念、避免侵扰性诉讼的需要、以及节约司法资源的愿望。本案的申诉人没有声明，即使她在州法院的原始诉讼中提出她的联邦请求州法院也不会就此请求行使审判权。另一种选择是，申诉人本来能够通过首先在联邦法院诉讼而获得联邦法院对其联邦请求的管辖权。然而，1983节并不凌驾于州的排除法律之上，它不能保障申诉人享有在州法院依据其州请求获得判决之后又转向联邦法院就其联邦请求要求行使审判权的权利。因此我们认定，在本次诉讼中的申诉人的州法院判决在联邦法院具有相同的请求排除效力，联邦法院的判决在俄亥俄州法院也具有同样的效力。

465 U. S. at 83 – 85.

2. 艾伦案和米格拉案给那些在相同情形下代表当事人的律师以什么教训？这是在涉及终局性原理时通常要避免的缺陷。

实务练习三十三
适用排除原则

1998年3月8日，Malcolm – Jinwala Waner（缅因州的居民）与由 Carmen Padros 驾驶的一辆福特吉普车相撞导致重伤。事故发生于马萨诸塞州杰梅卡·普莱恩中心大街与春季公园大道的角落里，当时瓦勒的车正停在春季公园大道的一个站牌下。帕多斯正在中心大街上开车，准备向左拐向春季公园大道，这时帕多斯突然对汽车失去控制，向瓦勒的车滚过去。瓦勒的妻子开着自己的车跟在后面，目睹了整个事故。

经过瓦勒的律师调查，瓦勒了解到，事故发生之前1小时，帕多斯被波斯顿的警察要求过帕多斯停车检查，并发现他血液中的酒精含量达到0.10。但警察却在这位违法饮酒者保证马上回家时即予放行了。此外，他的律师还发现，事故之前4个月，帕多斯改动过她的汽车，从洛厄尔市的终极公司购买的轮胎明显超大，车体还被金属轴支起。

在因该事故提起的刑事控诉中，帕多斯由于升高汽车车体违反了刑法而受到审判，并被判决有罪。她被判处缓刑和一年假释。

瓦勒现在向联邦法院提起民事诉讼，状告帕多斯、曾要求其停车的警察、波斯顿警察局、波斯顿市政府、以及终极公司，主张过失和总体过失（negligence and gross negligence）。

假设在瓦勒提交起诉状之后的第4天，在卡彭特诉迪吉普车案件中的联邦法院陪审团作出了支持原告全部诉由的判决，洛厄尔市警察局和终极公司完全败诉；再假设该裁判是就每一个诉由的总体裁判，并且现在正在第一巡回法院待审。

瓦勒的律师——你正跟他一起工作——认为，所有被告都会对瓦勒的案件有重要帮助，因而可以被间接禁反言。瓦勒动议作出部分即决判决，间接地禁止这些被告在关键事实和争点上提出相反主张（collaterally estopping the defendants from contesting key facts and issue）。就此动议已安排了一次听审。

1. 你准备请求法官间接地禁止被告对哪些争点提出异议？法官应当分别对每一个争点如何裁决？

2. 假设瓦勒知道了前一个吉普车案件，并被邀请作为共同原告参加该案诉讼却被驳回，这会改变你在第一个问题中的答案吗？

3. 假设卡彭特案件中的陪审团（除了作出总体裁判之外）也参加回答讯问（联邦民事程序规则50（b）），他们宣告终极公司的行为是故意的、纵容的、卤莽的，这会影响你的争点排除主张吗？

4. 如果你的调查发现，在过去一件案件中，两名警察要求一名司机停车，并验血确定其酒精浓度达到0.10,随后却让他继续开车,波斯顿警察局和市政府因此被认定为犯有总体过失。这些过去的案件会不会对瓦勒案件中的任何当事人构成间接禁反言？你能够以其他方式利用这一案件吗？

5. 瓦勒主张,帕多斯在事故中造成他的左腿三处受伤,帕多斯的律师发现,一个劳动者赔偿委员会认定瓦勒的左腿是1998年3月1日导致的工伤。该委员会的认定是否会构成对瓦勒的禁反言,从而禁止瓦勒主张自己的左腿系汽车事故所致？帕多斯能否从劳动者赔偿案件中获得什么便宜？

6. 如果瓦勒赢得了对帕多斯的诉讼,瓦勒的妻子现在能否成功的提起精神损害赔偿之诉？或者她的请求是否会受既判力的阻碍？

第五节 复 习

备忘录

送：法官助理

自：初审法官

回复：收藏家诉美术陈列室案

在1998年6月10日开始的收藏家诉美术馆案中（Charles Collector v. Cape Gallary, Inc.）,双方当事人都曾依据排除的法律动议对案件的整体或部分作出即决判决。我们声明,最高法院曾在其他案件中维持了对非对等性间接禁反言的适用,只要认为适用是适当的。请告诉我如何裁决以及为什么。篇幅请不要超过两页打印纸。我需要仔细但精炼的分析。

收藏家的起诉状在有关部分声称：(1) 1997年3月4日,他支付了7200美元从美术馆购买了一幅油画《特鲁罗的迷雾》（"Truro Fog"）,这幅是卡尔·克纳思（Karl Knaths）于1958年创作的,萨莉·塞尔斯在为美术馆工作时经授权以书面形式向收藏家作了保证；(2) 1998年5月4日,收藏家第一次意识到这幅画是赝品；(3) 如果是克纳思的原画,则价值3万美元,但这幅画却一钱不值；(4) 美术馆因违反书面保证而欠收藏家3万美元。美术馆的答辩承认了第 (1) 项中所述的全部内容,对于第 (2) 项主张则声称没有充分的信息对收藏家何时意识到什么事情作出答辩,并否认了赝品的主张；对第 (3)、(4) 项主张则作出了全面否认。美术馆主张了既判力的确认性防御。双方当事人均要求陪审团审理。

收藏家为了支持其即决判决动议,将目标指向了诉答状,并提交了3份宣誓证词。一份宣誓证词是由收藏家签署的,声称他在起诉状中的每一个主张都是真实的,他是一个有经验的油画鉴赏家,他有过许多次购买和出售克纳思的油画的经历，如果克纳思的画不是赝品，就能值3万美元，但如果他买的不是克纳思的画，则会一文不值。第二份宣誓证词是由专家卡拉签署的，说她是一名在博物馆学校的现代艺术院工作了22年的教授，她将《韦尔弗里特的夕阳》和《普罗维斯通的码头》（据说两幅画都是克纳思于1958年画的，收藏在博物学校）与《特鲁罗的迷雾》与进行了比较，断定《特鲁罗的迷雾》绝不可能与《韦尔弗里特的夕阳》和《普罗维斯通的码头》同出一人之手，色彩、笔触、抹墨风格、以及抽象意识都大相径庭。第3份宣誓证言是由法院的书记官签署的，声明附送的诉讼摘录、诉答文状、完整的法庭记录眷本、及意见书都是原件的复印件。这些文件表明，在1995年1月3日开始、由上等法院审判（没有陪审团）的博物馆学校诉美术馆一案中，当事人以合同标的物即《韦尔弗里特的夕阳》和《普罗维斯通的码头》两幅画不是克纳思所画为由，要求撤销基于互有错误或欺诈而签订的买卖这两幅画的合同，初审法官认定支持了美术馆，并在她的意见书中写道："这宗争辩激烈的案件于1995年9月经过6天审理，两边都有大量证人出庭，我认定，两幅画都是卡尔·克纳思于1958年创作的。美术馆的专家在克纳思的两幅画的真实性方面更有说服力"。1995年10月22日作出了支持美术馆的终局判决，该案未提起上诉。

美术馆提交了一份由上等法院书记官作出的关于收藏家对美术馆的宣誓证词，该案于1998年8月1日开始，宣誓证词中附有诉讼摘录、诉答文状、被告的讯问笔录、动议及法院的裁定等文件的复印件。起诉状声称，自1997年1月1日直至1998年7月31日，收藏家在3种不同场合下从美术馆购买过3幅画（都是现代画，但只有一幅是克纳思的画，据称是他1956年创作的《月光下的伊斯特汉姆》（"Moon Over Eastham"），每一幅都有一份单独的保证画的真实性的书面担保，由不同的美术馆职员签订，收藏家对每幅画都诉求因欺诈或互有错误而撤销合同，理由是这3幅画都不是由他所期待的画家所作。美术馆承认出售过这些画并作过保证，但否认欺诈和错误，声称每一幅画都是真品。文件表明，尽管法院发出过命令，但收藏家却一再拒绝对询问笔录作出答辩，也不在笔录证言时露面，文件还表明，法官根据该州依据联邦民事诉讼规则37（b）（2）（C）作出的相应规定，裁定有损害地驳回该案。美术馆还提交了一份由收藏家在案中在我面前作出的讯问答辩，声称收藏家因专家卡拉在本案的全部工作表现而向其支付每小时100美元的报酬，而美术馆的律师的一份宣誓证词则表明，她准备在庭审中对收藏家和专家进行交叉询问以证明他们的偏见。

第十一章

复杂性：蜂拥而至

我们相信，作为民事诉讼的课程的尾声，你们会发现，本章是一个非常有趣而且有价值的部分。在勾画出在我们的民事诉讼程序和改革中的某些最前沿性的、最具争议性的概念之后，你会发现本章提出的问题值得我们思考。这些复杂的、有争议的问题涉及我们在前几章中谈到的政策、规则和理念之间的牵连与互动。换句话说我们认为完成本章的学习，你会认识到民事程序是一个有机整体，其中许多政策、规则和理念都是相互作用的。

本章主要研究联邦民事程序规则19、22、23和24。第一节主要涉及规则19规定的必要的和不可缺少的当事人（necessary and indispensable parties）的概念，以及规则24规定的介入诉讼（intervention）的概念。第二节简要介绍第22条的相互诉讼的原理。第三节我们阐释了第23条规定的集团诉讼在当代民事程序中的角色。第四节我们围绕一个里程碑式的案件马丁诉维克斯案展开，并把本章中介绍的概念与我们在全书中致力阐释的政治、经济和意识观念等衔接起来，给读者展现一个现代民事诉讼的整体构图。

第一节 必要的和不可缺少的当事人：设定诉讼边界的尝试

从一定角度看，法律是试图建立秩序的规则。正如我们第一次在第三章看到的，法律解决我们在日常生活中可以碰到的各种各样的社会问题，并对损害进行法律救济，构成要件和诉因是保证秩序的基本法律概念。在前几章中，我们可以看到联邦程序规则的制定者们采用"交易"和"事件"的字眼来界定法律事件的外部事实界限。

在本章中我们从另一个角度来界定诉讼的边界：即确定谁是诉讼中的当事人？本章同样也是我们第三章的许容性当事人合并的补充。请你复习联邦民事诉讼规则20中关于许容性合并的规定，包括交易的同一性和同一事实问题和法律问题的内容。而在这里，谁必须被合并这一问题则要更为复杂。

考虑下面的例子：

(1) A认为B非法占有了A的土地并行使了所有权。A起诉B并且希望法庭恢复A对土地的所有权。但是该土地事实上由C所有，他将土地抵押给B。A是否应当将C纳入诉讼？

(2) A和B的名字相同，罗伊·亚当斯。A和B均声称他们是C的人寿保险的受益人（而保单是由保险公司L签发的）。C已死亡，于是A起诉L要求支付保险金，在这种情况下，L担心在法院判决支付保险金之后，B也会起诉要求支付保险金，这样L可能会重复支付保险金。A在对L的诉讼中能否将B列为当事人？A是否有权要求所有名为罗伊·亚当斯的人列入当事人？L能否强制将A和B纳入同一诉讼？

(3) R是一个连锁饭店，根据一份R与A签订的合同，R赋予A排他性的特许经营权，在密苏里的一个小镇上开立一家R招牌的饭店。当A和R履行了他们的合同之后，B又在该镇开了另一家连锁店，并声称他享有排他经营权。A起诉B要求实现依据合同应当享有的排他经营权。A是否必须在诉讼中将B列为当事人？

考虑上述问题的答案，你在解决这类问题时适用何种原则？在这些问题中，你将对于效率给予何种程度上的考虑？你认为怎样才是对被列名的当事人的公平处理原则？是对那些应当被列名的当事人应适用什么样的公平原则？

我们关于"必要的和不可缺少的当事人"的探讨始于加利福尼亚银行诉高等法院案（Bank of California v. Superior Court）。尽管该案是1940年作出的判决，不受联邦民事诉讼规则的调整，但它给我们提供了一个探讨这一问题适用原则的历史背景。在阅读本案时，请考虑下面的问题并准备课堂讨论：伯莎·斯麦林和她的律师如何达到他们的目标？为什么他们在加州的遗嘱法院无法达到这一目标？如果遗产继承人能够参加诉讼是否会更加有利？他们为什么不能参加诉讼？对于法院来说，可以使用何种替代手段？

加利福尼亚银行诉旧金山上等法院
Bank of California Nat. Assn. v. Superior Court
in and for City And County of San Franciso
16 Cal. 2d 516（1940）

首席大法官吉伯森（Gibson）制作如下意见书：

这是一个申请禁止令状的案件，申诉人要求制止被上诉人高等法院继续对一件没有纳入被称为"必要的和不可缺少的"某些当事人的案件的审理。

莎拉·M·波恩是科林·M·波恩的遗孀，她于1937年6月去世并留有遗嘱，大约有价值22.5万美元的遗产。1937年7月8日，在旧金山遗嘱法院，她的遗嘱被获准执行，申诉人加利福尼亚银行被指定为遗嘱执行人。遗嘱将价值为6万美元的个人遗产和遗赠财产留给了包括慈善机构和个人在内的多个受遗赠人，其中某些人住在其他州和国外。申诉人圣卢克医院被列名为受遗赠人，并因此获得了大片房地产。

1937年10月14日，死者的侄女和继承人伯莎·M·斯麦林提起诉讼，要求执行一个诉称死者同意将她所有的财产赠与原告的合同。在斯麦林的起诉状中，原告将遗嘱执行人和所有的遗嘱受益人作为被告，并且请求法院作出判决：依据合同，原告在偿还死者的债务和财产支出之后，是所有财产的所有人；并确认原告的财产权，命令被告执行遗嘱，并且因任一被告拒绝执行，书记官应当执行这一文件。

法院仅传唤了申诉人即遗产执行人和其余的受遗赠人出庭，除申诉人外，其他被告既没有被送达传票也没有出席法院。申诉人分别提交了答辩状，案件在1939年11月15日进行了审理。开庭时，申诉人提出动议，要求法院依据《民事诉讼法典》第389条命令将其他被告纳入诉讼，并向他们送达传票。动议提出的依据是，所有的其他被告都是诉讼中"必要的和不可缺少的当事人"，法院不能在他们没有到庭的情况下进行审判。法院驳回了该动议。申诉人随后申请禁止令状，要求制止审判，直到其他当事人都被纳入诉讼。

为了支持这一申请，申诉人指出，起诉状对所有的财产继承人和受遗赠人分享财产的权利提出了质疑，涉及所有受遗赠人的利益，要求将所有财产判予原告。如果没有所有的被告参加，那么判决将对这些当事人的权利产生不利影响，由此将产生多重诉讼，并且会使得遗嘱执行人在执行遗嘱时面临不方便和附加支出及未来诉讼的负担。

要对申诉人的理由进行检验，我们有必要回顾关于当事人强制合并的限制规则和目的。正当当事人的许容性合并根据在于，由于缺席的被告与争点和诉讼的主题事项具有利益关系，而且能够适当合并。出于同样的原因，对于这些受遗赠人来说，如果他们没有被列名作为被告，无疑他们不能介入诉讼。所以，在此问题是很清楚的，缺席的被告不仅是案件的适当当事人而且是不可缺少的当事人，因而对他们的送达和他们的到庭对于法院行使司法权都是必须的。当然，除非该当事人的程序性缺陷是管辖权方面的，否则不得发布禁止令状。

在普通法中，如果当事人依据实体法享有共同的权利，则原告的合并是强制性的。例如，依据合同受到约束的共有人、合伙人、共同承租人都属这种情况，其政策基础是为了避免分割诉讼和多重诉讼。因此，在衡平法院，对于完全解决纠纷的来说属必要的那些当事人通常都被要求合并，以便使案件可以在一次诉讼中得到解决。显然，这样的合并理由涉及到许多不具有共同实体权利的情形，亦即并非属于在普通法中需要合并的情形。参见查理斯·克拉克：《法典诉答文状》，第241，242，245页。（参见 Charles Clark, Code Pleading, pp. 241, 242, 245.）法典诉答文状的现代规则贯彻了衡平法的原则，"法院可以决定在当事人之间发生的任何向它提交的诉讼，其前提是法院的决定对于其他人的权利或者对于保护他们的权利来说无不利影响；但是如果没有其他当事人到场则不能使得某纠纷获得完全解决，则法院必须命令将这些当事人引入诉讼……"这样的制定法被解释为是对衡平规则和实务的宣言。参见查理斯·克拉克：《法典诉答文状》，第250页。（Charles Clark, Code Pleading, p. 250.）

但是，由于在表达和适用上存在不确定性，因此由法院所发展起来的衡平规则是松散且模糊的。有时它被作为强制性规则，在另一些情况下却又作为裁量性事项，在判例中也存在着矛盾和混乱的表达。而且尽管有许多对这种冲突表述进行折中的努力，但诉讼中仍然存在混乱。参见 48 Harv. L. Rev. 995；23 Cal. L. Rev. 320, 321。记住这一原理的宗旨，我们在处理"必要的"和"不可缺少"当事人问题时，要避免将自由裁量权或者程序中的一个公平规则转变为导致专断和讼累的要求，从而妨碍而不是实现公正。"必要的"和"不可缺少"两个词经常在一起出现，他们通常具有相似的含义往往交叉适用，但是无论是在实践中还是在理论上，两者并不相同，且他们在理论上和实务上都有区别，正如克拉克教授所指出的："必要的和不可缺少的并非表达了同一个意思，……在他们之间存在着区别，必要的当事人在纠纷中具有利益，为了使法院能够实现完整的司法裁判，他们一般应当被作为当事人对待，但是如果他们的利益与其他人是可分的，特别是当他们在诉讼中无法出庭时，他们就不是不可缺少的当事人了。后者是指那些没有他们法院就不能继续诉讼程序的人。"参见查理斯·克拉克，《法典诉答文状》，第245页，注释21。（Charles Clark, Code Pleading, p. 245, note 21.）

首先，哪些当事人是不可缺少的？如果某些人的利益、权利或责任不可避免地要受到该诉讼作出的任何判决的影响时，他们即为不可缺少的当事人。典型的情形是，多人对同一财产享有未决利益，或者在一个特别的信托基金中，其中的一个权利人通过诉讼要求取得全部基金利益、得到他的股份或者就其应得部分获得赔偿，那么其他具有相同利益的人便是不可缺少的当事人。理由是，法院对于一个请求人所作的有利判决将不可避免地影响到其他人的权利。参见 MCPherson v. Parker, 30 Cal. 455, 89 Am. Dec. 129；在原告提起的要求执行信托的诉讼中，由于他主张其对财产享有所有权以排除其他的实际受益人，因此，如果后者没有参加诉讼，则对于判决将产生致命的影响。（O'Connor v. Irvine, 74 Cal. 435, 16 P. 236）同样，原告如果寻找对权利的肯定性救济，如果这种救济做出后会损害或影响没有参加诉讼的第三人——该当事人必须作为不可缺少的第三人参加诉讼。在出租人对承租人请求返还租赁物的案件中，转租人应当作为不可缺少的第三人参加诉讼。（Hartman Ranch Co. v. Associated Oil Co., 10 Cal 2d. 232, 262.）在取消非法登记的选民的诉讼中，所有被质疑的选民都是不可缺少的诉讼当事人（Ash v. Superior Court, 33 Cal. App. 800.）。关于强制性共同诉讼的案件我们还可以举出很多例子。

这些人都是"必要的"当事人，但判决表明他们是必要当事人的特殊部分，称他们为"不可缺少"的当事人似乎更为恰当。在诉讼中，"必要的"当事人与"不可缺少的"当事人这两个术语的目的是一致的。在很多案件中，如果没有了他们，法院就不能继续诉讼，否则其裁判就将是无效的且要受到攻击。由于这一异议是根本性的，这种异议不需要当事人提起，法庭可以依职权决定撤销诉讼或拒绝继续诉讼，除非将这些当事人纳入诉讼。如果法院继续审理，则属于在其司法权限之外进行裁判，那么应当为禁止令状所制止。

对于那些可能受判决影响的利害关系人而言，或者那些在诉讼标的或交易上有利害关系的人而言，没有他们参加诉讼则案件无法最终地和完全地解决，但他们的利益是可分的，因而法庭可以在不对他们产生影响的情况下作出判决。后者就属于"必要的"但非"不可缺少的"当事人。为了取得完全判决和避免讼累，在通常情况下，他们一般应当合并，遵循衡平规则，法院通常应要求他们合并。但是既然规则本身具有衡平性质，但也受到公正、方便和实用等要求的限制。例如，无法找到这些第三人或者将他们纳入诉讼不切实际，那么诉讼就会针对那些到庭的第三人进行……

眼前案件所需要审查决定的是，缺席的被告是否为不可缺少的或者仅仅是必要的当事人。这类诉讼的性质经常在各法院中讨论。遗嘱法院当然不能对合同行使管辖权，而衡平法院又不能强制制作遗嘱。因此，本案中没有严格意义上的合同具体履行。但是衡平法院给予了作为具体履行之衡平的救济。尽管该房地产可以依据遗嘱得到处理并且因此进行了财产分割，但法庭在受约人提起的诉讼中，在个人的分配份额上，可以将已经分配的给个人财产作出结构性信托处理。这种救济被称为"准具体履行"，因为这一方式实现了执行合同的实质性结果。

这样的案件是针对接受财产的个人的诉讼，而不是针对财产的诉讼。对于每个接受财产的人来说，他们对于遗嘱和遗嘱检验都是不可缺少的，他们都对遗产产生一个单独的建构性信托关系，所以在没有他们到场的情况下，无法作出救济。当有多个遗产继承人或者受赠人时，他们都可能成为"必要当事人"。这种依据有效遗嘱对财产进行的分配，影响到他们的财产利益全案件的完全解决，影响到对死者的全部财产的处理，如果没有就每个受遗赠人和受益人作出裁判，则案件不能最终得到解决。因此，在这种情况下，除非有特别站得住脚的理由，否则本院都会命令对他们进行送达并将他们带入诉讼中来。但是在本案中，缺席的被告并非是不可缺少的当事人，与以上探讨的关于不可缺少的当事人的情形不同的是，本案的原告可以针对到庭的被告单独提起诉讼，并获得一个对他们单独具有约束力的裁判。而缺席的被告不受判决的约束，无论判决对他们有利或不利，他们的财产利益都不受影响……

在这种诉讼中，如果法院对案件享有管辖权，而且可以在原告未针对所有受益人起诉的情况下做出一个有效的判决，那么，很明显他们不是不可缺少的当事人。因此在本案中，缺席的被告不是不可缺少的当事人，法庭在他们不在场时仍可以进行审判，并针对出庭的当事人的利益做出判决。

申诉人一再强调，原告要求作出承认其对所有财产享有继承权的判决，他的诉讼请求针对所有的当事人也包括未出庭的当事人，缺席当事人如果不出席法庭，法庭不能行使审判权。我们对于这一问题的回答是：法庭不会仅仅因为原告在起诉状中诉求的救济超出了原告的权利范围而对案件失去审判权。法庭可以就其管辖权范围内的事项进行审理并作出有效判决，他没有必要受制于原告的理由，而且也不会依照错误的理由滥用权力或者超越管辖权进行审判……

注释与问题

1. 对加利福尼亚州最高法院来说，"必要的当事人"和"不可缺少的当事人"之间有什么区别？对两者举例进行说明。在卡彭特案件中，如果有两个过路人死于事故中，他们是否应当作为必要的或者不可缺少的当事人参加诉讼？迪和级极汽车公司是否作为共同被告？托尼·布鲁尔和/或皮特·迪是必要的还是不可缺少的当事人或者两者皆不是？

2. 在加利福尼亚银行案中，既然起诉所有的继承人会对原告有利，为什么原告没有针对他们提起诉讼？

3. 为什么没有出庭的遗产继承人被法庭认为是"必要的"而不是"不可缺少的当事人"？

4. 加利福尼亚州最高法院所说的介入诉讼是指什么？为什么介入诉讼与本案有关？

5. 分析以下概念相互间的关系，"必要的且不可缺少的当事人"，排除法，对人管辖权，正当程序。这个问题需要你花上一段时间来考虑，现在你可以了解这些法律原则之间的关系了。

6. 联邦民事证据法第 19 和 24 条，特别是第 24（a）条，我们通常如何对他们进行论述？每一条试图研究的情况是什么？注意第 19（a）条列举了法庭可以命令参加诉讼的当事人，换句话说，如果法院对他们有对人管辖权，或者法院享有事项管辖权，如果他们没有对法院提出合法的异议，并且他们加入诉讼是可行的，那么它们必须加到诉讼中来。如果当事人没有加入诉讼，该规则要求运用第 19（b）条进行分析以确定法庭在前款当事人未出庭做出的判决是否有效。请重新回顾一下加利福尼亚银行案，依据目前的联邦民事诉讼规则会出现何种结果。

下面的案例中，情况极为复杂，但是该案表明了联邦法院如何依据联邦民事程序规则 19 做出判决，这对我们的研究是非常有意义的。下面是案件的基本事实：案件产生于一个交通事故，唐纳德·萨森所驾驶的汽车和托马斯·史密斯驾驶的卡车相撞，2 个司机在事故中死亡，萨森汽车中的 2 名乘客约翰·林奇和约翰·哈瑞受到重伤。汽车的所有人爱德华·丹奇在事故发生是不在现场，但是他将钥匙交给萨森并允许他驾驶自己的车辆。远大银行是林奇的财产管理人，伐木工人联合保险公司是丹奇汽车的承保人，帕特森是萨森财产的代理人。

远大银行和保险公司诉帕特森
Provident Tradesmens Bank and Trust Co. v. Patterson
390 U. S. 102（1986）

哈兰大法官代表最高法院制作意见书：

　　该争议主要涉及对不可缺少的当事人没有参加诉讼而驳回诉讼请求的问题。本案源于发生在 10 年前的一个交通事故。爱德华·丹奇将他的汽车借给唐纳德·萨森使用，汽车在高速公路上行使时和托马斯·史密斯驾驶的卡车相撞，两名司机在事故中身亡，林奇和哈瑞（汽车中的乘客）严重受伤。

　　提起诉讼的是三个侵权案件。林奇的财产代管人和本案的申诉人远大银行，在异籍诉讼中起诉萨森的房地产。史密斯的房地产代管人和哈瑞本人分别针对丹奇的房地产和林奇的房地产提起了一个州法院诉讼。史密斯和哈瑞的案件不知因为何种原因，一直没有进入诉讼，因此处于未决状态，林奇针对萨森房地产的诉讼以 5 万美元达成和解，萨森没有财产因而没有实际履行。

　　丹奇是汽车的所有人和尚未审判的侵权案中的被告，他曾投保了伐木工人联合保险公司（即本案的答辩人）的汽车意外责任险。该保险单对一次交通事故设立了 10 万美元的最高赔偿。这个基金应用于侵权案件中原告提出的两种赔偿：一是丹奇在事故中被认为负有主要责任这一判决对丹奇不利的可能性是个值得考虑和引起争议的因素。二是保险单条款包括经丹奇同意而驾驶该汽车造成的损害的人若负有直接责任应当支付的赔偿。

保险公司拒绝负担保险金，并抗辩指出：由林奇提出的侵权赔偿案件是针对萨森的财产，而萨森驾驶汽车没有经过车主的同意，因而不符合承保的条件。主张的事实表明，丹奇将汽车交给萨森管理，而萨森自己开车兜风，这超越了管理的范围。林奇的地产在获得了萨森的地产与林奇的地产请求5万美元抵偿之后，提起了本案这起异籍诉讼，请求宣告萨森使用汽车是经过丹奇允许的。但是明确针对的被告只有保险公司和萨森的财产。其他两个侵权案件的原告作为共同诉讼人参加了诉讼。丹奇是宾夕法尼亚州的居民，但是他既没有作为被告也没有作为原告参加诉讼，而他没有参加诉讼的行为在初审阶段并没有得到重视。

在案件初审中有争议的法律问题主要是州法律问题，地区法院判决认为：根据准据法的宾夕法尼亚法律，汽车驾驶员驾驶汽车的行为被推定为经过所有人的同意。因此，除非有相反的证据提交，则侵权案件的原告，也就是现在的宣告判决的原告有权直接起诉保险公司，而本案中仅有的相反证据便是丹奇提出的他对萨森车辆使用权的限制。两个房地产案原告都认为，依据宾夕法尼亚州的"死者规则"，丹奇没有资格就不利于原告的事项作证。地区法院也支持这一主张，并判决认为依据宾夕法尼亚州的法律，丹奇在证明与他财产利益相冲突的事项上不适格，并认为丹奇在要求保险金支付的诉讼中与原告有相反的利益，因此不能使用全部或者部分来支付萨森在其不利判决中所应负担的赔偿金。因此，地区法院作出了对两名财产原告有利的直接判决。而且陪审团也认为萨森在驾驶车辆时得到丹奇的允许。

保险公司上诉到第三巡回法院，提出了各种州法律问题。上诉法院的审理并没有涉及这些事项。在对案件重新审理后，法庭以5：2的多数驳回地区法院和上诉人提出的两个替代理由。

第一个理由是，丹奇是不可缺少的当事人。法庭认为尽管宾夕法尼亚州存在死者规则，但该规则要求要求丹奇出庭，"死者规则"只是因为丹奇在证明事项上与死者有相反的利益，这样他的证明资格便存在缺陷。法庭并不考虑是否丹奇没有加入诉讼会影响判决的效力，也没有依据民事程序规则19的原则，即不可缺少的当事人如果可以参加诉讼应当纳入诉讼作出决定。相反法院认为，当事人的权利可能受判决影响而加入到诉讼中来是一种实体性权利，不受联邦法律规则的影响；而且初审法院认为没有此类当事人则案件不能继续诉讼；丹奇不能作为共同被告且不损害已驳回诉讼的那个案件的异籍管辖权。

由于该裁判对于新修订的19条提出了严重的挑战，因此我们使用了调卷令。我们认为上诉法院在本案中采取的这种弹性的方法扩大了第19条力图避免的理路，我们推翻了这一判决。

I

我们可以认为，丹奇属于规则19（a）中规定的"如果可行则予合并"而加入诉讼的当事人，该案提交审判的是针对基金提出的某些请求的有效性问题，丹奇将面临对他不利的判决，他在基金中的利益可能受到损害，他对案件存在替代的责任。既然存在可能的责任，一旦案件提交法庭审判，至少这一判决可能妨碍丹奇的利益或者妨碍他提起诉讼的权利。

一种解决方案是，判决应当对所有的利害关系人有效，但这是"不可行"的，因为不破坏异籍管辖权丹奇就不能成为被告。规则19（b）所要解决的是：如果"如果可行则予合并"的当事人不在场，法官应当取消案件还是不顾其他人当事人而继续诉讼？这一问题第一次出现在上诉法院产生了两个附带问题：第一，如果被告在初审法院中没有提出此类问题，会产生何种影响？第二，如果依据进一步调查，法院作出了对丹奇以外的其他当事人有约束力的判决，这种判决会产生什么影响。这三个问题在实践中是互相交叉的。

我们认为，运用19（b）的衡平和良知检验标准，上诉法院在判决过程中产生了错误。

规则19（b）认为考虑到依据公平和良知原则，法庭检验标准在一方当事人不在场时是否强制进行诉讼时要考虑到四个"利益"。第一，原告在选择审判法院上存在利益。在审判之前，这种利益的的强度取决于是否有可选择的其他法院存在。在初审中原告胜诉，那么在上诉中他对判决被维持存在利益。第二，被告可以适当地希望避免多方诉讼或不一致的判决，或单独承担他与其他人共同承担的责任。在审判之后，如果被告未能成功地主张这一利益，那么应汉认为这一利益已经结束。

第三，在诉讼之外并希望参加到诉讼中来的人可能对案件存在利益。当然，由于外部的人没有参加到诉讼中来，他们可能不能受判决约束。这表明，该判决对他们来说没有既判力，也不会被合法并重复的适用于非当事人。但是，这也并不意味着：（1）法院从来不会作出对非当事人有影响的判决；（2）或者相反，法院在进行判决时不会考虑到该判决是否会影响非当事人，因为他们在技术意义上不受判决的约束。恰恰相反，19（a）所表达的是，法院必须考虑在何种程度上判决可能成为损害或妨碍其他人保护自己权益的能力。当案件进入上诉阶段时，这一问题更加复杂。尽管存在判决不会影响任何外部人利益的可能，但是在审判之前，判决影响他们的利益却成为可能。有必要时，上诉法院应当自动采取措施保护不在场的一方当事人，他们当然没有机会在下级法院为其自己的利益辩护。

第四，法院和公众在完整的、连续的和有效的纠纷解决中存在着利益。对此，我们读到了规则的第三个标准，即在未合并的当事人不到场的情况下作出的判决是否是"充分的"，这里的所作的考察是把解决纠纷作为一个整体来看待，特别是对于原告的考察，因为是由他选择的被告和审判地。而在审判后，对于效率的考虑当然应包括审判的事实和为审判付出的时间。

规则19（b）同样也要求地区法院考虑实现上述4个利益的救济方式。评论家们认为，应当更多关注合并诉讼，而且本规则明确了法庭应当考虑修改判决而不是驳回诉讼。无庸讳言，上诉法院也可以适当要求作出适当修改判决，作为维持下级判决的条件。

在本案中，很明显我们可以看出法庭没有遵守这一准则。首先，我们从原告的角度看，在审判的最初，如果不合并当事人便不受理案件，这对保障他们是否能够得到充分的救济，在这一阶段决定这一问题存在困难：我们在此不能决定原告是否会在州法院针对同一案件提出针对本案被告和丹奇的诉讼。在审判之后，从原告的观点来看，这种假定的选择明显消失了。他们得到完整判决的利益被相反的考虑所推翻，而不是在审判的开始时选择在州法院或者联邦法院进行诉讼所必须考虑的因素。

在本案中的相反考虑是，无论是声明的或者是真实的，在丹奇是否参加诉讼的问题上，被告都没有利益关系，他们在上诉法院提出此类问题时没有对此表现出关注，这就恰当地阻断了他们的利益，但是明显的是，保险公司有10万美元的赔偿限额具有或者将具有完全的机会来对抗这一起诉。他们认为丹奇的缺席仅仅是为了获得避免一审败诉的影响。

丹奇作为案外人，他的利益无法估算。上诉法院认为，不能依照规则19来进行判决，认为判决是否妨碍了非当事人保护自己的权利是一个实践性问题，而仅仅认为地区法院在"死者规则"上的论证是丹奇有权利参加诉讼的证据。

案件的审理事项是保险公司对丹奇的保险单所涉及的范围。依据审判结果，丹奇可能独享保单利益或者与萨森的财产共享保单利益。因此扩展保险程序来达成一个满意的判决对两个基金有利。与另一个人一起通过明确的限定分享保单利益，而且因此投保人所获得的保险利益与他人分享投保人丹奇肯定会独享保险利益存在冲突。在案件的结果中，两个房地产案原告在针对萨森财产的诉讼中，使保险利益的实现成为可能，而丹奇将失去保护这一利益的手段。反过来，如果两名原告没有因为保单而获得利益，那么保险利益仍会被丹奇先生取得。这便充分说明，丹奇是否参加诉讼会影响到他的保单利益，而且判决结果直接影响了这项权利。同样，丹奇在诉讼中的利益与两名房地产案原告的利益也存在冲突，这两名原告代表了死者的利益。

上诉法院在对该问题进行审理并论证其不同目的的过程中，存在一个逻辑错误：丹奇有"不利"利益（这足以援引"死者规则"），因为他本来可以从支持保险公司的判决中获利；而丹奇是否会从不利保险公司的判决中受损却是上诉法院要回答的问题。

这两个问题并不相同。……如果3名原告胜诉，在对保险公司的起诉中，丹奇同样可以声明作为没有参加诉讼的一方，他不能受诉讼中禁止反言规则的约束。从这一点上说，丹奇应当受到判决约束，因为他虽然没有参加诉讼，但是他回避了参加诉讼的机会。我们现在不决定这种讨论是否应当在此处被修正。但是丹奇已经由于他没有参加诉讼而被禁止参加，他在法庭中提出上诉的权利已经消失，因为丹奇的权利已经因为他的消极行为而被取消。

如果丹奇没有因为不参加诉讼而失去权利，那么他便不受对保险公司有利的判决约束，在理论上，他也没有受到损害。余下的问题便是：丹奇有没有进行再次诉讼的必要和机会。因为用保险金对萨森应当支付赔偿判决，可能对丹奇造成损害，根据庭审询问笔录，我们认为这种假设的危险既不大也不是不可避免的。

在上诉法院作出判决之前，州法院对丹奇不利的案件已经在诉答阶段停止。申诉人在此请求依据宾夕法尼亚州代理人责任法的应用，事实上无法从丹奇那里得到赔偿，我们不接受这种主张，但是在下级法院本来可以进行这一事项的。另外，即使在对丹奇的侵权案判决中，丹奇的利益可能也不会有损害。如果原告要求从丹奇的个人财产中取得赔偿，丹奇可以提出抗辩，并作出证词：他可以声明萨森的行为没有经过他的许可，因此，为了萨森的利益而从丹奇的保险金中支付赔偿金不会得到法庭的支持。当然如果丹奇提出这种抗辩，他可能在败诉，无论是就许可的实体问题，还是不介入本案而丧失诉权的程序问题，但是在此丹奇没有依据地区法院的命令而进入审判程序不会对他造成损害。

如果上诉法院不相信判决对丹奇的影响是微不足道的，他应当排除困难并将这一事实表达出来。地区法院为了不确定的原因，拒绝命令对萨森判决的立即执行。这种支付可能会被丹奇为被告的未决案件和丹奇的诉讼的阻断。另外，在本院，申诉人的律师声称：侵权案件的原告应当接受关于保险赔偿限额的规定，很明显，这一意见本来可以上诉到上诉法院，接受上诉法院的审理，并获得一个有效判决。

但是，如果就"允许"的问题重新提起诉讼，会侵犯第四个利益——效率。在初审阶段，如果公司和丹奇作为同一案件的被告，将案件驳回并让原告在别处诉讼，是更好的处理方式。甚至更多的问题是，在地区法院并没有迹象表明，对判决更具有威胁的重复起诉依赖生效判决对丹奇产生不利以及保险金赔偿的数额。而当案件到达上诉法院时，这种有疑问的以效率为基础的倾向已经完全消失：没有理由废弃有效判决仅仅因为它未能从理论上解决所有的争议。

II

联邦民事程序规则19（b）中的"衡平和良知"的标准，被用来解决继续诉讼或者驳回诉讼的问题，这可能得出一个颇具争议的结论。上诉法院忽视这一规则的原因值得我们审查。法庭的多数派认为该规则不适用，因为本案涉及实体权利，不受联邦规则的约束。虽然法庭并没有明确表示实体权利的具体内容或者应当依据何种法律对它进行判定，我们可以用下面的讨论对该问题进行分析：(1) 有一类被称为"不可缺少的当事人"的人；(2) 这一类人由实体法规范界定而不能由规则加以改变；(3) 被视为不可缺少的当事人参加诉讼的权利也是实体问题，而且是绝对的。

使用这种方法，我们可以与规则19进行对照，是否一个人在诉讼中是不可缺少的，亦即是否案件如果缺乏此类当事人应当驳回，这只能由特定案件性质决定。很大一部分当事人，在前面他们并没有被纳入诉讼，或者在本规则的术语中应当"在可行的情况下参加诉讼"，而且以旧有规则而言，被称为必要或不可缺少的当事人。假设存在这种当事人，他们在可行的情况下应当参加诉讼，则法庭进一步需要解决的问题是，如果他们不可能参加诉讼，法庭决定在没有他们参加诉讼的情况下应当驳回诉讼还是继续审理。援引相似却有些混淆的三分法，决定继续审理就是决定未参加诉讼的当事人仅仅是"必要的"，而决定驳回诉讼则表明该当事人为"不可缺少的"。是否决定驳回诉讼（亦即决定未参加诉讼的当事人是否为"不可缺少的"）必须根据随案件不同而变化的因素，其中一些因素是实体性的，而另一些是程序性的，一些是通过其自己推行的，而另一些是通过对相对利益的权衡而实现。规则19并不排斥对强制推行的实体权利的确认，它仅仅要求法庭对每一个争议进行审查以确信这种利益的真实存在。我们认为，说法庭在不可缺少的当事人缺席的情况下"必须"驳回诉讼以及没有他就"不能继续进行审判"，将这一问题带入了一个错误的怪圈：法庭在对案件情况进行审查以确定是否在缺少某人的情况下继续审理之前，并不知道这个人是不是"不可缺少的"……

III

我们认为下级法院的判决站不住脚。撤销判决，并将案件发回上诉法院对上诉中未考虑的问题进行重新审理，而且如果上诉法院决定在这些问题上维持初审法院的判决，则对地区法院的判决作出恰当处理并保护没有参加诉讼者的利益。

此令：撤销判决，案件发回上诉法院审理。

注释与问题

1. 你应当回答下列问题，（1）指认远大银行案中已列名的当事人以及潜在的当事人；（2）理解这种隐含的案件事实构造，包括3个侵权案件和最高法院的判决陈述的理由；以及（3）说明在地区法院和上诉法院都发生了什么事情。

2. 许多州都有所谓的"死者规则"或者制定法，各州的具体表述和适用不甚相同，但是这些做法的目的相同。当死者的财产在案件中有意义时（特别是被告的财产），由于担心在这类案件中，在诉讼中得利的当事人一方的证据是伪造的，因为死者不能作证也不能对他们进行反驳，因此，一些州在这种情况下要求有利害关系的目击者就假定死者尚存则会作证的那一事件或交易作证。历史上，法院认为："死亡让死者闭嘴，因此死者规则会让活着的对方当事人也闭嘴"。为什么联邦法院在审理时要考虑到州制定法的运用？而通常我们认为联邦证据规则和联邦民事程序规则一样仅仅适用于联邦法院。

3. 最高法院如何理解规则19的运用？一些律师目前认为应当以两种不同的方式来解读联邦民事程序规则19（b）。为什么？

4. 远大银行案接下来会发生什么？

5. 注意19条如何为被告用来作为驳回诉讼的方式。对第19条中的抗辩会导致诉讼驳回后果的情况进行举例说明。这种驳回是否会产生判例效果？制定法的限制会产生何种影响。

6. 为什么联邦民事程序规则12（h）（2）认为"依据第19条提出必要的当事人未参加诉讼的抗辩"最迟应当在"对案件进行实质性审理之前"？

7. 联邦民事程序规则19（a）的每一项都需要进行解释，也就是说这种情况在语言上看不是非常明显的。首先，注意第1（a）（1）中关于"完全救济"的说法，例如，在卡彭特案件中，如果卡彭特仅仅起诉了迪，是否在本案中市政府、修理部和终极汽车公司都应当成为本项规定的当事人。事实上，迪可能持有证据，卡彭特可能无法获得完全的救济。但是，上述当事人并非是19（a）（1）的当事人，因为卡彭特可以从迪那里得到法律允许的救济。

联邦民事程序规则19（b）（2）（ii）中的"不一致的责任"。假设卡彭特仅起诉了迪，陪审团作出了对原告有利的判决并给予了10万美元的赔偿。假设卡彭特随后针对终极汽车公司提起了第二个诉讼，陪审团作出了对原告给予50万美元的赔偿（假设终极汽车公司不能使用间接禁反言来对赔偿数额提出抗辩。）这是否构成了本条所谓的"不一致的责任"？尽管判决实质上存在矛盾，我们的答案仍然是不构成。[1] 如果法庭命令在法庭进行一项证明活动，而在另一个法庭同样的当事人可能会被要求进行相反的行为，这就产生了不一致的责任。

另外在19条（a）（2）（i）中的规定似乎也有两种含义，你应当发现：

---

[1] 矛盾的判决并不少见。通常，当没有参加审判的原告以同样的证据，例如石棉、烟草、手枪、危害大众的原因起诉同一被告，一些当事人胜诉而另一些败诉，甚至在相关事实完全相同的情况下。

・法庭通常认识到合法地保护"利益",而不单指金钱上的利益;

・法庭通常将与"诉讼标的相关"解释为:缺席的当事人必须与诉讼存在直接利害关系;

・法庭可能对何种事实构成实际损害有不同观点(例如,法庭对于一个相反的先例对解决目前的争议是充分的可能意见不一致)。

排除规则可能带来的更多复杂性。人们可能认为正当程序条款可以解决问题,认为没有出庭的人不受判决约束,除非他是案件的当事人。当然,在例外情形下,缺席者和当事人一方具有共同的利益关系;但是,在这种情况下,缺席一方将因为他的相互关系人而实际上已参加庭审。但是,在卢普兹诉马丁·路德·金医院案件中,一个孩子的父母起诉医院和多个医生,声称孩子出生过程中发生了医疗事故,他们要求因此对他们(不是孩子)造成的损害进行赔偿。(依据加利福尼亚的法律,父母有独立于子女的诉因)。在本案中孩子不是原告,因为他参加诉讼可能会破坏联邦法院的异籍管辖权(卢普兹是墨西哥人,而他们的孩子是加利福尼亚人)。地区法院认为,孩子后来可能会被排除在外,因为加利福尼亚州法院能够发现本案中的"相互关系"。于是,适用联邦民事程序规则 19 (b),该院驳回了该案,因为该案本来能够在州法院和父母一起参加诉讼并且能够作为原告的。法庭对 19 (a) 的适用做了如下构造:

……第19条应当受实践因素的控制。事实上,该条在1966年进行了修订,试图形成一个严格的形式化的方法来强迫旧版本规则中的共同诉讼人参加诉讼……法律并没有进行明确界定何种情况构成"与案件标的有利益关系",不过这表明这种利益要求更加宽泛地界定必要当事人的范围,法庭认为这种利益不仅仅是一个财产上的法律利益,也可以是一个便利的利益。但是,该规则并不要求"合法"利益,而仅仅要求"一个与案件标的有关的利益。这种利益是否存在,应当从一个实践观点上来看,而不是采用严格的法律界限和技术……"

Lopez v. Martin Luher King, Jr., Hospital, 97 F. R. D. at 28.

8. 正如在卢普兹案中,被告可能采用第19条的动议,使19 (a) 中的当事人参加诉讼而击败异籍管辖权,从而使案件被撤销。在缺席方为被告的情况下,法官有权依据缺席方是否存在共同或相反利益来调整当事人间的关系。这种调整可能依照规则24(介入诉讼)的规定,或者用异籍管辖权来调整。(参见 Jack H. Friedenthal, Mary Kay Kane, &Arthur R. Miller, Civil Procedure 28 – 29, 349 (3rd ed. 1999.)

9. 关于对英美先前关于"必要和不可缺少"的当事人进行批判性考察,可参见杰弗雷·C·哈斯德:《不可缺少的当事人:一个程序性虚构的历史起源》[参见 Geoffrey v. Hazard, Jr., Indispensable Party:The History of a Procedural Phantom, 61 Colum L. Rev. 1254 (1961)]。关于规则19 (a) 的各种附加信息和描述,可以参见詹姆斯·Wm·莫尔:《联邦实践》第 4 卷 [参见 James Wm. Moore, 4 Federal Practice (Daniel R. Coquillertte et al.. eds., 3rd ed. 1999)]。

10. 最近,基于国家甘草公司案的例外,一些法院形成了一系列对第 19 条的"公共权利"或"公共利益例外":

> 在一些案件中,法庭没有坚持那些依据第 19 条规定权利受到侵害或者阻碍的人参加诉讼,如果他们的权利已经被其他合法的当事人充分代表……如果强制合并诉讼是不可能的或不明智的,同时如果存在强大的公共利益要求诉讼继续进行,则诉讼必须继续进行。例如在赛若俱乐部提出的一个环境诉讼中,加利福尼亚东区法院认为:尽管矿工利益会受到影响,但是他们不是必要的当事人,"如果公共利益是一个重要问题,而且案件的性质要求大批的人必须参加诉讼,则第 19 条参加诉讼的要求可以无须满足"。[Sierra Club v. Watt, 608 F. Supp. 305, 321 – 324 (E. D. Cal. 1985)] 同样,依据联邦民事程序规则 1,地区法院认为:"很显然,如果公益诉讼由于要求合并诉讼而被驳回,那么就不能实现正义。"

菲力斯 T·波曼、朱蒂 O·布朗和史蒂芬·N·苏本:《程序阴影下的实体问题:第 7 编案件中实体与程序的整合》[Phyllis Tropper Baumann, Judith Olans Brown, and Stephen N. Subrin, Substance in the Shadow of Procedure: The Integration of Substantive and Procedural Law in Title VII Cases, 33 B. C. L. Rev. 211, 281 – 82 (1992)]。上述论述是针对该书中最后一个案例马丁诉维克斯案 [Martin v. Wilks, 490 U. S. 755 (1989)] 的判决和推理所作的评论。

11. 远大银行案的判决强调了第 19 条和第 24 条的关联性。这种关联在随后的马丁诉维克斯案中有所涉及。在该案中,最高法院表明第 24 条并不强迫缺席的当事人介入诉讼。你应当注意到 24 (a) 中对于作为权利事项的介入诉讼的用辞与 19 (a) 的规定同出一辙。你认为这两条规定所采取的相似语言有什么意义。你还应当注意到无论在语言上还是在实际应用中,两条规定并非完全一致。另外,规则 19 可以被被告用来强制原告增加被告,而规则 24 参加诉讼是缺席当事人的合法权利。24 (a) 还包含一个附加条款,"除非未参加诉讼者的利益被现有当事人充分代表"。另外,既然在 24 (b) 中参加诉讼有更为简便的测试方式,法官可能允许缺席者介入诉讼而不适用 24 (a) (1) 中规定的更为严格的要求。一些法官在允许大量当事人参加诉讼时比较宽容,并对独立参加诉讼进行了缩减。[参见 U. S. v. Reserve Mining Co., 56 F. R. D. 408 (1972)]

12. 补充管辖权的法令起草者在不允许将原告的扩展超出异籍管辖权的范围。事实上,在异籍诉讼中,由原告根据规则 19 和 24 提起的请求,以及由那些根据规则 19 被申请参加诉讼的共同原告所提出的请求,或者由根据规则 24 条申请作为原告介入诉讼的当事人所提出的请求……对这些请求行使补充管辖权不符合美国法典第 1332 节关于补充管辖权的要求。[见美国法典第 1367 (b) 节之规定。]

第二节 交叉诉讼

依据联邦民事程序规则22，利益相关者（stakeholder）可能面临使"可能被抛进双重或多重责任的危险"的请求。例如，人寿保险公司可能不确定向哪一个对死者保险单申请权利的人支付保险金。保险公司可以对所有申请权利的人提起交叉诉讼，通过法院判决确定一个受益人防止保险金的重复支付。因此在诉求收益的请求中通常成为被告的保险公司，在交叉诉讼中却成为原告。

在联邦法院中，可以进行两种交叉诉讼。第一，制定法要求争议金额达到500美元，允许全国范围内送达传唤文件，从而在无论一个或更多的请求权人的居住地确立一个审判地。美国法典第28编第1335、1397及2361节。依据规则22，可以进行非制定法交叉诉讼，但是这种管辖权或者程序性要求在普通民事案件中是相同的。Charles Wright, Law of Federal Courts, §5th. Ed. 1994）。

当某一请求权人对利益相关者提起诉讼时，利益相关者也可以通过第三人诉讼请求、交叉请求或反请求对请求人提起交叉诉讼。初审法院在对交叉诉讼进行判决时必须考虑：（1）是否有真实的可能将一个单独的"请求"扩展到复合责任；并且只有在这种情形下，（2）交叉诉讼的实质性。

注释与问题

1. 为什么规22（1）与19（a）（2）（ii）采用了相似的语言？两个条款都有必要性吗？请解释原因。

2. 解释介入诉讼人、交叉诉讼人、诉讼参加人/第三人与不可缺少的当事人之间的区别是什么。

3. 在何种情况下，利益相关者适用规则22而不是第1335节与请求人进行交叉诉讼？答案在制定法的字里行间。

第三节 集团诉讼

在本章的开始，我们试图界定诉讼的边界。在本节，我们讨论如何将案件扩展到列名的被告或原告那里。在这一节中，我们主要关注于当原告试图将他的诉讼扩展到列名的原告或者列名的被告之外的情况。在集团诉讼中，被列名的原告的代理人代表集团中的其他当事人，因此，涌现了大量的概念性和实践性问题：

· 在此种诉讼中如何处理正当程序条款？

· 审判权的要求——事项管辖、对人管辖、法院地和送达在集团诉讼中的操作?
- 集团一方如何进行证据开示?
- 如果有几个人甚至成百万的人参加到一个审判中来,会发生什么情景?

当然,在学习本章内容时,对于司法系统是否允许进行集团诉讼是你在阅读时应当考虑到的一个问题。

在我们介绍集团诉讼的机制之前,提供了几句预先的告诫和提醒。许多法学院都设有高级民事诉讼、复杂诉讼或者大众侵权的课程,这些课程对集团诉讼有深入研究。本章仅仅对集团诉讼进行介绍,以便使你了解集团诉讼的相关事项。例如,我们在一直提到的克利夫兰市案件便是集团诉讼的一种。正如你在第10章所学到的诉讼中的非当事人可以受到"相互关系"的拘束,在一个集团诉讼中被其他当事人所代表。代表人诉讼并不异常,例如,信托人起诉保护并拘束受益人的利益,公司起诉或防御可以拘束证券持有人。最终,你会了解到在集团诉讼中当事人所面临的程序性和实践性障碍。在学习参加诉讼和诉讼合并时,你可以看到效率与可能的不公正之间的基本张力。

在整个过程中,你将审查律师同时作为代理人和职业者通过收费而营生的角色。在集团诉讼的语境中,这些律师费问题显示,律师们往往坚持索取一大批赔偿,实际上是把自己的利益放在他所代表的集团的利益之前,特别是当集团诉讼的每一成员只能从胜诉中获得少许收益时,这种现象更明显。

集团诉讼的反对者认为,集团诉讼剥夺了集团成员对程序的参与权和控制权,受到损害的个人没有提起诉讼意味着他们放弃了自己的权利。但是,这些反对者还必须说明,除了这种方式,还有什么更好的救济途经吗?由于政府或其他资源用于安全和环保投入的减少,除了私人性的集团诉讼之外,还有什么替代方式吗?尽管集团成员对案件的发展方向几乎没有自主权或者控制权,然而普通当事人在普通诉讼中又享有多少自治权自律和控制力呢?

有大量材料都是对集团诉讼发表赞成或者反对。哥伦比亚法学院的约翰·C·科菲(John. C. Coffee)教授已经写了几篇关于促使律师进行集团诉讼的诱因。参见约翰·C·科菲:《代表人诉讼的控制:大型诉讼集团的公平和效率的平衡》,John C. Coffee, Jr., The Regulation of Entrepreneurial Litigation: Balancing Fairness and Efficiency in the Large Class Action, 54 U. Chi. L. Rev. 877 (1978)以及《原告律师:在私人推动的集团诉讼中效率原则的应用》John. C. Coffee, Jr., Understanding the Plaintiff's Attorney: The Implications of Economic Theory for Private Enforcement of Law Through Class and Derivative Actions, 86 Colum. L. Rev. 699 (1986)。而对集团诉讼的有力抗辩来自于罗格·H·唐司德:《大众侵权诉讼中的集团诉讼:异议》Roger H. Trangsrud, Mass Trial in Mass

Tort: A Dissent, 1989 U. Ill. L. Rev. 69 (portions of which are repaired in chapter 5, supra). 在德布里奇:《解决有害物品集团诉讼案件:神话与现实》中 (Deborah R. Hensler, Resolving Mass Toxic Torts: Myths and Realities, 1989 U. Ill. L. Rev. 89),作者从经验主义的视角对集团诉讼进行了分析。斯蒂芬·C·西兹尔在《从医学集团诉讼到现代集团诉讼》中 [Stephen C. Yeazell, From Medieval Group Litigation to the Modern Class Action (1987)],对现代集团诉讼的历史进行了分析。为了对现代集团诉讼有更为广泛的认识,可以参考大卫·L·山普的《集团诉讼:集团作为一方当事人》[David L. Shapiro, Class Actions: The Class as Party and Client, 73 Notre Dame L. Rev. 913, 914 – 916 n. 2 (1998)]。

在本节中,我们通过介绍有创意的哈斯波芮案来分析集团诉讼的概念和宪法基础。(注意,该案件发生在州法院,而且因此不受联邦规则的调整。)我们首先介绍案件所发生的历史背景。

一、哈斯波芮诉李(Hansberry v. Lee)

艾伦·R·坎普:《在哈斯波芮诉李案背后的历史》
20 U. C. Davis L. Rev. 481 (1987)

背　景

这篇文章研究了哈斯波芮案的背景,是从我的民事程序法课程中一个学生的提问发展而来的。在讲述集团诉讼时,哈斯波芮案是个典型,通常是民事诉讼教材中集团诉讼的第一个案例。我对该案的讲授也是按部就班的,我首先解释了种族限制契约以及它们在1948年莎利案(Shelly v. Kraemer)之前的运用。在哈斯波芮案中,开始采纳苏格拉底式的检测。案件试图使一个种族限制的契约生效,而该契约的效力依赖于先前案件的判决结果。也就是哈斯波芮案是否受先例约束的问题,在本案中法庭认为,该案不受先例约束,因为本案中的原告和他被纳入的前一案件当事人集团之间存在利益冲突。

> 不同观点认为:他们在一个单独的集团中可以自由选择是主张权利还是质疑权利。因此任何团体,仅仅因为他的利益可能被集团代表人所代表便认为他们是该集团的成员的观点不合理。

我们应当认识到:(1)进行集团诉讼并使集团成员受判决约束是合宪的;(2)先前集团诉讼的判决是否约束继后诉讼中的集团成员,要在继后的案件中附带解决;(3)如果该当事人的利益在前一诉讼中没有得到充分代表,那么该当事人不受先例约束。在讨论了充分性和典型性之后,我让同学们思考同一集团中成员利益具有多大的一致性:如果成员在监狱中受到虐待而承受了严酷和不平常的惩罚，应当如何处理？在请求学校解除种族隔离的案件中，如果存在不愿参加诉讼时，应当如何处理？我们讨论了一些关于权利和社会政策问题，以及普通诉讼和集团诉讼中充分代理问题，并做了摘要。

我的学生特维斯先生对哈斯波芮案较为关注，当时他是一个修理部工人，在晚上参加约翰马歇尔大学的学习。"教授，您是否知道哈斯波芮案中的哈斯波芮是劳伦·哈斯波芮的父亲，而且《阳光下的赖森》（Raisin in the Sun）便是基于家族的历史而创作的"？劳伦·哈斯波芮和特维斯在同一所高中读书。我不了解，开始也不相信。经过调查我发现特维斯是对的，哈斯波芮家族的历史是怎样的？这一段历史涉及黑人、芝加哥的历史，对此进行调查对我们研究哈斯波芮案以及司法程序都有积极的意义。

哈斯波芮案的背景

哈斯波芮案的纠纷起源于芝加哥黑人人口的增长，哈斯波芮一家迁到一个全部是白人的社区。在1910–1934年间，芝加哥黑人人口从3万增长到23.6万，在此期间，一直存在种族隔离居住。在1910年，有25%的黑人人口居住在黑人所占比例少于5%的地区，更多的人居住在黑人人口占90%以上的黑人聚居区。到1934年，少于5%的黑人居住在黑人占比例少于5%的社区，而65%的黑人居住在黑人占90%的聚居区。从地理上说，黑人居住在芝加哥商业区东部和南部的特定区域。

这种隔离通过两种方式实现：暴力和种族限制的契约。在1910年和1920年的暴力事件之后，"在黑人居住区附近有一些组织试图支配这种种族契约下的财产"。尽管在1920年以前，有几位个人业主和开发商以他们的行为限制黑人的居住，在芝加哥整个社会中，这种限制并不常见。在1926年，联邦最高法院以没有管辖权为由驳回了允许进行种族隔离的考瑞根案（Corrigan v. Buckley）的判决。

在该案判决后，芝加哥的不动产董事会开始了一个覆盖全社区的计划。他们准备了契约的样本，然后董事会在城市中派出了演说家和组织者使该契约能够被接受。使契约在社会中得以通过是一项繁重的工作，他们必须取得符合法定要求的记录和签名，契约生效后，如果任何黑人迁移到另一个区域，他们就会被报告，白人可以对他们提起诉讼并获得赔偿。在19世纪20年代后期，黑人的居住区被种族限定，芝加哥有85%的地区受这种盟约的约束。

这种种族性的盟约合法的排除了黑人的居住权，也约束了所有的签约者和房屋的购买者（尽管是 是作为他们权利的形式出现）。法院依照常规会使盟约生效，并且要求居民遵守盟约⋯⋯

如果大部分业主都签名，那么盟约就会生效。盟约要求一定比例的业主签名即可生效。因此在哈斯波芮案件中事实上签约的人数比例要求是否得到满足存在争议。

> 这种约定和它所包含的限制应当没有执行力或效力，除非这一约定或者实质上相似的约定在1928年11月31日之前由所有业主或者他们的继承人或者受让人的95%的签名，并且在伊利诺斯州库克镇政府办公室备案。

哈斯波芮质疑的盟约涉及的地区被称为"南方公园"，又称为"华盛顿公园"，该地区在华盛顿公园的北部，三面面向公园，在格拉夫居住区的东面，63大街的南面，西面是公园南大街。1908年该地区实施种族隔离居住，这个地区都是白人，而西面和南面都是黑人的居住区。

在1940年，只有3个黑人家庭居住在这里。而在这个地区的西部其西边，白人人口从10%上升到了100%。在其南边，非白人的人口为90%-100%。

该社区的东面是白人居住的海德公园和伍德兰社区，在此处有色人种仅占1%到9.9%。公园南部地区似乎是黑人社区和伍德兰社区的天然栅栏。

1928年，一群白人商人，伍德兰社区财产所有者联合会，组织了一个涉及公园南部地区的盟约。这一盟约得到了外部不动产组织、机构、银行和债务公司的支持。争议的主要证据在于位于海德公园的芝加哥大学加入该盟约，1937年，有报道表明该大学试图建立一个"缓冲区"，而且从伍德兰财产所有者联合获得了资金。芝加哥大学并没有对此加以否认。当时的校长罗伯特·哈特森声明："虽然这种盟约会令人不快，但是这是使联合会的成员可以维持他们所希望的生活环境的惟一方法。"

由盟约限制所创造的有效隔离系统在19世纪30年代开始崩溃，造成这种崩溃的主要原因在于：芝加哥黑人数量的增长和经济的衰退。两种因素的共同作用使黑人住房要求的增长和白人住房需求的下降。在本案中，哈斯波芮能够购买该住房是因为他是惟一想要购买该房屋的人。

芝加哥黑人人口在20世纪的前30年间，增长较大。在1900年，有3万黑人，而到1936年，则有23.6万人。同时，黑人仍然被限定在特定的居住区域。到1910年，有24%的黑人居住在95%为白人的居住区，在1934年，仅有3%的黑人居住在这种社区。在1910年，有60%-69%的黑人居住在黑人社区，到1934年，89%的黑人居住在70%以上的黑人居住区，69%的黑人居住在99%是黑人的聚居区。到1937年，估计有5万以上的黑人没有住房，黑人如果要购买和白人相当的房产，需要比白人多支出20%-50%的费用。

同时，经济衰退减少了白人对房屋的需求，在华盛顿公园地区居民在1930年和1933年降低了13.8个百分点。到1930年，在白人在该地区已经没有购买力，而且当时希望在白人区购买或者租赁房屋的大部分是黑人。哈斯波芮的住宅先前的主人是布鲁克,自从他从该地区搬离之后,房屋一直空闲。

> 最高法院最终作出了对黑人有利的判决,当时在哈斯波芮案件判决之前,其他白人业主的房屋已经不能吸引白人。因此,他们也为黑人敞开了大门,并且已经具有了较高的入住率。他们选择侵犯既存的盟约,由黑人居住空房间,而不愿获得经济上的损失。

其中一名业主是布鲁克,他是伍德兰业主联盟的官员,而他的妻子已经在要求执行盟约的布鲁克案中获得了胜诉。随后,布鲁克改变了他的立场,并从这一联盟中退出,并几次声明他将在他所有的每个社区都允许黑人入住。为了将房屋卖给哈斯波芮一家,布鲁克创造了一个人物,即财产的购买者乔·D·克鲁克,并由他将财产转让给哈斯波芮。在哈斯波芮的诉讼中,他声称:

> 被告詹姆斯·T·布鲁克和哈芮·A·普莱斯为了对银行[Englewood 第一国家银行]隐瞒实际购买人哈斯波芮是黑人的事实,他们伪造了乔·D·克鲁克作为财产购买者。这种行为是银行职员杰·D·克鲁克进行的,实际上房屋是由哈斯波芮购买的。

因此在哈斯波芮案中,布鲁克先生是被告之一,他试图推翻他的妻子在前面案件中所取得的结果。

被告哈斯波芮是一个活跃的人,他承担过许多工作,包括联邦法警,商人和不成功的共和党议员候选人。他以哈斯波芮基金会名义散布黑人民权的小册子,他的女儿 Lorraine 这样描述他:

> 我的父亲是一个认为"美国方式"可以成功地使美国走向民主化的典型黑人。25年前,他使用自己微薄的收入、令人瞩目的天赋以及多年的奋斗,与 NAACP 的律师合作,对芝加哥的黑人居住"限制盟约"提出了谴责。
>
> 这种抗争要求我们的家庭居住在一个恶魔般威胁的白人社区,在那里我们感受到了暴徒对我们的围攻……其中投掷物差点要了当时这位8岁的书信作者的性命。在我的记忆中,这种对美国白人至上社会的合理抗争方式在日常生活和学校被人嗤之以鼻,我们被咒骂甚至殴打。而且我同样记得我极端但充满信心的母亲,当父亲在华盛顿法院进行有意义的抗争时,她携带一把卢格尔手枪整夜在我们房屋四周巡逻,顽强地保护她4个子女。
>
> 事实上,我的父亲和 NAACP "赢得"了最高法院的判决,在一个著名的案件中写有他的名字,非常讽刺的是,这种进步满足了我们的朋友的要求,而他们却嘲笑我们的抗争。这种代价、感情、金钱和时间上的损失,使我父亲英年早逝,但是我父亲在去世时候仍然很遗憾地看到,尽管他作出了牺牲和努力,芝加哥的黑人仍然像以前那样被隔离居住。

这一房屋买卖引起了李诉哈斯波芮案,在该案中,原告要求执行盟约并将哈斯波芮从该居住区中逐出。原告声称:被告试图串通破坏房屋销售和出租限制的盟约,将这些地区的房产出售给黑人。原告在这一问题上胜诉了,法庭禁止布鲁克将任何在限制区域内的不动产出售或出租给黑人，或者出售出租给准备转卖或转租给黑人的白人。保险公司也被禁止对在限制区域内工作或居住的黑人提供不动产的借贷；并声称房屋出售给哈斯波芮和他的妻子的行为无效，命令他们从该地区搬走，并认为这种限制性和约有效并且需要充分执行。

伊利诺斯州最高法院主要关注于盟约解释及其本身条款的有效性，没有对其中存在的宪法异议加以考虑。

对被告不利的裁决的证据基础，除了一个犹太人凯特的证词之外，都没有受到质疑，法庭认定凯特声称"我可以将我自己的财产卖给任何人，包括黑人"，已足以阻止他提出证据质疑。

上诉人主张：禁止保险公司对居住在限制区域内或者在限制区域内供职的黑人提供贷款是不恰当的，因为借贷不受该盟约限制。伊利诺斯州最高法院判决认为：仅仅在语言上违反限制盟约不是使贷款无效的充分原因，"它并没有许可贷款人与之合谋一个可以违反盟约，而证据表明是担保公司正在违反盟约"。

案件的主要主张集中于是否有法定数量的业主签订了盟约。这种盟约没有效力或者没有生效，除非有95%的前面所述的业主签字。在案件中，原告认为该问题应当遵循通过布鲁克案件确定的既判力。哈斯波芮案件的初审法庭认为，虽然只有54%的业主签署了盟约，但是这个问题已产生了既判力，因此本案不对该问题进行判决。

原告认为，"除非有禁令要求这个社区成为混合居住的社区，否则，白人和有色人种的混合居住必然会造成灾难"。在布鲁克案中，抗辩是情况已经发生变化，执行这种盟约将会造成不平等。但是布鲁克案中法官认为：这种居住环境没有发生变化，作出了支持原告的判决，而且对宪法抗辩进行反驳。

伊利诺斯最高法院在哈斯波芮案中认定，布鲁克案是一个集团诉讼或者代表诉讼。除非该判决在直接诉讼中被推翻或者宣布无效，否则集团其他成员也受判决约束。法庭没有发现伪造或者串通欺骗的证据，因此执行和有效的问题是既判力的问题，而既判力延伸到本来可以提出的所有事项。因此，这种盟约的有效性不能重新审理，维持驱逐哈斯波芮一家人的判决。

哈斯波芮向最高法院申请调卷令。他的律师希望宣布这种种族限制盟约被宣布为违宪。他们主要的争论，涉及了集团诉讼的适当性——他们只是在最后的辩论理由中涉及到违宪审查……

哈斯波芮诉李
Hansberry v. Lee
311 U. S. 32（1940）

斯通大法官代表最高法院制作意见书：

本案的问题是，伊利诺斯州最高法院裁判申诉人受一项他不是案件当事人的判决的拘束，这种行为是否剥夺了当事人依据宪法第 14 修正案的正当程序保障。

答辩人在库克郡巡回法院提起本案诉讼，禁止申诉人违反一个限制芝加哥市特定地区的土地使用盟约，这种诉讼请求声称由 500 名业主提出。该盟约确定，在一个特定的期间，土地的任何部分不能出售或者出租给有色人种或者以其他方式允许有色人种占有，并规定：该盟约如果得到 95% 的居住在主要街道上的业主签名便生效。原告指出，签名人数已经符合要求；而答辩人作为业主也签署了盟约，并且取得了该有使用限制的土地的所有权。

为了证明盟约未生效，申诉人提出签名未达否定人数的抗辩理由，答辩人认为早期判决对这一争点产生了既判力（布鲁克诉克尔曼案件，Burke v. Kleiman, 277 Ill. App. 519.）。关于这点，申诉人在反驳文状中指出，他们不是先前诉讼的当事人，也不受前案判决的拘束，否定他们诉讼的权利，协议的效力和履行条件这一争点就未获得救济，因此，作出此种决定否定了他们依据宪法第十四修正案所赋予的正当法律程序的保障，申诉人既未出庭，也没有证据表明任何申诉人是前一诉讼的利益继承者或者与先前的诉讼当事人有任何"相互关系"，因此不应当受到判决约束。最终指出遵循先例会导致他们诉讼权利被否定。

巡回法院在对该问题审理之后，认为仅有 54% 的符合条件的业主在盟约上签字，并且认为布鲁克案审判法院的判决是在受到虚假和欺诈陈述声称已有 95% 业主签字的情况下作出的。但是法院认为尽管如此，协议的有效性及履行条件这一争点已经在前案中主张和抗辩过，并已做出了对答辩人有利的判决。伊利诺斯州最高法院也维持了这一判决，我们批准通过调卷令对案件中的宪法问题进行审查……

一个人不能受他没有作为当事人参加的诉讼所作出的判决约束，这是在英美法院普遍适用的一个原则（Pennoyer v. Neff, 95 U. S. 714；1 Freeman on Judgments, 5th ed., §407）。在这种背景下所做出的判决，没有依据宪法和成文法规定的完全善意的原则赋予权利，（R. S., §905, 28 U. S. C. §687, 28 U. S. C. A. §687）而且对没有出庭的当事人及其财产作出不利判决不符合宪法第五和第十四修正案所规定的正当程序要求。

在一定程度上，司法判决明确界定这一通常规则的例外，即在集团诉讼或者代表人诉讼案件中,"集团"中的某些成员是当事人一方,他们经过诉讼取得的判决结果对集团其他未出庭的成员有约束力。

集团诉讼是衡平法的创造,目的是促使起诉及时得到判决,因为诉讼中的利害关系人过于广泛,或者要求所有的共同诉讼人都依照通常程序参加诉讼是不现实的,或者要求他们参加诉讼会使案件过于复杂,或者由于关系人住所不明、不受管辖权约束或者导致诉讼拖延等原因不能传唤所有的人到庭,在这种诉讼中,有相同利益关系的那些未参加诉讼的同一集团中的人,在那些享有共同利益的争点上视为已公平地被提起诉讼的集团代表们所代表,成为他们的共同利益关系人,法庭可以对这种集团诉讼作出判决。

很明显,尽管当事人参加诉讼存在技术性缺陷,促使法庭进行集团诉讼的因素与决定缺席当事人是否受判决约束的因素显然不同。我们对此加以评判的前提是,如果缺席者受判决约束,是否满足正当程序、完全善意和信任条款的要求。支持在特定的集团诉讼判决中判决没有参加诉讼的集团成员产生既判力,仍然要在宪法范围内加以考虑。宪法第十四修正案并不强迫各州法院或立法机关采纳特定的规则来支持集团诉讼的判决结论,也不强迫这一特定规则在联邦法院或本院采纳。通过对多种惯例和利益的适当考虑,Jackson County v. United States, 308 U. S. 343, 351,本院认为:只有在那些没有保障受判决约束的缺席者的利益的这类案件中,才存在正当程序缺陷。

联邦法院为人熟知的原理表明:集团诉讼的成员在以下情况下,即使没有作为当事人出庭,也要受判决的拘束:如果他们的利益事实上被出庭的当事人充分代表,或者如果他们实际上参与了作为当事人出庭的集团成员的诉讼行为,〔Plumb v. Goodnow (Plumb v. Crane), 123 U. S. 560; Confectioners' Machinery Co. v. Racine Engine Mach. Co., 7 Cir., 163 F. 914; 同上, 7 Cir., 170 F. 1021; Bryant El. Co. v. Marshall C. C., 169 F. 426.〕或者他们这一集团的利益在某些成员出庭的诉讼中已被合并审理,或者基于某种理由,出庭的当事人和未出庭的当事人之间的利益关系合法地授权前者在判决中代表后者。Smith v. Swormstedt, supra; cf. Christopher v. Brusselback, supra, 302 U. S. at p503, 504, and cases cited.

在所有的此类案件中,只要集团的成员参加了诉讼,依据普遍的法律规则,判决对没有参加诉讼的集团成员也产生效力,我们可以由此认为,这一程序为所有被代表但是没有出席法庭的当事人提供了保护,而这种保护满足了正当程序、完全善意和信任的要求。在这类案件中,我们不必指出:当界定该集团的惟一条件是对该集团成员的权利的决定时,州政府不能采取一种程序并藉此作出由一部分人代表全体人利益的判决。而这种适用的前提便是缺席的人与出庭的人属于同一集团，而判决也是对共同问题完全和公正的解决。在本案中，我们认为既判力适用于缺席者不能符合上述条件。

这种限制性盟约的目的并不是创造一个共同的义务和责任。如果这种盟约有效，将对在盟约签字的人和其他声明受盟约约束的人有效。盟约对所有签字者有严格效力。很明显所有声明受约束的人并不能在任何关于该盟约的执行而提起的诉讼中形成一个集团。那些通过寻求盟约的执行而保护自己的利益的人不能被认为与抵制盟约实施的人属于同一利益集团，他们也不能代表后者的利益，因为这一盟约通过强加义务于后者而保证了签名业主的利益。如果依据州最高法院的观点通过盟约的执行获得利益的一方当事人形成一个集团，那么很明显从利益一致的意义上说，那些质疑或者抵制盟约而实现自己利益的当事人不属于这个集团，因此我们可以说那些促使盟约实施的人与他们的利益是根本对立的。

因为这种促成盟约执行和抵制盟约执行的双方存在双重利益和可能的利益冲突，我们不可能说，仅仅因为他们是集团诉讼的当事人就将两者归入同一集团。如果没有依据正当程序规则对缺席当事人的权利应当给予充分关注，则不允许部分人在判决中代表新有的人。

一方面，我们可以说集团的部分成员可以代表其他成员进行诉讼，而该集团的惟一和共同的利益是请求共同的权利或者对义务提出质疑。Smith v. Swormstedt, Supra; Supere Tribe of Ben–hur v. Cauble, Supra; Groves v. Farmers State Bank, 386 Ill. 35, 12 N. E. 2d 618. 另一方面当事人有权选择是主张权利还是提出挑战，这都是一个集团的事情，但任何集团不能是混合组成的，集团诉讼的一方当事人的代表必须能够代表本集团的全部共同利益。被选为诉讼代表人的集团诉讼成员，如果他们的实体权利不必定或者甚至是可能与他所代表的人一致，这不能保证不出庭的当事人获得了正当程序的保护。迄今为止，集团诉讼中对于未出庭者的代表问题尚未经过系统的探讨。除了通过欺诈和串通而牺牲了未出庭的当事人的权利，我们认为在本案中的代表没有符合正当程序的要求，与一位司法官员在自己可能从审判结果中享有利益却仍执掌裁判权的情形相比，这种情形只是五十步笑百步，因为本案的当事人与该集团的其他当事人的利益可能存在冲突。

在布鲁克案中，原告为了自己的利益促使盟约的执行和实现对己方有利的事项。他们在并没有授命被告作为一个集团参加诉讼，也没有向当事人以外的人寻求禁令或其他救济，而且判决也没有声称对其他人有约束力。在寻求盟约执行的过程中，前一案件的原告并没有在该诉讼中代表在本案中的申诉人，本案的申诉人恰恰在抵制执行中有利益。前一案件的被告在提出请求以及判决中也没有代表其他人，也没有通过诉讼活动使其他人的权利得以实现，而且没有表明他们在诉讼中有试图使合同无效的要求。在这种情况下，法庭认为在布鲁克案件中原告和被告都不能代表本案申诉人的合法权利，由于当事人间的双重利益，先前案件的判决不能对本案当事人产生约束力。

注释与问题

1. 叙述哈斯波芮案件的基本案情。谁起诉了谁？哪一方当事人试图采纳何种理由对另一方当事人进行约束？程序问题（宪法问题）的价值何在？它是如何得到解决的？

2. 为什么一个有效的判决不能对列名的当事人以外的人产生效力？在什么方面，集团代表人的利益要与其他集团成员的一致？正如坎波教授所指出的，"如果在一个学校种族隔离的案件中，一些学生不想遇到麻烦事，因此不会加入该集团？"在什么方面，一个集团诉讼案件可能使集团的人未列名原告的代表行为提出反对？

3. 哈斯波芮案的判决意见中提到了两个著名的先例。在 Smith v. Swormstedt 案中，6 名原告代表了 1500 名英国卫理公会派南部教堂的传教士，起诉了 3 名代表了 3800 名北部教堂的传教士。卫理公会派教堂在奴隶制问题上产生了分歧，原告起诉要求对教堂的财产进行分配。法庭允许双方以集团诉讼的形式提出起诉。在 Supere Tribe of Ben-hur v. Cauble 案中，A 集团在联邦法院的提起了一个代表 7 万名证书持有者的诉讼。后来申诉人要求推翻对他们持有的证书的分类，但是被告胜诉。因此，A 集团的另一部分人试图对同一案件再次提起诉讼，法庭认为他们应当受先前判决的约束。为什么在这些诉讼中，集团诉讼的结果对所有的集团成员有约束力？你在这一案件中可以用何种联邦规则进行分析？你认为在 Swormstedt 以及 Ben-hur 这种诉讼集团中的当事人能否使判决结果得到重新的判定或者有机会不参加这种诉讼（也就是说，声明他们不想参加诉讼而不受判决约束）？

4. 你在阅读以下对联邦民事程序规则 23 理论分析时，考虑哈斯波芮、Swormstedt 以及 Supere Tribe of Ben-hur 案依据今天的民事程序法应当如何进行判决。

二、联邦规则[1]

联邦集团诉讼的先决条件规定在联邦民事程序规则 23（a）和（b）。23（a）包括 4 个条件，必须满足所有的 4 个条件才能够在联邦法院进行集团诉讼。这 4 个条件分别是人数众多、共同性、典型性以及代表性。23（b）概括了集团

---

〔1〕 在本章中，集团诉讼中还有许多问题我们没有进行探讨。这些问题包括具有特殊问题的被告集团诉讼，以及依照法律的集团安全诉讼。我们也没有对州的集团诉讼程序进行讨论。

诉讼的 4 种类型，因此，只要符合本款的任何一个条件就可以依照第 23 条进行集团诉讼。

1. 先决条件
在 23（a）中，规定了四个先决条件：[1]
- 人数众多（Numberosity）
- 共同性（Commonality）
- 典型性（Typicality）
- 代表（Representativeness）

第一，联邦民事程序规则 23（a）（1）要求，"集团人数众多以至于要求所有的成员参加诉讼不现实。"但是，法律并没有规定达到众多要求的成员的数目，有时集团成员达 350 人却被认为对于集团诉讼来说是相对人数较少，有时成员人数达到 25 人以上却被认为就是充分的。参见查尔斯·怀特，《联邦法院的法律》，Charles Wright, Law of Federal Courts §72（5th ed. 1994）。

第二，联邦民事程序规则 23（a）（2）要求，"在集团中法律问题和事实问题中存在共同性"。这种共同性需要进行一个类似于联邦民事程序规则 20（允许参加诉讼）和 42（a）（诉讼合并）的分析。

第三，联邦民事程序规则 23（a）（3）要求"作为代表的当事人的请求和防御在集团中具有典型性"。这种典型性的要求来源于正当程序条款的要求，反过来，该条要求一个当事人的利益受到充分地代表和保护，才能使之受一个法庭判决的拘束。

第四，联邦民事程序规则 23（a）（4）要求在集团诉讼中列名的代表人的当事人在诉讼中必须"公平且充分地保护集团的利益"。这一要求通常被称为代表，要求法官考虑代表人和他的律师是否有充分的经验、能力和利益来对集团进行代表，而且律师有义务就代表人能够充分代表集团的成员的问题说服法官。

集团诉讼必须符合联邦民事程序规则 23（a）的规定的四个先决条件。在这些问题上，初审法官具有较大的自由裁量权。

2. 类型
满足联邦民事程序规则 23（a）的规定的四个先决条件的集团诉讼，还必须符合 23（b）规定的四个集团诉讼的类型：
- 23（b）（1）（A）不相容标准的集团诉讼
- 23（b）（1）（B）限制基金集团诉讼
- 23（b）（2）禁令性或宣告性救济集团

---

[1] 另一种观点认为存在 5 个先决条件：第 5 个是集团的相同。第 23 条规定了前 4 个，第 5 个是推定的条件。

・23 (b) (3) 优势或优越集团诉讼

第一，不相容标准的集团诉讼仅仅说服在推定的集团律师允许法官的时候存在，他必须使初审法官相信，"如果对所有的当事人分开起诉会造成判决结果不确定和不一致，最终会使判决产生矛盾，或者不同的审判为对方当事人提供了不相容的行为标准"。联邦民事程序规则23 (b) (1) (A)。换句话说，这种情况下进行集团诉讼是最恰当也是惟一的方法，如果不进行集团诉讼，被告（或者多个被告）可以在将来的行为中受制于不一致的指令：

> 集团是用来保护不受非集团方当事人在诉讼中被置于受困或者矛盾地位，而且这种方式仅仅适用于一种情况，即不仅导致存在不一致判决，而且非成员方可能因为不同的或不一致的支持胜诉救济而被起诉。

Employers Insurance of Wausau v. FDIC, 112 F. R. D. 52, 54 (E. D. Tenn. 1986)。这种概念你们应当非常熟悉，因为它与联邦民事程序规则19 (a) (2) (ii) 的必要诉讼当事人相似。

第二，限制基金的集团诉讼仅仅在一类情况下允许，"如果存在一种风险，即对集团中个别成员的判决……可能实际上处分了不是当事人的其他成员的利益或者实质性地剥夺或削弱了他们保护自己权益的能力"。联邦民事程序规则23 (b) (1) (B)。集团诉讼的律师必须说服地区法院的法官，被告的财产不足以支付所有的请求，而限制基金集团诉讼是最好的处理机制，能够保证对所有当事人的平等对待。此类集团诉讼的特点是它是强制性的，没有选择退出的机会。

第三，集团诉讼在规则23 (b) (2) 下也被允许，当"集团的对方当事人基于普遍适用于整个集团的理由而采取行为或拒绝行为时，因此需要作为整体要求做出适当的终局性的禁令救济命令或者相应的宣告性救济"。正如1966年顾问委员会对该条的立法说明中指出，这也与我们对规则的运用相一致，这种集团诉讼特别适用于民权诉讼"一方当事人由于对集团诉讼当事人非法歧视，而该集团的成员数通常无法具体计量"的情况：

> 规则23 (b) (2) 被设计用来提供禁令或者宣告性救济的案件。在这类案件中，并不要求对所有的集团成员给予明示，而且成员也没有"选择退出（opt out）"的机会。

思考其他可能损害整个集团利益因而适宜提供禁令或宣告性救济的非法行为的种类。

第四，规则23 (b) (3) 规定的集团诉讼类型也就是最后一种集团诉讼，是最富争议性的诉讼，它要求发现"法律或事实问题对于集团成员的共同性相对于影响个体成员的问题占据优势地位，而且集团诉讼要比其他解决争议的方法更加公正和有效"。在这种集团诉讼案件中，每个能够通过合理方法指认的成员都有被单独告知诉讼存在的权利，而且都有选择从集团中退出的机会。参见联邦民事程序规则 23（c）（2）。告知未决诉讼存在的支出可能很大。参见 Eisen v. Carlisle Jacquelin, 417 U. S. 156 (1974)（采用公告或通知使未参加诉讼的集团成员充分了解案件，而且这种行为的费用支出不能转嫁给被告）；Oppenheime Fund v. Sanders 437 U. S. 340 (1978)（当信息不具有相关性时，指认集团成员的责任不能在证据开示时转移给被告）。另外，大量的当事人的选择退出会使集团诉讼的和解难以达成。

对于规则 23（b）（3）规定的集团诉讼还有特殊的要求，特别是集团的律师要说服法官相信，"集团成员之间在争议的法律问题或事实问题上的共同性比个别问题占优势，而且集团诉讼要比其他解决争议的方法更加公正和有效"。规则规定了符合这一条件的四种典型的诉讼：（1）集团成员控制自己诉讼的特殊利益；（2）先前的相关判决；（3）将案件集中在同一法院的可欲性；（4）集团的可管理性。这些考虑将注意力集中在所谓的分裂（splintering）问题上，也就是说，这个问题对每个集团诉讼成员来说都是独特的，要求个性化的证据，这便减少或者消除了集团诉讼的优势。

规则 23（b）（3）的集团诉讼通常是消费者诉讼的工具。一个消费者希望对缺陷产品的生产商进行诉讼，或者对信用卡发行者规定了不公正的发行政策而进行质疑，从而提出一个个人针对大公司的诉讼（甚至在某些情况下针对整个产业）。但是如果有更多的共同诉讼人参加诉讼那么就会产生不同的情况，这对于保障消费者合法权益具有积极意义。顾问委员会在 1966 年做出的对规则 23 的解释表明：规则 23（b）（3）中的集团诉讼案件，可能不适用于欺诈或者群体侵权，因为在这类问题中责任、起因、损害和抗辩存在较大的个别性。尽管存在这种注释，许多欺诈和群体事故甚至群体大众侵权案件都通过这种集团诉讼得以解决。

3. 确认和默认（Cerification and Implication）

联邦民事程序规则 23（c）规定"一旦作为集团诉讼提起的诉讼开始之后，法庭必须尽快通过命令决定案件是否应当被法庭作为诉讼程序接受"。这就是律师和法官所称的集团诉讼的确认（certifying）。为了决定案件是否可以作为集团诉讼得到处理，法庭要求提出集团诉讼请求的当事人对案件的集团范围进行限定。规则 23（c）（4）。集团必须明确到使法官可以决定案件是否符合集团诉讼的 4 个条件，是否可以将其归入法律规定的四种集团诉讼之中，并且决定在集团诉讼案件中当事人是否有权利退出诉讼。

集团诉讼使我们对前面 10 章中的所有的程序和实践问题进行重新思考。我们在这里只对其中的部分问题进行研究。

事项管辖权。在集团诉讼的异籍案件中，仅仅对列名的原告和被告要求完全异籍。另外，是否每一个集团诉讼必须符合成文法规定的人数仍然存在异议。Zahn v. International Paper Co., 414 U. S. 291（1971）和美国法典第 28 编§1367（b）（规则 23 的集团成员需要成员名单明确列明，除非依据 1332 节异籍管辖的例外）。

对人管辖权。最高法院在 Phillips Petroleum Company v. Shutts, 472 U. S. 797（1985）案中认为正当程序条款不要求法庭对集团中缺席的原告享有对人管辖权，因为他们没有接到任何案件的通知，也没有机会选择退出诉讼。

法律冲突。实践证明实体法的冲突是集团诉讼判决过程中的一个障碍。在 Shutts 案中，法庭认为由于正当程序的限制，在法官适用实体法时倾向于避免州法律的适用。

制定法时效。一般说来，制定法时效在集团诉讼提起最初即告中断，集团的所有成员均适用这一时效中断效果。如果不能进行集团诉讼，则时效中断停止，制定法时效继续计算。然而，各州有不同的制定法时效，这对于全国性的集团诉讼是另一个障碍。

在你阅读几个运用了各种规则的集团诉讼之前，你应当弄清楚进行集团诉讼必须遵循的规则。当然，在代表一个集团提起诉讼时存在大量优势和机会。首先，被告不可能仅仅针对一些被列名的代表人做出他们希望的赔偿而致使诉由消失。集团诉讼也可以为成千上百的无钱雇佣律师甚至那些根本不了解自己合法权利受到侵害的当事人提供法律服务。集团诉讼也是当事人取得公众对案件支持的一个好机会，集团诉讼也可能是惟一吸引优秀律师参加的既费时又费力的诉讼。提起集团诉讼惟一的威胁便是他可能影响你的当事人权利获得更好的和解。

同时，提起集团诉讼也不是没有风险的。首先，你必须将你对个人当事人的忠诚转移到对整个集团。而且，被列名的诉讼代表人所得的救济和其他集团成员所得的救济是相同的。进行集团诉讼的时间、金钱、心力的支出是巨大的。作为首席律师，你要准备接受多方质疑，你最终可能只能成为辅助律师或者被排斥在案件之外。另外，如果案件被确认为集团诉讼立案，你应当预期要求法官在管理案件方面的角色比普通诉讼更能动。你必须在恰当的时机以恰当方式促成案件的和解，特别是集团诉讼案件通常在和解或者撤销时涉及听证对集团成员的公示和法院的确认。

总之，是否提起集团诉讼的决定是至关重要的，无论是对你的当事人、对你、对你的同伴，还是对案件的"诉因"。

通用电话公司诉福尔肯
General Telephone Co. v. Falcon
457 U. S. 147（1982）

斯蒂文森法官（STEVENS）代表最高法院发表了如下意见：

本案提交的问题是，答辩人福尔肯起诉申诉人，由于他是墨西哥裔美国人，因此在工作中没有给予其提升机会，该案件被以集团诉讼的方式提起，那么福尔肯能否代表没有被通用电话公司雇佣的所有墨西哥裔美国人的利益而针对申诉人提起集团诉讼。

I

1969 年，申诉人发起了一个针对少数民族的雇佣和培训计划。通过这个计划，答辩人法克在 1969 年 6 月被雇佣为场地管理员，在一年内他得到了两次提升，第一次被提升为架线工，第二次被提升为架线工的总管。随后，他拒绝了被提升为安装维修人员。在 1972 年 10 月，他申请场地检查员的职位；他的请求被拒绝，而同时提升了几个并不具备优先资格的白人。

福尔肯随后向保障平等就业机会委员会提出了一个控诉，声称他已经通过了提升的审查，但是由于他的血统的影响而没有得到提升，因为申诉人的提升政策对墨西哥裔美国人存在歧视，因此他提出了以墨西哥裔美国人为原告的集团诉讼。Falcon v. General Telephone Co. of Southwest, 626 F. 2d 369, 372, N. 2（C. A. 1980）. 在适时的期间内，委员会向法克送达了"有权起诉"（right-to sue）的信函，在 1975 年，他依据民权法案第 7 条在德克萨斯州联邦东北地区法院提起诉讼。他在起诉中声称，申诉人仍然保留着一种政策、实践、传统或者方法：（1）在雇佣的能力要求、时间、条件和特权方面，对墨西哥裔美国人进行血统歧视；（2）对墨西哥裔美国人在雇佣过程中一直持有这种歧视态度。答辩人声称通过这种歧视政策，使缺乏能力和经验并且具有较低评价的白人获得较快提升。这种请求没有涉及申诉人雇佣行为的事实证据。

答辩人"依据联邦民事程序规则 23（b）（2），代表自己的利益和与他境况相似的人的利益"提起了诉讼。该诉讼列名的案件原告包括所有被德克萨斯州爱尔文地区的通用电话公司雇佣的墨西哥裔美国人或者可能被雇佣的墨西哥裔美国人，以及那些已经被或者将会被这种歧视性政策损害的人。

在申诉人提交书面讯问之后，答辩人作出了回应并提交了确认集团成员的备忘录，该备忘录包括所有曾经被通用电话公司雇佣过的、正在被雇佣的或者将来被雇佣的墨西哥裔美国人，他们使用了或者曾经使用过各种方法来对抗在雇佣过程中的种族歧视。答辩人的立场受到第五巡回法院在 Johnson v. Georgia Highway

Express 一案中意见的支持，法院指出，所有在雇佣过程中遭遇过种族歧视的人可以对不公正的雇佣过程或者对在雇佣过程中奉行种族歧视的雇主提出诉讼。没有进行任何证据的听证，地区法院便批准了由所有的受雇佣的墨西哥裔美国人和所有将要被雇佣的墨西哥裔美国人为原告的集团诉讼。

在对责任问题进行审理之后，地区法院对事实和法律问题进行了分开的审理，首先针对被告然后针对原告诉讼集团。地区法院认为申诉人在对答辩人雇佣的过程中没有任何歧视，但是在对他进行职位提升时对他存在歧视。App. to Pet. for Cert. 35a, 37a. 法庭做出了对诉讼集团不利的判决，但是认为，申诉人在爱尔文地区的工厂雇佣工人的过程中存在对墨西哥裔美国人的歧视。

在一系列的审判后程序中，地区法院要求申诉人提供在1973年1月1日到1976年10月18日所有在爱尔文地区的工厂中求职的墨西哥裔美国人的名单。答辩人被命令通知名单上的人他们可能获得一定的赔偿。对于这种通知进行回应的人提交了相关证据，除了答辩人法克以外，最终得到赔偿的人有13个。答辩人和他的诉讼集团最终得到了67925.94美元的赔偿，另加诉讼花费和利息。

双方当事人都提出上诉。上诉法院驳回了答辩人的主张，即赔偿应当涉及申诉人在德克萨斯州、新墨西哥州、俄克拉荷马州以及阿肯色州的申诉人的所有工厂。另一方面，法庭也驳回了申诉人认为该集团的范围界定过于宽泛的观点。因为，依据第五巡回法院的规则，允许雇员对一个雇佣事件代表其他的类似雇佣过程的事件提起诉讼，前提是原告和集团的其他成员都从这种雇佣行为中受到损害。在本案中，所有的请求都是基于对民族的歧视而提出的。法院借用了第五巡回法院在 Payne v. Travenol Laboratories, Inc., 565 F. 2d, 895（1978）案件判决中的语言：

> 原告的案件是对不平等的雇佣过程进行的"通用"（across-the-board）诉讼，基于Travenol公司在雇佣过程中实施的种族歧视政策。作为当事人声称受到这种歧视的损害，原告表明了充分的关联关系使他得以代表其他在不同的情况下遭遇同样的歧视政策损害的集团成员。

565 f. 2d, at 900, quoted in 626 f. 2d, at 375.

在这种条件下，上诉法院支持了申诉人提出的在提升中的歧视无法证明，但是认为地区法院针对在雇佣过程中的歧视不足以支持代表集团诉讼的赔偿。本院在对 Taxes Dept. of Community Affairs v. Burdine 450 U. S. 248 案进行判决之后，我们宣布上诉法院的判决无效，并指示他们根据该案意见书进行更多考虑。（General Telephone Co. of Southwest v. Falcon, 450 U. S. 1036）。第五巡回法院据此撤销了其意见书中的一部分，即认为答辩人提出的提升上的歧视没有证据，但是支持地区法院对集团诉讼的确认。我们认为对于答辩人的职位提升中的歧视请求和在雇佣过程中的歧视请求的审理过程中地区法院的意见需要重新进行考虑，我们采用调卷令来决定代表所有被拒绝提升和所有被拒绝雇佣的墨西哥裔美国人为原告提起的集团诉讼是否应当受理。

II

集团诉讼机制是"诉讼只能由代表列名的个人当事人（作为原告和被告）提起"的一般规则的例外（California v. Yamasaki, 442 U. S. 682, 700 - 701）。当涉及的问题对集团整体来说是共同的而且当案件所提出的法律问题以相同方式适用于集团的每一成员时，这种集团救济是特别适当的。因为在这种案件中，集团诉讼机制依据规则23通过允许对所有集团成员构成潜在危害的行为以经济的方式提起诉讼，节约了法庭和当事人的诉讼资源。

1964年民权法案第7条，授权保障平等雇佣机会协会以自己的名义针对法律所禁止的雇佣中的歧视进行起诉，并为受损害的当事人权利提供救济。为了实现这种权利，该委员会对受雇佣的团体和被拒绝雇佣的团体依据民事程序法23条的约束提起了集团诉讼（General Telephone Co. of Northwest v. EEOC, 446 U. S. 318）。民权法案第7条对个人提起针对就业和雇佣中的歧视提起集团诉讼并没有明确规定。个人诉讼如果要满足集团诉讼的条件，必须符合规则23（a）关于人数众多、共同性、典型性和充分代表的先决条件。这些先决条件有效地限制了个人提起集团诉讼的行为。

我们一再坚持，"集团的代表人必须是集团的成员，并拥有和集团成员相同的利益，也遭受和集团成员相同的损害"东德克萨斯州货运汽车公司案（East Texas Motor Freight System, Inc. v. Rodriguez, 431 U. S. 395, 403.）。在东德克萨斯州货运汽车公司案中，3个墨西哥裔美国汽车司机提起诉讼，第五巡回法院认为应当进行以黑人和墨西哥裔的汽车司机和预备司机职位的申请人为集团提起关于在雇佣过程中的种族和民族歧视的集团诉讼。我们认为在这一案件中上诉法院错误地做出了进行集团诉讼的决定，因为在确定集团的当时，很明显被列名的原告并不符合预备司机职位的申请者的条件，"他们不可能从其请求的歧视行为中受到损害，因此让他们在这件集团诉讼中作为代表人进行诉讼是不可行的"。（同上，页403-404。）

我们在东德克萨斯州货运汽车公司案的判决理由是有限定的；我们认为如果地区法院确认一个不同的集团诉讼的案件，而该案被列名的原告不符合集团成员的条件也不能以其他理由代表集团，因此该案应另案起诉。我们同样认为在第五巡回法院的"搭车"规则（across - the - board rule）之下的理论，表明我们了解的"种族歧视或者道德歧视的案件从本质上通常是集团诉讼，涉及集团范围的错误"而且"经常出现一些共同的法律和事实问题"。（同上，页405。）同样,我们也反复指出,"联邦民事程序规则23的规定并非强制性的",而且"事实表明:种族或血统的歧视案件的起诉方并不必然是那些真正受歧视损害的人所属的集团的充分代表人"。(同上,页405-406。)

我们不同意存在"搭车"规则下的种族歧视是辨别歧视案件集团诉讼的标准。但是确定这种歧视确实存在并不能决定依据规则第23条应当进行集团诉讼,也不能断言集团成员是明确的。从概念上来说,(1)个人请求他在职位提升过程中由于歧视而导致提升权被否定,而且他提出了一个没有任何证据支持的声明认为公司中有相关的歧视政策的存在;(2)部分人与该个人遭受了同样的损害,因此,个人的请求和集团的请求存在相同的法律问题和事实问题。因此,个人的诉讼与集团诉讼两者有明显差异。答辩人要弥补这一差异,必须证明他的案件成立之外更多的事实。即使答辩人提出证据表明,他没有得到提升,而有几个不值得奖赏的白人得到了提升,这可能表明他的职位提升的权利因为民族血统的原因被否定,但是这种证据并不必然得出下列推论:(1)这种歧视性对待在申诉人公司的提升机制中是典型的;(2)不提升的答辩人决定是在公司爱尔文分部奉行的血统歧视政策驱使下做出的;(3)这种血统歧视政策也体现在申诉人其他实践就业中,例如雇佣,与职位提升中奉行的政策相似。这种附加推断表明,答辩人的诉讼请求范围在上诉过程中被大大扩展了。

答辩人的起诉状,声称他在职位提升过程中遭遇歧视,但是不能得出这种歧视与申诉人因为歧视而拒绝雇佣墨西哥裔美国人的事件的共同之处。答辩人和他试图代表的该集团的其他人没有共同性,因此地区法院推准申诉人对墨西哥裔美国人的雇佣和申请雇佣过程中歧视作为集团诉讼是错误的。如果任何一个关于歧视待遇的起诉都可以扩展为"搭车规则"案件,那么所有依照民权法案第7条提起的任何诉讼都可能成为集团诉讼。我们在制定法中并没有看到这种默示的扩展。

本案集团诉讼的审判有一系列的推断过程。答辩人的提供的个人诉讼的证据和集团诉讼所要求的证据完全不同,他没有提出共同的事实或者法律问题。他试图在集团诉讼的案件中提出他个人案件中存在的歧视,试图通过统计的毫无关联的证据来证明集团的起诉。更为讽刺的是,初审法庭驳回了集团诉讼中与答辩人个人请求关系更为密切的职位提升中歧视的起诉,而保留了集团诉讼中雇佣过程歧视的起诉。按照初审法庭将案件分为两个部分的判断,法庭应当对案件分别进行集团诉讼和个人诉讼。很明显,对该案进行集团诉讼不符合诉讼效率和诉讼经济的要求,而这是集团诉讼的基本目的。American Pipe Construction Co. v. Utah, 414 U. S. 538, 553.

当然,我们并不能通过事后判断对集团诉讼的优越性进行论证。地区法院在案件的判断上出现了错误，而这种错误直接来源于"搭车"规则的适用，没有对原告诉讼请求进行仔细和合法的评价，错误地适用规则23决定原告是集团成员的典型代表。正如我们在Cooper Lybrand v. Livesay, 437 U. S. 463案中所指出的那样，做出集团诉讼的决定通常涉及构成了原告诉因的事实和法律问题。有时候问题非常清楚，仅仅从诉讼请求中便可以决定缺席当事人的利益是否与被列名原告的利益一致，有时候法庭必须对案件诉讼请求背后的事实进行调查才能决定是否进行集团诉讼。甚至在作出了集团诉讼的批准之后，法官仍然可以依据案件情况的变化自由决定进行变更。特别是在批准进行集团诉讼之后，在案件向集团成员通知之前，集团诉讼案件本身便是暂时性的。这种灵活性增加了集团诉讼机制的用途，但是事实上，符合规则23仍是必须的要件。

III

第五巡回法院的合议庭一位成员认识到将规则23集团诉讼的要求运用于民权法案第7条，需要进行详细的审查，所以他们适用了"搭车"规则。在约翰森诉乔治亚州公路快递公司案（Johnson v. Georgia Highway Express, Inc., 417 F. 2d, at 1125 - 1127）中，戈得堡（Judge Godbold）法官的并存意见强调需要提交"更精确的诉告文状"，（同上，页1125。）因为"没有合理的具体性法庭不能批准进行集团诉讼，也不能决定这种代表是否充分，而且雇主不知道如何进行抗辩"。（同上，页1126。）他认为如果集团成员被法庭过于宽泛的界定，就可能会对集团成员产生不公正的损害。而且他指出了在"搭车"规则中默示推定（tacit assumption）的错误在于认为"集团诉讼会使原告人获得集团成员的支持而胜诉"。（同上，页1127。）出于对问题的同样考虑，我们今天重申，第七编的诉讼和其他集团诉讼一样，仅仅在案件被起诉后，经过严格的审查符合规则23（a）中所有的先决条件才能进行集团诉讼。

推翻上诉法院的判决，案件发回依照本院意见重新进行审理。

伯格首席大法官发表了部分并存意见和部分反对意见：

我同意本院做出的关于适用规则23决定案件是否进行集团诉讼的一般原则的意见。但是，我认为，案件不必进行进一步审理，因为完全明了的是在本案中不应当批准进行集团诉讼。我会推翻上诉法院的判决，并且做出直接撤销案件的指示……

……当法官决定确认一个集团时，通常不是通过推断（hindsight），因为法官不能了解将会出现何种证据，而且我们也没有理由在证据尚未提出的阶段对这种问题做出判断。本院认为上诉法院和初审法院没有仔细考虑规则23的适用是恰当的。在决定是推翻判决并且对判决进行修正还是仅仅推翻判决的问题上，我们也应当考虑证据问题。宗卷表明，没有任何证据对集团诉讼进行支持。答辩人提出的统计数据表明，在 1972 年到 1976 年，申诉人雇佣的人员中有 7.7% 的是墨西哥裔美国人，而其他相关行业墨西哥裔美国人的雇佣比例为 5.2%。Falcon v. General Telephone Company of Southwest, 626 F. 2d 369, 372, 381, n. 16 (1980)。申诉人的证据毫无疑问表明，尽管申诉人雇佣的墨西哥裔美国人占其所雇佣人数的极少部分，但是，这一比例远远高于同时代社会上墨西哥裔美国人的整体雇佣比例。（同上，页373，注4。）这否定了福尔肯为代表人所提出的集团诉讼。

和其他民权法案第 7 条诉讼一样，本案已经发生了许多年，司法资源和当事人的诉讼资源也有了较大的消耗。"搭车"规则下的集团诉讼不仅没有促进司法经济，反而使诉讼请求复杂化，使案件陷入无休止的争议中。既然为了那些没有取得职位的求职者的利益而针对申诉人提起的集团诉讼不能取得成功，我认为应当推翻判决并且做出撤销案件的指示。

注释与问题

1. 依据最高法院的意见，原告没有满足民事程序规则第 23 条中的哪一个条件？福尔肯必须做出什么行为？法庭判决是否和通知请求以及证明责任提出的时间一致？你是否同意最高法院关于雇佣和提升的界限的划分？考察顾问委员会 1966 年对民事程序法第 23 条修正案的注释，你能否基于民权法案第 7 条和民事程序法第 23 条做出一个不同的判决？解释你的判决理由。

2. 实践练习涉及在克利夫兰市案件中批准进行集团诉讼。你在对这一练习准备的时候，考虑赞成和反对进行集团诉讼的意见并进行分析。在克利夫兰市案件中，对于集团是否包括那些参加过测试并且被录用的人、被禁止参加诉讼的人以及对未来可能提出职位申请的人这一问题存在极大争议。依据民事程序法第 23 条，确定集团成员范围在诉讼早期非常重要。律师一般会依据民事程序法 23 (a) 在法庭中提出"人数众多"、"共同性"、"典型"和"代表"的审查条件。共同利益和典型性一般涉及类似的辩论。反对进行集团诉讼的律师一般会提出集团成员不确定，如果批准进行集团诉讼，则会导致每个被列名原告都有不同的利益要求来对集团诉讼的请求进行抗辩。原告通常会指出这种诉讼的分割会对损害赔偿造成不利，然后案件应当被批准进行集团诉讼，在责任确定之后，然后在对个人进行单独听证以确定不同的赔偿数额。最后，律师会转向 23 (b) 规定的集团诉讼的类型和由该条所提出的其他的规则，例如 23 (c) 规定的通知条款和 23 (d) 规定的相关特定命令条款。

3. 集团确认决定的上诉。原告无权对驳回集团确认的判决上诉，而且被告也不能对批准集团诉讼的决定进行上诉。但是，依据联邦民事程序规则 23 (f)，上诉法院可以依据自由裁量权决定允许在法定时间内允许上诉。考虑集团诉讼的确认被驳回的情况,这种驳回有效终止了诉讼,因为作为代表人的原告的利益范围太小,只能进行个人诉讼。这被称为"丧钟"(death knell),而且这种驳回集团确认作为在中间上诉。最高法院在库珀诉利夫赛(Cooper Lybrand v. Livesay)案中直接对该问题进行了否决。

4. 法庭必须面对既具有23(b)(2)条特征又具有23(b)(3)特征的案件。通常集团诉讼的原告既寻求集团整体的禁令或宣告性赔偿,也寻求作为成员个体的损害赔偿。法庭选择哪种救济非常重要,因为通常的23(b)案件具有强制性质而规则23(c)案件却享有可以选择退出诉讼的权利。一些法庭批准在第一阶段给予(b)(2)的集团诉讼以禁令或宣告性赔偿,没有选择退出的权利;在第二阶段进行一个23(b)(3)的强制性救济,在这种情况下,集团成员有权利选择退出诉讼。

5. 依据联邦民事程序规则23(1)和23(2)的派生诉讼(derivative actions by shareholder)。联邦民事程序规则规定了两种合并诉讼,在本教程中没有涉及。(1)规则23(1)涉及股东派生诉讼(derivative a ctions by shareholder)。这主要是公司的股东主张该公司的管理人员不能为公司的利益服务而提起的诉讼。事实上,公司的小股东通常对管理上的作为或不作为提起诉讼。在多数派生诉讼中,股东为了其他与其地位相似的小股东的利益提起诉讼,因此股东派生诉讼与集团诉讼相似。(2)规则23(2)涉及对非法人合伙的诉讼。

实务练习三十四
在克利夫兰市案件中提出集团诉讼的动议

在克利夫兰市案件中,准备在联邦地区法院面前提起一个确原告集团的动议。学生的名字以A-D开头的作为法官的秘书,名字以E-O开头的作为市政府的律师反对这一动议,名字以P-Z开头的作为支持集团诉讼的动议。

假设原告谋求确认的集团原告范围在案例起诉状的第5段。为了达到训练目的,我们假设原告的公司具有所要求的技术、经验和经济能力来进行集团诉讼。

4. 和解

你们肯定从报纸和杂志上了解到了一些关于烟草、减肥药物和其他相似的案件。在案件审判中,成千人甚至千万人组成的集团使他们被称为案件的管理者、和解的煽动者或者和解的鼓吹者。(皮特·苏克在《代理人在诉讼中的职责:大众侵权案件在法庭中的危机》中详细描述了美国地区法院法官杰克·B·温斯顿对于案件的广泛的控制和案件的最终和解。温斯顿法官在案件中的行为本书第6章有过详细的描述。)为了使你们深入了解诉讼的效率和公正之间的张力,下面你们将看到美国化学产品有限公司诉韦德森案(Amchem Products, Inc. v. Widsor),该案是美国法院最近宣布由地区法院支持的集团诉讼和解协议无效的案件之一。

你们在阅读案件的判决意见时，考虑是否有害侵权案件促使民事程序和民事诉讼进入了一个质和量的不同层次。考察当事人、律师、被列名的代理人、集团成员和法官在案件中的角色。我们在课程中所学习的价值和概念——对抗（制）、效率、当事人自治和律师对当事人的道德义务、司法中立、获得听审的权利、审判的意义——是如何体现在大众侵权案件中并向法院体系和整个社会展示的。

美国化学产品有限公司诉韦德森
Amchem Products, Inc. v. Windsor
521 U. S. （1999）

大法官金斯伯格代表最高法院发表了如下意见：

本案涉及对依据联邦民事程序规则23进行集团诉讼确认，在这一确认决定中，试图对现在和将来可能提起针对石棉制品的诉讼达成全球性的和解。案件的判决涉及上千甚至几百万具有共同性的个人，或者说许多可能暴露在由一家或者二十几家石棉制品公司生产的石棉产品中并受到不利影响的人。在下级法庭中作为被告的公司，在这里为申诉人。

美国宾西法尼亚州东部地区法院确认该集团诉讼的和解，认为这种和解计划是公平的而且代表和通知都是充分的。法庭将许多当事人纳入了诉讼集团，包括分散的石棉制品购买人受到损害而在联邦或者州法院起诉等待最终命令的案件。第三巡回法院宣布地区法院和解的命令无效，并认为该集团诉讼在几个重要方面没有符合规则23规定的先决条件。我们赞同上诉法院的意见。

I

A

我们面对的集团诉讼的和解协议涉及对于石棉危机的回应。全美司法会议石棉诉讼专门委员会，由首席大法官在1990年9月任命，在1991年的报告中对问题进行了报告：

> 在19世纪30年代，我们便知道石棉是一种危险制品。19世纪40年代和19世纪50年代，许多美国人提起了针对石棉的危害的诉讼，在19世纪60年代，这种损害日益严重，19世纪70年代涌现了大批的石棉制品致人损害的诉讼。以我们过去和现在的文件资料表明，因为石棉制品致人损害造成的某些疾病潜伏期可以长达40年，可能随后还会存在大量此类诉讼。石棉制品的最终损害结果还是未知的。预计到2000年，因为石棉导致疾病引起死亡的人数会达到20万人，到2015年死亡人数可能达到26.5万人。

> 石棉诉讼的最有异议的方面可以简要概括：积案在联邦法院和州法院持续增

长；长期的拖延是平常的事情；审判周期过长；同样的案件被重复审判；诉讼费用达到是被害人所获得赔偿的一倍甚至两倍；财力耗尽威胁和扭曲了诉讼；而且未来的原告可能败诉。

全美司法会议石棉诉讼专门委员会的报告。Report of The Judicial Conference Ad Hoc Committee on Asbestos Litigation 2-3 (Mar. 1991).

报告认为，真正的改革要求联邦立法机关设立一个全国的石棉争议的解决机制……专门委员会建议，全美司法委员会应当促成国会立法的通过。到今天为止，议会没有做出任何反应。

由于立法机关的消极对待，联邦法院无权利用联邦的有毒物品侵权诉讼来替代州侵权赔偿制度，致力于用有效的程序工具来促进联邦石棉诉讼的管理。8个联邦法官在对石棉诉讼的监督过程中指出，应当建立一个多地区诉讼，以使在一个单独地区的所有提起石棉诉讼的人在联邦法院得到审判。依据这一建议，多地区诉讼审判法庭将所有在地区法院当时已经起诉的石棉诉讼进行审判，但是并没有对联邦法院起诉的单独地区的案件进行审判，包括宾西法尼亚州东部地区法院审理的案件；依据案件移送命令，所有被集合在一起的案件被提交到维纳法官进行审前程序。命令仅仅集合系属于法院的待审的案件，对于尚未起诉的案件该审判法庭仍然没有权利进行合并。

B

在案件合并以后，当事人双方的律师分别组成了委员会并且进行和解协商。罗纳德·L·莫特利和基恩·洛克斯以及约瑟芬·F·赖斯被指定为原告集团的代表人并和原告的委员会协同工作。争议解决中心的律师，20个前石棉制品公司的共同体（在本案中作为申诉人）参加了被告组成的争议解决委员会。尽管法庭要求集中并合并所有的已经在联邦法院起诉的案件，但和解协议却包括了试图寻求一种可以解决将来案件的努力……

1991年11月，被告方纠纷解决委员会提出了一个方案，即由被告提供一个在原告以及所有暴露在石棉制品并且受到损害的个人中间进行分配的基金，来解决所有系属中的和将来起诉的石棉案件。原告方委员会否定了这一方案，和解失败。争议解决中心继续寻求一个可行的管理系统来解决将来可能提出的纠纷。

最终，争议解决中心的律师和原告委员会的首席律师联合寻求一个新的解决方案，新一轮的和解开始了；这一回合做出了本案所争议的群体解决方案。当时，原告纠纷解决委员会的前首席律师代表了索赔者——当时处于石棉案件诉讼程序中的几千名原告——本案称之为"介入"的原告（inventory）。争议解决中心指出，由于这种解决方案仅仅讨论了介入的原告，因此对于将来案件没有提供救济可能会在将来受到抵制……

和解谈判将焦点集中在计划安排一个对没有被纳入审判的石棉案件的管理机制。在这种协商中，原告的律师试图代表将来可能提起诉讼的人的利益，尽管在律师与这部分人之间不存在律师——当事人的法律关系。

协商似乎可能形成一个对潜在原告有约束力的协议，争议解决中心同意针对已经提起石棉诉讼的大量"介入"原告通过单独的协议进行和解。在一个此类的协议中，被告同意支付多于2亿美元的赔偿，以撤回介入的原告的起诉。在处理了清单上列明的请求之后，争议解决中心和原告的律师就提起了本案诉讼，原告是那些排除在多地区审判法庭以外的人，他们当时没有参加系属中的石棉诉讼案件。[1]

C

该集团诉讼开始并不打算进行法庭审判。在1993年1月15日，和解双方——被告的律师和代表原告集团的律师进行了下列活动——向地区法院提交了起诉状和答辩，并且提出了和解协议及附条件地确认集团的合并动议。[2]

起诉状指认了9位代表原告，并指定他们和他们的家人作为所有人（包括在进行石棉诉讼当时没有提起诉讼的人）的代表，但是那些（1）在工作期间被暴露在石棉制品含有石棉制品的环境之中，或者其配偶或家庭成员在工作期间被暴露在石棉制品或者含有石棉制品的环境之中的归因于被告的人，或者（2）他们的配偶或家庭成员被暴露在上述环境中的人，[3] 没有被通知的当事人也在诉讼范围之内。所有被列名的原告都声称他们或者他们的家庭成员曾经暴露在被告所生产的石棉制品中。有一半以上被列名的原告声称他们或他们的家庭成员因为暴露在石棉制品之中而受到了身体伤害。其他人声称还没有明显症状。起诉没有指定任何子集团（subclasses），所有被列名的原告都是集团整体的代表。

起诉状援引了地区法院的异籍管辖权并提出了许多州法律的损害赔偿请求，

---

〔1〕 通知没有传递的案件不受处于争议中的和解协议的约束，而且在该法庭对案件获得审判权之后，没有存在受协议约束的案件，这是对判决的基本理解。

〔2〕 在同一天中，被告的律师针对他的保险人提出了第三人诉讼，寻求保险人对于和解协议的费用有责任的宣告性判决。这一保险诉讼，由于协议的应用仍然是有条件的，它的效力在地区法院仍然未决。

〔3〕 起诉状将原告集团作了如下界定：

（1）所有人（或者他们的法定代理人）曾经在美国本土或者其他领土（或者在美国军队、商船或者客船的海外作业中）被暴露在石棉制品中，或者在职业性地或配偶或家庭成员职业性地暴露在石棉或者含有石棉成分的产品中，对此有一个或更多的被告要负法律责任；以及那些在1993年1月15日之前，居住在美国本土或者其他领土没有提起诉讼的人和那些在1993年1月15日之前，居住在美国本土或者其他领土因为石棉相关的伤害、损失或者死亡在任何州或者联邦法院已经针对被告或被告之一（或者针对他们应当对其行为负法律责任的实体）提起诉讼。

（2）在（1）中所指出的所有集团成员的配偶、子女和其他亲属（或者他们的法定代理人），在1993年1月15日之前，没有作为集团成员而提起（1）中所描述的因为石棉相关的伤害、损失或者死亡在任何州或者联邦法院已经针对被告或被告之一（或者针对他们应当对其行为负法律责任的实体）提起诉讼。

包括（1）没有警告的过失责任，（2）严格责任，（3）违反明示或者暗示的担保，（4）精神损害，（5）增加的疾病危险，（6）医疗检查，以及（7）民事共谋。每个原告请求超过 10 万美元的数额不等的赔偿。被告的答辩否定了诉讼中首要的请求并且声明 11 个确认性的抗辩。

伴随着诉告文状原告还提出了和解方案；该方案建议和解，并排除几乎所有的集团成员针对被告公司的起诉，包括所有在 1993 年 1 月 15 日之前没有起诉的现在或者将来会受到石棉相关的伤害或者死亡的人。该殚精竭力的条款超过了 100 页，该条款详细描述了建立管理性的机制并列举了一个赔偿或者补偿的符合暴露条件和医疗要求的集团成员名单。这一条款列举了四个可以得到补偿的疾病的范围：间皮瘤；肺癌；其他特定的癌症（结肠、直肠癌，喉头癌，食道癌以及胃癌）；和其他非恶性的癌症（由石棉和其他产品所导致的）。不属于上述四种症状的特殊症状的人在一定情况下可以获得赔偿，但是和解方案规定了被告必须提供的例外赔偿的最高限度。

对于所有满足上述 4 个条件的疾病，该条款规定了被告的赔偿数额。协议下的赔偿并没有考虑到通货膨胀的因素，间皮瘤的赔偿数额是赔偿额度最高的一类，赔偿范围是 2 万美元到 20 万美元。该条款给被告提供了一个特别赔偿范围，同样也为处于诊断或者治疗阶段的患者提供了救济。

获得上述的救济可以通过特别起诉。但和解协议同样对这种起诉规定了一个数量上的最高和最低限额。[1] 和解协议也强加了一个有最高限额的赔偿，这对每种疾病的赔偿数额在特定的期间内都进行了限定。

集团成员的某些诉讼请求可能得不到补偿，尽管适用州法律可以取得这种补偿。在和解协议下的关于被害人亲属由于长期暴露在石棉制品中造成的个人合伙的损失也无法得到赔偿，以及那些仅仅暴露在石棉制品中而请求可能患癌症的危险性的增长以及担心将来受到石棉制品的危害或者医疗而提起的赔偿请求也无法得到赔偿。胸膜疾病的赔偿，牙菌斑症状提起的赔偿，如果没有伴随任何症状，也被排除在赔偿范围之外。尽管没有无权提出赔偿，但如果前两项规定的请求者在出现可补偿的疾病和符合相关的暴露和医疗的标准时，也可以获得赔偿。被告放弃了对责任以及制定法时效的抗辩。

从主要方面来看，集团成员永久性地受到和解协议的限制，而被告可以在 10 年后申请退出判决的约束。少部分集团成员（每年仅有几个），可以摒弃协议

---

〔1〕 仅仅有 3% 的间皮瘤、肺癌、其他特定的癌症的赔偿请求，和 1% 的其他非恶性的癌症的赔偿请求可以被认定为特别赔偿请求。特别赔偿的数额特定，间皮瘤患者请求特别的赔偿可以平均得到 30 万美元的赔偿。

的执行并且在法院重新提起诉讼。那些拥有这种选择权的人,可能不会提出可能的损害赔偿请求或者对增加患癌症几率的损害赔偿提出请求。判决的执行受到AFL-CLO以及集团律师的管理和监督,集团的律师从地区法庭支持的数目中获得律师费。

D

在1993年1月29日,通过和解双方的要求,地区法院做出了条件性的批准,依据联邦民事程序规则23(b)(3)规定,确认为当事人可以选择退出的集团诉讼。确认的集团包括在1月15日之前没有提起诉讼的在工作中暴露在被告生产的石棉制品之中的人以及他们的亲属。维纳法官指定莫特利、洛克斯以及赖斯作为原告集团诉讼的律师,"如果法庭认为在必要和合理的情况下会增加律师"。实际上,在诉讼过程中并没有增加律师。集团也没有被划分为子集团。在一个独立的命令中,维纳法官指派里德法官(Judge Reed)负责程序的公正并决定提出的和解方案对集团方的公正性。许多集团的成员对和解方案提出了异议,维纳法官允许异议在随后的诉讼程序中提出。

在初步裁定中,里德法官认为地区法院对案件享有事项管辖权,而且他支持和解协议并通知了集团方当事人。法庭的支持意见同时通知集团方当事人,如果不接受和解意见,可以在3个月内选择自由退出诉讼,则不受和解协议的约束。

反对者对和解方案提出了大量异议。他们认为和解方案对于目前尚未出现协议中规定的集中症状的受害者极为不利,而且和解方案也没有考虑到通货膨胀的因素和医疗发展对疾病的界定的问题。他们认为,和解协议中的赔偿标准与一般侵权诉讼和清单中的原告所得的赔偿相比较低。而且他们反对诉讼中某些请求无法得到赔偿,例如医疗看护,而这种情况在许多州都是赔偿的内容之一。里德法官驳回了所有的异议,并认为和解协议是公正的,不存在串通嫌疑。他同时指出和解协议已经给予了集团成员充分的通知,符合规则23(b)(3)的集团最终确认条件。

对于确认的具体先决条件,地区法院指出,集团符合23(a)(1)规定的人数众多的要求,这是毫无疑问的,而且也满足了规则23(a)(2)和23(a)(3)要求的共同性和优势条件,地区法院认为,

> 所有曾经暴露在由被告提供的石棉制品中的集团成员,都能够性对他们的诉讼请求得到迅速和公正的救济;而使在石棉诉讼中的费用和风险达到最小化。建议的和解方案是否满足了这种利益,并且是一个对集团的诉讼请求公正、合理而且充分的解决方案,这主要应当依据23(b)(3)做出判断。

同上,316页。地区法院随后认定,集团代表人是集团整体的"典型"代表,符合规则23(a)(3)的要求,而且规则23(b)(3)要求集团诉讼的和

解"优越于"其他审判解决方案。

许多异议都把矛头指向了23（a）（4）代表充分性的要求。异议者认为集团律师和集团代表人使冲突利益不符合要求。异议者特别指出，那些损害明显的当事人和尚未有明显损害的当事人不应当由共同的律师代理，而应当划分为一个单独的集团。异议者还认为代表已经出现在清单上的当事人的律师不能代表新形成的诉讼的当事人。

地区法院认为，集团律师是集团诉讼当事人所有利益的最佳代表，而且被列名的当事人是充分的代表，因此驳回了异议。地区法院认为，由于考虑到诉讼支出和划分所带来的混乱，以及对当事人在3个月内选择退出造成不便，没有划分子集团的必要，其理由是，作为代表人的原告在从所有列举的疾病中获得最大限度的补偿方面有强有力的利益要求，因为他们可以选择其中之一也可以选择几类疾病索赔，而且不同疾病症状的集团诉讼成员以及尚未显示出症状的当事人之间不存在利益对立。地区法院宣布集团的划分恰当而且和解协议公平，法官初步指令所有的集团成员不能在任何的州或者联邦法院提起针对被告的有关石棉的诉讼。

异议者提起了上诉。第三巡回法院宣布初审法庭的确认无效，认为案件没有满足规则23所要求的条件……

II

在本院，异议者进行了一系列的关于司法权障碍的陈述，这些陈述与他们在地区法院和上诉法院的陈述相同。他们认为，最基本的问题在于集团诉讼的律师和被告律师所进行的和解程序不是一件具有可司法性的案件，或者说不是联邦宪法第3条所规定的争议。他们认为程序没有关注那些目前没有提起诉讼的无数人的利益，这些人的请求尚未成熟，却已受到了非对抗制的管理性的赔偿机制的拘束。这使他们在起诉后或者发现症状后丧失索赔的机会。

另外，异议提出者认为，那些暴露在石棉制品中但尚未出现任何症状者没有起诉的资格：他们既没有提供任何可识别的损害，在一定程度上也没有在起诉状中陈述精神损害等请求或救济要求。异议者认为暴露而提起诉讼的当事人不符合取得当时的争议赔偿最低条件（超过5万美元），特别是联邦法院的异籍管辖权要求。参见美国法典第1331节（a）。

正如先前指出的，第三巡回法院驳回了集团诉讼中的这些问题，因为"如果没有确认集团诉讼，这些问题不可能存在"。我们同意"集团确认问题是支配性的"，因为他们的解决方案是宪法第3条争议存在的前提条件，首先解决这类问题是恰当的。Arizonans for official English v. Arizonan, 520 U. S. 43, —, 117 s. ct 1055, 1068（1997）（减少对申诉人是否具有主体地位等确定性问题的解决，因为有讨论余地的问题对案件是消极的）。因此，我们与上诉法院的意见一致，注意到规则23的解释要求必须与宪法第3条的限定一致，而且与《授权法案》一致，该法案指示，程序规定"不得削弱、扩大或变更任何实体权利"。(28 U. S. C § 2072.)

III

[我们省略了联邦民事程序规则23（a）和23（b）规定的三种类型的集团诉讼的内容。]

1966年集团诉讼修正案规则23（b）（3）是最富冒险性的革新。参见Kaplan, A Prefatory Note, 10 B. C. Ind. & Com. L. Rev. 497, 497 (1969)。规则23（b）（3）增加了复杂诉讼的内容，将贮存性的集团诉讼包含在其中，因为以保障判决拘束所有的集团成员为目的损害赔偿机制留下了那些确定地选择不参加集团的成员……

同时，规则23（b）（3）的文本并没有完全排除集团确认的案件，在这种情况下，集团中个人的损失是第一位的，顾问委员会把"在集团中的人的权利放在了主要位置，因为如果个人提起诉讼可能根本就不能有力量将对方当事人起诉到法庭"。卡普兰，上引，页497。正如在最近第七巡回法院的意见中所指出：

> 集团诉讼机制最核心意义是，克服小型救济通过单独的当事人逐一起诉不能提供给每个个人权利保障的诱因。集团诉讼通过聚集相对无价值的潜在救济而形成一个值得为之努力（特别是对律师来说）的事业。

1966年规则23修改后的10年内，集团诉讼的实践相对于逐个诉讼来说，在那些人数过多而无法保障其"公平、快捷和花费较少的判决"方面更具"冒险性"。参见联邦民事程序规则1。这种发展体现了对于司法资源的有效利用，并减少了未出庭的当事人要求赔偿的费用支出的担心。

在目前对规则23（b）（3）的适用中，和解仅仅成为一种备用机制……尽管所有的巡回法院都注意到23（b）（3）和解机制的运用，当和解影响法庭根据规则23条确认标准进行监督时，法庭便进行一定程度的分案处理。

在GM卡车案中（GM trucks, 55 F. 3d, 799-800页，以及本案，初审法院F. 3d, 624-626页），第三巡回法庭认为，当集团诉讼的确认可能没有根据时，这种集团不能进行和解。其他法院认为和解会减少我们按照规则23的要求对集团进行审查的机会……

对于规则23的一个修订建议明显地授权对和解集团的确认，与和解方动议依据规则23（b）（3）的确认密切相关，"即使（b）（3）的要求可能并没有满足做出判决的条件"。多数的公众对这一建议做出评论，许多观点反对或者对此表示怀疑，这一修正案被司法会议实务与程序规则常设委员会所接受。该立法机构尚未对该问题采取行为。

IV

我们授权对和解在集团诉讼中的角色进行重新审查，在规则23之下来决定集团确认的优先性……

面对一个对只进行和解的集团（settlement only class）进行确认的要求，地区法院没有必要考虑案件如果被审理是否会难于驾驭的问题，参见联邦民事程序规则23（b）（3）（d）。因为案件在起诉之初便建议不进行审判。但是通过阻碍无根据的或者过于宽泛的集团的界定保证未出庭当事人利益的规则，甚至在和解的情况下也要求不懈怠的高度的关注。这种关注极为重要，被要求对和解集团进行确认的法庭可能缺乏在诉讼过程中对集团的判断和随着诉讼的展开得到信息的机会。参见联邦民事程序规则23（c），（d）。[1]

而且，最为重要的是，法庭必须注意他们现在必须执行的规则所设定的条件。联邦规则在经历了包括许多评论家（顾问委员会、公众评论家、司法会议、法庭、国会）的审慎讨论之后已发生效力。参见美国法典第2073和2074节。该规则文本建议并审查了有限的司法创新。法庭没有在国会命令程序之外对规则进行修正的自由，这个程序恰当地指示程序规则不得减损任何实体权利。参见美国法典第2072（b）。

联邦民事程序规则23（e）关于集团诉讼的和解的问题作了如下规定："一个集团诉讼除非经过法官的同意不能被撤销或和解，并且集团和解协议必须以法官命令的方式将这种撤销或者和解的建议告知集团的每一个成员。"这一条款被视为集团诉讼的附加条件，并不是替代性要求，因为在23（e）中规定的集团诉讼已经符合了23（a）和23（b）规定的确认条件。（a）项和（b）项使法庭的注意力集中在，提出和解建议的集团是否有充分的统一性以至于缺席的成员可以公平地接受集团代表人决定的约束。这种问题在和解中是极为重要的。

我们强调规则23（a）和（b）规定的集团诉讼标准保障在集团和解的情况下并非不切实际的桎梏。首先，用来保护缺席当事人的标准用于禁止大法官的恣意，依赖于法庭整体的经验判决对集团诉讼进行确认或确定和解公正性。

第二，如果依据规则23（e）公正的要求来控制确认，允许以集团的名义而不管在诉讼上有不可能，那么集团律师和法庭都会解除武装。集团律师受和解谈判的约束，不能使用诉讼的威胁来要求一个更好的方案，参见科菲：《集团战

---

〔1〕 少数观点的一部分似乎假定和解可能发生在一种情况下即法庭对确认做出支持。在这种程度上，这是少数意见的内容，我们不同意。和解，尽管是相关因素，不必然表明集团诉讼的和解不应当比进行诉讼更容易做出。因为第三巡回法院提出的原因指出集团诉讼的和解有时候对于批准的问题给予了比进行审判更多的关注。

争：集团侵权诉讼中的两难选择》；Coffee, Class Wars: The Dilemma of the Mass Tort Class Action, 95 Colum. L. Rev. 1343. 1379-1380（1995），而法庭可能面对一个因为不能受益于对抗制调查而难以确定支持与否的交易方案，参见 Kamilewicz v. Bank of Boston Corp., 100 F. 3d 1348, 1352（C. A. 7 1996）（埃斯特布鲁克博士，对驳回满席听证的否定）（当事人"可能甚至在诉讼的一个阶段将一个理由提交到法庭"），cert. denied, 520 U. S. —, 117 S. Ct. 1569（1997）。

联邦法院在任何情况下，都无权以新的标准替代规则23关于确认条件的准则——如果和解协议是公正的，那么进行确认便是恰当的。应用这种由立法者确立的标准，我们认为第三巡回法庭的评价本质上是正确的。尽管法庭应当知道和解应当基于事实问题，但是法庭无权对和解内容进行修改。上诉法院的意见表明了为什么地区法院确认成员不确定的集团，不符合第23条的要求——无论是否存在和解协议。[1]

A

我们首先指出规则23（b）（3）的要求，"关于共同法律和事实问题……超过仅仅影响了个人成员的其他任何问题的优势。"地区法院认为这种优势基于两个因素已经满足：集团成员都曾经暴露在石棉制品之中的共同性，以及他们在对"他们的请求上得到及时、公平的救济从而使他们的风险最小化并且使诉讼发生的费用降低这一问题上的共同利益"。和解当事人同样也认为和解的公正性是一个共同的问题，优越于其他在诉讼中是关键性的而在和解中变得不相关的法律问题。

我们认为地区法院依赖的因素并没有满足，规则23（b）（3）的优势要求，暴露在石棉之下的人可能获得的益处在于建立一个大范围的赔偿计划，而这是立法机关所关注的事项，参见 supra, 2237-2238页。但是这与优势要求并不相关。在法律和事实问题上是否集团的每一个成员都存在争议，这在和解之前必须得到解决。

规则23（b）（3）优势追问标准检验的是提出建议的集团对集团代表做出的和解协议是否符合集团中所有人的利益。参见7A Wright, Miller, & Kane 518-519。[2] 这一追问依据规则23（e）是恰当的，当代表人在诉讼中或者在案件

---

〔1〕 我们并不对地区法院的事实判决进行审查或者由于证据不足而将判决宣布无效。我们将注意力集中在规则23的要求，并且致力于解释为什么这种案件因为集团的人数过多而且问题过于复杂不能符合该规则的要求，正如地区法院所决定的那样。

〔2〕 本案，我们认为，所涉及问题是不存在能够支持法庭依据23（b）（1）的判决结果的有限的基金，这不能具有一个支配性的要求。

判决过程中比较懦弱或者他们可以通过和解维护个人利益而不是集团的共同利益，该规则可以保护未列名的集团成员的权利免受不公正和不正当的和解协议的影响。参见7B Wright, Miller, & Kane §1791 340－341。但是规则23（e）的首要任务并不是确定集团凝聚力以使代表人的行为合法化。如果共同的利益存在于一个公正的可以满足规则23（b）（1）的优势要求，则这种关键的通过法律获得的权利可能在和解的层面上失去了意义……

通过和解方式解决的集团诉讼案件从来没有像本案这样得到了我们如此广泛的关注。（"我们可能同意第三巡回法庭的判决：所有的暴露在石棉下的个人损害事实没有符合规则23关于集团诉讼的要求，其主要原因在于集团成员数目过于庞大以及他们的医疗支出差别较大，他们吸烟的历史和家庭情况也存在较大差异"。）优势标准是在最近的消费者或者抵押欺诈或者违反反托拉斯法案件的诉讼中运用的标准。顾问委员会为了对1966年规则23的修订提供支持，指出"大众事故"案件"通常可能会提出重大问题，不仅是损害而且包括责任和对责任的抗辩，……在不同的方面对案件中的个人产生影响"。而且委员会建议这种案件"通常不适合"进行集团诉讼。但是规则的文本并没有从类型上排斥大众侵权案件的集团确认，而且地区法院自从19世纪70年代末期以来，对此类集团诉讼的受理和确认呈增长趋势。然而，委员会警告我们，如果个人的利害较高并且从集团中分离出来时对其他集团成员造成损害，那就要十分谨慎。正如第三巡回法院所指出的，本案的确认并没有理会律师的警告。这种确认不能被维持，因为它依赖于规则23（b）（3）优势要求的概念实际上与该规则的本意风马牛不相及。

B

我们认为地区法院确认的集团诉讼不符合规则23（a）（4）的要求，即被列名的当事人将会公平和充分的保护集团的利益。规则23（a）（4）关于充分性的要求揭示了被列名的当事人和其代表的未列名的当事人之间存在利益冲突。参见General Telephone Co. of Southwest v. Falcon, 456 U. S. 147, 157－158, n. 13.（"集团的代表人必须是集团的一部分，而且与集团的其他当事人具有同样的利益并遭受同样的损害。"）[1] East Tex. Motor Freight System, Inc. v. Ro-

---

〔1〕 充分的代表要求试图与规则23（a）的共同性和典型性标准相混合，而该规则的作用"类似于指路牌，用来决定保持集团诉讼是否具有经济性以及是否被列名的当事人的起诉与其他集团诉讼具有相互关系以至于其他诉讼成员在不到庭的情况下便能够得到充分的代理"。General Telephone Co. of Southwest v. Falcon, 456 U. S. 147, 157－158, n. 13. 1982. 这种充分性和冲突的要求也用于审查集团律师合格与否。正如第三巡回法庭所指出的，我们也倾向于对律师的充分性进行裁量的考查，因为，我们的结论是共同的法律或事实问题不是支配性的，而且被列名的原告不能充分代表大量的集团利益。

driguze, 431 U. S. 395, 403 [quoting Schlesinger v. Resreists Comm.. to Stop the War, 418 U. S. 208, 216 (1974)].

正如第三巡回法院所指出的，在本案中，有不同症状的被列名的原告试图代表一个单独且巨大的集团利益而不是代表分离的子集团的利益。在一个重大的方面，这个单独的集团中的利益也不一致。最明显的是，对目前受到损害的人来说，关键的目标是得到即时的医疗赔偿。这一目标与暴露在石棉制品中但是没有呈现任何症状的当事人的利益相反，因为后者的利益是保证一个充分的、考虑到通货膨胀因素的未来的赔偿基金。

在当前的受害者和暴露的当事人以及每一种当事人之间的差异，地区法院进行判决时没有考虑，确保申诉人能够有充分标准依据和解协议能够进行赔偿。尽管本案依据规则 23（b）（1）（b）是一个没有最高赔偿金额限制的诉讼，但和解条件反映了关键的分配决定被用来对赔偿额和被告的责任进行限制。例如，正如我们目前所提出的，和解协议没有考虑到通货膨胀因素；仅有少数原告可以选择从和解协议中退出；财团损失的诉讼请求没有任何补偿。

和解当事人在总体上实现了一个全球性的救济，但是没有为对不利的集团和受影响的个人的公平而充分代理提供结构性的保证。尽管被列名的当事人提出了一系列诉讼请求，但每一个请求都普遍代表了这个整体，而不仅仅对部分当事人……

第三巡回法院在这里没有发现任何保障，无论是在和解条件中还是在谈判的结构中，都看不出被列名的原告合理的履行了代表职责。我们认为这种评价没有切中要害。

C

第三巡回法院强调，充分告知的条款是为了防止任何试图使和解协议适用于和解当时尚未出现明显症状的当事人时产生的高度不确定性。上诉法院强调说，许多属于仅仅暴露在石棉制品中但是没有产生任何症状的当事人并没有意识到自己被暴露在该制品中或者还没有意识到他们可能得到的损害。即使他们对集团诉讼的通知比较重视，目前没有症状的人也可能没有信息或先兆来决定参加诉讼或者选择退出。

暴露在石棉制品中的人的家庭成员可能被疾病损害或者最终能够因为财团损失而提出成熟的请求。然而，还有大量的人，比如石棉受害人的未来的配偶或者子女不能成为他们集团的成员，而其目前的配偶和子女可能不了解被告曾经被暴露在石棉制品中。

因为我们已经得出结论认为，在本案中集团过于庞大不能满足共同性和代表充分性的条件，我们不必就本案通知是否充分作出裁决了。与第三巡回法院的意见相同,我们认为是否集团诉讼依针对众多不本人不了解的和不确定的受害者的通知是否充分的问题,依据宪法和规则23具有重要的意义。

V

论证敏锐地指出,一个全国范围内的石棉诉讼请求管理机制将会为暴露在石棉制品下的受害人提供更安全、公正和有效的救济。国会没有采纳这一方案。规则23的解释必须与《授权法案》保持一致,而且其运用与集团的缺席成员一致,它不能给被告方律师、集团诉讼律师以及地区法院带来巨大的负担。

由于上述原因,维持第三巡回法院的判决。

欧康纳大法官没有参与对本案的考虑和判决。

布雷叶(Breyer)大法官和史蒂文斯大法官,部分并存部分反对意见:

尽管我基本同意本院认为"和解与集团的确认相关"的观点,但是在"和解与集团诉讼相关"的问题上,我认为存在着几个值得考虑的因素,因而在对判决予以分析的过程中,我得出了一个不同的结论。首先,我认为,在大众侵权案件中,存在着和解的必要性,在这方面,有着成千上万的讼案,远较最高法院在判决意见中所提及的还要多。第二,在决定与和解有关的问题上,我认为,我会比多数意见对于共同问题占优势地位的问题给予了更多的分量。第三,我无法肯定最高法院关于代表的充分性的决定,在这方面,我不认为本院的意见是适当的,因为它是对地区法院的第二手猜测,而没让上诉法院首先考虑这一事项。第四,我无法肯定多数意见在本案判决中的主基调是正确的,这一主基调似乎是提示说,和解就是不公平的。第五,在上诉法院缺乏更进一步审查的情况下,我不能接受多数意见所认为通知是不充分的提示。

这些困难来自于法庭多数判意见中对具有高度事实依据的、复杂的和困难的事项,这些事项不适宜由本院来作第一手复审。法律允许地区法院在做出集团诉讼的确认存在较大的幅度,而且他们的判决在上诉法院中仅仅在裁量权滥用方面进行复审。参见Califano v. Yamasaki, 442 U. S. 682, 703 (1979)。地区法院的确认是在5个星期的广泛听证和对300项事实进行审查的基础上做出。因此,我认为我们不能对地区法院的判决置之不理。因为较上诉法院和本院而言,这个法院才是一个更加熟悉争点和诉讼人的法院,因此,在涉及集团的确认事项方面,地区法院具有"广泛的权力和自由裁量权"。

我不认为我们可以依赖上诉法院对地区法院记录的复审,因为这种复审和最终结论受到了一个法律错误的感染(见83F. 3d 610, C. A. 1996)。没有证据表明上诉法院对案件和解协议的观点会有助于我们解决规则23的要求。我认为,与事实有关的问题由上诉法院根据正确的法律标准细节进行进一步审查即已足够。我在下面对其中的原因进行简单介绍。

I

第一，我相信本院的多数派低估了本案中和解的重要性。在过去的 40 或者 50 年中，有 1300 万到 2100 万工人在工作场所暴露在石棉制品中，但是暴露的严重后果发生在过去的 30 到 40 年之间。这种暴露导致了几十万个诉讼，其中 15% 的案件涉及癌症患者和 30% 的涉及石棉沉着病。大约有一半的诉讼涉及胸膜增厚和牙菌斑，这种损害还存在争议。（一个专家随后证明，这些症状"并不必然转化为癌症"并且也不是"将来疾病的先兆"，App. 781）。其中的一些受害者经历了极为严重的疾病，但是却得到了较少的赔偿……这种诉讼占最近几年中联邦法院民事诉讼案件的 6%，而且其诉讼拖延程度也达到其他诉讼的两倍。（见《司法会议报告 7》第 10－11 页。）

诉讼拖延、较高的诉讼支出以及随意的无赔偿模式导致了司法会议石棉诉讼的特别委员会决定，将所有的涉及个人损害的石棉诉讼联邦案件集中到宾西法尼亚州东部地区法庭审理，力图获得一个公平的和可以执行的和解。委员会的这一努力值得我们关注……

尽管联邦法院中石棉诉讼案件的移送并没有得出一个一般和解协议，但案件与在州法院提起的诉讼互相交错导致了一个在共同原告在多地区诉讼审判委员会该委员会由原告方委员会成员与地区法院共同选定，和 20 名本案被告石棉制品公司之间长达一年的协商，这种延长的和充分的协商，导致了现在的审前和解，预计被告在最初的 10 年，要付出 1.3 亿美元来对 10 万名集团成员进行赔偿，机密的数据表明和解协议中被告赔偿的数额是最近被告诉讼赔偿中的平均值，无论是从法院提出的请求和得到解决的数量上看还是从保护的手段上看。事实上，所有的协议条款都得到了充分协商，而且和解条款在谈判过程中在实体上发生了变化。最后，谈判产生了和解协议，是许多有经验的律师争论和谈判的结果。

地区法院支持这一和解协议，认为它增加了原告获得救济的机会，并大量减少案件总体的诉讼费用和其他支出。法庭认为，在先前的诉讼程序中，许多严重的受害者通常情况下在几年中不能得到合法的救济，而有价值的基金却到了其他受到石棉制品的危害较小的人那里。法庭相信，这种和解协议会为那些后来患严重疾病的人体提供一个救济系统和使更多的基金用来进行补偿。

我提到这个问题是因为这表明：无论从时间还是费用支出的角度，无论是对替在的原告还是对被告，我们面前的和解协议在内容上是重要的。所有的这些都导致我不情愿在获得进一步确信之前将地区法院的判决弃置不顾。我不能在法院的记录中找到这种确信，因为这是上诉法院的工作，而且该法院错误地认为和解协议是一个不相关的（而我认为这非常重要）因素。

第二，多数派在对地区法庭的判决进行审查时认为，事实和法律的共同性的问题是占有优势的,这种优势要求对于法律和事实问题使所有当事人案件符合真实争议的条件,并且这种问题是先于任何和解存在的。我认为,通过对上述意见的解释很难得到多数派所得出的结论。如果多数派认为这种先在的问题非常重要,那么我们如何理解它的基本结论,即集团的确认与"和解是相关的",或者从无数低级法院的权限来说,和解不仅是相关的而且是重要的?

我也无法理解,在抽象的意义上,我们如何决定共同问题有优势,没有研究那些在诉讼中将会促成和解的争议,就无法做出决定。别忘了人类的每一个团体都存在一定的共同性和区别。法庭如何依据规则23在没有对于将来程序进行研究的基础上,做出一个关于原告分类的具有具体语境判决?这种路标有助于我们决定,是否基于共同的和不同的事务确认集团会实现规则23的基本目的,即"时间、劳动和支出的经济"……

当然,正如多数派意见所指出的,在集团成员之中也存在着较大的区别。不同的原告在不同的时间暴露在不同的石棉制品之中;每个人都有不同的治疗历史和抽烟历史;而且许多案件是依不同的州法律提起的。但是,相关问题是这些差异对于随后将进行的法律诉讼程序中会有什么影响。许多——如果不是全部——有毒物品侵权集团诉讼涉及具有较大区别的原告。而且,当考虑到提出和解协议而使被告放弃了所有的抗辩并同意对所有受害者提供补偿时,原告间的这种区别在州法律中的重要性大大减少。

这种区别可能导致子集团的划分,尽管各个子集团中也会存在各种各自的问题。"在划分小的集团并且为每个集团提供自己的代表人会增加诉讼的支出……子集团越多,更严重的冲突就会浮出水面,并且在和解过程中出现……被告的策略,最终团体不得不为了避免诉讼的延长而做出妥协"。杰克·温斯顿:《大众侵权诉讼中的个体公正》。Jack Weinstein, Individual Justice in Mass Tort Litigation, at 66. 或者这种区别可能非常严重以至于不能达成一个和解协议。我认为,我们脱离了案件本身,来对规则23的决定进行考察,如果没有得益于上诉法院首先对事实问题采用今天的法律标准进行分析,这种分析便是错误的。

第三,多数派认为代表人不能充分并公正地保护所有集团成员的利益。他们认为在现在受到损害的原告和其他可能在将来受到损害的原告之间存在一系列冲突,因为,对现在受到伤害的原告来说,他们的目标是慷慨的立即的支付,这种目的与仅仅暴露在石棉制品中的原告要求确保建立一个充分的考虑到通货膨胀因素的长期基金的目标相冲突。

我同意存在一系列的严重问题,但是这种问题经常出现在有毒物品侵权诉讼中,而且当一个单独被告对几个原告造成侵权的情况下也可能产生,因为补偿其中的一个便意味着对其他原告补偿的减少。至少,在集团诉讼中,彻底的熟悉案件事实的地区法院有责任保证没有在诉讼中牺牲集团诉讼成员的利益。

本院多数派意见中没有讨论的和解协议的特定细节表明该协议可能对将来的原告比多数派意见的理解要有更大好处。地区法院认为将来的原告可能通过协议取得重要的价值，因为许多问题都考虑到将来的原告利益，例如，（1）避免了成文法时效限制，使集团成员不再被迫提起尚未成熟的法律诉讼或者使他们的请求免受时效限制的阻碍；（2）对责任抗辩权的放弃；（3）如果一旦成员生病，即可依据和解协议的补偿标准对请求做出补偿，这避免了侵权诉讼的不确定性、长期拖延和较高的诉讼费用［包括律师费用］；（4）在一定程度上保证了，如果一旦他们生病就会依据协议，便可得到即时补偿并且每一个被告已经表明有能力对所有合格的诉讼请求进行赔偿的判决；以及（5）如果患了癌症则获得额外补偿的权利。（许多和解协议对于没有癌症症状的原告没有提供这种额外的补偿）由于上述的原因和其他原因，地区法院认定对于目前的原告和将来原告的划分容易产生错误。

我不知道上述的种种收益与通货膨胀的调节相比价值究竟有多大，但是，我肯定这种价值是存在的。（用一种更简要的方式来说，多数派接受将丧失财团利益的请求区别开来的观点，却没有指出，正如地区法院所指出的，补偿的根据是被告以往的赔偿数额的平均值，包括对于丧失财团利益的请求的赔偿，因此，这种补偿计划在不能公平地归因于这种原因。）了解和理解律师通过大量相关的事实并依据规则23做出的个人决定在多大程度上为尊重地区法官的判决提供了支持依据是困难的。或者，至少应当确定上诉法院的复审采纳了正确的标准。

第四，相对法庭多数派来说，我更加认为和解协议是否基本公正是不可知的。地区法院依据复杂的事实做出的判决不能被我们轻易否定……我不想讨论和解协议的公正性问题，但是我认为在没有对案件的所有事实进行深入的考察之前我不能得出公正与否的结论。而且这种行为，我已经指出的是上诉法院的职责。

最后，我认为对集团成员通知的法律充分性进行复审的问题应当由地区法院负责，而不是最高法院。地区法院认定提供通知的方案在实行中花费了数百万美元的支出，包括成千上万的个人通知、广泛的电视和印刷品宣传以及35个国际和国内组织对他们成员的通知的附加努力，每一个通知都强调目前尚未生病的个人也可以成为集团成员。而且最后，地区法院相信规则23和正当程序要求已经得到满足，因为作为这种广泛和昂贵的通知程序，超过600万个人接到了真实的通知材料，超过百万的人通过媒体的公布了解了这一通知的实质内容。尽管从原则上看最高法院的多数派是在审查上诉法院的结论，但是我认为本院的意见必须以地区法院对相关事实问题的判决为基础。在这种程度上，我不同意如此轻易地不理会地区法院的认定，而且我也不认为我们的先例会允许这种情况发生在我们的法庭中。

II

本案中的问题是困难和复杂的。地区法院可能是正确的，或者划分子集团是恰当的，或者我无法说明，而且我不认为最高法院应当处理这种基于事实的判决事项。首先，这是一个适合地区法院审理的案件，而且由上诉法院进行复审。但是在本案中，我们没有理由相信本案中的上诉法院和解协议不能形成一个合理的、有力的因素支持集团确认的观点进行他先前的审查行为时理解了。因为这种原因，我可能为下级法庭提供一个通过撤销判决发回重审而对确认中的事实问题进行分析的机会。

注释与问题

1. 最高法院在美国化学产品案中的意见是什么？如果上诉法院的意见是错误的，为什么最高法院多数派会维持他们的意见？地区法院在做出对集团确认并且允许这一和解协议时很明显他们犯了什么错误？为什么和解协议经过对抗双方的长期协商最终达成却被推翻？

2. 描述存在于最高法院的多数派意见和反对意见中的主要态度，并对他们各自的说理过程进行分析。

3. 最近最高法院对集团诉讼的和解协议进行判决的案件是奥特兹案［Ortiz v. Fiberboard Corporation，527 u. s. 815（1999）］。在奥特兹案中，有一个针对石棉制造者强制性的限制赔偿基金，以及两个已经陷入诉讼十几年的保险公司。地区法院判决支持一个针对4.5万未决诉讼和未来起诉数额为15.35亿美元的总体赔偿。但是，苏特大法官代表法庭的多数派撰写的判决意见认为，提出限制基金的赔偿并试图穷尽尚未确定的诉讼的做法，并不符合顾问委员会在起草联邦民事程序规则23（b）（1）（b）的立法主旨。甚至这种集团在顾问委员会中根本没有被考虑到，这种集团的缺陷是：（1）下级法院没有对是否有适当足够的赔偿基金进行充分的调查；（2）集团的界定排除了有某些诉因的原告；而且（3）集团代表人相对于集团的其他成员获得了不均衡的赔偿。首席大法官瑞奎斯特代表斯卡利亚大法官和肯尼迪大法官发表了并存意见，再一次指出石棉案件"呼吁立法权对这一问题提出解决方案"。布莱叶大法官正如在美国化学产品公司诉韦德森案中一样，与斯蒂文斯大法官发表了反对意见，批评了最高法院的多数派面对泛滥的石棉诉讼案件缺乏对其进行司法调整和创新的敏感性；"当我们号召国家立法机关来回答这一问题时……，法官可以而且应当在现行法律的框架内寻求积极的解决途径，来防止诉讼拖延和大量的诉讼支出，以防止产生对司法公正的群体性的否定。"

4. 有一个新文学流派抓住了复杂诉讼的细节和戏剧性。我们已经提到过皮特·斯库克的优秀著作,《审判中的代理人机能:毒物危害引起的大众诉讼在法庭》。[Peter Schuck, Agent Orange on Trial: Mass Toxic Disasters in the Courts (1986)] 另一优秀的作品是这一流派的先驱杰拉而德·斯蒂恩的《小麻烦引起大恐慌》[Gerald Stern, The Buffalo Creek Disaster (1977)] 关于达克盾的诉讼在许多平装本的书籍中均有涉及:罗纳德·J·巴斯格尔《诉讼的限制:达克盾案件的争议》[Ronald. Bacigal, the Limits of Litigation: the Dalkon Shield Controversy (1990)];理查德·B·索波《法律的屈服:达克盾公司破产记》[Richard B. Solbol, Bending the Law: the Story of the Dalkon Shield Bankruptcy (1991)];科伦·M·哈格斯《逃过达克盾案的命运:妇女诉制药公司案》[Karen M. Hicks, Surviving the Dalkon Shield IUD: Women v. the Pharmaceutical Industry (1994)] 另一部有趣的著作是舍伍德·D·英格曼和罗伯特·维格曼《法官的正义:一个法官对暴露在致命的达克盾的斗争》[Sheldon D. Englemayaer and Robert Wagman, Lord's Justice: One Judge's Battle to Expose the Deadly Dalkon Shield I. U. D. (1985)];关于石棉诉讼的案件:保罗·布罗德《残暴的行为:石棉工业接受审判》[Paul Brodeur, Outrageous Misconduct: The Asbestos Industry on Trial (1985)]。另外一部由迪波·H·海斯勒、威廉姆·L·F·福莱斯蒂纳、莫理·苏利文和帕特西亚·A·阿伯纳合著的《法庭中的石棉案:有毒物品的大众诉讼面临的挑战》[Deborah H. Henseler, William L. F. Felstiner, Molly Selvin, and Paticia A. Abener, Asbestos in the Courts: The Challenge of Mass Toxic Torts (1985)]。本涤汀的诉讼被记载在密歇尔·格林《本涤汀和先天性障碍:有毒物质的大众诉讼面临的挑战》[Michael Green, Bendectin and Birth Defects: The Challenge of Mass Toxic Substances Litigation (1995)]。最后或许是最有名的著作尽管没有涉及集团诉讼,是乔纳森·哈斯的《民事案件》[Jonathan Harr, A Civil Action]。

5. 在你接近民事程序课程的末期,考虑我们的程序系统是否需要改进以适应影响成千上万当事人的集团诉讼的需要。你提出的修改是否具有可行性?是否是概念化的?是否仅仅将目标关注于巨大的案件?解释你的原因。

6. 美国上诉法院法官罗伯特·M·帕克是最初在奥特兹案中最初做出集团诉讼和解协议的初审法官。帕克法官先前是一位地区法院的法官,他在司法活动中著名并且倍受关注。为了解决他被指定作为法官的成千上万的石棉诉讼,他采用了分阶段诉讼的方式对不同抗辩做出审判和30类原告做出责任审判。这种努力在第五巡回法院遭遇挫折后,帕克法官又使用了对陪审团判决的抽样调查并且采用推断的技巧来决定和解协议中集团特定成员的补偿数额。他又一次被第五联邦上诉法院以这种通过统计资料得出的判决侵犯了宪法第七修正案为由而推翻。

通过统计得出的判决是不公正的吗？或者以统计为基础做出的判决更加准确和公平，因为每个判决本身便是对大批的潜在的人们进行补偿的样本？[参见 Michael J. Saks & Peter David Blanck, Justice Improves: The Unrecognized Benefits of Sampling and Aggregation in the Trial of Mass Torts, 44 Stan. L. Rev. 815, 833–835 (1992); Kenneth S. Bordens & Irwin A. Horowitz, The Limits of Sampling and Consolidation in Mass Tort Trails: Justice Improved or Justice Altered? 22 Law & Psychol. Rev. 43 (1998).]

7. 或许有更好的方法将集团诉讼概念化。戴维·赛普洛教授指出，不应当将集团诉讼视为涉及在大量个人的请求或者甚至是个人的相加，而将集团诉讼本身视为一个诉讼实体，这个实体具有决定法律诉讼的性质、律师和法官的角色以及案件的重要意义的关键性目的，他对案件中自治的个人的选择的优点进行了论述：

> 假设公共检察官并不打算单独行使对一个数额较小的当事人共谋侵犯了联邦反托拉斯法的案件行使起诉权，而小的诉讼集团案件打动了我，那么我对诉讼进行关注的目的并不仅仅是对损害进行补偿，或者给他们提供一种个人的证明机会，而更愿意，或许是完全地，计划允许一个私人律师提起诉讼并使做出错误行为的人对其错误行为付出代价，进而做出有利于全社会福利的判决。换句话说，诉讼的目的仅仅是防止这种可能引起大量的社会成员较小损害的错误发生（正如在一个个人的私人民事案件中，当事人可能有效得到实体损害赔偿，以防止对方当事人对社会造成相当损害的错误行为的再次发生，也就是对单一被害人的极大损害）。尽管这种类似诉讼在增加了律师的收入的问题上可能缺乏正当性，但很明显这种诉讼是正当的，但是一旦诉讼为了原告集团的利益得到确认，那么关于诉讼是否应当被允许继续进行，则与诉讼本身的性质完全是不同的两个问题。

David L. Shaoiro, Class Actions: The Class as Party and Client, 73 Notre Dame L. Rev. 913, 924 (1988). 赛普洛教授认为大众侵权诉讼可以更好地从侵权法制度的主要目标的视角而被视为实体模型，正如受到影响的集团成员所期望的那样。他的观点受到个人进行此类诉讼的局限性的影响，例如诉讼的拖延和费用的大量支出、不确定的结果以及职业代理人在做出诉讼决定时受客户影响甚至受到当事人的指示等不利原因。赛普洛教授认为在两种诉讼形式中间进行选择并不困难，因为集团诉讼为我们提供了合理的迅速和公正处理案件的机会，而个人诉讼则没有。

8. 爱德华·舍曼先生指出，在美国诉讼中不断增长的对于允许书面证言、笔录证言的运用和事先封存的录音录像证据的使用，表明美国的民事诉讼程序向欧洲纠问式诉讼形式发展。[Edward F. Sherman, The Evolution of American Civil Trial Process Towards Greater Congruence With Continental Trial Practice, 7 Tul. J.

Intl. & Comp. L. 125 (1999).] 同样地，哈洛德·爱克森教授也指出，使用法庭指定的专家和集团诉讼的和解已经使我们的系统与纠问模式接近："迄今为止，司法和立法系统证明，从整体上对大众侵权诉讼的解决来说他们本身是有效的。但是我们可能对于这种灵光乍现式地出现在大众侵权案件中更为有效的纠问式方法感到非常鼓舞"。[Howard M. Erichson, Mass Tort Litigation and Inquisitorial Justice, 87 Geo. L. J. 1983, 2024 (1999).] 从相反的观点看，理查德·马修斯表达了对当前诉讼模式转换的怀疑意见，认为诉讼模式的转换只是他们一厢情愿的理解。[Richard L. Marcus, Completing Equity's Conquest? Reflections on the Future of Trial Under the Federal Rules of Civil Procedure, 50 U. Pitt. L. Rev. 725 (1989).]

第四节 神秘的马丁诉维克斯

现在，你要阅读的是一个几乎囊括了本章全部合并规则的案例。同时，该判例会要求你重新考虑构成程序制度、正当程序和歧视法律的目的。在你阅读了马丁诉维克斯案之后，研究该案所适用的 1991 年民权法案，并且为最后的实践练习作准备。

马丁诉维克斯
Martin v. Wilks
490 U. S. 755 (1989)

瑞奎斯特大法官代表最高法院制作如下意见：

一群白人消防队员起诉了阿拉巴马州伯明翰市（以下简称市政府），和杰弗逊县（县）的职员委员会（委员会），声称由于一部分不称职的黑人消防队员而导致他们被否认了提升机会。他们起诉该市和委员会基于种族和某个合意判决来进行职务提升，而且这种判决形成了违反联邦宪法和制定法的种族歧视。地区法院认为，依据该合意判决，白人消防队员被排除了对雇佣决定提出异议的权利，甚至这些白人消防队员依据合意判决不能作为此类诉讼的当事人。我们认为这种判决违反了一个人不能在他不是当事人的案件中被剥夺法律权利的基本原则。

本案中所争议的合意判决于 1974 年登录，该合意判决涉及全国有色人种促进委员会的恩斯利·布兰奇和几个黑人提起的集团诉讼，该诉讼针对该市和县提起。原告声称，在多种公共服务工作中，两被告在雇佣和升职安排上实施了种族歧视，违反了 1964 年民权法案第 7 编，美国法典第 42 编第 2000e 节以下和其他的相关联邦法。在对某些争点实行了满席审判后，最后当事人登录了两个合意判决，一个是在黑人原告和市、县之间的合意判决，另一个是在他们和委员会之间的合意判决。这些合意判决设定了一个广泛的赔偿方案，包括关于聘用黑人消防员的长期的和过渡性的年度目标。该合意判决也规定了在消防部门提升黑人职员的目标。

地区法院登录了一个命令，暂时地支持合意判决并且指示对提起的公平听审进行公布。由于考虑到合意判决的本质要求，这种听证活动的公开在两个当地的报纸上进行了发布。在审判中，伯明翰消防队员联合会（BFA）出席听证并且提出了异议。在听证后，尚未对合意判决作出最终支持决定时，BFA 和他的两个成员指出，合意判决的通过会导致对他们权利的不利影响，并提出了禁止合意判决通过的动议。法庭以动议未在期限内提出为由驳回了动议，并且支持了这一合意判决。United States v. Jefferson County, 28 F. E. P. Cases 1834（N. D. Ala. 1981）。7 名白人消防队员，也就是 BFA 的全体成员，随后针对该市和委员会提出了诉讼，寻求阻止合意判决的执行的禁令救济。7 人指出合意判决会对他们造成歧视，地区法庭驳回了这种请求。

上诉法院维持了地区法院作出的驳回介入诉讼和驳回禁令救济的裁定。United States v. Jefferson County, 28 F. 2d 1511（CALL 1983）。第十一巡回法院认为，地区法院在拒绝 BFA 介入诉讼时并没有滥用裁量权，因为消防队员协会可以对侵犯他们的权利进行起诉可能"构成一个独立的第 7 编诉讼"。而且，基于同样的原因申诉人没有充分地表明合意判决的执行会产生不可避免的损害，这是给予禁令救济的必要前提。

白人消防队员的一个新的集团，即维克斯的答辩人在地区法院针对该市和委员会提起诉讼。他们同样声称因为他们的种族，对于不合格的黑人的聘用而造成了对他们职务提升权利的否定。委员会和该市同意运用一个考虑到种族因素的雇佣决定，但是认为这种决定是无可反驳的，因为他们的行为是遵循合意判决的行为。一个黑人团体，马丁的申诉人，被允许以他们个人的诉讼资格介入到对合意判决的防御中来。

被告提出驳回反歧视案件的动议，因为这一动议导致对合意判决的非许容性的附带攻击。地区法院驳回了这一动议，判决认为合意判决准许对在雇佣过程中歧视的起诉进行抗辩，而这种被质疑的提升行为是否符合合意判决的要求应当由审判法院做出判定。地区法院在审理之后支持了动议并作出了撤销案件的决定。法庭认为，"如果事实上该合意判决要求该市对黑人做出提升的决定，那么，他们不会因为非法的种族歧视而受责备"，而且被告"这种对黑人个人的提升……在机制上是受到合意判决的约束要求"。

在上诉中，第十一巡回法院推翻了这一判决。该法院认为，"因为……答辩人维克斯既不是合意判决的当事人也不是相互关系人……他们关于非法歧视的独立诉讼请求不能被排除"……

我们通过调卷令对案件进行审查,我们赞同第十一上诉法院的意见。我们赞同"一个人不能受他不作为当事人的案件判决或没有赋予他参加诉讼的权利的案件判决之约束,这是英美法系的基本原则"。[Hansberry v. Lee, 311 U. S. 32, 40 (1940)。参见,例如 Parklane Hosiery Co. v. Shore, 439 U. S. 322, 327, 参见 Blonder - Tongue Laboratories, Inc. v. University Foundation, 402 U. S. 313, 328 - 329 (1971); Zenith Radio Corp. v. Hazeltine Research, Inc., 395 U. S. 100, 110 (1969)。]这一规则是我们根深蒂固的历史传统的一部分,因为"每个人都有权在涉及自己利益的法庭中进行诉讼"。18 C. Wright, A. Miller, & E. Cooper, Federal Practice and Procedure §4449, 417 (1981). 针对参与诉讼的各方当事人所作的判决,是用于解决他们之间的争议,但是这并不能导致未参加这些诉讼的外人的权利也就此终结。[在一个脚注中,瑞奎斯特大法官补充指出,"我们意识到这一'搭车'规则存在例外情形,即在有限的特定情况下,一个人尽管不是当事人一方,案件中所体现他的利益可以充分地被案件中和他有共同利益的当事人所代表"。参见 Hansberry v. Lee, 311 U. S. 32, 41 - 42, (1940) ("集团"或者"代表人"诉讼);联邦民事程序规则 23 (同上);montana v. United states, 440 U. S. 147, 154 - 155 (1979) (为了诉讼中一方当事人的利益而对诉讼进行控制)。另外的情形包括,一个特定的救济机制被案件以外的非当事人用来对将来诉讼进行否决,例如在破产或者遗嘱检验,法律程序可能决定先前存在的权利,如果这一机制符合正当程序的要求。参见 NLRB v. Bildisco, 465 U. S. 513, 529 - 530, n. 10 (1984) ('诉讼请求的证据必须提交到破产法庭……除非该证据丢失'); Tulsa Professional Collection Services, Inc. v. Pope, 485 U. S. 478 (1988) (对财产不利的请求服从了法规的要求)。但是上述的所有例外均不适用于本案。"]

申诉人认为,因为答辩人没有在时效期间内介入最初诉讼程序,因而他们现在对诉讼是否符合合意判决的挑战形成了一个非许容性的附带攻击。他们认为答辩人知道基本的诉讼可能影响他们,而且如果他们放弃介入诉讼的机会,他们就不应当被允许随后对该问题提出一个新的诉讼。多数联邦上诉法院都会为这种情况提供一个上诉机会,但是,我们更加同意由第十一上诉法院在本案中所表达的意见。

我们用布兰代斯大法官在国家银行案中 [Chase National Bank v. Norwalk, 291 U. S. 431 (1934)] 所表达的意见作为开头:"法律绝对不授权或强迫任何人介入一个不关他利益的诉讼……除非在特定的诉讼中被适当传唤,否则一个不是相互关系人的人可以在法庭中确认，就该诉讼作出的判决并不影响他的合法权利"。（同上，页441。）我们认为这些文字写在联邦民事程序规则之前，但它们遵循了同一原则：一方寻求对另一方利益进行约束的判决并不能强迫其介入诉讼（intervene）；他必须参加诉讼（join）。参见 Hazelitine，Supra，395 U. S.，at 110（对 Hazelitine 不利的判决被宣布无效，因为在案件中他不是被列名当事人也没有被送达，即使作为其中一方当事人的母公司已经了解了对他不利的起诉，并且为了提出管辖权异议而进行了特别出庭。）同样在国家银行案中出现的自由介入，法律的起草者制定了规则 24 对介入诉讼进行控制。参见联邦民事程序规则 24（a）（作为权利的介入诉讼）（"出于及时性考虑而允许的介入诉讼"）。他们决定与判决的最终结果和判决的完整性有关联的人应当作为程序参加者，最好"被法官强制合并诉讼"。18 Wright §4452，页 453。因此，规则 19（a）规定"审判会使缺席的人……与法庭的一方当事人承受实质影响，从而产生不一致的……责任时……"，应当适用强制合并。规则 19（b）规定了法庭在决定当一个利害关系人没有出席法庭时是否继续进行诉讼的问题所需要考虑的因素。

作为当事人参加诉讼——而不是了解诉讼和有介入诉讼的机会——才是使潜在的诉讼当事人受法院管辖并受法庭判决或合意判决约束的方法。案件中的当事人被认为比其他人更了解诉讼所寻求的救济的性质和种类以及在何种程度上会得到赔偿，因此将附加当事人纳入诉讼并让其承担责任才有意义，为了直接使潜在的附加当事人了解案件而使之承担责任则没有意义。这种对非许容性附带攻击的诉讼理论的扭曲导致了对于未能介入诉讼的请求的排除效力，因此与规则 19 和规则 24 很不一致。

申诉人主张，……帕特森案［Provident Tradesmens Bank & Trust Co. v. Patterson, 390 U. S. 102（1968）］得出了一个相反结论……在该案中我们讨论过规则 19 条，当时这条刚刚进行过实质性的修改，但我们指出，排除效力是否适用于未介入诉讼的情形，有待进一步论证。390 U. S. at 114－115. 申诉人主张，将利益受到影响的当事人加入诉讼将会十分困难，并最终使民权诉讼失去希望。潜在的不利当事人可能数量较大而且很难辨认；如果他们没有参加诉讼，则可能出现不一致的判决。司法资源将会不必要地在同一案件的再次审判中造成浪费。

即使我们被这种辩论完全说服，并将其作为一种政策实施，而真正接受他们还需要对相关规则进行重新解释或者修正。但是我们仍然不认为他们接受审判会对解决案件更为有利。必须记住这种选择是一种基于知悉而介入诉讼的责任，规则目前所规定的某种共同诉讼形式却是另一个问题。没有人可能主张一个雇员因为依照先前的判决作出了一个对他们不利的判决，如果后来提起诉讼的集团不了解先前的诉讼，就可以成功地在由另一群人提起的诉讼中进行第 7 编请求防御。

申诉人所预见的，在辨别哪些人会受提供广泛救济的判决的不利影响时，所面临的困难必然会出现在我们面前，但是这些困难是救济的性质，而不是在强制性介入诉讼和共同诉讼中进行选择而产生的。规则 19 规定利害关系人参加诉讼，这种为了适应复杂性所设立的制度可能会在许多方面对无数的人产生影响。我们认为强制性介入规则可能会产生很多麻烦。正如前面所提到的，寻求法庭帮助的要求改变了现行雇佣政策的原告，或者受到不同规则约束的雇员他们可能受相互冲突的判决拘束，最好由他们来指认那些如果原告胜诉会对受不利影响人；这些当事人通常对可能的救济范围比那些没有被列名的当事人有更好的理解力。辨认那些基于利益而应当被纳入诉讼中的人所存在的困难并不会因为申诉人的选择而消除，这种选择仅仅把这种责任转嫁给了更加缺乏能力的人。

我们并不认为规则所要求的这种合并诉讼制度与相反的制度相比可能制造更多重复诉讼。案件的范围和相应的救济可能至少部分地通过规则 19 得到规范，以防止与将来诉讼的不必要冲突。而且甚至在一个强制性介入诉讼的机制下，对于案件缺乏充分了解的当事人也会重复提起诉讼，充分性和适时性问题也必然会产生。我们认为规则所确定的合并诉讼制度可能会在许多案件的运作过程中产生积极的作用，包括许多类似于本案的案件。

申诉人同时主张，国会的政策支持雇佣歧视案件的自愿和解，对此可参见卡森案〔Carson v. American Brands, Inc., 450 U. S. 79 (1981)〕，同样也支持"非许容性的附带攻击（impermissible collateral attack）"的原理。但是在此我们有必要对"自愿和解"进行说明。自愿和解是一种合意判决形式，在雇员和雇主之间利益不能"解决"没有参加这种和解协议的其他雇员的有冲突的请求的情况下做出的判决。事实上，甚至第二个雇员集团也是诉讼的一方当事人："选择通过和解的方式解决争议的当事人，未经第三人同意，不能处分任何第三人的请求……法庭赞成在一定的当事人之间的合意判决，因此不能处分没有同意介入诉讼的其他人的有效请求"。克里夫兰案〔Firefighters v. Cleveland, 478 U. S. 501, 529 (1986)〕。

上述的辩论是基于这样一种观点，如果案件的当事人全部出席法庭的话，那么受到影响的不同的集团之间的请求和争议可能更加易于解决，合并审理公平地实现了这一结果并确立了强制介入诉讼的机制。

根据前面所表述的原因，我们支持第十一巡回法院的判决。该院将案件发回初审法庭对驳回歧视请求的决定进行重审。Birmingham reverse discrimination, 833 F. 2d, 页 1500-1502。申诉人指出，通过地区法院对事实的判决和对法律的结论，答辩人的案件并没有取得胜诉。但是，我们同意上诉法院的意见，即地区法院的判决可能受到错误观点的影响，也就是认为答辩人的实质请求由于与合意判决不一致而在一定程度上被禁止。维持判决。

史蒂文斯大法官和布伦南大法官、马歇尔大法官以及布莱克曼大法官做出了反对意见：

作为法律问题，在真正的诉讼当事人与可能享有某种利益，这种利益可能受到案件结果的损害的那些人之间存在很大区别。第一种人有权参加审判并有权在判决对他们不利时提出上诉，他们的法律权利得到保护或者损害取决于他们胜诉或者败诉。后一种人则有权适时地介入诉讼，或者违背意愿地作为当事人参加诉讼，如果他们仍然袖手旁观，则即使他们的法律权利未受到影响，他们也可能受到实践事项的伤害。袖手旁观的一个不利结果是，无论判决是否对他们不利和多么不利，旁观者都没有权利提起上诉。

在本案中，本院正确地认为，第二次提起诉讼的那些白人消防队员不能被剥夺他们在第一次诉讼中所享有的权利，因为他们从未介入诉讼，也未作为接受过送达。参见 Firefighters v. Cleveland, 478 U. S. 501, 529 – 530（1986）；Parklane Hosiery co. v. Shore, 439 U. S. 322, 327, n. 7（1979）。很明显，这种合意判决不能剥夺他们的宪法权利，例如因为资深所应获得的职位提升权利，W. R. Grace Co. v. Rubber Workers, 461 U. S. 757（1983），或者休假期间获得工资的权利，Massachusetts v. Morash, 490 U. S. 107（1989），或者其他任何合法权利，例如要求他们的雇主遵守联邦制定法（例如第 7 条）的规定的权利［克里夫兰案，Firefighters v. Cleveland, 478 U. S. 529］。但是，我们没有理由认为，这种合意判决作为一个实践问题在白人雇员身上会发生完全不同的情况，可能会严重影响他们获得职务提升的机会，即使他们不受这种合意判决的约束。事实上，合意判决的一个影响是减少非当事人的就业机会，这并不意味着非当事人被剥夺了法律权利或者他们可以不成为当事人便可以对该合意判决提起上诉。

没有权利对最终判决进行上诉的当事人，无论是因为超过了上诉期间还是因为他们从来不是诉讼的当事人，他们最终不能基于一定的原因对判决提起附带攻击。如果法庭没有对案件的事项管辖权，或者如果判决是司法腐败、压力、欺诈、串通、错误的产物，那么在有限的情况下，可以通过提出恰当的附带攻击宣布判决无效。参见判决的第二次重述，Restatement (Second) of Judgments §§ 69 – 72（1982）；纽约银行案［Griffith v. Bank of New York, 147 F. 2d 899, 901（CA2）(Clark, J.), cert. denied, 325 U. S. 874（1954）］。这一规则不仅适用于原始诉讼中的当事人，而且允许有利害关系的第三人通过附带攻击来引起判决审查。然而，在民事诉讼和刑事诉讼中，这种可以援引来支持一个附带攻击的理由要比在直接上诉中攻击所称的判决错误受到更多限制。一个可以预见案件可能对他的利益产生实践性影响的人,如果他选择袖手旁观而不介入诉讼或者冒法律权利被损害的风险,他可能付出沉重的代价。

在本案中,答辩人不是合意判决的当事人这是毫无争议的。随后的事实是他们当然不受这些合意判决的约束。这些判决可能不会也不能剥夺他们的法律权利。但是,判决事实上对答辩人获得职位提升的权利有实践影响。因为这种原因,答辩人有权针对合意判决的有效性提出质疑,但是相比他被允许在一个直接上诉中作用来说,他们可能在附带攻击中得到的支持可能是非常有限的。

上诉法院和最高法院的判决对地区法院判决的描述都是不正确的。上诉法院反复提到地区法院认为事实上白人消防队员也应当接受他们不是当事人的合意判决约束,而且本院的意见似乎认为地区法院在早期的判决中对合意判决进行了解释并做出判决认为白人消防队员被排除了依据合意判决做出的雇佣方面的决定提出质疑的权利。因此,重要的是弄清楚地区法院做出的判决内容和为什么判决应当得到维持。

I

作出合意判决的那次诉讼是一个真正的对抗制程序。在1974年和1975年,有两个私人当事人的集团和美国政府曾经针对伯明翰市和委员会分别提起第7编诉讼,认为在几个行业包括消防部门在人员雇佣和提升中存在歧视。在1976年的一个完全的诉讼之后,地区法院认为被告违反了第7编在雇佣过程中存在歧视。App. 553. 在1979年的第二次诉讼中,他们将注意力集中于职位提升,但是在地区法院做出判决之前,当事人进行谈判,并做出了与该市和委员会相关的两个合意判决。[App. to Pet. for Cert. 122a(关于城市的判决),202a(关于委员会的判决)。]美国政府在两个判决中都是当事人一方。地区法院初步承认了合意判决的效力,并且命令当事人将合意判决的基本条款通知所有的利害关系人,并且为他们提供提出异议的机会。大约两个月之后,地区法院进行了一次听审会,在听审中,有一批黑人雇员对法律的充分性提出了异议,一批白人消防队员由伯明翰消防队员协会(BFA)代表反对任何的种族意识的救济。(同上,页727。)地区法院驳回了两个异议,并且在1981年8月登录了合意判决。

地区法院在其确认合意判决的判决书中,首先表明"没有主张或者建议表明这种和解存在欺诈或者串通"。法庭然后解释为什么会做出这种决定符合合意判决做出确认判决的目标和额度,在钢铁工人诉韦伯案[Steelworkers v. weber, 443 U. S. 193(1979)]以及其他案件确立的限度之内。它指出,合意判决"并没有排除对白人和男性的雇佣和提升,甚至暂时也没有造成这种结果",而且政府提升黑人和白人作为消防队大队长的行为在同样程度上是暂时的而且也没有对称职者的资格否定,"提示合意判决不能被解释为:依据相关的职务选择程序,对不称职的或者明显比别人不具备资格的人进行雇佣或提升",并且进而认为法庭记录提供了充分的理由得出结论认为,该市可能最终被认为对在消防系统和警察系统能的具有较高职务的黑人进行歧视负有责任。基于对错误行为的理解,法庭认为体现在合意判决中的救济与歧视的性质和程度相匹配。Cf. Milliken v. Bradley, 418 U.S. 717, 744 (1974). 地区法院然后驳回了其他具体的异议,指出合意判决不能侵害任何团体或者成员的合同利益。在对白人消防队员的所有异议进行了分析之后,法庭最终驳回了他们介入诉讼的动议。

在合意判决登录的几个月之后,委员会向该市保证有 5 名黑人和 8 名白人具有补充消防队的 6 个空缺的职位的资格。一群白人消防队员便针对该市和委员会提起了诉讼,并且对他们"依据共同的和解协议确认候选人和根据种族进行提升"的政策提出了质疑。该起诉状声称,要么这种合意判决是违法无效的,要么被告没有恰当地对其加以应用。原告提出临时制止命令和初步禁令的动议。在进行证据听证之后,地区法院认为原告对于合意判决的附带攻击要求是没有根据的,而且依据合意判决 4 名黑人消防队员有资格获得提升。因此,法庭驳回了动议,并且在历史上该市在消防系统中有了黑人大队长。

原告针对这一裁定提出上诉,并与先前诉讼中驳回介入诉讼动议的裁定提起了合并上诉。上诉法院维持了法院的两次驳回的裁定 [参见 United States v. Jefferson County, 720 F. 2d 1511 (CALL 1983)]。在 1983 年当上诉判决仍处于悬而未决状态时,维克斯的答辩人针对申诉人提出了独立的诉讼。维克斯的起诉状声称,申诉人违反了民权法案第 7 条,但是并没有提出任何对合意判决有效性的质疑。在一系列的预备程序后,地区法院将其他 4 个针对申诉人提起的被推翻的歧视案件进行了合并审理,并以"关于伯明翰反歧视诉讼"作为诉讼文件的标题。同时,在诉讼过程中,法庭允许另外的当事人介入诉讼。

在 1985 年 2 月 18 日,地区法院对该市提出的即决判决动议进行裁定,并且解释了他对合意判决与反歧视诉讼中产生问题的相关性的理解。在对导致合意判决登录的程序进行总结的过程中,地区法院明确"承认合意判决可以不禁止所有的反歧视诉讼请求,因为原告没有在先前案件中作为当事人出现"。法庭随后考虑到合意判决的相关性,所持的态度不同于对任何当事人所支持的态度。原告主张,这种合意判决即便有效,也不构成对他们的起诉的抵制, Cf. W. R. Grace Co. v. Rubber Workers, 461 U.S. 757 (1983), 而且, 合意判决并没有授权对黑人的提升优于更优秀的白人,因此并没有提供以种族为根据的提升。另一方面,该市认为这种提升不会因为是否受到合意判决允许或要求的质疑而失效。(同上,页 282。)地区法院对于符合判决的提升行为的正当性持中庸立场。但是,法庭驳回了该市的即决判决的动议,因为案件中的事实问题需要进行审判。

在 1985 年 12 月，法庭限于对该市消防系统和工业系统的提升过程中所涉及的事实问题进行了长达 5 天的审理。在审判中，答辩人对合意判决的效力提出了质疑；为了答复质疑，申诉人提供了 1976 年、1979 年的法庭记录和在 1981 年的公开的听证会。答辩人同样试图证明他们比先于他们得到提升的黑人更有资格得到提升。在审判的结束，地区法庭作出了一个部分终局判决，驳回了原告的部分诉讼请求。法官在法庭上以口头形式解释了判决，在书面判决中采纳了由胜诉方当事人起草的详细认定和结论，并作了一些修改。

在口头陈述中，法官的法律立场和他在 2 月的裁决一致。他认为："我们得出的明确但不绝对的结论是，在恰当的情形下，甚至诉讼的被告确实做出了种族歧视的行为时，一个有效的合意判决可以对歧视进行恰当限制。在 2 月的判决中，我的观点是，如果伯明翰市将黑人提升为消防队副官、消防队队长或者工程师，是因为这是合意判决的要求，或者如果事实上合意判决要求该市做出这种行为，那么该市的行为对于种族歧视不承担任何责任，无论是依据民权法案第 7 编，或者依据 1981 节、1983 节或者是宪法第十四修正案。我剩下的责任便是对于我理解的法律做出陈述"。随后，他认为，作为事实问题——申诉人并没有提升不合格的黑人官员，被提升的黑人官员也没有明显比待提升的白人缺乏资格。因此，他驳回了答辩人关于该市不能主张自己提升行为是应合意判决要求的观点。

> 在本案中，依据提交到法庭的证据，我认为尽管证明责任由被告承担，他们已经提出了证据，并且证明了在本案中对黑人个人的提升事实上是依照合意判决的条款进行的。

法律结论是合法的书面表述不如他的口头意见清晰。他最初毫不含糊地说明："该市的合意判决是合法的"。他解释说"依据第十一上诉法院和最高法院的所有判例法，这是一个恰当的救济机制，被设计来克服伯明翰市先前的非法歧视所带来的影响"。但是，在同一个结论中，他又指出原告不能针对合意判决的有效性提出附带攻击。当我们通过上下文进行分析时——特别是考虑到法庭判决认为依据第十一巡回法庭和最高法院的判例该合意判决是合法的——很明显，在最大程度上法官本意是做出可选择的判决理由。更可能的是，认为法庭对附带攻击的范围比上诉审查的范围进行了更狭窄的界定有些夸大其词。在任何情况下，无论人们是否阅读这一句话，绝对清楚的是法庭没有认为答辩人应当受合意判决约束。在地区法院漫长的事实和法律的判决过程中，没有任何一个词句表明原告应当受该合意判决的约束，也没有表明法庭试图对诉讼的实际当事人和利害关系人从事实问题上发生任何影响。事实上，上诉法院以及最高法院的多数派没有注意到，在本案中法官所指出的申诉人即非当事人不受合意判决的约束。

II

申诉人即无论合意判决是否赋予黑人的救济同样也赋予了白人消防队员，我们认为判定他们永远都没有权利对合意判决提起附带攻击是不正确的。如果一个诉讼当事人有资格，他或她永远可以对判决以明确限定的错误为由提起附带攻击。另一方面，地区法院没有被要求对案件进行重新审理或者参加对另一法院判决的复审，只要利益相关的非当事人指出一些会引起直接上诉的错误，则会引起案件的重新审查。这种对附带攻击过于宽泛的界定，可能会破坏司法判决的完整性，可能会导致大量无根据的诉讼，会破坏法庭之间的团结一致。答辩人没有提供可能对地区法院的判决提起再审的情形。

合意判决的执行影响了一系列非当事人的利益，而且这种对合意判决的信赖作为对在雇佣和提升过程中的歧视的辩护，产生了对串通的合法审查。但是，并没有此类诉讼被提起。另外，有明显的证据表明合意判决的形成过程并没有串通行为。在 BFA 和白人消防队员异议的支持合意判决的判决中，地区法院认为没有主张或者建议表明合意判决是欺诈或者串通的。这种公平的听证过程成为法庭审理记录的一部分，而且判决并不矛盾。更明显的是，直到 1976 年审判中法庭认为该市在警察职位和消防队员职位的任命中存在对黑人的歧视，以及 1979 年审判，实体的证据表明该市在消防队员的提升中也存在对黑人的歧视之后，这一合意判决才得到磋商。正如 1981 年听审记录显示，两个先前审判的记录都成为本案法庭记录的一部分。如果没有任何迹象表明存在串通，而且地区法院判决认为有充分理由担心伯明翰市对于在警局和消防队的较高层次的职位的任命上存在对黑人的歧视，这表明这种合意判决仅仅是一个有限谈判的产物。

我们也不认为，合意判决接受重新审判和进一步的诉讼是因为判决所提供的救济与"明显的无效或者明显的主张有效"的和解法律原理不一致（Walker v. Birmingham，388 u. s. 307，(1967)）。相反，在合意判决中规定的对种族歧视行为的禁令救济完全与与本院支持确认性诉讼的做法一致。假设对种族歧视已经进行了充分的预见，第十四修正案所规定的平等保护条款和 1964 年民权法案第 7 条都不能禁止对没有受害的人进行救济而对那些没有错误行为的人产生不利影响的判决提出确认性诉讼。欧康纳大法官在魏格特案［Wygant v. Jackson Bd. of Education，476 U. S. 267（1986）］中指出："这种救济的目的不需要与同期被合法接受的歧视案件的判决一致，如果公共行为者有明确的根据相信需要救济行为"。这种救济在本案中也有正当理由。在 1976 年针对该市的审判以及 1979 年审判中长达 5 天的证明活动之后，初审法官有资格得出结论，他有合理理由相信该市可能违反了民权法案第 7 条。

因此，没有理由对法官判决中是否存在串通、欺诈和明显无效提出附带攻击。另外，答辩人没有声明也没有任何迹象表明审判存在错误、强迫或者缺乏管辖权。相反，答辩人必须论证，某些不同的救济可能更适合采纳。尽管这种问题可能会导致直接上诉，但它不能也不应当为已经确定的判决提供一个重新审理的机会。

III

事实上，答辩人不受该合意判决的约束而且他们没有提起附带攻击的资格，并不必然导致这样的结论，即地区法院在合意判决中认为答辩人歧视诉讼的目的不存在。合意判决可能不直接影响任何答辩人的法律权利，并不意味着它可能不会影响否定答辩人请求的事实背景。犯罪嫌疑人不是签发搜查令状的当事人并不意味着形式上有效的令状可能不被作为警察善意行为的证据。同样，雇主依据法庭要求进行活动可以作为证明雇主善意行为并且没有歧视意图的证据。事实上，法庭对先前判例的轻视也会造成对司法的损害，从而为其他人不履行判决提供了正当化的借口。

地区法院在对证据进行审查之后，认定该市是依照合意判决的命令而行为。基于这种认定，法庭断定该市履行了提出证据证明自己职务提升的原则和行为合法的责任，因此认为这种提升没有歧视意图，而是依据民权法案第7条和平等保护条款而做出的。由于这些原因，而不是因为认为答辩人受合意判决的约束，法庭作出了一个有利于该市和介入诉讼的被告的判决。

当然，在一些情况下，原告可能证明被告提出依照合意判决的行为仅仅是一种借口［参见德克萨斯社区事务署案, Taxas Dept. of Community Affairs v. Burdine, 450 U. S. 248（1981）］。例如，原告可能表明合意判决是串通的结果以及被告仅仅取得了法庭不经审查就批准的私人协议的执行，但是这种协议与种族歧视案件根本无关。相反，原告可能能够表明被告不受合意判决约束，因为法庭表明他没有管辖权。参见美国诉煤炭工人案 United States v. Mine Workers, 330 U. S. 258, 291-294（1947）。同样，原告可能主张合意判决的当事人不受裁定约束，因为这种裁定是"明显无效"因此没有执行力。如果被告在结果上不受裁定约束，那么原告可能能够表明被告的种族歧视行为不是依据法庭裁定做出的。

在这类案件中，尽管没有证据表明合意判决有串通、欺诈或者明显无效，或者是在无管辖权的情况下作出的，但认为遵守裁定对于违反民权法案第7条的救济可能使被告承担附加责任。法庭认为警官依据形式上有效的令状实施的行为通常不应当被认为负有个人责任是不符合法律职业"良知"的，同样私人雇员依据联邦法庭登录的合意判决的行为也不应当承担额外的责任。事实上，平等就业机会委员会的规定在对此种行为进行评定时也同意这种观点。他们声称，"委员会认为民权法案第7条意味着，依据法庭命令的行为不能在本条规定下承担责任"。28 C.F.R. §1608.8（1989）。假设地区法院的事实认定没有明显的错误——当然这并不是我们需要解决的问题——那么非常清楚他们的判决应当维持。其他任何结论可能会使许多雇主依据法律对他们以前的歧视行为进行补救，并且会引起没完没了的诉讼和潜在的责任。我们很难想像这是民权法案第7条或者平等保护条款所要求的相反结果。

IV

几十年以来，本案之前的判例已经对伯明翰市的黑人种族歧视的雇佣和职位提升结构进行了改变。白人答辩人在本案中不能对这种歧视的历史负责，但是他们是这种歧视行为的受益者。任何为黑人创造就业机会的行为都会对白人产生不利影响，因为他们必须和黑人分享共同的就业和职位提升机会。正如在过去白人是非法歧视行为的间接受益人一样，因此必然的，目前白人雇员必然成为间接受害者，他们在社会对过去错误进行补偿的过程中必须承担部分责任。

发生在对抗双方之间的诉讼，可能会严重损害选择袖手旁观的第三人的利益，这也是经常发生的事情。在复杂的诉讼中，本院认为，第三人如果接受了充分的通知和被提供了一次介入诉讼的机会，或者如果在终局性方面的司法利益足够强大，那么旁观者也应当受到像当事人那样的约束。

但是，我们不需要为了支持地区法院的判决，对合意判决规定的救济是否侵犯了民权法案第7条或者平等保护条款进行分析。伯明翰市登录并执行了该合意判决，已经向着取消长期以来消防系统的就业歧视迈进了一步。地区法庭在审判并且细心考虑了答辩人的辩论之后，认为这种行为是合法的，应当继续推进。因为答辩人已经出庭，而没有承担他们的责任，我认为应当撤销上诉法院的判决，发回进行符合本意见的继续审理。

1991年民权法案
Civil Rights Act of 1991

Pub. L. No. 102-166, §402（a）, 105 Stat. 1071, 1099, reprinted at 42 U.S.C. §2000e-2（n）（1）（Supp. V. 1993）

§108. 一个已实施的且处于一个被诉的或者同意判决或者解决一个关于雇佣歧视请求的命令中的雇佣政策，……在一个根据宪法或者联邦民权法律提出的请求中根据宪法或者联邦民权法律不得受到抨击：

（i）由一个先于判决或者命令的登记获得过以下机会的人提起的请求

（1）针对将要做出的判决或者命令而对他进行的充分通知，告知他们这种

判决或者命令可能对他们的利益和法律权利产生不利影响,而且他们有机会利用将来的确定的信息,对这种判决和命令提出异议;以及

(2)对这一判决或者命令提出异议一次的合理机会;

或者

(ⅱ)由一个利益受到过充分代表的人提起的请求,该当事人过去挑战过这一判决或裁定,其理由在法律根据和事实情形上都与本次请求相似,除非存在法律和事实上的改变。

实务练习三十五
最高法院宣布了依据民权法案排除的合宪性

假设在2005年,在美国最高法院中有一批新的法官。另外,马丁诉维克斯案所依据的1991年的民权法案的条款到今天仍然有效。假设在克利夫兰市案件(与你在过去的实践练习中所经历的一样)在联邦法院被提起诉讼,并且在没有陪审团的情况下,法官对案件进行了一个全面的审理,法庭依据民权法案第7条做出了对原告有利的判决,要求克利夫兰市在消防员的雇佣过程中使用一个无性别歧视的书面考试和身体的检查,并赋予原告雇佣日期上的优先权(如果她们先前接受了歧视性的测试,那么她们便被视为通过现在的测试),她们的资历、报酬和社会地位上均从假定她们最初被雇佣时计算。法官的判决作为案件的最后结果登录,案件上诉后,判决被维持。判决对于目前被雇佣的男性消防员产生了不利影响,他们认为,他们被判决减少了机会,在成为消防系统的高层官员的权利方面受到了损害。在新的雇佣测试标准公布之前,有15名女性被雇佣,其中有3个人已经是队长。另外,现在雇佣的女性消防员享有较高的工资待遇,这就减少了其他被雇佣的消防员的主张工资的机会。

克利夫兰市目前雇佣的男性消防员声称,案件的判决使他们受到损害,于是针对女性消防员和克利夫兰市提起了一个集团诉讼,要求宣布判决无效,并且要求针对判决对他们所造成的损害进行救济。被列名的集团诉讼的代表人宣誓作证时承认在判决执行前的6个月内,他们已经在报纸上了解到这一消息,但是并不了解女性的胜利会对他们造成何种影响。他们认为2001年的案件他们有所了解,但是他们直到2003年1月(也就是提起诉讼的前3个月)才对此进行关注,他们对判决第一次提出了异议,并提出要介入诉讼的动议,但是该动议被驳回,在听取了他们的辩论之后,上诉法院维持了这一决定。他们近一步指出他们不能被他们没有作为当事人的案件约束也不能因此受到损害。地区法院做出了支持妇女和克利夫兰市的动议的即决判决,理由是最初的判决有效,男性消防员不是必要的和不可缺少的当事人,根据马丁诉维克斯案对民法法案的补充,初审法院在先前审判中做出的否定他们后来介入诉讼的权利的裁量是恰当的。案件上诉后,上

诉法院也在所有的问题对本案的判决做出了维持。最高法院发出了调卷令。

在本案中的原告亦即男性消防员组成的集团认为马丁案仍然有效，最初的判决依据第19条和正当程序条款应当被宣布无效，他们有权介入诉讼因此对他们动议的否决是不恰当的，而且他们认为1991年依据马丁案修订的民权法案违背了宪法正当程序条款，因为该修正案没有为他们提供正式通知、送达和获得听审的权利。女性消防员和克利夫兰市声称这一案件的受理从最初便是错误的，本案不适用马丁案的判决，因为两者存在较大区别，目前法庭要判决的是马丁案与本案存在区别，1991年民权法案应当适用并且是合宪的，原告因为介入诉讼的请求被驳回因此不能再次提起诉讼（在驳回他们介入诉讼的动议时，地区法院的法官没有滥用其裁量权，因此排除了他们现在对动议进行上诉的权利）。

女性消防员和克利夫兰市雇佣了同一个律师。学生们分为两组，一组代表被告，其他的成员代表男性消防员。每个学生要准备一个在最高法院提出的完整的口头辩护意见。上诉人的律师最先出庭。

选择： 你可以分组准备你们的辩论意见（每组3人以下）。确定你的成员代表同一方当事人。如果该组的某个成员被选中，所有的成员必须提出辩论。

判例一览表

Adickes v. S. H. Kress & Co., 474
　　阿迪克斯诉克莱斯案
Aetna Cas, & Sur. Co. v. Yeatts, 511
Allen v. McCurry, 886, 934
　　艾伦诉麦考利
Alyeska Pipeline Serv. Co. v. Wilderness Soc., 141
　　阿利耶斯卡管道服务公司案
Amchem Prods., Inc. v. Windsor, 990
　　美国化学产品有限公司诉韦德森案
American Hosp. Supply Sorp. v. Hosp. Prods, Ltd., 113
　　美国医院供应公司诉医院产品公司
American Pub. Co. v. Fisher, 431
Anderson v. Liberty Lobby, Inc., 495
Apodaca v. Oregon, 431
Armstrong v. Pomerance, 740
Asahi Metal Indus. Co., Ltd. v. Sup. Ct. of California, 695
　　阿萨海金属工厂诉加利福尼亚州上等法院案
Ballew v. Georgia, 431
Baltimore & Carolina Line, Inc. v. Redman, 507
　　巴底莫尔案
Bank of Calif. Nat. Assn. v. Sup. Ct. in and for City and Country of San Francisco, 947
　　加利福尼亚银行诉旧金山上诉法院案
Banque Indosuez v. Trifinery, 324
　　班魁诉特里芬莱利

判例一览表 *883*

Batson v. Kentucky, 453
　　巴特森案
Beacon Theaters v. Westover, 435, 446
　　贝肯剧院案
Bell v. Burson, 102
　　贝尔诉伯森案
Bergeron v. Northwest Publs., Inc., 314
Bernhardt v. Polygraphic Co. of America, 851
Berry, In re, 175
Black & White Taxicab Co. v. Brown & Yellow Taxicab Co., 844
BMW v. Gore, 136
Boddie v. Connecticut, 74, 276
　　博迪诉康涅狄格
Bower v. Weisman, 210, 226
　　鲍尔诉威斯曼
Braxton v. Bd. of Public Instr. for Duval Couty, 17
Bray v. Alexandria Women's Health Clinic, 165
Brown v. Bd. of Educ., 17, 175
　　布朗诉教育委员会案
Burger King Corp. v. Rudzewicz, 709
　　伯格·金公司诉鲁泽威兹
Burnett v. Birmingham Bd. of Educ., 830
　　伯内特诉伯明翰教育委员会
Burnham v. Sup. Ct. of California, 741
　　伯纳姆诉加利福尼亚州上等法院
Byrd v. Blue Ridge Rural Elec. Coop., Inc., 851
　　伯德诉蓝山乡村电器股份合作有限公司
Calder v. Jones, 690
　　考尔德诉琼斯
Calero-Toldeo v. Pearson Yacht Leas. Co., 110
Camelback Ski Corp. v. Behning, 767
Car Carriers, Inc. v. Ford Motor Co., 889
　　汽车运输公司诉福特汽车公司
Carey v. Piphus, 128

凯里诉皮弗斯
Carnival Cruise Lines, Inc. v. Shute, 768
  狂欢旅游公司诉舒特夫妇
Catlin v. United States, 554
  卡特林诉美国
Catrett v. Johns-Mansville, 494
Celotex Corp. v. Catrett, 485
  赛罗太克斯诉卡磋特案
Chambers v. NASCO, Inc., 314
Chauffeurs, Teamsters and Helpers, Local No. 391 v. Terry, 435
  汽车司机卡车司机被雇佣者工会第391分会诉泰瑞案
Christianburg Garment Co. v. EEOC, 141, 151
Christopher v. Duffy, 268
  克里斯多夫诉达菲
Cimino v. Raymark Indus., Inc., 1009
City of Riverside v. Rivera, 155
  里弗赛德市诉里韦拉
Clinton v. Jones, 296
  克林顿诉琼斯案
Colgrove v. Battin, 431
CompuServe, Inc. v. Patterson, 774
Conley v. Gibson, 197, 208
  康利诉吉本
Connecticut v. Doehr, 110, 124
  康涅狄格州诉多尔案
Continental Airl. Inc. v. Intra Brokers, Inc., 124
Controlled Envt. Sys. v. Sun Process Co., Inc., 253
  受控环境系统诉太阳公司
Coopers & Lybrand v. Livesay, 555, 989
  库珀诉利夫赛
Core-Vent Corp. v. Nobel Indus., 694
Crawford-El v. Britton, 222
  克劳福德案
Crocker v. Hilton Intl. Barbados, Ltd., 670

克罗克案
Curran v. Price, 314
Curtis v. Loether, 446
　　科瑞斯廷诉若斯案
Dairy Queen, Inc. v. Wood, 446
　　黛丽女王公司案
Daubert v. Merrill Dow Pharms., Inc., 529
Detroit Coke Corp. v. NKK Chem. USA, Inc., 794
Dimick v. Schiedt, 544
　　迪美克案件
Dioguardi v. Durning, 294
DMII Ltd. v. Hosp. Corp. of America, 238
　　DM II 有限公司诉美国的医院法人
Doe v. United Servs. Life Ins. Co., 241
　　无名氏诉联合服务人寿保险公司
Dudley v. Wal-Mart Stroes, Inc., 462
　　杜里诉沃尔马特储藏公司案
Dunlap v. Wells, 802
　　邓拉普案
Dyer v. MacDougall, 529
　　戴耶案
Edmonson v. Leesville Concrete Co., Inc., 454
　　埃德莫森诉李斯维水泥公司
EEOC v. Bailey Ford, Inc., 152
Eisen v. Carlisle & Jacquelin, 979
Employers Ins. of Wausau v. FDIC, 978
Erie R. R. Co. v. Tompkins, 4, 838
　　埃里铁路公司诉汤普金斯案
Evans v. Jeff D., 153
　　埃文斯案
Federated Dept. Stores, Inc. v. Moitie, 926
　　连锁店诉莫伊汰
Feltner v. Columbia Pictures Telev., Inc., 545
Fibreboard Corp., In re, 1009

奥特兹诉纤维板公司案
Filartiga v. Pena–Irala, 756
Finley v. United States, 820
　　芬利诉美国案
Finney v. Hutto, 124
Flagg Brothers. Inc. v. Brooks, 109
　　弗拉格兄弟案
Flake v. Medline Indus., Inc., 794
Food Lion, Inc., In re, 632
　　食品名流公司案
Franchise Tax Bd. v. Constr. Laborers Vacation Trust, 800
Fuentes v. Shevin, 102, 119
　　芬提斯诉谢文案
Galloway v. U.S., 512
　　盖洛维诉美国
Gasperini v. Center for Humanities, Inc., 137, 875
General Tel. Co. v. Falcon, 981
　　通用电话公司诉法克
Georgia v. McCollum, 461
　　乔治亚州诉麦克卡伦案
Gilbert v. Johnston, 251
Goldberg v. Kelly, 26, 29, 36, 56, 102, 190
　　戈德堡诉凯利案
Golden State Bottling Co. v. NLRB, 19
Gomez v. Toledo, 256
　　戈梅斯诉托勒多案
Gonzales v. Banco Central Corp., 899
　　冈萨雷斯诉浅滩中心公司
Gordon v. Steele, 803
　　戈登案
Gordy v. Daily News, L. P., 693
Grace v. MacArthur, 756
　　格雷斯案
Granfinanciera v. Nodberg, 446

Gray v. Amer. Rad. & Standard San. Corp., 687
    格雷案
Green v. Manhattanville College, 794
Greenbaum v. U. S., 251
    格林鲍姆诉美国
Greene v. Lindsey, 782
Griffin v. Breckenridge, 1135
Griggs v. Duke Power Co., 1139
Gross v. Hanover Ins. Co., 329
    格罗斯诉汉诺沃保险公司
Guaranty Trust Co. v. York, 846
    佳仑缔信托公司诉约克案
Halderman v. Pennhurst State Sch. and Hosp., 124
Hanna v. Plumer, 856
    汉纳诉普卢默
Hansberry v. Lee, 966, 972
    哈斯波芮诉李
Hanson v. Denkla, 674
    汉森案
Harlow v. Fitzgerald, 221, 259
Harris v. Balk, 658
    哈里斯诉鲍克
Harris v. Hayter, 221
    哈里斯案
Heacock v. Heacock, 897
    希科克诉希科克案
Helicopteros Nacionales de Colombia v. Hall, 758
    哥伦比亚直升飞机公司诉霍尔
Henry v. Dayop Village, Inc., 224
    亨利诉代托普村公司
Hernandez v. New York, 469
Hess v. Pawloski, 656
    赫斯诉波罗斯基
Hickman v. Taylor, 341

希克曼诉泰勒
Honda Motor Co. v. Oberg, 136
　　　宏达汽车公司案
Hoult v. Hoult, 911
　　　大卫·P·霍尔特诉珍妮弗·霍尔特
Hugel v. McNell, 694
　　　休格尔诉麦克内尔案
Hughes v. K-Ross Bldg. Supply Center, inc., 767
Indus. Tectonics, Inc. v. Aero Alloy, 803
　　　建筑公司案
Inf. Sys. & Networks Corp. v. U. S., 532
　　　信息系统和网络公司诉美国
Ins. Corp. of Ireland, Ltd. v. Compagnie des Bauxites de Guinee, 690, 768
Intl. Shoe Co. v. State of Washington, 661
　　　国际鞋业公司诉华盛顿州
J. E. B. v. Alabama, 465
　　　J. E. B诉阿拉巴马
Joint Anti-Fascist Refugee Committee v. McGrath, 25
　　　反法西斯难民联合委员会诉麦格拉斯案
Kadic v. Karadzic, 756
Katchen v. Landy, 446
Kedra v. Clty of Philadelphia, 315
　　　联邦储蓄发展银行诉国家西部借贷协会案
Keeton v. Hustler Magazine, inc., 693
　　　基顿诉哈斯特勒案
Kelly v. Wyman, see Goldberg v. Kelly
Kennerson v. Stevenson, 766
　　　肯纳森案
Kerr v. U. S., 555
Klaxon Co. v. Stentor Elec. Mfg. Co., 846
　　　克拉克松公司诉斯坦特电器制造公司案
Kolstad v. Amer. Dental Assn., 137
　　　科尔斯塔得案
Kumho Tire Co. Ltd. v. Carmichael, 529

Lassiter v. Dept. of Social Servs. of Durhan County, North Carolina, 80
　　拉塞特尔诉北卡罗利那达勒姆郡社会服务部
Leatherman v. Tarrant Co. Narcotics Intell. and Coord. Unit, 216, 220, 259
　　莱瑟曼诉塔伦特郡麻醉剂情报与协调组织
Leonard v. USA Petrol. Corp., 668, 675
　　伦纳德诉美国石油公司
Lopez v. Martin Luther King, Jr., Hosp., 961
　　卢普兹诉马丁·路德·金医院
Louisville & Nashville R. R. Co. v. Mottley, 797
　　路易斯威利和纳斯威利铁路公司诉莫特利
McDonnell Douglas Corp. v. Green, 1138
McGee v. Intl. Life Ins. Co., 671
　　麦吉案
MacLeod v. MacLeod, 793
Madara v. Hall, 695
　　曼德拉诉霍尔案
Maguire v. Marquette Univ., 809
Marek v. Chesny, 142
　　马雷克诉切斯尼
Margerson v. Boston & Maine R. R., 348
Markman v. Westview Instr., Inc., 445
　　麦克迈案
Martin v. Wilks, 125, 963, 1011
　　马丁诉维克斯案
Mas v. Perry, 802, 803
Mathews v. Eldridge, 48, 110
　　马修斯诉埃尔德里奇/马修斯案
Matsushita v. Zenith, 496
　　日本电器公司诉顶点公司案
Mennonite Bd. of Missions v. Adams, 782
Merrell Dow Pharms. Inc. v. Thompson, 800
Migra v. Warren City Sch, Dist, Bd. of Educ., 939
　　米格拉诉沃伦地区教育委员会案
Mims v. Duval County Sch. Bd., 18

Mitchell v. W. T. Grant Co., 109
　　米切尔案
M. L. B. v. S. L. J., 80
Montgomery Ward & Co. v. Duncan, 530
Mullane v. Central Hanover Bank & Trust Co., 774
　　马伦诉中央汉诺威银行与信托公司
Nadeau v. helgmoe, 152
Natl. Assoc. of Real Estate Appors., Inc. v. Schaeffer, 694
　　全国房地产评估协会诉谢弗案
Neely v. Martin K. Ely Constr. Co., 507
New York Times Co. v. Sullivan, 544
Newfound Mgmt. Corp. v. Lewis, 447
Nichols v. G. D. Searle & Co., 766
NLRB v. Jones & Laughlin, 446
Noonan v. Colour Library Books, Ltd., 767
North Georgia Fishing, Inc. v. Di-Chem, Inc., 109
　　北佐治亚粉饰公司案
O'Brien v. Alexander, 314
O'Brien v. City of Greer's Ferry, 152
Oklahoma Tax Comm. v. Graham, 800
Oppenheimer Fund v. Sanders, 979
Ortiz v. Fibreboard Corp., 1008, 1009.
　　奥特兹案
Owen Equip. and Erection Co. v. Kroger, 810, 828
　　欧文设备与建筑公司诉科罗格
Pacific Mut. Life Ins. Co. v. Haslip, 135
Parklane Hosiery Co, Inc. v. Shore, 915
　　帕克雷恩·霍谢瑞有限责任公司诉肖尔
Parsons v. Bedford, 435
　　帕特森案
Patterson v. McLean Credit Union, 886
Peevyhouse v. Garland Coal Min. Co., 135
Pennoyer v. Neff, 646, 724
　　彭诺耶诉内夫

Pennsylvania R. R. Co. v. Chamberlain, 528
  宾夕法尼亚铁路公司案
People v. Green, 469
Perez v. Boston Hous. Auth., 124
Perkings v. Benguet Consol. Min. Co., 671, 758
  帕金斯案
Phillips Petrol. Co. v. Shutts, 980
Piper Aircraft Co. v. Reyno, 784
  派珀飞行器公司诉雷诺
Powers v. Ohio, 453
  鲍威尔诉俄亥俄州
Progress federal Sav. Bank v. Natl. West Lenders Assoc., Inc., 306
  联邦储蓄发展银行诉国家西部借贷协会
Provident Tradesmens Bank & Trust Co. v. Patterson, 952
  远大银行和保险公司诉帕特森案
Purkett v. Elem, 462
  帕科特诉埃尔姆案
Ragan v. Merchants Transf. & Warehouse Co., 851
Rannel v. S. E. Nichols, Inc., 335
Rath Packing Co. v. Becker, 801
Ross v. Bernard, 432, 446
  罗斯案
Rufo v. Inmates of the Suffolk Co. Jail, 125
Ruston Gas Turbines, Inc. v. Donaldson Co., Inc., 705
St. Mary's Honor Center v. Hicks, 1138
St. Paul Mercury Indem. Co. v. Red Cab Co., 803
Schiavone v. Fortune, 263
  夏沃恩案
Sellers v. O'connell, 803
Shaffer v. Heitner, 725
  谢弗诉海特纳
Shultea v. Wood, 222
Shuttlesworth v. City of Birmingham, 175
Sierra Club v. Watt, 963

赛若俱乐部案
Simon v. World Omnis Leasing, 989
Skelly Oil Co. v. Phillips Petrol. Co., 801
Slocum v. New York Ins. Co., 507
　　苏力克案
Smith v. Swormstedt, 976
Smith v. Times Pobl. Co., 511
　　斯密斯诉时代出版公司案
Smith v. Wade, 1135
Sniadach v. Family Finance Corp., 102
　　施奈达奇案
Snyder v. Harris, 804
Societe Nationle Industrielle Aerospatiale v. U. S. Dist. Ct. for the Southern District of Iowa, 356
Stanley v. Illinois, 102
　　斯坦利诉伊利诺斯州案
State Farm Fire & Cas. Co.. v. Tashire, 802
Stewart Org., Inc. v. Ricoh Corp., 794, 873
Strawbridge v. Curtiss, 802
　　斯特劳布里奇案
Supreme Tribe of Ben – Hur v. Cauble, 976, 980
Swann v. Charlotte – Mecklenburg Board of Education, 18, 124
　　斯旺案
Swift v. Tyson, 844
　　斯威夫特案
Tavoulareas v. The Washington Post Co., 542
　　塔罗伦斯案
Thomas v. Capital Sec. Servs., Inc., 297
　　托马斯诉资产保障服务公司
Trinity Church in the City of Boston v. John Hancock Mut, Life Ins. Co., 134
　　波斯顿特里尼提教堂案
Tull v. U. S., 545
　　塔尔案
Turner v. Marshall, 462

特纳诉马歇尔案
Twentieth Century – Fox Films Corp. v. Taylor, 803
Union Carbide Corp. Gas Plant Disaster, In re, 793
United Mine Workers of America v. Gibbs, 804, 828
　　　美国矿工工会诉吉布斯
U. S. v. Albertini, 165
U. S. v. Amer. Tel. and Tel. Co., 125
U. S. v. Hall, 1, 17, 20, 119
　　　美国诉霍尔案
U. S. v. James Daniel Good Real Property, 110
U. S. v. Mendoza, 933
　　　门多萨案
U. S. v. Reserve Mining Co., 963
U. S. v. Springer, 165
U. S. v. U. S. Gypsum Co., 556
　　　美国诉美国石膏公司案
U. S. and Conn. v. Carmen E. F. Vasquez, 165
Venegas v. Mitchell, 164
　　　维内加斯诉米切尔案
Vill. of Arlington Heights v. Metro. Housing Dev. Corp., 1135
Voice System Mark. Co. v. Appropriate Tech. Corp., 757
Walgreen Co. v. Sara Creek Prop. Co., 120
　　　沃尔格林公司诉塞拉·克里克房产公司
Walker v. ARMCO Steel Corp., 867
　　　沃克诉阿姆科钢铁公司案
Walker v. City of Birmingham, 168
　　　沃克诉伯明翰市
Walker v. City of Hutchinson, 782
Washington v. Davis, 1135
Washington v. Washington State Comm. Passenger Fishing Vessel Assn., 757
Wenche Siemer v, Learjet Acq. Corp., 757
Wenzel v. Nassau County Pol. Dept., 271
Wilkins v. Eaton Corp., 194, 198
　　　威尔金斯诉伊腾公司案

Williams v. Florida, 431
World – Wide Volkswagen Corp. v. Woodson, 676
　　大众汽车公司诉伍德森
Worthington v. Wilson, 264
　　沃辛顿诉威尔森
Xuncax v. Gramajo, 756
Zahn v. Intl. Paper Co., 804, 980
Zielinski v. Philadelphia Piers, Inc., 250

法律和规则一览表

《美国法典》第 15 编第 4 节，页 190（15 U. S. C. §4, 190）
《美国法典》第 15 编第 1693 节，页 141
《美国法典》第 20 编第 1415 节，页 141
《美国法典》第 28 编第 41 节，页 554
《美国法典》第 28 编第 471 节，页 7、275、614
《美国法典》第 28 编第 1253 节，页 195
《美国法典》第 28 编第 1257 节，页 195、556
《美国法典》第 28 编第 1291 节，页 988
《美国法典》第 28 编第 1292 节，页 555、988
《美国法典》第 28 编第 1330 节，页 189
《美国法典》第 28 编第 1331 节，页 796、837
《美国法典》第 28 编第 1332 节，页 190、796、802、837
《美国法典》第 28 编第 1335 节，页 802、964
《美国法典》第 28 编第 1343 节，页 801
《美国法典》第 28 编第 1350 节，页 756
《美国法典》第 28 编第 1367 节，页 809、825、833、963
《美国法典》第 28 编第 1391 节，页 783
《美国法典》第 28 编第 1397 节，页 964
《美国法典》第 28 编第 1404 节，页 784、873
《美国法典》第 28 编第 1406 节，页 784
《美国法典》第 28 编第 1441 节，页 795、802、829
《美国法典》第 28 编第 1781 节，页 356
《美国法典》第 28 编第 1861 节，页 452
《美国法典》第 28 编第 1862 节，页 452
《美国法典》第 28 编第 1865 节，页 452

《美国法典》第28编第2072节，页6、7、222、295、414、845

《美国法典》第28编第2074节，页7、414

《美国法典》第28编第2201节，页124、800

《美国法典》第28编第2202节，页124、800

《美国法典》第28编第2361节，页964

《美国法典》第28编第2412节，页141

《美国法典》第35编第285节，页141

《美国法典》第42编第1983节，页151、256、1134

《美国法典》第42编第1985节，页1135

《美国法典》第42编第1988节，页141、151、164

《美国法典》第42编第2000e节，页809、1025、1137

《美国法典》第42编第3601节，页837

《美国法典》第42编第7622节，页141

《美国法典补编》第50编第525节，页271（App. U. S. C. §525, 271）

《美国制定法汇编》第108卷第1795节，页141（108 Stat. 1796 §40304, 141）

《美国制定法汇编》第109卷第737节，页276

《联邦民事程序规则》第4条，页673、740、782（Fed. R. Civ. P. 4, 673, 740, 782）

《联邦民事程序规则》第5条，页461

《联邦民事程序规则》第6条，页245

《联邦民事程序规则》第7条，页197、222、246

《联邦民事程序规则》第8条，页197、222、332

《联邦民事程序规则》第8（a）条，页260

《联邦民事程序规则》第8（b）条，页249

《联邦民事程序规则》第8（c）条，页249、254、886

《联邦民事程序规则》第8（d）条，页250

《联邦民事程序规则》第9条，页197、226

《联邦民事程序规则》第10条，页223

《联邦民事程序规则》第11条，页141、275、286、314

《联邦民事程序规则》第12（a）条，页245

《联邦民事程序规则》第12（b）条，页246、783

《联邦民事程序规则》第12（b）(6)条，页191、197、223、245、471

《联邦民事程序规则》第12（c）条，页248

《联邦民事程序规则》第 12（e）条，页 245
《联邦民事程序规则》第 12（f）条，页 245
《联邦民事程序规则》第 12（h）条，页 247、689、768、799、960
《联邦民事程序规则》第 13 条，页 249、323
《联邦民事程序规则》第 13（a）条，页 192、819、897
《联邦民事程序规则》第 13（g）条，页 192、819
《联邦民事程序规则》第 13（h）条，页 249
《联邦民事程序规则》第 14 条，页 192、249、328
《联邦民事程序规则》第 15 条，页 244、246、260、326
《联邦民事程序规则》第 16 条，页 613
《联邦民事程序规则》第 17 条，页 240
《联邦民事程序规则》第 18 条，页 315、804
《联邦民事程序规则》第 19 条，页 192、246、946
《联邦民事程序规则》第 20 条，页 315、326、804、965
《联邦民事程序规则》第 21 条，页 249、315
《联邦民事程序规则》第 22 条，页 192、945、963
《联邦民事程序规则》第 23 条，页 192、804、945、964、976
《联邦民事程序规则》第 23.1 条，页 989
《联邦民事程序规则》第 23.2 条，页 989
《联邦民事程序规则》第 24 条，页 192、294、819、945、952、963
《联邦民事程序规则》第 26 条，页 153、192、275、340、412
《联邦民事程序规则》第 28 条，页 356
《联邦民事程序规则》第 30 条，页 350、412
《联邦民事程序规则》第 32 条，页 192
《联邦民事程序规则》第 33 条，页 351
《联邦民事程序规则》第 34 条，页 352、356、412
《联邦民事程序规则》第 35 条，页 353
《联邦民事程序规则》第 36 条，页 352、529
《联邦民事程序规则》第 37 条，页 314
《联邦民事程序规则》第 38 条，页 461
《联邦民事程序规则》第 39 条，页 613
《联邦民事程序规则》第 41 条，页 504、898
《联邦民事程序规则》第 42 条，页 249、447、965
《联邦民事程序规则》第 45 条，页 356

《联邦民事程序规则》第 47 条，页 450
《联邦民事程序规则》第 49 条，页 535、914
《联邦民事程序规则》第 50 条，页 193、471、505、507
《联邦民事程序规则》第 51 条，页 508、535
《联邦民事程序规则》第 52 条，页 506
《联邦民事程序规则》第 53 条，页 124
《联邦民事程序规则》第 54 条，页 127
《联邦民事程序规则》第 56 条，页 194、470
《联邦民事程序规则》第 58 条，页 127、138
《联邦民事程序规则》第 59 条，页 508、530
《联邦民事程序规则》第 60 条，页 512、530
《联邦民事程序规则》第 61 条，页 508
《联邦民事程序规则》第 64 条，页 108
《联邦民事程序规则》第 65 条，页 112
《联邦民事程序规则》第 68 条，页 151、613
《联邦民事程序规则》第 69 条，页 138
《联邦民事程序规则》第 70 条，页 127
《联邦民事程序规则》第 83 条，页 275、613
《联邦民事程序规则》第 84 条，页 208
《联邦民事程序规则》第 条，页
《联邦民事程序式样 9》，页 208、223（Fed. R. Civ. P. Form 9, 208, 223）
《联邦上诉程序规则》第 52 条，页 555（Fed. R. App. P. 52, 555）
《联邦证据规则》，第 401 条，页 359（Fed. R. Evid. P. 401, 359）
加利福尼亚州
Cal. Code Civ. Proc. §410. 10, 页 739
特拉华州
Del. St. Ti. 10 § 3114, 页 739
马萨诸塞州
M. G. L. c. 90 § 7P, 页 272、1060
M. G. L. c. 109A § § 1 – 10, 页 1037
M. G. L. c. 223A § 3, 页 708
M. G. L. c. 223A § 5, 页 794
M. G. L. c. 229 § 2, 页 1036

M. G. L. c. 229 §6，页1037
M. G. L. c. 231 §85，页1061
M. G. L. c. 231B § §1-4，页1061
M. G. L. c. 223 §1，页783
M. G. L. c. 223 §8，页783
Mass. R. Civ. P. 15，页270
540 CMR §4. 00 et seq，页1113

纽约州
NY CPLR §302，页669

俄亥俄州
Ohio Statutes, Ch. 24 §58，页1136
Ohio Statutes, Ch. 2307 §382（A），页774

俄勒冈州
Or. R. Rev. Stat. §14. 080，页190
Or. R. Civ. P. 4，页191

罗德岛
R. I. Civ. P. 4

索 引

（以下所标注的页码均为原著页码）

Access
 fees, 44-46 获得法律救济的费用
 to courts, 2, 44-46, 74-80 获得司法救济（权）
 to lawyers, 21, 74, 80-97 获得律师帮助（权）
Additur, 509, 544-546 提高数额
Adjudication 判决，判定
 See Adversary System 见对抗制
Admissions
 Discovery requests for, 353 要求开示……
 Evidentiary rules and admissibility, 361
 Pleadings, 249-254 诉答（状）
Adversary System 对抗制
 Generally, 561-589 概述
 Alternatives, *see* alternative dispute resolution 替代机制，见替代性纠纷解决机制
 Critique, 561-589 批判
 Discovery as integral part of, 397-398 作为不可分割的组成部分的证据开示
 Evaluating, 562-575 评价
Affirmative defense 确认性防御
 see answers 见答辩
Alternative Dispute Rsolution 替代性纠纷解决机制
 Generally, 585-586, 589-618 概述
 Arbitration, 590, 602-605 仲裁
 Capture by courts, 602-605, 610-641 法院中的 ADR

  Civil Justice Reform Act and，614 民事司法改革法

  Complex litigation and，588，618-641 复杂诉讼

  Mediation，590，592，616-618 调解

  Mini-trial，591，615 微型审判

  NAFTA，and effect on transborder disputes，606 北美自由贸易协定，及涉外纠纷解决的效力

  Neutrals，594 中立者

  Politics of，613-614 关于替代纠纷解决机制的政治

  Prejudice and，607-609 偏见与替代机制

  Rent-a-judge，590 租一位法官

  Summary jury trial，590，615-618 简易陪审团审判

  Variations，609 多样性

Amendments 补正

  Generally，260-274 概述

  Arguments in opposition，261 对立的观点

  Code pleading，283 法典诉答

  Conform to proof，260-261 符合证据

  Ease of，197 免予补正

  Massachusetts rules，270-271 马萨诸塞州规则

  Practical considerations，261-263 实践性考虑/可行性考量

  Relation back，263-271 溯及（力）

  Additional claims，263 追加的请求

  Additional parties，263 追加的当事人

  John Doe defendants，244 无名氏被告

  Right，as a matter of，246 权力，补正事宜

  Simplicity，consonant with theme of，197 简化，与补正的主题相一致

  Statute of limitations problems，262-263 关于时效问题的制定法

  Subsequent events，261-262 继后事件

  Timing，502 计时/时间的选择

  Transaction or occurrence test，326-327 交易或事件标准

"American rule" "美国规则"

  see attorneys' fees 见律师费用

Amount in controversy，5-6，803-804 争议金额

Ancillary jurisdiction 辅助管辖权

See　Supplemental jurisdiction 见补充管辖权
Answers 答辩（状）
　　Generally, 191, 247-260 概述
　　Admissions and denials, 249-254 承认与否认
　　Affirmative defenses, 确认性防御
　　Generally, 191-192, 254-260 概述
　　Consolidation, 247 合并
　　Examples, 254-255 例证
　　"Favored", 247-248 获益的/受利的
　　Waiver of, 255 放弃/弃权
　　Common law procedure, 279 普通法程序
　　Conclusion of law, 250 法律结论
　　Confession and avoidance, 254, 279 承认与回避
　　Counterclaims, see　Counterclaims 反请求
　　Extension of time to, 245 延长答辩时间
　　Failure to, 244-245 未答辩
　　General denial, 250-251 一般性否认
　　Information and belief, 253-254 信息与理由书
　　Insufficient knowledge or information, 251, 253-254 没有充分的了解或信息
　　Purpose, 250 意图
　　Replies to, 221-222 对答辩的应答
Appeals 上诉
　　Generally, 6, 195, 553-557 概述
　　Certiorari, 195 调卷令
　　Class certification orders, 988
　　Collateral orders, 555 附带裁定
　　Discovery orders, 354-355 证据开示命令
　　Final judgement, 195, 554-555 终局判决
　　Interlocutory review, 195 中间复审
　　Purpose, 554 意图
　　Standards of review, 556 复审标准
　　Timing, 503 计时
Arbitration 仲裁
　　See Alternative Dispute Resolution 见替代性纠纷解决机制

Arguments 辩论/论证/论点/主张或观点
    Closing, 194, 547-553 终结辩论
    Motions, in support of, 273-274 动议, 用以支持……论点
    Sanctions, imposition of, 314 制裁, 判处……

Attachments 扣押
    Generally, 101, 109-111 概述
    Jurisdiction, as basis for, 661, 740 管辖权, 作为扣押的根据
    Sanctions, imposition of, 314 制裁, 判处……

Attorneys' fees 律师费
    Generally, 5, 99, 139-165 概述
    "American rule", 139-141 美国规则
    Contingency arrangements, 5, 139, 163-165 胜诉酬金制
    Costs, 151-153 成本/诉讼费
    "English rule", 140-141 英国规则
    Ethics and hourly billing, 161-163 伦理与计时收费单
    Fee-shifting statutes, 5, 141-153 关于诉讼费用承担的制定法
    Remedies and, 139 救济与律师费
    Settlement, effect, 142 和解, 效果
    Substantially prevailing party status, 152 实质性胜诉方当事人地位
    Value of legal services, 154-161 法律服务的价值
    See also Sanctions 另见制裁

Bifurcation, 536-541 分别审理
    See also Class Actions, Mass Tort Actions 另见集团诉讼, 群体性侵权诉讼

Bills in equity, 279-280 衡平法案
    See also Equity Procedure 衡平程序

Burdon of persuasion 说服责任
    See Production burden 见举证责任（

Business lawyers 商事律师
    Civil procedure, and, 2-3 民事诉讼, 及商事律师

Case management, 615-641 案件管理
    See also Adversary system, Class Actions 另见对抗制, 集团诉讼

Case or controversy 案件或争议
    Declaratory judgement, 124 宣告性判决

Capacity to sue, 240 诉讼资格/当事人能力

Causes of action 诉因
    Consistency among, 224 一致性
    Examples, 205 – 207 例证
    Pleading, 188, 196 – 197, 222 诉答（状）
    See also Complaint 另见起诉状/诉求

Certiorari, 195 调卷令状

Chancellor 衡平大法官
    See Common Law Procedure 另见普通法程序
    Equity Procedure 衡平程序

Chancery 大法官法庭/衡平法院
    See Equity Procedure 另见衡平程序

Chioce of law 法律选择
    Generally, 837 – 881 概述
    Class actions, 980 集团诉讼
    Conflict of laws, 838, 846 冲突法
    Constitutional bases, 845 宪法根据
    Federal general common law, 844 – 845 联邦一般普通法
    Forum selection clauses, 873 – 874 法院地选择条款
    Horizontal issues, 838, 846 横向（法律选择）问题
    Jurisdictional power, distinguished, 837 司法/管辖权力，
    Jury trial, 856 陪审（团）审判
    Mischievous results, 844（法律条款）含混的结果
    Primary activity, 866 基本/主要活动
    Rules Enabling Act, 867 授权法案规则
    Separation of powers, 867 分权
    Uniformity, and, 866, 873 统一，及法律选择
    Vertical issues, 838 纵向（法律选择）问题

Citizenship 公民籍/州籍/国籍
    See Diversity Jurisciction 见异籍管辖权

Civil disobedience 民事违法/民事性违抗司法裁决
    Walker v. City of Birmingham, 168 – 174

Civil Justice Reform Act 民事司法改革法
    Generally, 614 概述
    Alternative dispute resoluiton and, 614 替代性纠纷解决机制与民事司法改革法

　　　　Expense and Delay Reduction Plans，275《减少开支和拖延方案》
　　　　Rulemaking process and，7 规则创制程序与民事司法改革法
　　　　Uniformity，275 统一
Civil procedure 民事程序
　　　　Conflicting themes，276－277 冲突的主题
　　　　Definition，3－4 定义/界定
　　　　Economic approach to，65－73 民事程序的经济方法
　　　　"Lawyer's law."，4 律师的法律
　　　　Significance of，2－3 民事程序的重要性
Claim preclusion 请求排除
　　　　Generally，196，886－911 概述
　　　　Affirmative defense，886 确认性防御
　　　　Civil rights claims，939 民权请求
　　　　Claim, definition of，884，886 请求，请求排除的定义
　　　　Class actions，see Class Actions 集团诉讼
　　　　Compulsory counterclaims，327，897 强制性反请求
　　　　Counterweights to finality，925－942 终局性的反向权衡
　　　　Exceptions to，933－934 例外
　　　　Final judgement requirement，898 终局性判决要求
　　　　Full faith and credit，645 完全信任与信用
　　　　Involuntary dismissal，504 非自愿撤销案件/非自愿撤诉
　　　　Necessary and indispensable parties, dismissal of，960 必不可必的当事人，请求排除的驳回
　　　　Newly discovered facts，896－897 新发现的事实
　　　　Parties，899 当事人
　　　　Policy concerns，934 政策关切
　　　　Privity，899 利害关系（人）
　　　　Removal，933
　　　　Rights, duties and inquiries，896 权利、义务与询问
　　　　"Splitting" a claim，884 请求的"分割"
　　　　Stare decisis distinguished，886
　　　　Transactional analysis，896 （一次）"交易"分析法
　　　　Validity requirement，898 有效性要件
　　　　Voluntary dismissal，504 自愿撤销案件/自愿撤诉

Claims 请求

　　See Causes of Action, Complaints 见诉因、起诉状/诉求

Clark, Charles e.,

　　History of American civil procedure, 289-294 美国民事程序的历史

Class actions 集团诉讼

　　Generally, 192, 964-1011 概述

　　"Aggregation" and "Entity" theories, 1010 "不可分割性"和"完整性"理由

　　appealability of certification orders, 998 集团诉讼判决的上诉

　　Certification, 980 确认

　　Commonality, 977, 988 共性/共同利益

　　Comparative perspective, 1071 比较（法）视角

　　Conflict of law, 980 冲突法

　　Defendant classes, 976 被告集团

　　Identification of class, 977, 988 集团指认

　　Numerosity, 977, 988 巨大/极多

　　Opt-out, 978-980 不参与集团诉讼

　　Personal jurisdiction, 980 对人管辖权

　　Policy justification, 965-966 政策性理由

　　Practical considerations, 981 实践考虑

　　Representativeness, 977, 988 代表

　　Settlement, 990, 1008-1011 和解

　　Shareholder derivative actions, 989 股东诉讼

　　"Splintering", 988 分割

　　State procedures, 976 州的程序

　　Statutes of limitation, 980 时效制定法

　　Subject-matter jurisdiction, 980 事项管辖权

　　Types, 978-980, 988-989 模式/类型

　　Typicality, 977, 988 类型化/典型性

Closing arguments, 194, 547-553

Code pleading 法典所规定的诉答

　　Generally, 277, 282-290 概述

　　Access to courts, 286 获得司法救济/接近法院

　　Amendments, 283 补充/补正

　　Discovery, 283 证据开示

　　　　New York Practice Commission，282 纽约实践委员会
　　　　Pleadings，283 诉答状
　　　　Relief，283 救济
　　　　Transnational Rules project，286 跨域规则
　　　　See also Complaint 另见起诉状/诉求
Cognizability，188 可识别性
Collateral attacks，654 附带攻击
Collateral estoppel 间接禁反言
　　　　See Issue Preclusion 见争点排除
Collateral order doctrine 附带裁定原理
　　　　See Appeals 见上诉
Common law procedure 普通法程序
　　　　Generally，119–120，278–282 概述
　　　　Complement to equity procedure，282 衡平程序的补充
　　　　Compurgators，279（古）证人
　　　　Confession and avoidance，279 承认与回避
　　　　Discovery，339 证据开示
　　　　Jury right，278–279 陪审团审判的权利
　　　　Pleading emphasized，285 特别强调的诉答状
　　　　Single–issue pleading，278 单一争点诉答
　　　　Special pleader，279 特别诉答者
　　　　Testifying parties，279 作证的当事人
　　　　Writs，278 令状
Comparative perspectives，339–340 比较的视角
Complaints 起诉状
　　　　Generally,，2，191，197，207–238 概述
　　　　Causes of action，see Causes of Action 诉因
　　　　Civil right cases，216，237 民权案件
　　　　Claims，see Causes of Action 请求，见诉因
　　　　Class actions，988 集团诉讼
　　　　Code pleading，282–287 法典规定的诉答
　　　　Consistency in pleading，224 诉答的一致性
　　　　Doctrine，207 原理
　　　　Elements，see Elements 要件

Facts, 197, 216 事实
Fraud, pleading with specificity, 226 欺诈，特别诉答
Jazz, 237
Literariness of, 227–238 叙事
Notice pleading, 197, 294 通知性诉答
Particularity, 191, 216–224, 226, 275–276 特别规定
Practical considerations in drafting, 237 在起草中的实务考虑
Purpose, 207 宗旨
Specificity, 191, 197, 216–224, 226, 275–276
Strategic considerations, 227–228 策略性考虑
Third party, 332 第三人

See also Third Party Practice 另见第三人实践

Complex litigation 复杂诉讼

Generally, 945–1027 概述
Alternative dispute resolution, and, 588, 618–641 替代性纠纷解决机制，及复杂诉讼

See also Class Actions, Interpleader, Intervention, Joinder of parties, Mass Tort Actions
另见集团诉讼、引入诉讼、参加诉讼、当事人合并、群体性侵权诉讼

Confession and avoidance 承认与回避

See Answer, Common Law Procedure 见答辩、普通法程序

Conformity Acts, 287–290 统一法案

Dynamic conformity, 288 动态统一

Consent decree, 125 合意判决

See also Equity Relief 另见衡平救济

Consolidation 合并

Joinder, distinguished, 323 合并，区别
Pleading, 249 诉答（状）

Contempt 蔑视（法庭）

Generally, 1, 99–100, 165–185 概述
Enforcement of equitable relief, 127 衡平救济的执行
Power and limits of courts, 17–25 法院的权力与限制

Contingency fees, 5, 139, 163–165 胜诉酬金（制）

See also Attorneys' fees 另见律师费用

Corporations 公司
 Citizenship pf, 803 州/国籍
 Personal jurisdicton over, see Personal jurisdiction 对人管辖权
 Service of process on, 757 传唤文件送达
Costs, 151-154 诉讼费用/成本
 See also Attorneys' fees, Offer of Settlment, Sanctions 另见律师费、和解要约、制裁
Counterclaims 反请求
 Generally, 192, 247, 323-327 概述
 Compulsory, 192, 323, 327 强制反请求
 Cross-claim, distinguished, 323 交叉请求，区别
 Federal question jurisdiction, and, 801 联邦问题管辖权，与反请求
 Issue preclusion, 327 争点排除
 Permissive, 192, 323, 327 允许的/许容性的
 Pleading, 249 诉答
 Res judicata, 327, 897 既判力（规则）
 Transaction or occurrence test, 326 交易或事件（检验）标准
 Waiver, 327 放弃/弃权
Crisis 危机
 See Litigation Crisis 见诉讼危机
Cross-claims 交叉请求
 Generally, 192, 323, 327-328 概述
 Counterclaims, distinguished, 323 反请求，区别
 Pleading, 249 诉答
 Transaction or occurrence test, 326-327, 333 交易或事件检验标准
Cross examinations, 194, 503 交叉询问
Damages 损害（赔偿）
 Generally, 127-139 概述
 Enforcement of award of, 138-139 支持损害赔偿的判决的执行
 Excessive Fines Clause, 135 过度处罚条款
 Punitive, 135-138 惩罚性赔偿
 Valuation, 134-135 损害赔偿的估量
Declaratory judgement 宣告性判决
 Declaratory judgement Act, 123-124 宣告性判决法案

Relief, 119-245 救济
Default, 244-245 判决
Defendants 被告
　　See Parties 见当事人
Defenses 防御
　　See Answers 见答辩
Demurrers, 191, 223, 246-248 异议
　　See also Answers; Motions, Pretrial 另见答辩，动议，审前程序
Depositions, 192, 350-351 笔录证言
　　See also Discovery 另见证据开示
Derivative suits, 989 派生诉讼
　　See also Class Actions 另见集团诉讼
"Deterrence values", 45 "抑止价值"
"Dignity value". 44-45 "尊严价值"
Direct examinations, 194, 503 直接调查/询问
Directed verdict 指示裁判
　　Generally, 193-194. 502. 505-507 概述
　　Arguments in support of motion, 527-529 支持动议的论证/论点
　　Plaintiffs' motion, 529 原告的动议
　　Question of law, 529-530 法律问题
　　Timing, 503 计时
Discovery 证据开示
　　Generally, 192, 337-418 概述
　　Admissions, requests for, 353 承认，要求证据开示
　　Adverarisness in, 390-399
　　Appealability of orders, 354-355 裁定的上诉
　　Common law, 339 普通法
　　Comparative perspective, 339-340 比较的视角
　　Compel, techniques to, 355 证据开示的推动，技巧
　　Defend, techniques to, 355 防御，技巧
　　Depositons, 192, 350-351 笔录证言
　　Depositions on witten questions, 192 就书面提问录取的笔录证言
　　Documents and things, 192, 352-353 书证资料和证物
　　Equity practice, 279-280 衡平法实践

　　　　Ethical considerations, 362-399 伦理上的考量
　　　　Examinations, physical and mental, 353 调查/询问，身体的和心理的
　　　　Experts, 349 专家（证人）
　　　　Field code, 283 菲尔德法典
　　　　Foreign countries, conducting in, 355-356 外国
　　　　Hague Convention, 356 海牙公约
　　　　Informal, 348 非正式的证据开示
　　　　Inspection, 192 观察/调查
　　　　International discovery, conducting, 355-356 国际证据开示
　　　　Interrogatories, 192, 351-352 讯问
　　　　Obstreperous behavior, 355
　　　　Privileged matters, 340-341 特权事项
　　　　Proliferation of, 403-404
　　　　Protective orders, 354 保护性裁定
　　　　Reform efforts, 275, 399-418 改革努力
　　　　Relevance criterion, 340 相关准则
　　　　Requests for admissions, 353-354 要求承认
　　　　Required disclosures, 192, 349, 354, 398, 404-418 被要求的披露
　　　　Rules, amendments to, 275 规则，证据开示的补充
　　　　Sanctions, 314, 768 制裁
　　　　Scope, 340, 347 范围
　　　　Settlement, 398-399 和解
　　　　Surprise, 348 突袭
　　　　Techniques, 348-358 技巧
　　　　Timing, 502 计时
　　　　Work-product, 340, 348 产品/工作成果
Discretion 自由裁量权
　　　　As historical theme of American civil pricedure, 274-275 美国民事程序的历史主题
　　　　Field Code, 286 菲尔德法典
Dismissals 撤销案件/
　　　　Involuntary, 504 自愿撤销案件/撤诉
　　　　Voluntary, 504 非自愿撤销案件/驳回诉讼
　　　　See also Demurrers; Motions, Pretrial; Motions, Trial and Post-Trial

另见异议、审前动议、庭审中和庭审后的动议

Diversity jurisdiction 异籍管辖权
  Generally, 5, 189-190, 802-804 概述
  Amount in controversy, 5-6, 802-804 争议金额
  Complete diversity rule, 802 完全异籍规则
  Corporations, 803 公司
  Domicile in foreign country, 803 在外国的住所
  Intent to remain, 802-803 维持的意图
  Residence, 802-803 居住
  State courts, perceived bias in, 803 州法院，在异籍管辖权方面可感知的偏见
  Timing for determination, 803 决定的计时
  Well-pleaded complaint rule, 804 良好诉答的起诉状规则

Due process 正当程序
  Generally, 1, 25-74 概述
  Access to court, 44046 获得司法救济/接近法院
  Costs of process, 43-44, 48-74 程序的成本
  Economic approach, 65-73 经济学方法
  "Effectuation values," 45 实现价值
  Forum selection clauses, 772 法院地选择条款
  Necessary and indispensable parties, 961 必要的当事人
  "New property rights," 27-29 新财产权利
  Notice, 102, 110-111 通知
  Personal jurisdiciton, 653-654 对人管辖权
  Preclusion, 914 排除
  Provisional relief, 101-101 临时救济
  Punitive damages, 135-137 惩罚性赔偿
  Right to be heard, 25-74, 102, 110-111 受听审的权利

Elements 要件
  Claims, of, 请求的要件
    Generally, 2, 188, 196-197, 222 概述
    Examples, 205-207 例子
    Affirmative defenses, of, 255 确认性防御（的要件）

Empirical data, 310-311, 4280433, 588-589 帝国时代

See also Litigation Crisis 另见诉讼危机

Enabling Act, 6-8, 222, 290-292, 867 授权法案

"English Rule" 英国规则

  see Attorneys' fees 另见律师费用

Equitable relief 衡平救济

  Generally, 119-127 概述

  Consent decrees, 125 合意判决

  Enforcement of, 127 执行

  History, 119-120, 280 历史

  Injunctions, 124-125 禁令

  Complex, 125 复杂

  Examples, 124 例子

  Negative, 124 消极

  Permanent, 195 永久

Equity procedure 衡平程序

  Generally, 119-120, 279-282 概述

  Anarchy, 282

  Bills in equity, 279 衡平法

  Common law, distinguished, 279 普通法，区别

  Complementary to common law procedure, 282 普通法程序的补充

  Criticism of, 280 对衡平程序的批判

  Discovery, 280 证据开示

  Influence on American civil procedure, 291, 582 对美国民事诉讼法的影响

  Jury right, 280 陪审团审判的权利

  Testimony, 279-280 作证

Equity rules 衡平规则

  History of Ameircan civil procedure, 288-289 美国民事诉讼法的历史

Erie doctrine 艾利案原理

  See Choice of Law 见法律选择

Ethical considerations, 362-399 伦理上的考虑

Evidence 证据

  Generally, 358-362 概述

  Admissibility, 359 可承认性

  Admissions, 361 承认

Credibility, 360 可信性
Dead man statutes, 960 死者制定法
Direct, 358 指示
Experts, 361 专家证人
Hearsay, 360-361 传闻证据
Impeachment, 360 指责（证人作证不实）
Inferences, 358 推定
Judicial notice, 358 司法通知
Objections, 194, 261, 359 反对
Opinion, 361 意见（书）
Pleadings amended to conform to, 260-261 为保持与证据的一致性而补正的诉答状
Prejudice, 360 偏见/损害
Privilege, 361-361 特权
Record, 358 案件记录/诉讼档案
Relevance, 359 相关性/关联性
Stipulation, 358 约定
Summary judgment, 529 即决判决

Examinations 询问/审查/调查
  Cross Examinations, 194, 503 交叉询问
  Direct Examinations, 194, 503 直接询问
  mental Examinations, 353 心理调查
  Physical Examinations, 353 身体调查

Excessive fines clauses, 135 过度处罚条款
  See also Damages 另见损害赔偿

Exclusive jurisdiction, 190 专属管辖权

Execution, 194 执行
  See also Judgments, Enforcement 另见判决（书），执行

Fact pleading 事实诉答
  See Code Pleading, Complaints 见法典诉答（状），起诉（状）/诉求

Federal General Common Law, 844-845 联邦通用普通法
  See also Choice of law 另见法律选择

Federal question jurisdiction 联邦问题管辖权
  Generally, 5, 797-801 概述

Civil rights actions, 801 民权诉讼
Counterclaims as basis for, 801 作为联邦问题管辖权根据的反请求
Courts' duty to raise, 799 法庭提出联邦问题管辖权的责任
Declaratory judgment actions, 800 – 801 宣告性判决诉讼
Defenses as basis for, 800 作为联邦问题根据的防御
Mixed questions of federal and state law, 801 联邦法与州法的混合问题
Satutory limitations, 800 制定法时效
Supplemental jurisdiction, see Supplemental Jurisdiction 补充管辖权
Well – pleaded complaint rule, 799 – 800 良好诉答的起诉状规则

Fees 费用
See Access, Attorneys' Fees 见法律救济权, 律师费用

Fee – shifting statutes, 5, 141 – 153 关于诉讼费分担的制定法
See Attorneys' Fees 见律师费用

Field, David Dudley 菲尔德, 戴维·达德利
History of Ameircan civil procedure. 282 – 287 美国民事诉讼法的历史
See also Code pleading 另见法典诉答

Filing fees 案件受理费
See Res Judicata 既判力

Final judgment rule, 195, 554 – 555 终局判决规则
See also Appeals 另见上诉

Final relief 最后救济
Generally, 6, 119 – 139 概述
Final judgment, 195, 554 – 555 终局判决
See also Damages, Equitable Relief 另见损害赔偿, 衡平救济

Flexibility 弹性/灵活性
As historical theme of American civil procedure, 274 作为美国民事诉讼法历史主题

Forfeiture, 111 没收, 罚款
See also Final Relief, Provisional Relief 另见最后救济, 临时救济

Formalism 形式主义
As historical theme of American civil procedure, 276 作为美国民事诉讼法的历史主题

Forum 法院（地）
See Venue 见审判地/法院地

Forum non convenens 不方便法院
    See Choice of law, Personal Jurisdiction, Venue 见法律选择，对人管辖权，审判地/法院地

Full faith and credit, 645 完全信任与信用条款
    See also Claim Preclusion, Issue Preclusion 另见请求排除，争点排除

Garnishments, 109–110 扣押
    See also Provisional Relief 另见临时救济

General jurisdiction 一般管辖权
    Courts of, 6, 189 一般管辖权法院

General verdict, 535–536, 914 总体裁判

Habeas corpus, 587 人身保护令

Historical background 历史背景
    Generally, 274–296 概述
    Clark, Charles E, 289 克拉克，查尔斯·E
    Code Pleading, see Code Pleading 法典诉答，见法典诉答
    Colonial period, 280 殖民时期
    Common law procedure, see Common Law Procedure 普通法程序，见普通法程序
    Conformity Act, 287–290 统一法案
    Enabling Act, see Enabling Act 授权法案，见授权法案
    English Judicature Act, influence of, 288 英国司法法，历史背景的影响
    Equity procedure, see Equity Procedure 衡平程序，见衡平程序
    Euity rules, 288–289 衡平规则
    Field, David Dudley, 282–287 菲尔德，戴维·达德利
    Pound, Roscoe, 289 庞德，罗斯科
    Process Act, 287–288 程序法案
    Rules of Decision Act, 287 判决规则法案
    Shelton, Thomas Wall, 289 谢尔顿，托马斯·沃尔
    Walsh, Thomas, 290 沃尔斯，托马斯

Impleader 第三人
    See Third Party Pratice 见第三当事人入诉讼

In personam jurisdiction 对人管辖权
    See personal jurisdition 见对人管辖权

In rem jurisdiction 对物管辖权

See personal jurisdiction 见对人管辖权

Indispensable parties 必要的当事人

 See joinder of parties 见当事人合并/共同诉讼

Injunctions 禁令

 See final relief, provisional relief 见最后救济, 临时救济

Instructions to jury, 194, 503, 540 - 544 对陪审团的指示

Interlocutory review, 195 中间复审

 See also Appeals 见上诉

International procedure 355 - 356, 606, 803, 1071 国际诉讼程序

 See also choice of law 见法律选择

Interpleader 相互诉讼

 Generally, 192, 963 - 964 概述

 Types, 964 类型

Interrogatories, 192, 351 - 352 讯问

 See also discovery 另见证据开示

Intervention 参加诉讼

 Generally, 192 概述

 Necessary and indispensable parties, 963 必要的当事人

 Supplemental jurisdiction, 963 补充管辖权

Issue preclusion 争点排除

 Generally, 196, 911 - 925 概述

 Counterclaims, 327 反请求

 Defensive and offensive uses distinguished, 925 区别反请求的防御性和攻击性使用

 General verdicts, 914 总体裁判

 Government, estoppel against, 933 政府, 对争点排除的禁反言

 Jury trial right, 925 陪审团审判的权利

 Mutuality, 925 相互性

 See also claim preclusion 另见争点排除

Joe v. Sally, 188 - 196 乔诉萨莉案

John Doe Defendants, 244 无名氏被告

Joinder of claims 请求的合并

 Generally, 191 概述

 See also Causes of Actions, Complaints, Counterclaims, Cross - claims

另见诉因，诉求，反请求，交叉请求
Joinder of parties 当事人合并
  Generally, 191 – 192, 315 – 323 概述
  Claim preclusion, 960 请求排除
  Class actions, see Class Actions 集团诉讼，见集团诉讼
  "Complete relief", 960 完全救济
  Consolidation, distinguished, 323 一致性，区别
  Discretion, 323 自由裁量权
  Due process, 961 正当程序
  Efficiency, 323 效率
  History, 279 – 280, 962 历史
  Impairment, 961 损害
  Impleader, see Impleader 引入诉讼/第三人，见第三人
  Intervention, see Intervention 介入诉讼
  Jurisdictional requirements, 322 管辖权条件
  Misjoinder, 249 错误合并
  Motion to dismiss for failure to join, 246 动议因未提交合并而予驳回
  Necessary and indispensable parties, 192, 246, 946 – 963 必要的当事人
  Necessary party and indispensable party distinguished, 951 – 952 必要的当事人，区别
  Practical considerations, 322 – 323 实务上的考虑
  Public rights exceptions, 962 – 963 公共权利的例外
  Simple joinder, 315 – 323 简单合并
  Statute of limitation, 960 制定法时效
  Supplemental jurisdiction, 963 补充管辖权
  Third parties, see Third Party Practice 第三人，见第三人
  Transaction or occurrence test, 322 交易或事件标准
  Venue, 322 法院地/审判地
Judgment as matter of law 作为法律事项的判决
  See directed verdict, judgments n. o. v., Summary judgment 见指示判决，不顾陪审团裁判的判决，即决判决
Judgments, enforcement 判决，执行
  Generally, 194 概述
  Contempt and equitable relief, 127 藐视（法庭）和衡平救济

索 引 919

    Damages, 138-139 损害赔偿

    Timing, 503 计时

Judgments, Motions to vacate 判决，动议撤销

    See Vacate, Motion to 见撤销，动议

Judgments N. O. V. 不顾陪审团裁判的判决

    Generally, 194, 502, 507-508 概述

    Timing, 503 计时

Judgments, relief from 判决，因……的救济

    See Vacate, Motion to 见撤销，动议

Judgments, securing 判决，保全

    See Provisional Relief 见临时救济

Judgments, types 判决，类型

    Generally, 194 概述

    Default, 244-245 缺席判决

    Notwithstanding the verdict, see Judgments N. O. V. 不顾陪审团裁判的判决

    On the pleadings, 248-249 关于答辩状

    Summary, see summary judgment 即决判决

Judicial conference 司法会议

Judicial notice, 358 司法通知

Jurisdiction, personal 管辖权，对人管辖权

    See personal jurisdiction 见对人管辖权

Jurisdiction, subjective matter 管辖权，事项管辖权

    See subjective matter Jurisdiction 见事项管辖权

Jury 陪审团

    Generally, 191, 194, 419-470 概述

    Awards, 430 支持/判予

    Bias, 430-431, 464-465 偏见

    Claim or demand, 249 请求或要求

    Common law procedure, 278-279 普通法程序

    Complex cases, 432 复杂案件

    Consititutional standards, 420 宪法标准

    Consultants, 450 顾问

    Damage awards, 420 判予损害赔偿

    Discrimination,, 453-470 歧视

Empirical data, 428 –433 实证资料

Equity courts, 280 衡平法院

Federal selection statutes, 452 联邦选择制定法

Formalism, 420 形式主义

Historical background, 278 –279, 280, 419 –434 历史背景

Historical test, 445 –447 历史检验标准

Instructions, 194, 503, 540 –544 指示

Judicial control 司法/法官控制

See Additur, Directed Verdict, Instructions to jury, Judgments N. O. V., New Trial, Remittitur, Special Verdict, Summary judgment 见减少，指示判决，给陪审团的指示，不顾陪审团裁判的判决，重新判决，增加，具体裁判，即决判决

Narrative, 420 叙事

Perceptions of judges and jurors, 429 –430 法官和陪审员的视角

Perceptions of public, 430 –431 公众的视角

Peremptory challenges, 449, 453 –470 专断的挑战

Policy arguments for and against, 421 –433 支持和反对陪审团审判的政策性论点

Reform efforts, 432 –433 改革尝试

Right, 权利

Generally, 443 –447 概述

Common law, 434 –435 普通法

Multiple claims suits, 446 –447 多项请求诉讼

Preclusion law, 925 关于排除的法律

Statutory actions, 445 –446 制定法诉讼

Selection, 447 –470 选择

Service, 429 送达

Size, 431 扣押

Unanimity, 431 –432 一致性/统一性

Validity of verdict, 510 –511 陪审团裁判的有效性

Values, 419 –434 价值

Verdicts, see Verdict 陪审团裁判，见陪审团裁判

Voir dire, 429, 448 –450, 503 一切照实陈述（证人向陪审团的宣誓）

Waiver of right, 461 放弃权利/失权

Limited Jurisdiction, courts of, 189 有限管辖权，有限管辖权法院
Limited subject matter Jurisdiction 有限事项管辖权
　　See limited Jurisdiction 见有限管辖权
Litigation crisis 诉讼危机
　　Generally, 586-589, 626-632 概述
　　Discovery, 338-339, 399-414 证据开示
　　Empirical data, 588-589 实证资料
　　Frivolous litigation, 313-314 琐碎诉讼/无谓诉讼
　　Mass torts, 1008-1011 群体性侵权诉讼
Local rules 地方规则
　　Generally, 192-193 概述
　　Erosion of uniformity, 275 对统一性的侵蚀
Long-arm statutes, 191, 669-670 长臂（管辖权）制定法
Managerial judging 管理型裁判
　　See Case Management 见案件管辖权
Mandamus 备忘录
　　See Appeals 见上诉
Mass tort actions 群体侵权诉讼
　　Alternative dispute resolution, and, 585-586 替代性纠纷解决机制，与群体诉讼
　　Class actions, see class actions 集团诉讼，见集团诉讼
　　Magnitude of problem, 1008-1011 问题的严重程度
　　See also litigation crisis 另见诉讼危机
Medication 调解
　　See Alternative Dispute Resolution 见替代性纠纷解决机制
Motions, Pretrial 动议，审前动议
　　Generally, 244-249 概述
　　Definite statement, 245 确定的陈述
　　Demurrers, see Demurrers 异议，见异议
　　Failure to state a claim, 223 未提出主张
　　Forum non conveniens, 784-794 不方便法院
　　"Four corners" rule, 223 "四角"规则
　　Judgment on pleadings, 248-249 根据诉答状作出的判决
　　Necessary and indispensable parties, failure to join, 192, 246, 946-963

必要的当事人，未能合并的必要当事人
Personal Jurisdiction, lack of, see Personal Jurisdiction 对人管辖权，缺乏对人管辖权，见对人管辖权
Process, insufficiency of, 246－247 动议的程序，动议的无效率性
Process, insufficiency of service of, 246－247 传唤文件，动议送达的不充分
Strike, 238. 245 关键
Subject matter jurisdiction, see Summary Judgment 事项管辖权，见即决判决
Timing, 247, 502 计时
Venue, 784－794 审判地
Voluntary dismissal, 50 自愿撤销

Motions, trial and post－trial 动议，庭审动议和庭后动议
Directed verdict, see Directed Verdict 指示裁判，见指示裁判
JNOV, see Judgment N. O. V. 不顾陪审团裁判的判决
New trial, 502 重新审判
Vacate judgment, see Vacate, Motion to 撤销判决，见撤销，动议撤销

Mutuality, 905 相互性
See also Issue Preclusion 另见争点排除

Narrative 叙事
As historical theme of American civil procedure, 276－277 美国民事诉讼法的历史主题
Jury, 420 陪审团

Necessary and indispensable parties 必要的当事人
See Joinder of Parties 见当事人合并

New trial 重新审判
Generally, 502 概述
Jury verdict, inquiry into, 510－511 陪审团裁判，

North American Free Trade Agreement, 606 北美自由贸易协定

Notice 通知
Generally,, 634－644, 670 概述
See also Due Process, Process 另见正当程序，传唤文件

Notice pleading 通知性诉答（状）
See Complaint 见起诉状/诉求

Objections, 194, 261, 359 反对
See also Evidence 另见证据

Offer of settlement, 151-154 和解要约
Opening statement, 194 公开陈述
"Participation Values", 45 "参与价值"
Parties 当事人
 Generally, 5 概述
 Anonymous plaintiffs, 241-244 匿名原告
 Capacity, 240 当事人能力/诉讼资格
 John Doe defendants, 244 无名氏被告
 Joinder, see Joinder of Parties 合并, 见当事人合并
 Real Party in interest, 238-240 有利益关系的真正当事人/正当当事人
Pendent jurisdiction 系属管辖权
 See Supplemental Jurisdiction 见补充管辖权
Personal jurisdiction 对人管辖权
 Generally, 5-6, 189, 643-644 概述
 "Arise out of," 670 基于对人管辖权
 Attachments as basis, 661, 740 作为管辖权根据的接触
 Benefit/burden test, 668 利益或负担标准
 Challenges, 654-655 挑战
 Class actions, 980 集团诉讼
 Collateral attack, 654 间接攻击
 Consent, 658, 722, 768-774 同意/合意
 Corporations, see Corporations 公司, 见公司
 Court sanction, 768 法庭制裁
 Criticism of standard, 705 对标准的批判
 Due Process Clause, 653-654, 672-673, 689, 705 正当程序条款
 Effects test, 687, 690 效果标准
 "Essentially local entities", 767 "至关重要的地方企业"
 "fair play", 668, 705, 723 "公平游戏"
 Foreseeability, 688 可预见性
 Forum selection clauses, 722, 768-773 法院地选择条款
 Fragile defense, 654 不堪一击的防御
 Franchises, 722-723 特权/公民权
 Full faith and credit, 645, 654 完全信任与信用
 General jurisdiction, 671-672, 758-767 一般管辖权

Implied consent, 658 默示同意

   In rem, 646 对物（诉讼）

   Intentional acts, 693–694 故意行为

   Joinder, simple 322 合并, 简单合并

   Level of activity, 667 活动的水准

   Long-arm statutes, 191, 669–670 长臂制定法

   Motion to dismiss for lack of, 246–247 以缺乏管辖权申请驳回诉讼的动议

   Necessity, 782 必要

   Notice, 670 通知

   Practical considerations, 655 实务上的考虑

   Presence, 664, 724, 757, 774 出现

   Property as basis, 724–740 作为管辖权根据的财产

   Proximity, 688 接近

   Purposeful conduct, 675, 722 有意的行为

   Reasonableness, 668 合理性

   Relation to claim, 667 与请求相关

   Residence as basis, 661 作为管辖权根据的居住（地）

   Sanction, as, 768 制裁

   Service, 670, 673, 740, 741–757 送达

   See also Process 另见传唤文件

   Specific jurisdiction, 671–672, 767 特别管辖权

   State court jurisdiction, 740 州法院管辖权

   State sovereignty, 673, 689–690 州的主权

   Status, 646 身份

   Telephone contacts, 695 电话接触

   Vacation home, 739 度假的家

   Waiver of objection to, 248, 654–655, 768 管辖权异议权的放弃

Persuation burden 说服责任

   Generally, 193, 197, 198, 205 概述

   Shifting, 255–256 说服责任转移

Plaintiffs 原告

   See Parties 见当事人

Pleadings 诉答（状）

   Affirmative defenses, see Affirmative Defenses 确认性防御, 见确认性防御

Amendments, see Amendments 补正，见补正
Answers, see Answers 答辩，见答辩
Challenges, see Motions, Pre-trial 挑战，见动议，审前程序
Class actions, see class Actions 集团诉讼，见集团诉讼
Codes, see Code Pleading 法典，见法典诉答
Common law procedure, 278-279 普通法程序
Complaints, see Complaints 起诉状/诉求，见起诉状/诉求
Consistency, 224 一致性
Cross-claims, see Cross-Cliams 交叉请求，见交叉请求
Counterclaims, see Counterclaims 反请求，见反请求
Fact pleading under Field Code, criticism of, 289 根据菲尔德法典进行的事实诉答，批评
History, 280 历史
Impleader, see third party practice 引入诉讼者/第三人，见第三人实践
Judgment on, 248-249 根据诉答状作出的判决
Liberal philosophy of under Federal Rules, 294 联邦规则下的自由哲学
Practical considerations, 227-228 实践考虑
Reply, 221-222 应答
Single-issue pleading 单一争点诉答
See Common law procedure 见普通法程序
Supplemental, 261-262 补充的诉答
Polycentric disputes, 577 多头争议
Pound, Roscoe 庞德，罗斯科
History of American civil procedure, 289 美国民事诉讼法的历史
Power 权力
Courts, of, 1, 3-4, 17-25 法院的权力
Quest for, as historical theme of American civil procedure, 277 要求权力，作为美国民事诉讼法的历史主题
Preliminary injunctions 初步禁令
See Provisional Relief 见临时救济
Preponderance of evidence, 193 证据优势
Prima facie case, 196-197, 205 有表面证据的案件
See also Causes of Action, Elements 另见诉因，要件
Privileged matters, 361-362 特权事项

Privity 有相互关系
    Claim preclusion, 899 请求排除
Pro bono work, 94-97 慈善工作
Process 程序/过程/传唤文件
    Generally, 191, 670, 673 概述
    Constitutional parameters, 774-783 宪法参数
    Corporations, serving upon, 757 公司，送达传唤文件
    Due process, see due process 正当程序，见正当程序
    Insufficiency of distinguished from insufficiency of service of, 246 传唤文件不充分与送达不充分的差别
    Mail, by, 782-783 邮寄送达
    Motion to dismiss for insufficiency of, 246-247 以传唤文件不充分为由动议驳回诉讼
    Motion to dismiss for insufficiency of service of, 246-247 以传唤文件送达不充分为由动议驳回诉讼
    Waiver of objection to, 248 对程序异议权的放弃
Process act, 287-288 程序法案
Production burden 举证责任（提供证据的责任）
    Shifting, 255-256 举证责任的转移
Production of documents and things, 192, 352-353 提供书证和物证的责任
    See also Discovery 另见证据开示
Professional responsibility 380-399 职业责任
"Proper" parties "适当"的当事人
    see Joinder of Parties 见当事人合并
Provisional relief 临时救济
    Generally, 100-119 概述
    Attachment, 101, 109-111 扣押
    Balancing interests, 111 平衡利益
    Constitutionality of, 101-102, 108-111 临时救济的合宪性
    Garnishment, 101, 109-110 第三人扣押
    Impoundment, 109 扣留
    Lien, 101 优先权/留置权/质权
    Lis pendens, 101 未决诉讼
    Preliminary injunctions, 101, 112-119, 195 初步禁令

Replevin, 101 发还/追回

Seizure, 109, 110 扣押（转移占有）

Self-help, 109 自足的

Sequestration, 101, 109 扣押

State law, effect in federal court, 108 州法律，在联邦法院的效力

Status quo, maintaining, 112-119 现状，维持现状

Temporary restraining orders, 194-195 临时制止命令

Trustee process, 101 冻结程序

Punitive damages, 135-138 惩罚性损害赔偿

Quasi in rem 准对物（诉讼）

See personal jurisdiction 见对人管辖权

Real party in interest 有利害关系的真正当事人

See parties 见当事人

Relief 救济

See final relief, provisional relief 见最后救济，临时救济

Remedies 救济

See final relief, provisional relief 见最后救济，临时救济

Remittitur, 509, 544-546 增加

Removal 发回

Generally, 795, 829-833 概述

Consititutional authority, 832-833 宪法性授权

Practical considerations, 829 实践上的考虑

Preclusion law, 933 关于（请求/争点）排除的法律

Statutory authority, 829, 832-833 制定法授权

Supplemental jurisdiction, 833 补充管辖权

Rent-a-judge 租借法官

See Alternative Dispute Resolution 见替代性纠纷解决机制

Reply, 221-222 答复/应答

Request for admission, 353 请求驳回

See also discovery 另见证据开示

Res judicata 既判力

Generally, 195, 277, 883-883 概述

See also claim preclusion, issue preclusion 另见请求排除，争点排除

Right to be heard, 25-74, 102, 110-111 获得听审的权利

See also Due process 另见正当程序

Rulemaking process, 6-8, 291, 295-296, 414-418 规则创制过程

 Amendments to discovery rules, 275 对证据开示规则的补充

 Transmittal by Supreme Court, 311-313 最高法院的传承

Rules Enabling Act 授权法案规则

 See Enabling Act 授权法案

Rules of Decision Act, 287 判决法案的规则

Sanctions 制裁

 Generally, 249-250, 276, 296, 315 概述

 Creativity by courts, 314 法院的创造性

 Discovery, 314 证据开示

 Empirical data about, 310-311 关于制裁的实证资料

 Finding of personal jurisdiction as, 768 作为制裁的对人管辖权的认定

 Oral argument, 314 口头辩论

 Safe harbor provision under Rule 11, 306, 313 规则11条下的安全港口规定

 See also Offer of Settlement 另见和解要约

Sequestration, 101, 109 冻结

 See also provisional relief 另见临时救济

Service of process 传唤文书的送达

 See process 另见传唤文书

Settlement 和解

 Discovery process, 398-399 证据开示程序

 Effect of attorneys' fees on, 142 律师费对和解的效果

 Effect of process, 594-602 和解程序的效果

 Empirical data about, 588 关于和解的实证资料

 Offer of, 151-154 和解要约

 Timing, 503 计时

 See also Alternative Dispute Resolution 另见替代性纠纷解决机制

Shareholder derivative suits, 989 股东派出诉讼

 See also class actions 另见集团诉讼

Shelton, Thomas Wall 谢尔顿,托马斯·沃尔

 History of Ameirican civil procedure, 289 美国民事诉讼法的历史

Simplicity 简化

 As historical theme of Ameirican civil procedure, 197, 274

作为美国民事诉讼法的历史主题

Special verdict, 535 – 536 具体裁判

Standing orders 常规裁令

  See local rules 见地方规则

Stare decisis, 886 遵循先例

Statutes of limitation 时效制定法

  Generally, 191 概述

  Amendments and relation back, 262 – 263 补正和溯及力

  Class actions, 980 集团诉讼

  Discovery rule, 271 证据开示

  Federal statute, 262 联邦制定法

  Judgment on pleadings, defense as basis for, 249
根据诉答状作出的判决，作为时效制定法根据的防御

  Necessary and indispensable parties, 960 必要的当事人

  Purpose, 262 宗旨/意图

  Tolling, 271 时效中断

Strike, motion to, 238 删除, 动议删除

Subject matter jurisdiction 事项管辖权

  Generally, 5 – 6, 189 – 190, 643 – 644, 795 – 797 概述

  Ancillary, see supplemental jurisdiction 辅助管辖权, 见补充管辖权

  Appellate, see Appeals 上诉, 见上诉

  Challenges to, 246 – 247 对事项管辖权的挑战

  See also Motions, Pretrial 另见动议, 审前动议

  Class actions, 980 集团诉讼

  Concurrent, 795 – 796 事件

  Constitutional limitations, 796 事项管辖权的宪法限制

  Diversity, see Diversity jurisdiction 异籍, 见异籍管辖权

  Exclusive, 190 排除

  Federal question, see federal question jurisdicition 联邦问题, 见联邦问题管辖权

  Joinder, simple, 322 合并, 简单合并

  Jurisdictional amount, see diversity jurisdiction 管辖权金额, 见异籍管辖权

  Limited, 189 限制

  Motion to dismiss for lack of, 246 – 247 动议因缺乏事项管辖权而驳回诉讼

Pendent, see supplemental jurisdiction 系属管辖权，见补充管辖权
Practical considerations, 796 实践考虑
Removal, see Removal 发回，见发回
Statutory limitations on, 796 关于事项管辖权的制定法时效
Supplemental, see supplemental jurisdiction 补充事项管辖权，见补充管辖权

Summary judgment 即决判决
 Generally, 194, 470–502 概述
 Burden of proof, 473 证明责任
 Disputed facts, 472–473 争议的事实
 Distinguished from other motions, 471–473 区别于其他动议
 Evidence, rules of, 529 证据，规则
 Issues of law and fact, 497–498 法律问题和事实问题
 Material fact, 472–473 要件事实
 Strategic considerations, 499–500 策略上的考虑
 Timing, 471, 503 计时
 Trilogy cases, 485–498 三段论/三步曲案件

Summary jury trial 简易陪审团审判
 See Alternative Dispute Resolution 见替代性纠纷解决机制

Supplemental jurisdiction, 补充管辖权
 Generally, 804–829 概述
 Ancillary jurisdiction, 809–810, 820, 828 辅助管辖权
 Constitutional authority, 809 宪法授权
 Impleader, 819 引入诉讼者/第三人
 Intervention, 963 介入诉讼
 Necessary and indispensable parties, 963 必要的当事人
 Pendent jurisdiction, 809–810, 820, 828 系属管辖权
 Pendent party jurisdiction, 820 系属当事人管辖权
 Removal, 833 发回
 Statutory reform, 825–828 制定法改革

Supplemental pleadings, 261–262 补充诉答状

Temporary administrative agencies, 636 临时行政机构
 See also Alternative Dispute Resolution, Case Managemant 另见替代性纠纷解决机制，案件管理

Temporary restraining order 临时制止令

See Provisional Relief 见临时救济

Theater 剧院
    Law as, 10-17 作为剧院的法律

Theories, 188 理由
    See also Causes of Action 另见诉因

Third party practice 第三人实践
    Generally, 192, 247, 328-334 概述
    Example, 332 例子
    Pleading, 249, 332 诉答（状）
    Transaction or occurrence test, 333 交易或事件标准

Transaction or occurrence, 326-327, 333 交易或事件

Transfer, 784 移送
    See also venue 另见审判地

Transnational commercial disputes, 605-607 国际贸易争端

Transnational rules of civil procedure, 286-287 国际民事诉讼规则

Trans-substantive procedure, 244, 274, 294-295 跨实体的程序

Trials 审判/庭审/初审
    Closing argument, 194, 547-553 终结性辩论
    Cross examination, 194, 503 交叉询问
    Direct examination, 194, 503 直接询问
    Evidence, see evidence 证据, 见证据
    Instructions to jury, 194, 503, 540-544 给陪审团的指示
    Jury trial, see jury 陪审团审判, 见陪审团
    Opening statement, 194 开场白陈述
    Timing, 503 计时
    Verdict, see verdict 陪审团裁判, 见陪审团裁判

Trifurcation, 536-641 三分法
    See also class Actions, mass tort Actions 见集团诉讼, 群体侵权诉讼

Uniformity 一致性/统一

As historical theme of American civil procedure, 274-275 作为美国民事诉讼法历史主题

Choice of law, 866 法律选择

Conformity Act, 288《统一法案》

Intra-state, 288-290, 313 州际

See also Local rules, trans – substantive procedure 另见地方规则，超/跨实体的程序

Vacate, motion to 撤销/动议撤销
 Generally, 512, 530 – 531 概述
 Timing, 503 计时

Venue 审判地
 Generally, 643 – 644, 783 – 794 概述
 Change of, 793 审判地的变更
 Collateral attack, 783 附带攻击
 Consititutional requirements, 783 宪法条件/要求
 Forum, choice of, 189 – 191 法院（地），审判地选择
 Forum non conveniens, 784 – 794 不方便法院（地）
 Forum selection clause, 794 法院选择条款
 Joinder, simple, 332 合并，简单合并
 Motion to dismiss for improper, 246 – 247 动议因审判地不当而驳回诉讼
 Statutes, state and federal, 783 制定法，州制定法和联邦制定法
 Transfer, 784 移送
 Waiver of objection to, 248, 783 放弃对审判地的异议

Verdict 陪审团裁判
 Generally, 194 概述
 Additur, 509 增加
 Directed, see directed verdict 指示，见指示裁判
 Fact, 536 事实
 General, 535 – 536, 914 总体裁判
 JNOV, see judgments N. O. V. 不顾陪审团裁判的判决
 Remittitur, 509 减少
 Special, 535 – 536 具体裁判
 Timing, 503 计时

Voir dire, 429, 448 – 450, 503 照实陈述
 See also jury 另见陪审团

Work – product doctrine, 340, 348 工作成果原理
 See also discovery 另见证据开示

Writ of certiorari, 195 调卷令状

Writs 令状

Attachment, see Provisional Relief 扣押，见临时扣押

Certiorari, 195 调卷令

Execution, see judgments, enforcement 执行，见判决，执行

See also common law procedure, equity procedure 另见普通法程序，衡平法程序

Zealous advocacy, 362–399 热情的辩护

案例（原文）

Case Files
Carpenter v. Dee
Contents

Initial Memorandum	936
M. G. L. c. 229 §2 (Wrongful Death)	938
M. G. L. c. 229 §6 (Conscious Suffering)	939
M. G. L. c. 109A § §1-10 (Fraudulent Conveyance)	939
Complaint	941
Dee's Motion to Dismiss	943
Dee's Motion for a More Definite Statement	944
Answer of Randall Dee (Counts I and II Only) and Jury Claim	945
(Motion to Amend and) Amended Complaint and Jury Claim	947
U. C. C. §2-314 (Implied Warranty: Merchantability; Usage of Trade)	952
U. C. C. §2-315 (Implied Warranty: Fitness for Particular Purpose)	952
M. G. L. c. 90 §7P (Height of Motor Vehicles; Alteration Restricted)	953
M. G. L. c. 231 §85 (Comparative Negligence Among Joint Tortfeasors)	953
M. G. L. c. 231B § §14 (Contribution Among Joint Tortfeasors)	953
Walter VanBuskirk, "Lifting" a Truck	955
Photographs	957
Ultimate Auto's (Motion to File and) Third-Party Complaint	958
Answer, Cross-Claims, and Jury Demand of Ultimate Auto	960
Plaintiff's Request for Production of Documents	963
Ultimate Auto's Response to Documents Request	965
Ultimate Auto's Answers to Interrogatories	967
Transcript: Deposition of Randall Dee	967

Motion and Memorandum in Support of Third-Party Defendants' Motion for
　　Summary Judgment ··· 983
Stipulation of Ultimate Auto, McGill and McGill's Garage ············· 984
540 CMR: Registry of Motor Vehicles ································· 987
Restatement (Second) of Contracts ··································· 992
Restatement (Second) of Torts ······································· 992
Pederson v. Time, Inc. ··· 994

Initial Memorandum

To: Associates
From: Carol Coblentz (senior partner)
Re: Nancy Carpenter—potential client of Needham, Shaker & Coblentz

At 7:00 p.m. on August 29, 1998, twenty-five-year-old Charlie Carpenter was riding as a passenger with his friend Randall Dee in Dee's Jeep CJ-7. They were on their way to pick up their swimming trunks so they could return to a friend's barbecue and pool party. On the corner of Palmer and Franklin streets in Lowell, MA, Dee lost control of the Jeep and it rolled over. Dee suffered only minor injuries, but Charlie Carpenter was pinned under the vehicle and killed.

Charlie Carpenter was survived by his wife Nancy who was pregnant and later delivered a premature but healthy son on January 10th, 1999. She named the boy Charlie Jr. At the time of the accident Mr. Carpenter was employed as a custodian at Forsythe University, where he received benefits, which applied to his wife and would have covered his child as well. Charlie Sr. was killed just prior to qualifying for University-funded life insurance benefits. Prior to his custodian job, Charlie worked as an auto mechanic for a variety of local auto body shops.

Months prior to the incident Randall Dee had modified the Jeep with a suspension lift kit and oversize tires. These modifications affected the Jeep's handling characteristics and were a significant factor in the roll over of the Jeep. Dee had been stopped by Lowell police on several occasions prior to the accident for various suspected motor vehicle offenses. However, we believe that the police never advised him that the Jeep was illegally modified and that the authorities took no other action to prevent the Jeep from being driven in its dangerously modified condition.

On July 27, 1999, Randall Dee was convicted in criminal court on four counts in relation to the incident on August 29, 1998: (1) negligent homicide; (2) failing to slow at an intersection; (3) speeding; and (4) altering the height of a motor vehicle. He received a one-year suspended sentence for the homicide count and was required to serve two years probation and 200 hours of community service. Fines for the other charges amounted to $100.

The Jeep that Dee was driving was owned by his ex-girlfriend, Twyla Burrell. Ms. Burrell maintained a minimum liability insurance policy on the Jeep in the amount of $10,000. Ms. Burrell had lived with Dee for more than a year, and when she moved out, she left the Jeep with Dee, ostensibly because he had done so much work on it.

We'll need to investigate further to discover the extent of the modifications made to the Jeep, but Ms. Carpenter knows that they included a suspension lift and hugely oversized tires. I'm not entirely clear about the next bit, but Ms. Carpenter insists that the body of the Jeep was lifted even further off the frame by using hockey pucks that were bolted to the frame at various points around the vehicle. A Massachusetts statute prohibits raising the height of a vehicle more than two inches off of the frame, and Ms. Carpenter says she's certain that the jeep was lifted at least a foot. Although she believes that the roll over was caused by the modifications—and from what I hear in the news about hiked up vehicles, this sounds plausible—none of these modifications broke or were damaged as a part of the accident.

We know that Dee has been stopped by uniformed Lowell police officers previously and that on one prior occasion he was found guilty of the offense of driving while intoxicated (for which his license was suspended for 30 days). Further, we know that at some time prior to that conviction (but still subsequent to the modifications of the Jeep) Dee was stopped by a uniformed Lowell police officer for driving without a side view mirror and instructed not to drive the Jeep until he got a mirror. Dee was stopped on at least one other occasion by Lowell police for driving an unregistered, uninsured vehicle—at which time it was taken from him and towed away; Dee later proved that there was insurance on the Jeep and was fined only for driving it unregistered.

From what we can tell, Randall Dee is not a wealthy man. He is unmarried and lives in his family home with his brother, Peter. Ms. Carpenter believes they bought the house from the estate of their deceased father. Ms. Carpenter says that she thought the brothers both owned the house, but a mutual friend told her recently that Peter says he owns the house alone. To date, we don't know where Randall Dee bought the parts he used to modify the Jeep, nor do we know if he received any warnings from anyone about creating a dangerous propensity to tip over by raising the Jeep off of the frame. We also don't know if he knew the Jeep was too high under the Mass. Code, nor do we know yet where he had his car inspected for its annual inspection sticker required under Massachusetts law.

Please be prepared to discuss with me who the parties might be in a lawsuit, and what the causes of action might be. Should we take the case?

Note—I advised Ms. Carpenter that if we take the case we would pursue it on a contingent fee basis.

[Eds. Note: The names of the parties have been changed to protect their privacy. The dates of certain events (including the enactment and effective dates of certain Massachusetts regulations) have been modified for pedagogical reasons. With other minor exceptions, the pleadings, motions, and discovery in the Case Files are identical to those filed in the actual case.]

■ **M. G. L. c. 229 §2 (WRONGFUL DEATH)**

A person who

(1) by his negligence causes the death of a person, or

(2) by willful, wanton or reckless act causes the death of a person under such circumstances that the deceased could have recovered damages for personal injuries if his death had not resulted, or

(3) operates a common carrier of passengers and by his negligence causes the death of a passenger, or

(4) operates a common carrier of passengers and by his willful, wanton or reckless act causes the death of a passenger under such circumstances that the deceased could have recovered damages for personal injuries if his death had not resulted, or

(5) is responsible for a breach of warranty arising under Article 2 of chapter one hundred and six which results in injury to a person that causes death,

shall be liable in damages in the amount of:

(1) the fair monetary value of the decedent to the persons entitled to receive the damages recovered, as provided in section one, including but not limited to compensation for the loss of the reasonably expected net income, services, protection, care, assistance, society, companionship, comfort, guidance, counsel, and advice of the decedent to the persons entitled to the damages recovered;

(2) the reasonable funeral and burial expenses of the decedent;

(3) punitive damages in an amount of not less than five thousand dollars in such case as the decedent's death was caused by the malicious, willful, wanton or reckless conduct of the defendant or by the gross negligence of the defendant;

except that:

(1) the liability of an employer to a person in his employment shall not be governed by this section,

(2) a person operating a railroad shall not be liable for negligence in causing the death of a person while walking or being upon such railroad contrary to law or to the reasonable rules and regulations of the carrier and

(3) a person operating a street railway or electric railroad shall not be liable for negligence for causing the death of a person while walking or being upon that part of the street railway or electric railroad not within the limits of a highway.

A person shall be liable for the negligence or the willful, wanton or reckless act of his agents or servants while engaged in his business to the same extent and subject to the same limits as he would be liable under this section for his own act. Damages under this section shall be recovered in an action of tort by the executor or administrator of the deceased. An action to recover damages under this section shall be commenced within three years from the date of death or within such time thereafter as is provided by section four, four B, nine or ten or chapter two hundred and sixty.

[The survivorship provisions of M. G. L. c. 229 § 1 are as follows:

(1) If the deceased shall have been survived by a wife or husband and no children or issue surviving, then to the use of such surviving spouse.

(2) If the deceased shall have been survived by a wife or husband and by one child or by the issue of one deceased child, then one half to the use of such surviving spouse and one half to the use of such child or his issue by right of representation.

(3) If the deceased shall have been survived by a wife or husband and by more than one child surviving either in person or by issue, then one third to the use of such surviving spouse and two thirds to the use of such surviving children or their issue by right of representation.

(4) If there is no surviving wife or husband, then to the use of the next of kin.]

M. G. L. c. 229 § 6 (CONSCIOUS SUFFERING)

In any civil action brought under [the Wrongful Death section reprinted above], damages may be recovered for conscious suffering resulting from the same injury, but any sum so recovered shall be held and disposed of by the executors or administrators as assets of the estate of the deceased.

M. G. L. c. 109A § § 1-10 (FRAUDULENT CONVEYANCE) *

§ 1 Definitions. In this chapter "Assets" of a debtor means property not exempt from liability for his debts. To the extent that any property is liable for any debts of the debtor, such property shall be included in his assets.

"Conveyance" includes every payment of money, assignment, release, transfer, lease, mortgage or pledge of tangible or intangible property, and also the creation of any lien or encumbrance.

"Creditor" is a person having any claim, whether matured or unmatured, liquidated or unliquidated, absolute, fixed or contingent.

"Debt" includes any legal liability, whether matured or unmatured, liquidated or unliquidated, absolute, fixed or contingent.

§ 2 Insolvency of persons. A person is insolvent within the meaning of this chapter

---

* *Eds. Note:* This was the law at the time the actual lawsuit was brought. Massachusetts has since adopted the Uniform Fraudulent Transfer Act, which has similar provisions. *See* M. G. L. c. 109A, effective Oct. 6, 1996.

when the present fair salable value of his assets is less than the amount that will be required to pay his probable liability on his existing debts as they become absolute and matured....

§ 3 Fair consideration. Fair consideration is given for property or obligation—

(a) When in exchange for such property or obligation, as a fair equivalent therefor, and in good faith, property is conveyed or an antecedent debt is satisfied, or

(b) When such property or obligation is received in good faith to secure a present advance or antecedent debt in amount not disproportionately small as compared with the value of the property or obligation obtained....

§ 4 Conveyances by insolvent. Every conveyance made and every obligation incurred by a person who is or will be thereby rendered insolvent is fraudulent as to creditors without regard to his actual intent if the conveyance is made or the obligation is incurred without a fair consideration....

§ 6 Conveyances by person about to incur debts beyond ability to pay. Every conveyance made and every obligation incurred without fair consideration when the person making the conveyance or entering into the obligation intends or believes that he will incur debts beyond his ability to pay as they mature is fraudulent as to both present and future creditors.

§ 7 Conveyances made with intent to defraud. Every conveyance made and every obligation incurred with actual intent, as distinguished from intent presumed in law, to hinder, delay or defraud either present or future creditors, is fraudulent as to both present and future creditors....

§ 9 Rights of creditors; matured claims.

(1) Where a conveyance or obligation is fraudulent as to a creditor, such creditor, when his claim has matured, may, as against any person except a purchaser for fair consideration without knowledge of the fraud at the time of the purchase, or one who has derived title immediately or immediately from such a purchaser—

(a) Have the conveyance set aside or obligation annulled to the extent necessary to satisfy his claim, or

(b) Disregard the conveyance and attach or levy execution upon the property conveyed.

(2) A purchaser who without actual fraudulent intent has given less than a fair consideration for the conveyance or obligation may retain the property or obligation as security for repayment.

§ 10 Rights of creditors; immature claims. Where a conveyance made or obligation incurred is fraudulent as to a creditor whose claim has not matured, he may proceed in the supreme judicial or superior court against any person against whom he could have proceeded had his claim matured, and the court may—

(a) Restrain the defendant from disposing of his property,

(b) Appoint a receiver to take charge of the property,

(c) Set aside the conveyance or annul the obligation, or

(d) Make any order which the circumstances of the case may require.

COMMONWEALTH OF MASSACHUSETTS

MIDDLESEX, SS

NANCY CARPENTER, As Administratrix of the Estate of Charles Carpenter, Plaintiff

vs.

RANDALL DEE and PETER DEE, Defendants.

SUPERIOR COURT DEPARTMENT OF THE TRIAL COURT CIVIL ACTION NO. 99-6144

COMPLAINT

PLAINTIFF CLAIMS TRIAL BY JURY

PARTIES

1. The plaintiff Nancy Carpenter is a resident of Lowell, Middlesex County, Massachusetts. She brings this action in her capacity as the administratrix of the estate of Charles Carpenter, her late husband, of Lowell, Middlesex County, Massachusetts. She was duly appointed as administratrix by the Middlesex Probate Court, docket number 98P3875A.

2. The defendant Randall Dee is a resident of Lowell, Middlesex County, Massachusetts.

3. The defendant Peter Dee is a resident of Lowell, Middlesex County, Massachusetts.

FACTS

4. On or about August 29, 1998, the plaintiff's intestate, Charles Carpenter, was riding as a passenger in a 1986 Jeep CJ-7 (hereinafter "the Jeep").

5. The Jeep was owned by one Twyla Burrell, and operated by the defendant Randall Dee.

6. At or near the intersection of Palmer and Franklin Streets in Lowell, the operator lost control of the Jeep, and it rolled over, pinning Charles Carpenter beneath it.

7. The loss of control and resulting accident was caused by the negligent and/or grossly negligent and/or wanton and willful, and reckless conduct of the defendant Randall Dee as operator of the Jeep including, but not limited to, the following acts and omissions:

(a) excessive speed;

(b) failing to stop at an intersection; and

(c) illegal and dangerous alteration of the chassis, causing unsafe handling characteristics.

COUNT I—WRONGFUL DEATH

8. The plaintiff repeats and incorporates herein the allegations of paragraphs 1 through 7.

9. As a result of the negligent and/or grossly negligent and/or wanton, willful and reckless conduct of the defendant Randall Dee, the plaintiff's intestate was killed on August 29, 1998.

COUNT II—CONSCIOUS SUFFERING

10. The plaintiff repeats and incorporates herein the allegations of paragraphs 1 through 7.

11. As a result of the conduct of the defendant Randall Dee, as described above, the plaintiff's intestate sustained serious personal injuries, from which he suffered consciously, prior to his death on August 29, 1998.

COUNT III—FRAUDULENT CONVEYANCE

12. The plaintiff repeats and incorporates herein the allegations of paragraphs 1 through 7.

13. At the time of the accident on August 29, 1998, the defendant Randall Dee and the defendant Peter Dee owned as joint tenants a certain parcel of land at 91 Birch Hill Road, Lowell, Massachusetts, containing approximately 11,604 square feet.

14. The defendants Randall Dee and Peter Dee had purchased said property from the estate of their deceased father Rick Dee, for the amount of $80,000 on or about February 13, 1998.

15. On or about October 8, 1998, the defendant Randall Dee conveyed all his right, title and interest in the above property to Peter Dee for "nominal consideration."

16. On information and belief, the transfer of such interest was fraudulent as to creditors, including, but not limited to, the plaintiff, within the meaning of M. G. L. c. 109A, in that:

(a) The conveyance was made without fair consideration, and Randall Dee was thereby rendered insolvent, within the meaning of M. G. L. c. 109A, §4; and/or

(b) The conveyance was made without fair consideration at a time when the defendant Randall Dee believed that he would incur debts beyond his ability to pay, within the meaning of M. G. L. c. 109A, §6; and/or

(c) The transfer was made with an actual intent to hinder, delay, or defraud creditors, including but not limited to the plaintiff, within the meaning of M. G. L. c. 109A, §7.

WHEREFORE, the plaintiff prays for the following relief:

1. Judgment on Count I against the defendant Randall Dee

(a) To compensate the survivors of the plaintiff's intestate for the fair monetary value of the deceased for reasonably expected net income lost, services, protection, care, assistance, society, companionship, comfort, guidance, counsel and advice of the deceased;

(b) Reasonable funeral and burial expenses;

(c) Punitive damages in an amount of at least $5,000.00, pursuant to M. G. L. c. 229, §2.

2. Judgment on Count II against the defendant Randall Dee to compensate the estate of Charles Carpenter for his pain and conscious suffering.

3. That the Court issue a temporary restraining order enjoining the defendant Randall Dee, until further order of this court, from conveying, encumbering, or in any other manner transferring any interest, legal or equitable, in any of his assets, including but not limited to real estate, bank accounts, certificates of deposit, securities, valuables, and any other asset not immune from execution, except in the ordinary course of business.

4. That the Court issue a preliminary injunction enjoining the defendant Randall Dee, until the disposition of this action on the merits, from conveying, encumbering, or in any other manner transferring any interest, legal or equitable in any of his assets including but not limited to real estate, bank accounts, certificates of deposit, securities, valuables, and any other asset not immune from execution, except in the ordinary course of business.

5. That the Court issue a temporary restraining order enjoining the defendant Peter Dee, until further order of this court, from conveying, encumbering, or in any other manner transferring any interest, legal or equitable, in the real estate at 91 Birch Hill Road, Lowell, MA.

6. That the Court issue a preliminary injunction, enjoining the defendant Peter Dee, until the disposition of this action on the merits, from conveying, encumbering, or in any other manner transferring any interest, legal or equitable, in the real estate at 91 Birch Hill Road, Lowell, MA.

7. That the Court, under Count III, declare null and void the conveyance of the interest of Randall Dee in the property at 91 Birch Hill Road, Lowell, and/or allow satisfaction of any judgment in this action Randall Dee to be satisfied against the interest he held in said property prior to the fraudulent conveyance.

8. That the Court issue a temporary restraining order enjoining the defendants, until further order of the Court, from selling, or transferring in any way the Jeep CJ-7 vehicle involved or in any way modifying it, or changing its present condition.

9. That the Court issue a preliminary injunction enjoining the defendants, until the disposition of this action on the merits, from selling, or transferring in any way the Jeep CJ-7 vehicle involved or in any way modifying it, or changing its present condition.

By her attorneys,
By: _____/s/Carol Coblentz_____
Carol Coblentz (BBO#304321)
Needham, Shaker and Coblentz
44 Park Place
Boston, MA 02100
(617) 555-5555

Dated:/d/

(*Eds. Note:* Notice that at the beginning of this complaint, the plaintiff's lawyer gives a civil action number, "No. 99-6144." The "99" represents the year 1999. The entire number is a docket number that is given to the case upon the filing of the complaint. Docket numbers often also include a letter or initials that indicates to which judge or session the case has been assigned.)

COMMONWEALTH OF MASSACHUSETTS

MIDDLESEX, SS

NANCY CARPENTER, As Administratrix of the Estate of Charles Carpenter, Plaintiff
vs.
RANDALL DEE and PETER DEE, Defendants.

SUPERIOR COURT DEPARTMENT OF THE TRIAL COURT CIVIL ACTION NO. 99-6144

MOTION TO DISMISS

The defendant Randall Dee moves to dismiss Counts I, II, and III (Wrongful Death, Conscious Suffering, and Fraudulent Conveyance) of the Complaint against said defendant pursuant to Mass. R. Civ. P. 12(b)(6) for failure to state claims upon which relief can be granted.

In support thereof Randall Dee says that the Complaint alleges three causes of action against said defendant. It is further alleged that on August 29, 1998, the Plaintiff's intestate was injured and killed while a passenger in a Jeep CJ-7 that rolled over because said Jeep was being driven at an excessive speed while failing to stop at an intersection and with illegal and dangerous alteration of the chassis. The specific allegation against the defendants include the following:

(a) On Count I, the defendant's conduct was negligent and/or grossly negligent and/or wanton, willful and reckless;

(b) On Count II, the defendant's conduct resulted in serious personal injuries to the plaintiff's intestate which resulted in conscious suffering; and

(c) On Count III, the defendant fraudulently conveyed a certain parcel of land that was purchased for the amount of $ 80,000; and that defendant Randall Dee conveyed all his right, title, and interest in said property to Peter Dee for nominal consideration and that transfer of such interest was fraudulent.

All three counts should be dismissed for the two reasons hereunder set forth:

(1) Randall Dee was not the owner of said Jeep CJ-7.

(2) The complaint does not allege that Randall Dee owed a duty to Charles Carpenter.

Count III should also be dismissed for failure to plead the circumstances with particularity.

RANDALL DEE, by his attorney,

By: _____/s/Robert Orthwein_____
Robert Orthwein (BBO#304389)
Chaudhuri, Brown, Orthwein & Guinto
11 Boardwalk
Boston, MA 02100
(617) 555-1111

Dated:/d/

COMMONWEALTH OF MASSACHUSETTS

MIDDLESEX, SS

SUPERIOR COURT DEPARTMENT OF THE TRIAL COURT CIVIL ACTION NO. 99-6144

NANCY CARPENTER, As Administratrix of the Estate of Charles Carpenter, Plaintiff

vs.

RANDALL DEE and PETER DEE, Defendants.

MOTION FOR A MORE DEFINITE STATEMENT

The defendant Randall Dee moves the Court to issue an order for a more definite statement pursuant to Mass. R, Civ. P. 12(e).

The complaint is so vague and ambiguous that defendant should not reasonably be required to prepare a responsive pleading. Plaintiff should be ordered to furnish a more definite statement of the nature of her claim as set forth in her complaint in the following respects:

1. With respect to the allegations contained in Paragraph 7, page 1 of the complaint, plaintiff should be required to state the facts supporting her conclusion that on August 29, 1998, Randall Dee lost control of the 1986 Jeep CJ-7 because of his negligent and/or grossly negligent and/or wanton and willful, conduct by stating the circumstances surrounding the accident: weather conditions, speed of vehicle, proximity to other vehicles, condition and experience of defendant-driver.

2. With respect to the prayer for relief, plaintiff has failed to provide the amount which she is claiming for the

loss of the value of the decedent's net income, services, protection, care, assistance, society, companionship, comfort, guidance, counsel and advice of the deceased.

> RANDALL DEE, by his attorney,
>
> By: _____/s/Robert Orthwein_____
>
> Robert Orthwein (BBO#304389)
>
> Chaudhuri, Brown, Orthwein & Guinto
>
> 11 Boardwalk
>
> Boston, MA 02100
>
> (617) 555-1111

Dated:/d/

COMMONWEALTH OF MASSACHUSETTS

MIDDLESEX, SS

NANCY CARPENTER, As Administratrix of the Estate of Charles Carpenter, Plaintiff

vs.

RANDALL DEE and PETER DEE, Defendants.

SUPERIOR COURT DEPARTMENT, OF THE TRIAL COURT CIVIL ACTION NO. 99-6144

ANSWER OF RANDALL DEE (AS TO COUNTS I AND II ONLY)

DEFENDANT RANDALL DEE CLAIMS JURY BY TRIAL

PARTIES

1. The Defendant, Randall Dee, admits the allegations contained in Paragraph One of Plaintiff's Complaint.
2. The Defendant, Randall Dee, admits the allegations contained in Paragraph Two of Plaintiff's Complaint.
3. The Defendant, Randall Dee, admits the allegations contained in Paragraph Three of Plaintiff's Complaint.

FACTS

4. The Defendant, Randall Dee, admits the allegations contained in Paragraph Four of Plaintiff's Complaint.
5. The Defendant, Randall Dee, admits the allegations contained in Paragraph Five of Plaintiff's Complaint.
6. The Defendant, Randall Dee, denies each and every allegation contained in Paragraph Six of Plaintiff's Complaint.
7. The Defendant, Randall Dee, denies each and every allegation contained in Paragraph Seven of Plaintiff's Complaint.

COUNT I—WRONGFUL DEATH

8. The Defendant, Randall Dee, repeats and realleges his answers contained in Paragraphs One through Seven, as if fully stated herein.
9. The Defendant, Randall Dee, denies each and every allegation contained in Paragraph Nine of Plaintiff's Complaint.

COUNT II—CONSCIOUS SUFFERING

10. The Defendant, Randall Dee, repeats and realleges his answers contained in Paragraphs One through Seven, as if fully stated herein.

11. The Defendant, Randall Dee, denies each and every allegation contained in Paragraph Eleven of Plaintiff's Complaint.

FIRST DEFENSE

And further answering, the Defendant says that the Plaintiff's intestate's own negligence caused or contributed to the accident and damages alleged, and therefore the Plaintiff cannot recover.

SECOND DEFENSE

And further answering, the Defendant says that the Plaintiff's intestate was more than 50 percent negligent in causing or contributing to the accident and damages alleged, and therefore the Plaintiff either cannot recover or any verdict or finding in his favor must be reduced by the percentage of negligence attributed to the said Plaintiff's intestate.

THIRD DEFENSE

And further answering, the Defendant says that the Plaintiff's intestate assumed the risk of the accident and damages alleged, and therefore the Plaintiff cannot recover.

FOURTH DEFENSE

And further answering, the Defendant says that the Plaintiff's intestate was in violation of the law at the time and place of the alleged accident, which violation of the law caused or contributed to the happening of said accident, and therefore the Plaintiff cannot recover.

FIFTH DEFENSE

And further answering, the Defendant says that the Plaintiff's intestate's alleged injuries and subsequent death, were caused by persons other than the Defendant, his agents, servants, or employees, and plaintiff's intestate's alleged injuries, if any, were caused by persons for whose conduct the defendant is not responsible, and therefore, the Plaintiff cannot recover.

SIXTH DEFENSE

And further answering, the Defendant says that the Plaintiff's intestate's alleged injuries, and subsequent death, do not come within one of the exceptions to the Massachusetts No-Fault Insurance Law, being Massachusetts General Laws, Chapter 231, Section 6D, and therefore the Plaintiff is barred from bringing this action and cannot recover.

SEVENTH DEFENSE

And further answering, the Defendant says that the alleged cause of action referred to in the Plaintiff's complaint falls within the purview of Massachusetts General Laws, Chapter 90, Section 34(m), and therefore this action is brought in violation of the law and the Plaintiff cannot recover.

WHEREFORE, the Defendant, Randall Dee, demands judgment against the Plaintiff and further demands that said action be dismissed.

AND, FURTHER, the Defendant, Randall Dee, claims a trial by jury on all the issues.

> RANDALL DEE, by his attorney,
> By: _____/s/Robert Orthwein_____
> Robert Orthwein (BBO#304389)
> Chaudhuri, Brown, Orthwein & Guinto
> 11 Boardwalk
> Boston, MA 02100
> (617) 555-1111

Dated:/d/

[*Eds. Note*: Randall Dee did not answer the allegations in Count III of the Complaint. One possible explanation for this is that the parties may have reached an agreement on what to do about the alleged fraudulent conveyance pending a trial on the merits. It also is conceivable that the Randall Dee intended later to answer Count III, but the parties then simply forgot. To be sure, unusual things happen during litigation.

We also wish to emphasize that Randall Dee's third defense, assumption of the risk, is not a defense under Massachusetts comparative negligence law. The sixth and seventh affirmative defenses are completely baseless. The statutory provisions cited relate to Massachusetts no-fault insurance, and the defenses do not apply in this case. We reprint the Answer in full, however, because we want you to see what was filed. It also is instructive to learn what happens when one blindly follows forms.]

COMMONWEALTH OF MASSACHUSETTS

MIDDLESEX, SS

SUPERIOR COURT DEPARTMENT OF THE TRIAL COURT CIVIL ACTION NO. 99-6144

NANCY CARPENTER, As Administratrix of the Estate of Charles Carpenter, Plaintiff

vs.

RANDALL DEE and PETER DEE, Defendants.

MOTION TO AMEND

Now comes the plaintiff and moves for leave to file an Amended Complaint, a copy of which is attached hereto.

> By her attorneys,
> By: _____/s/Carol Coblentz_____
> Carol Coblentz (BBO#304321)
> Needham, Shaker and Coblentz
> 44 Park Place
> Boston, MA 02100
> (617) 555-5555

Dated: /d/

COMMONWEALTH OF MASSACHUSETTS

MIDDLESEX, SS

SUPERIOR COURT DEPARTMENT OF THE TRIAL COURT CIVIL ACTION NO. 99-6144

NANCY CARPENTER, As Administratrix of the Estate of Charles Carpenter, Plaintiff

vs.

RANDALL DEE; PETER DEE; ULTIMATE AUTO, INC.; and CITY OF LOWELL, Defendants.

AMENDED COMPLAINT

PLAINTIFF CLAIMS TRIAL BY JURY

PARTIES

1. The plaintiff Nancy Carpenter is a resident of Lowell, Middlesex County, Massachusetts. She brings this action in her capacity as the administratrix of the estate of Charles Carpenter, her late husband, of Lowell, Middlesex County, Massachusetts. She was duly appointed as administratrix by the Middlesex Probate Court, docket number 98P3875A.

2. The defendant Randall Dee is a resident of Lowell, Middlesex County, Massachusetts.

3. The defendant Peter Dee is a resident of Lowell, Middlesex County, Massachusetts.

4. Ultimate Auto, Inc. is a Massachusetts corporation, with a usual place of business in Lowell, Middlesex County, Massachusetts.

5. The City of Lowell ("the City"), is a body politic and corporate, with executive offices at 100 Main Street, Lowell, Middlesex County, Massachusetts.

FACTS

6. On or about August 29, 1998, the plaintiff's intestate, Charles Carpenter, was riding as a passenger in a 1986 Jeep CJ-7 (hereinafter "the Jeep").

7. The Jeep was owned by one Twyla Burrell, and operated by the defendant Randall Dee.

8. At or near the intersection of Palmer and Franklin Streets in Lowell, the operator lost control of the Jeep, and it rolled over pinning Charles Carpenter beneath it.

9. The loss of control and resulting accident was caused by the negligent and/or grossly negligent and/or wanton, willful, and reckless conduct of the defendant Randall Dee as operator of the Jeep including, but not limited to, the following acts and omissions:

(a) Excessive speed;

(b) Failing to stop at an intersection; and

(c) Illegal and dangerous alteration of the chassis, causing unsafe handling characteristics.

10. The defendant Randall Dee modified the Jeep, by means of a suspension lift kit and oversize tires. He purchased both items at a retail store owned and operated by the defendant Ultimate Auto.

11. The raised suspension and oversized tires markedly affected the handling characteristics (including, but not limited to, propensity to roll over) of the Jeep, and such modifications were a substantial contributing cause to the ac-

cident on August 29, 1998.

12. On several occasions prior to August 29, 1998, police officers of the City of Lowell, acting within the scope of their employment, stopped the defendant Randall Dee while operating the Jeep, in connection with suspected motor vehicle offenses. On no occasion, did any of the officers advise the defendant Dee that the vehicle was illegally modified, or take any other action to prevent the vehicle from being operated in its dangerous condition. The failure of the police to act was a substantial contributing cause to the accident on August 29, 1998.

COUNT I (Wrongful Death, Randall Dee)

13. The plaintiff repeats and incorporates herein the allegations of paragraphs 1-9.

14. As a result of the negligent and/or grossly negligent and/or wanton, willful and reckless conduct of the defendant Randall Dee, the plaintiff's intestate was killed on August 29, 1998.

COUNT II (Conscious Suffering, Randall Dee)

15. The plaintiff repeats and incorporates herein the allegations of paragraphs 1-9.

16. As a result of the conduct of the defendant Randall Dee, as described above, the plaintiff's intestate sustained serious personal injuries, from which he suffered consciously, prior to his death on August 29, 1987.

COUNT III (Fraudulent Conveyance)

17. The plaintiff repeats and incorporates herein the allegations of paragraphs 1-9.

18. At the time of the accident on August 29, 1998, the defendant Randall Dee and the defendant Peter Dee owned as joint tenants a certain parcel of land at 91 Birch Hill Road, Lowell, Massachusetts, containing approximately 11,604 square feet.

19. The defendants Randall Dee and Peter Dee bad purchased said property from the estate of their deceased father Richard Dee, for the amount of $ 80,000.00 on or about February 13, 1998.

20. On or about October 8, 1998, the defendant Randall Dee conveyed all his right, title and interest in the above property to Peter Dee for "nominal consideration."

21. On information and belief, the transfer of such interest was fraudulent as to the creditors, including, but not limited to, the plaintiff, within the meaning of G. L. c. 109A, in that:

(a) The conveyance was made without fair consideration and Randall Dee was thereby rendered insolvent, within the meaning of G. L. c. 109A, § 4; and/or

(b) The conveyance was made without fair consideration at a time when the defendant Randall Dee believed that he would incur debts beyond his ability to pay within the meaning of G. L c 109A, § 6; and/or

(c) The transfer was made with an actual intent to hinder, delay or defraud creditors, including but not limited to the plaintiff, within the meaning of G. L. c. 109A, § 7.

COUNT IV (Wrongful Death, Ultimate Auto)

22. The plaintiff repeats and incorporates herein the allegations of paragraphs 1-11.

23. The defendant Ultimate Auto as a retailer of automotive parts, owed a duty to Randall Dee (and to the public generally) to provide appropriate technical advice with regard to the sale of products that could be used to modify vehicles.

24. In breach of that duty, the defendant Ultimate Auto was guilty of negligent and/or grossly negligent and/or

wanton, willful and reckless conduct, including, but not limited to, the following acts and omissions:

(a) Selling a suspension lift kit and oversized tires which, individually and in combination, altered the height of the Jeep, affecting its handling characteristics (including, but not limited to, its propensity to roll over) and rendered it unsafe;

(b) Failing to give any kind of warning or instruction to Randall Dee, with respect to the effect of such parts on the handling characteristics of the Jeep;

(c) Selling automotive parts which constituted per se a violation of G. L. c. 90, §7P, with regard to modification of vehicle height;

(d) Failing to advise Randall Dee that the installation of the parts constituted a violation of G. L. c. 90, §7P.

25. As a result of the above acts and omissions, the defendant Randall Dee installed the suspension lift kit and oversized tires, and the acts and omissions of Ultimate Auto were a substantial contributing cause to the loss of control and resulting accident on August 29, 1998.

26. As a result of the negligent and/or grossly negligent and/or wanton, willful and reckless conduct of the defendant, Ultimate Auto, the plaintiff's intestate was killed on August 29, 1998.

COUNT V (Conscious Suffering, Ultimate Auto)

27. The plaintiff repeats and incorporates herein the allegations of paragraph 1-11 and 23-26.

28. As a result of the conduct of the defendant Ultimate Auto, as described above, the plaintiff's intestate sustained serious personal injuries, from which he suffered consciously, prior to his death on August 29, 1998.

COUNT VI (Wrongful Death, Warranties, Ultimate Auto)

29. The plaintiff repeats and incorporates herein the allegations of paragraphs 1-11 and 23-26.

30. The defendant Ultimate Auto was a merchant with respect to sale of the suspension lift kit and oversized tires. The defendant Ultimate Auto breached implied warranties of merchantability and fitness for a particular purpose, by selling to the defendant Randall Dee, a suspension lift kit and oversized tires which, individually and in combination, rendered the Jeep unreasonably dangerous and/or by selling the suspension lift kit and oversized tires, without adequate warning or instruction with regard to their dangerous propensity.

31. As a result of the said breaches of warranty, the defendant Randall Dee installed the suspension lift kit and oversized tires. The breaches of the defendant Ultimate Auto were a substantial contributing cause to the loss of control and resulting accident on August 29, 1998. As a result of the defendant's breaches of warranty, the plaintiff's intestate was killed on August 29, 1998.

COUNT VII (Conscious Suffering, Warranties, Ultimate Auto)

32. Plaintiff repeats and incorporates herein the allegations of paragraphs 1-11, 23-26 and 29-31.

33. As a result of the breaches of warranty of the defendant Ultimate Auto, as described above, the plaintiff's intestate sustained serious personal injuries, from which he suffered consciously, prior to his death on August 29, 1998.

COUNT VIII (Wrongful Death, City of Lowell)

34. Plaintiff repeats and incorporates herein the allegations of paragraphs 1-12.

35. On or about February 19, 1999, the year after the accident, the plaintiff, through her attorney and pursuant

to G. L. c. 258, §4, gave written notice of its claim to the City. No substantive response to that notice has been forthcoming.

36. The modification of the Jeep represented an imminent danger to all persons that might be affected by it, in particular, its occupants, and a clear violation of G. L. c. 90, §7P. As such, it created a special duty of care to those who might be affected by it, including the plaintiff's intestate.

37. Despite the obvious danger of immediate and foreseeable injury presented by the Jeep, police officers of the City of Lowell failed to take any effective action to reduce or eliminate the danger.

38. As a result, the Jeep was being operated in a condition of imminent danger on August 29, 1998, and the negligence of the City, through its police officers, was a substantial contributing cause to the loss of control and resulting accident on that date.

39. As a result of the negligence of the City, its agents and employees, the plaintiff's intestate was killed on August 29, 1998.

COUNT IX (City of Lowell, Conscious Suffering)

40. The plaintiff repeats and incorporates herein the allegations of paragraphs 1-12 and 34-39.

41. As a result of the conduct of the defendant City as described above, the plaintiff's intestate sustained serious personal injuries, from which he suffered consciously, prior to his death on August 29, 1998.

WHEREFORE the plaintiff prays for the following relief:

1. Judgment on Counts I, IV, VI and VIII against the defendants Randall Dee, Ultimate Auto and City of Lowell.

(a) To compensate the survivors of the plaintiff's intestate for the fair monetary value of the deceased for reasonably expected net income lost, services, protection, care, assistance, society, companionship, comfort, guidance, counsel and advice of the deceased.

(b) Reasonable funeral and burial expenses.

(c) Punitive damages in an amount of at least $5,000.00, pursuant to G. L. c. 229, §2.

2. Judgment on Counts II, V, VII and IX against the defendants Randall Dee, Ultimate Auto and City of Lowell to compensate the estate of Charles Carpenter for his pain and conscious suffering.

3. That the Court issue a temporary restraining order enjoining the defendant, Randall Dee, until further order of this court, from conveying, encumbering, or in any other manner transferring any interest, legal or equitable, in any of his assets, including but not limited to real estate, bank accounts, certificates of deposit, securities, valuables, and any other asset not immune from execution, except in the ordinary course of business.

4. That the Court issue a preliminary injunction enjoining the defendant Randall Dee, until the disposition of this action on the merits, from conveying, encumbering or in any other manner transferring any interest, legal or equitable, in any of his assets, including but not limited to real estate, bank accounts, certificates of deposit, securities, valuables, and any other asset not immune from execution, except in the ordinary course of business.

5. That the Court issue a Temporary Restraining Order enjoining the defendant Peter Dee, until further order of this court, from conveying, encumbering, or in any other manner transferring any interest, legal or equitable, in the real estate at 91 Birch Hill Road, Lowell, Massachusetts.

6. That the Court issue a preliminary injunction enjoining the defendant, Peter Dee, until the disposition of this action on the merits, from conveying, encumbering, or in any other manner transferring any interest, legal or equitable, in the real estate at 91 Birch Hill Road, Lowell, Massachusetts.

7. That the Court, under Count III, declare null and void the conveyance of the interest of Randall Dee in the property at 91 Birch Hill Road, Lowell and/or allow satisfaction of any judgment in this action against Randall Dee to

be satisfied against the interest he held in said property prior to the fraudulent conveyance.

8. That the Court issue a temporary restraining order enjoining the defendants, until further Order of the Court, from selling, or transferring in any way the Jeep CJ-7 vehicle involved or in any way modifying it, or changing its present condition.

9. That the Court issue a preliminary injunction enjoining the defendants, until the disposition of this action on the merits, from selling, or transferring in any way the Jeep CJ-7 vehicle involved or in any way modifying it, or changing its present condition.

10. PLAINTIFF CLAIMS TRIAL BY JURY.

By her attorneys,
By: _____/s/Carol CoblentZ_____
Carol Coblentz (BBO#304321)
Needham, Shaker and CoblentZ
44 Park Place
Boston, MA 02100
(617) 555-5555

Dated: /d/

■ UNIFORM COMMERCIAL CODE § 2-314. IMPLIED WARRANTY; MERCHANTABILITY; USAGE OF TRADE

(1) Unless excluded or modified...., a warranty that the goods shall be merchantable is implied in a contract for their sale if the seller is a merchant with respect to goods of that kind....

(2) Goods to be merchantable must be at least such as

(a) pass without objection in the trade under the contract description; and

(b) in the case of fungible goods, are of fair average quality within the description; and

(c) are fit for the ordinary purposes for which such goods are used; and

(d) run, within the variations permitted by the agreement, of even kind, quality and quantity within each unit and among all units involved; and

(e) are adequately contained, packaged, and labeled as the agreement may require; and

(f) conform to the promises or affirmations of fact made on the container or label if any.

(3) Unless excluded or modified... other implied warranties may arise from course of dealing or usage of trade.

COMMENT

1. The seller's obligation applies to present sales as well as to contracts....

2. The question when the warranty is imposed turns basically on the meaning of the terms of the agreement as recognized in the trade....

3. In an action based on breach of warranty, it is of course necessary to show not only the existence of the warranty but the fact that the Warranty was broken and that the breach of the warranty was the proximate cause of the loss sustained. In such an action an affirmative showing by the seller that the loss resulted from some action or event following his own delivery of the goods can operate as a defense. Equally, evidence indicating that the seller exercised care in the manufacture, processing or selection of the goods is relevant to the issue of whether the warranty was in fact broken. Action by the buyer following an examination of the goods which ought to have indicated the defect complained of can be shown as matter bearing on whether the breach itself was the cause of the injury.

■ UNIFORM COMMERCIAL CODE § 2-315. IMPLIED WARRANTY; FITNESS FOR PARTICULAR PURPOSE

Where the seller at the time of contracting has reason to know any particular purpose for which the goods are required and that the buyer is relying on the seller's skill or judgment to select or furnish suitable goods, there is unless excluded or modified under the next section an implied warranty that the goods shall be fit for such purpose.

COMMENT

1. Whether or not this warranty arises in any individual case is basically a question of fact to be determined by the circumstances of the contracting. Under this section the buyer need not bring home to the seller actual knowledge of the particular purpose for which the goods are intended or of his reliance on the seller's skill and judgment, if the circumstances are such that the seller has reason to realize the purpose, intended or that the reliance exists....

2. A "particular purpose" differs from the ordinary purpose for which the goods are used in that it envisages a specific use by the buyer which is peculiar to the nature of his business whereas the ordinary purposes for which goods are used are those envisaged in the concept of merchantability and go to uses which are customarily made of the goods in question. For example, shoes are generally used for the purpose of walking upon ordinary ground, but a seller may know that a particular pair was selected to be used for climbing mountains.

A contract may of course include both a warranty of merchantability and one of fitness for a particular purpose....

■ M. G. L. c. 90 § 7P. HEIGHT OF MOTOR VEHICLES; ALTERATION RESTRICTED.

No person shall alter, modify or change the height of a motor vehicle with an original manufacturer's gross vehicle weight rating of up to and including ten thousand pounds, by elevating or lowering the chassis or body by more than two inches above or below the original manufacturer's specified height by use of so-called "shackle lift kits" for leaf springs or by use of lift kits for coil springs, tires, or any other means or device.

The registrar shall establish such rules and regulations for such changes in the height of motor vehicles beyond said two inches. No motor vehicle that has been so altered, modified or changed beyond the provisions of this section or the rules and regulations established by the registrar shall be operated on any way.

■ M. G. L. c. 231B § 85. COMPARATIVE NEGLIGENCE; LIMITED EFFECT OF CONTRIBUTORY NEGLIGENCE AS DEFENSE.

Contributory negligence shall not bar recovery in any action by any person or legal representative to recover damages for negligence resulting in death or in injury to person or property, if such negligence was not greater than the total amount of negligence attributable to the person or persons against whom recovery is sought, but any damages allowed shall be diminished in proportion to the amount of negligence attributable to the person for whose injury, damage or death recovery is made. In determining by what amount the plaintiff's damages shall be diminished in such a case, the negligence of each plaintiff shall be compared to the total negligence of all persons against whom recovery is sought. The combined total of the plaintiff's negligence taken together with all of the negligence of all defendants shall equal one hundred per cent.

The violation of a criminal statute, ordinance or regulation by a plaintiff which contributed to said injury, death or damage, shall be considered as evidence of negligence of that plaintiff, but the violation of said statute, ordinance or regulation shall not as a matter of law and for that reason alone, serve to bar a plaintiff from recovery.

The defense of assumption of risk is hereby abolished in all actions hereunder.

The burden of alleging and proving negligence which serves to diminish a plaintiff's damages or bar recovery under this section shall be upon the person who seeks to establish such negligence, and the plaintiff shall be presumed to have been in the exercise of due care.

■ M. G. L c. 231B § § 1-4. CONTRIBUTION AMONG JOINT TORTFEASORS.

§ 1. (a) Except as otherwise provided in this chapter, where two or more persons become jointly liable in tort for the same injury to person or property, there shall be a right of contribution among them even though judgment has not been recovered against all or any of them.

(b) The right of contribution shall exist only in favor of a joint tortfeasor, hereinafter called tortfeasor, who has paid more than his pro rata share of the common liability, and his total recovery shall be limited to the amount paid by him in excess of his pro rata share. No tortfeasor shall be compelled to make contribution beyond his own pro rata share of the entire liability.

(c) A tortfeasor who enters into a settlement with a claimant shall not be entitled to recover contribution from another torffeasor in respect to any amount paid in a settlement which is in excess of what was reasonable.

(d) A liability insurer, who by payment has discharged in full or in part the liability of a tortfeasor and has thereby discharged in full its obligation as insurer, shall be subrogated to the tortfeasor's right of contribution to the extent of the amount it has paid in excess of the tortfeasor's pro rata share of the common liability. This provision shall not limit or impair any right of subrogation arising from any other relationship.

(e) This chapter shall not impair any right of indemnity under existing law. Where one tortfeasor is entitled to indemnity from another, the right of the indemnity obligee shall be for indemnity and not contribution, and the indemnity obligor shall not be entitled to contribution from the obligee for any portion of his indemnity obligation.

§ 2. In determining the pro rata shares of tortfeasors in the entire liability (a) their relative degrees of fault shall not be considered; (b) if equity requires, the collective liability of some as a group shall constitute a single share; and (c) principles of equity applicable to contribution generally shall apply.

§ 3. (a) Whether or not judgment has been entered in an action against two or more tortfeasors for the same injury, contribution may be enforced by separate action.

(b) Where a judgment has been entered in an action against two or more tortfeasors for the same injury, contribution may be enforced in that action by judgment in favor of one against other judgment defendants by motion upon notice to all parties to the action.

(c) If there is a judgment for the injury against the tortfeasor seeking contribution, any separate action by him to enforce contribution must be commenced within one year after the judgment has become final by lapse of time for appeal or after appellate review.

(d) If there is no judgment for the injury against the tortfeasor seeking contribution, his right of contribution shall be barred unless he has either (1) discharged by payment, the common liability within the statute of limitations period applicable to claimant's right of action against him and has commenced his action for contribution within one year after payment, or (2) agreed, while action is pending against him, to discharge the common liability and has, within one year after the agreement, paid the liability and commenced his action for contribution.

(e) The recovery of a judgment for an injury against one tortfeasor shall not, of itself, discharge the other tortfeasors from liability for the injury unless the judgment is satisfied. The satisfaction of the judgment shall not impair any right of contribution.

(f) The judgment of the court in determining the liability of the several defendants to the claimant for an injury shall be binding as among such defendants in determining their right to contribution.

§ 4. When a release or covenant not to sue or not to enforce judgment is given in good faith to one or two or more persons liable in tort for the same injury:

(a) It shall not discharge any of the other tortfeasors from liability for the injury unless its terms so provide; but it shall reduce the claim against the others to the extent of any amount stipulated by the release or the covenant, or in the amount of the consideration paid for it, whichever is the greater; and

(b) It shall discharge the tortfeasor to whom it is given from all liability for contribution to any other tortfeasor.

■ WALTER VANBUSKIRK, * "LIFTING" A TRUCK

Driving around on the streets, it is not uncommon to see trucks that are higher off the ground and have larger tires than normal trucks. The process truck owners go through to achieve this effect is called "lifting" the truck. There are three basic ways to life a truck: body lifts, suspension lifts, and larger tires. Each of these types of lifts have different uses and have different effects on the center of gravity of the truck.

BODY LIFTS

All trucks and some cars have frames as the main structural member. The frame is the base which most everything else bolts onto. The body of the truck bolts onto the frame at numerous locations (apparently twelve locations on Randall Dee's Jeep). Normally, there is a small rubber spacer approximately one inch in thickness, called a body mount, between the frame and the body at each of these locations. A body lift uses larger spacers between the body and the frame to raise the body up off the frame. This has the effect of raising the fenders up higher which allows the use of larger tires.

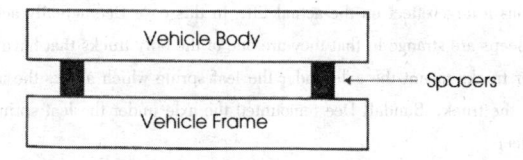

```
┌─────────────────────┐
│    Vehicle Body     │
└─■─────────────────■─┘
                      ← Spacers
┌─■─────────────────■─┐
│   Vehicle Frame     │
└─────────────────────┘
```

In the case, Randall Dee used hockey pucks as the spacers between the body and the frame Although this may sound absurd, it is actually very common. However, most people will use spacers made of steel or some specially designed composite material when putting in more than two inches of lift. This approach is preferred, because the rubber hockey pucks are too compressible. Dee used 4 hockey pucks at each body mount location to achieve approximately 4″ of lift.

SUSPENSION LIFTS

Between the truck's axle and frame is the suspension. The suspension is made up of four main components: the shackle, the leaf spring, the shock absorber, and the U-Bolt (Note that the following graphic does not have shock absorbers or U-Bolts). The shackle attaches the leaf spring to the frame. The leaf spring is a series of "arched" strips of metal welded together, which flex to allow the vehicle to move somewhat independently of the tires. If left alone, after you hit a bump the leaf spring would continue to bounce. The shock absorber stops the leaf spring from bouncing. Finally, the U-Bolt attaches the leaf spring to the axle.

To raise the suspension in a truck there are numerous options: longer shackles, larger leaf springs, or a spacer between the axle and the leaf spring (you would never use hockey pucks here). Randall Dee used larger leaf springs.

---

* Walter VanBuskirk is a 1999 graduate of Boston College Law School.

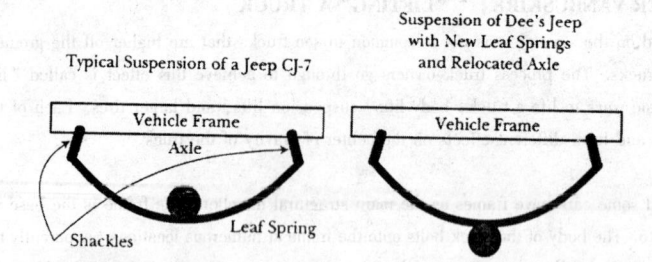

Typical Suspension of a Jeep CJ-7

Vehicle Frame
Axle
Shackles
Leaf Spring

Suspension of Dee's Jeep with New Leaf Springs and Relocated Axle

Vehicle Frame

   Suspension lifts are more desirable than body lifts. This type of lift actually raises the frame and everything attached to it further off the ground. Not only does that create additional tire clearance (by raising the fenders over the axle), it also raises the engine higher off the ground, which helps the truck in off-road situations. Dee used a two and a half inch larger spring. This does not always give exactly a two and a half inch lift; the spring is flexible, and the weight of the vehicle has a large effect on the actual lift. In this case Dee actually achieved a three inch lift. It should also be noted that Jeeps are strange in that they are one of the only trucks that have the axle mounted on top of the leaf spring. Most other trucks mount the axle under the leaf spring which allows the use of a spacer between the axle and leaf spring to lift the truck. Randall Dee remounted the axle under the leaf springs. This is a common step performed when lifting a Jeep.

LARGER TIRES

   Basically the major use of body lifts and suspension lifts is to allow the use of bigger tires. Bigger tires give the truck more total clearance (they can drive through deeper mud and over bigger rocks). Average tires are around 28″ in diameter. The tires Randall Dee put on his Jeep were 40″ in diameter. This is a twelve inch increase in diameter, which leads to six inches of additional height over his previous tires.

DEE'S JEEP

   In the case of Dee's Jeep, he put in four inches of body lift, a three inch suspension lift replacing the leaf springs, three more inches of suspension lift by remounting the axle, and larger tires adding six inches. In total Dee's Jeep is minimum of sixteen inches higher than a regular Jeep.

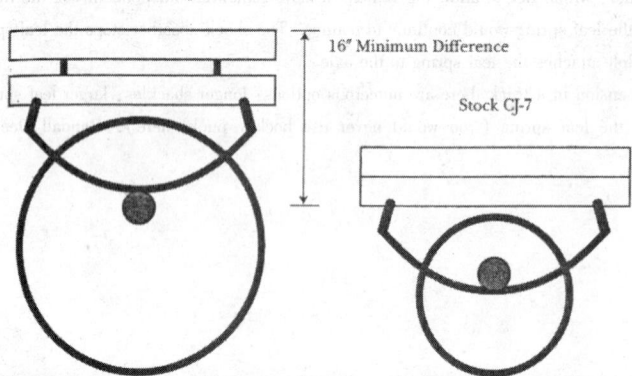

Randall Dee's CJ-7

16″ Minimum Difference

Stock CJ-7

PHOTOGRAPHS

Police photograph of the accident involving Randall Dee's Jeep.

Police photograph of the accident involving Randall Dee's Jeep.

Close-up of the raised suspension of Randall Dee's Jeep.

COMMONWEALTH OF MASSACHUSETTS

MIDDLESEX, SS

NANCY CARPENTER, As Administratrix of the Estate of Charles Carpenter, Plaintiff
vs.

RANDALL DEE; PETER DEE; CITY OF LOWELL, Defendants.
ULTIMATE AUTO, INC., Defendant and Third-Party Plaintiff
vs.
DALE MCGILL and McGILL'S GARAGE, INC., Third-Party Defendants.

SUPERIOR COURT DEPARTMENT OF THE TRIAL COURT CIVIL ACTION NO. 99-6144

MOTION OF DEFENDANT ULTIMATE AUTO, INC. TO FILE A THIRD PARTY COMPLAINT

The defendant, Ultimate Auto, Inc., moves that the Court allow it to file the attached third-party complaint for contribution against Dale McGill and McGill's Garage, Inc.

In support thereof, the defendant Ultimate Auto, Inc. states that discovery has shown that the vehicle, which was allegedly in a defective condition at the time of the accident, had been issued an inspection sticker by the third-party defendants and that the issuance of said inspection sticker was in violation of applicable Massachusetts regulations. Accordingly, the third-party defendants would be liable as joint tortfeasors for the claims made by the plaintiff.

By its Attorneys,

_____/s/Bertram Cohen_____

Bertram Cohen (BBO#641311)
Roth, McKnight & Zimmerman
111 Milk Street
Boston, MA 02100
(617) 555-0000

Dated: /d/

COMMONWEALTH OF MASSACHUSETTS

MIDDLESEX, SS

SUPERIOR COURT DEPARTMENT OF THE TRIAL COURT CIVIL ACTION NO. 99-6144

NANCY CARPENTER, As Administratrix of the Estate of Charles Carpenter, Plaintiff

vs.

RANDALL DEE; PETER DEE; CITY OF LOWELL, Defendants.

ULTIMATE AUTO, INC., Defendant and Third-Party Plaintiff

vs.

DALE MCGILL and McGILL's GARAGE, INC., Third-Party Defendants.

THIRD PARTY COMPLAINT OF ULTIMATE AUTO, INC.

COUNT I

1. The third-party defendant, Dale McGill, is an individual residing in Watertown, Massachusetts, and at all times material was the owner and manager of a service station doing business as McGill's Garage, Inc., in Watertown, Massachusetts.

2. The defendant/third-party plaintiff, Ultimate Auto, Inc., has been named as a party defendant in an action sounding in tort against it and in which it is alleged that the negligence of the defendant/third-party plaintiff entitled the plaintiff to recover for damages allegedly sustained as a result of a motor vehicle accident on August 29, 1998.

3. If the plaintiff did sustain injuries and damages as alleged, such injuries and damages occurred as a direct and proximate result of the negligence and carelessness of the third-party defendant, Dale McGill in approving an inspection sticker on the vehicle involved in the accident alleged in the plaintiff's complaint.

4. The third-party defendant is jointly liable for the injuries and damages allegedly sustained by the plaintiff pursuant to G. L. c. 231B, § §1-3.

WHEREFORE, the defendant/third-party plaintiff, says that if it is found liable to the plaintiff, the third-party defendant, Dale McGill, is liable to the defendant/third-party plaintiff as a joint tortfeasor.

COUNT II

5. The third-party defendant, McGill's Garage, Inc., is a Massachusetts corporation with a usual place of business in Watertown, Massachusetts, and at all times material was in the business of conducting motor vehicle inspections.

6. The defendant/third-party plaintiff, Ultimate Auto, Inc., has been named as a party defendant in an action sounding in tort against it and in which it is alleged that the negligence of the defendant/third-party plaintiff entitled the plaintiff to recover for damages allegedly sustained as a resuit of a motor vehicle accident on August 29, 1998.

7. If the plaintiff did sustain injuries and damages as alleged, such injuries and damages occurred as a direct and proximate result of the negligence and carelessness of employees or agents of the third-party defendant, McGill's Garage, Inc., in approving or issuing an inspection sucker on the vehicle involved in the accident alleged in the plaintiff's complalnt.

8. The third-party defendant is jointly liable for the injuries and damages allegedly sustained by the plaintiff pursuant to G. L. c. 231B, § § 1-3.

WHEREFORE, the defendant/third-party plaintiff, says that if it is found liable to the plaintiff, the third-party defendant, McGill's Garage, Inc., is liable to the defendant/third-party plaintiff as a joint tortfeasor.

By its Attorneys,
_____/s/ Bertram Cohen_____
Bertram Cohen (BBO#641311)
Roth, McKnight & Zimmerman
111 Milk Street
Boston, MA 02100
(617) 555-0000

Date:/d/

COMMONWEALTH OF MASSACHUSETTS

MIDDLESEX, SS	SUPERIOR COURT DEPARTMENT OF THE TRIAL COURT CIVIL ACTION NO. 99-6144
NANCY CARPENTER, As Administratrix of the Estate of Charles Carpenter, Plaintiff vs.	
RANDALL DEE; PETER DEE; CITY OF LOWELL, Defendants.	ANSWER AND CROSS-CLAIMS OF ULTIMATE AUTO, INC. TRIAL BY JURY
ULTIMATE AUTO, INC., Defendant and Third-Party Plaintiff vs.	
DALE MCGILL and McGILL's GARAGE, INC., Third-Party Defendants.	

FIRST DEFENSE

The Defendant, Ultimate Auto, Inc., ("Ultimate Auto") addresses the separately numbered paragraphs of the Complaint as follows:

1. The Defendant is without knowledge or information sufficient to form a belief as to the truth of the allegations contained in Paragraph 1.

2. The Defendant is without knowledge or information sufficient to form a belief as to the truth of the allegations contained in Paragraph 2.

3. The Defendant is without knowledge or information sufficient to form a belief as to the truth of the allegations contained in Paragraph 3.

4. The Defendant admits the allegations contained in Paragraph 4.

5. The Defendant admits the allegations contained in Paragraph 5.

6. The Defendant is without knowledge or information sufficient to form a belief as to the truth of the allegations contained in Paragraph 6.

7. The Defendant is without knowledge or information sufficient to form a belief as to the truth of the allegations contained in Paragraph 7.

8. The Defendant is without knowledge or information sufficient to form a belief as to the truth of the allegations contained in Paragraph 8.

9. The Defendant denies the allegations contained in Paragraph 9.

10. The Defendant denies the allegations contained in Paragraph 10.

11. The Defendant denies the allegations contained in Paragraph 11.

12. The Defendant is without knowledge or information sufficient to form a belief as to the truth of the allegations contained in Paragraph 12.

13-21. The Defendant makes no answer to the allegations of these Paragraphs because they do not purport to make a claim against it.

22. The Defendant repeats and realleges its answers to Paragraphs 1-11.

23. The Defendant denies the allegations contained in Paragraph 23.

24. The Defendant denies the allegations contained in Paragraph 24.

25. The Defendant denies the allegations contained in Paragraph 25.

26. The Defendant denies the allegations contained in Paragraph 26.

27. The Defendant repeats and realleges its answers to Paragraphs 1-11 and 23-26.

28. The Defendant denies the allegations contained in Paragraph 28.

29. The Defendant repeats and realleges its answers to Paragraphs 1-11 and 23-26.

30. The Defendant denies the allegations contained in Paragraph 30.

31. The Defendant denies the allegations contained in Paragraph 31.

32. The Defendant repeats and realleges its answers to Paragraphs1-11, 2326, and 29-31.

33. The Defendant denies the allegations contained in Paragraph 33.

34-41. The Defendant makes no answer to the allegations of these Paragraphs because they do not purport to make a claim against it.

SECOND DEFENSE

This action is barred by operation of the applicable statute of limitations.

THIRD DEFENSE

If the Plaintiff is entitled to recover against the Defendant, any such recovery must be reduced in accordance with the comparative negligence statute as enacted in the Commonwealth , since the Plaintiff's own negligence was the proximate cause of the injury sustained.

FOURTH DEFENSE

Any loss sustained by the Plaintiff resulted from his own negligence, which was greater in degree than any negligence of the Defendant and therefore the Plaintiff is barred from recovery in this action.

FIFITH DEFENSE

The Defendant is exempt from liability to the extent provided by the Massachusetts "no fault" statutes, G. L. c. 90, section 34m, and G. L. c. 231 section 6d.

SIXTH DEFENSE

The Plaintiff has failed to give notice of breach of warranty, and the Defendant has thereby been prejudiced.

CROSS-CLATM AGAINST RANDALL DEE, PETER DEE AND THE CITY OF LOWELL

1. If the Plaintiff's decedent was injured as alleged by the Plaintiff, he was injured as a result of the negligence of the Defendants, Randall Dee, Peter Dee, and/or the City of Lowell.

2. The Defendants, Randall Dee, Peter Dee, and the City of Lowell, are liable to the Defendant, Ultimate Auto, Inc. for contribution pursuant to G. L. c. 231B.

WHEREFORE, the Defendant Ultimate Auto, Inc., demands judgment for contribution against the Defendants, Randall Dee and Peter Dee.

THE DEFENDANT, ULTIMATE AUTO, INC., DEMANDS TRIAL BY JURY ON ALL CLAIMS.

By its Attorneys,
_____/s/ Bertram Cohen_____
Bertram Cohen (BBO#641311)
Roth, McKnight & Zimmerman
111 Milk Street
Boston, MA 02100
(617) 555-0000

Dated: /d/

COMMONWEALTH OF MASSACHUSETTS

MIDDLESEX, SS

SUPERIOR COURT DEPARTMENT OF THE TRIAL COURT CIVIL ACTION NO. 99-6144

NANCY CARPENTER, As Administratrix of the Estate of Charles Carpenter, Plaintiff

vs.

RANDALL DEE; PETER DEE; ULTIMATE AUTO, INC.; and CITY OF LOWELL, Defendants.

PLAINTIFF'S REQUEST FOR PRODUCTION OF DOCUMENTS BY ULTIMATE AUTO, INC.

The plaintiff, Nancy Carpenter, hereby requests of defendant, Ultimate Auto, Inc., that the plaintiff be permitted to inspect and copy the originals and copies of the following designated documents, writings, photographs, or tangible things. Production, inspection and copying shall take place at the office of defendant's counsel, within thirty days of the receipt of this notice or at such other place and time as may be agreed upon by counsel for the parties.

If, in response to any of the following requests, production of a document is denied on the basis of attorney-client privilege or trial-preparation/work-product materials, kindly indicate sufficient information concerning said document and the claimed privilege to enable the court to assess the applicability of said privilege, including the nature of the document withheld, the identity of its author, the current custodian of the document, the date the document was prepared, and the exact privilege being asserted.

DEFINITIONS

A. "The accident" refers to the alleged accident described in plaintill's complaint as occurring on or about August 29, 1998.

B. "The motor vehicle" means the Jeep CJ-7 alleged to have caused the plaintiff's injuries and described in the plaintiff's complaint.

C. "Ultimate Auto, Inc." means the defendant Ultimate Auto, Inc., its officers, agents, and employees.

D. The term "documents" as used herein includes writings of any sort, drawings, graphs, charts, photographs, and other data compilations.

REQUESTS

1. All promotional and descriptive material in your possession relating in any way to oversize tires.

2. All promotional and descriptive material in your possession relating in any way to suspension lift kits.

3. All documents in your possession which comment upon, or relate in any way to, Massachusetts General Laws c. 90, § 7P.

4. A copy of all warnings and instructions which accompany suspension lift kits and/or oversize tires.

5. All warranties pertaining to the above products.

6. All complaints, letters, notices, claims or suit papers which constitute, reflect or relate to any claims as described in plaintiff's Interrogatory No. 11. *

7. All studies, reports, literature, research or documents of any other kind and description, relating in any way to the alteration in vehicle handling or driving characteristics (including, but not limited to change in its propensity to roll over) as result of alteration of vehicle height.

8. Copies of all industry and trade standards which reflect, or relate in any way to, the design, construction or configuration of automobile parts which have the purpose or effect of altering vehicle height.

9. Copies of all insurance policies (primary or excess) affording coverage to the defendant for this loss.

10. Copies of all statements secured at any time from plaintiff, or from any member of the plaintiff's family, and

---

* *Eds. Note*: Plaintiff's Interrogatory No. 11 can be found reprinted in Ultimate Auto's Answers to Interrogatories in these case files.

whether such statements be recorded or written, signed or unsigned.

11. All written warnings or instructions, which you have ever furnished to any customer, relating in any way to alteration of the handling or driving characteristics of the vehicle (including, but not limited to, its propensity to roll over) as a result of modification of vehicle height.

                         By her Attorneys,
                         By: _____/s/Carol Coblentz_____
                         Carol Coblentz (BBO#304321)
                         Needham, Shaker and Coblentz
                         44 Park Place
                         Boston, MA 02100
                         (617) 555-5555

Dated: /d/

COMMONWEALTH OF MASSACHUSETTS

MIDDLESEX, SS   SUPERIOR COURT DEPARTMENT OF THE TRIAL COURT CIVIL ACTION NO. 99-6144

NANCY CARPENTER, As Administratrix of the Estate of Charles Carpenter, Plaintiff

vs.

RESPONSE OF DEFENDANT ULTIMATE AUTO, INC. TO PLAINTIFF'S REQUEST FOR PRODUCTION OF DOCUMENTS

RANDALL DEE; PETER DEE; ULTIMATE AUTO, INC.; and CITY OF LOWELL, Defendants.

1. Catalogue and specification sheet to be produced.
2. Manufacturer's brochure to be produced.
3. Registry of Motor Vehicle regulation to be produced.
4. The defendant has no such documents in his possession, custody or control other than the documents produced in response to requests no. 1 and 2.
5. The defendant has no such documents in his possession, custody or control.
6. The defendant has no such documents in his possession, custody or control.
7. The defendant has no such documents in his possession, custody or control.
8. The defendant, by its attorney, objects to this request on the grounds that it is vague and does not specify with particularity the documents sought.
9. Insurance policy to be produced.
10. The defendant has no such documents in his possession, custody or control.
11. The defendant has no such documents in his possession, custody or control.

                         By its Attorneys,
                         _____/s/ Bertram Cohen_____
                         Bertram Cohen (BBO#641311)
                         Roth, McKnight & Zimmerman
                         111 Milk Street

Boston, MA 02100
(617) 555-0000

Dated: /d/

COMMONWEALTH OF MASSACHUSETTS

MIDDLESEX, SS

SUPERIOR COURT DEPARTMENT OF THE TRIAL COURT CIVIL ACTION NO. 99-6144

NANCY CARPENTER, As Administratrix of the Estate of Charles Carpenter, Plaintiff

vs.

RANDALL DEE; PETER DEE; ULTIMATE AUTO, INC.; and CITY OF LOWELL, Defendants.

ANSWERS OF DEFENDANT ULTIMATE AUTO, INC. TO PLAINTIFF'S INTERROGATORIES

1. Please identify yourself by stating your full name, residential address, business address, employer, occupation and job title. *

Adam Jenkins, 11 Weeping Willow Road, Lexington, MA, President of Ultimate Auto, Inc.

2. Before proceeding further, please consult with all necessary persons, and review all necessary documents, to answer the remaining interrogatories. Have you done so?

Yes.

3. If you are a member of any trade associations, related in any way in whole or in part to the design, manufacture, sale, or use of automotive parts, which have the purpose or effect of modifying the height of vehicles, please identify all such organizations including: (a) name; (b) address; (c) inclusive dates of your membership; and (d) the name of any publications which you regularly receive from such organizations.

Specialty Equipment Manufacturers Associations.

4. Were you, or anyone employed by your company, aware of the existence of Massachusetts General Laws c. 90 section 7P. Unless the answer is in the unqualified negative, kindly state the name, residential address and position with your company of all persons who were so aware.

Yes. Cecil Sylvester.

5. If you expect to call any person as an expert witness at the trial of this case, kindly state (a) the name and address of each person whom you expect to call as an expert witness at trial; (b) the subject matter on which each person whom you expect to call as an expert witness at trial is expected to testify, and his qualifications as an expert in that area; (c) the substance of the facts and opinions to which each expert is expected to testify and a summary of the grounds for each such opinion; and (d) the formal education (including the college and post-graduate education) of each such expert, each job or position such person has held in his area of expertise and the dates of such employment, membership in professional societies of each such expert, and identify all publications of each such subject in his field of expertise.

Unknown at the present time.

6. With respect to any primary, or excess liability insurance applicable to the plaintiff's claim, please state the insurer, effective dates of the policy, and applicable coverage limits.

---

* *Eds. Note*: The Local Rules of many courts require that answers to interrogatories also contain the questions being answered. This makes it easier for judges and lawyers to comprehend and use the answers.

$500,000/$500,000 single limit bodily injury coverage, The Travelers Insurance Company, effective on the date of the loss alleged in the plaintiff's plainflits complaint.

7. Please identify all automotive parts ever purchased by the defendant, Randall Dee, at your company, including the exact description of such parts, date or purchase and purchase price.

It is unknown what, if any, any automotive parts were ever purchased by Randall Dee from Ultimate Auto. This question is presently being investigated by my attorney in connection with discovery in this action.

8. If you provided Randall Dee with any oral or written warning or instruction, relating in any way to change in the driving characteristics of modified vehicles (including, but not limited to, an increased propensity to rollover) please state (a) the exact content of such warning; (b) the date; and (c) the person or persons who gave such warning or instruction.

It is unknown what, if any, automotive parts were ever purchased by Randall Dee from Ultimate Auto. This question is presently being investigated by my attorney in this action.

9. Are you, or is anyone in your company, aware that Monster Tire's 38 inch "Monster Mudder" tires (hereinafter "the Monster Tires") if mounted on a 1986 Jeep CJ-7 (with necessary modifications to allow the mounting of such tires) could alter the driving and handling characteristics of the vehicle. Unless the answer is in the unqualified negative, kindly state (a) when you first became aware of this; (b) the name, address and company position of all persons with such awareness; and (c) in as much detail as possible, please describe what characteristics you were aware could be affected.

The defendant, by his attorney, objects to this interrogatory on the grounds that it is not clear what modifications are included in the term "necessary." Without waiving this objection the defendant states that both at, and after, the date of the accident, alleged in the plaintiff's complaint Adam Jenkins was aware that any modification to the center of gravity of a vehicle by the addition of tires could, depending on the vehicle, and other variables, affect the handling of the vehicle.

10. Are you, or is anyone in your company, aware that Rodeo Suspension kit lifts if mounted on a 1986 Jeep CJ-7 could alter the driving and handling characteristics of the vehicle. Unless the answer is in the unqualified negative, kindly state (a) when you first became aware of this; (b) the name, address and company position of all persons with such awareness; and (c) in as much detail as possible, please describe what characteristics you were aware could be affected.

No.

11. If you have ever received any claim or lawsuit, relating in any way to a vehicle rolling over, after the installation of any parts (including, but not limited to suspension lift kits and tires) purchased at your company, please state as to each such claim or lawsuit (a) the name of the person or persons involved in such claim or lawsuit; (b) name of plaintiff's attorney, if any;, (c) date of receipt of the claim or lawsuit; (d) date of the incident; (e) the current status of such claim or lawsuit; and (f) the court, caption and docket number of each such claim which resulted in litigation.

Not applicable.

12. Please identify the officers, directors, agent, servant or employee of the defendant with the most knowledge as to each of the following topics, including such individuals' full name, residential address, business address and position; (a) training of your company's sales personnel; (b) warnings or instructions issued to customers with regard to changes in handling or driving characteristics as a result of altering the height of a vehicle; and (c) the status of any claims or lawsuits described in Interrogatory No. 11 above.

Cecil Sylvester.

Signed under the pains and penalties of perjury

ULTIMATE AUTO, INC.
By: _____/s/Adam Jenkins_____
Adam Jenkins

COMMONWEALTH OF MASSACHUSETTS

MIDDLESEX, SS

SUPERIOR COURT DEPARTMENT OF THE TRIAL COURT CIVIL ACTION NO. 99-6144

NANCY CARPENTER, As Administratrix of the Estate of Charles Carpenter, Plaintiff

vs.

TRANSCRIPT OF DEPOSITION OF DEFENDANT RANDALL DEE

RANDALL DEE; PETER DEE; ULTIMATE AUTO, INC.; and CITY OF LOWELL, Defendants.

Deposition of Randall Dee, taken on behalf of the Plaintiff, pursuant to Notice under the applicable Rules of the Massachusetts Rules of Civil Procedure, before Rochelle D. Baron, a Shorthand Reporter and Notary Public in and for the Commonwealth of Massachusetts, at the Offices of Needham, Shaker & Coblentz on Thursday, xxxxx, xx, * commencing at 10:30 a.m.

APPEARANCES
ROSEMARY NEEDHAM, ESQ. and CAROL COBLENTZ, ESQ., For Plaintiff.
GWENDOLYN FRANCIS, ESQ., For Defendant Randall Dee.
BERTRAM COHEN, ESQ., For Defendant Ultimate Auto, Inc.
CAITLIN TALBOT, ESQ., For Defendant City of Lowell.

...

---

* *Eds. Note*: In the actual case, this deposition was taken six months after the complaint was filed and prior to the adding of Ultimate Auto, Inc. and the City of Lowell as defendants.

MS. COBLENTZ: Let me propose the following stipulations. The witness will read and sign the deposition. We will waive the notarization, sealing and filing; reserve all objections, except as to form, and reserve all motions to strike, except as to form.

RANDALL DEE, a witness called by the plaintiff, having been first duly sworn, was examined and testified as follows:

DIRECT EXAMINATION BY MS. COBLENTZ: Mr. Dee, my name is Carol Coblentz. I represent the plaintiff in this action. I'm going to be asking you a series of questions. It is not my intent to trick you in any way. If you, therefore, don't understand a question or it's unclear to you, please let me know, and I'll rephrase it or repeat it. And if you don't ask me to do that, I will assume you understand it.

If you hear an objection from your attorney, you go ahead and answer unless I instruct you not to answer. And if you want a break at any time, just let me know about that as well. Would you state your name, please?

A: Randall Dee.

Q: Where do you live, sir?

A: 91 Birch Hill Road, Lowell.

Q: And how long have you lived at that house?

A: Twenty-five years.

Q: And that's the house that you grew up in that your parents owned?

A: Yes.

Q: What's your Social Security number?

A: I'm not—I don't know it by heart.

Q: Do you have a driver's license with you today?

A: Yes.

Q: Is this your driver's license?

A: Yes.

Q: And is your Social Security number your driver's license as well?

A: Yes.

Q: Mr. Dee, are your parents both deceased?

A: Yes.

Q: And what were their names?

A: Dorothy Dee and Richard Dee.

Q: And do you know approximately when they purchased the house that you live in now, approximately?

A: Twenty-five years ago—about 25 years ago.

[We have omitted three pages of deposition regarding the transfer of the Dee house to Randall and his three siblings.]

Q: Mr. Dee, tell me when you first got your driver's license, approximately.

A: Five years ago.

Q: And what's your current age?

A: Twenty-five.

Q: So it was several years after you were first entitled to apply that you got it.

A: Yes. I think it was about—it might have been two years after or—I'm not sure. I forget. I think I might have been 19.

Q: Did you take driver's education in school?

A: No.

Q: Did you graduate from high school?

A: Yes.

Q: Lowell?

A: Lowell Vocational High School.

Q: And what course did you take there?

A: Auto body.

Q: And you are presendy employed?

A: Yes.

Q: By whom?

A: Raytheon of Waltham.

Q: And what do you do, sir?

A: I am a plater, metal finisher.

Q: And how long have you been at Raytheon?

A: Four years.

Q: And your present rate of pay is what?

A: What do you mean?

Q: Are you paid on an hourly basis?

A: Yes.

Q: What do you make an hour?

A: I think it's around $ 12 or something.

Q: And you work a 40-hour week?

A: Yes.

Q: Do you get overtime as well?

A: Very little but I do.

Q: And that's time and a half?

A: Yes.

Q: Did you take driving instruction from anyone?

A: No.

Q: Just kind of learned O. J. T., as they say?

A: Yes.

Q: Have you ever held a job in which driving was a part of your dudes?

A: No.

Q: What was the first car that you owned?

A: I never owned a car. I had never actually owned a car.

Q: The Jeep that you were driving at the time of this accident was registered to whom?

A: Twyla Burrell.

Q: And Burrell was an old girlfriend of yours?

A: Yes.

Q: And did you, in fact, live with her at some time?

A: Yes.

Q: Was her legal address 91 Birch Hill Road?

A: For a while before the accident.

Q: Now, when did you and she stop living together, approximately?

A: I'm not—

Q: It was before the accident?

A: Yes.

Q: A year or so before, something like that?

A: Yes.

Q: When was that vehicle purchased by Twyla Burrell?

A: Would have to be around '95 or '94, I'd say.

Q: And it was a 1986 Jeep CJ-7?

A: Yes.

Q: Where was it purchased from?

A: Some car auction, I think, in Concord maybe.

[We have omitted the portion of the deposition regarding Randall's acquisition of the Jeep from Twyla Burrell.]

Q: Can you help me at all in terms of the specific date when the Jeep was purchased?

A: I'm not too sure. It had to be '95 maybe. I could find out, but I'm not too sure.

Q: Now, were any modifications made to the Jeep?

A: Yes.

Q: I want to talk about those in as much detail as we can and to talk about each of them separately. First of all, let me start with fires. When the Jeep was purchased, what kind of tires did it have, if you know?

A: It had stock tires.

Q: And do you know the size of those tires?

A: Fifteen inch.

Q: Would that be stock for a Jeep CJ-7?

A: Yes.

Q: At some point, much larger tires were put on, is that right?

A: Yes.

Q: Were the stock tires that were on it in good condition?

A: No. They were worn out.

Q: So they needed to be replaced anyway.

A: Yes.

Q: Did you immediately replace them with larger tires?

A: I had to lift the Jeep before I could put the bigger tires on.

Q: And when you say "lift the Jeep," you mean raise the suspension?

A: Yes.

Q: And we'll get to that. When and where did you purchase the larger tires?

A: I purchased them at Ultimate Auto, Inc.

Q: And these tires are called Monster Tires, is that right?

A: Yes.

Q: Is that a brand name, or do you know what the brand was?

A: That may be the brand. Though it might be technically something else.

Q: And what size tires were these?

A: They were 40 inch, 15's but 40 inch.

Q: In other words, the inner radius—

A: The rim was 15-inch rim.

Q: Fifteen-inch rim which is the same as the stock rim?

A: Yes.

Q: But the diameter of the tire is much larger.

A: Yes.

Q: And is 40 inch the diameter of the tire?

A: Yes.

Q: So it's over three feet. And the suspension needs to be raised to accommodate that.

A: Yes.

Q: Had you previously raised the suspension before you purchased the tires?

A: Yes.

Q: And tell me what you did to do that.

A: Well, I bought a lift kit, a suspension—a suspension lift kit from the same place, Ultimate Auto and then I—and that raised it, I think, three inches—

Q: The lift kit alone raised it three inches.

A: —and stiffened up the suspension. And then I raised the body from the frame four inches with spaces underneath the body of the Jeep to the frame and that gave—

Q: So that was a total of seven inches—

A: Yes.

Q: —which gave you enough clearance to fit the tires.

A: Fit the tires.

Q: And now, having raised it seven inches, could the car then work? I mean I understand it would have looked silly. Would it have worked on stock tires?

A: Yes.

Q: And if it had stock tires, say, at the roof line, it still would have been even inches higher.

A: Yes.

Q: And with the Monster Tires, how much additional height was added?

A: It probably raised a foot?

Q: So that overall, it had been lifted as much as one foot seven inches, am I right?

A: Approximately.

Q: What I want to do, Mr. Dee, is go into this in detail, and you have to bear with me because I'm not an auto mechanic. And I want to understand it as much as I can.

MS. FRANCIS: Can I just interject I don't think there's anything to show that there's actual figures or that this is on his own estimate. I understand you've given us your best judgment about the height, and I understand you haven't measured them to the fraction of an inch.

A: Yes.

Q: Did you purchase the lift kit at the same time as you purchased tires to raise the body? Was that all done at the same time?

A: What do you mean?

Q: Okay. The lift kit contained some specific materials that are used to raise the suspension.

A: Are we talking about now the suspension or the body?

Q: The suspension.

A: They're just springs that are arced greater than a stock spring, and that's what gives you the lift.

Q: And you also purchased a kind of rubber disc as a spacer.

A: Not for the suspension; that's for the body.

Q: Did you do the work yourself?

A: Yes.

Q: Did anyone help you?

A: Charlie did a little bit, but it was mostly me.

Q: Charlie Carpenter?

A: Yes.

Q: Where did you do the work?

A: I did it in my backyard, my driveway.

Q: Did you need a lift to do any of this work?

A: Just a floor jack.

Q: And how long did it take you to do that work?

A: A couple of months, two months.

Q: Let's start by having you describe for me what parts you purchased from Ultimate Auto.

A: Okay. I purchased the Monster Tires, right—

Q: Four of them?

A: Four of them, yes—and—

Q: What was the cost of those?

[Discussion off the record.]

Q: Is it your best memory that the tires were $ 300 each?

A: No. The tires were 200 each and the rims were $ 50 each for a rim. So four—four rims was $ 200 and the tires were 200 each.

Q: So that's a thousand.

A: Yes, plus the tax or whatever. It came to roughly—I guess I got the receipt—1200. Gee, and if I had gone to New Hampshire, I would have saved the tax.

Q: So it was about 1200 just for the tires and rims?

A: Yes.

Q: And with tax, excise tax and so forth.

A: Yes.

Q: Am I correct that you purchased those after you had already done the work to lift the car?

A: Yes.

Q: So the first thing you purchased was what?

A: The leaf spring, the suspension lift at Ultimate Auto.

MS. COBLENTZ: I have a pretty good idea what a leaf spring looks like but let's go off the record a minute.

[Discussion off the record.]

Q: We're to do this by drawing of words as opposed to pictures.

A: Yes.

Q: The first thing that you did was you replaced the stock leaf spring with a more arced spring.

A: Yes.

Q: And the upper part of the spring connects to the frame of the Jeep and the lower part connects to the axle.

A: Right.

Q: So that by increasing the arc, it has the effect of raising the frame relative to the axle, is that correct?

A: Yes.

Q: And the stiffer and more arced spring raises the frame relative to the axle by how much, approximately?

A: I think it was a three inch. Two and a half inch it says on the—two and a half inch suspension lift they sell it.

Q: So there is a box that calls it a two and a half inch lift.

A: Yes, Rodeo is the name.

Q: Rodeo?

A: Yes.

Q: Do you, by any chance, have any of the boxes or any of the instructions for that equipment?

A: Probably not.

Q: But it was called Rodeo?

A: Yes.

Q: And this was purchased at Ultimate Auto?

A: Yes.

Q: Now, did you purchase the body lift materials at the same time?

A: No.

Q: Did you buy four springs?

A: Yes.

Q: And what was the cost, approximately?

A: I think it cost 350 or 300 and change.

Q: So about 80 or $85 per spring, correct?

A: About that.

Q: Was that the first thing you purchased to do the modification?

A: Yes.

Q: And then at a subsequent time, you purchased the kit to lift the body relative to the frame.

A: Yes.

Q: And what is that called?

A: It's called a body lift.

Q: And is the term "hockey puck" sometimes used to describe that?

A: Well, what happened is I called Crazy Larry's, a place where they sell body lifts. I called the place to purchase it, and they—I don't know who the guy was, but he said, "Everybody's using hockey pucks. It's the hardest rubber in the world." He was buying hockey pucks and using them as body lifts so that's what I did. I went out and I bought a bunch of hockey pucks.

Q: An actual hockey puck in a sporting goods store?

A: Yes.

Q: Do you know where you bought them?

A: City Sports in Waltham.

Q: So you literally used hockey pucks.

A: Yes.

Q: Did you get this advice over the phone?

A: Yes.

Q: From Crazy Larry's?

A: Yes.

Q: Who gave you the advice about the body lifts?

A: I don't remember who it was because I was calling around a bunch of places looking for a body lift.

Q: Did Ultimate Auto sell body lifts?

A: Yes everybody did.

Q: Do you have any way of remembering who you talked to there?

A: No, no. I called so many locations. I forget who told me. I'm not too sure who said, but he said everybody's using hockey pucks so—

Q: Do you know what that body lift kit looks like?

A: Yes.

Q: Does it, in fact, consist of a rubber—

A: They are Spacers; they're round; some are made out of aluminum; some are made out of steel. And they're just round pieces of metal with a hole through the middle. You just put—you just lift the body a little from the frame and fill it in and put body bolts back in.

Q: So it's just a cylinder really.

A: That's all.

Q: Okay. And does Ultimate Auto specialize in conversion of vehicles?

A: I don't know if—they don't do it themselves. They sell the parts, but they don't actually do any of the work.

Q: And they sell racing tires and so forth.

A: They sell everything.

Q: So it's a specialty store—

A: Yes.

Q:—for people who want to modify cars either in terms of racing them or speeding them up or things of that sort.

A: Or four-wheeling.

Q: Or four-wheeling. Now, when you bought the hockey pucks, what did you do, you drill out a hole in them?

A: Yes.

Q: And you pile—

A: Four on—

Q:—four on top of each other.

A: Yes.

Q: So let's say a hockey puck's about an inch and a half thick.

A: No, an inch thick.

Q: So that raised it four inches.

A: Yes.

Q: When you purchased the hockey pucks, did you, by any chance, tell City Sports what you were going to use them for?

A: No. I told them I owned a hockey team.

Q: So you bought 16 pucks.

A: I bought about 50 of them.

Q: Fifty of them?

A: Sure.

Q: Because they wear out?

A: No. You got—

Q: I thought you said four on each wheel.

A: No. We're talking about the body now. From the frame, you got—you got about 12 mount—12 spots where the body bolts to the frame so you got to put four, four,

four and four.

Q: So at every point where the body bolts to the frame you put four hockey pucks as a spacer.

A: Yes.

Q: Is that something you had heard about before, the use—

A: Everybody was doing it.

Q:—the use of hockey pucks?

A: Everybody was doing it. They were cheaper, for one thing. And you are better off having rubber in between to absorb the shock rather than metal, metal to metal.

Everybody was using the hockey pucks.

MS. COBLENTZ: Off the record.

[Discussion off the record.]

Q: And then after you did that, you then went back and purchased the Monster Tires.

A: Yes.

Q: Do you remember the names of the persons you dealt with at Ultimate Auto.

A: No. They changed. He never gets the same salesmen. They come and go at that place. I wouldn't remember.

Q: Is the place still in existence?

A: Yes.

Q: Are Monster Tire tires designed specifically for Jeeps?

A: No.

MS. FRANCIS: I don't know if he'd know that information anyways.

Q: If you know. Are they made for four-wheel-drive vehicles?

A: They're made for anything, any type of vehicle.

Q: Are they designed for offroad use?

A: Yes.

Q: They're pretty knobby?

A: Yes.

Q: But they will also operate on the road?

A: Yes.

Q: And I am correct that with a tire of that size that you would be unable to accommodate it without doing both the suspension lift and the body lift?

A: Yes.

Q: Had you ever had prior experience modifying vehicles?

A: No.

Q: Did you teach yourself to do this?

A: Yes.

Q: Did you use any printed materials to learn how to do it?

A: No. I looked in books, but like Off Road magazine or something. It was a fad. Everybody was lifting.

Q: Did you subscribe to any of those magazines?

A: No.

Q: You just purchased them someplace?

A: Yes.

Q: Do you know the name of any specific ones that you used?

A: Magazine?

Q: Yes.

A: Off Road, I think it's called.

Q: Did you use an article in Off Road as a kind of "how to" or a manual to help you do this?

A: No.

Q: Had you gotten any instruction in this during your high school vocational training?

A: No.

Q: I take it that from a mechanical point of view it wasn't terribly complicated.

A: No.

Q: Now, did you ever learn in high school or from any source that Jeeps were known to have a roll-over problem?

A: Yes.

Q: And where did you first learn that?

A: I think I seen it on the TV, 20/20.

Q: On 20/20 or Sixty Minutes?

A: Something like that there was an article.

Q: Was that before this accident, if you know?

A: I think it was after. I'm not sure.

Q: Did you know at the time when you made the modifications that raising the height of a vehicle can affect its handling characteristics?

A: Yes.

Q: And did you know that raising the height of a vehicle can, among other things, affect its propensity to roll over?

A: I didn't know. I figured it would make it better because the tires were heavier. You got heavy tires at the bottom. Now you got more weight at the bottom of the vehicle now than the top so I figured it would roll less.

Q: You actually thought it would roll less because of the weight of the tires—

A: Yes.

Q: —even though the overall height was raised as much as it was?

A: Yes.

Q: When you purchased the Monster Tires at Ultimate Auto did the salesman give you any instructions concerning their use?

A: No.

Q: Did he tell you about anything to watch out for?

A: No.

Q: Did he ask you what vehicle you were putting them on?

A: No.

Q: Just sold them to you?

A: That's all.

Q: You paid the money and they went out.

A: You got it, right, yes.

Q: Same question with respect to the suspension raiser, suspension lift kit, did you get any warnings or instructions when you purchased that?

A: No, no.

Q: And were there any questions about what use you were going to put these parts to?

A: What do you mean, any questions?

Q: Did he give you any instructions?

A: Oh, the same man?

Q: Yes, the same man.

A: No, they just hand them to you and you give them the money.

Q: Were there any warnings or instructions in the suspension lift kits concerning their use?

A: Not that I know of. I didn't see any.

Q: I may have asked you and I forgot the answer, the manufacturer of the Monster Tires?

A: I think that's their name.

Q: Do they make other kinds of tires? It's not a name that's familiar to me.

A: I'm not too sure. It's not a familiar name. I'm not sure if that's all they make.

Q: Are these tires still on the car?
A: Yes.
Q: And the car is where?
A: It's in my driveway.
Q: And you know that you're not allowed to modify it.
A: I don't even think—it's rotting there.
Q: Did you do maintenance work on the jeep yourself?
A: Yes.
Q: Did you ever have maintenance work on it performed anywhere else?
A: No.
Q: Did you do all the work on it yourself?
A: Yes.
Q: Do you remember any of the maintenance you did on it?
A: Changed the oil, spark plugs.
Q: Did you do any engine work on it at all?
A: No. It's basically stock. I put a header on it, but other than that, it was all stock.
Q: So, to the best of your judgment, that car never saw the inside of an auto mechanic's door after you got it.
A: No.
Q: Do you remember where the vehicle was inspected?
A: Yes.
Q: Where was that?
A: McGill's.
Q: If I suggest to you December of 1997, does that sound about right as the last inspection?
A: I can't recall.
Q: But you know that it was inspected prior to the accident.
A: Yes.
Q: Now, by December 1997, had the modifications all been done?
A: That means before it's been inspected, you mean?
Q: Yes.
A: Oh, yes.
Q: So if, in fact, it was inspected in December of 1997, the inspector was looking at a very modified vehicle, correct—

A: Yes.
Q: —and with all of the modifications we've talked about.
A: Yes.
Q: I'd just like to talk about your driving history. You indicated that you started driving, you thought, about age 19, approximately.
A: I think it was 19.
Q: Prior to this accident, were you charged with any motor vehicle violations, excluding parking.
A: Yes.
Q: And I'd like to talk about them in order, starting with the earliest that you can recall.
A: Let me think. I think the only one was drunk driving.
Q: And do you recall when that was?
MS. FRANCIS: Approximate time.
A: I forget.
MS. FRANCIS: Do you want to go off the record to refresh your recollection?
[Discussion off the record.]
Q: I have some information suggesting that in April of 1998 you were charged with driving under the influence. Does that sound correct?
A: Yes.
Q: Do you know any of the officers involved?
A: Yes.
Q: And who were they? I'm talking about that stop now.
A: With the drunk driving?
Q: Drunk driving, right.
MS. FRANCIS: Do you want to go off the record to refresh your recollection?
A: Ricky Murdoch, the officer was Ricky Murdoch.
Q: M-U-R-D-O-C-H?
A: That's close enough.
Q: Do you know any other of the officers involved with that?
A: No.
Q: Were you driving the Jeep at that time?
A: Yes.
Q: And it had, of course, been modified?
A: Yes.
Q: Did the officers at that time make any comments

to you about the Jeep?

A: No.

Q: What was the outcome of that charge?

A: What did they do to me?

Q: Yes.

A: I was found guilty of DWI and I lost my license—loss of license for 30 days, and I had to go to school, drunk driving school, for so many hours. I'm not sure how many hours.

Q: Now, when your license is pulled, do you physically give up your license?

A: Yes.

Q: You hand it, what, to the clerk or something in court?

A: Yes.

Q: And then you get it back later?

A: In 30 days from the date you give it to them, they'll give it back to you providing you go to that—

Q: Now, as I understand it, at the time of this accident, you didn't have your license in your possession, is that correct?

A: Yes.

Q: Am I correct?

A: Yes.

Q: But you did, in fact, have a license at that time.

A: Yes.

Q: It had been returned?

A: Oh, are we talking about—

Q: At the time of this accident that we're here for.

A: I didn't have it on me, but I did have a license.

Q: You mentioned another incident. There was something about there not being a side mirror.

A: Well, I was never cited for that.

Q: But were you pulled over for it?

A: Yes.

Q: Do you know the name of the officer who did that?

A: No.

Q: But it was a uniformed Lowell police officer?

A: Yes.

Q: And when was that, first of all?

A: It was prior to the accident. I'm not too sure.

Q: Was it prior to the drunk driving charge?

A: Yes.

Q: Was it in 1997?

A: Yes.

Q: So it was—and so at that time, the vehicle had been modified again.

A: Yes.

Q: And could you tell me what the officer said?

A: He told me to—he told me—he said, "Take the vehicle home and don't take it back out on the road till you get a mirror on it, a rear view mirror." So I took it home and I put a mirror on it.

Q: You're talking about a side mirror—

A: Yes.

Q: —not the inner rear view mirror.

A: No.

Q: The driver's side mirror.

A: Yes.

Q: And you did that?

A: Yes.

Q: And did that officer make any comment on the height of the vehicle or anything related to its height?

A: No.

Q: And again, that was in 1997?

A: Yes.

Q: Now, were there any other motor vehicle violations that you have had up to this accident?

A: Yes.

Q: And what was that?

A: I was pulled over for being unregistered, uninsured in that Jeep. What happened is it was insured, but the little sticker that goes on your plate there—you know how they send you a card, renewal—registration renewal, well, either I never got the card or something so I didn't notice that little sticker had expired. So I was pulled over in that Jeep. They towed the vehicle, and they cited me for unregistered, uninsured.

Q: And when was that?

A: That was prior to the accident It could have been in '87 or '86.

Q: You mean '97.

A: I'm sorry, '97.

Q: But it was after the vehicle had been modified.

A: Yes.

Q: Am I correct that you did the modification fairly

shortly after you got the Jeep?

A: Yes.

Q: So let me recap. On at least three occasions prior to the accident this vehicle, in its modified form, came under the scrutiny of the Lowell Police Department.

A: Yes.

Q: And on none of those occasions did the police officers comment to you at all about its height, am I correct?

A: Yes.

Q: Was there any court appearance involved with that unregistered, uninsured charge?

A: Yes.

Q: What was the outcome of that?

A: I proved that it was insured. I brought in proof that it was insured so he dismissed that charge, but he did fine me for being unregistered, and that's it.

Q: So, in fact, for whatever reason, you couldn't show that the car was registered.

A: It had expired.

Q: It had expired.

A: But it was insured.

Q: Okay. Were you fined?

A: Yes.

Q: So presumably there are court records relating to that.

A: Yes.

Q: Who was your insurance agent?

A: I don't remember.

Q: Is the Jeep insured now?

A: No.

Q: Is it in a driveable condition?

A: No.

Q: Because?

A: The windshield broke, it's missing the hood and fender.

Q: So it hasn't been driven since the day of the accident.

A: No.

Q: How did it get from the accident site back to you house?

A: Towed.

Q: Do you know who towed it?

A: McGill's.

Q: Do you know how it was towed?

A: Just a normal—

Q: Was it dollied?

A: No. It was just towed, lift the front end.

Q: Towed on the rear wheels?

A: Yes.

Q: I'd like to turn to the happening of the accident itself. The date of the accident, sir, was what, do you recall?

A: August, 1998.

MS. COBLENTZ: Off the record a second.

[Discussion off the record.]

Q: What day of the week was that, do you know?

A: Saturday.

Q: And what did you do that morning?

A: What did I do?

Q: Yes.

A: I got up—

Q: Do you remember anything special about the day?

A: No, just regular day.

Q: Did you have plans for the day?

A: Well, it was my brother's birthday.

Q: Peter's?

A: Yes. They invited a few friends over to his girlfriend's house. It was a hot day. She has a pool in the backyard, which is about a hundred—a hundred feet away from the accident where she lives.

Q: And her name is what?

A: Keisha Ramsay.

Q: How do you spell that?

A: K-E-I-S-H-A, R-A-M-S-A-Y.

MS. COBLENTZ: Off the record.

[Discussion off the record.]

Q: Does she still live there?

A: Yes.

Q: Do you know the address?

A: No.

Q: Does your brother still go out with her?

A: Yes.

Q: Who was present at the party?

A: There was myself, my wife, my brother, his girlfriend Keisha, her mother—was that—her brother-in-law with his two children.

Q: What's his name?

A: Stony; that's his last name, Stony. I'm not sure of his first name.

Q: And she has been here with us today.

A: Yes.

Q: When were you married?

A: [No response.]

Q: Nobody ever remembers that. Don't feel bad.

A: That's a toughie.

Q: Were you married at the time of this accident?

A: No.

Q: I should never have asked.

A: I'm in trouble now.

Q: It's just the pressure of the occasion. When did you arrive at the party?

A: I'd say around 4:30 or 5.

Q: And was Charlie invited to the party?

A: Yes.

Q: Did you invite him?

A: No, my brother did.

Q: Was Charlie more your friend or your brother's friend?

A: He was both.

Q: And you had known him for a long time?

A: Oh, yes. We were like brothers.

Q: Did Charlie arrive separately from you?

A: Yes.

Q: How did he get to the party?

A: His car.

Q: And what kind of car did he have?

A: I think he had a green Mustang.

Q: How long were you at the party?

A: About an hour before he came.

Q: You were there an hour before Charlie came?

A: About that.

Q: So Charlie would have come around 5:30 or so.

A: Yes.

Q: Was this party for a dinner?

A: It was a cookout, barbecue, whatever.

Q: And did you, in fact, have dinner?

A: Yes.

Q: Was there any alcohol served at this party?

A: There was beer.

Q: Did you have beer?

A: No.

Q: You had none?

A: No.

Q: How do you remember that?

A: I just was—just didn't drink. I wasn't drinking that day, I remember.

Q: How much did you drink then? Did you have an occasional beer?

A: That's all; on the weekends, maybe a Saturday.

Q: Have you ever had any kind of drinking problem?

A: No.

Q: Did Charlie have anything to drink?

A: I don't know.

Q: What time did you leave the party?

A: Let's see. I'd say around 6:30 -7 or—we were just leaving to get our bathing suits to go swimming, me and Charlie.

Q: Were you going to go back to each of your houses to get suits?

A: Yes.

Q: And where were you on your way first, to your house or his?

A: Probably his; his was—let me think—yes, his house would be closer.

[Discussion off the record.]

Q: And the accident happened at the corner of Palmer and Franklin, is that right?

A: Yes.

Q: I'd like you to draw, just if you could, a little map showing the path from the party to where the accident happened.

A: Okay.

[Witness drawing.]

MS. FRANCIS: May I just inquire, are you intending to use this for future reference, this sketch, or is it just for questions?

MS. COBLENTZ: Well, I'll mark it.

MS. FRANCIS: Of course, it's completely out of scale.

MS. COBLENTZ: I want to get the relationship of one street to the other.

THE WITNESS: I'm not too sure of the spelling or whatever, but I think that's how it was, basically.

MS. COBLENTZ: Let me mark this sketch as the next exhibit.

[A sketch drawn by the witness was marked as Exhibit No. 4 for identification.]

Q: Exhibit 4 is your sketch indicating the house where—

A: Yes.

Q: And the accident happened in the course of the left turn onto Franklin Street; is that correct?

A: Yes.

Q: Now, before we get into that, in previous occasions when you had driven the vehicle, had there been anytime when you felt it leaning or starting to roll over?

A: No.

Q: Had you driven it off the road at all?

A: Very little, a few times.

Q: Where did you drive it off road?

A: Prospect Hill.

Q: Prospect Hill in Waltham?

A: Yes.

Q: Did you drive up the hill there or just kind of around those grounds there?

A: Around the grounds.

Q: Had you ever driven it off road under conditions where you had any real need for the extra clearance that all the modifications had given you?

A: Yes.

Q: And are there, for example, rocks and boulders there that you need to clear?

A: There's rocks and boulders and muddy, and I took it up there in the snow. And you need the clearance or you'd get hung up in the snow. You know what I mean, you'd actually be stuck in the snow if you weren't that high.

Q: But the primary use that you made of the vehicle was on the road?

A: Yes.

Q: Now, is Palmer and Franklin a regulated intersection? Is there a stop sign or traffic light there?

A: No traffic light; I think there's a stop sign. I'm not sure, but not—I didn't have a stop sign. I think there is the stop sign.

Q: On Franklin?

A: On Franklin.

Q: Can you give me your best estimate of your speed as you were going down Palmer Street before you got to the corner?

A: I'd say it couldn't be no more than 20 because that Jeep with the big tire, I didn't change the gear ratio so it didn't have no power. It took a long time to pick up speed so I say—the distance from about a hundred yards—

Q: Do you remember what gear you were in?

A: First gear, because it was a slight climb, like I said. when I put on the big tires, it took all the power away from it.

Q: You were in first gear all that time?

A: Yes, because it's real short. I don't think I got out of first gear.

Q: Were you in first gear as you made the corner?

A: Yes.

Q: When the Jeep rolled, you were in first gear?

A: I'm pretty sure.

Q: Do you remember turning the corner excessively sharply?

MS. FRANCIS: I object.

Q: Let me rephrase it. Did you turn the corner more sharply than you usually turn a corner?

A: No.

Q: Tell me exactly what happened, as you remember it.

A: I was going down Palmer street and then that intersection or that turn, it's real sharp—no. I wouldn't say sharp. It's a real dangerous turn or something. It dips and then—it dips toward—it's —I don't know. it's a bad—everybody cuts it. No one ever takes the turn. Everybody crosses the yellow line.

Q: In other words, you cut the corner a little bit onto Franklin?

A: You have to. That's the kind of—

Q: Is it, for instance, a 90-degree turn?

MS. FRANCIS: I don't think he'd have any knowledge of that.

Q: If you know.

A: I don't know.

Q: You know what I mean when I say that? Is it more than like a square corner? Are you kind of doubling back when you—

A: I don't think so.

Q: Is there something about the pitch on Franklin Road that creates any difficulty?

A: I would say there is, but—

Q: Have you ever heard about any other accidents at that corner?

A: I seen—the bushes that I hit, a couple of—maybe a month ago, the same bushes, the exact same spot, the bushes were dug up again.

Q: Okay. I'd like you to draw another diagram for me showing the same intersection in larger scale, and I'll draw the streets.

[Ms. Coblentz draws a diagram.]

Q: This is Palmer and this is Franklin. The Jeep is coming from here and making this turn [indicating], correct?

A: Okay.

Q: Right?

A: Yes.

Q: First of all, describe it in words and then we'll figure out what we want on the sketch. You indicated that you had to cut the corner crossing the yellow line as you did so.

A: Yes, very—yes.

Q: And what was the first sensation you had of any problem?

A: I didn't. It just—I don't remember.

Q: Do you remember applying the brakes?

A: Yes, I think so. It happened—you know, I'd say so fast but just—I don't remember. I tried to, you know, block it out. I just can't recall.

Q: As you think back on it, do you have a memory of the vehicle rolling?

A: Barely.

Q: And I take it rolled—if you were looking at the vehicle from behind, it rolled clockwise? In other words, it rolled toward the right?

A: It rolled toward the passenger side.

Q: Right. And do you have any sense about when it started to roll in relation to where you were, on Palmer or Franklin?

A: No.

Q: It was shortly after you had started the turn though, is that right?

A: Oh, yes.

Q: Were you pretty much onto Franklin when it began to roll?

A: I was probably right in the middle of the turn maybe.

Q: What I'd like you to draw for me, as best you can, and try to get the Jeep somewhat in scale, at least relative to the intersection itself, the position of the Jeep at the moment when it first seemed to begin to turn. And the way we draw cars in the law business is like this with a "V" on the front end like that.

A: And what do you want me to do?

Q: I want you to draw the position of the Jeep when it first started to roll.

MS. FRANCIS: Is that what he felt?

Q: When you felt that it first started to roll, as best you can. But I just want to get some sense of where it was in relation to the intersection.

A: I'm coming down here [indicating].

Q: Down here turning onto Franklin like that?

A: And there was a house here. There was bushes here, shrubs.

Q: Why don't you draw the shrubs.

A: How do you—

Q: Just kind of a wavy line to indicate the shrubs.

[Witness complies.]

Q: Those are the shrubs on that corner?

A: I'd say right about—maybe right there.

Q: And can you draw for me the final position that the Jeep was in when it came to rest?

MS. FRANCIS: Can we mark that position with some kind of letter or something?

MS. COBLENTZ: Yes.

Q: Why don't you put "1" inside that. And then draw the position of the Jeep when it came to rest.

MS. FRANCIS: The location, you mean?

MS. COBLENTZ: Yes, the position.

MS. FRANCIS: Because position means situation.

[Witness complies.]

A: Something like that.

Q: So it came to rest partly on the road in these bushes.

A: Yes.

MS. FRANCIS: Can we mark that position with a

"2"?

MS. COBLENTZ: Yes.

Q: Can you put a "2" on there?

[Witness complies.]

Q: And at that point, the vehicle was completely flipped over.

A: Yes.

Q: And Charlie was pinned under the roll bar?

A: Yes.

Q: Did it have the roll bar when you got it?

A: Yes.

Q: Were you thrown out of the vehicle?

A: No.

Q: Were you belted in?

A: No.

Q: You were inside the vehicle?

A: Yes. I had the steering wheel, you know, to hold me in. So when it rolled, I slid out of it, like fell out toward the passenger side.

Q: And what did you do when you got out? First of all, you were conscious.

A: Yes.

Q: Were you hurt at all?

A: Yes.

Q: How had you gotten hurt?

A: I think I banged up my knee.

Q: But you weren't seriously hurt at all?

A: No.

Q: Were there people around?

A: Yes.

Q: What's the first thing you did?

A: I checked—I looked to see where Charlie was.

Q: And you saw him pinned under the roll bar.

A: Yes.

Q: What did you do next?

A: I flipped out. I tried to push the Jeep. I just didn't know what to do.

Q: Did you get some people to help you?

A: Some—somebody came over. I just—I don't remember. I know—

Q: Do you remember at some point the vehicle being pushed onto its side?

A: I don't—I'm not sure. It must have been.

Q: Do you remember it being on its side when the police arrived?

A: Yes, I think so.

Q: Do you remember having any conversation with the police that night?

A: No.

Q: What do you mean, after the accident?

A: Yes. They put me in the traffic safety van and—

MS. FRANCIS: Do you remember talking to the police was the question.

A: Yes.

MS. FRANCIS: Was that the question, just talking to the police?

MS. COBLENTZ: Yes.

Q: Well, let me ask this. At some point, you knew you were being charged with some crime.

A: Correct, yes.

Q: Were you informed of it that night?

A: No.

Q: Were you taken to the hospital?

A: Yes.

Q: Was that Lowell's Community Hospital?

A: Yes.

Q: Were you treated and released?

A: What happened is I was waiting—I was waiting to be treated and then I heard that Charlie died. I just flipped out. I refused treatment, and I just walked out of the hospital and went home.

Q: You walked home?

A: Yes.

Q: How far is that?

A: About a mile.

Q: Was the car in the two-wheel drive or four-wheel drive position?

A: Two.

Q: Did you ever use four-wheel drive on the road?

A: Only in the winter in the snow.

Q: Did you tell the police that you had some steering difficulty?

A: I thought there was, but—I'm not sure. I said something about that.

Q: Is it your belief today that there was any steering difficulty?

A: I'm still not sure. I haven't touched the Jeep. I don't know.

Q: Am I correct that at the moment when the vehicle began to roll over, up to that time, you had not been aware of any steering problem?

A: No.

Q: It began to negotiate the curve and accepted steering input as you made it, right?

A: Repeat that.

Q: Yes. You turned the wheel and the vehicle responded to your turning the wheel.

A: Yes, as far as I—yes.

Q: And you're not aware of any breaking problem, is that right?

A: No.

Q: Do you remember the names of the officers you spoke to that night?

A: [No response.]

A: The officers?

Q: Yes.

A: No. I have it at home.

Q: Had you ever seen either of them before?

A: No.

Q: Were you or Charlie yelling anything just prior to the accident?

A: No.

Q: Did you ever hear any information of a witness that said you were?

A: Yes.

Q: How did you hear that?

A: He said it at the probable cause hearing.

Q: And your testimony is that you were not yelling?

A: No.

Q: Were there any repairs made to the Jeep after the accident?

A: No.

Q: At what time was it towed back to your house, do you know?

A: I think it was two days after. It was towed to McGill's Garage, and it was stored back there, I think, for a couple of days, And then it was towed to my house.

Q: I just want to go through the charges and what happened. You were charged with a number of different offenses as a result of this, weren't you—

A: Right.

Q: —of which the most serious, of course, was motor vehicle homicide. You were found guilty of that.

A: I think so, yes.

MS. FRANCIS: Do you recall?

Q: And do you remember what your penalty was for that?

A: Two years suspended sentence.

Q: So that the two years has now elapsed.

A: No. I think it's —1 got until May, I think.

Q: And the driving to endanger was dismissed and merged into the count for motor vehicle homicide.

A: Yes.

Q: And you were found not guilty of operating after license had been revoked.

A: Yes.

Q: And you were found guilty for failing to slow at the intersection.

A: Yes.

Q: And you were found guilty of speeding, right?

A: Yes.

Q: And you were found guilty of altering the height of a motor vehicle.

A: Yes.

Q: At the time, sir, when you deeded your interest in your house to your brother, did you have any other substantial property?

A: No.

Q: So it's fair to say that the house was really your sole significant asset.

A: That's it.

Q: And what was your motor vehicle liability insurance at the time of this accident?

A: What option, you mean?

Q: Yes.

A: I think it was option 3.

Q: Do you remember how much liability coverage you had?

A: I think it was 10/20, something like that.

MS. COBLENTZ: Off the record.

[Discussion off the record.]

Q: So you knew that you had the minimum amount of liability insurance, correct?

A: Yes.

Q: And you knew at the time, did you not, that one who negligendy causes the death of another can be responsible civilly as well as criminally for that?

MS. FRANCIS: I object to that. I don't think he even has the answer to that.

MS. COBLENTZ: I think it relates.

MS. FRANCIS: He knew at which time?

MS. COBLENTZ: At the time he conveyed the house. That's what this goes to.

MS. FRANCIS: That he knew—what was the question again?

Q: At the time when you conveyed the house, you knew that someone who is negligent and causes the death of another person can be responsible to the estate of that person civilly or criminally.

A: I didn't know that.

Q: You didn't know that?

A: No.

Q: You had no concerns whatever about possibly losing an asset?

A: No. I just needed money. I didn't have nowhere to turn. I don't have any credit at all. I needed money before he'd represent me.

Q: Does Raytheon have a credit union?

A: Yes.

Q: Had you gone to the credit union?

A: No.

Q: Did you ever ask?

A: No. I didn't think they'd lend you that much money.

Q: But you didn't inquire.

A: No.

MS. COBLENTZ: I'm done.

MS. FRANCIS: I have a couple of questions.

CROSS EXAMINATION BY MS. FRANCIS

Q: Was there any damage to the Jeep that you described to us?

A: Right now? From the accident, you mean?

Q: From the accident.

A: The windshield broke and the nose—the nose is crushed, like the hood and the two fenders and that's —

Q: Was it driveable after the accident?

A: I don't think so.

Q: Was there any damage to this new suspension that you installed?

A: No, not that I know of.

Q: In other words, those hockey pucks were still in place?

A: Yes.

Q: Did you have to put separate bolts that you purchased to go through the center of those hockey pucks?

A: Did I, yes.

Q: Longer ones—

A: Yes.

Q:—than were there? Were they still intact after the accident?

A: Yes, yes.

Q: And the springs that you installed, were they still intact?

A: Yes. The whole undercarriage is intact.

Q: Was there any damage to any of the parts that you installed?

A: No, nothing; It didn't roll that hard.

MS. FRANCIS: I have no further questions.

REDIRECT EXAMINATION By MS. COBLENTZ

Q: Where did you purchase the bolts?

A: A hardware store.

Q: But you didn't get them at a specialty auto store.

A: No.

MS. COBLENTZ: That's all I have.

MS. FRANCIS: We're all set.

[Whereupon, the deposition was concluded at 12 : 08 p. m.]

COMMONWEALTH OF MASSACHUSETTS

MIDDLESEX, SS

NANCY CARPENTER, As Administratrix of the Estate of Charles Carpenter, Plaintiff

vs.

RANDALL DEE; PETER DEE; CITY OF LOWELL, Defendants.

ULTIMATE AUTO, INC., Defendant and Third-Party Plaintiff

vs.

DALE MCGILL and McGILL's GARAGE, INC., Third-Party Defendants.

SUPERIOR COURT DEPARTMENT OF THE TRIAL COURT CIVIL ACTION NO. 99-6144

THIRD-PARTY DEFENDANT DALE MCGILL'S AND MCGILL'S GARAGE INC. 'S MOTION FOR SUMMARY JUDGMENT

Now come the third-party defendants, Dale McGill and McGill's Garage, Inc., by and through counsel and move this court pursuant to Rule 56 for Summary Judgment in their behalf on the basis that there is no genuine issue of material fact as to whether the third-party defendants owed a duty to Plaintiff's decedent, rather, this is a question of law to be decided by this court, as more fully set forth in the third-party defendants' memorandum filed in support of this motion.

Third-party defendants request oral argument of this motion.

Attorney for third-party defendants,

_____/s/Lisa Scottoline_____

Lisa Scottoline (BB O 393689)

Scottoline & Turow

One Federal Street

Boston, MA 02100

617/555-7777

Dated:/d/

COMMONWEALTH OF MASSACHUSETTS

MIDDLESEX, SS

NANCY CARPENTER, As Administratrix of the Estate of Charles Carpenter, Plaintiff

vs.

RANDALL DEE; PETER DEE; CITY OF LOWELL, Defendants.

ULTIMATE AUTO, INC., Defendant and Third-Party

SUPERIOR COURT DEPARTMENT OF THE TRIAL COURT CIVIL ACTION NO. 99-6144

MEMORANDUM IN SUPPORT OF THIRD-PARTY DEFENDANT DALE MCGILL'S AND MCGILL'S GARAGE INC. 'S MOTION FOR SUMMARY JUDGMENT

Plaintiff

vs.

DALE MCGILL and McGILL's GARAGE, INC., Third-Party Defendants.

Now come the third-party defendants, Dale McGill and McGill's Garage, Inc., and in support of their Motion for Summary Judgment, pursuant to Rule 56 state as follows:

I. INTRODUCTION

This instant action arises out of a one vehicle auto incident where a 1986 Jeep CJ-7 (hereinafter referred to as "the Jeep"), operated by defendant, Randall Dee, "rolled-over" allegedly causing the death of plaintiff's decedent, Charles Carpenter, on August 29, 1998. Sometime prior to August 29, 1998, Randall Dee allegedly modified the suspension on the Jeep by installing oversize tires and a suspension kit manufactured and sold by the defendant, Ultimate Auto, Inc. It is alleged by the plaintiff that Ultimate Auto was negligent when it sold the tires and suspension kit which allegedly altered the height of the Jeep and affected its handling characteristics rendering it unsafe. The plaintiff sets forth various specific allegations of negligence in support of its alleged cause of action. (Plaintiff's Complaint Count IV, ¶ ¶ 22 – 25.)

Ultimate Auto later added McGill's Garage, Inc., and Dale McGill as third-party defendants demanding contribution and alleging that Dale McGill, as agent or employee, of McGill's Garage, Inc. was negligent in approving an inspection sticker on said vehicle prior to the date of the accident. At the time alleged McGill's Garage, Inc. was a duly licensed inspection station for the Commonwealth of Massachusetts and engaged, among other things, in inspecting vehicles and either passing or rejecting said vehicles in accordance with the Code of Massachusetts Regulations, 540 CMR, §4.00 through 4.08 then in effect.

It is alleged that a safety inspection sticker was issued by McGill's Garage, Inc., to the Dee vehicle in December of 1997, several months prior to the incident in question and after Dee had altered the Jeep with the tires and suspension kit purchased from Ultimate Auto.

ARGUMENTS AND POINTS OF LAW

Neither Dale McGill (hereinafter called "McGill") nor McGill's Garage, Inc., (hereinafter called "McGill's Garage") are liable to Ultimate Auto as joint tort-feasor for contributions to any loss proven by the plaintiff against Ultimate Auto for the reason that at the time of the alleged incident no duty was owing by either Dale McGill or McGill's Garage to the plaintiff, plaintiff's decedent or anyone else.

Without a duty owing by McGill and/or McGill's Garage to plaintiff or plaintiff's decedent, neither McGill nor McGill's Garage are liable to plaintiff or plaintiff's decedent in tort. Because neither McGill, nor McGill's Garage are liable in tort to plaintiff or plaintiff's decedent, neither is a joint tort-feasor against whom contribution can be had by Ultimate Auto.

General Laws, Chapter 231B, Section 1(a), inserted by St. 1962, Chapter 730, Section 1, provides in pertinent parts: "[W]here two or more persons become jointly liable in tort for the same injury to person or property, there shall be a right of contribution among them. " The language of this statute requires that the potential contributor be directly liable to the plaintiff. Without liability in tort, there is no right to contribution.

It therefore follows that, only if McGill's Garage and Dale McGill are directly liable to the plaintiff's decedent, can the defendant/third-party plaintiff state a claim for contribution from McGill's Garage and Dale McGill.

At the time of the alleged issuance of the inspection sticker, Devember 1997, McGill's Garage, and its employee

McGill were required to inspect vehicles in accordance with 540 CMR, Section 4.00 through 4.08 effective March 31, 1995. *

Said regulations did not require McGill's Garage, nor McGill, as employee acting within the scope of his employment when issuing the inspection sticker, to inspect and/or reject any vehicle for alleged violations of any height or suspension alteration requirement.

Although M. G. L., Chapter 90, Section 7P may have prohibited any person from modifying or changing the height of a motor vehicle, with some exceptions, as alleged by the plaintiff, neither McGill nor McGill's Garage altered the Jeep and, therefore, they were not governed by that statute in the issuance of the December 1997 inspection sticker.

As 540 CMR, Section 4.00 through Section 4.08 effective March 31, 1995 did not require inspection for altered height, neither McGill nor McGill's Garage had a duty to do so. In fact, pursuant to 540 CMR Section 4.00 through Section 4.08, neither McGill nor McGill's Garage had any right to inspect and/or reject the subject jeep as the regulations set forth those specific areas only which were governed by the inspection procedure and did not authorize any inspection station to act beyond the specific directions of the regulations.

540 CMR Section 4.00 effective March 31, 1995 was not amended until May 27, 1999 [the year after the accident], after the death of Charlie Carpenter and after the issuance of the sticker in question, the inspection guidelines were changed to include inspection and/or rejection of certain altered height vehicles. 540 CMR Section 4.04 (13) (a).

CONCLUSION

There is only a question of law before this Court; that is, whether an inspection station, in December of 1998 had a duty to, through its agents and/or employees, reject a 1986 Jeep CJ-7 vehicle which had been modified with a suspension kit and tires to alter the height of the vehicle. Dispositive questions of law are properly heard on Motion for Summary Judgment. Clearly, the answer is no. 540 CMR Section 4.00 effective March 31, 1995 through May 27, 1999, set forth the standards for vehicle inspection and was silent as to altered height vehicles. Therefore, neither Dale McGill nor McGill's Garage through any other agent and/or employee had a duty owing to plaintiff or plaintiff's decedent relative to the Dee vehicle.

Having no duty owing to the plaintiff or plaintiff's decedent, neither McGill nor McGill's Garage can be held as a joint tort-feasor with Ultimate Auto and others regarding the loss claimed by plaintiff in this action. As neither McGill nor McGill's Garage can be held as joint tort-feasor, neither can be liable to Ultimate Auto for contribution as alleged in the Third-Party Complaint.

WHEREFORE, Dale McGill and McGill's Garage, Inc. move this Court for entry of summary judgment in their respective favors and against the third-party plaintiff, Ultimate Auto, Inc.

                            Attorney for third-party defendants,
                            _____/s/ Lisa Scottoline_____
                            Lisa Scottoline (BBO#393689)
                            Scottoline & Turow
                            One Federal Street
                            Boston, MA 02100
                            617/555-7777

Dated:/d/

---

* *Note to students*: For this exercise we have changed the effective dates of these regulations in order to make this simulation conform with the sequence of events as they occurred in the actual case.

COMMONWEALTH OF MASSACHUSETTS

MIDDLESEX, SS

SUPERIOR COURT DEPARTMENT OF THE TRIAL COURT CIVIL ACTION NO. 99-6144

NANCY CARPENTER, As Administratrix of the Estate of Charles Carpenter, Plaintiff

vs.

RANDALL DEE; PETER DEE; CITY OF LOWELL, Defendants.

ULTIMATE AUTO, INC., Defendant and Third-Party Plaintiff

vs.

DALE MCCILL and McGILL'S GARAGE, INC., Third-Party Defendants.

STIPULATION OF THIRD-PARTY PLAINTIFF, ULTIMATE AUTO, INC., AND THIRD-PARTY DEFENDANTS, DALE MCGILL AND MCGILL'S GARAGE, INC.

Defendant and Third-Party plaintiff, Ultimate Auto, Inc., and Third-Party Defendants. Dale McGill and McGill's Garage, Inc., hereby stipulate as follows:

1. At all relevant times, McGill's Garage, Inc. was a duly licensed inspection station for the Commonwealth of Massachusetts, which was engaged in, among other things, passing or rejecting vehicles; and Dale McGill was a certified inspector.

2. A safety inspection sticker was issued by McGill's Garage, Inc. to the Dee vehicle in question in December of 1997, several months prior to the incident in question and after Dee had altered the Jeep with the tires and suspension kit purchased from Ultimate Auto. Randall Dee paid $ 15.00 for the inspection and sticker.

3. Dale McGill was at all relevant times the President of, and Chief Mechanic and Inspector at, McGill's Garage, Inc. As of December 1997, he had been a gas station owner for fifteen years; he worked in other gas stations as a mechanic and helper for eight years prior to that.

4. The Commonwealth of Massachusetts Periodic Annual Inspection of All Motor Vehicles regulations [reprinted in the Case Files] were in effect at the time of the December 1997 inspection. G. L. c. 90 § 7P [also in the Case Files] also was in effect at all relevant times, including at the time of the inspection.

5. At all relevant times, McGill's Garage had large external signs that said: "Full Service Center," "Gas Station," and "Massachusetts Inspection Station."

6. At several times during 1997 Randall Dee bought gas at McGill's Garage, and Dale McGill was often the individual who pumped the gas into the Jeep. On at least one occasion prior to December 1997, Randall Dee got a change of oil and lubrication for the Jeep at McGill's Garage.

7. The following discovery [not reprinted in the Case Files] has occurred:

(a) In a deposition, Randall Dee said that when he went to McGill's Garage for the December 1997 inspection, he said to Dale McGill words to the effect that "I want my Jeep inspected for a safety sticker." He further states in that deposition that "I thought a safety sticker meant my Jeep was safe."

(b) Randall Dee and Dale McGill both say in depositions that Dale McGill inspected the Jeep in question in December 1997 and put the sticker showing that the vehicle had passed inspection on the front windowshield of the Jeep; both further say that neither Randall Dee nor Dale McGill mentioned the modifications to the Jeep to each other in December 1997 or at any other time.

(c) Plaintiff's lawyers have provided an affidavit during the discovery process in this case from an engineer who states that she has had extensive education and experience in vehicle design and safety. The affidavit further says that in the expert's opinion, based on what she has learned through extensive discovery in the case, inspection of the Jeep in question, and a visit to the relevant site, "a substantial cause of the accident in question was the elevated height of the modified Jeep which made the Jeep a good deal less stable than it would be without the modifications."

8. For purposes of the motion pending before the Court, the Massachusetts Rules of Civil Procedure are identical to the Federal Rules of Civil Procedure. Where the state and federal rules are identical, Massachusetts state courts often look to federal precedents. The Massachusetts Supreme Court has recently cited *Celotex Corp. v. Catsett*, 477 U. S. 317 (1986) with approval.

9. State courts frequently cite to the Restatements of Law as persuasive authority.

Executed by the parties as of this _____ day of _____, _____.

ULTIMATE AUTO, INC., Third-Party Plaintiff   DALE MCGILL and MCGILL'S GARAGE, INC., Third-Party Defendant

By its Attorney,   By its Attorney,

_____/s/Bertram Cohen _____   _____/s/Lisa Scottoline _____
Bertram Cohen (BBO#641311)   Lisa Scottoline (BBO#393689)
Roth, McKnight & Zimmerman   Scottoline § Turow
111 Milk Street   One Federal Street
Boston, MA 02100   Boston, MA 02100
(617) 555-0000   617/555-7777

■ THE COMMONWEALTH OF MASSACHUSETFS, SECRETARY OF STATE, REGULATION FILING AND PUBLICATION *

1. REGULATION CHAPTER NUMBER AND HEADING: 540 CMR 4.00 Periodic Annual Staggered Safety and Combined Safety and Emissions Inspection of All Motor Vehicles.

2. NAME OF AGENCY: Registry of Motor Vehicles.

3. READABLE LANGUAGE SUMMARY: States the general purposes and requirements of this regulation as well as the persons, organizations and businesses affected.

The purpose of 540 CMR 4.00 is to provide for a periodic staggered safety and combined safety and emissions inspection of all motor vehicles registered in the Commonwealth of Massachusetts and to establish licensing procedures for inspection stations, fleet inspection stations and safety inspection stations only authorized to participate in the inspection program. 540 CMR 4.00 establishes regulations and procedures for the issuance of various certificates to owner/operators in accordance with inspection procedures. 540 CMR 4.00 shall affect all persons owning, operating, purchasing and selling automobiles in the Commonwealth and shall affect many businesses relating to motor vehicle industry.

540 CMR: REGISTRY OF MOTOR VEHICLES

4.00 PERIODIC ANNUAL STAGGERED SAFETY AND COMBINED SAFETY AND EMISSION INSPECTION

---

* *Eds. Note*: These were the applicable regulations at the time of the inspection.

OF ALL MOTOR VEHICLES

... The purpose of 540 CMR 4.00 is to provide rules and regulations and to establish inspection procedures for a periodic annual staggered safety and combined safety and emissions inspection of all motor vehicles in accordance with the General Laws of the Commonwealth of Massachusetts.

4.01 SCOPE AND APPLICABILITY

540 CMR 4.00 is adopted by the Registrar of Motor Vehicles in accordance with the authority of M. G. L. c. 90 § 31 to establish rules and regulations governing the use and operation of motor vehicles and trailers. 540 CMR 4.00 establishes rules and regulations which provide for a periodic staggered safety and combined safety and emission inspection of all motor vehicles registered in the Commonwealth of Massachusetts under the authority of M. G. L. c. 90 § 7A, establishing regulations for issuance of various certificates in accordance with proper inspection of a motor vehicle pursuant to M. G. L c. 90 § 7V(a)(b)(c) and establishes rules and regulations for licensing stations which are approved to perform safety or combined safety and emissions inspections on motor vehicles pursuant to M. G. L. c. 90 § 7W.

4.02 SPECIAL DEFINITIONS

In addition to the definitions set forth in M. G. L. c. 90 § 1, the following special definitions shall also apply....

Certificate of Inspection shall mean a serially numbered, adhesive sticker, device or symbol, as may be prescribed by the registrar indicating a motor vehicle has met the inspection requirements established by the registrar for issuance of a certificate. The registrar may prescribe the use of one or more categories of certificate of inspection in accordance with M. G. L. c. 90 § 1.

Certificate of Rejection shall mean a serially numbered, adhesive sticker, device or symbol, as may be prescribed by the registrar indicating a motor vehicle has failed to meet the safety or combined safety and emissions inspection requirements as established by the registrar in accordance with M. G. L. c. 90 § 1....

Certified Inspector shall mean an individual certified by the commissioner as properly trained to perform an emissions inspection as delineated by the manufacturer of the emissions analyzer in accordance with M. G. L. c. 90 § 1....

Exempt Vehicles shall mean motor vehicles whose curb weight exceeds eight thousand pounds, motorcycles, diesel powered vehicles, motor vehicles more than fifteen model years old before the date of inspection, motor vehicles not capable of a speed greater than twenty-five miles per hour under any condition of operation or loading on a level surface and any class of vehicles exempted by the commissioner of Department of Environmental Quality Engineering which present prohibitive inspection problems....

Inspection Station shall mean a proprietorship, partnership, or corporation licensed by the registrar to perform safety or combined safety and emissions inspections on motor vehicles....

Safety Inspection Station Only shall mean a proprietorship, partnership or corporation whose principal business is unique to a particular exempt vehicle.

4.03 REQUIREMENTS FOR INITIAL AND SUBSEQUENT STAGGERED ANNUAL INSPECTION

(1) General Provisions. Every owner or person in control of a Massachusetts registered motor vehicle shall submit the vehicle for inspection under the following rules: ....

(c) Inspection Upon Registration. Every owner or person in control of a motor vehicle which is newly registered in the Commonwealth shall submit such motor vehicle for certificate of inspection within seven days of the date on which the motor vehicle is first registered to said owner in the Commonwealth. ...

(2) Subsequent Inspection. Subsequent to initial inspection, every owner or person in control of a Massachusetts registered motor vehicle shall submit the vehicle for inspection annually during the monthly expiration of the previously issued Certificate of Inspection.

(3) Validity of Certificates of Inspection. Certificates of Inspection are valid until such time as they expire or ownership of the vehicle transferred.

4. 04 PROCEDURES FOR INSPECTION OF ALL MOTOR VEHICLES

(1) Prior to beginning inspection, a visual check of the vehicle should be made to determine that ice and snow accumulation, condition of the suspension, etc., will not impede or interfere with the proper aiming of headlamps. Inspectors shall.... collect the established inspection fee and remove any inspection sticker from the windshield of the motor vehicle.

(2) Check registration certificate for date of expiration....

(3) Inspect number plate(s) to see that they are undamaged, securely mounted, clean and clearly visible. No bumper, trailer hitch or other accessory may interfere with a clear view of them. The number plate must be mounted in the proper location on the rear of the vehicle if the vehicle has been issued one plate. Both number plates must be mounted in the proper location on the rear and front of the vehicle, if the vehicle has been issued two plates.

Any decorative number plate or number plate replica not issued by the Registry of Motor Vehicles on which the word Massachusetts appears must be removed from the vehicle.

(4) Perform Emission Testing Requirements and Procedures....

(5) Test Brakes.

(a) The adjuster may operate the vehicle in the inspection bay and test the parking and service brake. The parking brake on all vehicles will be tested by accelerating the motor to approximately 1200 to 1300 RPMs with the vehicle in gear in both forward and reverse positions against the brake in the applied position....

(b) Brakes shall be adequate to stop the vehicle from a speed of 20 MPH in not more than the following distances:

Service (foot) Brake	Pleasure Vehicles	25 feet
	Trucks and Buses	35 feet
Parking (hand) Brake	All Vehicles	75 feet

(6) Examine Muffler and Exhaust System. Accelerate motor to test for prevention of unnecessary noise and emission of any unreasonable amount of smoke. The exhaust system, exhaust manifold(s), exhaust pipe(s), muffler(s) and tailpipe(s), if designed to be so equipped, shall be tight and free of leaks.

(7) Check Steering and Suspension.

(a) Check for free steering by turning the steering wheel through a full right and left turn. Reject a vehicle if binding or interference occurs during the procedure. With the front wheels in the straight ahead position (and the engine running on vehicles equipped with power steering) measure lash or lost movement at the steering wheel rim.

(b) Lash or lost movement on passenger cars and station wagons, as measured at the steering wheel rim, should not exceed 2 inches if the vehicle is equipped with manual steering. Lash or lost movement on antique motor vehicles, trucks, vans and buses will be measured in the same manner with the allowable tolerance on trucks, vans and buses to be determined by steering wheel diameter in accordance with the following schedule:

Steering Wheel Diameter	Lash (shall not exceed)
16″	2″
18″	2¼″
20″	2½″
22″	2¾″

(c) The front end of all vehicles will be raised by jacking or hoisting and visually examined. Vehicles equipped with ball joints will be raised and checked in accordance with the instructions and recommendations of the Automobile Manufacturers Association. Ball joint tolerance shall not exceed those established by the vehicle manufacturer.

(d) Reject a vehicle with excessive wear or play in any part of the steering mechanism or of the vehicle that would affect proper steering....

(8) Sound Horn. Sound horn to test for adequate signal. The horn must be securely fastened to the vehicle.

(9) Examine Windshield and Rear windows.

(a) Clear Windshield....

(b) Ornaments. Ornaments forward of the operator's line of vision through the windshield must be removed. No poster or sticker shall be attached to the windshield in such a manner so as to obstruct the vision of the operator.

(c) Rear Windows. Rear windows must allow an unobstructed view to the rear. On convertible type vehicles, the rear window must be inspected and if clouded, the vehicle must be rejected.

(d) Windshield Cleaner(s). Test for proper operation....

(10) Examine Lighting Devices.

(a) Tail Lights. Every motor vehicle, except a two wheeled motorcycle, an antique motor car and a farm tractor, shall be equipped with two red lights (tail lamps) mounted one at each side of the rear of the vehicle so as to show two red lights from behind and equipped with two stop lights (stop lamps) mounted and displayed in a like manner. A single lamp may combine both the above functions. Every motor vehicle shall be equipped with a white light so arranged as to illuminate the rear number plate so that it is plainly visible at sixty feet.

(b) Directionals. Front and rear directional signals will be operable on every vehicle originally equipped with such signals. Every motor vehicle registered in the Commonwealth, which was manufactured for the model year 1967 and for subsequent model years, shall be equipped with a device to permit the front and rear directional signals to flash simultaneously.

(c) Headlamps. Headlamps shall be aimed in accordance with the Registrar's specifications. Said specifications shall be forwarded to licensees by the Registry of Motor Vehicles.

(11) Examine Tires.

(a) No tire mounted on a motor vehicle or trailer shall be deemed to be in safe operating condition unless it meets the visual and tread depth requirements set forth in these regulations.

1. Tread Depth. The amount of tread design on the tire. Tread depth includes both the original, retread and recap tread design; and, in respect to special mileage commercial tires, recut and regrooved tread design. Truck and bus tires having a wheel diameter over 16 inches, having sufficient original tread rubber above the breaker strip may be siped and classed as a siped tread design 2/32 of an inch siped depth shall be considered equal to 2/32 of an inch original tread depth, provided that the cords of the tire are not damaged by the process.

2. Special Mileage Commercial Tire. A tire manufactured with an extra layer of rubber between the cord body and original tread design, which extra layer is designed for the purpose of recutting or regrooving, and which tire is specifically labeled as a special mileage commercial tire.

3. Visual Requirements. No tire shall be deemed to be in safe operating condition if such tire has:

a. Fabric Break. A fabric break, or a cut in excess of one inch in any direction as measured on the outside of the tire and deep enough to reach the body cords, or has been repaired temporarily by the use of blowout patches or boots; or

b. Bulges. Any bump, bulge or knot related to separation or partial failure of the tire, structure; or

c. Exposed Cord. Any portion of the ply or cord structure exposed; or

d. Worn Tread. A portion of the tread design completely worn, provided such worn portion is of sufficient size to affect substantially the traction and stopping ability of the tire.

4. Method of Measuring Tread Depth. Tire tread depth shall be measured by a tread depth gauge which shall be of a type calibrated in thirty-seconds of an inch. Readings shall be taken in a major tread groove of the tire nearest the center at two points of the circumference at least fifteen inches apart. Readings for a tire which has the tread design running across the tire or for a siped tire, where such tread design is permitted, shall be taken at or near the center

of the tire at two points of the circumference of at least fifteen inches apart.

5. Tread Depth Requirements. No tire shall be deemed to be in safe operating condition if such tire is worn to the point where less than two-thirty-seconds (2/32) of an inch of tread design remains at both points at which gauge readings are obtained.

6. Tire Intermix. The vehicle will be rejected if a radial ply tire is used on the same axle with a conventional non radial tire. The vehicle will be rejected if bias or bias belted ply tires are used on the rear axle when non-radial tires are used on the front axle....

(12) Examine Bumpers, Fenders, External Sheet Metal and Fuel Tank. Any motor vehicle will be rejected if any of the following conditions are evident:

(a) Bumpers. Broken or bent bumpers, fenders, exterior sheet metal or mouldings having sharp edges or abnormal protrusions extending beyond normal vehicle extremities so as to constitute a danger to pedestrians and other motor vehicle traffic. If bumper face plates are removed, bumper brackets must also be removed. The vehicle hood, door and luggage compartment lid and battery or engine compartment doors or lids, if so equipped, must fully and properly close and be capable of being firmly latched.

(b) Fenders. Front and rear fenders must be in place....

(c) Floor Pans. Floor pans which are rusted through or otherwise would permit passage of exhaust gases into the passenger or trunk area.

(d) Fuel Tanks. Fuel tanks which are not securely attached to the vehicle's body or chassis....

4. 07 ISSUANCE OF CERTIFICATES OF INSPECTION, REJECTION, AND WAIVER PROCEDURE

(1) General Provisions.

(a) A separate and distinct charge, as established by the Registrar and Commissioner, shall be made for each inspection.

(b) All required entries on certificates and periodic inspection reports must be legibly completed in ink, ball point pen or indelible pencil by the inspection station owner/operator or employee performing the inspection.

(2) Certificate of Inspection.

(a) Any motor vehicle subject to Safety Inspection Only or Combined Safety and Emissions Inspection, which, after inspection, is found to be in compliance with all safety or safety and emissions inspection requirements will be issued a Certificate of Inspection....

(3) Certificate of Rejection.

(a) Any motor vehicle subject to the Combined Safety and Emissions Inspection which is not in compliance with all safety and emissions inspection requirements and any motor vehicle subject to Safety Inspection Only which is not in compliance with all safety inspection requirements, will be issued a Certificate of Rejection.

(b) Requirements. When a Certificate of Rejection is issued on a motor vehicle, entries pertaining to the date of inspection and vehicle registration number of the motor vehicle will be completed by the inspection station owner/operator or employee performing the inspection on the Certificate of Inspection, that would normally have been issued to the motor vehicle, and on the periodic inspection report. The certificate will be retained at the inspection station for a period of twenty days for potential issuance to the affected motor vehicle. If issued to the affected motor vehicle, all required entries on said certificate and on the periodic inspection report will be completed. At the expiration of the twenty day period, unissued certificates with partial entries will be held in an open file for return to the Registry of Motor Vehicles.

4. 08 LICENSURE OF INSPECTION STATION

(1) General Provisions: Licensing Requirements. Effective April 1, 1985, all inspection stations, which shall include Inspection Stations for Combined Safety and Emissions Testing, Fleet Inspection Stations and Safety Inspection Stations Only shall be licensed by the Registry of Motor Vehicles to carry out the annual staggered Safety or Safety

and Emissions Inspection Program....

(g) Requirements for Personnel Who Administer Inspections. Inspections must be performed by the licensee or permanent employees of the licensee who are in possession of a Massachusetts Motor Vehicle Operators License. Persons performing inspections must be able to demonstrate their proficiency in inspecting motor vehicles and in operating, calibrating and maintaining items or equipment required for the inspection of motor vehicles, to personnel of the Registry of Motor Vehicles and the Massachusetts Department of Environmental Quality Engineering assigned to program administration and enforcement. Persons performing Emissions inspections must be certified by the Commissioner. A permanent employee is herein defined as a person carried on the payroll records of the applicant, regularly employed on the premises for a minimum of 20 hours a week....

■ RESTATEMENT (SECOND) OF CONTRACTS

§ 201. WHOSE MEANING PREVAILS.

(1) Where the parties have attached the same meaning to a promise or agreement or a term thereof, it is interpreted in accordance with that meaning.

(2) Where the parties have attached different meanings to a promise or agreement or a term thereof, it is interpreted in accordance with the meaning attached by one of them if at the time the agreement was made

(a) that party did not know of any different meaning attached by the other, and the other knew the meaning attached by the first party; or

(b) that party had no reason to know of any different meaning attached by the other, and the other had reason to know the meaning attached by the first party....

§ 202. RULES IN AID OF INTERPRETATION.

(1) Words and other conduct are interpreted in the light of all the circumstances, and if the principal purpose of the parties is ascertainable it is given great weight.

(2) A writing is interpreted as a whole, and all writings that are part of the same transaction are interpreted together.

(3) Unless a different intention is manifested,

(a) where language has a generally prevailing meaning, it is interpreted in accordance with that meaning;

(b) technical terms and words of art are given their technical meaning when used in a transaction within their technical field.

... (5) Wherever reasonable, the manifestations of intention of the parties to a promise or agreement are interpreted as consistent with each other and with any relevant course of performance, course of dealing, or usage of trade.

§ 207. INTERPRETATION FAVORING THE PUBLIC.

In choosing among the reasonable meanings of a promise or agreement or a term thereof, a meaning that serves the public interest is generally preferred.

■ RESTATEMENT (SECOND) OF TORTS

§ 299A. UNDERTAKING IN PROFESSION OR TRADE.

Unless he represents that he has greater or less skill or knowledge, one who undertakes to render services in the practice of a profession or trade is required to exercise the skill and knowledge normally possessed by members of that profession or trade in good standing in similar communities.

OFFICIAL COMMENTS

a. Skill, as the word is used in this Section, is something more than the mere minimum competence required of any person who does an act, under the rule stated in § 299. It is that special form of competence which is not part of the ordinary equipment of the reasonable man, but which is the result of acquired learning, and aptitude developed by special training and experience. All professions, and most trades, are necessarily skilled, and the word is·used to refer to the special competence which they require.

b. Profession or trade. This Section is thus a special application of the rule stated in § 299. It applies to any person who undertakes to render services to another in the practice of a profession, such as that of physician or surgeon, dentist, pharmacist, oculist, attorney, accountant, or engineer. It applies also to any person who undertakes to render services to others in the practice of a skilled trade, such as that of airplane pilot, precision machinist, electrician, carpenter, blacksmith, or plumber. This Section states the minimum skill and knowledge which the actor undertakes to exercise, and therefore to have. If he has in fact greater skill than that common to the profession or trade, he is required to exercise that skill, as stated in § 299, Comment e.

c. Undertaking. In the ordinary case, the undertaking of one who renders services in the practice of a profession or trade is a matter of contract between the parties, and the terms of the undertaking are either stated expressly, or implied as a matter of understanding. The rule here stated does not, however, depend upon the existence of an enforceable contract between the parties. It applies equally where professional services are rendered gratuitously, as in the case of a physician treating a charity patient, or without any definite understanding, as in the case of one who renders services to a patient who is unconscious, in an emergency. The basis of the rule is the undertaking of the defendant, which may arise apart from contract.

This undertaking is not necessarily a matter of the requirements of the particular task undertaken, although that task will of course have its bearing upon what is understood. A highly skilled individual, as for example, a certified public accountant, may undertake to perform services which normally require little skill, as for example to do ordinary bookkeeping, and in performing those services he may, or may not, undertake to exercise his unusually high skill. On the other hand a bookkeeper with little or no accounting skill may undertake to do work which would normally call for a certified public accountant, and he may, or may not, undertake in doing it to exercise the skill of such an accountant. It is a matter of the skill which he represents himself to have, or is understood to undertake to have, rather than of the skill which he actually possesses, or which the task requires.

d. Special representation. An actor undertaking to render services may represent that he has superior skill or knowledge, beyond that common to his profession or trade. In that event he incurs an obligation to the person to whom he makes such a representation, to have, and to exercise, the skill and knowledge which he represents himself to have. Thus a physician who holds himself out as a specialist in certain types of practice is required to have the skill and knowledge common to other specialists. On the other hand the actor may make it clear that he has less than the minimum of skill common to the profession or trade; and in that case he is required to exercise only the skill which he represents that he has. Thus a layman who attempts to perform a surgical operation in an emergency, in the absence of any surgeon, and who makes it clear that he does not have the skill or knowledge of a surgeon, is not required to exercise such skill or knowledge. The rule stated in this Section applies only where there is no such special representation.

e. Standard normally required. In the absence of any such special representation, the standard of skill and knowledge required of the actor who practices a profession or trade is that which is commonly possessed by members of that profession or trade in good standing. It is not that of the most highly skilled, nor is it that of the average member of the profession or trade, since those who have less than median or average skill may still be competent and qualified. Half of the physicians of America do not automatically become negligent in practicing medicine at all, merely because their skill is less than the professional average. On the other hand, the standard is not that of the charlatan, the quack, the unqualified or incompetent individual who has succeeded in entering the profession or trade. It is that common to those who are recognized in the profession or trade itself as qualified, and competent to engage in it.

f. Schools of thought. Where there are different schools of thought in a profession, or different methods are followed by different groups engaged in a trade, the actor is to be judged by the professional standards of the group to which he belongs. The law cannot undertake to decide technical questions of proper practice over which experts reasonably disagree, or to declare that those who do not accept particular controversial doctrines are necessarily negligent in failing to do so. There may be, however, minimum requirements of skill applicable to all persons, of whatever school of thought, who engage in any profession or trade. Thus any person who holds himself out as competent to treat human ailments must have a minimum skill in diagnosis, and a minimum knowledge of possible methods of treatment. Licensing statutes, or those requiring a basic knowledge of science for the practice of a profession, may provide such a minimum standard.

g. Type of community. Allowance must be made also for the type of community in which the actor carries on his practice. A country doctor cannot be expected to have the equipment, facilities, experience, knowledge or opportunity to obtain it, afforded him by a large city. The standard is not, however, that of the particular locality. If there are only three physicians in a small town, and all three are highly incompetent, they cannot be permitted to set a standard of utter inferiority for a fourth who comes to town. The standard is rather that of persons engaged in similar practice in similar localities, considering geographical location, size, and the character of the community in general.

Such allowance for the type of community is most frequently made in professions or trades where there is a considerable degree of variation in the skill and knowledge possessed by those practicing it in different localities. It has commonly been made in the cases of physicians or surgeons, because of the difference in the medical skill commonly found in different parts of the United States, or in different types of communities. In other professions, such as that of the attorney, such variations either do not exist or are not as significant, and allowance for them has seldom been made. A particular profession may be so uniform, in different localities, as to the skill and knowledge of its members, that the court will not feel required to instruct the jury that it must make such allowance.

■ PEDERSON v. TIME, INC.

404 *Mass.* 14 (1989)

Nolan, Justice. A judge in the Superior Court ruled that there is no genuine issue of fact whether Edith Pederson's ward, Alice Totten, was insane so as to toll the running of the statute of limitations against her claims. The judge allowed motions for summary judgment in favor of the defendants, Time, Inc. (Time), Life Magazine (Life) reporter David Friend, photographer Michael O'Brien, and the Department of Mental Health. The guardian appealed the judgment to the Appeals Court. We transferred the case to this court on our own motion. We reverse the judgment.

The guardian filed an unverified complaint on April 27, 1984, alleging various claims against the defendants based on an article appearing in the May, 1981, issue of Life. After a partial judgment on the pleadings, the remaining claims against Time, the publisher of Life, the reporter, and the photographer allege intentional violation of the State privacy statute, G. L. c. 214, § 1B (1986 ed.), and intentional infliction of emotional distress. The two remaining counts against the Department of Mental Health allege violation of the Fair Information Practices Act, G. L. c. 66A (1986 ed.).

The guardian's allegations stem from an article entitled, *Emptying the Madhouse: The Mentally Ill Have Become Our Cities'Lost Souls*. The article discussed Totten's mental illness and was illustrated by a photograph of Totten tied spread-eagled to a hospital bed. Friend and O'Brien interviewed and photographed Totten on November 1 and 2, 1980, while she was an in-patient at Northampton State Hospital where she had been admitted following a violent episode. Doctors diagnosed her as schizophrenic. The Life article containing Totten's name and photograph was published on April 21, 1981, and that, all parties agree, is the latest date on which Totten's claims could have accrued. [April 21, 1981, is the date copies of the May, 1981, issue of Life went on sale in western Massachusetts.]

Each of Totten's claims has a three-year statute of limitation. Absent tolling of the period of limitations, the guardian could have seasonably commenced the action at any time up to and including April 22, 1984. She, however, did not file her complaint until April 27, 1984, thus raising the issue whether the statute of limitations should be tolled for the six-day period between April 21, 1981, the date the claims ripened, and April 27, 1981, the date three years following which the guardian commenced the action. If Totten were insane from April 22 to April 27, 1981, the statute providing for the tolling of limitations periods, G. L. c. 260, §7, [General Laws c. 260, §7, provided in relevant part that, if a person is "insane... when a right to bring an action first accrues, the action may be commenced within the time hereinbefore limited after the disability is removed."] would apply and would make the April 27, 1984, action timely....

"[I]nsanity" under §7 is "any mental condition which precludes the plaintiff's understanding the nature or effects of his acts" and thus prevents him from comprehending his legal rights.

The crucial question in this case is whether the issue of Totten's insanity could be properly decided in a summary judgment action or whether there existed a genuine issue of material fact for a fact finder. Rule 56(c) of the Massachusetts Rules of Civil Procedure, 365 Mass. 824 (1974), provides that a judge shall grant a motion for summary judgment "if the pleadings, depositions, answers to interrogatories, and admissions on file, together with the affidavits, if any, show that there is no genuine issue as to any material fact and that the moving party is entided to a judgment as a matter of law." The party moving for summary judgment assumes the burden of affirmatively demonstrating that there is no genuine issue of material fact on every relevant issue, even if he would have no burden on an issue if the case were to go to trial. If the moving party establishes the absence of a triable issue, the party opposing the motion must respond and allege specific facts which would establish the existence of a genuine issue of material fact in order to defeat a motion for summary judgment.

Insanity is a mental state and the generally accepted rule is that the "granting of summary judgment in a case where a party's state of mind... constitutes an essential element of the cause of action is disfavored." [Citations omitted.]

The guardian raised the issue of Totten's insanity in the pleadings, and that issue is clearly relevant in this case. The defendants argue that this statement in the complaint does not raise the issue of the tolling statute with specific precision, and thus the issue is not "raised by the pleadings." This argument is incorrect. The complaint raises the issue of Totten's mental incapacity and put the defendants on notice of the theory of the plaintiff's case, and that is all that is necessary under Mass. R. Civ. P. 8, 365 Mass. 749 (1974).

Hence, the defendants had the burden of proving that there existed no genuine issue whether Totten was sane or insane at the relevant time. This they did not do. Their evidence as to the period between March and June of 1981 simply establishes that Totten performed certain functions reasonably well. First, the evidence does not specifically address the days at issue: April 21 to April 27, 1981. Second, the defendants' affidavits and documents do not show that during this six-day period Totten did not have a mental condition which precluded her understanding the nature or effect of her acts. Accordingly, the judgments of the Superior Court are reversed and this case is remanded to the Superior Court. Judgments reversed.

Case Files
City of Cleveland Firefighters
Contents

Initial Memorandum	997
Complaint	1005
Memorandum Re Directed Verdict	1017
Portions of Judge Paz's Trial Notebook	1019
Motion to Bifurcate (and Supporting Memorandum)	1026
Transcript of Jury Instructions (on § 1983 Action)	1028
Excerpts from Transcript of Closing Arguments	1035

Initial Memorandum*

To: Firm Associates
From: Elisabeth Julia Jennifer, Senior Partner of Jennifer, Berton & Abrahams
Re: Strategy Session Preparing to Draft a Complaint in the Cleveland Firefighters Case
Date: September 8, 1999

Several women who recently took the City of Cleveland Entry Level Firefighters Exam have asked our office to represent them in a civil action against the City of Cleveland, et al. With the assistance of the Cleveland Coalition for Job Equity ("the Coalition") they previously filed a charge with the Equal Employment Opportunity Commission and have recently received a "Notice of Right to Sue" from the U. S. Department of Justice.

The women believe that the City of Cleveland has engaged in discrimination against females regarding recruiting, training, testing, hiring, and employment of firefighters. If true, such discrimination is in violation of rights guaranteed by the Constitution of the United States and applicable civil rights statutes. In addition, there is possibly an additional claim for violation of state laws regarding civil service rules and regulations.

The suit we are contemplating will allege violations of: Civil Rights Act of 1877, 42 U. S. C. § 1983 and 1985 (3) and Title VII of the Civil Rights Act of 1964, 42 U. S. C. § 2000e. Subject matter jurisdiction in federal court is found under 28 U. S. C. § 1343(a), as well as under the general federal question subject matter jurisdiction provision of 28 U. S. C. § 1331. The supplemental claim under state law involves a violation of Ohio Revised Code § 124.58 and presents a more complicated subpect matter jurisdiction problem (28 U. S. C. § 1367), but don't worry about subject matter jurisdiction issues at this time, nor about the class action aspects of the case.

FACTS

I do pro-bono work for the Coalition. The information in paragraphs A, B, C, and D below bas been derived from various news sources, reports and signed statements in the Coalition files, and I believe that we have evidentiary support for those facts.

A. There are presently no women employed by the city as firefighters, although several cities (such as New York, Columbus, and Seattle) do have female firefighters. The city of Cleveland uses a rank-order written and physical abilities test ostensibly to select candidates who possess the highest skills required to perform the job. Candidates are graded on their test performance, and an eligibility list is compiled in which scores are ranked from high to low. Although the test used by the city is supposed to be designed to eliminate discriminatory hiring, such rank order tests (as opposed to tests resulting in a non-ranked list of those who are qualified to serve) have been shown to have a disparate impact on women. The test used by the city can perhaps be challenged on the grounds that the test measures attributes in which men traditionally excel, such as speed and strength, while it ignored those in which women excel, such as stamina and endurance. This exam also tested for attributes not necessarily related to the skills which the job

---

   * This memorandum, and the following documents in these Case Files, are based on an actual case brought many years earlier. We invented the initial memorandum in order to introduce you to the case. The names, dates, and a few of the facts have been changed, and the law, when it has changed in the interim, has been brought up to date. At the time the actual case was commenced, there were no women firefighters in the Cleveland Fire Department. As of 1999, there were a small number of women in the department. For purposes of this course, use the facts that are in these Case Files.

of firefighting requires.

B. The city hired a consultant to design, administer, and score the entry-level firefighter examination in question. No women were hired after those exams were scored and ranked. Several years ago, the same consultant was hired to design an exam for entry-level firefighters and to administer it. Cognizant of the fact that no women had yet scored high enough to be ranked at a level that evenly remotely provided an opportunity to be selected a firefighter, the consultant prepared a new job analysis and designed his test based on the new job analysis.

C. After the test was developed, but prior to the exam, the city embarked on a program to recruit and train female firefighters. As part of its recruitment program, the city provided potential female recruits with a free twelve-week training course. According to the initial interviews held with the women, this course did not include all components of what eventually would be on the exam.

D. On April 30, 1998, the city administered the written portion of the test, and on May 7 through 13, the physical portion of the text. Although there were originally 3,612 applicants, only 2,212 took the written part of the exam (285 of whom were females) and of those only 1,233 were allowed to take the physical part of the exam. Out of that group 29 females scored high enough to be placed on an eligibility list with 1,069 males. The highest ranking woman was 334 on the list, thus precluding any possibility that a female would be selected for one of the 35 available openings.

I have affidavits from three potential plaintiffs. Here are summaries, although Pat Moss has not yet consented to be a named plaintiff.

Barbara Zoll is a 24-year-old white female and a resident of the City of Cleveland. She is a graduate of Kent State University with a Bachelor's Degree in aerospace technology. She took the written exam, and received a score high enough to be permitted to take the physical agility test.

In January of 1998, While watching a local television news show she became aware of the recruitment program. After calling the Fire Department and asking for additional information she was referred to another program targeted towards minorities. She attended classes as part of the minority program for three weeks until discovering, on her own, the program directed to women recruits. She then began attending the women's recruitment classes four nights a week for four hours each. The classes included physical conditioning as well as academic aspects of the exam.

On the day of the civil service exam she arrived at 9:00 a.m. as instructed, with her yellow admission card indicating name, address, and seat number. There was no additional identification required or requested. On the answer sheet handed her at that time the pertinent information (name, address, and other information) was already filled out. Although it was announced that once testing began no one would be allowed to leave the test area, Zoll witnessed other candidates coming and going from the exam area with no apparent control. During the exam, an exam monitor personally told her of several typographical errors, however no general announcements were made to this effect. The plaintiff found the exam tested for areas of knowledge not previously announced in the civil service posting, or covered by the recruitment program classes. Despite two attempts to receive a copy of her graded exam she has not been allowed to do so.

Although Barbara Zoll was an exceptionally good athlete, the special class for women did not prepare her for the physical portion of the test. The barbell exercise caught her off guard, and the men had a distinct advantage in the dummy-pull. Despite the fact that she was in great shape, Barbara Zoll did much worse on the physical portion than she did on the written portion.

Pat Moss is a thirty-three-year old, white female, who has a Bachelor of Arts in Social Studies and a teaching certificate. She has taken three other civil service exams within the last six months in other smaller communities and has placed eighth (8th), seventh (7th) and fifteenth (15th) respectively. She originally heard about the special women's training program over the local television news. She received additional information from a friends who is a current Cleveland firefighter. On average she attended the classes two (2) days a week, beginning about three (3) weeks after they started. Ten days prior to the exam she saw the consultant and the Civil Service Personnel Administrator attend and observe a class. At the next class she attended, certain aspects of the physical conditioning program were made more rigorous, however it was not until the week before. the actual physical exam that she and the other program participants were notified that weight training would be part of the exam.

In addition to the official women's training program, Moss also attended a special private training program. This course was run by a former police chief and cost $ 500.00. Included in that course of study were a number of general areas not covered in the official training program, but which were eventually on the exam. It was intimated by the facilitator of the private classes that he was in contact with the consultant.

Moss also notes that there were no security measures followed during the administering of the exam. She also had a test monitor point out a typographical error regarding the mislabeling of answers. After the exam, she spoke with a male applicant who informed her that he had been notified about three (3) typographical errors. Her test answer sheet had been filled out in advance with her name, address, and other pertinent personal information.

Because Moss scored a forty-five she was allowed to take the physical agility test, scheduled for a Sunday, May 10, at 4:00 p. m.. Upon arriving on the day the exam was scheduled she was notified by a note posted on the door, that the exam was postponed until the 13th due to rain and cold. On the rescheduled test date the identification system was limited to signing an entry log and receiving a card with her name on it. At the conclusion of each event the monitors wrote down her times and would then initial them. After completing all of the test events the cards were returned by placing them on a pile at a desk. Nobody was able to explain to her how the raw scores would be converted into a final rating for the agility test.

A number of the back tanks (I think this refers to self-contained breathing apparatus or air tanks), required to be worn while dragging a hose to the opposite end from where one starts, were inoperative. This resulted in a line-up at that particular event and a resting period for only some of the test participants. On the day she took the agility test the weather was sunny, dry, and cool.

Moss ranked 587 on the eligibility list. After learning her score she wrote letters to the Mayor and the Director of Public Safety questioning a rumor she heard that minority candidates would be scored differently. The Director of Public Safety responded that the procedure for choosing firefighters is designated by the Charter of the City, however selection of minority candidates has been modified by court order. White female candidates are not considered as minorities under the court order.

Jennifer Grimes is twenty-four years old, white, married, and at the time the exam was given, a resident of Parma, Ohio. She attended the official training program for women firefighters about two nights a week, and she also attended the private class for six weeks prior to the written test being. administered. She learned of the private classes through a firefighter neighbor. The private classes are distinguishable from the official classes because they covered specific technical instruction concerning fire fighting techniques and other material taught at the Fire Academy. Two weeks prior to the exam the instructor notified the class that he had received certain information about the exam's content and then proceeded to instruct the class on tips to answer certain types of comprehension questions.

The official training sessions she attended did not cover this material, indeed, she recalls the classes as being focused on basic English, basic math and story problems. These classes appeared to come directly from a generic commercial outline.

The private classes did not focus as heavily on physical conditioning as the official class. However, they were scheduled to practice a simulated physical exam for six Saturdays prior to the exam. One week before the actual physical component of the examination she, along with all the other qualifying applicants, received a copy of the physical test program. The events listed included a barbell event, requiring that a thirty-three pound barbell be pressed thirty-five times without bending knees.

While attending the official women's training sessions she overheard an instructor inform several women that they could not get into the private class because it was full. Furthermore, she heard this same instructor characterize the women's training sessions as equal to the other classes. The son of this instructor was enrolled in the private classes to prepare for the firefighters exam.

Upon arriving at the written exam the yellow entry card was being made available to those individuals who had arrived without one. Her test answer sheet had been filled out in advance with her name, address, etc. She had been informed that the applicants would be filling out this information themselves.

During the exam she observed people changing seats from their assigned seats, smoking and talking. Errors on the exam were corrected by individual monitors assigned to areas of the Convention Center where the exam was held.

Grimes scored high enough to be eligible for the physical agility test. At the physical exam on May 9, 1998, she was informed that she was to proceed directly from one event to another without stopping in between; if she was found to be out of sequence with other candidates she would be disqualified. However, she observed other persons stopping to rest or being permitted to complete events even though they were out of sequence. Additionally, she observed lines forming at certain events, thus allowing some people the opportunity to rest.

Legal Analysis

Here is a summary of the legal research I have done so far in this case. I see four potential claims:

1. *Section 1983*

One potential remedy for a deprivation of civil rights is 42 U. S. C. § 1983, which provides:

Every person who, under color of any statute, ordinance, regulation, custom or usage, of any State or Territory or the District of Columbia, subjects, or causes to be subjected, any citizen of the United States or other person within the jurisdiction thereof to the deprivation of any rights, privileges, or immunities secured by the Constitution and laws, shall be liable to the party injured in an action at law, suit in equity, or other proper proceeding for redress. . . .

The plain language of 42 U. S. C. § 1983 mandates that a plaintiff must satisfy two essential requisites to state an actionable claim. First, there must be an alleged violation of a right secured by federal constitutional or statutory laws, such as the Fourth Amendment right to be free from unreasonable searches or the Fourteenth Amendment right to the equal protection of the laws. Second, a § 1983 plaintiff must show that the alleged deprivation was caused by a person acting under color (or pretense) of state law. (Most rights secured by the Constitution are protected only against infringement by public entities or their officials, not private parties).

There is case law holding that a municipality (like the City of Cleveland) is "a person" (and thus an appropriate defendant) for purposes of § 1983. In order to make out a claim against a local governmental body, it must be shown that the deprivation of rights complained of grows out of either the official policy or the custom and practice of the municipality. Actions by subordinate city officials acting on their own are not covered, unless they are acting in an official policy-making role.

The federal right that we will claim implicates § 1983 is the right to equal protection for women under the Fourteenth Amendment. The Supreme Court has held that a plaintiff claiming a violation of the Fourteenth Amendment Equal Protection Clause must prove *discriminatory intent* (i. e., that the challenged action was *deliberately* designed to disadvantage a protected group). *Discriminatory effect* alone is not sufficient to make out an Equal Protection violation. See *Washington v. Davis*, 426 U. S. 229 (1976); *Village of Arlington Heights v. Metropolitan Housing Development Corp.*, 429 U. S. 252 (1977). A plaintiff asserting an equal rights violation in a Section 1983 claim must be prepared to meet both production and persuasion burdens as to discriminatory intent. In *Black v. City of Akron, Ohio*, 831 F. 2d 131 (6th Cir. 1987), however, the court held that "statistical proof may be used in actions under 42 U. S. C. § 1983" and that" allegations of statistical evidence of an adverse impact might be sufficient to survive summary judgment. " *Id.* at 133.

Unless the only relief sought is equitable, the parties have the right to claim a jury in § 1983 cases. Section 1983 plaintiffs are entitled to compensatory damages, and also to punitive damages where "evil motive or intent" or "reckless or callous indifference to federally protected rights" is proven. *Smith v. Wade*, 461 U. S. 30 (1983). The court has discretion to allow a prevailing plaintiff (but not the United States) to recover "a reasonable attorney's fee as part of costs" in § 1983 cases. (42 U. S. C. § 1988).

2. *Section* 1985

Another potential remedy is found in 42 U. S. C. § 1985(3):

If two or more persons in any State or Territory conspire or go in disguise on the highway or on the premises of another, for the purpose of depriving, either directly or indirectly, any person or class of persons of the equal protection of the laws, or of equal privileges and immunities under the laws; or for the purpose of preventing or hindering the constituted authorities of any State or Territory from giving or securing to all persons within such State or Territory the equal protection of the laws; or if two or more persons conspire to prevent by force, intimidation, or threat, any citizen who is lawfully entitled to vote, from giving his support or advocacy in a legal manner, toward or in favor of the election of any lawfully qualified person as an elector for President or Vice President, or as a Member of Congress of the United States; or to injure any citizen in person or property on account of such support or advocacy;, in any case of conspiracy set forth in this section, if one or more persons engaged therein do, or cause to be done, any act in furtherance of the object of such conspiracy, whereby another is injured in his person or property, or deprived of having and exercising any right or privilege of a citizen of the United States, the party so injured or deprived may have an action for the recovery of damages occasioned by such injury or deprivation, against any one or more of the conspirators.

A claim asserted under § 1985(3) may be based on a purely private conspiracy (with no government involvement) if it was motivated by "some racial, or perhaps otherwise class-based, invidiously discriminatory animus. " *Griffin v. Breckenridge*, 403 U. S. 88, 102 (1971). The conspiracy must be aimed at interfering with rights that are protected in 42 U. S. C. § 1985 against encroachment, such as "equal protection of the laws, or of equal privileges and immunities under the laws," so this probably will get us back into having to prove discriminatory animus even when the conspiracy involves state actors. "It remains uncertain whether gender-based motivation qualifies as an actionable animus.... " under § 1985(3). (1 Harold S. Lewis, Jr. , *Litigating Civil Rights and Employment Discrimination Cases* § 1. 5 (1996)) "The Court in [*Great American Fed. S. & L Ass'n v. Novotny*, 442 U. S. 366(1979)] held that § 1985(3) is unavailable to enforce rights created by Title VII, 'expressing the fear that it might be used to bypass the detailed state and local administrative procedures, conciliation mechanisms and judicial remedies that Congress specified in the modern statute. " (Lewis, Jr. , *id.*) But, as I read *Novotny*, we can use § 1985(3) to recover for a conspiracy to violate the equal protection clause; unlike *Novotny*, we have state action in our case.

Section 1985(3) provides a civil remedy, and consequently the elements of what constitute a civil conspiracy are probably relevant to defining "conspiracy" for § 1985(3) purposes. These are: "(1) two or more persons; (2) an object to be accomplished; (3) a meeting of the minds on the object or course of action; (4) one or more unlawful, overt acts; and (5) damages as the proximate result. " *Nelson v. Fontenot*, 784 F Supp. 1528 (E. D. Tex. 1992) (action brought by deputy sheriffs against county officials alleging conspiracy to prohibit deputies from organizing a union).

3. *Ohio Civil Service Statute*

The Ohio statutory provisions relating to "frauds in examination prohibited" (Title I, Ch. 124, § 124. 58) are as follows:

No person or officer shall willfully or corruptly, by himself or in cooperation with one or more persons, defeat, deceive, or obstruct any person in respect of his right of examination, appointment, or employment according to sections 124.01 to 124.64 of the Revised Code, or to any rules or regulations' prescribed pursuant to such sections; or willfully or corruptly, falsely mark, grade, estimate, or report upon the examination or proper standing of any person examined, registered, or certified pursuant to such sections, or aid in so doing; or willfully or corruptly make any false representations concerning the same, or concerning the person examined; or willfully or corruptly furnish to any person any special or secret information for the purpose of either improving or injuring the prospects or chances of any person so examined, registered, or certified; or to be examined, registered, or certified, or personate any other person, or permit or aid in any manner any person to personate him, in connection with any examination, registration, appointment, application, or request to be examined, registered, or appointed; or shall furnish any false information about himself, or any other person, in connection with any examination, registration, appointment, application, or request to be examined, registered, or appointed.

There is very little case law interpreting this portion of the Ohio civil service statutory provisions or the predecessor Ohio statute. The word "fraud" in its title, and the repetition of words such as "willfully or corrupt, " "defeat, deceive, or obstruct, " "falsely mark, " "personate, " and "willfully or corruptly furnish to any person any special or secret information" with respect to civil service examinations suggest to me that the purpose of these provisions is to protect the integrity of the civil service examination system by prohibiting cheating of any kind or the intentional distortion of results by dishonest behavior, such as providing people with the exam in advance, or taking the exam in someone else's name, or altering the true results. In *Resek v. Seven Hills*, 9 Ohio App. 3d 224, 227 (1963), the statutory provisions are cited in a case in which the Chief of Police was removed from his office for, among other things, illegally trying to help a friend who had failed the civil service exam for lieutenant. The Chief of Police had tried to influence a member of the Civil Service Commission (whom he had helped get appointed) to award the person who had failed undeserved credits for efficiency and seniority in service. The Chief of Police also tried to stop other people from getting the promotion to lieutenant, thus making room for his friend. Such behavior, in violation of the civil service provisions, was part of the justification for his removal Under the predecessor statute to Title I, Ch. 124, § 124.58, a civil service commissioner who made a false certificate that an applicant had satisfactorily passed an examination, which was untrue, was found guilty of corrupt use of his office. *Kerr v. Hinkle*, 12 OD (NP) 365 (1902).

4. *Title VII*

Title VII is, of course, another possibility. 42 U.S.C. §§ 2000e *et seq*. The statute prohibits discrimination in both private and public employment, and provides in pertinent part:

(a) It shall be an unlawful employment practice for an employer—

(1) to fail or refuse to hire or to discharge any individual or otherwise to discriminate against any individual with respect to his compensations, terms, conditions, or privileges of employment, because of such individual's race, color, religion, sex, or national origin; or

(2) to limit, segregate, or classify his employees or applicants for employment in any way which would deprive or tend to deprive any individual of employment opportunities or otherwise adversely affect his status as an employee, because of such individual's race, color, religion, sex, or national origin....

(h) Notwithstanding any other provision of this subchapter, it shall not be an unlawful employment practice for an employer... to give and to act upon the results of any professionally developed ability test provided that such test, its administration or action upon the results is not designed, intended or used to discriminate because of race, color, religion, sex or national origin....

Generally speaking, a violation of Title VII may be established by showing that (1) a covered employer (fifteen or more employees), (2) discriminated, (3) on one of the prohibited bases of discrimination, (4) with respect to an employment practice covered by the Act. Title VII prohibits two forms of discrimination: (I) disparate treatment, the familiar form of intentional conduct motivated by race, color, religion, sex, or national origin; and (II) disparate impact, the use of ostensibly neutral selection practices which have an adverse effect on a protected group and are not justified by a showing that the device predicts successful job performance. An example of the latter is a written examination which excludes disproportionate numbers of minorities and has no substantial relation to the skills and attributes necessary to perform the job in question.

In a *disparate treatment* case the plaintiff generally first must establish a prima facie case of discrimination, the elements of which are:

1) membership in a protected group; 2) application and qualification for a job for which the employer was seeking applicants; 3) rejection, despite the applicant's qualifications; and 4) the employer's continued solicitation of applicants with qualifications equal to the plaintiff's.

Barbara Lindemann & Paul Grossman, I *Employment Discrimination Law* 15 (3rd ed. 1996). Such a showing raises a rebuttable inference that the rejection was discriminatorily motivated. *See McDonnell Douglas Corp. v. Green*, 411 U. S. 792 (1973). The defendant must then articulate (merely a burden of production) a nondiscriminatory explanation for the rejection. "Reasons that employers often articulate to rebut an inference of discrimination include, among others, lesser comparative qualifications, inability to get along with supervisors or fellow employees, misconduct, business exigencies such as the need to eliminate jobs, insubordination, inferior test scores, poor performance, the need to comply with rules set in union contracts, and greater familiarity with the favored employee's work." Lindemann & Grossman, *id.* at 22. After the employer meets its production burden on nondiscriminatory purpose, the plaintiff has the opportunity to demonstrate that the articulated reason is merely a pretext to cover the discriminatory motivation. The plaintiff ordinarily attempts to accomplish this by comparing his/her record and qualifications with that of individuals of the opposite race or gender who were favorably treated by the employer. The ultimate burden of proof remains with the plaintiff to prove (both in the production and persuasion senses) discriminatory intent on the part of the defendant. In *St. Mary's Honor Center v. Hicks*, 509 U. S. 502 (1993), the Supreme Court held that even if the plaintiff meets its burden in proving pretext (*i. e.*, the factfinder is persuaded that the reason or reasons given by the employer are not the real reasons why the defendant-employer rejected the plaintiff), the plaintiff may still lose unless the factfinder is persuaded that it was pretext for discrimination, as opposed to some other reason the employer is trying to hide. This holding in a 5-4 decision has been highly controversial, and courts disagree as to when the plaintiff's initial prima facie case, accompanied by the factfinder's disbelief of the employer's stated reason (i. e., a finding of pretext) is sufficient to permit an inference of discriminatory intent. Mark S. Brodin, *The Demise of Circumstantial Proof in Employment Discrimination Litigation: St. Mary's Honor Center v. Hicks, Pretext, and the "Personality Excuse,"* 18 Berkeley J. Employment & Lab. L. 183 (1997).

The theory of *disparate impact* was adopted by the Supreme Court in *Griggs v. Duke Power Co.* 401 U. S. 424, 432 (1971), in which the plaintiffs challenged the employer's requirement of a high school diploma and a passing grade on a standardized general intelligence test in order to be employed at the North Carolina power plant. Evidence presented indicated that because of the inferior educational opportunities afforded to black citizens of the state, these selection requirements disproportionately excluded black applicants. Moreover, the requirements were not shown to have any relation to the performance of jobs at the plant. The Supreme Court held that in order to establish a disparate impact violation of Title VII, "a plaintiff need only show that the facially neutral standards in question select applicants for hire in a significantly discriminatory pattern. "The burden of proof then shifts to the employer to prove (with both production and persuasion burdens) that the challenged requirement had "a manifest relationship to the employment in question. " If the employer is successful in proving that the requirement was job-related, the plaintiff could still prevail by proving that alternative selection devices would serve the employer's legitimate interests without a similar discriminatory effect.

Physical qualifications for employment which are ostensibly genderneutral may nonetheless have a discriminatory impact on one sex. In *Dothard v. Rawlinson*, 433 U. S. 321 (1977), for example, the Court struck down height/

weight minimums for the position of prison guard because they excluded disproportionate numbers of female applicants, and were not shown to be job-related.

Disparate impact cases involve some tricky burden of proof problems, which were addressed by the Civil Rights Act of 1991 and now are part of Title VII:

(k) (1) (A) An unlawful employment practice based on disparate impact is established under this title only if—

(i) a complaining party demonstrates that a respondent uses a particular employment practice that causes a disparate impact on the basis of race, color, religion, sex, or national origin and the respondent fails to demonstrate that the challenged practice is job related for the position in question and consistent with business necessity...

(B) (i) With respect to demonstrating that a particular employment practice causes a disparate impact as described in subparagraph (A)(i), the complaining party shall demonstrate that each particular challenged employment practice causes a disparate impact, except that if the complaining party can demonstrate to the court that the elements of a respondent's decisionmaking process are not capable of separation for analysis, the decisionmaking process may be analyzed as one employment practice.

(ii) If the respondent demonstrates that a specific employment practice does not cause the disparate impact, the respondent shall not be required to demonstrate that such practice is required by business. necessity....

The Civil Rights Act of 1991 also clarified the burden of proof in so-called mixed-motive disparate treatment cases:

Sec. 107. *Clarifying Prohibition Against Impermissible Consideration of Race, Color, Religion, Sex, or National Origin in Employment Practices.*

Except as otherwise provided in this title, an unlawful employment practice is established when the complaining party demonstrates that race, color, religion, sex, or national origin was a motivating factor for any employment practice, even though other factors also motivated the practice.

On a claim in which an individual proves a violation under section 703(m) and a respondent demonstrates that the respondent would have taken the same action in the absence of the impermissible motivating factor, the court—

(i) may grant declaratory relief, injunctive relief (except as provided in clause (ii)), and attorney's fees and costs demonstrated to be directly attributable only to the pursuit of a claim under section 703(m); and

(ii) shall not award damages or issue an order requiring any admission, reinstatement, hiring, promotion, or payment, described in subparagraph (A)....

One other provision of the Civil Rights Act of 1991 may be of interest:

Sec. 106. *Prohibition Against Discriminatory Use of Test Scores.*

(1) It shall be an unlawful employment practice for a respondent, in connection with the selection or referral of applicants or candidates for employment or promotion, to adjust the scores of, use different cutoff scores for, or otherwise alter the results of, employment related tests on the basis of race, color, religion, sex, or national origin....

The Civil Right Act of 1991 reaffirms the prior case law that even if the factfinder is persuaded that the defendant's stated "job related" employment practice is "consistent with business necessity," the plaintiff can win if it proves (production and persuasion burdens) that there is an alternative employment practice that the defendant refuses to adopt that would meet the employer's business needs without having a similar discriminatory impact. (Sec. 105, (a)(ii) and (C).)

Under Title VII, a plaintiff can recover compensatory and punitive damages by proving intentional discrimination, but cannot do so in a disparate impact case. Reinstatement and backpay are considered equitable remedies that are available in both disparate impact and disparate treatment cases. In a disparate treatment case, compensatory damages (including damages for future pecuniary losses, emotional pain, suffering, inconvenience, mental anguish, loss of enjoyment of life, and other nonpecuniary losses) and punitive damages are limited for each complaining party to $ 300,000 against employers with more than 500 employees; but, in addition, the complaining party can be awarded equitable relief. In a case in which the plaintiff seeks compensatory damages (which will be a disparate treatment case requiring the plaintiff to prove intentional discrimination), any party may claim a jury. Parties probably do not have the right to demand a jury in disparate treatment cases. Under Title VII, prevailing plaintiffs can be awarded attorney fees.

IN THE UNITED STATES DISTRICT COURT
FOR THE NORTHERN DISTRICT OF OHIO
EASTERN DIVISION

BARBARA ZOLL
    902 East 61st Street, Apt. #5
    Cleveland, Ohio 44103
JENNIFER GRIMES   C. A. No. 98 – 2371
    1992 Brookdale Road
    Parma, Ohio 44134
    On behalf of themselves and all others similarly situated
Plaintiffs
    vs.   COMPLAINT CLASS ACTION
CITY OF CLEVELAND
City Hall
601 Lakeside Avenue
Cleveland, Ohio 44114

JAMES KOSOLSKY, MAYOR
City of Cleveland
City Hall
601 Lakeside Avenue
Cleveland, Ohio 44114
Individually and in his official capacity as Mayor

HARRY N. TARPLEY, DIRECTOR
Department of Public Safety
City of Cleveland
City Hall
601 Lakeside Avenue
Cleveland, Ohio 44114
Individually and in his official capacity as Director of the
Department of Public Safety
STEVEN SAPERS, PRESIDENT
Civil Service Commission
4210 Cable Avenue

Cleveland, Ohio 44127
Individually and in his official capacity as a Civil Service
Commission member and officer
EVAN W. SPANIOG, VICE PRESIDENT
Civil Service Commission
15089 Harland Avenue
Cleveland, Ohio 44119
Individually and in his official capacity as a Civil Service
Commission member and officer
ALICE Q. SIMMONS, SECRETARY
Civil Service Commission
Room 119, City Hall, 601 Lakeside Avenue
Cleveland, Ohio 44114
Individually and in her official capacity as a Civil Service
Commission member and officer
BETTY SMITH
1400 Henley Avenue
Cleveland, Ohio 44109
Individually and in her official capacity as a Civil Service
Commission member
SAMUEL HAWKINS
4823 East 74th Street
Cleveland, Ohio 44104
Individually and in his official capacity as a Civil Service
Commission member
KAREN SHELTON
PERSONNEL ADMINISTRATOR
Civil Service Commission
City of Cleveland
Room 119, City Hall
601 Lakeside Avenue
Cleveland, Ohio 44114
Individually and in her official capacity as
Personnel Administrator of the Civil Service Commission
THOMAS McGINNIS, FIRE CHIEF
City of Cleveland
1535 Superior Avenue
Cleveland, Ohio 44114
Individually and in his official capacity as Fire Chief
SHELDON O. MARSHALL
Personnel Testing And Statistical Analysis
1701 Erie Ave.
Cleveland, Ohio 44114
Acting as an agent and/or representative of the City of Cleveland in devising and administering its Civil Service

Commission test, and for the Fire Department of the City of Cleveland, Defendants.

PRELIMINARY STATEMENT

1. This is a class action for declaratory and equitable relief and damages brought by the Plaintiffs against the City of Cleveland, Ohio, and several municipal officials and an agent and/or representative of the City of Cleveland on the grounds that the Defendants have engaged in unlawful discrimination against females with respect to the Defendants' polides and practices concerning the recruiting, training, testing, hiring, and employment of firefighters.

The Plaintiffs seek a judgment and decree that the practices complained of are in violation of rights guaranteed by the Constitution of the United States and applicable civil rights statutes.

Plaintiffs also seek to invoke the Court's supplemental jurisdiction with respect to common law claims arising out of the same common nucleus of facts as her federal claims. In connection with this claim, the Plaintiffs seek a judgment or decree that the practices complained of herein are in violation of the laws of the State of Ohio, ordinances, rules and regulations of the City of Cleveland and its Civil Service Commission.

PARTIES

A. Plaintiffs

2. (a) Plaintiff, Barbara Zoll, is a citizen of the United States residing at 902 East 61st Street, Apt. #5, Cleveland, Ohio 44103.

(b) Barbara Zoll is a white female.

(c) On April 30, 1998, Plaintiff took the City of Cleveland Civil Service Commission written test for eligibility for appointment as a Cleveland firefighter.

(d) Barbara Zoll received a score of 48.50 on the written test and took the physical agility test administered from May 7 through May 13, 1998.

(e) Plainttff is no. 642 on the current eligibility list for appointment as a Cleveland firefighter.

(f) Barbara Zoll attended classes in a specially funded training program for female applicants for the April 30, 1998, firefighters' Civil Service Commission Test.

3. (a) Plaintiff, Jennifer Grimes, is a citizen of the United States residing at 1992 Brookdale Road, Parma, Ohio 44134. In late January or early February 1998, when she applied to take the City of Cleveland Civil Service Commission test for eligibility for appointment as a Cleveland firefighter, Plaintiff was a bona fide resident of 3448 West 94th Street, Cleveland, Ohio 44102.

(b) Jennifer Grimes is a white female.

(c) On April 30, 1998, Plaintiff took the City of Cleveland Civil Service Commission written test for eligibility for appointment as a Cleveland firefighter.

(d) Jennifer Grimes received a score of 39.50 on the written test, plus an additional 5 points because she is a veteran, and was permitted to take the physical agility test administered on May 9, 1998.

(e) Jennifer Grimes received a score of 28.24 on the physical agility test, and was given an additional 10 points because she was a resident of the City of Cleveland.

(f) Jennifer Grimes is Number 952 on the current eligibility list for appointment as a Cleveland firefighter.

(g) Because of her ranking as No. 952 on the current eligibility list, it is unlikely that Plaintiff will be appointed as a Cleveland firefighter.

(h) Jennifer Grimes attended classes in a specially funded training program for female applicants for the firefighters Civil Service Commission Test.

B. Class Action

4. Plaintiffs bring this action on their own behalf and pursuant to Rules 23(a) and (b)(2), F. R. C. P. on behalf of all others similarly situated.

5. The class which Plaintiffs represent includes all females who at any time applied to take the Civil Service Commission Examination for eligibility for appointment as a Cleveland firefighter offered on April 30, 1998, and also all females who attended the special training class offered by the City of Cleveland from approximately mid-January 1998 to late-April, 1998, for the purpose of training actual and potential female applicants for the April 30, 1998, Civil Service Examination. The class also includes all females who have been or will be deterred from applying for employment, and also all females who will be employed, or who will apply for employment as firefighters with the City of Cleveland at any time in the future.

6. (a) The Defendants have restricted eligibility of applicants for the position of firefighter to persons 18 years of age or more, who are citizens of the United States and who possess a high school diploma, or the equivalent.

(b) The population of the Standard Metropolitan Statistical Area (SMSA) of Cleveland includes 1,384,025 persons 18 years of age or more.

(c) Of these 1,384,025 persons, approximately 53% are female.

(d) Two hundred eighty-five (285) women took the Civil Service Commission written test for eligibility for appointment as a Cleveland firefighter on April 30, 1998. The number of women who will apply for employment in the future, or who have been or will be deterred from applying is unknown.

(e) The class is so numerous that joinder of all members is impracticable.

7. (a) Defendants issue notices of all Civil Service examinations for the position of firefighter.

(b) Defendants require written tests of all firefighter applicants and agility tests of those who pass the written test.

(c) No (0) female has ever been employed by the City of Cleveland as a firefighter in its history; the woman scoring highest on the examination that began April 30, 1998, is No. 334 on the eligibility list.

(d) A special training program for female applicants or potential applicants was held by the Defendant City of Cleveland for the April 30, 1998, Civil Service Commission examination for the position of Cleveland firefighter. While this program was open to anyone who wished to attend, free of charge, it was referred to as being especially for women.

(e) The above facts are common to the class.

8. Questions of law common to the members of the class concern whether the acts herein alleged to have been committed by the Defendants constitute violations of the United States Constitution and the Civil Rights Acts of 1871, and 1964, as amended.

9. (a) Plaintiff Barbara Zoll applied to take, participated in, and passed the Civil Service Commission written test for eligibility for appointment as a Cleveland firefighter offered on April 30, 1998, and scored a 33.2 on the physical portion.

(b) Plaintiff Jennifer Grimes applied to take, and passed the Civil Service Commission written tests for eligibility for appointment, as a Cleveland firefighter offered on April 30, 1998. She attained a score. of less than 35 (the requisite passing score) on the physical agility test offered from May 7, 1998, through May 13, 1998, although her name is, nevertheless, listed on the eligibility list for appointment as a Cleveland firefighter.

(c) The City of Cleveland plans to appoint approximately thirty-five (35) firefighters immediately from the current firefighter eligibility list.

(d) The highest-ranking woman who passed both the written test and the physical agility test is ranked Number 334 on the eligibility list.

(e) The City of Cleveland will not reach any woman on the current eligibility list for appointment as a Cleveland firefighter unless it takes women from the eligibility list out of their rank order.

(f) All the named Plaintiffs attended some classes of a specially funded training program for the April 30, 1998, Cleveland Firefighters Civil Service Commission Examination.

(g) Plaintiffs' claims are typical of the class.

10. (a) Plaintiffs have pursued available administrative remedies by filing charges of employment discrimination based on their sex with the Cleveland Regional Office of the Equal Employment Opportunity Commission.

(b) Plaintiffs have retained counsel and are able fairly and adequately to represent and protect the interests of the class.

11. The Defendants' policies regarding hiring and employment have been and will continue to be generally applicable to the class thereby making appropriate final injunctive and declaratory relief with respect to the class as a whole. A common relief is sought. A class action is the only practical method of fair and efficient adjudication of this controversy.

C. Defendants

12. (a) Defendant City of Cleveland is a municipal corporation organized and established pursuant to laws of the State of Ohio.

(b) Defendant City of Cleveland, through its mayor and council, formulates, adopts, and implements policies, practices, and procedures with regard to hiring and employment by the municipality.

(c) Defendant City of Cleveland is an employer within the meaning of Title 42 U.S.C. § 2000e(a) and (b), as amended.

13. Defendant James Kosolsky is Mayor of the City of Cleveland and, as such, is vested with the authority to enforce the City's ordinances, regulations, and policies. He is sued both in his official capacity and individually.

14. Defendant Harry N. Tarpley is the Director of the Department of Public Safety of the City of Cleveland. As an appointee of the mayor, he is vested with authority to oversee and direct the operations and policies of the various safety divisions of the City of Cleveland, including the Fire Department.

15. Steven Sapers is President of the Civil Service Commission of the City of Cleveland. He is vested with the authority to carry out the ordinances, rules, regulations, and policies of the Civil Service Commission. He is sued in his official capacity and individually.

16. Evan W. Spaniog is Vice President of the Civil Service Commission of the City of Cleveland. He is vested with the authority to carry out the ordinances, rules, regulations, and policies of the Civil Service Commission. He is sued in his official capacity and individually.

17. Alice Q. Simmons is the Secretary of the Civil Service Commission of the City of Cleveland. She is vested with the authority to carry out the ordinances, rules, regulations, and policies of the Civil Service Commission. She is being sued in her official capacity and individually.

18. Betty Smith is a member of the Civil Service Commission of the City of Cleveland. She is vested with the authority to carry out the ordinances, rules, regulations, and policies of the Civil Service Commission. She is being sued in her official capacity and individually.

19. Samuel Hawkins is a member of the Civil Service Commission of the City of Cleveland. He is vested with the authority to carry out the ordinances, rules, regulations, and policies of the Civil Service Commission. He is being sued in his official capacity and individually.

20. Karen Shelton is Personnel Administrator of the Civil Service Commission of the City of Cleveland. She is vested with the authority to carry out the ordinances, rules, regulations, and policies of the Civil Service Commission. She is being sued in her official capacity and individually.

21. (a) Defendant Fire Chief Thomas McGinnis is a sworn officer of the Fire Department of the City of Cleveland.

(b) The Fire Chief supervises approximately 1,000 persons who serve as firefighters for the City.

(c) Defendant Fire Chief McGinnis is an agent of an employer within the meaning of Title 42 U. S. C. § 2000e(a) and (b), as amended.

22. (a) Defendant Sheldon O. Marshall is a professor of psychology at Case-Western Reserve University, Cleveland, Ohio, who offers consulting services in the area of devising, administering, evaluating, and scoring civil service examinations on behalf of local, state, and federal governments.

(b) Pursuant to an agreement with the Defendant City of Cleveland, Defendant Marshall prepared, administered, scored, and evaluated the Civil Service Commission written test for eligibility for appointment as a Cleveland firefighter offered on April 30, 1998, and also the physical agility test of the same examination, offered from May 7 through 13, 1998.

(c) Defendant Marshall is an agent and/or representative of an employer within the meaning of Title 42 U. S. C. § 2000e(a) and (b) as amended.

STATEMENT OF THE CLAIM

A. COUNT ONE: TITLE VII

23. On or about October 6, 1994, Sheldon O. Marshall submitted a Proposal to provide a job-related entry-level examination for the position of firefighter City of Cleveland.

24. Pursuant to Ordinance No. 2618-94 enacted December 6, 1994, the Council of the City of Cleveland selected Defendant Marshall to provide his professional services in preparing, administering, and defending a job-related, entry-level examination for the position of firefighter.

25. (a) On or about March 15, 1995, pursuant to Ordinance No. 2618-94 enacted by the Council of the City of Cleveland on December 6, 1994, the City of Cleveland entered into a formal agreement with Defendant Marshall that he provide the professional services necessary to prepare, administer, and defend a job-related, entry-level examination for the position of firefighter.

(b) In return, the City of Cleveland has paid or will pay Defendant Marshall an amount equal to or in excess of Thirty-Seven Thousand Five Hundred Fifty Dollars ($ 37, 550.00).

26. On or about January 1, 1998, the Civil Service Commission of the City of Cleveland issued an announcement of an open competitive examination for the position of firefighter, the written portion of which would be administered on April 30, 1998. Said announcement stated:

The written test is designed to measure basic reading and math skills, the ability to follow directions, the ability to recall basic factual materials, and a variety of judgment and skills related to firefighter performance. Knowledge of firefighting procedures is not required on the test.

27. (a) During January, 1998, or February, 1998, the exact date unknown, the City of Cleveland commenced a program allegedly intended to prepare women successfully to pass all phases of the 1998 firefighter entry-level tests.

(b) Classes in this program were free of charge and described as a women's training course.

(c) Classes in the women's training program were supervised by Lt. Kevin Kelly, an agent of the Defendant City of Cleveland.

(d) The content of the classes in this program did not provide adequate preparation for the content of the written test administered on April 30, 1998.

(e) The content of the classes in the women's training program did not include all aspects of the physical agility test administered May 7 through 12, 1998.

28. (a) For several months prior to April 30, 1998, the exact dates being unknown, Buddy Casey offered a program of classes to prepare candidates for the firefighter tests.

(b) Enrollees in Buddy Casey's classes were charged a fee of Five Hundred Dollars ($500.00).

(c) Only eight (8) women attended Casey's classes.

(d) The content of Casey's classes closely paralleled the content of the written test offered on April 30, 1998.

29. On or about April 30, 1998, at the Cleveland Convention Center commencing at 9:30 a.m., the Civil Service Commission administered the written portion of the entry-level firefighters test to all candidates.

30. Those persons determined by the City of Cleveland to have passed the written test successfully were notified to take the physical agility test.

31. Physical agility tests were administered to groups of twenty-five (25) candidates at scheduled half hour intervals commencing May 7, 1998 through May 13, 1998.

32. (a) Sometime during the second half of May, 1998, the Civil Service Commission issued an eligibility list of one thousand ninety-eight (1,098) names of persons who had taken both written and physical portions of the City of Cleveland's entry-level firefighter examination during April-May, 1998.

(b) Of the one thousand ninety-eight (1,098) names appearing on the eligibility list, the names of only twenty-nine (29) women appear.

(c) The highest ranking woman on the May, 1998 eligibility list is F. Huilbert, who is ranked No. 334.

(d) Women have been informed by agents, officers, and representatives of the City of Cleveland that no women will be hired as Cleveland firefighters.

33. (a) The Cleveland firefighter entry-level examination has a disparate adverse impact upon female applicants with respect to both the written and the physical agility portions of the examination.

34. (a) The content of the written portion of the entry-level firefighter test April 30, 1998, is not job-related and/or performance predictive.

(b) The content of the written test does not accord with the content of the Civil Service announcement of January 3, 1998.

(c) Nor was the written test administered April 30, 1998, related to the content of the special women's firefighter training program offered by the City of Cleveland in early 1998.

(d) The firefighter written test discriminates against female applicants on the basis of their sex.

(e) Alternative job-related methods of testing were available, which would not have had as adverse a disparate effect upon females and which would not have discriminated against females on the basis of their sex.

35. (a) The administration of the written test was not in accordance with laws, ordinances, regulations, and policies applicable to the Defendants in this action.

(b) Security for the administration of the test was not uniformly applied to all candidates.

36. (a) The method of grading and evaluating the written test scores discriminated against females upon the basis of their sex.

(b) The method of grading, evaluation, and weighting questions within the written test was not selected until after the candidates had completed and turned in their completed tests.

(c) Five (5) extra points for eligible veterans were added immediately to veterans' written scores thereby enabling many men who otherwise would not have passed the written test to attain a passing grade of thirty-five (35).

(d) Methods of correcting errors in the written test were not uniformly applied to all candidates.

(e) Although various female candidates requested the right to review their graded written tests, their requests were denied.

37. (a) The content of the physical agility test administered from May 7 through May 13, 1998, was not job-related and/or performance predictive of the skills required of an entry-level Cleveland firefighter.

(b) The physical agility test was not related to the content of the special women's firefighter training program offered by the City of Cleveland in early 1998.

(c) The physical agility test was of such difficulty that it was predictable that women would be more likely than men to be eliminated by it.

(d) The physical agility test included items with respect to which women are known to be disadvantaged while excluding those with respect to which females generally are advantaged.

38. The administration of the physical agility test from May 7 through May 13, 1998, was neither consistent, uniform, nor fair.

39. (a) The grading of the physical agility test has had a disparate adverse impact upon women and a discriminatory effect upon women based upon their sex.

(b) Times for each physical agility event were evaluated against the times of other participants, rather than for minimum competency.

(c) The methods of evaluating candidates' time scores varied significantly and without adequate reason, on the different days the physical test was administered.

(d) The method of weighting, evaluating, and scoring the physical agility test was not determined until after the candidates had completed their tests.

(e) the method of determining the physical agility test score sufficient for placement on the eligibility list was not in accordance with the stated requirement set forth in the instruction sheet issued to candidates taking the agility test (see Exhibit A attached).

40. The City of Cleveland, through its officers, agents, and representatives has made statements intended to discourage females from seeking employment with the City of Cleveland's Fire Department.

41. The City of Cleveland and the other named Defendants knew, or should have known, that the written and physical agility firefighters' tests would have a disparate adverse impact and discriminatory effect upon females because of their sex.

42. The procedures described above for the selection of entry-level firefighters were intended by the Defendants to eliminate female candidates from consideration for firefighter positions.

43. By all the acts set forth in paragraphs 23 through 42 above, the Defendants have violated Title VII of the Civil Rights Act of 1964, 42 U. S. C. § § 2000e, et seq.

44. Plaintiffs have fulfilled the conditions precedent to filing a civil action pursuant to Title VII of the Civil Rights Act of 1964. Both Named Plaintiffs have filed timely charges of discrimination with the Equal Employment Opportunity Commission and requested their Notices of Right to Sue.

RELIEF PRAYED

45. WHEREFORE, Plaintiffs respectfully pray that this Honorable Court:

(a) Declare unlawful the policies and practices of the Defendants set forth in paragraphs 23 through 42 above, as depriving Plaintiffs and the members of the class they represent, employment opportunities protected by Title VII of the Civil Rights Act of 1964, 42 U. S. C. § § 2000e, et seq. ;

(b) Enjoin the Defendants, both preliminarily and permanently, from declaring the Plaintiffs and others of their class to be either ineligible or too low ranking on the eligibility list for appointment to entrylevel firefighter positions on the basis of unvalidated tests which have a disparate effect upon females solely because of their sex;

(c) Direct that the Defendant City of Cleveland, its Mayor, department directors, civil service commission, and others undertake a program to formulate, promulgate, and implement a uniform and nondiscriminatory procedure and policy with respect to the recruiting, hiring, and training of female firefighters;

(d) Make Plaintiffs and the members of their class whole by appropriate back pay, including pre-judgment and post-judgment interest at prevailing rates on the amount awarded, and front pay;

(e) Grant Plaintiffs and the members of their class the costs of this action and reasonable attorneys' fees pursuant to 42 U. S. C. § 1988, including interest at prevailing rates on all sums awarded;

(f) After a prompt hearing of this action according to law, issue an order retaining jurisdiction of this claim until such time as the Court is assured from the activity of the Defendants and their agents that the violations of rights complained of herein have ceased and are no longer threatened and that the effect of past violations has been remedied; and

(g) Grant such other affirmative relief as the Court deems just and appropriate.

B. COUNT TWO: § 1983

46 – 65. As paragraphs 46 through 65, Plaintiffs restate, as if fully stated herein, paragraphs 23 through 42 of this complaint.

66. By all the acts set forth in paragraphs 46 through 65 above, the Defendants have violated the Civil Rights Act of 1871, 42 U. S. C., § 1983, and the Due Process and Equal Protection Clause of the Fourteenth Amendment of the United States Constitution.

RELIEF PRAYED

67. WHEREFORE, Plaintiffs respectfully pray that this Honorable Court:

(a) Pursuant to Title 28 U. S. C. § § 2201 and 2202, declare unlawful the actions, policies, practices, customs, and usages herein challenged, as being violative of the Civil Rights Act of 1871, 42 U. S. C. § 1983, and the Fourteenth Amendment to the United States Constitution;

(b) Enjoin, both preliminarily and permanently, all use of veterans' preference points for male firefighters with respect to the scoring of the City of Cleveland's entry-level firefighter test;

(c) Enjoin the Defendants, both preliminarily and permanently, from declaring the Plaintiffs and others of their class to be either ineligible or too low ranking on the eligibility list for appointment to entrylevel firefighter positions on the basis of unvalidated tests which have a disparate effect upon females solely because of their sex;

(d) Direct that the Defendant City of Cleveland, its Mayor, department directors, civil service commission, and others undertake a program to formulate, promulgate, and implement a uniform and nondiscriminatory procedure and policy with respect to the recruiting, hiring, and training of female firefighters;

(e) Make Plaintiffs and the members of their class whole by appropriate back pay, including pre-judgment and post-judgment interest at prevailing rates on the amount awarded, and front pay;

(f) Grant Plaintiffs and the members of their class the costs of this action and reasonable attorneys' fees pursuant to 42 U. S. C. § 1988, including interest at prevailing rates on all sums awarded;

(g) Award Plaintiffs and the members of the class they represent compensatory and punitive damages;

(h) After a prompt hearing of this action according to law, issue an order retaining jurisdiction of this claim until such time as the Court is assured from the activity of the Defendants and their agents that the violations of rights complained of herein have ceased and are no longer threatened and that the effect of past violations has been remedied; and

(i) Grant such other affirmative relief as the Court deems just and appropriate.

C. COUNT THREE: CONSPIRACY UNDER § 1985(3)

68 – 87. As paragraphs 68 through 87, Plaintiffs restate, as if fully stated herein, paragraphs 23 through 42 of this complaint.

88. (a) Defendants the City of Cleveland, the officers and members of the Civil Service Commission and Fire Chief McGinnis and other unnamed co-conspirators each and with the others determine the employment needs of the City.

(b) Similarly, the Defendants determine the methods used to publicize the fact that hiring of firefighters for the City will take place.

(c) Further, the above-named Defendants, together with Defendant Sheldon Marshall, select the testing procedures, administer the examination, and evaluate the results.

(d) Finally, the above-named Defendants, together with Defendant Sheldon Marshall, are responsible for deciding which applicants will be hired for available entry-level firefighter position.

89. Defendants employed by the City of Cleveland have conspired with Defendant Marshall and with each other to deprive directly or indirectly, candidates for firefighter positions for the City of Cleveland of their rights to equal employment opportunity guaranteed by the Fourteenth Amendment to the United States Constitution and 42 U. S. C. § § 1983 and 2000e, *et seq.*

90. Defendants employed by the City of Cleveland, Defendant Marshall, and any unnamed co-conspirators have met and acted in concert to deprive the Plaintiffs and members of their class equal opportunities for employment with the City of Cleveland, thereby causing irreparable injury to them in violation of rights guaranteed by the Due Process and Equal Protection Clauses of the Fourteenth Amendment to the United States Constitution and 42 U. S. C. § § 1983 and 2000e, *et seq.*

91. By these multiple acts, some of which were taken outside the scope of authority and the official capacities of the Defendants, as set forth in paragraphs 75 through 95 above, the Defendants have violated the Civil Rights Act of 1871, 42 U. S. C. § 1985(3).

RELIEF PRAYED

92. WHEREFORE, Plaintiffs respectfully pray that this Honorable Court:

(a) Pursuant to Title 28 U. S. C. § § 2201 and 2202 declare unlawful the actions taken in concert by the Defendants conspiring to deprive the Plaintiffs and the members of the class they represent of nondiscriminatory training programs, preparation, development, administration, grading, evaluation, and purported validation of both the written firefighters' test offered on April 30, 1998, and the physical agility firefighters' test offered May 7 through May 13, 1998, and declare unlawful, null and void these same actions and the eligibility list(s) resulting from said tests as being violative of 42 U. S. C. § 1985(3);

(b) Enjoin, both preliminarily and permanently, all use of veterans' preference points for male firefighters with the scoring of the City of Cleveland's entry-level firefighter test;

(c) Enjoin the Defendants, both preliminarily and permanently, from declaring the Plaintiffs and others of their class to be either ineligible or too low ranking on the eligibility list for appointment to entrylevel firefighter positions on the basis of unvalidated tests which have a disparate effect upon females solely because of their sex;

(d) Direct that the Defendant City of Cleveland, its Mayor, department directors, civil service commission, and others undertake a program to formulate, promulgate, and implement a uniform and nondiscriminatory procedure and policy with respect to the recruiting, hiring, and training of female firefighters;

(e) Make Plaintiffs and the members of their class whole by appropriate back pay, including pre-judgment and post-judgment interest at prevailing rates on the amount awarded, and front pay;

(f) Grant Plaintiffs and the members of their class the costs of this action and reasonable attorneys' fees pursuant to 42 U. S. C. § 1988, including interest at prevailing rates on all sums awarded;

(g) Award Plaintiffs and the members of the class they represent compensatory and punitive damages;

(h) After a prompt hearing of this action according to law, issue an order retaining jurisdiction of this claim until such time as the Court is assured from the activity of the Defendants and their agents that the violations of rights complained of herein have ceased and are no longer threatened and that the effect of past violations has been remedied; and

(i) Grant such other affirmative relief as the Court deems just and appropriate.

D. COUNT FOUR: OHIO CIVIL SERVICE FRAUD STATUTE

93 – 112. As paragraphs 93 through 112, Plaintiffs restate, as if fully stated herein, paragraphs 23 through 42 of this complaint.

113. Rule 4.00 of the Civil Service Rules of the City of Cleveland provide procedures for the conduct of civil service competitive examinations.

114. The importance of proper administrative procedures with respect to the conduct of civil service examinations is underscored by O. R. C. § 124.58, which prohibits fraud with respect to defeating, deceiving, or obstructing any person in respect of his right of examination, appointment, or employment. This statute also prohibits willful, corrupt, or false grading of examinations and other matters.

115. Defendants made material representations to the Plaintiffs, falsely and fraudulendy, that the City of Cleveland was seeking to appoint women firefighters, thereby inducing Plaintiff to apply to take the Firefighter examination.

116. These representations, whether oral or in writing, by the Defendants were known to be false by some or all of the Defendants at the time these representations were made and were made willfully and maliciously with intent to induce Plaintiffs to take the firefighter examination and to deceive and deny Plaintiffs their civil rights.

117. Plaintiffs, relying upon the false representations and the representation of the Defendants that the women's training program would adequately prepare them for the firefighter examination, enrolled in the women's training program, spent substantial time preparing for the Civil Service Commission firefighting examination, and completed those tests which they were permitted to take in their attempt to qualify for firefighter positions.

118. The Defendants, having induced the Plaintiffs to take tests which discriminated against women based upon their sex, then also administered and evaluated these tests in a discriminatory, willful, and malicious fashion.

119. As a result of these false and fraudulent representations of the Defendants, Plaintiffs were proximately injured and suffered economic loss, loss of career opportunity, humiliation, and emotibnal distress.

RELIEF PRAYED

120. WHEREFORE, Plaintiffs respectfully pray that this Honorable Court:

(a) Declare unlawful the policies and practices of the Defendants set forth in paragraphs 23 through 42 above;

(b) Enjoin the Defendants, both preliminarily and permanently, from declaring the Plaintiffs and others of their class to be either ineligible or too low ranking on the eligibility list for appointment to entrylevel firefighter positions on the basis of unvalidated tests which have a disparate effect upon females solely because of their sex;

(c) Direct that the Defendant City of Cleveland, its Mayor, department directors, civil service commission, and others undertake a program to formulate, promulgate, and implement a uniform and nondiscriminatory procedure and policy with respect to the recruiting, hiring, and training of female firefighters;

(d) Enjoin, both preliminarily and permanently, all additions of veterans' preference points to written test scores;

(e) Award Plaintiffs and the members of the class they represent compensatory damages, also including back pay;

(f) Award Plaintiffs and the members of the class they represent punitive damages, also including costs and attorneys' fees; and

(g) Grant such other affirmative relief as the Court deems just and appropriate.

Respectfully Submitted
By Their Attorney
_____/s/E. Julia Jennifer_____
Elisabeth Julia Jennifer
Jennifer, Berton & Abrahams
56 Joan Street
Cleveland, Ohio 44114

EXHIBIT A

Dated: /d/

CLEVELAND ENTRY LEVEL EXAM FOR FIREFIGHTERS PART II—PHYSICAL STRENGTH, ENDURANCE, AND ABILITY TEST

Place: Cleveland Fire Academy, 3250 Lakeside Avenue

Date: May 7—May 13, 1998

Your scheduled date and time are marked on your 3 x 5 ticket....

(1) If it is impossible for you to appear at the date and time scheduled on your white ticket, stop at the rescheduling desk as you leave.

(2) Parking near the Academy is limited, allow time to park and reach the Academy by your scheduled time.

(3) Bring your ticket; it is your ticket of admission to the Academy testing area. You will get no other notice concerning the physical test unless you fail to qualify on the written exam. Persons not scheduled for testing during that specific half-hour session will not be admitted to the Academy testing area.

(4) Wear comfortable clothing and sneakers or rubber-soled shoes similar to those you would wear when participating in a demanding athletic event.

(5) Check with our doctor before participating in the physical ability test if you have circulatory, respiratory, or other problem that have required medical attention, if you have a blood pressure of 150/100 or higher, or if you are taking medication.

(6) Avoid eating, drinking coffee, or smoking for at least two hours before your scheduled testing session. It is also advisable to allow yourself 10 minutes of warm-up and stretching exercises before signing in to begin the test.

The physical abilities exam is designed to measure aerobic fitness, muscular strength and endurance, balance, and speed as these factors relate to frequently encountered tasks involved in firefighting and rescue. Where possible we have tried to simulate firefighter activities which do not require special prior training. Where special training, safety concerns, or physical constraints exist, test elements have been modified to measure the same skills and abilities in a more practical and standardized manner.

In all cases it is the responsibility of the candidate to complete the exercises as rapidly as possible without risking personal injury through carelessness or reckless actions. Falls and/or minor injuries incurred during an event can cost you far more than one or two extra seconds spent exercising caution.

There are three events as described below. In each case you will earn from 0 to the maximum points listed (in fractional steps), based on your performance. There is no absolute pass/fail cut-off on each individual event, but you must score a total of 35 out of 50 points (70 per cent) to pass the agility test.

Event 1—Upper arm and shoulder muscular endurance—(10 pts.) raise bar bell (approx. 33 lbs.) to chin level. On signal raise barbell overhead to full arm extension and then lower to chin level. Repeat rapidly for 60 seconds or until a maximum of 35 lifts are completed. Score will be based on total successful lifts in one minute up to the maximum of 35. Lifts involving the bending of knees and/or use of legs will be discounted. You must proceed immediately to Event 2. If you delay being tested so that you drop out of the testing sequence, you will be disqualified.

Events 2 and 3 will be run with the applicant carrying a standard selfcontained breathing apparatus on his/her back (excluding mask and regulator), weighing approximately 40 lbs.

Event 2—Fire scene set-up and building entry—(25 pts.) Grab one end and drag 100 ft. of 4 1/2-in. hose 90 feet; drop and run to other end of hose; pick up and drag 90 ft. back to start area; run to fire apparatus (70 ft.); remove 12 ft. extension ladder (35 lbs.); enter fire tower (45 ft. away), place ladder against wall of first landing; continue up the inside stairwell to the fourth story above ground level; return to first landing; remove ladder and replace on fire apparatus. Approximately 340 ft. total run plus 40 ft. vertical ascent and descent. Score based on total time required from beginning of hose drag to return of ladder to side of fire apparatus.

Event 3—Simulated interior fire rescue—(15 pts.) Grasp handle of dead weight (100 lbs); pull 20 ft to low headroom drag area (30 in. high, 40 in. wide); crawl and drag weight through low headroom area (36 ft.); drag weight 16 ft. past marker; return to start area through low headroom drag area. Distance approx. 144 ft. Score based on total time.

All distances, weights, and other measures are approximate. Minor procedural, equipment, and/or measurement changes may be invoked at the time of the exam.

Memorandum Re Directed Verdict[*]

To: Judicial Clerks

From: Judge Paz, United States District Court for the Northern District of Ohio

Re: Defendant City of Cleveland's Directed Verdict (Judgment as a Matter of Law)

Motion in Barbara Zoll, et al. v. City of Cleveland.

As you know, I have been hearing plaintiff's evidence in this case for the past week. I am sure that the city will move for a directed verdict (now a Fed. R. Civ. P. 50 motion for judgment as a matter of law) as soon as the plaintiffs rest, which should be any hour now. I want to decide the motion fairly quickly, once plaintiffs rest, so that counsel, witnesses, and the jury know what to do. So please be prepared to advise me on a moment's notice.

What I will do now is bring you up to date on the case, and at the end of this memo I will give you a photostat of the relevant portions of my trial notebook summarizing the evidence. If more evidence comes in the next few hours that I think is at all relevant to the motion I will tell you later.

You've seen the complaint previously, and you have told me that during your civil procedure course you were exposed to civil rights actions under Sections 1983 and 1985, and Title VII cases. This is a class action brought on behalf of entry-level female firefighters in the City of Cleveland, challenging the rank-order written and physical capabilities selection examination established by the city as perpetuating the exclusion of women from firefighting positions.

The plaintiffs have proceeded under four causes of action. Count One is for alleged violations of Title VII of the Civil Rights Act of 1964, as amended. Count Two alleges a violation of 42 U. S. C. § 1983, based upon violations of the Due Process and Equal Protection Clauses of the Fourteenth Amendment of the United States Constitution. Count Three alleges a conspiracy under 42 U. S. C. § 1985(3) to deprive the plaintiffs of their rights under the Due Process and Equal Protection Clauses of the Fourteen Amendment of the U. S. Constitution. Count Four alleges violations of the Ohio Revised Code § 124. 58 ("Frauds in examinations prohibited").

The only defendant remaining in the case is the City of Cleveland. The plaintiffs have settled with Sheldon Marshall, the expert who devised the tests in question, and have now dismissed against all other defendants except the

---

[*] This memorandum and the following trial notebook are based on the actual trial, but have been drafted solely for the purposes of this book. Some testimony has been modified, added, and eliminated for pedagogical purposes.

city. Nonetheless, to the extent that a city official's or agent's activity is relevant to making the city liable, such activity can be considered. I assume that the city will move for directed verdict on all four counts. Ignore that this is a class action, and treat the named plaintiffs as individuals for purposes of this motion. Also ignore any issues relating to the type or amount of damages, for I have bifurcated liability from questions of damages or types of injunctive relief.

I have already decided that I will deny any motion for directed verdict against the Title VII count, because I am sure that the plaintiffs' statistics with respect to virtually no hiring of females ("disparate impact") shifts the burdens of production and persuasion to the defendants to prove the "business necessity defense." In the words of the Cook & Sobieski treatise, "Under the 1991 Act, an employer may successfully defend a disparate impact resulting from an employment practice by demonstrating 'that the challenged practice is job related for the position in question and consistent with business necessity.'" I am confident that the plaintiffs' statistical evidence has placed that burden on defendants.

I have asked counsel to consider whether i) they are entitled to a trial by jury on only the Title VII count; and ii) whether they would be willing to have me decide the Title VII count alone, without a jury, since it involves so much detailed information about testing. I think the lawyers are leaning in that direction—proceeding without a jury—if only Title VII remains.

I suspect that the defendant's motion for directed verdict on the other three counts will rely on the following potential weaknesses in plaintiffs' case, which I will explain. * As to the Ohio statute (Ohio Rev. Code, Sec. 124. 58), take a look at the exact wording of the statute. The term "frauds" in the title, and the repeated use of such words as "willfully or corruptly" and "deceive", "falsely," and "false" suggest to me that defendants will say there is no evidence of misstatements of existing facts with intent to deceive. My clerks with last names beginning with the letters A-G should particularly be prepared to advise me on the directed verdict motion relating to that count. It is critical that you read each clause of the statute and analyze the evidence as to each clause. Do the plaintiffs have a stronger shot at surviving the directed verdict motion as to any particularly clause? What evidence makes you think so?

It seems to me that the plaintiffs may have trouble with "conspiracy" aspects of the 42 U.S.C. § 1985(3) count, but I want you to also consider what else they have to prove substantively in this count. My clerks with last names beginning with the letters H-P should particularly analyze plaintiffs' production burden with respect to that count. The law is clear that all conspirators do not have to be named as co-defendants nor do they have to remain in the case for the jury to consider whether there was a conspiracy within the meaning of § 1985(3). In other words, you will have to analyze the activity of the Mayor, Dr. Marshall, fire department officials, etc., to the extent there is evidence about them, even though the only defendant is now the City. A conspiracy is often defined as follows: "a combination, or an agreement between two or more persons, for accomplishing an unlawful end or a lawful end by unlawful means."

I suspect that 42 U.S.C. § 1983 may present the closest case with respect to whether or not the plaintiffs can survive a directed verdict motion. My clerks with last names beginning with the letters Q-Z should concentrate on any directed verdict motion directed to that count. On this cause of action, I suspect the plaintiffs may have problems with both intent and causation. In other words, the prima facie case under § 1983 requires that the plaintiffs produce evidence that directly and/or circumstantially (through the use of inferences) would permit a reasonable jury to find that a defendant "purposefully and intentionally" discriminated against women and that the defendant's activity caused the

---

* Students may also find it useful to reread the legal analysis portions of the Initial Memorandum in these *City of Cleveland* Case Files.

harm claimed, which I take it is the failure of women to secure positions as firefighters. With respect to the city, it is not enough that some official unilaterally had an animus against women, or did not like the idea of women becoming firefighters. The city or the fire department must have had a policy to discriminate, which is different from a series of isolated events. The question is whether a reasonable jury on the evidence could find such a policy, bearing in mind that such a policy need not be articulated in writing or orally; it could be inferred, if such an inference is a reasonable one.

Portions of Judge Paz's Trial Notebook

Evidence Admitted in *Barbara Zolll*, *Jennifer Grimes*, *et al. v. City of Cleveland* which might be relevant to directed verdict motion.

Plaintiffs' first witness, Mayor James Kosolsky: testifies that he has been mayor of the City of Cleveland for about eight years. Doesn't know exactly when he found out, but "I certainly knew that the fire department was absent of any women firefighters." (Pl. Ex. 1: "Mayor Policy Statement of Affirmative Action and Equal Employment Opportunity.") He made "a commitment to the city to develop and implement result-oriented goals, procedures and programs to reduce the underutilization of minorities and women and to achieve equity throughout the city's workforce." Wanted testing procedures that "would not preclude women from being members of the Cleveland Fire Department, but at the same time would guarantee that the dept. would have qualified individuals." Knows there are now women firefighters in other fire departments in the U. S. "Hammered away at his people that I want this to be the best doggone test there can be. I don't want anybody charging that we are trying to discriminate or preclude anybody from being a member of any of our departments or the city service." Reads from document that says "Fire Division has set a goal to hire seven blacks and two Hispanics as firefighters." Admits that no number of women specifically listed as a goal. Two years later, a document says: goal to hire one woman as typist in fire department. Testifies that reason number set for black and Hispanic firefighters was result of consent decree in another case. Fire department had 1,010 paid members. Three were women, none as uniformed firefighters.

Cross-examination by city attorney (as on direct): Firefighters job is "to protect the health, safety and welfare of the citizens of Cleveland. That's the overriding thing that we are trying to get done. We are in the service business, and want to get the best service that we can possibly provide and have the best people we can to provide the service."

Q: "Mayor, did you ever intentionally discriminate with respect to the female applicants who sought employment in the Division of Fire?"

A: "Absolutely not."

Re-direct of mayor (as on cross): He's not suggesting in any way that the objective of bringing women into the firefighters' workforce is in conflict with the goal of bringing in firefighters for protection of the health and safety and welfare of the citizens of Cleveland.

Plaintiffs read to the jury certain requests for admission that have been admitted by all defendants, as well as certain stipulations agreed to by all parties. My summary of data on the written and physical examinations to become a uniform firefighter in Cleveland, Ohio (these are the examinations being challenged in this lawsuit): There were initially 3,612 applicants. 2,212 took the written part of the test. 1,233 took the physical part. Each portion of the examination was worth a raw score of 50 points, with a maximum achievable score (with the two tests combined) of 100. The raw scores on the written portion were adjusted by capping the scores from the different sections, by awarding five extra points to qualifying veterans, by awarding ten extra points to city residents, and by adding six points to the scores of minority candidates. The veteran and resident point adjustments were made pursuant to provisions in the city charter. The minority adjustment was undertaken as a means of complying with a consent decree entered against the city in a suit by minority candidates alleging bias in hiring. Only those applicants with adjusted score of at least 35 were eligible to take the physical portion of the exam. 285 females took the written portion; 122 passed. 1,927 males took the written portion; 1,206 passed. The maximum attainable score for candidates on the physical portion of the exam was 50. 35 was considered a passing score. Of the 1,125 men taking the physical test, 1,002 passed. Of the 101 women taking the physical test, 15 passed. After taking the physical portion of the examination, 29 females and 1,069 males scored high enough on both portions of the exam to be placed on the eligibility list. The woman with the highest score ranked 334 on the eligibility list, which was too low to be hired. The class of 35 firefighters hired in the two year period as a result of the exam in question contained no women.

Percentage of males passing the written examination was 62.5%. Percentage of females was 42.8%. 89.3% of males received a score of 35 or higher on the physical portion of the exam in question; 14.0% of the females who took it had 35 or higher on this portion.

The eligibility list is compiled of those whose combined scores on both tests (including the adjustments on the written portion) was 69.5 or higher. The general practice, based on the city's charter, is for the director of public safety to hire in strict top/down rank numerical order from the eligibility list, the only exception being for the hiring of a Black/Hispanic quota pursuant to a court degree, designed to remedy intentional and egregious racial discrimination. After establishment of the eligibility list, further selection components include a medical test, a psychological test, and a background check. These three procedures are conducted only upon the highest ranking candidates who have any realistic chance of being hired.

The rate at which women received a combined written and physical score high enough to be placed upon the eligibility list was dramatically less than the rate at which men received a combined written and physical score high enough to be placed on the eligibility list.

According to the most relevant United States Census, the workforce in the Cleveland Standard Metropolitan Statistical Area is 46% female.

Plaintiffs' next witness was Janet Quigley. Worked for the Employment Litigation Section, Civil Rights Division, U.S. Department of Justice, Washington, D.C. A mathematical statistician. Based on education and experience, I qualified her as an expert in statistical analysis. She is trained to compute standard deviation numbers—"a measure of fluctuation from what actually occurred in an event from what is expected to occur under normal circumstances or due to chance." She computed standard deviations for the physical performance examination in question. 1,233 applicants took it; of those, 108 or 8.3% were female. On the final eligibility list, 29 or 2.6% were female. In normal circumstances or due to chance, we'd expect to have 91 of those females scoring high enough on the examination. The difference is 62, and the number of standard deviations acquired is 6.76. "The probability of this event is 1 in 10 billion, approximately zero." Used the same method to calculate standard deviation for those applicants (1017) who scored 35 or higher on physical examination. 1,002 or 98.5% were male and 15 or 1.5% were female. Using the same methodology as before, we would have expected 84 females to have scored 35 or higher. The probability of what in fact happened was 1 in 10,000 billion, approximately zero (other similar statistics).

Cross-examination by counsel for the city. Witness admits she just looked at numbers. Didn't know the physical or the mental ability of anyone who took the examinations. Admits that five times as many women took the physical exam in the year in question than when the exam was previously given two years before.

Summary of testimony about the test itself, compiled from testimony of several witnesses, including Dr. Marshall: Test was prepared by Dr. Marshall, who has extensive experience in the area of job analysis and examination development for safety forces, including the position of entry-level firefighter. Interviewed hundreds of firefighters and high ranking officers, read firefighting manuals and books, made and analyzed questionnaires to ascertain the frequency and importance of firefighting tasks. Based on women falling to rank high on previous eligibility lists, he was concerned about gender differences, and wanted to minimize adverse impact tests had on females. At same time, wants test to show best people for job.

Based upon extensive research, and comparison of his findings with manuals and lists of tasks used in other cities, Dr. Marshall developed final written and physical components of the examination. The written component was designed to test reading comprehension, the ability to follow directions, mathematical skills, and other forms of cognitive reasoning. Much of the information tested came from the Ohio Fire Service Training Manual. The physical component consisted of three events:

Event 1: **Overhead Lift**—using a 33 lb. barbell, candidates must lift the barbell overhead repeatedly for one minute or up to a maximum of 35 lifts. Cannot bend knees; must be locked.

Event: 2: **Fire Scene Set Up and Tower Climb**—while wearing a customtailored self-contained breathing apparatus, candidates must drag two lengths of standard 2 1/2 inch hose 180 feet (90 feet one way, drop coupling, run to the other end of the hose, pick up and return 90 feet, drop coupling in designated area), run 75 feet to pumper, remove a one-person ladder (approximately 35 lbs.) from the side of the pumper, carry the ladder into the fire tower, place it against the back rail of the first landing and continue up the inside stairwell to the fifth floor where a monitor observes the candidates' arrival. Then, candidates return to the first landing, retrieve the ladder and place it on the pumper.

Event 3: **Dummy Drag**—still wearing their self-contained breathing apparatus, candidates must drag a 100 lb. bag 70 feet (40 of which includes low headroom), turn and, still dragging the bag, return to the starting point.

Dr. Marshall was paid by the city, and worked closely with fire department officers from the city. Worked most with Assistant Chief Adams on this test, and on previous ones. Marshall had worked for city many times previously. He knew that the barbell event was "something most women wouldn't be familiar with at all." When he saw how badly women did on the event, he decided on his own late one evening after the event to add one and three-quarter points for each women on this event. Many firemen told him and he believes that strength and speed are critical to firefighters, particularly in the first few minutes after the uniform firefighters arrive at a fire. His test concentrated on anaerobic abilities, and he knows women do better on aerobic exercises. But aerobic capacity is tested in the physical given to those who names have been taken from the eligibility list. The sequencing of the three events is not related to how it is done in actually fighting fires. Marshall knew before he created the barbell test that introducing above-your-head lifting had eliminated women from the Cleveland Emergency Medical Technician testing. For the barbell test, applicants were not permitted to bend their knees. Firefighters bend their knees ordinarily when carrying ladders and other heavy objects.

Testimony of Alice Simons, Secretary of the Civil Service Division, Cleveland. She gave out applications and advice re: tests and openings in question. May have said under her breath to a woman applicant: "Why don't you stay home and have babies." (Other witness testifies she said this.) Yes, she did ask one female applicant why she wanted to be a firefighter. Did allow two men to apply late, but they were already in the building when it closed at the end of the last permitted day. Told them to come back first thing the next day the building was open, even though it was beyond the date. "After all, they were already in the building." Late-filing woman was different; she hadn't been in building.

Testimony of William M. Adams. Direct: Employed by Division of Fire for twenty-seven years. Now assistant-chief. In charge of fire suppression forces on one shift for the entire City of Cleveland. Cleveland is one of few cities in state with their own fire training academy. Cleveland part of nationwide program to rate all firefighters into groups, according to proficiency. Group One less proficiency than Two, Two less than Three and Four, etc. The National Fire Protection Association (NFPA) sets standards for fire instruction, equipment, and other matters. NFPA and our department agree you can train firefighters to be better throughout their careers. Cleveland has a firefighters' training manual. Worked extensively with Dr. Marshall in months just before the test in question. He suggested to Dr. Marshall that barbell lifts might be one way to test for important physical skills for firefighters. Doesn't remember if talked about locking the knees. May have suggested the running and dragging event. Can't recall. He had taken prior exams where they had to pick up 120 to 150 pound dummies. Often have to carry heavy things in hurry. Sometimes have to do it crawling. "Hand straps" can be used to carry people out. They weren't used in the physical exam.

Witness had talked to Dr. Marshall before Marshall prepared the tests in question, and they had discussed matters taken directly from the Ohio Fire Service Training Manual. He identifies differences between the ARCO training book and the Fire Service Training Manual. Question: "Now, if someone knew that Dr. Marshall was going to use the Fire Service Training Manual, he or she could do a better job in taking the written test, isn't that true? Answer: "I don't know if that would be a true statement or not." He did tell the women at the Fire Service Training Academy that "if they study hard the Arco book, they would do well on the exam." He knew that in the Buddy Casey course, which applicants paid to take, they were told to study from the Fire Service Training Manual.

Jury is read answers to interrogatories showing that women who took the Casey course did significantly better on both portions of the exam than women who only took the free course that was designed specifically to help women prepare for the exams. The free course specifically designed for women was given by Kevin Kelly.

Yes, he did think that women would be chosen from a different list. This was the "scuttlebutt." Question: "But you communicated to the women that they were going to be hired off the list. Women will testify that they heard you say that. Do you recall making those statements?" Answer: "Yes. Again I wasn't speaking as a Cleveland Fire Department official. I was telling them this is my belief." Yes, he has observed women actually performing, fighting live fires. Maybe 15 to 20 times. Probably all types. Probably saw them using pipe poles and saw them dragging hoses. Probably saw them in two story fires and probably saw them take ladders off the hook and ladder. Probably some of them had higher and some lower scores than men. Question: "And would you rate some of the woman firefighters better than other male cadets?" Answer: "Well they are probably better than some and worse than others, yes." Some of the women observed were lower on eligibility lists then men. Admits in former deposition saying: "Some of these women who were firefighters ranked lower than male cadets, but performed better than those male cadets." Now adds: "On certain tasks they did."

Jury shown the announcement given to all applicants about the tests in question. It did not mention barbells. It said: "The physical agility portion will measure endurance, upper and lower body strength, and hand/eye coordination. Candidates will be required to perform a series of events using actual firefighting equipment and such equipment may have to be caried up and down stairs. You will have to perform a simulated rescue with a dummy of adult body weight. You are recommended to increase your physical endurance in order to maximize your performance on the examination." Previous announcements, also shown to the jury, had been more specific about each aspect of the physical test.

Testimony of Kevin Kelly. Direct. In the department for 22 years. Now a Lieutenant. Has heard firefighters, assistant chiefs, and other officers say many times that women don't belong in fire department, that they aren't strong and fast enough; that they "can't come through in a pinch." Heard such stuff from Assistant Chief Adams as recently as one year before the test in question. Can't recall exact words. He knows women firefighters are presently in the cities of Columbus, Ohio; New York, New York; Seattle, Washington; and other major cities. Some fire departments don't choose by rank order on exams. Instead, they put everyone together who has passed the exams, basically a pass/fail test. Some attempt to achieve diversity from that larger pool. Some have random selection from all those who have passed, pure chance.

Was at meeting when Safety Director Harry Tarpley expressed his view that objections to women as firefighters because of their physical capacity "were invalid." Kelly testifies that Tarpley "expressed his belief that it is an operational need for the City's Fire Department to have a personnel force reflective of Cleveland's population, male and female, because the community expects this kind of reflection—it provides awareness, a sensitivity to community problems and enhances the division's ability to function within the community." Safety Director Tarpley did not recommend any new criteria for the employment of firefighters from those applied in prior years except for an effort to recruit minorities and women. Tarpley had said he was satisfied with the qualifications of applicants on the eligibility list prepared three years before the one in question. He didn't suggest that either the written or physical components of the exam be made more difficult.

Kelly, continuing: Sometime after Marshall's tests had been developed, but before they were administered, the city started a program to recruit and train female firefighters. As part of the recruitment program, the city advertised and gave a free twelve-week training program. There was also a minority pre-test training program conducted by the city which was attended by both males and females. Also there was the $500 course given by Buddy Cascy, a retired lieutenant from the department. He had been doing this for years. Because of his interest, and previous experience teaching firefighters, Kelly was chosen to design and implement a preexamination recruitment and training program for women interested in becoming firefighters. "I undertook this program under the direction of Chief McGinnis. Assistant Chief Gainsley and Safety Director Tarpley." I sought and received funding from the Comprehensive Employment and Training Act (CETA) program for the women's training program to pay for textbooks, equipment, and instructors. I was assigned this project as part of my regular duties, and relieved from doing some other things. But I spent hundreds more hours on this than what I got paid for; "I wanted to do it. It made sense to me."

My course met twelve times, four hours each. Two and a half hours were on physical activities, and the rest on cognitive. Written portion was based primarily on the then current edition of the ARCO Civil Service Test training manual. I thought this would work best and didn't know of Dr. Marshall's reliance on the Ohio Fire Service Training Manual. Physical portion of my course based primarily on the content of previous examinations, including training in such activities as dummy lift and carry, dummy drag, hose drag, tower run, fence climb, ladder lift, balance beam walk, and hose coupling. The program didn't include training in the use of barbells, and I didn't recommend to any of the women that she work with barbells prior to the examination One week before the actual physical examination, the city notified all applicants of the content of the examination, including the barbell event. I obtained a set of barbells and made them available to my students. "In my opinion, with additional training, the women could have become more proficient with barbells." Chief McGinnis—Chief of the Cleveland Fire Department—never came to any of the classes, and "pretty much left me to design my own course."

Testimony of Buddy Casey: Former lieutenant, Cleveland Fire Department. Father was a policeman. Been giving my course for over ten years. In year in question, 485 persons enrolled in my Police and Fire School. My curriculum based on prior examinations and from study guide previously prepared by Dr. Marshall. These materials indicated to me that mechanical reasoning and technical subjects would be covered on the written component of the exam, including material from the Ohio Fire Training Manual. Based on Marshall's earlier tests, my training included a dummy drag, a hose drag (2 1/2 inch hose), and a stair climb carrying a donut roll of hose. I recommended weight lifting to develop biceps and forearms to enable candidates to carry the donut roll up 5 to 6 flights of stairs. Of the top 100 persons on the eligibility list in question, 48 were my students. Of the top 200, 92 or 93 were mine. Of the top 300, 134 took my class. Six of the nine women who took my course were on the eligibility list. "I am charging them a lot of money. I have a real incentive to give the best course possible."

Testimony of Barbara Zoll: Lives in Cleveland. Applied for and took entry level firefighter examination for year in question. Saw announcement by mayor that city looking for more minorities and women in fire department. Reads from announcement: "Contact our minority and women special recruitment office at 10539 St. Clair, weekdays 9:00 to 8:00 and Saturdays 9:00 to 1:00. You must be 18 or older with a high school diploma or GED. For more information call 555-2000." I thought I'd be good at firefighting. I'm pretty athletic, and run 40 to 60 miles a week. Have been doing it for several years. Had run and finished in D. C. marathon, 26.2 miles. Three years before test, I had finished a marathon in four hours. Had run Honolulu, Revco, Montreal (in 323), and Boston marathons. Friend told me of pretest training program for women—free, I liked that. Went to some of them. I also took the Casey paid course. ARCO manual given me at women's class. Casey went over tests he had prepared, concentrated on tools, electricity, currents, math, physics, fulcrums, pulleys, stuff that appeared on the actual exam. Casey took us at the end of each class to lift weights at Cleveland State. Had us put weights in backpack and run up stairs. Moved to Cleveland proper so I'd get ten more points. I was crazy to pass. I thought they'd for sure hire women, from what I heard. First given details about physical portion right after the written exam. Surprised that barbells now appeared. My physical was eleven days later. Afraid to go Work on barbells now, because "if you pull something, you're going to be out of the competition." Got 48. 5 out of 50 on the written portion. I felt adequately prepared on that part, had even taken books out of library. Barbell was first part of physical. I did about 22 in allotted time. "When I didn't make the required 35 lifts, I just felt like I had blown all my chances. Really depressed about it." But still did other events. Women's training program didn't teach the sequencing of events—the second test—like it was given. Then had to pull a hundred pound dummy under tables. The training programs did not have this particular dummy event. In the test, every time you got too high the tank caught, and you got stuck. Cost time. I watched others do it. Many of the later people took off their shoes, and went under first (ducking). It was definitely something you easily could have been taught to do better, faster. With shoes off, some people's feet slipped. "So the guys took their shoes off and their socks and were doing it in their bare feet. Your feet are moist, you are not going to slip and they go right through there right underneath." No monitors told them not to do this. These techniques were not taught at the women's training program. Some candidates had more time between three physical tests than others.

I took other city and towns' tests, too, and passed. But not hired. Not large enough departments to have openings. I was ecstatic, when I found out I passed the Cleveland exam. Later a neighbor told, me I got something from Civil Service. I ran home; was number 642 on list. Overwhelmed, started crying.

Cross-examination. Got 33. 32 on physical portion. Not get veteran points. Women's times on marathons not as good as men. Flier she read didn't talk of preferential treatment for women. Thought might get hired because they gave special course for women, and she did well compared to other women in the course. Admits she "washed out" when took Parma, Ohio physical test. Slipped on the water. Disqualified on very first test in Parma. And slipped and lost momentum in Cleveland dummy drag too. Shown exhibit of announcement of test. Admits that it lists she should be prepared to carry equipment up and down stairs. And should be prepared to rescue dummies of adult body weight. Did all or part of the preparatory courses. Ran marathons. Worked a little on nautilus machines. Worked on upper body strength. Two out of three tests concentrate on leg muscles. Was told could rip dummy so could have handle. Those who had more time between tests was random, luck of the draw. No sign said men could take off shoes and women couldn't on the dummy-drag No problem on application process itself.

Re-direct. Announcement said to wear sneakers or rubber-sole shoes "similar to those you would wear when participating in a demanding athletic event." Would have removed shoes if knew it was allowed for the dummy drag event.

Testimony of Jennifer Grimes: Read article in Plain Dealer saying fire department wanted women to apply. Attracted to fact that there would be special training program for women. Was member of Scandinavia Club, and already working on nautilus. Worked on arms and legs. Went to special Kelly free course for women once or twice every week given. ARCO book used exclusively in that class. "I studied it." Went to Community College and took some math. Eager to prepare for exam in question. "My understanding was that the city intended to hire women and that I believed that they had a certain number that they wanted to hire." I got this understanding at the special women's course. First learned of actual physical events after we finished the written portion. Surprised that barbells listed. Not worked on any types of weights in the special program. Had from April 30 (written) to May 9th to prepare for actual events. Physical given me on May 9. (period was May 7 through May 13; I was given 9th) Didn't start barbell training then; not want to strain self.

Never told to study from Fire Training Manual. ARCO book never mentioned classifications and uses of fire extinguishers. When I took exam, I could see I wasn't adequately trained. I did 33 of 35 barbells, and felt very shaky afterwards. I was surprised how my body acted. Nothing in training prepared me for this. On hose and ladder run, we had trained separately in the class, but never in that type of sequence. If it would have been pass/fail and I could have paced myself, I could have passed that portion. The required speed made it difficult. Dummy had a ring at the end of it. It was different than the one we had in training. One in training the weight was distributed in a way it was easier to pull. Never told I could take off shoes to do the dummy drag.

Took exams in four other towns. Brook Park written exam was more just reading comprehension. Was 13 out of 400 in Brook Park, including both physical and written. More balance and agility tests. Also mile or mile and a half run. Many were pass/fail events.

Not aware that one could apply for Cleveland exam after the date given. Got veteran points in Cleveland. Was 952 on eligibility list. Surprised they didn't hire women after the training programs they put us through.

Cross-examination: No trouble getting or completing application. Never discouraged by any Cleveland official. Was given sample questions by the city. City sent her notice of special training program. Nothing in newspaper article said they would hire women regardless of performance on exams. Would have still taken exam even if hadn't got impression women Would be on a separate list. Didn't have to pay for women's course. Knew about $500 course by Buddy Casey. Even though women's course met four times a week for twelve weeks, only went once or twice a week. Sometimes left classes early. Had opportunity in class to do dummy drag. Given practice lifting ladders, and running up tower. Maybe missed some things when not there. And had opportunity to drag a hose at the women's class. And it was timed, like in the exam. And given practice carrying objects, like in the exam. Maybe missed other materials besides the ARCO book when she was absent. Instructors encouraged her to believe in self at the women's course. No males in course when she practiced running the tower and doing the dummy drag and dummy carry.

N. B. There was other evidence from other members of the plaintiff class, but it was cumulative, and didn't add anything for directed verdict purposes.

I asked plaintiffs' counsel whether they were going to put in their expert evidence on alleged deficiencies in the tests during their case in chief. They said that as a matter of strategy, and because the United States Government controlled the expert witnesses, their basic attacks on the content, criterion-related, and construct validity of the tests would await the defendants' defending the tests in the second tier of the Title VII case. In other words, the plaintiffs would use their statistics to shift the burden of going forward to the city on the business necessity defense, and the plaintiffs would then attack the business necessity and try to show "pretext" in the third tier. I suggested that the evidence on pretext might be relevant to "intent" and "purpose" in the Section 1983 case, and that such evidence might be critical to meet their production burden as to the non-Title VII counts. They said they thought the statistics and their other evidence would be sufficient at this stage of the case. I assume they didn't want to tip their hand to the city on test-validity evidence, before the city had to defend their tests at the second tier of the Title VII case.

IN THE UNITED STATES DISTRICT COURT[*]
FOR THE NORTHERN DISTRICT OF OHIO
EASTERN DIVISION

UNITED STATES OF AMERICA, Plaintiff, | C. A. No. 98-4773

---

[*] This was the case brought by the United States government on the same facts as the Zoll and Grimes case, but the government sued only under Title VII The cases were consolidated for trial.

vs.
CITY OF CLEVELAND, et al., Defendants.

Judge Arthur L. Paz
MOTION OF THE PLAINTIFF UNITED STATES TO BIFURCATE FOR TRIAL THE ISSUES OF LIABILITY AND INDIVIDUAL RELIEF

Plaintiff United States hereby moves this Court under Rule 42(b) of the Federal Rules of Civil Procedure to bifurcate the trial of this case into two stages: liability stage (Stage I) and an individual relief stage (Stage II).

The Supreme Court in *International Brotherhood of Teamsters v. United States*, 431 U. S. 324 (1977) has specifically approved such a bifurcated trial of cases of this nature. Moreover, division of the trial into a liability stage and an individual relief stage will serve the interests of judicial economy and accelerate the disposition of this case.

The attached memorandum provides points and authorities in support of this motion. Also attached is a proposed order providing for the bifurcation.

                    Respectfully submitted,
                    _____/s/Ruggero Calipari_____
                    Ruggero Calipari
                    Attorney, U. S. Dept. of Justice
                    Civil Rights Division
                    Employment Litigation Section
                    Washington, D. C. 20530
                    (202) 555-4171

Dated:/d/

IN THE UNITED STATES DISTRICT COURT[*]
FOR THE NORTHERN DISTRICT OF OHIO
EASTERN DIVISION

UNITED STATES OF AMERICA, Plaintiff,
vs.
CITY OF CLEVELAND, et al., Defendants.

C. A. No. 98-4773
Judge Arthur L. Paz
MEMORANDUM IN SUPPORT OF MOTION OF THE PLAINTIFF UNITED STATES TO BIFURCATE FOR TRIAL THE ISSUES OF LIABILITY AND INDIVIDUAL RELIEF

BACKGROUND

The United States filed this action against the City of Cleveland, the Cleveland Civil Service Commission, the Cleveland Fire Department, and in their official capacities, the Director of the Department of Public Safety, the Fire Chief of the Cleveland Fire Department and the members of the Cleveland Civil Service Commission (hereinafter collectively referred to as "City," ""Cleveland" or "City of Cleveland"), alleging, inter alia, that the City of Cleveland was engaged in a pattern or practice of employment discrimination in violation of Title VII of the Civil Rights Act of

---

[*] This was the case brought by the United States government on the same facts as the Zoll and Grimes case, but the government sued only under Title VII. The cases were consolidated for trial.

1964, as amended, 42 U. S. C. § 2000e et seq. against women with respect to entry level employment opportunities as sworn firefighters in the Cleveland Fire Department.

The complaint alleges that the City of Cleveland's employment practices violate Title VII by the use of selection devices that unlawfully discriminate against female applicants for the fire department because they have an adverse impact based upon sex and are not predictors of successful job performance.

ARGUMENT

Plaintiff United States has moved this Court for an order bifurcating the trial with regard to the issues concerning Defendants' liability and general injunctive relief (Stage I) and the issues concerning the entitlement of individuals to monetary and other individual make-whole relief (Stage II). Rule 42(b) of the Federal Rules of Civil Procedure provides for such a bifurcated procedure. Rule 42 (b) states in relevant part:

(b) **Separate Trials.** The court, in furtherance of convenience or to avoid prejudice, or when separate trials will be conducive to expedition and economy, may order a separate trial of any... issues....

In *International Brotherhood of Teamsters v. United States*, 431 U. S. 324 (1977), the Supreme Court recognized the appropriateness of a bifurcated procedure in pattern or practice suits. The Court explained the first stage of a pattern or practice suit as follows:

The plaintiff in a pattern-or-practice action is the government, and its initial burden is to demonstrate that unlawful discrimination has been a regular procedure or policy followed by an employer or group of employers.... At the initial, "liability" stage of a pattern-or-practice suit the Government is not required to offer evidence that each person for whom it will ultimately seek relief was a victim of the employer's discriminatory policy. Its burden is to establish a prima facie case. that such a policy existed. The burden then shifts to the employer to defeat the prima facie showing of a pattern-or-practice by demonstrating that the Government's proof is either inaccurate or insignificant. 431 U. S. 360.

When the Government seeks individual relief for the victims of the discriminatory practice, a district court must usually conduct additional proceedings after the liability phase of the trial to determine the scope of individual relief. *Id.* at 361. See also *Equal Employment Opportunity Commission v. Monarch Pattern Tool Co.*, 737 F. 2d 1444 (6th Cir. 1984).

The United States submits that the two-stage trial procedure recognized in *Teamsters* should be used in this pattern or practice litigation as well. In so doing, the interests of judicial economy would be served. By reserving the determination of the scope and extent of individual relief for Stage II proceedings, the court will expedite the disposition of this case. Part of the relief sought is make-whole relief for potentially numerous individual women who have been harmed by the discriminatory employment practices alleged in the complaint. See Section 706(g), 42 U. S. C. 2000e(g); *Albemarle Paper Co. v. Moody*, 422 U. S. 405 (1975).

It is common practice in employment discrimination cases, where, as here, there are a large number of potential individual claimants, for courts to try liability issues separately from those issues involving individual relief. See, e. g., *United States v. Lee Way Motor Freight, Inc.*, 7 FEP Cases 710, 750 (W. D. Oki. 1973), *aff'd in relevant part*, 625 F. 2d 918 (10th Cir. 1979); *United States v. U. S. Steel Corp.*, 520 F. 2d 1043, 1052 – 56 (5th Cir. 1975); *Love v. Pullman Co.*, 12 FEP Cases 331 (D. Colo. 1975), aff'd, 569 F. 2d 1074 (10th Cir. 1976); *Ellison v. Rock Hill Printing &. Finishing Co.*, 64 F. R. D. 415 (D. S. C. 1974). The rationale for bifurcation was explained by the district court in *Love v. Pullman Co., supra*, this way:

If we order bifurcation and if plaintiffs fail to establish liability, then lengthy discovery and complex evidentiary problems concerning individual membership in the class and individual damages will be unnecessary. Of course, should liability be proven, then a subsequent proceeding will, absent a settlement, be required to determine the validity and amount of individual claims. But we are not persuaded by defendant's contention that bifurcation will somehow delay final disposition of the case. assuming liability is established. By limiting discovery to issues of liability, the trial of those issues may be accelerated in time. Then if liability is found, the parties may resume discovery on damages. We do not believe that evidence relating to the fact of damage, as an element of liability for class-wide discrimination, and proof of individual claims overlaps to any significant extent.

From the foregoing, we conclude that separation for trial of the liability issues from the damages issues in the instant case would be "conducive to expedition and economy" and that defendant will suffer no prejudice thereby. *Love v. Pullman Co.*, 12 YEP Cases at 332.

The United States is aware that a private class action, the Barbara Zoll action, has been consolidated With the United States' action for trial. It should be pointed out, however, that courts typically bifurcate the proceedings in private class action into a liability stage and an individual relief stage, just as is done in government pattern or practice actions.

As in other cases of this type the United States anticipates that the City of Cleveland's discrimination may entitle a substantial number of persons to individual relief. Little or no discovery has been taken by any of the parties concerning individual make-whole relief. Naturally, we recognize our threshold burden to establish defendants' liability. To avoid the possibility of expending unnecessary efforts by the Court and the parties concerning matters of discovery and evidence related to individual damages, the Court should reserve issues on individual relief for a Stage II proceeding.

Respectfully submitted,
_____/s/Ruggero Calipari_____
Ruggero Calipari
Attorney, U. S. Dept. of Justice
Civil Rights Division
Employment Litigation Section
Washington, D. C. 20530
(202) 555-4171

Dated:/d/

Transcript of Jury Instructions (on § 1983 action)

THE COURT: Ladies and gentlemen of the jury, we now come to the part of the trial where I will tell you the law.

My charge has been broken down into three laws.

First, the law that applies in just about every civil case, and then I will tell you the law in this case, and then I will tell you about your deliberations.

Now, as I said many times to you, you are the triers of the facts, and I tell you what the law is.

And these instructions are for your guidance in arriving at a verdict in this case. They don't intend to reflect any opinion on the part of the Court, and don't single out any one instruction alone but consider them in their entirety.

You are not concerned with the wisdom of any rule of law, and you are not permitted any personal interpretation. It is your duty to take the law that I give you, and you recall when I picked the jury I said that you must follow the jury instructions regardless of what it was.

Now, in this case it is to be considered as between equal parties. Under our system of law the law is no respector of titles or situations like that, so we have a class of women who are applicants for firefighter against the City of Cleveland.

You are supposed to consider them equal in their standing before the Court.

During the course of the trial the lawyers may have made objections to questions. If I have sustained an objection, you never heard the answer, and don't speculate on what the answer was.

If I overruled the objection, you heard the answer. The lawyers have an obligation to object when they believe an improper question has been asked, so don't hold that against the lawyers because they may have objected.

You are the determiners of the credibility of the witnesses and that really means believability. You can believe all, some of the witnesses' testimony or none of the witnesses' testimony.

Now, witnesses may be discredited or impeached by contradictory evidence, and you heard during the course of the trial that sometimes a witness who had previously been deposed was examined about apparently inconsistent statements between the deposition and now, and you consider all of that in determining the credibility of the witness.

Now, evidence is all of the testimony from the witnesses in the case and usually including exhibits.

In this case it is your combined recollection of all the testimony that will be with you in the jury room, and for simplicity you will rely on your collective recollection of what the evidence is, which is the live testimony of witnesses, and that is how we decide this case.

If a lawyer happens to ask a question in an assertive voice, that is not evidence. The evidence is not what the lawyer says. The lawyer may ask the question, and it may appear to be in the form of testimony, but don't consider the lawyer's statements. It is not evidence, and that includes both opening and closing statements. I told you those were only the lawyer's views of the evidence in the case, and I also permitted the lawyers to tell you before each witness testified, to tell you the purpose of the witness being sworn and testifying, and that you should not consider that as evidence, only the lawyer's view to give you a brief summary of what is to come and give you a better understanding of the witness's testimony.

It is the witness's testimony that is evidence and not the lawyer's preliminary statement.

Now, generally speaking, we have two types of evidence called direct and circumstantial. Now, direct evidence is the testimony or recital of facts by witnesses who have actual knowledge of the incident.

The other is circumstantial or indirect evidence. Circumstantial evidence is evidence of facts or circumstances from which the jury may infer other connected facts which immediately and reasonably follow according to common experience.

There is no distinction between the two. All the law requires is that you find the facts in accordance with a preponderance of all the evidence in the case, both direct and circumstantial.

Now, you heard me mention the word "inference," and while you are to consider only the evidence in the case, you are not limited to the mere bald statements of the witnesses. In other words, you are not limited solely to what you see and hear as the witnesses testify.

In other words, you are permitted to draw from the facts which you find have been proved such reasonable inferences as seem justified in the light of your experiences.

In other words, an inference is a reasonable deduction of fact which logically follows from other facts established by the evidence. In other words, inferences are deductions or conclusions which reason and common sense lead the jury to draw from facts which have been established by the evidence in the case.

The existence of an inference does not change or shift the burden of proof from one party to another. The inference must be weighed along with all the evidence to determine if the issue to which it applies has been established by a preponderance of the evidence.

You are permitted to make any logical and immediate inference from the facts which you find have been established, but you can't make an inference on an inference. You can make an inference or inferences only from the facts.

I already told you about credibility.

Now, burden of proof. That means as follows:

In our system of society when people can't resolve their difference, they resort to litigation, and a person who feels aggrieved will file a lawsuit. That person is the plaintiff.

The other person responds. That's the defendant or defendants.

Now, the plaintiff usually files a complaint in making certain allegations. The allegations of the complaint are not evidence. It only puts the other side on notice what the charges are against them. The other side responds in the form of an answer.

Now, the person who asserts a claim in a complaint has what we call the burden of proof and then must prove the facts that they allege by a preponderance of the evidence, and that's known as burden of proof.

While the burden rests upon the party who asserts an affirmative action to claim by a preponderance of the evidence, they have to prove that claim by the preponderance. It doesn't require absolute certainty, only a preponderance of the evidence.

Simply stated, it is evidence that is more probable, more persuasive and of great probative value. It is the quality of the evidence that must be weighed, and quality may or may not be identical with the quantity, that is, with the greater number of witnesses.

In determining whether or not an issue has been proved by a preponderance of the evidence, you should consider all of the evidence bearing upon that issue regardless of who produced it.

If the evidence is equally balanced or if you are unable to determine which side of an issue has the preponderance, then the party who has the burden of proof has not established such issue by a preponderance of the evidence. That's the simple facts of it.

So that is the general law that is applicable in just about every case, and I am now going to tell you a little bit about the particular law in this case.

This case started with a complaint filed by the plaintiffs. The only defendant now is the City of Cleveland for you to consider, and that would be the only person liable, although we still have some individual—what we call state actors, and I will tell you about that shortly.

Your main concern is whether the City of Cleveland intentionally discriminated against these women firefighters, applicants.

Now, the plaintiffs filed a complaint in which they made the allegations, and I told you about the complaint earlier and you heard the lawyers make reference to the complaint. The allegations in the complaint are not evidence as I told you before.

The City has filed an answer in the form of a general denial which places the simple issues before you as to whether or not the City of Cleveland purposely or purposefully and intentionally discriminated against these women applicants for firefighters in the 1998 examination in the design, the preparation and the administration of the test and in making the eligibility list.

Now, in this case, we are dealing with Title 42, Section 1983. That's what we call a civil rights action, and it provides, in substance, that no person shall be denied his or her constitutional rights under color of law, and if somebody violates their constitutional rights under color of law, they are liable.

Now, the constitutional right alleged to have been violated in this case is under the Fourteenth Amendment, the due process clause—I mean, equal protection clause that says that no state shall make or enforce any law which shall abridge the privileges or immunities of citizens in the United States, nor shall any state deprive any person of life, liberty or property without due process of law nor deny any person within its jurisdiction the equal protection of laws, and I will explain that to you very, very shortly.

Now, this amendment provides in substance, that there shall be no infringement of a person of his constitutional right of equal protection. Now, this applies to classes of people, and all members of a particular class are entitled to equal protection and they should be treated equally.

I already defined this class to you, and it is simply the applicants for firefighters who were women in the City of Cleveland in 1998, and that's basically what you will consider. And the principal allegation is that they were discriminated against by the defendants, the City of Cleveland, in this examination.

Obviously, as I told you about the purpose, the plaintiff has the burden of proving each and every element of the case by a preponderance of the evidence, and I will define various terms for you and other words that have common meaning so I won't necessarily go over them with you.

The three elements that must be proven in this type of case is whether the defendant purposely or intentionally committed the acts which were charged against him and whether they were under color of law and whether they were the proximate cause of the plaintiffs not being placed higher on the examination and so forth.

Now, under color of law, I am telling you is a matter of law that all the action here was under color of law, so you don't have to concern yourself with that, but our main concern is whether we have a constitutional violation which was under the equal protection clause.

I reviewed with you the statute and the constitutional violation.

Now, an employment practice is not unconstitutional as a violation of equal protection simply because it has a disproportionately adverse impact upon one group or another. In this case, the mere fact that the firefighter entry level examination resulted in males scoring higher than females does not make that examination unconstitutional.

The plaintiffs must prove purposeful discrimination. That is, the plaintiffs must prove by a preponderance of the evidence there was purposeful discrimination and this examination was designed, prepared and administered and so forth to discriminate against females.

Now, what do we mean by purposeful, knowingly, intentional?

An act is done knowingly if it is done voluntarily and intentionally and not because of mistake, accident, negligence or other innocent reason.

Now, an act is intentional if it is done knowingly and done voluntarily and done deliberately and not because of mistake, accident, negligence or other innocent reason.

In determining whether the defendant acted intentionally, we can't get in the mind of people, and you will have to take a look at that and make that determination from all of the facts and circumstances. The City of Cleveland can only be liable if the city policy was one of discrimination against women firefighters, and that's the only way the City can be liable.

We have some municipal actors here. They are not parties in the case, so we are only talking about the City of Cleveland and liability can only come from a policy of the City that would make the City liable.

Now, a policy in simple terms is the general principles or rules by which a government is guided in it management of public affairs. We can have statutes, ordinances, rules, regulations or just operative practices and procedures.

All of these can be considered policies, and it is different than just isolated events. It must be a policy.

Now, you could have one series of events. It could be a policy, but the City can only be liable if its policy was to discriminate against women intentionally or purposefully.

Now, I want to tell you about some things that you heard about in the case, but before I do that, you have heard the word "discrimination" referred to over and over again.

Now, it means the effect of an established practice which confers particularly privileges on a class arbitrarily selected from a large number of persons. It is unfair treatment or denial of normal privileges to persons because of their sex and applies in this case, a failure to treat all persons equally where no reasonable distinction can be found between those favored and those not favored.

All of you are familiar with the word "discrimination," so it doesn't need any expert advice to tell you what the word "discrimination" means.

Now, equal protection simply means that all persons shall be treated equally under our laws and under our government procedures.

Now, in order to avoid some confusion, there was a lot of testimony and disputed evidence here and terms and words were used and I better tell you about the legal significance of any of them. The fact that I discuss this with you doesn't mean I have an opinion on them, just what the law is.

Reference was made in the testimony here about other cases and about blacks and Hispanics. Now, this is a case of sex discrimination against women applicant firefighters. Now, I let that testimony in because it may or may not have had an impact on the women applicant firefighters. If you find that it had some relevance and effect on the women firefighters in this case under the charge in this case, then you can consider that along with all the other evidence.

If you find it is totally irrelevant and has no relationship to the issues in this case, you will totally disregard it. The fact that the court of law in another court put an order on the City of Cleveland to give some preferences to black or Hispanic firefighters has no effect on this case unless that policy by that court decree was wrongfully administered to such an extent that it discriminated against women, but to that extent, the City complied, they had to. But don't decide this case based on the facts in that case. You are only dealing with the sex discrimination charge.

Now, you heard some questions about quotas. I am telling you as a matter of law a governmental agency is not required to have a numbered quota, so the fact there was no quota for women has no legal significance.

You heard testimony about affirmative action plan. The City isn't even required to have an affirmative action plan, but once they have such a plan, they are required to implement the plan and comply with the stated policies of the plan.

The City of Cleveland, like all governmental agencies and all private agencies, they are required—prohibited from discriminating against women because of discrimination, because this is a marketplace and a job place and that's the job of the City.

So in regard to the test, you heard a lot of testimony about the test and how it was designed and how it was prepared, how it was administered, how it was graded and how the list was made.

Now, it is for you to decide from all the evidence whether, based on everything you heard, the City policy purposefully and intentionally discriminated against women in regard to the test, and that's what the allegation is.

Once again, I want to remind you we have a thing in law called the totality of the circumstances. You are to decide this based on all of the evidence in the case and all of the direct evidence, all of the circumstantial evidence and all of the inferences that come from the facts that you find have been proven.

Now, the purpose of these tests are they are designed, prepared and administered to select from an adult application pool those candidates most likely to be successful in training and to be successful firefighters, and that's what we call job-related. you heard testimony about job-related in regard to these tests.

Now, you also heard a lot of testimony about the City hiring an expert to prepare the tests. Now, the municipal government has the obligation like the defendant here, to get a qualified testmaker and give him instructions in regard to his guidelines as to the qualifications for the job and the duties to be performed on both the mental and physical aspect of the test, and he should understand what he is doing.

And it is his obligation to develop a test or tests for mental and physical skills that will be jobrelated and be a fair and reasonable test for skills and abilities and a predictor of successful performance in training as well as a firefighter.

Now, you heard testimony about events and sequence of events, and it is for you to determine from all of the evidence whether there was something in the events that were chosen and the selection of the sequence of whether it resulted in a discriminatory—intentionally discriminatory impact or effect on the women.

If the sequence of the physical test events was not reasonably or rationally related to job announcement or the training program or the training materials or manuals and that the sequence was not designed and/or administered in such a manner as would objectively illustrate that the applicant would be a successful trainee and/or a successful firefighter and that such sequence of events, in addition to being non-job-related, was more difficult for women than for men, all of this can be considered in determining whether there was intentional discrimination. Obviously, you will consider the corollary of that, and as to numerical ranking, you heard some evidence about numerical ranking.

I am telling you as a matter of law the City of Cleveland charter and the Civil Service Commission requires there be a numerical ranking. There must be a numerical ranking, and it is required that the Civil Service Commission, after they do the written test scoring and the physical test scoring and the other components of the test and the other procedures they then prepare a numerical listing. And then for the number of applicants or for the number of jobs to be filled, they give three names to the appointing authority for each one job.

If there were 35 jobs, they would give them 105 names, and the appointing authority then has to appoint from that list. It is a 1-2-3 rule.

Now, you heard testimony about study materials, study manuals, training material. The City was not obligated to give any training manuals or study materials. They could have just had the announcement for the test. The announcement must be related to the testing.

You can't have an announcement for one purpose to give a test for another. The announcement was to give people general notice of what the test would be and must be reasonably or rationally related to the test, and it is for you to determine whether that was done.

The City was not required to give training material, but once they did, there must be a direct relationship between the training material and what's on the test.

Now, they are not required to give copies of the test or give precisely the exact questions for the written, and they are not required to give precisely or tell the sequence of events. They do it in a very general way.

Obviously, the type of thing on the written and the type of thing on the physical must be reasonably or rationally related to the duties of firefighter and give reasonable notice to the applicants of the general areas to be covered, not the precise areas but the general areas.

They must be done in such a way that the average person would understand them. So while the City is not required to give training material, once they give it, certainly it should be reasonably and rationally related to the test and not be designed in such a way as to be misleading or result in discrimination purposefully and intentionally against women.

The written and physical material for the test should have been designed, prepared and administered in a manner that both men and women should have been treated equally. The test should not have been designed, prepared and/or administered in such a manner that favors one group of applicants over another group of applicants.

In other words, the test should not be designed, prepared or administered in such a fashion or manner that it discriminates against one group of applicants. It must be consistent, as I just said, with the general terms of the announcement by the Civil Service Commission, and the test must be consistent with the job announcement.

All of this, and I am not trying to emphasize any one point, all of this may be or must be considered by you in determining whether the City actually intentionally discriminated.

Now, job related, you have heard that term, and the tests or test must relate or bear a relationship to the work or duties normally performed by the average firefighter in daily firefighting activities. It relates to actual job tasks.

In other words, it relates to actual job tasks, and you heard a lot of testimony about barbells. Now, the fact that the applicants in training classes did not work with barbells and did not practice the physical exercise in the same sequence as they did on the. test in and of itself does not mean that the City discriminated against the plaintiffs.

However, this evidence can be considered together with all of the other evidence in determining whether any defendant intentionally discriminated against women firefighter applicants in the design, preparation and administration of the firefighting test in 1998.

So if you, the jury, find by a preponderance of the evidence that the 1998 test was designed, prepared or administered in such a manner or in such a way that it discriminated against women applicants, then you find that the women applicants' constitutional rights to equal protection was denied by the defendant.

On the other hand, if you find by a preponderance of the evidence that the plaintiffs proved that any one of the defendants * violated their constitutional right to equal protection under color of law, you shall find for that plaintiff and against that defendant.

On the other hand, if you find that the plaintiffs failed to prove by a preponderance of the evidence any one of the elements discussed above, you shall return a verdict for that defendant and against the plaintiffs.

One other thing, each applicant for the firefighters examination has the obligation and is required to prepare himself or herself for the written and physical agility tests. The City has no obligation to train the applicants, and the City is not the guarantor of the success of any applicant for the firefighters examination.

However, if the City does give its notice, which it aid about the test as I told you before and they do undertake training, then the training should relate to the subject matter generally that will be on the test, and I told you that before.

The City's obligation is to give a fair and reasonable and physical agility test that tests skills and abilities of the applicants and predicts the probability of a successful training followed by the probability that the applicant will be a successful firefighter and it must be job-related.

Now, that generally is the law on the 1983 equal protection case.

Now, in order for the plaintiffs to prevail, he must have another element, and that is there must be a proximate cause. If you find there was a constitutional violation, you must then find there was a proximate cause by a preponderance of the evidence.

In other words, the action of the City was a proximate cause of the firefighters' applicants who were women for not being placed higher on the list or being hired as firefighters, so if you find all three elements, in other words, that the City violated their constitutional fights and its violation was a proximate cause of them not being—women not being hired on the list, then you will render a verdict for the plaintiff against the defendant.

On the other hand, if the plaintiff failed to prove any one of these elements, you will end up returning a verdict for the defendant.

Now, you will retire very shortly to the jury room and begin your deliberations and elect one of your members as a foreperson to speak for you.

You heard all of the evidence, and you may not remember all of it individually but you will find collectively you will remember all of it.

The admonition I give you not to form or express an opinion about the case is no longer with you. Otherwise you couldn't deliberate.

You can also talk to each other about the case. You will do all your deliberations in the jury room and only with all of you present.

If any of you has to leave to go to the bathroom, you will stop your deliberations.

Now, I have here—I am going to give you one interrogatory, and the question is, "Did you find that the City of Cleveland intentionally or purposely discriminated against women applicants for the position of firefighters in the design, preparation, administration, scoring and the construction of the eligibility list of the 1998 City of Cleveland fire-

---

* [*Eds. Note*: We do not know why the judge talked about "defendants" here, since only the City of Cleveland remained in this case as a defendant.]

fighters examination?" And it will be yes or no and it must be signed by all nine of you. You will do your deliberations, and when all nine of you have reached a verdict, it must be unanimous, I have two verdict forms.

One is in favor of the plaintiff and one is in favor of the City. It only has to be signed by the foreperson, and the first one—there is no significance by the order which I read them—"We, the jury in the above-captioned case, unanimously find by a preponderance of the evidence for the plaintiffs Barbara Zoll et al. and against the defendant City of Cleveland in the 42 U. S. C. § 1983 case."

The other one is, "We, the jury in the above-captioned case, unanimously find for the defendant City of Cleveland and against the plaintiffs Barbara Zoll et al. in the 42 U. S. C. § 1983 case."

We have concluded that we are going to decide this case. You have heard the evidence, and you heard some discussion about the exhibits as we went along, but for expediting the proceeding, we are not going to give you any exhibits, just the interrogatory and the verdict form....

Remember, you will elect one of your members as foreperson, and your principal charge is based on these instructions to decide if the City of Cleveland by its policies purposely and intentionally discriminated against women firefighters in this whole procedure, the 1998 firefighters examination.

Excerpts from Transcript of Closing Arguments Made to the Judge in the Title VII/Case

MR. CALIPARI: First of all, the only issue in this case of litigation is whether the [test in question] was job-related.... Another point I want to make briefly, your Honor, is under *Connecticut versus Teal*, where any aspect of a selection procedure has an adverse impact, the employer must relate [it to the] job.

[This] Court has also asked a question about whether under Title VII [the] United States was required to show intent. We state that the Supreme Court has expressly ruled showing of discriminatory purpose for intent is not required under Section 7 of Title VII.

However, in this case I think it's pretty clear that even though the burden is not there to show intent, there certainly was intent on the part of the City to exclude women from being part of the fire department. First of all, 1998 was the first time the City set out to recruit women for the job of firefighting. 1998 was also the first year the items on the test were not identified prior to the examination or prior to examination.... with sufficient time so women could train and all the expert physiologists, experts in exercise physiology agreed that there's a vast improvement with training for women.

In fact, as you recall, the testimony of Dr. Marshall and [the] Chief, the City took steps, intentionally took steps to mislead individuals as to exactly what was going to be on that examination. The City also went and hired somebody who was not an expert in exercise physiology, or an expert in gender differences. In fact as you recall, the job analysis conducted by Dr. Marshall showed the hand/eye coordination, balance and aerobic capacity were critical and important elements of the job of firefighter. To test for these items would have reduced the gender differences between males and females. They were in fact not tested for, although Dr. Marshall does in his linkage of the abilities to the individual items on the examination, his table indicates that those abilities, hand/eye coordination, balance and aerobic capacity, were in fact tested for. But in fact, [our experts] disagreed as did the expert exercise physiologist for the City....

Job analysis conducted by Dr. Marshall concluded in part that firefighters must possess a high level of aerobic capacity and aerobic fitness, muscular strength. muscular endurance, flexibility. coordination, muscular balance and speed. In fact, Dr. Marshall indicated that he intended to have the firefighters exams test for muscular endurance and aerobic capacity because those traits become particularly important in life-threatening situations.

No one's contraindicated that aerobic capacity and aerobic fitness are critical to the job of firefighting. However, all the experts in exercise physiology do agree these tests were primarily anaerobic in nature and did not test and measure the aerobic energy system. The 1998 examination of three events, barbell event, the fire scene set-up, tire climb and the dummy drag, there's no evidence that this test is validated on the basis of content validity.

Event number one, barbell event, first of all, there's no evidence that the barbell or overhead lift is an activity performed by firefighters in performance of their duty. Dr. Marshall testified he included the barbell lift to measure absolute muscular endurance of shoulder and upper limbs, not specifically to replicate tasks performed by firefighters. This event had the most adverse impact upon women when you consider its use in a rank order selection procedure....

Event two involved sprinting up and down stairs, performing other tasks in a fashion that is not only dangerous but does not replicate the manner in which firefighters perform their duties. As the Chief indicated, firefighting lasts many hours. It's a coordinated and choreographed activity, and if a firefighter is exhausted, he's unable to perform further firefighting duties.

You recall.... the City's expert [testified] that these types of events in the way they are run results in a build-up of lactic acid and a build-up of lactic acid results in a person becoming exhausted and, as the Chief testified, once a person is exhausted, he's of no use to save lives or put out fires.

We heard testimony that event number three was designed to replicate rescues in smokefilled rooms. While even Dr. Marshall testified, firefighters do not and are not trained to run in smoke-filled rooms to perform rescues. The doctor testified that event number three, the dummy drag, measures a nonspecific item or activity. He says it's a measurement of strength and ability to drag or pull. And he's in direct contradiction to what Dr. Marshall testifies to with that event. You recall Dr. Marshall testified a good time for that event would be dragging a dummy 2 feet per second. One must point out to him in trial that the actual time required in order to pass the test was 4 feet per second, then he changed his opinion.

The event was administered in a nonstandard fashion and you recall Dr. Barrett testifying that a test should be standardized. It was nonstandard because individuals in event number three were able to wrap the rope and the ring around the wrists, his or her wrists, to aid in the dragging. Others were not instructed to do so. Similarly, individuals were allowed to remove shoes to gain better traction. Others were not instructed to do so.

The Court heard testimony that the dummy they used, the fact it was nonarticulated, disadvantages persons with other strengths. You recall a doctor testified although someone may not have the grip strength necessary to pull it, he or she could compensate by using the arms or dragging the dummy in a different manner. If it was an articulated dummy, you'd be able to take advantage of that. The manner in which these three test items are designed to perform does not replicate or approximate the critical and coordinant tasks necessary to perform the job of firefighting.

Your Honor, the United States is seeking three things with respect to these proceedings. First, that the Court find these tests and City selection procedures are unlawful under Title VII. Second, that the Court order the City not to discriminate against women in the future. And third, that the Court order the City to develop a valid, fair and job-related examination for the position of eventual firefighter in the future. As a result of this test, zero women were hired in a position of firefighter.... there would be no women on the fire department today.

Dr. Marshall, the developer of the examination, developed both written and physical portions of the examination. He has absolutely no expertise in the area of exercise physiology. Dr. Marshall developed the examination and his testimony and that evidence which he sets forth in his report is contradicted by the city's own experts in exercise physiology. The examination was a test for aerobic capacity, aerobic fitness, muscular strength, and so on. No one's been at disagreement with that, but those are the critical and important elements of firefighting. The City, in fact, did not test for those elements....

Finally, your Honor, the United States asks that the Court strike down these examinations as being not job related or valid under Title VII and find the City has not carried its burden to show that these examinations are job related. Thank you.

MS. JENNIFER: Your Honor, I'll try not to be repetitive of arguments that have been made by Mr. Calipari....

The City has cited to [the] sixth circuit case.... [of] *Grano Department of Development versus City of Columbus*.... Reading through this is an exercise in credulity in that the statements that are made presumably are in there in an attempt to make it appear they apply to our case. Grano is a disparate treatment case, not a disparate impact case, and the language of the opinion specifically points out the difference of standard between the disparate treatment and the disparate impact case. Why it's in here, I don't know. There is a paucity of sixth circuit authority in the conclusions of law that the City has submitted.

One of the other cases.... is *Louisville Black Police Officers Organization versus the City of Louisville*. There's a citation to the Western District of Kentucky for the proposition that the content validity of employment selection device can be demonstrated, even though all the uniform guidelines are not satisfied. And it indicates that it was affirmed by the sixth circuit.

If one checks the sixth circuit opinion involved, all but [sic] the sixth circuit opinion is the award of attorneys' fees to plaintiff's counsel in that case. We, of course, concur in the importance of that particular sixth circuit opinion, but not for the proposition for which it appears to be cited here in the City's conclusions of law.

With respect to the omissions from the conclusions of law, we don't see any references to *Williams v. Vukovich*. We don't see references to any of the cases that—

MR. SOLIMINE: Objection, your Honor. I thought this was closing.

THE COURT: Go ahead.

MS. JENNIFER: That in fact are at issue in this case, *Columbus v. Vukavich*, and I think that in looking at the law that we have here, it's very important to point out that *Williams versus Vukavich* particularly cites with approval the second circuit's decision, in *Guardians*, which is, of course, the Seminole [sic] case, dealing with a need to validate. If you have a case that you're using—test that you're using in rank order, that you must validate for the use with respect to rank order.

Now, in looking at the standards for determining liability in this case, we of course are looking primarily at a disparate impact case. We put forward evidence with respect to some instances of disparate treatment as well, but they are simply illustrative to show examples of the kind of treatment that was going on during the period of time that the issues concerning this test were before us.

In looking at the disparate impact of the exam, I noticed with interest for the first time in the City's conclusions of law number four, the City now admits that the differential selection rate of males versus females in fact does constitute adverse impact, [a] conclusion they weren't willing to stipulate to at any time. Now, given the fact they've omitted that disparate impact, it appears to be an omission with respect to tests as a whole, or I should say the selection process as a whole, not with respect to the individual components of the test....

Now, in looking at the standards that we have of disparate impact case [sic] with respect to our burden of proof, once the disparate impact is established, then it's up to the defendants to in fact carry a burden of proof, not production, as is set forth in the disparate treatment case, but the burden of proof to be able to show the job necessity for using the procedure that they have used.

Now, that's normally shown through use of validation to show the job-relatedness of the test. But one of the things that's, been brought up and that I want to reiterate is that in this case they have used a rank order score which includes components in addition to the written and the physical, and it includes veterans points and includes residents points. If we look at the Court's opinion, *Connecticut versus Teal*, not only is it clear that the individual components must be validated under the circumstances, but it is the entire selection process, the entire selection procedure. And

I might add that this is a situation, of course, where the bottom line did not show adverse impact in the *Teal* case. But if we look at even the dissenting opinion in this case, it's clear that it is the total selection procedure that must be validated, and here we have basically an admission from the City that they haven't attempted to do so.

But in any event, we have a system here in which the use of the capping system and the use of a variable number of minority points led to an adverse impact on the rank order of the women on the list, particularly adversely affecting women at the top of the list, the only women who stood a chance of being hired. And that particular problem, the differential effect upon the people at the top of the list, is not unique in this case if we look at *Thomas versus City of Evanston*. We see that the Court there is very attentive to the fact that the importance is the ranking. It's not the average scores. That's a meaningless indication in a case of this kind. It's the position on the list that's all important. Now, in addition to using veteran points, capping and racial points that created a disparate impact, we also had the irregularities in the administration development of the written test. . . .

Finally, in the last section of the test, the judgment section, we had only 14 questions, and three of them Dr. Marshall reluctantly admitted that, perhaps because he developed this himself, he reluctantly admitted that there were alternate answers that were equally logical to the ones he selected and gave people credit for.

And then there was one question in this section in which Dr. Marshall simply said the answer Was wrong. . . . Four of the 14 items of this last section, which supposedly tested judgment, was the only section that did test judgment. We assume judgment is very important in the job of firefighter, but close to 30 percent of these items were deficient.

Now, in looking at the physical, ... there was no measure established, no specific measure established for the amount of physical strength that the job of firefighter required.

If we look at Supreme Court authority on this point, the height and weight requirement that was at issue in *Dothard versus Rawlinson* felt and the Supreme Court there point out, I'm quoting, that the defendants had produced no evidence correlating the height and weight requirement with the requisite amount of strength thought essential to firefighters and some men at the fire academy that you had to make the written more difficult. So instead, what he does is he sets up a system that weights the physical twice as much as the written.

Now, with respect to pretext, I think it's important to point out that what we've got here is an enormous amount of evidence that deals with intentional discrimination. . . .

When we look at all these things, the effect is foreseeable. That's evidence and intent. The fact that *Penick* was a 1983 case isn't relevant. The fact that evidence comes in here at the last stage as the plaintiff's rebuttal of defendant's case is sufficient for our purposes in making our Title VII case. Thank you, your Honor.

MR. SOLIMINE: Good afternoon, your Honor. I want to begin, your Honor, by thanking the Court, first of all, for giving us so much latitude in trying this case and also for the Court's attentiveness to the issues and testimony herein. Given that I only have about 20 minutes, there are a couple of issues that I do want to address that Ms. Jennifer raised. I want to do that very briefly.

First of all, she indicated that there was [sic] some problems with the written part of the examination, that, for example, she noted there were people who during the administration of the written examination, about 300 people have both parts of the—that the first part of the test, they had both the exam answer sheet and the booklet. Again, there's been no evidence that this particular occurrence in any way benefited males or females. . . .

I need not remind this Court we spent nearly four weeks listening to various witnesses testify in this case. We had nearly 30 witnesses, over 2,500 pages of transcript in this case. That's quite a bit, your Honor. But it was essential that we get what the true issues were that were involved. This Court made clear early on there is a very narrow issue involved here and that issue is whether or not the examination in 1998, the entire examination in 1998 and the hiring processes for firefighters discriminated against women. That's the issue that's presented here, your Honor. This is not a case about whether women can do the job of firefighting, this is not a case of race discrimination. We are not called here to address, your Honor, whether or not the inherent order is improper. The controlling issue is whether or not the City's testing and hiring procedures were discriminatory against women.

Now, your Honor, in my summation, I'm going to talk of principally two points: The first one being adverse impact and the second one being the job-relatedness and validity of the 1998 examination....

Your Honor, I'd be hard pressed to stand here now and argue that the selection rate for females as a result of the 1998 examination did not have an adverse impact or did not reflect adverse impact. In fact, your Honor, any City which gave a valid test for firefighting would be faced with the same dilemma. That's been evidenced in Columbus, Buffalo, New York, New York City, and other cities. That's the reality that we have to live with. When the City hired firefighters...., all those hired were males, all those hired were talked down, no females were hired. What we have is the inexorable zero the Courts talk about. We'll have to live with that.

Your Honor, that's the only point we're going to concede and that's the only point that the evidence mandates that we concede. The bottom line, your Honor, is that in this particular case, we have submitted nearly four weeks— strike that. We have spent nearly four years before this Court on this case, four weeks actually in the courtroom, trying this case. There have been numerous depositions. In fact, Dr. Marshall himself has been deposed over eight times. There's countless exhibits, reams and reams of paper, trial transcripts, deposition transcripts, and the bottom line, your Honor, in spite of all of that is that the test is valid.

Your Honor, we could have learned this three years ago, four years ago. We didn't have to wait four years to arrive at that. And another reality, your Honor, that it seems to have taken the plaintiffs four years to get to, is the reality that females didn't score high enough to be selected, that is because like anybody else who didn't score high enough to be selected that they lack the abilities required of the job, principally the physical abilities involved in the job of firefighting. Those are tough realities, your Honor, but that's the way it is.

Now, we accept it as our burden to show that the 1998 examination was job related.... We've been at this for four years, [and] might as well go ahead and remind the Court what the evidence shows.

During the trial your Honor, we had one witness that this Court remarked had broken the record for testifying. That witness was Dr. Marshall. We saw him again today. He was on the stand for I believe what amounted to about five days' testifying because he was the one who developed the 1998 examination.... [H]e developed the examination[ ] not because we couldn't find anyone better, but because he was the best person for the job. And other court's [sic] in this district had knowledge of that skill and experience and competency in test developing....

[Dr. Marshall testified that his] first objective was to make sure that the abilities that were measured were those abilities that were required for the job of firefighter.... He also testified that the second objective.... was to make sure that the tests actually used the kinds of tasks that firefighters performed.... Dr. Marshall then identified a third objective.... and that was to make sure that the test picked those people who do well on the job.... By the testimony we know of now, your Honor, all three of these forms of validity are interrelated and Dr. Marshall's goal at that point was to as best as possible be [sic] all three of these objectives....

Now, there has been some talk, I guess I have to say more than talk, real serious efforts to turn the 1998 examination into two examinations. Your Honor, there was only one examination. And that is what the candidates had to score high enough on in order to make it on the eligibility list, the entire examination, the cognitive and intelletual part and as well the physical part of the examination.

What's principally at issue here, your Honor, is the physical part of that test, the physical events. We've had some testimony about problems with the written, but no evidence to show that there is even a need to focus soley [sic] on the written or soley [sic] on the physical. But given the fact, your Honor, that that is what the plaintiffs have sought to do, we certainly have to address the challenge to the physical events....

[E]vent number one was [the] overhead lift or barbell lift. Plaintiffs didn't like event number [one]. And they gave a number of reasons why they didn't like event number one and viewed it as being detrimental to women.

Well, there are principally three reasons why they don't like event number one. First of all, they say firefighters don't lift barbells in conduct to perform firefighting task[s]. Your Honor, no one ever said they did.

Number two, they complain about the fact candidates were prohibited [sic] bending knees while doing this event.

Third, they claim women are not very familiar with barbells, and therefore, Dr. Marshall specifically put in this event to weed out women. Your Honor, the evidence in this case screens [sic] to the contrary.

First of all, the evidence is clear and unequivocal there are tasks firefighters have to perform wherein they use their upper body muscles exclusively, and that's what event number one was capping the candidates upper body strength.... They do have to lift firefighting equipment overhead, and we had quite a bit of testimony with respect to what it is that firefighters have to do.

We had testimony to the effect that there are times when they use those upper body muscles and cannot use their legs in order to get the job done. We heard testimony from the Chief in terms of the critical and important tasks that firefighters have to perform in the first few minutes of arriving. He talked about having to perform ventilation. That was something that had to be done quickly. And that the objective is get that done in five minutes.

We heard testimony also from the Chief that when firefighters arrive at the scene, they have to get a ladder off the truck. They have to use those upper body muscles to get that ladder off. They have to go up and straddle a roof and begin to chop a hole in order to ventilate, because as I said before, the straddle method, they're using their upper body muscles exclusively.

We had another firefighter testify here, that was Ken Naig. Ken Naig talked about pulling ceilings, using a pipe pole, and he testified the objective was to get plaster and wood and everything removed so you could check to see where the fres is spreading. If that isn't done as quickly as possible, you're going to be in trouble.

Ken Naig testified that in a minute he's been able to do 50 movements up and down on his ceiling using a pipe pole. We had Ken Naig in court and used with his pipe pole, he was able to do 80 pushes up and down in a minute using the pipe pole.

There was another thing upon mentioning Ken Naig at this point, your Honor, is Dave Hall by his' testimony made it clear that firefighters do their job as quickly as possible, be it ventilating, be it performing a rescue, be it getting the supply—they work very hard to get the job done as quickly as possible. That fact, your Honor, the sincerity and dedication of Ken Naig as a firefighter was reflected in a newspaper article that was in today's paper regarding a rescue, and although the article didn't mention it, the firefighter attempted to rescue that six year old, who in fact did get her out. It was Ken Naig, your Honor.

Now, we also heard, as I said before, about a lot of equipment the firefighters have to carry. We heard testimony from Larry Heifer about the fact that since he's only 5 feet 4 inches tall that he has to compensate for his height because he knows the job of firefighter requires him to be strong in his upper body. So he lifts weights to keep himself in shape.

Now, we've had women come in who testified and complained about the bar lift, but most of the women who testified were able to do 35 lifts. Your Honor, I'm not sure what the beef is there.

They have complaints about event number three as well and—but before I go to that it was their expert's view that what you really should do if you want to see whether someone can chop or lift or carry a ladder is you ought to have them do that.

Your Honor, common sense tells us that is ridiculous, Can you imagine the carnage at the exam site when you have novices swinging axes and carrying ladders and trying to raise 60-pound fans overhead? It's ridiculous....

Now, event number [two, the] hose drag. Now, they had several complaints, a couple principal complaints about event two. They were timing and intention. They didn't like the fact that the events measured there were timed. Well, your Honor, the reality is that that event needs to be timed.... [A] pump in Cleveland has only about two minutes of water, so it's important the fire department get that line laid out and connected to the hydrant as soon as possible. Hook and ladder people engage in rescue, ventilation work, and it's important that ventilation be done simultaneously with efforts to hook up that line so by the time the line is hooked up, the water is ready to go, the building is ventilated, the heat and smoke is coming out. You can't waste your time doing those activities, your honor. ...

Now, on to event number three. They have principally three complaints about that. First, they don't like the fact this event was timed. Second, they don't like the weight of the dummy. Again, event number three was timed for the same reason event number two was timed. It demonstrates tasks, it has to be done as quickly as possible. We're talking, event number two, about being able to measure, the candidate's ability to drive themselves by pulling their weight a certain required distance. It's a simulated rescue. It's something that has to be done as quickly as possible. ...

They didn't like the weight of the dummy. ... They offered in lieu of the dummy use of an articulated dummy, something with arms and legs your Honor.

We saw the description of how the event number three was set up. There was an overhead barrier they had to crawl up. You can have the legs and arms and everything flailing all over the place. What's the sense of having an articulated dummy. The plaintiff's own witness, Buddy Gasey, said he tried using an articulated dummy for his course, five or six people go through with that thing, arms are torn off, legs are torn off. Imagine the complaints we'd have from the plaintiffs had we used an articulated dummy and that dummy was not the exact weight and specification for each candidate that went through. Clearly, their complaints about the weight are ridiculous.

Third is the grip. This is a real surprise. They didn't like the handle. They wanted to be able to have a dummy or weight designed so each candidate could grab it however they please. What they're ignoring here, your Honor, is they're introducing differentiation, they're eliminating the standardization of this event. If you leave it up to a candidate to figure out how they're going to grab the dummy, imagine the variance you're going to get in your examination. ...

Again, back to time. I forgot to mention we talked about the time issue. We have firefighters [who talked] about the criticality of rescues. Talked about how when a structure is burning and he goes in to perform a rescue, there are two people's lives at steak [*sic*], his and the life of the victim. He's going to do everything to make sure he gets the victim out and himself out and alive as soon as possible . . . .

The City of Cleveland is not a laboratory, your Honor, they are real people in this town, real people who when their homes are on fire or the lives of their children—maybe that's funny to some people, but the reality is it's a serious situation when someone's home is on fire and the City cannot afford to experiment with a job that involves such serious dangers to the public. The City certainly deserves to have the best qualified for the job and their very lives depend on that. Thank you.

图书在版编目(CIP)数据

民事诉讼法：原理、实务与运作环境/(美)苏本等著；傅郁林等译．
—北京：中国政法大学出版社，2004.9
（美国法律文库）
ISBN 7－5620－2651－3

Ⅰ．民…　Ⅱ．①苏…②傅…　Ⅲ．民事诉讼法—研究—美国
Ⅳ．D971.251

中国版本图书馆CIP数据核字(2004)第101639号

* * * * * * * * * * * *

书　　名	民事诉讼法
	——原理、实务与运作环境
出 版 人	李传敢
出版发行	中国政法大学出版社
经　　销	全国各地新华书店
承　　印	清华大学印刷厂
开　　本	787×960　1/16
印　　张	67.25
字　　数	1275千字
版　　本	2004年3月第1版　2004年3月第1次印刷
印　　数	0 001－5 000
书　　号	ISBN 7－5620－2651－3/D·2611
定　　价	80.00元

社　　址　北京市海淀区西土城路25号　邮政编码　100088
电　　话　(010)62229563(发行部)　62229278(总编室)　62229803(邮购部)
电子信箱　zf5620@263.net
网　　址　http://www.cuplpress.com(网络实名：中国政法大学出版社)

☆☆☆

声　　明　1．版权所有，侵权必究。
　　　　　2．如发现缺页、倒装问题，请与出版社联系调换。

本社法律顾问　北京地平线律师事务所